A arte da política

Fernando Henrique Cardoso

A arte da política: a história que vivi

COORDENAÇÃO EDITORIAL
Ricardo A. Setti

CIVILIZAÇÃO BRASILEIRA

Rio de Janeiro
2006

CAPA
Leonardo Iaccarino

FOTO DA CAPA
Julio Bittencourt / Valor Econômico / Agência O Globo

FOTO DA QUARTA CAPA
Cristiano Mascaro

CIP-BRASIL. CATALOGAÇÃO-NA-FONTE
SINDICATO NACIONAL DOS EDITORES DE LIVROS, RJ

Cardoso, Fernando Henrique, 1931-
C262a A arte da política: a história que vivi / Fernando Henrique Cardoso; coordenação editorial: Ricardo A. Setti. – Rio de Janeiro: Civilização Brasileira, 2006.

ISBN 85-200-0735-X

1. Cardoso, Fernando Henrique, 1931- . 2. Ciência política. 3. Brasil – Política e governo, 1995-2002. 4. Brasil – Política econômica. 5. Brasil – Condições sociais. 6. Reforma monetária – Brasil. 7. Estabilização econômica – Brasil. I. Título.

06-0545 CDD 320.981
CDU 32(81)

Direitos desta edição adquiridos pela
EDITORA CIVILIZAÇÃO BRASILEIRA
um selo da
EDITORA RECORD LTDA.
Rua Argentina 171 – 20921-380 – Rio de Janeiro, RJ – Tel. 2585-2000

PEDIDOS PELO REEMBOLSO POSTAL
Caixa Postal 23.052 – Rio de Janeiro, RJ – 20922-970

Impresso no Brasil
2006

Para Ruth

SUMÁRIO

AGRADECIMENTOS

Este livro deu muito trabalho a muita gente. Não fosse a competência, a paciência e a amizade de Danielle Ardaillon, Eduardo Graeff, Sérgio Fausto, Tarcísio Costa e José Estanislau do Amaral, ele jamais chegaria à publicação. Antigos colaboradores, esmeraram-se em me ajudar a precisar informações, revisar documentos, entrevistar pessoas, rever textos, complementá-los com sugestões, enfim, a fazer o que só com dedicação e trabalho se consegue. Sou imensamente grato a eles.

Além desses, outros amigos tiveram a pachorra de ler e fazer comentários sobre alguns capítulos, especialmente Celso Lafer, Clóvis Carvalho e Eduardo Jorge, eles mesmos partes de algumas das estórias que conto no texto. Outros, que também participaram dos esforços para mudar o Brasil, se dispuseram a dar entrevistas ou a responder a consultas feitas por Sérgio Fausto ou por mim, especialmente Pedro Malan, José Gregori, Armínio Fraga, Gustavo Franco, Pérsio Arida, Gustavo Loyola, Amaury Bier, Murilo Portugal e José Paulo Silveira. Sou-lhes enormemente grato.

Na obsessão de reler e revisar os capítulos (mormente porque escritos em momentos distintos), pedi opiniões não só aos meus colaboradores diretos, já mencionados, mas à Ruth e a meus filhos Paulo Henrique e Beatriz. Por fim, com franqueza, não fosse a dedicada, competente e minuciosa cooperação de Ricardo A. Setti, que revisou tudo, adicionou comentários, reviu nomes, datas, fatos e estilo, certamente o livro seria de mais difícil leitura e correria maiores riscos de imprecisão. Especialmente a Setti, a Danielle, a Eduardo Graeff e a Sérgio Fausto, devo imensa gratidão.

Desnecessário dizer, como de praxe (por isso redundo), que nenhum dos citados acima tem a mais remota responsabilidade pelas opiniões e interpretações do livro, mas todos têm muito a ver com o que de bom possa haver nele.

Por fim, a compreensão, o estímulo e a paciência de meus editores, Sérgio Machado e Luciana Villas-Boas, foram fundamentais para diminuir a angústia de quem sabia que tinha todos os prazos esgotados e ainda muitas obrigações a cumprir. Sem essa atitude este livro não teria chegado ao final. Sou-lhes gratíssimo.

F.H.C.

Introdução

O tempo não perdoa

Hesitei em escrever um livro a respeito do Brasil que incluísse minha experiência como Presidente. Primeiro, porque talvez se espere de um ex-Presidente um livro de memórias ou, se ele tiver experiência acadêmica, uma análise aprofundada das questões nacionais. Sempre tive implicância com a idéia de escrever rememorações pessoais, autobiografias e coisas assemelhadas. Parece pretensioso e corre o risco da subjetividade, conduzida para fazer o autor sair-se bem na pose histórica.

Além disso, não falta quem diga que sou vaidoso. Imagine-se o que diriam se me dedicasse a escrever autobiografia. Pelo menos neste caso valha a *boutade*, que já me deu tanto trabalho, de dizer que sou mais inteligente do que vaidoso, e afaste-se de mim este cálice.

Bem que tive vontade de ser um pouco mais memorialista do que sociólogo. Gravei impressões quase todos os dias em que exerci a Presidência. Quando o cansaço impedia esse exercício diário, registrava dois ou três dias depois minhas observações e sensações. Devo a Celina Vargas do Amaral Peixoto a sugestão de fazê-lo. No início do governo ela me deu um caderno de anotações, junto com uma página fotocopiada do diário, até então inédito, de seu avô, Getúlio Vargas. Logo percebi a maior praticidade de ditar a um gravador as impressões em vez de escrevê-las com minha letra de médico, difícil de decifrar.

Não tenho, por outro lado, disponibilidade de tempo para elaborar uma análise acadêmica e bem documentada do processo político e das transformações pelas quais o Brasil tem passado nestes últimos vinte anos. Refiro-me tanto ao tempo real (as pressões do dia-a-dia do mundo contemporâneo e as específicas de um ex-Presidente) quanto ao imaginário: aquele que a distância infinita da morte faz de seu desperdício um gozo. Comecei a escrever este livro aos 72 anos e agora, aos 74, termino esta Introdução. Não posso mais dar-me ao luxo de imaginar, parafraseando obliquamente Vinicius de Moraes, que a vida seja infinita enquanto dure. Essa sensação de infinitude é um consolo para as rupturas. A mais trágica de todas é a da própria existência. Constrangedora, cruel, inevitável. Só os loucos, no entanto, não a tomam em conta.

Ulysses Guimarães repetia que o tempo não perdoa quem não sabe trabalhar com ele. Por essa razão, tomei algumas decisões práticas. Primeiro, deixarei as gravações para serem analisadas posteriormente, por quem possa interessar-se em ver como as sensações percebidas por quem está exercendo o governo são (ou podem ser) distintas daquilo que de fato acontece. E também como os motivos e os objetivos de quem toma decisões podem ser muito diferentes do que pensam ou dizem a imprensa, as outras pessoas e mesmo os políticos.

Isso não quer dizer que deixarei de consultar esses registros. Mas não os usarei sistematicamente.

Sonhei que, deixando a Presidência, teria de vagar para voltar aos arquivos do Congresso, às atas de reuniões de governo, enfim, à documentação necessária para imitar, guardadas as proporções e sem a pretensão de comparar, o que Joaquim Nabuco fez com o pai, o senador José Thomaz Nabuco de Araújo (1813-1878), governador de província, senador e ministro, em *Um estadista do Império*.[1] Para isso seria preciso ter havido de verdade um estadista na República.

Um Estado a ser reconstruído

Quando se acorda do sonho, a realidade é bem outra. Bastou reler os jornais e revistas do período de preparação do Plano Real e mergulhar em algumas entrevistas com meus colaboradores da época para perceber que não seria possível existir estadista em um Estado próximo da ruína. Se algo realizamos nos dez anos em que fui ministro ou Presidente — não apenas eu, mas dezenas de pessoas, anônimas umas, notórias outras, e algumas notáveis —, foi reconstruir a máquina administrativa, dar maior consistência às políticas públicas, enfim refazer o Estado, sempre no con-

---

[1] Joaquim Nabuco, *Um estadista do Império*, apresentação e cronologia de Raymundo Faoro, posfácio de Evaldo Cabral de Mello, textos de Machado de Assis e José Veríssimo Baptista Pereira, 5ª ed., Rio de Janeiro, Topbooks, 1997, 2 v.

texto de uma sociedade que se democratiza e quer respeitar os valores republicanos.

Por ironia, o cantochão contra mim e contra o governo quase sempre repisava que éramos "neoliberais", queríamos privatizar tudo, minimizar o Estado e servir ao capital.

Espero que este livro proporcione ao leitor uma visão mais objetiva do esforço desenvolvido e mostre a complexidade, a rugosidade do real, não só da moeda e de seu plano de estabilização, mas da realidade brasileira. Sobretudo espero que o leitor possa perceber que governar um país, elaborar projetos, conceber programas, implantar políticas é um processo coletivo. Insisto no conceito: processo. Lendo os jornais e revistas, assistindo à TV, conversando nos botequins e pontos de ônibus, nas ante-salas de ministérios, nos corredores do Congresso e mesmo no governo, espera-se, implora-se às vezes, por um ato, um gesto heróico, enfim, qualquer coisa que solucione logo as aflições do povo, ou os interesses de algum grupo. Estes últimos talvez possam ser atendidos num rompante. Os interesses de todo um povo, não. Dependem de ação continuada que mude práticas, mentalidades, estruturas.

Não por acaso as reformas são tão difíceis. Nem por outra razão quem deseja mudar de verdade as coisas, para propiciar ao país um horizonte de maior bem-estar e progresso, às vezes se sente só.

Em família: o Brasil e a História

Os capítulos em que discuto os percalços para empreender algumas reformas e nos quais mostro parte dos resultados alcançados são antecedidos por dois outros relativos a período distinto de minha vida. No primeiro deles, intitulado "*Fortuna* e alguma *virtù*", faço umas poucas referências biográficas. Nelas incluo breves anotações sobre minha família, principalmente a paterna, estabelecida no Rio de Janeiro desde a juventude de meu avô (a materna vivia em Manaus), com a qual tive convívio intenso e aprendi muitas lições sobre o Brasil e a História. Jovem oficial do Exército, meu avô, Joaquim Ignacio Batista Cardoso, participou da conspiração para a Proclamação da República. A profunda imersão dele e do irmão, Augusto Ignacio do Espírito Santo Cardoso, igualmente militar, em lutas e conspirações para mudar o país acabaram contaminando primos, filhos e sobrinhos, criando o caldo de cultura cívica em que vivi desde criança. Faço ainda referências à minha formação intelectual e política. Em duas passagens deste capítulo — "Uma digressão teórica" e "A busca contínua da legitimação" —, me deixei levar por considerações um pouco mais acadêmicas. Espero que o leitor perdoe o tom e o deixe à conta de quem tem a boca torta pelo uso do cachimbo. Sua leitura permitirá esclarecer os fundamentos de algumas de minhas convicções. Se, porém, for cansativa, saltá-la não prejudica a compreensão dos capítulos que seguem.

No Capítulo 2, "Aprendendo na política", rememoro meus passos iniciais fora da Academia e dou um depoimento de como vi certas questões fundamentais da redemocratização. A grande causa de minha geração não foi a da estabilização da economia. Nem tampouco a do desenvolvimento econômico. Foi a da democracia. Elas não são excludentes. Há que lhes atribuir a cada momento, no entanto, seu peso relativo. E, como mostrarei nos capítulos subseqüentes, as mudanças havidas no Brasil tiveram como base a redemocratização. É óbvio que sem ela também poderiam ter ocorrido mudanças, eventualmente até com maiores êxitos no crescimento do Produto Interno Bruto (PIB). O país, contudo, seria outro, com outro dinamismo, mais baseado no Estado e nas empresas do que na vitalidade da sociedade.

Por isso, para mim, a História contemporânea da política brasileira começa nos anos 1970, com as lutas pela volta à democracia, sonhada por muitos como se fosse a inauguração de uma sociedade — dando nome às coisas — socialista. Dos guerrilheiros de todo tipo aos democratas liberais, da luta pela anistia ao renascimento da sociedade civil com suas persistentes organizações não-governamentais (ONGs), dos fóruns do Teatro Casa Grande, no Rio, à Sociedade Brasileira para o Progresso da Ciência (SBPC), à Ordem dos Advogados do Brasil (OAB), à Conferência Nacional dos Bispos do Brasil (CNBB) ou à Associação Brasileira de Imprensa (ABI), das greves de Osasco (SP) e do ABC paulista à campanha pelas Diretas Já, de tudo isso junto surgiu um horizonte democrático.

O cerco ao regime autoritário, sua transformação interna com a abertura "lenta, gradual e segura" e com o surgimento de figuras de relevo vindas do movimento de 1964 que passaram a apoiar a redemocratização, como o então senador Teotônio Vilela, o ex-ministro Severo Gomes ou o general Euler Bentes Monteiro, constituíram a antecâmara de um novo Brasil. A oposição institucional deixou de ser expressão da "oposição consentida", como diziam do Movimento Democrático Brasileiro (MDB), para ser a oposição de verdade.

O resultado desse borbulhar da sociedade acabaria sendo a convocação da Assembléia Nacional Constituinte, finalmente eleita em 1986. As greves de São Bernardo do Campo (SP) e a campanha das Diretas Já pavimentaram o caminho. Sobre São Bernardo há muitos depoimentos e muitas estórias contadas. Registrarei, no Capítulo 2, como vi na ocasião — e vi de perto — o que estava acontecendo, como conheci Lula e o que com ele cheguei a compartilhar.

A campanha das Diretas Já em 1983-1984 deve muito à visão e à persistência de um homem, André Franco Montoro, governador de São Paulo pelo Partido do Movimento Democrático Brasileiro (PMDB), somadas ao magnetismo de um ícone democrático, o deputado Ulysses Guimarães, presidente do partido. Antes dessa época, já agiam os movimentos profundos da sociedade, que, mesmo sem saber ou querer, prepararam o terreno para a volta da democracia. As lutas contra a ditadura, o sofrimento nas câmaras de tortura, a resistência na imprensa nanica e depois na grande mídia, os estudantes, os intelectuais, os religiosos inconformados, os operários e seus líderes nas greves, a ânsia de todo o povo por liberdade resultaram na Constituinte. Não sem antes passar pela tragédia nacional da agonia e morte do Presidente eleito Tancredo Neves. Foi esse processo que permitiu o surgimento na cena pública nacional das novas lideranças, que ainda estão na liça, e deu a algumas lideranças da geração anterior a possibilidade de se renovar. Permitiu, sobretudo, o enraizamento de instituições democráticas no Brasil, abrindo espaço para um país melhor.

Abracei a causa da democracia com entusiasmo: ela motivou a revisão de minhas análises teóricas e por causa dela passei a participar ativamente da política partidária. Em 1978 tive minha primeira experiência eleitoral, candidatando-me ao Senado em São Paulo com apoio de sindicalistas, artistas e intelectuais, alguns dos quais se voltariam contra mim como Presidente. Mais tarde, em 1985, já senador, amarguei a derrota ao disputar a Prefeitura da capital contra o ex-Presidente Jânio Quadros. Doída no momento, serviu-me, porém, como valioso aprendizado.

O Plano Real, a candidatura e a chegada ao Planalto

Foi no quadro de absoluto respeito à Constituição (inclusive para alterá-la), que abracei a outra grande causa da época, a da estabilização da moeda, como analiso no Capítulo 3, "O Plano Real: da descrença ao apoio popular". Hoje se fala da inflação como "galinha morta", embora nessa matéria seja imprudente considerar vitórias como sendo definitivas. Em 1993-1994, período em que fui ministro da Fazenda, o clima era totalmente distinto: a inflação corria acima de 20% ao mês. Quer dizer, mais de 1.000% ao ano! Só mesmo fazendo apelo à exclamação em desuso para descrever tanto horror perante os céus.

Descrevo a surpresa, que me atingiu como um terremoto, do convite-convocação do Presidente Itamar Franco para que eu trocasse o Itamaraty pelo Ministério da Fazenda, quando me encontrava em Nova York, voltando de missão oficial ao Japão. No clima de incerteza daqueles tempos (na verdade, a indexação salvava os ricos), a dúvida maior era saber se valia a pena e se existiam condições para a estabilizar a moeda. Mais do que um plano, os esforços, batizados na mídia de Planos FHC-1 e FHC-2 (denominação preferida pelos que apostavam contra e diziam ser nome de agrotóxico), constituíram-se em uma aventura levada adiante por um pequeno grupo de crentes. Havia os que acreditavam na razão econômica e tinham sido escaldados por planos anteriores com os quais colaboraram. Havia os que acreditavam nos milagres da democracia, para aumentar a consciência da população sobre os males que a afligem. Naturalmente, não se tratava de seitas excludentes. Era possível pertencer a ambas.

Houve momentos, como se verá adiante, nos quais o que veio a chamar-se (às vezes depreciativamente) de "a equipe econômica", com o ministro à frente, estava quase completamente isolada. Quando assumi o Ministério da Fazenda, era já o quarto ministro em sete meses e o governo do Presidente Itamar Franco (1992-1995) enfrentava sérias dificuldades. A primeira reação foi de alívio, não só porque afirmei no discurso de posse que o Brasil tinha que enfrentar três grandes problemas, a saber, a inflação, a inflação e a inflação, como porque eu gozava, sabidamente, da confiança do Presidente da República.

Com o passar dos meses, como me recusasse a fazer a mágica, tantas vezes tentada anteriormente, de acabar com a inflação "de um só golpe", aplicando um novo ucasse sobre a política econômica (prisão de sonegadores, "mais vontade política", as opções variando ao sabor dos proponentes), um certo desânimo se abateu nas cúpulas dirigentes. Até hoje não sei onde encontramos ânimo para resistir a tantas pressões.

Resistimos, fomos adiante, o Plano Real deu certo e, sem que essa fosse minha expectativa, me tornei candidato à Presidência. Todo o final do Capítulo 3 é dedicado às articulações que acabaram me levando a palanques, comícios e carreatas pelo Brasil afora e, finalmente, ao Palácio do Planalto. Ali narro da mesma forma as complexas relações, em geral amistosas e construtivas, que mantive durante aquele período com o Presidente Itamar, do qual fui candidato — acredite o leitor — sem que uma única vez trocássemos uma palavra direta a este respeito. A riquíssima experiência da campanha eleitoral me permitiu enxergar melhor o país e seus problemas. Refiro-me nessa parte também às emoções, quase sempre contidas por meu temperamento, do dia da posse, quando, ainda no Rolls-Royce presidencial, a caminho da cerimônia no Congresso, enquanto acenava para a multidão reunida na Esplanada dos Ministérios, sentia sobre meus ombros o aterrador peso da História.

Vitórias e derrotas, perdas e ganhos

No Capítulo 4, "No Planalto: desvendando a esfinge do poder", entro de chofre em minha experiência como Presidente. Não deixo de observar, aqui e ali, algumas características que marcam (e muitas vezes para o mal) nosso sistema político. Mas a descrição e a análise se concentram em mostrar as condições nas quais um Presidente faz a escolha dos aliados, nomeia seus ministros — o episódio da conversa em que Pelé aceitou ser ministro de Esporte talvez rendesse uma peça de ficção —, tenta levar adiante suas políticas e entra no grande jogo de poder que se dá entre o Executivo, o Legislativo e a sociedade, muitas vezes mediado pela Justiça.

Nesse capítulo procuro evitar tomar legendas por partidos, cair no simplismo de ignorar o choque de interesses econômicos ou de poder e enxergar em tudo diversidade de posições ideológicas. Ao mesmo tempo, evito pensar que todo jogo político é mera mistificação e, portanto, ninguém está nele com propósitos autênticos, visando melhorar as coisas (naturalmente, segundo perspectivas diversas). Na dinâmica entre o Executivo e o Legislativo, toda a arte para um governo levar adiante seu programa — desde que o tenha — consiste em manter a agenda do Congresso sob controle e a sociedade informada de seus propósitos. É nesse contexto que aparecem os altos e baixos de minhas relações com alguns dos protagonistas da política como o ex-Presidente José Sarney ou o senador Antonio Carlos Magalhães. Descrevo bem francamente alguns momentos difíceis pelos quais passei, incluindo-se a infâmia da "compra de votos" para aprovar a emenda da reeleição. Falo com franqueza de políticos próximos que romperam comigo, alguns momentaneamente, como o ex-Presidente Itamar, outros definitivamente, caso do ex-governador Ciro Gomes. Abordo episódios pouco conhecidos, como o jantar com os ministros militares em que lhes informei minha decisão de fazer reparações nos casos dos mortos e desaparecidos políticos da ditadura. Conto, com detalhes até agora não expostos publicamente, o duplo golpe que sofri ao perder, num intervalo de dois dias, dois amigos queridos e dois esteios políticos de meu governo, o ministro das Comunicações, Sérgio Motta, e o líder do governo na Câmara, deputado Luís Eduardo Magalhães. Mostro como encarei a tese da reeleição, em que momento e com quais motivos, ou justificações, a endossei. E saliento, o tempo todo, que as reformas e a visão de um outro Brasil foram os objetivos de minhas ações e das alianças que fiz.

Nos Capítulos 5 e 6, respectivamente "Pedras no caminho: as incertezas da economia" e "Dos obstáculos à herança bendita", descrevo com os pormenores necessários a presença inquietante do demiurgo contemporâneo: o mercado financeiro. É por intermédio dele que entram em cena novos atores no palco do poder: as finanças internacionais, as grandes agências, como o Fundo Monetário Internacional (FMI), a presença do Tesouro (no caso o que realmente conta, o americano), nações estrangeiras, a pressão dos interesses econômicos internos e assim por diante.

O enredo dessa história, que é a continuação da política de estabilização, se desenvolve em uma pugna entre a taxa de juros e a taxa de câmbio, envoltas ambas na atmosfera rarefeita da política de contenção de gastos públicos, ou seja, na crise fiscal. Nesta, o personagem central é o crescente déficit da Previdência, que tem um "amigo oculto", o corporativismo que resiste ao abandono de privilégios, encontrando brechas na lei e amparo no Judiciário. Tal enredo, no entanto, não vem à cena de maneira direta e simples: ele aparece sob as vestes de especulações financeiras, crises internacionais, vírus que afetam por contágio a moeda local. De fato, esses são vírus oportunistas que se instalam na economia pela fraqueza das finanças públicas. Estas, corroídas pelos déficits (pois, além da Previdência, os gastos correntes, sobretudo com a folha de pessoal, também pressionam o Tesouro), sustentam-se com o governo tomando empréstimos em espiral, o que limita a possibilidade de baixar as taxas de juro. Quando as tempestades vêm do exterior encontram, portanto, uma economia desabrigada, incapaz de ajustar-se, sem muitas reformas, aos ares do mundo.

Os dois capítulos descrevem os esforços, os erros e os êxitos de oito anos de readaptação das condições econômico-financeiras do Brasil para o país conseguir vir à tona, como veio, na economia globalizada (hoje se fala dos BRICs, Brasil, Rússia, Índia e China, como as novas economias emergentes). Conto, com os pormenores cabíveis, as crises que levaram ao fim os bancos Econômico, Bamerindus e Nacional, as dificuldades para implementar programas de salvaguarda da solidez do sistema financeiro, os supostos "escândalos" que permearam tudo isso, até chegar ao governo do Presidente Lula que, de certa maneira, ao manter incólumes os pilares macroeconômicos que lançamos, forneceu a prova de que nas circunstâncias o caminho percorrido foi o melhor possível. Relato os contatos que mantive no exterior, o tempo todo, para salvaguardar os interesses da economia brasileira — e o respaldo que obtive de dirigentes que se tornaram amigos, como o Presidente dos Estados Unidos, Bill Clinton. E conto como estava determinado a mudar a política cambial e que obstáculos enfrentei para efetivar esta mudança durante o primeiro mandato. Eles variaram das incertezas e temores — na época justificados — quanto à volta da inflação se houvesse uma política mais ativa de desvalorização da moeda sem aperto fiscal, até acidentes de percurso, como a perda de colaboradores preciosos graças ao "escândalo" dos grampos telefônicos. E tampouco havia certezas quanto à melhor política a adotar, nem capacidade efetiva da União para impor maior disciplina fiscal, sobretudo aos estados. Também estão descritos no livro os episódios que levaram à desvalorização do real e à redefinição das políticas macroeconômicas.

O Capítulo 7, "A luta contínua para reordenar o Estado", descreve o calvário da apresentação, debate, descaracterização, reconstituição e aprovação (nem sempre em termos satisfatórios) de um conjunto de medidas necessárias para reformar a máquina governamental, minorar a crise fiscal e liberar a economia das travas do passado. Ao analisar as dificuldades para avançar as reformas, contudo, mostro que o Congresso, com suas peculiaridades e morosidades, representa os interesses e as visões existentes na sociedade. Cabe ao governo (e principalmente ao Presidente) entender os termos do jogo democrático. Presidente que não toma o Congresso em consideração está invariavelmente fadado ao fracasso, quando não ao *impeachment*. O Presidente precisa ter equilíbrio para perceber que as obstruções, emendas e negaças do Legislativo muitas vezes propiciam entendimentos que melhoram os resultados. Nem sempre, é verdade. Neste caso, cabe ao Presidente bater o pé, dentro das regras do jogo. E se não obtiver resultado, ir novamente à sociedade e insistir na defesa de suas teses. É por isso que nas democracias a luta é contínua e as melhorias são incrementais.

De quando em vez abre-se uma clareira na cerração dos avanços lentos. Isso se deu no início de meu primeiro mandato, quando aceleramos a aprovação das emendas constitucionais que quebraram ou flexibilizaram monopólios exercidos pelo Estado sobre certas atividades econômicas. Não foi fácil: precisei enfrentar com energia uma greve de petroleiros que, sob pretexto de demandar melhores condições de trabalho, no fundo, queria barrar a quebra dos monopólios, essencial para o progresso e a modernização do Brasil. Até mesmo do ponto de vista subjetivo me custou assumir as posições que adotei, pois meu pai, o general Leônidas Cardoso, foi um dos baluartes da campanha "O Petróleo é Nosso", e eu próprio respondi a inquérito policial-militar e fui processado por haver participado do mesmo movimento como tesoureiro do Centro de Estudos e Defesa do Petróleo, em São Paulo. Em 1996 e 1997 conseguimos caminhar de novo com velocidade. O Congresso aprovou várias leis complementares, como as relativas à telefonia ou à criação das agências reguladoras. Também nos períodos de crises financeiras o Congresso em geral teve atitude responsável, levando adiante matérias delicadas, como a criação ou o aumento de impostos.

A sociedade, a economia e uma preocupação do Papa

Começo o Capítulo 8, "A sociedade como protagonista", fazendo um apanhado sumário do modo como evoluíram as relações entre o Estado e a sociedade para fundamentar as mudanças nas políticas sociais. Em seguida menciono as principais políticas que pusemos em marcha. Começo pelas que, tendo como objetivo generalizar o acesso à educação e à saúde, são fundamentais para eliminar a exclusão social. Descrevo o que foi feito, sobretudo para a inclusão na escola básica. Quanto à saúde, mostro como tornamos realidade o que antes era aspiração e mesmo obrigação constitucional, o Sistema Único de Saúde (SUS).

Em seguida, discuto o significado da reforma agrária para nossa sociedade, tema carregado de paixão a ponto de merecer o interesse pessoal do Papa João Paulo II — que, como vou narrar neste livro, manifestou a mim reservas sobre a postura de setores da Igreja no Brasil diante da questão da terra. Paradoxalmente, me vi defendendo diante do Papa aqueles que, dentro do Brasil, me criticavam duramente. Apesar dos entraves legais, das pressões contra e a favor da reforma, conseguimos acelerá-la modificando as leis que definem os ritos de desapropriação. Graças a um programa que instituímos, pela primeira vez na História o crédito agrícola oficial chegou às mãos dos pequenos produtores rurais. Por outra parte, pusemos em funcionamento o Banco da Terra, que substitui a desapropriação pela compra, quando escasseiam latifúndios improdutivos nas áreas de assentamento.

Nas partes finais do capítulo, cuido das políticas para reduzir os bolsões de pobreza. Descrevo, sem muitas minúcias, no que consistiam esses programas, como foram financiados e os resultados expressivos — embora pouco divulgados — que alcançamos, melhorando a vida e a renda das pessoas. E trato também do que denominei projetos para uma nova agenda da cidadania: os direitos humanos, as questões da igualdade de gênero e de raça, e as importantíssimas questões do meio ambiente. O leitor verá o desdobramento na agenda nacional desses temas da democracia contemporânea.

Deixei para o penúltimo capítulo, o 9, "Estado e crescimento econômico", a discussão mais sistemática sobre as relações entre o Estado e a economia em época de globalização. Mostro que, a despeito de taxas modestas de crescimento econômico, houve uma mudança de patamar na estrutura produtiva brasileira. Ressalto o significado que o processo de privatização teve para as mudanças na organização do aparelho estatal, discuto a questão do investimento estrangeiro e destaco o papel que o planejamento estratégico desempenhou em meu governo. Muito do obtido se deveu à redução de custos, à fixação de prioridades e metas sustentadas em uma concepção de planejamento indutivo, e a parcerias entre os setores público e privado.

Para reanimar a economia, abalada pela abertura dos mercados e os controles impostos pela estabilização, inclusive os juros altos, não hesitamos em sustentar com o Banco Nacional de Desenvolvimento Econômico e Social (BNDES) políticas de industrialização voltadas para áreas específicas. Só assim se tornou possível renovar amplos setores industriais e expandir a produção a ponto de, no governo que se seguiu ao nosso, se atingir números impressionantes na pauta de exportações. Diga-se também que incentivamos com convicção as políticas exportadoras a partir da criação de uma câmara específica e do financiamento da atividade exportadora pelo BNDES, sem falar no corte dos impostos que recaíam sobre ela e nos acordos comerciais negociados pelo Itamaraty.

Na área agrícola, resolvemos a dívida agrária, criamos novos instrumentos de financiamento, induzimos a compra de equipamentos pelo crédito facilitado e, por fim, após a desvalorização do real, pudemos assegurar melhor competitividade a nossos produtos. Acrescento que, se não fosse a criação de um setor de produção de bens de informática e de telecomunicações e não fora a privatização bem-sucedida nessa área, o país não teria as condições de que passou a dispor para dar um salto na economia da era da informação.

Clinton, Menem, Blair: diplomacia presidencial e busca de nossos interesses

No último capítulo, o 10, "Política externa: o papel e as viagens do Presidente", trato da política externa, incluindo o relacionamento pessoal que estabeleci, em nome dos interesses do Brasil, com chefes de Estado e governo mundo afora — de Clinton ao Presidente russo Vladimir Putin, do Primeiro-Ministro britânico Tony Blair ao Presidente chileno Ricardo Lagos, dos reis da Espanha ao grande líder africano Nelson Mandela. Consoante com a visão sustentada em todo o livro, narro como substituímos a concepção de política externa baseada na idéia de "autonomia pela distância" pela busca da "autonomia pela participação". O mundo globalizado requer dos governos maior empenho na defesa dos interesses nacionais.

Altera-se a relação entre o interno e o externo, mas não o compromisso com os interesses fundamentais do país. O desafio da política externa é transformar essa difícil relação em vantagem estratégica a nosso favor.

Daí a importância da ampliação de nossas relações com a União Européia e a necessidade de uma redefinição das relações com os EUA. Sempre buscando preservar nossa autonomia e nossos interesses, sem diminuir a importância para nossos produtos dos mercados das regiões desenvolvidas. Foi a partir dessa perspectiva que encaminhamos as negociações da Área de Livre Comércio das Américas (Alca). Entretanto, a valorização do Mercado Comum do Sul (Mercosul) e do papel tanto político como econômico da América Latina e em especial da América do Sul continuam a ser os pilares de nossa política externa. O leitor encontrará, ao longo das páginas desse capítulo, episódios como uma dramática reunião Brasil-Argentina num hotel de São Paulo em que, a certa altura, tivemos que intervir — o Presidente Carlos Menem e eu — para desfazer um difícil nó. Conversamos à parte da mesa de reuniões, nos entendemos e eu próprio redigi, à mão, o texto do acordo que enfim acertamos. Destaco inclusive como e por que convoquei a primeira reunião de presidentes da América do Sul, realizada em Brasília em 2001.

As relações entre os países não se limitam à economia. Muitas vezes as boas relações econômicas é que são conseqüências de relações políticas. Prestei também muita atenção a essas últimas. Mostro o papel ativo desempenhado pelo Brasil na solução do conflito armado entre o Equador e o Peru e na defesa da democracia em nossa região, e o faço com detalhes. Aliás, essa é a parte do livro em que há mais referências a situações específicas e a diálogos. Isso não só porque crescentemente a diplomacia presidencial ganhou fôlego, como porque há grande incompreensão sobre as viagens presidenciais ao exterior. Penso que, mostrando diretamente o tipo de relação pessoal que se estabelece entre os chefes de Estado e governo (e isto é assim no mundo todo), o leitor ganha uma visão mais humana e ao mesmo tempo concreta de como se constituem as redes de comunicação e entendimento entre os governantes. Nos capítulos econômicos exponho a importância desse modo pessoal e direto de relacionamento para obter o melhor para o Brasil. Dentro de limites, naturalmente, pois nada substitui a boa diplomacia tradicional e, sobretudo, a coesão nacional para o país ter presença externa forte. Assim como, se os contatos pessoais ajudam a abrir mercados e a solver problemas, não são eles que explicam os fluxos de comércio.

Os capítulos do livro não obedecem propriamente a uma ordem cronológica, embora eu analise processos que vão se desdobrando no tempo. Sempre que possível, situo historicamente os episódios para que o leitor não se perca em seu emaranhado. Não sigo, contudo, passo a passo o que foi ocorrendo durante meus dois mandatos. A exposição antes segue a lógica dos problemas discutidos do que o fio da História. O encadeamento entre os capítulos é mais suposto que explícito. Escrevi-os deixando certa autonomia entre eles, de modo que podem ser lidos na ordem que o leitor preferir. Para facilitar a leitura há repetições, que ajudam a memória e a contextualização.

Democracia, mercado, paixão e perspectiva

Por fim, antecipando interpretações que farei com maior detalhe ao longo deste livro, adianto umas poucas considerações de ordem metodológica e valorativa sobre os acontecimentos históricos.

Depois de aprovada a emenda da reeleição no Brasil, Mário Soares, o grande líder do Portugal moderno, realizou uma série de entrevistas comigo, que foram posteriormente publicadas no livro *O mundo em português: um diálogo*.[2] Perguntou-me, a certa altura, se me consideraria realizado acaso fosse reeleito. Respondi-lhe que não: só estaria satisfeito se, ao terminar o segundo mandato, pudesse dizer, sem hesitação, que "o Brasil mudou". Não posso avaliar objetivamente se de fato houve mudanças e em que medida o país se transformou, nem se as mudanças alcançaram o ponto de não-retorno. Talvez seja esta a sensação agônica a pagar por quem se lança na vida pública: o juízo que conta é o da História, e a ele os personagens não assistem. Quando a grande mestra dos homens sentencia, o veredicto recai nos mortos.

O recurso disponível para minorar o sentimento de indeterminação que isso causa é a busca de referências em autores que lidaram com percursos históricos distintos. Por essa razão, e sem ânimo de comparar se-

[2] Mário Soares e Fernando Henrique Cardoso, *O mundo em português: um diálogo*, São Paulo, Paz e Terra, 1998.

não que de aprender, tratei de me beneficiar com a leitura de mestres na interpretação dos processos de mudança na História. Claude Lévi-Strauss, talvez o maior antropólogo contemporâneo, escreveu que ao começar um trabalho de sociologia ou de etnologia relia o *O 18 Brumário*, de Marx.[3] Lévi-Strauss tem uma interpretação bastante pessoal do *O 18 Brumário*. Vê em Marx o cientista que constrói um modelo, cujas propriedades e diferentes formas de reação estuda, como em um laboratório; e depois aplica essas observações para interpretar o que ocorre empiricamente. Concordo que quem quiser escrever sobre História e política deve ler o livro recomendado. Não sou, porém, tão estruturalista quanto o mestre francês. Tenho mais pendor para ver como as estruturas se formam pela ação das pessoas. Por isso acrescentaria à recomendação da leitura de Marx que se lesse também algum texto de Alexis de Tocqueville.

Os livros mais conhecidos e famosos de Tocqueville, *A democracia na América*[4] e *O antigo regime e a Revolução*,[5] são boas fontes de inspiração. Como contraponto à análise do *O 18 Brumário*, entretanto, a leitura das *Lembranças de 1848*[6] é a mais indicada. Ambos foram escritos ao calor da hora, sem a perspectiva do tempo, mas a agudeza de percepção dos autores é extraordinária. Tudo o que é explicado pelo grande movimento das estruturas da sociedade na tradição marxista vem esmiuçado na narrativa do dia-a-dia de Tocqueville. Nela, as ações, pensamentos e omissões dos distintos atores são analisados antes de serem "acontecimentos históricos". A trama da situação revolucionária na França da época descrita por Tocqueville abrange os grandes atores que se moviam nas cúpulas, mas inclui também os *sans-culottes* encontrados casualmente nas barricadas de Paris. Embora não acompanhe Tocqueville na visão liberal-conservadora, admiro-lhe a capacidade de entender o desenrolar dos fatos de 1848.

---

[3] Karl Marx, *O 18 Brumário e Cartas a Kugelmann*, apresentação de Octavio Ianni, 2ª ed., Rio de Janeiro, Paz e Terra, 1974 (Rumos da Cultura Moderna, 19).

[4] Edição recente desta obra em dois volumes, o primeiro de 1836, o segundo de 1840, é Alexis de Tocqueville, *A democracia na América*, São Paulo, Martins Fontes, 2005 (volume I) e 2000 (volume II).

[5] Edição recente desta obra de 1856 é Alexis de Tocqueville, *L'Ancien régime et la révolution*, Paris, GF, 1988.

[6] Edição recente desta obra de 1851 é Alexis de Tocqueville, *Lembranças de 1848: as jornadas revolucionárias em Paris*. São Paulo, Companhia das Letras, 1991.

O quadro de inspiração para entender os acontecimentos históricos ficará completo se for possível acrescentar a leitura da famosa conferência de Max Weber sobre *A política como vocação*,[7] na qual o maior sociólogo do século passado analisa os êxitos e fracassos dos políticos no afã de modificar o curso das coisas. As dez últimas páginas da conferência expressam à perfeição as angústias dos políticos conscientes de seu papel. O tema da ética de responsabilidade e da ética de convicções é exposto magistralmente pelo mestre alemão: "Se fizermos qualquer concessão ao princípio de que os fins justificam os meios, não será possível aproximar uma ética dos fins últimos (de convicções) e uma ética da responsabilidade, ou decretar eticamente que fim deve justificar que meios."

A situação agônica do político, não obstante, permanece. Em contraposição à ética cristã, por exemplo, ou à ética do amor, de oferecer o outro lado a quem já alvejou uma face do rosto, o político tem comportamento distinto. À norma de não resistir ao mal pela força, o político responde que "a proposição inversa é que tem valor: 'o mal *deve* ser resistido pela força' ou seremos responsáveis pela sua vitória" (p. 143).

Daí Weber afirmar, sem contradição com o comportamento ético (mas de uma ética que mede as conseqüências dos atos), que a violência é instrumento decisivo na política. Essa característica obriga o político a lidar com as "forças demoníacas", como ele chama: "Também os primeiros cristãos sabiam muito bem que o mundo é governado pelos demônios e quem se dedica à política, ou seja, ao poder e força como um meio, faz um contrato com as potências diabólicas, e pela sua ação se sabe que não é certo que o bem só pode vir do bem e o mal só pode vir do mal, mas que, com freqüência ocorre o inverso. Quem deixar de perceber isso é, na realidade, um ingênuo em política" (p. 147).

Antes de Weber, Maquiavel, como mostrarei no Capítulo 1, propusera uma ética não-cristã que, mesmo sem substituir esta última, guiaria os passos dos políticos. Weber ressoava Goethe, cujo Fausto, quase um século antes, trabalhando com o mal, descobriu que a destruição pode ser criativa. Tomando de empréstimo as capacidades destrutivas de Mefistófeles, sentiu que existia algo de divino no poder demoníaco. Se Weber

---

[7] Max Weber, *Ensaios de sociologia*, Rio de Janeiro, Zahar, 1963, tradução de Waltensir Dutra, cap. 4, "A política como vocação".

aceita que a violência e o poder participam das artes do capeta e que o bem (Deus) também criou a capacidade cósmica de destruição, não chega tão longe quanto o demo, que aconselhava Fausto a afastar qualquer dúvida moral, lançando nos outros a culpa e eliminando a pergunta inibidora da liberdade de ação: "*deveria* fazê-lo?" A questão válida seria outra: "*como* fazê-lo?"

Weber tinha desprezo pelo político que dá de ombros para as conseqüências de seus atos, jogando a "culpa" na mesquinhez dos outros ou do mundo, resguardando-se em sua moral íntima, com as mãos limpas. Ao contrário, respeitava o homem *maduro* (não importa se jovem ou velho) que, em determinada circunstância, decide: "não posso fazer de outro modo" e assume a respectiva responsabilidade. "Isso", diz nosso autor, "é algo genuinamente humano e comovente" (p. 151). "Na medida em que isso é válido, uma ética de fins últimos e uma ética de responsabilidade não são contrastes absolutos, mas antes suplementos, que só em uníssono constituem um homem genuíno — um homem que *pode* ter a 'vocação para a política'" (p. 151).

Foi por vislumbrar em Weber a possibilidade de conciliar realismo (se quiserem, pragmatismo, sem porém a conotação filosófica) com valores e limites éticos que transcendem o imediato da circunstância, que em meu discurso inaugural no Senado, em 1983, incluí a citação que ora reproduzo: "A política é como a perfuração lenta de tábuas duras. Exige tanto paixão como perspectiva. Certamente, toda a experiência histórica confirma a verdade, que o homem não teria alcançado o possível se repetidas vezes não tivesse tentado o impossível. Para isso, o homem deve ser um líder, e não somente um líder, mas também um herói, no sentido muito sóbrio da palavra. E mesmo os que não são líderes nem heróis devem armar-se com a fortaleza de coração que pode enfrentar até mesmo o desmoronar de todas as esperanças." O verdadeiro político, mesmo que não alcance aquilo a que se propôs, e que todos se voltem contra ele, encontrará forças para dizer que "apesar de tudo" fez o que pôde. Só aquele capaz disso, dirá Weber, tem a verdadeira vocação para a política.

Reli tudo o que estou aconselhando ao leitor. Ainda assim, tenho dificuldades para compor um painel do Brasil de hoje e compará-lo com o de ontem. Não é tarefa simples mostrar que existe um Brasil radicalmente diferente do passado e, conseqüentemente, avaliar minha própria ação.

Não fosse o legado intelectual dos autores referidos anteriormente e de muitos outros, estaria em condição ainda mais adversa. Consolo-me de minha insuficiência intelectual para a tarefa proposta, dizendo que talvez não consiga esboçar um painel convincente das grandes mudanças porque não houve no Brasil uma época de grandes transformações. Ao dizer isto, porém, lanço uma condenação sumária a meu próprio esforço e ao de muitos contemporâneos: se eu duvidar da magnitude das mudanças, que dirão os outros?

Melhor, com menos modéstia, apostar em que algo de fato mudou significativamente. Algumas transformações importantes se iniciaram antes de meu governo, outras foram consolidadas por políticas que praticamos. Muitas, ainda, permaneceram a meio caminho, sem falar daquelas, que não são poucas, que precisariam ser realizadas para estarmos à altura dos desafios do mundo e que não pudemos conduzir. Repito a ressalva: o juízo dos contemporâneos é sempre precário, sobretudo o dos atores principais. São tênues os limites entre o balanço do realizado e a racionalização para justificar o que deixou de ser, do quanto se pôde caminhar, do que se logrou, apesar das dificuldades. Portanto, neste livro não me arriscarei propriamente a apresentar um balanço de resultados, que seria pretensioso e levaria à tentação de argumentar em causa própria. Darei mais opiniões do que extrairei conclusões. Navegarei mais no subjetivismo dos projetos e da vontade intencionada do que em dados comprobatórios.

Durante os anos em que exerci a Presidência, disse várias vezes, de modo angustiado, que não sabia se meu governo marcava um início ou se seria um interregno. Que as mudanças no mundo e as nossas próprias estavam a clamar por um reajuste de muita coisa, eu não tenho dúvidas. Será, entretanto, que as modificações introduzidas na condução das políticas e na estrutura do Estado estão — ou tornaram-se — enraizadas na sociedade com força suficiente para impedir retrocessos? Até hoje me é difícil avaliar.

É quase impossível separar as modificações conseqüentes de iniciativas do governo e o que se impôs de fora, fruto das novas formas de atuação das empresas e dos agentes econômicos em tempos de globalização e da economia da informação. Se para destrinchar essa realidade tão intricada eu pudesse refazer, ainda que palidamente, o itinerário de Marx, repetiria o que tentei fazer com o sociólogo e historiador chileno Enzo Faletto, nos anos 1960, para explicar as "situações de dependência" na América Latina.[8] Partiria das regras de funcionamento da economia globalizada — das determinações gerais, abstratas, no linguajar marxista —, e reconstituiria como elas foram sentidas, adaptadas ou transformadas em cada grupo relativamente homogêneo de países. Analisaria as relações dinâmicas entre as forças sociais locais e as internacionais. Examinaria como se foram introduzindo adaptações e inovações na forma de vinculação de cada grupo homogêneo de países à economia global, como se construíram percursos históricos específicos, embora sujeitos aos condicionantes gerais.

Ou seja, a moldura das transformações é dada pela globalização e pela economia da informação. Entretanto, há várias maneiras para cada país se inserir nela ou dela se defender. As "respostas" podem ser criativas, umas mais vantajosas do que outras. E cada resposta depende tanto de circunstâncias dadas (como a localização do país, sua população e dotação de recursos naturais) quanto de decisões políticas em cada sociedade. Estas possuem graus diversos de desenvolvimento econômico e cultural, que propiciam melhores ou piores alternativas de adaptação às novas circunstâncias. Ou seja, não há "receitas" prontas para o desenvolvimento de um país. Há percursos históricos que não se limitam a reproduzir mecanicamente o "modelo" estrutural global.

[8] Enzo Faletto e Fernando Henrique Cardoso, *Dependência e desenvolvimento na América Latina*, Rio de Janeiro, Zahar, 1970. O trabalho mereceu várias edições e reimpressões em diferentes idiomas e países. Até a publicação deste livro, a mais recente edição, revisada, com novo prefácio e o *post-scriptum* "Estado e processo político na América Latina", era da editora Civilização Brasileira, Rio de Janeiro, 2004.

CAPÍTULO 1

Fortuna e alguma *virtù*

O deus avulso do imprevisto

Primeiro, vamos às surpresas da vida política, começando por mim mesmo. Cansei de ler que "desde pequenininho" queria ser Presidente, se não pudesse ser Papa... A verdade é que passei boa parte da vida na universidade. Aos 37 anos era professor catedrático de Ciência Política da Universidade de São Paulo (USP), tendo feito antes, na própria USP, as teses de mestrado, doutorado e livre-docência em Sociologia. Também havia sido diretor-adjunto do Instituto Latino-Americano e do Caribe de Planificação Econômica e Social (Ilpes), organismo vinculado à Comissão Econômica para a América Latina (Cepal), com sede em Santiago do Chile, por sua vez ligada à Organização das Nações Unidas (ONU), e professor de Sociologia na Universidade de Paris, em Nanterre. Não teria tido tempo para cogitar qualquer atividade profissional fora da vida acadêmica.

A insensatez do regime autoritário me levou a sair do Brasil em 1964. Depois de haver obtido um *habeas corpus* no Superior Tribunal Militar (STM) para cancelar uma ordem de prisão expedida sob o pretexto de que eu incitara à "subversão" e de ganhar, em 1968, um concurso de cátedra, foi de novo o regime autoritário que me aposentou pelo Ato Institucional número 5 (AI-5) e, paradoxalmente, me trouxe à vida política. Em 1969, junto com outros professores perseguidos, ajudei a fundar em São Paulo o Centro Brasileiro de Análise e Planejamento (Cebrap).[1] Nos anos 1970, intercalando com cursos que dei na França, na Grã-Bretanha e nos EUA, preguei continuamente em favor da democracia. Escrevi em todo jornal ou publicação de oposição que pude (*Opinião, Movimento, Argumento*) e, quando o clima desanuviou, na *Folha de S. Paulo*. Participei de inúmeros atos públicos, principalmente da SBPC. Com colegas do

[1] O Cebrap foi fundado por um grupo de intelectuais, entre os quais vários professores sumariamente aposentados da USP pelo regime militar.

Cebrap, ajudei o MDB a elaborar seu programa para a campanha eleitoral de 1974, e dom Paulo Evaristo Arns a difundir sua crítica social (basta ver o livro *São Paulo 1975: crescimento e pobreza*).[2] Disso decorreu que, em 1977, fui lançado candidato ao Senado pelo MDB de São Paulo, para as eleições do ano seguinte, por um grupo de intelectuais de esquerda.

Na ocasião, nem eu nem os demais companheiros sabíamos sequer onde se localizava a sede do partido. Eu mantinha escassas relações com o MDB paulista. Tinha contatos com o deputado estadual Alberto Goldman e os federais Ulysses Guimarães e João Pacheco e Chaves. Relacionava-me mais com o MDB gaúcho, do deputado estadual Pedro Simon, e com os líderes que ocasionalmente davam guarida às vozes da oposição intelectual. Eu dividiria a legenda do MDB com o senador Franco Montoro, candidato favorito à reeleição. Tratava-se de fazer uma pregação oposicionista e denunciar novamente o arbítrio, mesmo porque eu havia sido aposentado compulsoriamente e portanto, de acordo com o AI-5, era inelegível, o que levaria à cassação do registro da candidatura.

Como se previa, houve as impugnações. Para surpresa de todos, porém, duas semanas antes do dia das eleições — realizadas a 15 de novembro de 1978 —, o Supremo Tribunal Federal (STF) anulou as decisões anteriores da Justiça Eleitoral contrárias ao registro de meu nome, e desta forma me tornei candidato efetivo. Arnaldo Malheiros, meu advogado, mostrou o disparate da perda de direitos políticos sem prazo definido, pois os cassados o foram por dez anos e os aposentados pelo AI-5, como eu, para sempre. Mais surpreendente ainda, o relator que acolheu no STF a argumentação foi ninguém menos que o professor João Leitão de Abreu, figura importante do governo do general Emílio Garrastazu Médici (1969-1974) e que, depois de aposentado como ministro do tribunal, voltaria a exercer papel semelhante no governo do general João Baptista Figueiredo (1979-1985).

Também como previsto, fiquei em segundo lugar na legenda do MDB, com o senador Montoro sendo reeleito. Mas, na sublegenda — recurso de

---

[2] Cândido Procópio Ferreira de Camargo, Fernando Henrique Cardoso, Frederico Mazzucchelli, José Álvaro Moisés, Lúcio Kowarick, Maria Hermínia Tavares de Almeida, Paul Israel Singer e Vinícius Caldeira Brant, *São Paulo 1975: crescimento e pobreza*, São Paulo, Edições Loyola, 1976.

que se valeu a legislação eleitoral do regime militar para abrigar, nos dois partidos permitidos, diferentes correntes internas —, obtive número superior de votos aos do candidato do partido adversário, a Aliança Renovadora Nacional (Arena). Pelas regras de então, o suplente de Montoro seria eu, e não quem se inscrevera na sublegenda dele, o saudoso José Roberto Magalhães Teixeira, na ocasião vice-prefeito e, no futuro, prefeito de Campinas (SP). O curioso é que, quando saí candidato, não sabia disso.

Daí por diante, ganhei um lugar ao sol na política. Passaram a me intitular "senador suplente" e galguei posições no MDB paulista. Cheguei a ser presidente do partido em São Paulo quando ele se reorganizou, por força de lei autoritária, mudando o nome para PMDB. O resto é história razoavelmente conhecida. Montoro se elegeu governador em 1982, e em 1983 assumi sua cadeira no Senado. Antes da campanha de 1982, eu estava lecionando nos EUA, no Departamento de Sociologia da Universidade da Califórnia, em Berkeley. Quase ao final do período letivo, o diretor do Departamento, professor Robert Bellah, especialista em Sociologia das Religiões, me convidou para tomar chá. Para minha surpresa, ofereceu-me um posto permanente em Berkeley para substituir ninguém menos do que o grande filósofo Jürgen Habermas, que voltava para a Alemanha.

Encabulado pela desproporção intelectual entre quem partia e quem era convidado a permanecer, respondi brincando:

— Só se o senhor me oferecer também uma cadeira no Senado americano, porque sou suplente de um senador que deverá ganhar as eleições para o governo de São Paulo.

Conto o episódio pelo pitoresco e para reiterar o papel do acaso, da sorte, da *fortuna*, palavra latina que tem o mesmo sentido em italiano e em português: tornei-me senador sem jamais haver tido este propósito seriamente.

Anos depois, em 1985, com a volta das eleições diretas para prefeitos nas cidades consideradas "área de segurança nacional", inclusive as capitais, concorri à Prefeitura de São Paulo. O candidato natural, Mário Covas, prefeito em exercício nomeado por Montoro, conforme as regras de então, fora impedido de disputar por uma manobra política no Congresso, que vedou aos titulares das prefeituras o direito de se candidatar. Favorecia-se assim a candidatura do ex-Presidente Jânio Quadros pelo Partido Trabalhista Brasileiro (PTB) em coligação com o Partido da Frente Liberal (PFL), com a eliminação do competidor mais forte da oposição, Mário Covas. Resultado: o governador Montoro, nosso líder político, levou-me à disputa.

Perdi por poucos votos (cerca de 2%) num universo de 4,8 milhões de eleitores. Há várias especulações sobre as razões da derrota e uma só verdade: não fui capaz de convencer o povo de que seria bom prefeito... Não é certo que eu tenha proclamado na TV minha suposta condição de ateu, o que me teria levado a perder. O editor-chefe da *Folha de S. Paulo*, Boris Casoy, me dirigiu uma pergunta que lhe pareceu oportuna sobre minhas convicções religiosas. Respondi que se tratava de questão de foro íntimo, sem utilidade para avaliar o desempenho de um prefeito, tal como registrado pela própria *Folha*. Inútil: no dia seguinte, a cidade se enchia de panfletos contra o "ateu".

Pior, os adversários utilizaram uma entrevista que eu havia concedido à jornalista Miriam Leitão para a revista *Playboy*[3] meses antes, e, deturpando o sentido de uma resposta, qualificaram-me como usuário de maconha. Minha inocência política era tamanha que não percebi o potencial devastador do boato. Parecia-me tão descabido alguém acreditar na versão que não imaginei que a história "pegasse".

Pois pegou. E seu efeito demolidor superou o do suposto ateísmo. Um dia, na periferia de São Paulo, na Cidade Tiradentes, em uma quase-favela, uma senhora me perguntou:

— É verdade que o senhor vai distribuir maconha no lanche das escolas?

Política, principalmente eleitoral, é assim mesmo. Há momentos em que vale tudo e nos quais se acredita em qualquer coisa.

A outra "explicação" da derrota tem a ver com uma foto publicada no dia das eleições, 15 de novembro de 1985, uma sexta-feira, na qual apareço sentado na cadeira de prefeito, antes da hora. É evidente que, por numerosos que tivessem sido os leitores da reportagem, não haveria tempo de influir no voto. Mas a foto prova que eu merecia perder... por ingenuidade. Estabeleci um acordo com repórteres da revista *Veja* São Paulo para ser fotografado nessa situação para o caso de vitória, pois as eleições estavam extremamente apertadas e, além de tudo, se a revista quisesse,

---

[3] Edição de setembro de 1984.

como pretendia, trazer o novo prefeito na capa, não haveria como fotografá-lo a tempo no gabinete oficial. (*Veja* São Paulo fechava sua edição na sexta-feira da eleição.) Num final de manhã, a revista aproveitou minha presença numa solenidade na então sede da Prefeitura, no Parque do Ibirapuera, e executou o trabalho. Outros fotógrafos também clicaram a cena, assumindo o mesmo compromisso da revista. A *Folha de S. Paulo*, porém, rompeu-o e publicou a foto em primeira página. Pior teria sido se outro fotógrafo, com o qual fiz outro acordo, não me tivesse devolvido os negativos de uma foto, feita na sala de meu apartamento, na qual eu aparecia quebrando uma vassoura, símbolo do populismo janista, que se dizia varredor de todo o lixo da corrupção. Não fosse a integridade do fotógrafo — cujo nome prefiro não divulgar — e essa foto talvez me tivesse causado um prejuízo político ainda maior. Nunca ninguém soube dela até a publicação deste livro.

Vanitas, vanitatem? Não, mais grave: despreparo para a aspereza da luta política. Pedágio pago por um professor catapultado à arena cheia de feras. Perdi, é o que conta. E a derrota me ajudou na futura trajetória política.

Os primeiros dias após a derrota, porém, foram amargos. Janistas iam até a porta do prédio onde eu e minha família morávamos, à rua Maranhão, no bairro de Higienópolis, para buzinar. Viajamos, mais tarde, para nossa casa de campo em Ibiúna, a 70 quilômetros de São Paulo, para curtir a derrota. Lá, vi Jânio Quadros na TV, caricatural, desinfetando a cadeira de prefeito na qual me sentara. Jânio, raposa talentosíssima, talvez tenha percebido o que nem eu sabia: melhor esconjurar-me a tempo para não dar trabalho, em outras eleições, como dei a muitos adversários.

A derrota ensina. O ex-governador Leonel Brizola um belo dia apareceu em minha casa. Dele ouvi o consolo: também perdera uma eleição para prefeito de Porto Alegre, me disse, e foi a adversidade que lhe deu força para, perdendo a arrogância — o juízo é dele —, ser mais realista e buscar energia para novas caminhadas. Será verdadeira a tese? É possível. O fato é que desde então, em todas as partidas políticas em que me meto, e não só nas eleitorais, entro sempre supondo a possibilidade da derrota. Quando ganho, naturalmente me sinto gratificado, mas nunca o suficiente para esquecer o quanto custou a vitória; quando perco, durmo com a esperança do amanhã.

Eu estava por baixo. Hélio Jaguaribe, fiel amigo e intelectual generoso, procurou-me no ano seguinte, 1986, pedindo que não me afastasse da política nem concorresse novamente ao Senado, pelas poucas chances de vitória, mas à Câmara dos Deputados. Concordei com ele, até que apareceram as primeiras pesquisas de intenção de voto para as eleições. Mário Covas e eu, referendados candidatos pela convenção do PMDB estadual, éramos imbatíveis na disputa das duas vagas de senador por São Paulo. Obtive 1 milhão de votos a mais do que o candidato vitorioso para o governo do estado.

Assim é o eleitorado, que pratica uma espécie de "justiça compensatória": quem perde hoje, se não se desmoralizar, tem boa chance de ganhar amanhã. Não é sem razão que os políticos profissionais são sempre candidatos a alguma coisa. Ganhar é melhor, mas perder não chega a ser uma tragédia. E a derrota deve ser assumida plenamente pelo candidato derrotado. Foi o que procurei fazer quando perdi a Prefeitura de São Paulo. Ofereci um coquetel em meu apartamento e, depois, reuni na sede do PMDB os líderes do partido, inclusive os que apoiaram o adversário — já na época o PMDB abrigava diferentes correntes em praticamente todos os estados, e em São Paulo certos setores trabalharam abertamente para a candidatura Jânio. Agradeci a todos os esforços feitos e assumi a derrota.

De nada adianta buscar culpados nem guardar ressentimentos, e menos ainda discutir lealdades. O melhor cimento das lealdades é a vitória.

Escrevi mais do que imaginava a respeito de fatos que se passaram comigo há tanto tempo. Mas, uma vez que o assunto até agora é a imprevisibilidade da vida política, vale a pena adicionar algumas observações sobre meu relacionamento com o Presidente Itamar Franco.

Minhas relações com Itamar são um capítulo à parte. Conhecemo-nos no Senado, em 1983. O senador Itamar (PMDB-MG), como eu, integrava a oposição ao governo do Presidente João Figueiredo. Nacionalista extremado e contendor permanente na política mineira, ele às vezes obstruía uma sessão por várias horas. Ou então infernizava os ministros da área econômica cobrando expressões inglesas não traduzidas em relatórios e discursos.

Recordo-me uma vez, sendo eu líder do PMDB, a feroz obstrução que ele moveu à aprovação de um aumento de 1% no Imposto sobre a Circulação de Mercadorias e Serviços (ICMS). A medida beneficiaria, entre vários, o governador mineiro Tancredo Neves e, embora fossem ambos do mesmo partido, não convinha ao jogo político do senador. A sessão durou até as três da madrugada para vencer a obstrução de Itamar. Enquanto proferíamos nossos discursos divergentes, quem de nós estivesse à espera de réplica aproximava-se do outro e, em voz baixa, fazia comentários bem-humorados.

Foram assim nossas relações como senadores. De respeito e bom humor. Até então, contudo, não tínhamos amizade pessoal. Jamais saíramos para almoçar ou jantar juntos ou para conversar sobre política.

Itamar surpreendeu todo mundo quando, no início de 1989, surgiu como candidato a Vice-Presidente na chapa de Fernando Collor de Mello. Recordo que Covas e eu fomos de Brasília a Belo Horizonte e nos encontramos com Itamar no avião. Nós dois acreditávamos que ele apoiaria Covas, candidato do Partdo da Social Democracia Brasileira (PSDB) à Presidência. Mas tinha ido a Minas firmar sua candidatura no partido criado por Collor, o Partido da Renovação Nacional (PRN).

Três anos e pouco depois, em 1992, dias antes da abertura na Câmara do processo de *impeachment* de Collor — que ocorreria no dia 28 de setembro —, procurou-me o senador Jutahy Magalhães (PMDB-BA), este sim amigo de Itamar. O Vice-Presidente queria falar comigo. Fui ter com ele no anexo do Palácio do Planalto, gabinete da Vice-Presidência. A seu modo matreiro, perguntou-me o que acreditava que ia acontecer.

Eu tivera uma reunião a dois com o ex-Presidente e senador José Sarney (PMDB-AP), na sala dos arquivos do Senado, para que não fôssemos vistos. Sarney sempre mencionava o "Sacro Colégio dos Cardeais", ou seja, um grupo de políticos de vários partidos que, por sua experiência e responsabilidade, têm uma visão institucional. Na hora das crises, considerava, é a esses que se deve apelar.

Nas nossas avaliações, nada mais sustentava o governo Collor, dados os escândalos. Não estive na primeira linha do *impeachment* até ler a explosiva entrevista do irmão caçula do Presidente, Pedro Collor, à revista *Veja*,[4] denunciando com todas as letras um esquema de corrupção que chegava ao Palácio do Planalto. Temia as conseqüências institucionais da deposição de um Presidente. Utilizei mesmo uma frase de efeito, que no

[4] Edição de 25/4/1992.

entanto se demonstrou incorreta: "*Impeachment* é como bomba atômica, serve para dissuadir, mas não deve ser usada." Àquela altura, diante dos fatos, não restavam condições morais para sustentar outro caminho que não o afastamento de Collor. Sarney era da mesma opinião e até mais veemente. E tinha informações sobre a reação — neutra — das Forças Armadas. Elas seguiriam a Constituição.

Relatei tudo a Itamar, que me perguntou:

— E seus amigos em São Paulo?

Nem sei bem a quem ele se referia, mas o fato é que São Paulo parecia ser para Itamar uma espécie de buraco negro. Disse-lhe que havia desconfianças quanto à linha que ele adotaria caso assumisse o Planalto, que o tinham em geral como ultranacionalista e "atrasado".

De rompante, perguntou-me:

— Você acha que eu sou ingênuo?

— Claro que não — respondi. — Mas teimoso você é, e muito.

Assegurou-me que teria um comportamento responsável e autorizou-me, depois que sugeri, a dar uma entrevista dizendo isso. Foi o que fiz no *Jornal da Tarde* de 19 de setembro de 1992.

A partir desse dia, até o final do governo, Itamar Franco manteve as melhores relações comigo. Tornamo-nos amigos. Certo dia, logo depois desse diálogo e de minha entrevista ao *Jornal da Tarde*, conversávamos sobre o futuro Ministério, na cozinha do meu apartamento, no prédio funcional do Senado, na Superquadra Sul 309 (SQS 309, como se diz, numa espécie de código de filmes de espionagem que é utilizado para localizar os edifícios em Brasília). A determinada altura, tomando café, Itamar me perguntou se aceitaria ser ministro das Relações Exteriores. Disse-lhe, como de praxe, que o convite não era necessário, mas que, se ele assim desejasse, aceitaria. E, para dizer a verdade, fiquei bem satisfeito com o cargo.

Tivemos muitas conversas sobre o Ministério. Na busca de um ministro da Fazenda, por exemplo, tomei a iniciativa de trazer para conversar com Itamar em meu apartamento, separadamente, o deputado José Serra (PSDB-SP), economista de nomeada com experiência na vida pública e meu amigo desde os tempos do exílio de ambos no Chile, e um empresário muito versado em economia e preocupado com questões nacionais, Paulo Cunha, dirigente do Grupo Ultra, gigante da área de química e petroquímica. Volta e meia eu perguntava ao Presidente sobre o Ministério da Educação (MEC), o que levou Itamar à convicção de que eu ambicionava comandá-lo. Expliquei-lhe que não, que fora a vida toda mais pesquisador do que propriamente professor e não tinha sequer uma visão aprofundada dos problemas educacionais. Apenas desejava saber quem seria o ministro por considerar indispensável que não fosse um político clientelista. Itamar disse que já tinha o nome, não o revelou, mas cumpriu o prometido. Nomeou o professor Murílio Hingel, que havia trabalhado com ele durante sua gestão como prefeito de Juiz de Fora (MG), entre 1967 e 1971.

As conversas decisivas sobre a formação do Ministério — que deveria ser de "união nacional", só não sendo assim ao pé da letra porque o Partido dos Trabalhadores (PT) não aceitou participar — se deram na casa de Maurício Corrêa, senador do Partido Democrático Trabalhista (PDT) pelo Distrito Federal. A última ocorreu no gabinete da Vice-Presidência, às vésperas do afastamento de Collor por resolução da Câmara, que se daria a 29 de setembro daquele 1992 — afastamento ainda provisório, até que o Senado julgasse o *impeachment*, o que só ocorreu a 29 de dezembro.

A reunião foi dramática. Faltava escolher o ministro da Fazenda. Eu havia perdido a indicação de José Serra, que Itamar e os senadores nordestinos não aceitavam — Serra, durante a Constituinte, tinha sido acusado por políticos do Nordeste de defender interesses específicos de São Paulo no capítulo tributário. O PMDB paulista, com o ex-governador Orestes Quércia à frente, proporia um nome, mas o dia passava e nada de chegar a indicação. O senador Humberto Lucena (PMDB-PB) achava que deveria ser eu. Horrorizado com a hipótese, que me afastava do Itamaraty para mares nunca dantes navegados, lembrei o nome do embaixador Rubens Ricupero, versado em economia e veterano de negociações internacionais nessa área. Itamar me autorizou a consultá-lo pelo telefone, mas a resposta foi negativa.

Nesse dia notei qualquer coisa de estranho no semblante dos ministros da Aeronáutica, brigadeiro Sócrates Monteiro, e da Marinha, almirante Mário César Flores, com os quais cruzara nos corredores da Vice-Presidência. No final da tarde, sem acordo quanto à pasta da Fazenda, o futuro Presidente pediu que ficássemos com ele, se não me falha a memória, Pedro Simon (PMDB-RS), que viria a ser líder do governo no Senado, os senadores Maurício Corrêa, Alexandre Costa (PFL-MA), Jutahy Magalhães e eu, e possivelmente Henrique Hargreaves, amigo de infância de Itamar, experiente funcionário de carreira da Câmara dos Deputados e ex-subchefe da Casa Civil do governo Sarney (1985-1990). Todos nós, com exceção de Jutahy, seríamos nomeados ministros.

Passou-me uma nota que recebera do gabinete de Collor e me pediu que a lesse para todos. Tratava-se de uma requisição de um contingente de segurança para o Presidente Collor durante o período de afastamento. Diante do que Itamar nos comunicou que demitiria todos os ministros militares e nomearia outros, diretamente de sua confiança. Acreditava que o pedido de Collor revelava uma disposição de resistir a um eventual *impeachment*.

O gesto do Presidente explicou o comportamento dos militares com os quais havia cruzado, até porque com um deles, o almirante Flores, eu conversara sobre sua possível permanência no Ministério da Marinha, não só pela admiração que lhe tinha (e tenho), mas porque o futuro Presidente compartilhava meus sentimentos. Os ministros militares, porém, tinham sido informados, instantes antes daquele encontro fortuito num corredor, de que deixariam o governo.

Ocorreu forte constrangimento, principalmente por parte do senador Simon, que manifestou desagrado pela decisão surpreendente e não discutida de antemão conosco. Não houvera uma combinação explícita de que nosso grupo deveria opinar sobre os principais passos do futuro Presidente, mas isso parecia-nos um pressuposto, já que quase todos seriam ministros, eram ex-colegas de Itamar no Senado e vinham sendo consultados por ele para a formação do futuro governo. O Presidente, porém, atalhou, taxativo:

— É assim que eu atuo e ponto final.

E é isso mesmo. Quem imaginar que o dr. Itamar Franco é ingênuo ou não dispõe de "vontade política", engana-se. Se nem sempre o rumo que persegue é claro para os demais e parece ziguezagueante, é porque esta é sua prática política. E é inegável que tem "faro", não obstante a lógica do comportamento esteja longe de ser cartesiana. No caso da dispensa dos ministros militares, não havia motivo para preocupações. As Forças Armadas tiveram uma conduta irrepreensível durante o processo de *impeachment*. Itamar queria somente mostrar autoridade.

À noite informou-nos o nome do ministro da Fazenda, alguém que ninguém esperava: o deputado do PFL Gustavo Krause, ex-prefeito do Recife e ex-governador de Pernambuco.

Foi em circunstâncias semelhantes (por isso essa longa digressão) que Itamar fez de mim ministro da Fazenda em maio de 1993. Como ministro das Relações Exteriores, eu estava em campanha pela recuperação do prestígio internacional do Brasil. Tarefa árdua. Com a inflação nas nuvens, por mais que dissesse (e fosse verdade) que os números da economia no setor privado eram bons, quem acreditaria? Recordo-me, entre cenas que me vêm à memória, do rosto de espanto e descrença de empresários chilenos (e olhe que eles ainda não tinham tanta confiança na própria economia como passariam a ter anos depois) diante dessa afirmação, num encontro de que participei em Santiago quando chanceler.

Visitei vários países nessa pregação. Nesse maio de 1993 viajei ao Japão para tentar refazer laços abalados pela administração de Fernando Collor de Mello (1990-1992) e sua ministra da Economia, Zélia Cardoso de Mello. Na ida estive em Washington, com o secretário de Estado americano, Warren Christopher, que me alertou sobre "compra de material russo para fabricação de mísseis pelo Brasil" — assunto do qual nem eu nem o Presidente Itamar sabíamos.[5] Respondi, ironicamente, que só se fosse com financiamento deles, americanos, dada a quebradeira dos dois países. Christopher ficou um tanto desconcertado e não soube o que responder. Segui então para o Japão, onde consegui um aumento de 1 bilhão de dólares no valor do seguro às exportações.

Voltei contente, não mais via Washington, mas via Nova York. Na noite de 19 de maio fui jantar na casa do embaixador brasileiro junto à ONU, Ronaldo Sardenberg, quando, na hora do brinde (feito à moda japonesa, no início da refeição), a esposa do ministro, embaixatriz Célia, me pediu para atender ao telefone.

[5] Provavelmente o governo americano fora informado da busca de componentes para lançadores de satélites, em desenvolvimento pela Aeronáutica, que o respectivo Ministério — eu soube mais tarde, já quando era Presidente — empreendia em todo o mundo para aumentar nossa capacitação tecnológica. De toda maneira, narrei o episódio ao Presidente Itamar em minha volta. Ele me deixou claro que a Aeronáutica jamais lhe dissera algo a respeito do tema mencionado por Christopher. Não tenho notícia de que o Ministério o tenha feito posteriormente ao Presidente.

Era o capitão-de-corveta Antonio Carlos Passos de Carvalho, ajudante-de-ordens, que me passou o Presidente Itamar. Este me perguntou, brincando, se eu estava sentado ou em pé e colocou a questão:

— Você aceita ser ministro da Fazenda?

Respondi que jamais pretendera a posição, que não era economista, e, sobretudo, reiterei que, com tanta troca de ministro da Fazenda, não dispunha mais de argumentos para convencer no exterior de que tudo ia bem no Brasil.

De fato, seria, como já disse, a quarta troca em apenas sete meses de governo. Itamar relatou-me problemas com o ministro Eliseu Rezende, com quem ele se avistaria naquela mesma noite. Havia uma acusação de que a empreiteira Norberto Odebrecht tinha pago a hospedagem de Eliseu em Washington durante uma viagem feita antes de ele assumir a Fazenda. Insisti com o Presidente em que Eliseu vinha fazendo um esforço enorme para, pelo menos, saber a quantas andavam as contas públicas, e que o melhor seria mantê-lo. Meu nome surgira como possível alternativa porque, mesmo do Itamaraty, eu influenciava algumas decisões econômicas, participando, por exemplo, da discussão sobre a fixação dos preços mínimos nos leilões de privatização, sem contar que havia tido a oportunidade de intervir numa reunião no Palácio da Alvorada, a residência oficial do Presidente da República, em que se discutira o próprio programa do ministro da Fazenda.

Acrescentei:

— Não estou aí no Brasil. Sei pelo noticiário, que acompanhei com apreensão no Japão, que sua situação é difícil. Não gostaria de faltar com minha solidariedade, mas, por favor, insista para que Eliseu permaneça no Ministério.

Voltei à mesa preocupado. Todos se deram conta. Ao final do jantar, novamente a embaixatriz me avisou que o ajudante-de-ordens telefonara para dizer que o Presidente não precisava mais falar comigo. Fui dormir aliviado. Na manhã seguinte, desde familiares até o secretário-geral do Itamaraty, o embaixador Luiz Felipe Lampreia, me chamaram do Brasil para dizer que eu fora nomeado ministro da Fazenda. A primeira pessoa que me ligou foi minha mulher, Ruth. Não queria acreditar quando lhe disse que havia um engano, pois eu ainda não dera resposta ao Presidente. Ela, como meus filhos Paulo Henrique, Luciana e Beatriz e também meus amigos, achava que seria uma insensatez aceitar o Ministério da Fazenda.

Somaram-se, portanto, as características pessoais do Presidente Itamar (sua aparente impulsividade, que na verdade sempre tem um cálculo por trás), sua confiança em mim e eventuais qualidades minhas para enfrentar adversidades (à minha maneira, dando impressão de suavidade) para, ainda uma vez, sem cálculo e sem astúcia *ex-ante*, ir cumprindo minha vontade "desde pequenininho" de chegar a ser Presidente...

Só que, na época, a maioria dos políticos, jornalistas e empresários tomou a nomeação como sendo de alto risco. Eu também. O jurista e cientista político Celso Lafer, que ocuparia dois diferentes ministérios em meu governo — Indústria e Comércio e Relações Exteriores — me recordou um trecho precioso de Machado de Assis, em *Esaú e Jacó*, capítulo 65, onde se lê: "Conte com as circunstâncias que também são fadas. Conte mais com o imprevisto. O imprevisto é uma espécie de deus avulso ao qual é preciso dar algumas ações de graças; pode ter voto decisivo na assembléia dos acontecimentos." Eu estava mais próximo da fogueira (e não das vaidades) do que do outeiro da Glória.

Uma digressão teórica

Estendi-me na narração desses episódios porque, além do eventual valor histórico, sustentam a idéia de que a *fortuna*, ou a sorte, às vezes, precede a *virtù*,[6] e que o empenho em objetivos pessoais é menos importante do que o "abraçar uma causa". Seria enganoso, entretanto, imaginar que as carreiras políticas, os êxitos eventuais, as mudanças que se consegue obter, decorrem de "mero acaso". Não existe, tampouco na política, como na

[6] *Virtù*, palavra italiana, "definida em breve síntese, consiste na capacidade de compreender exatamente toda e qualquer situação de fato, e nela fazer intervir, para modificá-la, a livre vontade humana. De maneira que *virtù* tanto é a capacidade intelectual de penetrar as situações em sua realidade substancial, quanto a vontade de transformá-las segundo as próprias finalidades." Dizem os autores dessa definição que a vontade referida tem a mesma natureza da "vontade econômica", distinta da vontade orientada por leis morais. Ver "Prefácio" de Mário e Celestino da Silva, tradutores de *O Príncipe*, de Nicolau Maquiavel, *in Conselhos aos governantes*, Brasília, Senado Federal, 1998, p. 127.

visão terra-a-terra sobre os mercados, a mão oculta que conduz a ação em favor do bem comum. E nem têm tanto peso as razões que a própria razão desconhece, à maneira de Pascal.

Na realidade, fui treinado para exercer papéis de liderança política, mesmo sem ter muita consciência disso. São muitos os caminhos para obter sucesso na vida política. É só ver a trajetória de Lula, tão diferente da minha, mas que acabou levando-o à Presidência em 2002 com enorme votação. Há também quem assuma o comando de um país sem que a história pessoal explique muita coisa. E outros há que jogam fora a própria história. Não é o caso de dar nome aos bois. Cada leitor escolha o personagem que lhe pareça caber no figurino. Quem sabe cada um de nós que exerce liderança possa se encaixar melhor em um ou outro percurso, dependendo do momento de nossas vidas. Certamente, contudo, existe parte de *virtù* em cada caso, e não mero acaso.

A discussão sobre as qualidades necessárias para o exercício da liderança é grande, variável e antiga.[7] Ela envolve aspectos complexos da ética e da moral e não cabe aprofundá-las neste livro. Faço umas poucas considerações sobre esses temas para tornar mais claro o que quis dizer quando me referi à noção de *virtù*. Em Maquiavel ela quer dizer menos "virtude", no sentido moderno da palavra, do que a capacitação para o exercício do governo. E é sabido também que o arquicitado florentino prezava antes a disposição do governante para fazer o necessário a sua manutenção no poder do que sua fé no Pater Noster. Embora a frase a ele atribuída de que "os fins justificam os meios" não seja de sua lavra nestes exatos termos, os conselhos que dá ao Príncipe no célebre capítulo XVIII de sua

[7] Na antiguidade clássica, tanto Aristóteles como Platão discutiram as qualidades requeridas para alguém ser líder. Platão, na *República*, fala do guardião do Estado como alguém que, além de sua disposição natural — são palavras dele —, se prepara, pela educação, para mandar. Aristóteles sublinha mais ainda os atributos naturais e aceita a idéia, hoje inaceitável, de que desde o nascimento uns são fadados a obedecer, outros, a mandar. Um dos autores contemporâneos mais citados na matéria, o cientista político alemão Robert Michels, mantém a noção de que algumas pessoas têm qualidades ou atributos de liderança que as capacita até mesmo a "frearem as massas". Hoje em dia ninguém em sã consciência mencionaria esses atributos sem ressaltar o contexto social específico em que eles se desenvolvem e os recursos disponíveis — amplo senso — para sua efetivação.

obra mais conhecida não deixam margens para dúvidas quanto a seu realismo, digamos, "amoral".

O italiano Norberto Bobbio, como sempre o mais lúcido e claro dos pensadores contemporâneos da política,[8] assinala que a licença moral que Maquiavel dava aos poderosos era para os que realizassem "grandes feitos" ou, mais literalmente, "grandes coisas".[9] Os governantes capazes dos grandes feitos não se obrigariam sequer a cumprir os pactos e a palavra empenhada. Pela "saúde da pátria", nos momentos das grandes decisões, seria necessário ter força e astúcia (simbolicamente, agir como o leão e como a raposa), e dissimular. Os resultados é que contariam, não os princípios. Embora aceitando que o Príncipe deve se manter o quanto possível no caminho do bem, agindo em conformidade com a caridade, a fé, a clemência e a religião, Maquiavel reitera que ele deverá enveredar pelo mal quando for preciso. E justifica sua visão descarnada do poder e dos meios para sua manutenção, asseverando que os governantes agem dessa maneira porque os homens não são bons. Se todos fossem bons, os príncipes não precisariam ser dissimulados e dissimuladores. Não sendo assim, "na ação de todos os homens — e principalmente nas do Príncipe, contra o qual não existe tribunal a que se possa recorrer — o que importa é o resultado."[10]

Os problemas colocados por esse tipo de interpretação são imensos. No fundo volta-se à relação entre moral e política. Maquiavel, de certo modo, não renega a moral cristã, apenas mostra que a política obriga, em

---

[8] Para uma síntese de sua obra, ver Norberto Bobbio, *Teoria geral da política (A filosofia política e as lições dos clássicos)*, Rio de Janeiro, Campus, 2000. Tradução de Daniela Beccaccia, edição organizada por Michelangelo Bovero.

[9] Ver Nicolau Maquiavel, *O Príncipe*, tradução de Lívio Xavier, Rio de Janeiro, Ediouro, 2002 (Introdução "A originalidade de Machiavelli", por Isaiah Berlin).

[10] Maquiavel, *op. cit.*, p. 216. Estou usando esta tradução, embora os comentários adiante façam referência a outra mais completa, porque o trecho acima está mais acorde com traduções para outros idiomas. Por exemplo, na tradução de *O Príncipe* para o inglês, feita por W. K. Marriott, publicada na série *Great Books, Enyclopedia Britannica,* com o aval da Universidade de Chicago, Nova York, 1952, p. 25, lê-se: *"And in the action of all men, and specially of princes, which is not prudent to challenge, one judges by the result."* Em italiano, *"nelle azioni di tutti gli uomini, e massime di principi, dove non è indizio a chi reclamare, si guarda al fine". Il Principe*, cap. 18, *in* Francesco Flora e Carlo Cordé, *Tutte le opere di Machiavelli*, Verona, Mondadori, 1949, v. 1, p. 57.

circunstâncias dadas, a agir guiado por outros valores. Lança, assim, as sementes de idéias — depois intuídas por Vico na *Scienza Nuova*[11] — que muito depois vieram a ser exploradas por Isaiah Berlin, como a incomensurabilidade e mesmo a incompatibilidade de valores que convivem na mesma cultura e entre os quais não existem padrões racionais de escolha.

Mais modernamente este constituiu o cerne da análise de Max Weber ao distinguir entre a ética da responsabilidade e a das convicções. Ao leitor menos atento pode parecer que Weber, ao mostrar a diferença entre as duas éticas, acaba por dar sustentação ao amoralismo maquiavélico. Entretanto não é bem assim. Se é certo que o político, para Weber, deve ser julgado pelas conseqüências de seus atos,[12] isto não significa que a ação do político dispense convicções. E Weber, que foi deputado na Alemanha e era apaixonadamente nacionalista, as teve, e muitas.

Weber não separa de modo absoluto as duas éticas. Apenas as distingue: uma, a das convicções, ajuíza as ações *antes de sua vigência*; a outra, a da responsabilidade, *julga as conseqüências* do ato praticado. Na ação do grande político elas não podem ser separadas; se assim ocorrer, no primeiro caso levará ao fanatismo e, no segundo, ao cinismo.

Essa temática que aparece nas análises teóricas é vivida cotidianamente pelos homens públicos, ou pelo menos pelos políticos conscientes de seu papel e de suas responsabilidades e que ambicionam ser algo além do que "um a mais". Por isso, quando escrevi na Introdução deste livro sobre a importância que representou para mim "abraçar causas", começando pela da democracia, estava me afastando do maquiavelismo e do weberianismo vulgar (pobre Weber!), correndo o risco de ser percebido como um "idealista ingênuo". Ou, o que é pior, como se estivesse tentando disfarçar o maquiavelismo, tal como nosso florentino aconselhava que aos príncipes cabe fazer...

---

[11] Giambattista Vico, *Princípios de (uma) ciência nova (acerca da natureza comum das nações)*, 3ª ed., São Paulo, Abril Cultural, 1984.

[12] Mais contemporaneamente Merleau-Ponty argumentou de forma semelhante para tentar explicar a aceitação de "culpa objetiva" por parte dos líderes comunistas que, nos tribunais stalinistas, confessaram faltas cometidas por terceiros, que, porém, teriam agido em conseqüência das pregações ou decisões dos acusados. Ver Maurice Merleau-Ponty, *Humanisme et terreur*, Paris, Gallimard, 1947; coleção Idées, 1980.

Por força de minha trajetória intelectual, não poderia desconhecer as posições citadas. Se o leitor tiver conhecimento do que já escrevi a respeito, saberá que poderia invocar Hegel, para quem a moral (pelo menos a Moral com M maiúsculo) se objetivava no Estado e não nos indivíduos — aquele sim, ético. Ou, melhor ainda, invocar Marx e mostrar que também este, embora sempre de olho nos modos de produção e nas forças objetivas da História, juntava essa análise ao comprometimento com uma "visão", com uma causa redentora. Isso sem que o fundamento moral da ação toldasse a compreensão da lógica da História, e sem, em nome da causa, transformar em válidos os meios utilizados para alcançar os objetivos.

Para justificar o julgamento moral da ação política não é preciso, portanto, assumir a posição dos jusnaturalistas, os quais imaginam um "contrato social" básico ou algum outro "ente de razão" a partir do qual deduzem as obrigações morais, sem se referir às situações históricas. Aliás, para o próprio fundador dessa corrente de opinião, o holandês Grócio, a idéia de contrato e a suposição da razão como base para o juízo moral não dispensavam uma análise da evolução histórica.[13]

O mestre das formas de governo, o francês Montesquieu, quando escreveu seu monumental livro, *O espírito das leis*, publicado em 1748, tão criticado na época, estabeleceu a clássica distinção entre o regime tirânico, o monárquico e o republicano.[14] Deixando de lado a distinção aristo-

---

[13] O "pai" do jusnaturalismo moderno, Hugo Grócio, em sua obra sobre a paz e a guerra, *De iure belli ac pacis*, de 1625, se afastou da tradição medieval (e mesmo clássica antiga) de buscar o fundamento das leis nos ditames divinos. Em oposição às explicações baseadas no "sobrenatural", afirmava o direito natural, o jusnaturalismo, sustentado exclusivamente pela razão humana. Hobbes também, como é sabido, pensava o Estado como uma situação que se contrapunha em termos de um conceito racional ao estado de natureza, no qual o homem seria o lobo do homem. No fim do século XVII, Locke, em *Dois tratados sobre o governo*, formulou, independentemente de Grócio, teoria semelhante, mas com fundamento na vontade dos indivíduos, e não na natureza da razão.

[14] Montesquieu (Charles-Louis de Secondat, barão de la Brède et de Montesquieu), *L'Esprit des lois*, Amsterdã, Arstée et Merxus, 1785, baseada na edição de 1758, revista pelo autor antes de sua morte (em 1755). Tanto nesta edição como na das *Obras completas* editadas por L. de Bure (Paris, 1827), publica-se o elogio a Montesquieu feito por d'Alembert para o tomo 5º da famosa *Enciclopédia*.

télica entre governo de um, de poucos e de muitos, Montesquieu explica o modo de funcionar das três formas a partir dos "princípios" que os regem: o medo, a honra e a virtude. Essas seriam as paixões humanas que moveriam cada uma das modalidades básicas de governo. Em cada formação histórica haveria princípios ou paixões distintos que dariam sustentação às regras da política.

Entre os autores contemporâneos, o filósofo britânico Isaiah Berlin foi quem melhor seguiu a tradição de envolver as análises no contexto histórico sem cair no relativismo cultural que termina por não permitir a distinção entre o que é correto e o que é errado na comparação entre momentos históricos e entre diferentes sociedades.[15] Berlin reconhece, tal qual Maquiavel, a coexistência de valores que podem não ser conciliáveis mas são igualmente aceitos. Defende a tese da pluralidade objetiva de valores, os quais podem não ser compatíveis nem guardar entre si um elo lógico que permita hierarquizá-los. Como conciliar, por exemplo, o "não matarás" cristão, com as decisões de matar na guerra e mesmo na política, no caso dos guerrilheiros que lutam pela libertação nacional?

Distante da pregação dos que crêem na moral kantiana e no monismo ético dos jusnaturalistas, Berlin sugere que em certas situações há que se proceder a escolhas radicais, sem o amparo de um catecismo que nos ajude a discernir o bem do mal. Por tal razão é tão importante o *juízo*, a percepção qualitativa que nos guia na hora de fazer uma escolha. E como esses dilemas são freqüentemente trágicos, o filósofo e cientista político britânico John Gray busca inspiração nos dramaturgos gregos para batizar o liberalismo de Berlin como agônico, do grego *ágon*, que significa embate. Em situações muitas vezes dramáticas as escolhas individuais e coletivas têm esse caráter. É no momento das grandes decisões que o líder, em seu isolamento existencial, ainda que cercado fisicamente de muitas pessoas, aparece em toda a sua estatura, enfrentando todas as dificuldades.

---

15 Ver especialmente o admirável ensaio "The pursuit of the ideal", *in* Isaiah Berlin, *The Crook Timber of Humanity*, Nova York, Vintage Books, 1992. E ainda, John Gray, *Isaiah Berlin*, Princeton (EUA), Princeton University Press, 1996, especialmente o capítulo 2. Celso Lafer produziu uma instigante comparação entre Berlin e Hannah Arendt, no livro que leva o nome desta última, publicado em segunda edição, ampliada, pela Paz e Terra em 2003, cap. 8.

Ou ele tem o senso da História, intui, julga e decide, ou ninguém o fará por ele, que pagará o preço da não-decisão ou, se for o caso, do erro pela decisão assumida.

Aprendendo em casa o enredo da política

Quantas vezes o cidadão comum, para não falar do político, enfrenta esses dilemas? Quando os chamados órgãos de segurança me prenderam, em 1975, me puseram um capuz, me ameaçaram com tortura, me interrogaram por horas a fio, sem que eu atinasse a razão nem conhecesse os fatos e situações questionadas. Sem apelar para Berlin, Maquiavel ou Weber, eu me indagava: "E se confessar o que não sei?" Como julgar moralmente a mentira de alguém diante do algoz ou da ameaça de morte?, pergunto hoje. Eu não tinha o que delatar e mais me indignei do que me amedrontei. A experiência daqueles dias sombrios me levou a julgar de modo diferente as "delações" em circunstâncias semelhantes. O certo é que também por esses caminhos inesperados acabei, pouco a pouco, penetrando nos meandros e nas rudezas da ação política. Constatei que a palavra e a letra têm um custo maior do que eu poderia imaginar: estava diante dos temidos homens do DOI-Codi[16] somente por haver escrito e falado sobre o Brasil e contra o autoritarismo militar, sem ação política direta.

Sem a mesma tragicidade, quantas vezes no exercício da Presidência tive que escolher entre o ruim e o menos ruim? Ou entre objetivos moralmente justificáveis, mas incompatíveis: por exemplo, aumentar o superávit primário — ou seja, o governo gastar menos do que arrecada para,

---

[16] Os Centros de Operações de Defesa Interna (Codi), criados em 1970, eram organismos colegiados integrados por representantes das três Armas e de governos estaduais, tendo sempre à frente o comandante local do Exército. Os Destacamentos de Operações de Informações (DOI) constituíam o braço operacional dos Codi, comandados por oficiais do Exército e com quadros compostos por militares das Forças Armadas e membros das polícias militares estaduais. Em São Paulo, o DOI-Codi sucedeu a Operação Bandeirantes (Oban), formada em 1969, que reunia militares e agentes civis e era em parte financiada por empresários. A Oban e os DOI-Codi foram os principais instrumentos de repressão do governo militar e conseguiram desarticular grupos oposicionistas clandestinos, armados ou não, por meio de prisões, torturas e assassinatos.

com o excedente, poder pagar juros da dívida pública — ou elevar o gasto social no Orçamento? Nessas horas o peso das discussões teóricas, como as anteriormente mencionadas, recai abruptamente na cabeça do líder, não como teoria, mas como experiência sofrida. Quem não dispõe do amparo do conhecimento talvez sofra mais diante do desafio de fazer uma opção radical que descontente a muitos, mas parece necessária (o *radical choice* de Isaiah Berlin). Quem tem conhecimento dá maior valor às distinções de Weber e, sem abonar o dualismo maquiavélico, sente a força dele.

Quando afirmei que aprendi em meu percurso a exercer funções de liderança e que há modos diferentes de exercê-la, convém ressaltar que tanto em meu caso como no do Presidente que me sucedeu esse aprendizado se deu no decorrer de um longo processo de amadurecimento democrático do país. Quanto a mim, especificamente, cabe mesmo invocar que aprendi em família o enredo da democracia.

No Rio de Janeiro, onde nasci, nos intermináveis serões à mesa de jantar em casa de minha avó paterna, Leonídia Fernandes Cardoso, a "Vovó Linda", ou na de meu pai, general Leônidas Cardoso, voltava-se amiúde a discutir os detalhes da "conspiração republicana" contra a Monarquia, na qual meu avô, Joaquim Ignacio Batista Cardoso, e um tio-avô, seu irmão Augusto Ignacio do Espírito Santo Cardoso, tomaram parte ativa. Meu avô morreu em 1923 com a patente de marechal e Augusto, general, foi ministro da Guerra do governo provisório de Getúlio Vargas, entre 1930 e 1932. Esse mesmo cargo seu filho Ciro, primo de meu pai e igualmente general, exerceria entre 1952 e 1954, ainda sob Getúlio, só que desta feita Presidente eleito por voto direto em 1950. Também as lutas "tenentistas" dos anos 1920 e 1930, ou as campanhas nacionalistas dos anos 1950 nas quais meu pai, eu e vários tios e primos estivemos envolvidos, eram vistas e revistas a cada encontro familiar numeroso. Mais tarde, a participação direta na oposição ao autoritarismo militar também me serviu de escola na política, como veremos adiante.

Desde jovem professor-assistente da Faculdade de Filosofia, Ciências e Letras da USP, mantive a preocupação política ao lado da acadêmica, no caso com o fortalecimento e a democratização da carreira universitária (estive entre os fundadores do que é hoje a Associação dos Docentes da USP, a Adusp). Fui eleito representante dos ex-alunos junto ao Conselho

Universitário, em abril de 1957, em uma campanha de grandes proporções, quando setores tradicionais da universidade se jogaram contra mim e contra a aliança que jovens professores das faculdades de Medicina, Economia e Filosofia estabelecemos para modernizar a instituição. Nesse empenho, o futuro ministro e depois deputado Antônio Delfim Netto, representando setores políticos diferentes do meu, mas com os quais tínhamos aliança, foi meu suplente numa chapa apoiada por toda a esquerda acadêmica. Lutamos para que os então chamados "professores catedráticos" (fui um dos últimos a ter essa condição na USP) tivessem que respeitar os direitos dos assistentes. Esses direitos deveriam ser assegurados com as teses de mestrado, doutorado e livre-docência. Cumpridos esses requisitos, os catedráticos seriam impedidos de usar os poderes que até então detinham de demitir seus auxiliares, sem qualquer limitação de vontade, *ad nutum*. No processo de modernização da USP, quando conseguimos eleger um reitor de mente aberta, o professor Antonio Barros de Ulhôa Cintra, da Faculdade de Medicina, em 1962, criamos a Fundação de Amparo à Pesquisa do Estado de São Paulo (Fapesp), hoje um modelo de instituição pública no gênero.

Desde essa ocasião se reafirmou em mim o que percebera nas discussões familiares: as pessoas mudam e, para atingir os objetivos desejados, as alianças são freqüentemente necessárias. O *background* pessoal e familiar condiciona os percursos políticos, embora só até certo ponto. As pessoas assumem posições diversas diante de novos desafios e de novas circunstâncias. Meu avô e o irmão dele tomaram parte na proclamação da República e nas jornadas antioligárquicas do final do século XIX e dos primeiros trinta anos do século XX, apesar de o pai deles, no tempo do Império, meu bisavô Felicíssimo do Espírito Santo Cardoso, ter chefiado o Partido Conservador em sua Goiás natal, havendo assumido a Presidência da província por duas vezes.

Como modo de ascensão social comum na época, Felicíssimo estudou num seminário, tornou-se professor de latim e acabou incursionando pela carreira política — deputado, senador provincial, responsável por um arremedo de política indígena então existente na província —, tendo recebido do Imperador Dom Pedro II o título, honorífico e não militar, de brigadeiro. Casou-se duas vezes, e os dois filhos mais velhos do primeiro casamento, meu avô Joaquim Ignacio e seu irmão Augusto, transferiram-se para o Rio para seguir a carreira militar.

Republicano ardente, Joaquim Ignacio, ainda jovem alferes de Cavalaria, respondeu a Benjamin Constant que, se houvesse resistências à República, o Imperador deveria ser fuzilado. Pouco depois, atuaria como assistente-secretário e homem de confiança do marechal Floriano Peixoto, Vice-Presidente e futuro Presidente da República (1891-1894), tanto é que, durante o mandato de Floriano, morou no palácio presidencial de então, o do Itamaraty, no Rio. Décadas depois, seria um dos dois únicos generais a apoiar o movimento tenentista, tendo pago o arroubo antioligárquico com a prisão, que compartilhou com o marechal Hermes da Fonseca, ex-Presidente da República.

Embora por origem e formação tivesse impulsos típicos do autoritarismo militar muito ao gosto dos positivistas (manteve correspondência, por exemplo, com o caudilho gaúcho Júlio de Castilhos, bem como combateu com armas na mão, sob o comando do pai de Getúlio, o general dos "provisórios" Manuel do Nascimento Vargas, a rebelião anti-republicana de 1893 no Rio Grande do Sul), meu avô tornou-se um democrata convicto. Quando comandante militar em Recife, fundou uma Liga Pernambucana contra o Analfabetismo e criou várias escolas. Homem de princípios rígidos, recusou sistematicamente honrarias — só aceitou e usava uma única medalha, a de bons serviços prestados ao Exército e à Pátria — e eliminou o "Espírito Santo" do próprio nome e dos filhos, tornando o mais simples "Cardoso" o sobrenome de sua descendência. Enquanto esteve preso num navio no porto do Rio, após o levante de 1922, para exercitar-se precisava deixar o barco e caminhar no cais, sob o olhar de um sentinela. Joaquim Ignacio, porém, recusou-se sistematicamente a fazê-lo, a menos que acompanhado por oficial de patente igual ou superior — que não havia a bordo —, o que agravou um problema circulatório nas pernas, causando-lhe a morte após sua libertação.

Democrata desde a raiz dos cabelos também foi meu pai, Leônidas Cardoso. Militar de carreira, não cabia no estereótipo: era liberal, afável e elegante, gostava de poesia, falava francês e espanhol, tocava um pouco de piano. Tinha múltiplos interesses, a ponto de ter cursado Medicina sem concluir os estudos e, posteriormente, se formado em Direito, o que parece ter-lhe acentuado o apreço pela legalidade que o faria, por exemplo, já idoso, opor-se ao golpe de 1964. Com a vida nômade que levam os militares, ele nasceu em Curitiba, cursou a escola militar em Porto Alegre e acabou sendo transferido para o Rio. Jovem oficial de Cavalaria, como o pai, participou da revolta de 1922 e foi preso. Cumpriu depois uma espécie de exílio interno numa unidade do Exército em Óbidos, às margens do rio Amazonas, no interior do Pará. As reviravoltas da História do Brasil fariam com que, vitoriosa a Revolução de 1930, com os tenentes no poder, ele passasse a integrar o gabinete de seu tio Augusto, ministro da Guerra. Com a Revolução Constitucionalista de 1932, houve um racha entre os Espírito Santo Cardoso, pois meu pai, contrariando parte dos militares da família que estavam com Getúlio, apoiou o movimento deflagrado em São Paulo.

Com vicissitudes, meu pai prosseguiu na carreira. Em 1940, major do Exército, se mudaria para São Paulo com a família — minha mãe, Naíde, meus irmãos Antônio Geraldo e Gilda, e eu, o mais velho —, cumprindo missão estritamente política do ministro da Guerra, general Eurico Gaspar Dutra: vigiar de perto os movimentos do interventor Adhemar de Barros. Retornou anos depois ao Rio como coronel mas, já com problemas de saúde que o levariam à reserva, pediu a Dutra para aposentar-se em São Paulo, onde montou escritório de advocacia. (Essa nova mudança da família fez com que eu terminasse me fixando na cidade e me tornasse um paulista de coração.)

Nacionalista ferrenho, militante da causa "O Petróleo é Nosso", acostumado desde jovem a imiscuir-se na política e nos grandes assuntos nacionais, como faziam desde tempos remotos no Brasil os militares, especialmente os de sua família, meu pai acabou se elegendo deputado federal pelo velho PTB, com apoio dos comunistas. Receberia a segunda maior votação da bancada. A eleição levou-o de volta ao Rio, sede da Câmara dos Deputados. Findo o mandato, continuou residindo no Rio. Faleceu em 1965, quando me encontrava exilado no Chile. Consegui vir ao enterro, no Cemitério de São João Batista, e para aguardar a missa de sétimo dia considerei conveniente refugiar-me em São Paulo na casa de um amigo, o sociólogo Pedro Paulo Poppovic. Durante a missa, um militar avisou meu irmão de que, se eu não deixasse novamente o Brasil, seria preso.

De uma determinada maneira, a política permearia minha vida até nesse momento de dor pessoal.[17]

É certo, porém, que a origem de classe ou a posição política ancestral, por si sós, são de pouca valia para explicar o comportamento político efetivo. Os valores assumidos, a evolução da cultura política, a configuração do jogo de poder, a posição dos atores polares desempenham papel de maior relevância na definição dos rumos pessoais. Em qualquer hipótese, entretanto, a "abertura mental", o comportamento tolerante, a aceitação do outro e da diversidade político-cultural são condições propícias para o exercício da liderança democrática.[18]

---

[17] Muitos dados sobre minha família podem ser encontrados no *Dicionário histórico-biográfico brasileiro* elaborado pelo Centro de Pesquisa e Documentação de História Contemporânea do Brasil (CPDOC), Rio de Janeiro, Editora FGV, 2001. Ali há verbetes sobre meu bisavô, Felicíssimo do Espírito Santo Cardoso, os tios Augusto Ignacio do Espírito Santo Cardoso e Carlos Cardoso, os primos Dulcídio e Ciro do Espírito Santo Cardoso e meu pai, Leônidas Cardoso. Não há verbete específico sobre meu avô, Joaquim Ignacio Batista Cardoso, embora o referente a meu pai contenha informações a seu respeito. Um resumo de sua vida está em Elmar Bones da Costa, *A república dos radicais*, Florianópolis, Expressão, 2000.

[18] Erasmo de Roterdã ou Tomás Moro tinham uma visão menos descarnada do poder do que Maquiavel. Desde Platão a "sabedoria" foi incluída entre as virtudes necessárias para o bom governo. Erasmo, na "Educação de um príncipe cristão", *in Conselho aos governantes, op. cit.*, p. 313, diz: "Se queres mostrar que és um príncipe excelente, certifica-te que ninguém te exceda nas necessárias qualidades de sabedoria, magnanimidade, reserva e integridade."

Tomás Moro, que antes de Maquiavel já recomendava a separação entre política e moral e, como o contemporâneo Erasmo (os dois foram amigos e Erasmo supervisionou a publicação da *Utopia*), justificava a busca da paz e da justiça em termos racionais, não descuidou do *statesmanship*. O governo seria o produto natural de seres humanos genuinamente livres e responsáveis e a autoridade derivaria do consentimento. Mais adepto de formas representativas de governo do que das monarquias com seus reis, Moro, seguindo Aristóteles, tinha maior confiança nas leis do que nas paixões dos homens para alcançar o bom governo. Moro acreditava que a lei e a educação constituíam os fundamentos do governo. A prudência e a tradição cultuadas pelos líderes formariam os suportes do arcabouço institucional. Acreditava na separação dos poderes, nas regras da lei, na separação entre Estado e religião, em representantes eleitos e em formas protegidas de deliberação, que deveriam ser livres e públicas. Ver a respeito do pensamento de Moro o excelente livro de Gerard B. Wegemer, *Thomas More on Satesmanship*, Washington, The Catholic University of America Press, 1996.

A democracia e o contexto social

Como veremos nos próximos capítulos, a valorização da democracia e a escolha de métodos de ação consentâneos com ela formam parte do "espírito" ou dos "princípios", para falar à maneira de Montesquieu, com que procurei guiar minha ação política todo o tempo. Entretanto, até que ponto a situação em que operei permitia eficácia das ações orientadas pelo espírito democrático? Essa questão não é de fácil resposta, pois ela diz respeito à natureza da sociedade e do sistema político brasileiros.

A discussão clássica dessa temática pode ser resumida apelando para a contribuição de dois autores que conferem ênfase distinta à questão do patrimonialismo vigente e ao papel do Estado e da sociedade. Exagerando na simplificação, uma corrente, que encontra apoio em Oliveira Vianna, por exemplo, mas que tem a formulação mais lúcida, porque crítica, em Raymundo Faoro, mostra que o Brasil se formou sob o guante, mas também com a inspiração e a motivação dos "donos do poder", que não se compunham propriamente de representantes de classes, mas de burocratas a elas vinculados.[19] A outra corrente tem como paradigma Sérgio Buarque de Holanda, em *Raízes do Brasil*.[20] Sem desconhecer o peso da tradição patriarcal e seus desdobramentos no patrimonialismo da política brasileira, acentua os valores da democracia e aposta nos fatores dinâmicos que podem fortalecê-la.

No primeiro caso, o Estado e a burocracia constituiriam, historicamente, os pilares da organização nacional. Ancorado na tradição ibérica, o

---

[19] Ver Raymundo Faoro, *Os donos do poder*, 3ª ed. revista, São Paulo, Globo, 2001. Caracterizando a dominação política no Império, diz o autor: "Não se trata de uma classe, grupo ou camada que se apropria do Estado, do seu mecanismo burocrático, para o exercício do governo. Uma camada social, fechada sobre si mesma, manipula lealdades com o cargo público, ela própria, sem outros meios, assentada sobre posições políticas. Entre a carreira política e a dos empregos há uma conexão íntima e necessária, servindo o Estado como despenseiro dos recursos, para o jogo interno da troca de vantagens" (p. 447). A burocracia, coluna dorsal do poder, manterá influência decisiva durante a República Velha e ao menos até o Estado Novo, períodos abrangidos pela análise de Faoro.

[20] Sérgio Buarque de Holanda, *Raízes do Brasil*, 3ª ed., Rio de Janeiro, José Olympio, 1956.

patrimonialismo transposto para as terras americanas confunde família e ordem pública, interesse privado e Estado. A despeito do papel unificador da presença da burocracia imperial, portuguesa e logo depois brasileira, com seus exércitos, corpos jurídicos e meandros burocráticos, as distorções patrimonialistas estiolam a ação do povo, da "sociedade civil", na busca da democracia. A sociedade civil, na segunda tradição, sem negar os fatores limitativos apontados pela anterior, é o crisol do futuro. O terreno, para ser fértil e permitir que cresça a planta tenra da ordem democrática, requer, além da liberdade, a construção de instituições nas quais o "império da lei" homogeneíze os seres humanos. Por isso mesmo, Sérgio Buarque critica a tradição do "homem cordial", cujas paixões particularistas levam ao arbítrio e impedem a igualdade perante a lei.

Quem tiver lido o que escrevi para combater o militarismo e a ditadura nos anos 1960 e 1970 verá que me empenhei em caracterizar o regime menos como ditadura totalitária e mais como autoritarismo burocrático. E nessa caracterização me opus à idéia e à prática de uma emergente "burguesia estatal", gabada na época, como hoje, por setores ditos de esquerda que viam nela os germes do socialismo de Estado que tanto prezam. Apostei na dinâmica das ONGs, dos sindicatos, das igrejas, da imprensa livre, criando espaços democráticos. Vem daí minha aproximação com o mundo sindical, na sustentação das greves de São Bernardo nos anos 1970 e 1980 e na proximidade que mantive com os líderes que se esforçavam para a formação de centrais sindicais.

Essa familiaridade com setores não dominantes da sociedade brasileira começou, na verdade, bem antes: nos anos 1950, logo no início da década, participei ativamente com os eminentes sociólogos e professores da USP Fernando Azevedo e Florestan Fernandes, entre muitos outros intelectuais, políticos e sindicalistas, da Campanha pela Escola Pública e fiz nos sindicatos inúmeras palestras sobre educação popular. Na mesma década tomei parte de atividades lideradas pelo então clandestino Partido Comunista Brasileiro (PCB) e outras organizações de esquerda nas campanhas pela paz e "O Petróleo é Nosso". Integrei o conselho diretor da *Revista Brasiliense* com o historiador e editor Caio Prado Júnior e o jornalista Elias Chaves Neto, bem como colaborei com a revista *Fundamentos*, próxima ao PCB. Mas, em 1956, assinei manifestos contra a invasão da Hungria pela União Soviética e estava entre os que se horrorizaram com os abusos e distorções do stalinismo, tornados públicos pelo Relatório Kruschev, apresentado em 1954 ao PC soviético pelo secretário-geral Nikita Kruschev.[21] Não sacrifiquei minhas convicções democráticas no altar do igualitarismo autoritário. Mais igualdade, sim, mas não ao preço de mais Estado autoritário-burocrático e menos liberdade individual e coletiva.

Mantendo as preocupações com a democracia e com a luta por maior igualdade — sempre sob a liderança intelectual de Florestan Fernandes —, escrevi teses de mestrado e doutorado sobre a sociedade escravocrata no Sul do Brasil. Nas pesquisas sobre as relações entre negros e brancos em Porto Alegre e Pelotas (RS), Florianópolis (SC) e Curitiba (PR) — e, também, ajudando as pesquisas de Florestan e do grande mestre francês da sociologia Roger Bastide nos cortiços de São Paulo —, conheci de perto favelas, bairros pobres, clubes de negros. Senti sua revolta com a discriminação e o preconceito. Vi a cara sofrida do Brasil que quase não aparecia nas posições dos políticos e mesmo nas análises de muitos intelectuais. Por isso, sempre achei engraçado quando nas campanhas eleitorais os adversários procuraram me caracterizar como alguém de punhos-de-renda, com dificuldades em falar com o povo e por ele ser entendido e que desconhecia o lado da pobreza e da miséria que se abatem sobre milhões de brasileiros. Não apenas passei boa parte da vida acadêmica lidando com esses problemas, como sociólogo "de campo", como tentei, como Presidente, entendê-los em maior profundidade para adotar políticas que, sem demagogia, pudessem enfrentá-los.[22]

---

[21] Recordo-me de visita que fizemos naquela época, o jornalista Fernando Pedreira, o advogado Agenor Barreto Parente e outros mais, a Paulo Emílio Salles Gomes, conhecido intelectual, militante político e, sobretudo, crítico de cinema, recém-chegado da França. Relatamos nossa perplexidade diante do stalinismo, e ele, irônico e quase cético, redargüiu: "Mas, só agora?..." Paulo Emílio, muitos anos antes, se opusera aos mesmos horrores. Parece, disse ele, que cada geração repete o ciclo da "ilusão-desilusão". Esse ciclo, penso eu, agora acabou, pelo menos no que diz respeito aos supostos êxitos do mundo soviético.

[22] Ainda seguindo essa linha de preocupação: a primeira pesquisa sobre desemprego na cidade de São Paulo, realizada em 1954 pela Secretaria do Trabalho do governo do estado, foi coordenada por um pequeno grupo, do qual participava a antropóloga Ruth Correa Leite Cardoso. (Eu a conhecera no vestibular para a Faculdade

Em minha primeira campanha presidencial, dois episódios se encaixam nesse clichê do suposto punhos-de-renda lidando canhestramente com realidades "populares" que lhe são alheias: o do jegue em Alagoas e o da buchada de bode em Pernambuco.

O caso do jegue — na realidade, um cavalo — ocorreu em Delmiro Gouveia (AL). Eu seguia de carro com o senador Teotônio Vilela Filho (PSDB-AL) e outros companheiros alagoanos para um encontro político nas cercanias dessa cidade quando veio ao nosso encontro, para nos saudar, um grupo a cavalo. Aprendi a andar a cavalo ainda pequeno, com meu pai, e, mesmo sendo mau cavaleiro, é algo que sempre fiz. Pedi a um dos homens que me deixasse montar, a despeito da preocupação de Teotônio, temeroso de que eu caísse. Segui em frente e juntei-me à cavalhada. Alguém me emprestou um chapéu de couro, típico do sertanejo nordestino, e, ao chegar ao local da reunião, havia fotógrafos e jornalistas. Brincaram comigo, brinquei de volta, dizendo que, diferentemente do imperador romano Calígula, que transformou seu cavalo Incitatus em senador, jamais entraria no Senado a cavalo, mas que cavalgar no sertão era muito agradável. De algum modo, porém, no imaginário da campanha o cavalo virou jegue — algo que interpretei como eco do preconceito existente no Sul-Sudeste contra o Nordeste. Acabei sendo objeto de gozação e criticado, claro. O fato é que a cena, estampada na mídia, repercutiu positivamente no Nordeste.

O caso da buchada de bode aconteceu perto de Petrolina (PE). Petrolina é reduto da família Coelho — a mesma do falecido ex-governador e ex-presidente do Senado Nilo Coelho —, que me recebeu no curso da

---

de Filosofia, Ciências e Letras, em 1948, no qual ela foi aprovada em primeiro lugar. Casamo-nos em 1952.) Na pesquisa sobre desemprego, coordenei o levantamento de campo.

Meu primeiro trabalho profissional como pesquisador, ainda quando aluno, foi para o sociólogo Alberto Guerreiro Ramos, que preparou para o Serviço Nacional da Indústria (Senai) um levantamento sobre evasão escolar na cidade de São Paulo. Coube-me fazer as entrevistas nas casas dos alunos, nos bairros operários de então, como Moóca, Vila Prudente e Ipiranga. Antes disso, realizei uma pesquisa para a cátedra de Roger Bastide, em Araraquara e em São Paulo, também com Ruth, sobre os primórdios da umbanda.

campanha. Após um último compromisso, à noite, em que, sob uma iluminação precária, discursei de cima de um caminhão para um pequeno grupo de pessoas, fomos levados para jantar na casa — casa modesta do interior do Brasil, mas acolhedora e de boa comida — de um aparentado e correligionário dos Coelho. E aí serviram uma buchada. Lembro-me de que o jornalista Tales Faria, da *Folha de S. Paulo*, um dos repórteres que acompanharam aquela viagem, me perguntou:

— O senhor vai comer isso aí? O senhor gosta disso?

Respondi:

— Ué, você não vai comer? Isso, na França, se chama *tripes à la mode de Caen*. Todo mundo lá vai a restaurante de caminhoneiro para comer, e se delicia. Por que você não gosta de buchada?

Naquela noite, em Pernambuco, não se tratou de demagogia, como alegaram adversários e alguns críticos na imprensa. O fato é que, episódio à parte, gosto de buchada. Cheguei a servir buchada certa vez, num almoço no Alvorada. Mas havia o estereótipo: uma pessoa como eu não pode andar a cavalo e jamais comer um prato como aquele. Da mesma forma como, em minha primeira campanha ao Senado, achavam que iria passar mal depois das obrigatórias incursões por botequins e padarias — logo eu, que sou louco por um sonho de padaria.

Daquela época muito anterior à minha campanha presidencial, em que vislumbrei o rosto sofrido do Brasil durante minha pesquisa sobre relações entre brancos e negros no Sul, para hoje, há um abismo nas condições da vida política, e não só em nosso país. De alguma maneira a caracterização da sociedade, dos regimes políticos e das qualidades requeridas para o exercício da liderança, tais como mencionadas anteriormente por alguns autores clássicos, sofreram modificações profundas com o advento das sociedades de massa e com a atuação dos modernos meios de comunicação. Os trabalhos de filosofia política clássica a que aludi antes, embora tenham colocado as questões centrais sobre poder e moral, se referem a um contexto histórico que não prevalece. Mesmo as observações de Marx e sua análise da dominação de classe, com os desdobramentos posteriores, de Lênin, de Gramsci e de tantos outros, sobre a moral revolucionária e sobre o partido-Príncipe, foram perdendo vigência no decorrer do século XX.

A busca contínua da legitimação

As formas de organização da sociedade, a evolução da produção capitalista, a emergência dos partidos classistas, a bifurcação entre a revolução e a social-democracia e, mais recentemente, o ressurgimento do que se chamou de neoliberalismo, com a supremacia dos mercados e a redução dos poderes estatais, modificaram as condições para o exercício da política e da liderança. A partir da Segunda Guerra Mundial (1939-1945), porém mais especificamente ainda, depois dos anos 1970 e 1980 — e não apenas por causa da queda do Muro de Berlim, em 1989, e do fim da bipolaridade mundial —, houve uma ruptura com as condições que prevaleciam até então. A revolução dos transportes, facilitando os contatos comerciais, políticos e culturais e, sobretudo, a revolução nos meios de comunicação e o advento da Internet redesenharam as condições organizacionais e culturais do mundo.

O fenômeno da globalização, um capitalismo das corporações multinacionais, baseado na dispersão da produção, na homogeneização dos gostos que leva à padronização dos produtos (e vice-versa) e no encadeamento de inovações tecnológicas em perpétua mutação, redesenhou as perspectivas de desenvolvimento dos países. A concentração dos recursos de capital nas regiões já desenvolvidas e o deslocamento rápido dos fluxos financeiros aumentaram as incertezas. A incapacidade desse novo mundo (horroroso ou não) para diminuir as assimetrias entre os Estados nacionais e entre os povos, quando não dentro de cada país, redesenhou as perspectivas da vida de todos e colocou novas dúvidas e novos desafios.

Os antigos Estados-nação do século XIX, embora não desapareçam e mantenham o controle sobre o território, perdem preeminência como pólos aglutinadores de esperanças. As instituições políticas que deram base à democracia (os partidos, os parlamentos e a ideologia liberal) e mesmo as instituições clássicas da sociedade civil (como os sindicatos e as igrejas) tornaram-se insuficientes para encaminhar as demandas e dar legitimidade à ação dos políticos. A difusão da Internet e a formação do que o sociólogo espanhol Manuel Castells, professor nos EUA, qualificou como as "sociedades em rede" criam novas formas de sociabilidade, que saltam as muralhas dos territórios nacionais e as barreiras de lealdade dos grupos de interação primária, nos quais as relações se dão face a face, como a família, os grupos de trabalho ou os partidos e igrejas.[23]

As expectativas da sociedade e o papel dos políticos e das instituições estão, portanto, se redefinindo. Os processos que serviram de base para a revolução democrática em marcha desde o fim do século XIX ganharam novos contornos. As diferenças de valores e estilos de comportamento entre as diversas camadas sociais diminuíram, ainda que as posições de classe e a concentração da riqueza não tenham sido afetadas do mesmo modo. Entre a Segunda Guerra Mundial e o advento da globalização, consolidouse o que os sociólogos chamam de "sociedades de massa". A produção industrial em grande escala e a difusão dos meios de comunicação tornaram possível, em vários países, que se aspirasse a ascender à cidadania.

Atualmente, com a Internet e com sinais da formação de uma "sociedade civil planetária",[24] talvez seja insuficiente e impreciso falar em "cidadania" ou mesmo em uma cultura "cívica". Por cívica sempre se entendeu, etimológica e conceitualmente, uma cultura que liga o cidadão à cidade ou, estendendo o conceito, à República. A generalização da cidadania levou à busca de algum tipo de comportamento institucional, expandindo e redefinindo o âmbito das relações entre Estado e sociedade. Nos dias de hoje a dinâmica da vida política é conferida (não exclusivamente, está claro) por movimentos sociais, por ONGs e por movimentos de opinião aparentemente sem base institucional maior. Na verdade, as instituições tradicionais estão sendo complementadas pelo que se chama de "protocolos" que permitem e regulam as comunicações em rede. O próprio ato da comunicação em rede cria o liame entre pessoas e mesmo entre grupos e instituições, tanto no espaço nacional como no internacional. Ocorrem, intermitentemente, novas formas de relacionamento entre os povos e os países, criando um espaço democrático onde se vislumbra a formação de uma opinião pública global mais atuante.

---

[23] Manuel Castells, *A era da informação: economia, sociedade e cultura*, volume 1, *A sociedade em rede*, e volume 2, *O poder da identidade*, São Paulo, Paz e Terra, 1999. Ver ainda *La galáxia Internet*, Barcelona, Aretè, 2001, e o segundo volume da nova edição de seu livro básico, *The Power of Identity*, Londres, Blackwell, 2003.

[24] Sobre esse ponto, além da já citada obra de Castells, ver Bruce Rodney Hall e Thomas Bersteker, *The Emergence of Private Authority in Global Governance*, Cambridge (Inglaterra), Cambridge University Press, 2002.

Obviamente, como mostrou Castells, esses novos tipos de relacionamento não tornam evanescentes o Estado e as velhas instituições nacional-democráticas (como os partidos) nem as da sociedade civil (sindicatos, associações, igrejas). Mas, em certas circunstâncias — e a expressão é minha —, "desenraízam" as pessoas, inclusive de posições hierárquicas, dando margem a conflitos de novo tipo. O "quem manda, quem obedece e em nome do quê" (temática tradicional da filosofia e da ciência política)[25] tende a se redefinir. As condições técnicas da comunicação impõem sua lógica às formas de sociabilidade e aos processos de lealdade e de legitimação. Esses, obviamente, continuam a ser fundamentais, sofrendo, entretanto, uma mutação muito mais profunda do que simplesmente formal.

Reitero: não se trata de pensar a política democrática sem os partidos, ou a organização da sociedade civil dispensando a ação do Estado, e muito menos contar com um mercado onipotente como regulador da sociedade. O mercado, aliás, sofre pressões antes desconhecidas, por parte das ONGs, dos movimentos de consumidores, dos ambientalistas etc. e por parte do próprio Estado. Este procura se modificar para ampliar sua capacidade de regulação sobre um conjunto de novos temas (como meio ambiente, direitos do consumidor ou minorias) e processos complexos, como os fluxos financeiros ou os protocolos de comunicação.

A nova política, e por conseqüência os políticos, tem de se haver com "bichos novos", atores interagindo em novas situações. Tudo isso altera o exercício democrático do mando. Tão logo eleitos, os representantes do povo, sobretudo quando no Executivo, sentem como é insuficiente o apelo à base racional-legal para legitimar o exercício do poder (a Constituição, a eleição, os fundamentos jurídicos da decisão tomada). É preciso

[25] Max Weber, a partir da indagação sobre o porquê do subordinado, do súdito obedecer ao superior, ao senhor, fez distinções entre os tipos de poder: o tradicional, o racional-legal e o carismático. Enquanto Montesquieu se preocupou com o funcionamento dos regimes, Weber quis explicar como o poder se "legitima", ou seja, é aceito como válido por quem obedece. A santidade da tradição, a adequação a normas pactuadas e objetivas ou a força não rotineira de um líder que inaugura uma ordem nova servem de fundamento, em cada caso, segundo Weber, para aceitar a autoridade legítima de quem manda.

explicar e convencer a opinião pública sobre a justeza de cada decisão, em uma busca incessante de consentimento genérico, de legitimidade difusa, em um processo contínuo de interação entre os poderosos e a população. Deixou de ser suficiente ter obtido dezenas de milhões de votos em uma eleição. No dia seguinte, o eleito recomeça quase do zero. E o instrumento para obter a aprovação democrática é a palavra, sempre ao lado da imagem.

Para dizer de outra maneira: nos dias de hoje a democracia é um processo do qual os cidadãos querem participar não somente no ato de votar ou mesmo de aprovar (como, por exemplo, em um plebiscito), mas de *deliberar*. Foi o economista e cientista social norte-americano nascido na Alemanha Albert Hirschman quem melhor salientou esse aspecto da formação da opinião democrática. Contrapondo-se à tradição que valoriza o ter uma opinião vigorosa e rígida, ele salienta a importância das opiniões não se formarem *antes*, mas *durante* o processo de discussão e deliberação. Portanto, as mentes abertas, os espíritos psicologicamente mais dispostos à convergência e à transigência, que favorecem o diálogo, seriam mais condizentes com a condução e a durabilidade do jogo democrático. Em vez de opiniões peremptórias, diz Hirschman, é melhor para a democracia contar com líderes e seguidores de índole "persuadível", abusando de um neologismo extraído da obra poética da escritora inglesa Jane Austen.[26]

Essa reviravolta do mundo contemporâneo tornou Cícero, no elogio da retórica como fundamento da educação do Príncipe, outra vez referência.[27] Para Cícero o modo de vida mais nobre era a devoção virtuosa ao serviço público. A amizade entre os homens, a boa vontade, permite que o bom governo se baseie na cooperação livre dos cidadãos. Para que esses valores sustentem a República é necessário que existam leis e que as pessoas estejam convencidas de sua validade, o que requer que os homens públicos sejam capazes de usar a razão e a emoção. O jogo entre essas duas qualidades se desenvolve por meio do que se chamava de "retórica", base

---

[26] Ver Albert Hirschman, "Opiniões peremptórias e democracia", especialmente p. 94-95, *in Autosubversão*, São Paulo, Companhia das Letras, 1996.

[27] Sobre Cícero, ver o já citado livro de G. Wegemer, cap. 6.

para o convencimento. A obediência não será obtida pelo medo e pela coerção, e sim pela razão e pelo amor, construídos por uma espécie de diálogo socrático, que seria o apanágio da liderança. Também Hobbes, que escreveu muito tempo depois de Cícero, é uma referência atual em seu insuperável elogio da fala e do uso das palavras.[28]

A palavra, nos dias de hoje, é a "mensagem" e o meio de sua difusão é eletrônico e não mais o púlpito ou a tribuna. Os efeitos do rádio (e, posteriormente, da TV) já se faziam sentir na "política de massas", que caracterizou as mobilizações fascistas e autoritárias de modo geral e que serviu de argamassa ao populismo terceiro-mundista. Agora é a própria política democrática que apela a esses meios e à Internet. Tudo ocorre em tempo real, a despeito da distância física, mas com uma diferença: a Internet é essencialmente interativa e pouco a pouco o rádio, a TV e mesmo o jornal e a revista vão criando espaços democráticos para "o outro lado", para a reação das pessoas.

As colocações de Habermas[29] sobre a criação de um "espaço democrático" ajudam a entender esse processo, requerendo, porém, uma interpretação cuidadosa. Não se pode pensar em uma ágora contemporânea formada por instituições ao velho estilo dos círculos de opinião, com novas roupagens, como se as ONGs ou outras instituições da sociedade civil constituíssem a "boa sociedade". Elas existem, atuam e são indispensáveis porque expressam as diferenças de interesse dos grupos, a diversidade de pontos de vista e os conflitos entre eles.

---

[28] Ver Thomas Hobbes, *Leviathan,* tradução para o inglês do original em latim (de 1651), publicado pela *Encyclopaedia Britannica,* Chicago (EUA), 1952, cap. 4, "Of Speech", que se lê até hoje com deleite.

[29] A obra de Jürgen Habermas é extensa e complexa. Em *De l'éthique de la discussion,* traduzido do alemão para o francês por Mark Hunyadi, Paris, Les Editions du Cerf, 1992 (a edição em alemão data de 1991), ele se propõe a substituir o imperativo categórico kantiano por um procedimento de argumentação moral, de tal modo que as normas só podem pretender à validade se seguirem o chamado princípio deontológico, segundo o qual as pessoas devem chegar a um acordo por meio de uma discussão substantiva. Para ele, a justiça normativa, os juízos morais devem pretender uma validade análoga à da verdade. Para os propósitos mais modestos da discussão deste livro, a obra fundamental de Habermas é *The Structural Transformation of the Public Sphere,* Cambridge (Inglaterra), Cambridge University Press, 1989.

Por reconhecer essa diversidade e seu caráter conflituoso Castells foi quem melhor compreendeu a dinâmica das sociedades em rede no quadro da globalização. Com as redes globais de riqueza, poder e informação,[30] o Estado-nação moderno vem perdendo boa parte de sua soberania, sustenta o autor. Da mesma maneira, o movimento trabalhista perde força quando o Estado abre mão da seguridade social como função legitimadora. As ideologias políticas, desde o liberalismo democrático baseado no Estado-nação ao socialismo fundado no trabalho, esvaziam-se de significado. Sendo assim, esmaecidas essas instâncias legitimadoras, tem-se a impressão de que sobram as "expectativas racionais" dos mercados para justificar o poder em sociedades cuja economia se baseia em informações sobre fluxos financeiros intercomunicados em tempo real. Seria uma espécie de "barbárie contemporânea".

Como contrapeso à ameaça dessa barbárie pela via pseudo-racional do mercado internacionalizado, formam-se mensagens políticas reativas de três tipos: a volta ao nacionalismo, fechando as fronteiras econômicas, fortalecendo o Estado e as burocracias e reforçando as tradições culturais para resistir à pressão avassaladora do cosmopolitismo; a busca de "identidades de resistência", retraídas em "paraísos comunais" formados por pessoas que se opõem à exclusão econômica, cultural e política, e constituídas em oposição aos "cidadãos do mundo", indivíduos sem identidade específica que participam das elites globais dominantes; e, por fim, dado que esses elementos contraditórios não convivem pacificamente na so-

[30] Castells diz que o poder "não mais se concentra nas instituições (o Estado), organizações (empresas capitalistas) ou mecanismos simbólicos de controle (mídia corporativa, igrejas). Ao contrário, está difundido em redes globais de riqueza, poder, informações e imagens, que circulam e passam por transformações em um sistema de geometria variável e geografia desmaterializada", mas o poder não desaparece (ver *O poder da identidade*, p. 423). Esta definição esclarece o porquê de outras observações de Castells incluídas no texto do livro. Obviamente, como o próprio autor nos adverte em outras passagens de suas obras, essas novas formas de exercício do poder não extinguem as anteriores; mas a dinâmica do sistema e seu futuro dependem da evolução delas. Em suma, traduzindo: "O novo poder se baseia nos códigos de informação e nas imagens de representação ao redor dos quais as sociedades organizam suas instituições e o povo constrói sua vida e decide seu comportamento. Este poder se localiza na mente das pessoas" (p. 425).

ciedade, surgem as "identidades de projeto", constituídas pelos que, também atuando em rede, desejam refazer a sociedade civil global e local e as formas de controle público.

Essas identidades de projeto, acrescento eu, lutam para criar um novo Estado, uma nova ordem democrática mundial. Tal projeto será construído, segundo Castells, a partir das identidades de resistência e não das identidades da sociedade civil, próprias da era industrial. Das energias geradas pelos movimentos ambientalistas, feministas e outros do gênero encontraremos nosso caminho de Damasco.[31] Essa "identidade de projeto" tem algo a ver com uma releitura do Gramsci de *Cartas do cárcere*,[32] como faz Castells na reedição revista de seu livro fundamental, em uma espécie de renascimento da idéia de hegemonia, não mais baseada no partido-Príncipe, mas na mobilização difusa e participativa, mais espontânea e, portanto, menos previsível, dos que acreditam em um mundo melhor.[33]

Meus caminhos para a política

Voltando ao plano pessoal: houve muito de casualidade, mas fui treinado, sem que esse fosse o propósito, para atuar em um mundo político em transformação. Construí paulatinamente as qualidades que a sorte transformou em atributos para o mando numa democracia.[34]

---

31 A obra pioneira na percepção da importância desses movimentos na sociedade contemporânea deve-se a Alain Touraine, começando por *La Société post-industrielle: naissance d'une société*, Paris, Denoël, 1969 (Bibliothèque Médiations, 61) e culminando com *Le Retour de l'acteur: essai de sociologie*, Paris, Fayard, 1984 (Mouvements, 3).

32 Antonio Gramsci, *Cartas do cárcere*, Rio de Janeiro, Civilização Brasileira, 2005, 2 v.

33 Ver Manuel Castells, *The Power of Identity*, *op. cit.*, especialmente o item "The Crisis of the Nation-state, the Network-state and the Theory of the State", no qual, discutindo com David Held, Castells reelabora sua teoria, mostra como as redes de poder se conectam com os níveis regionais e locais e retoma a idéia gramsciana de "bloco de poder" para reafirmar que cada "*territorial level of the state expresses the alliance of specific social interests and values that, together, constitute what Gramsci called the power bloc, underlying the actual power institutionalized in the state*" (p. 359).

34 Recordo-me do espanto de Albert Hirschman, grande intelectual que abriu perspectivas para várias gerações, quando assistiu a uma intervenção minha em reunião da

Passei boa parte da vida como professor. Comecei, aos 20 anos, no Colégio Estadual Fernão Dias, no bairro de Pinheiros, em São Paulo, onde lecionei História do Brasil. Aos 21 anos, ainda aluno da Faculdade de Filosofia, mas já trabalhando como pesquisador no Instituto de Administração da Faculdade de Economia da USP, fui indicado pelo titular da cátedra que dirigia o Instituto, professor Mário Wagner Vieira da Cunha, para ocupar a posição de primeiro assistente de História Econômica Geral e do Brasil, cuja titular era a professora Alice Canabrava. Necessitei de uma autorização especial do reitor, professor Ernesto Leme, para lecionar, pois não havia terminado a licenciatura.

Posteriormente, por vontade própria ou razões políticas, passei vários anos ensinando no Chile, na França, nos EUA e na Grã-Bretanha, além de ter ministrado breves cursos em outros países da América Latina. Não dominando plenamente o espanhol e o inglês, não podia desperdiçar tempo me enredando em floreios e adjetivações em minhas exposições. Ia direto ao ponto, não por virtude, e sim por falta de maiores recursos verbais. Na Faculdade de Filosofia, professores franceses nos haviam ensinado a redigir com a clareza possível. Recordo as aulas de ciência política de Charles Morazé, que nos fazia ler jornalistas de bom texto da época — um deles, cujos artigos recomendava insistentemente, era Assis Chateaubriand — para aprendermos a ser sucintos e claros. Havendo passado pelos liceus da França, nossos professores não esqueciam que um bom trabalho escolar começa com uma introdução, na qual se enunciam o tema e as questões principais, desdobrando-se em seguida as questões para tratá-las uma a uma (separando-as, devidamente, com A, maiúsculo, seguindo-se a análise do tema em partes marcadas a, b, c, d etc., para, na próxima questão, repetir o procedimento com B, e assim por diante) e, nas conclusões, voltando-se ao enunciado na introdução, dessa feita esclarecido, enriquecido e sintetizado. Não tenho a pretensão de ter aprendido bem o que me

---

SBPC, realizada em Brasília, em 1976. No auge do autoritarismo, eu criticava com veemência e mesmo com contundência os desmandos do regime. Ao viajarmos juntos para o interior de Goiás — fomos visitar a antiga cidade de Goiás de meus ancestrais —, Hirschman me disse, um tanto ironicamente: "Hoje ouvi o tribuno, coisa que não sabia que você era...".

ensinaram, embora a preocupação com a lógica expositiva tenha ficado subconscientemente em mim e o esforço para melhorá-la também.

Um professor que se preze é avesso à demagogia, pelo menos à mais fácil. Tendo pertencido à escola de Florestan Fernandes, aprendi que tampouco é admissível a confusão entre ensinar e pregar ideologias ou mesmo convicções políticas em aula. Com essa formação, meus primeiros passos na política eleitoral seriam penosos. Não sabia como me comportar nos palanques e tinha alguma dificuldade com os abraços intermináveis, motivo de ironia de muitos de meus críticos. Custei a compreender que a política requer uma troca física de energias: ela simboliza o companheirismo, o estar junto, necessários para desenvolver relações de solidariedade.

Nem em tudo, entretanto, meu treinamento como professor seria desvantajoso na passagem para a política. Com o predomínio crescente da TV e do rádio, ele ajudou no desempenho. Candidato em 1978 a senador por São Paulo, participei com Cláudio Lembo, o candidato da Arena, de um dos primeiros debates eleitorais na TV ocorridos no período autoritário. A reação de meus companheiros de partido com maior experiência política, como Almino Affonso e Plínio de Arruda Sampaio, ambos ex-deputados cassados, recém-vindos do exílio, foi de decepção: faltara-me o ânimo mais acalorado, um desempenho mais espetacular.

Estavam enganados. O defeito que freqüentemente me atribuíram no decorrer da vida, o de ser "professoral", quando temperado pelo hábito de falar com recursos verbais destinados a públicos distintos, pode preencher algumas das expectativas contemporâneas. A TV, um "meio frio", como é injustamente acoimada, e mesmo o rádio, em que os locutores são explicadores da vida cotidiana, requerem mais a argumentação não floreada do que os arroubos dos comícios. Falei em muitíssimos comícios. Alguns juntando centenas de milhares de pessoas, como os da campanha pelas eleições diretas. Confesso que não ficava à vontade nessas ocasiões. Para minha sorte, porém, a política contemporânea se pratica crescentemente pela TV e pelo rádio, ou então em pequenos círculos e em conferências, em que me sinto como em uma sala de aula.

O que conta efetivamente para o êxito dos que desempenham os papéis principais na política atual é a capacidade de transmitir uma mensagem. A política lida com conteúdos simbólicos e os líderes buscam exercer a forma moderna do que Gramsci chamava, com outra conotação, de hegemonia cultural. Isso requer qualidades de "ator", que não se dissociam da experiência prévia de cada um. Há os que, como Lula — e Teotônio Vilela também era assim —, conversam com o público, mesmo nos comícios; "arengam", como se diria antigamente. Há os que ainda mantêm a postura literalmente espetacular de um Jânio Quadros e, com a imagética rica, a gesticulação e a linguagem corporal, "dizem algo" aos espectadores. Há várias maneiras de atuar, mas para exercer a liderança é indispensável ter mensagens e ser capaz de transmiti-las.

Quando o sentido da comunicação é substituído pela demagogia escancarada, surge, de imediato, o vazio da mensagem. É o que se passa freqüentemente com políticos tradicionais. Por esmerados que sejam na sintaxe e na prosódia, dificilmente convencem e são logo descartados da cena principal, se não usam artifícios adicionais.

Boa parte da construção dos "marqueteiros", dos publicitários que trabalham para partidos e políticos, consiste em criar uma atmosfera, com imagens e *slogans*, para substituir o ator principal, quando este é mau no desempenho, ou para reforçar as mensagens daqueles que as têm e sabem como transmiti-las. Em qualquer caso, os políticos contemporâneos, pelo menos os mais significativos, tornaram-se mais "atores" do que nunca. Devem simbolizar uma mensagem e, ao mesmo tempo, precisam despertar confiança e, chegando ao poder, realizar algo que atenda às expectativas despertadas.

Nesse jogo entre simbolismo e realizações práticas, o político precisa ser capaz, pela intuição ou pelo conhecimento, de elaborar e transmitir uma "visão" dos problemas que enfrenta, uma visão da sociedade e do país. Quando se trata de políticos de expressão nacional, dados os condicionantes da globalização, devem possuir algum tipo de "sentimento do mundo".

Aqui cabe novamente a ressalva: os caminhos são muitos. No meu caso, como "sociólogo de campo" e como alguém que, por circunstâncias, participa de uma cultura cosmopolita, sempre que pude, "dei aulas" no exercício da Presidência e liguei o particular, o fato do dia, a questão em pauta, ao mais geral, ao condicionamento do mundo globalizado. Insisti em repensar os temas, sobretudo os referentes à definição das políticas para atender ao interesse nacional em um mundo novo. Por isso também, sendo chefe de partido (e freqüentemente de partidos), nunca deixei que o jogo político partidário, necessário e cansativo, esgotasse o âmbito da política. Por "indigesto" que fosse o Movimento dos Trabalhadores Rurais Sem Terra (MST), por exemplo, procurei tratá-lo como um dos novos movimentos da sociedade. Tentei dialogar com seus dirigentes, nos limites da lei, mesmo quando, por exemplo, militantes invadiram a fazenda que pertencia à minha família em Buritis, no noroeste de Minas Gerais. Confesso, entretanto, que por mais que os recebesse e me esforçasse para apoiar o programa de reforma agrária, o diálogo revelou-se impossível. Lembro-me de que, na primeira reunião que tive com dirigentes do MST no Planalto, eles deixaram logo claro que pretendiam antes provocar um fato na mídia do que dialogar. Era um pequeno grupo, e logo no início do encontro um deles, que portava a bandeira verde, branca e vermelha do movimento, perguntou:

— Podemos abrir a bandeira?

Respondi:

— Não! Bandeira, aqui, só a do Brasil. Não pode, não.

De outra feita, o grupo, em atitude típica, entrou em minha sala sem tirar os bonés com o logotipo do movimento, atitude distante da que se espera de quem tem uma audiência no gabinete presidencial, seja quem for o Presidente. Estavam os principais dirigentes, entre os quais João Pedro Stédile e José Rainha Júnior. Logo no começo, um integrante do grupo dirigiu-se a mim de maneira desrespeitosa, chamando-me de "Fernando". Olhei para ele e disse, cortando o tom inadequado:

— O senhor está falando com quem?

Como revelarei em outro capítulo, porém, tive contatos semi-sigilosos com o movimento. O MST pertence a um nicho de resistência à modernidade e é portador de uma utopia regressiva, como qualifico sua ideologia, que olha pelo retrovisor. Entretanto, a despeito de sua vontade e propósitos, é sinalizador de um problema real: os sem-terra existem e a pobreza rural é um fato. Por essa razão, a despeito das críticas dos que consideram um desperdício aplicar recursos nos assentamentos rurais, bem como dos que afirmam que nada se realizou em meu governo pela reforma agrária, desapropriei cerca de 20 milhões de hectares de terra, mais do dobro do realizado até então. Recebi os líderes do MST no Planalto em mais de uma ocasião e, com mais freqüência, os dirigentes da Confederação Nacional dos Trabalhadores na Agricultura (Contag).

O simbolismo de quem exerce o poder está contido em cada gesto, em cada modo de comportamento. Republicanos e democráticos como são meus valores — e nisso fui estimulado e acompanhado por minha família —, procurei não transformar o cotidiano da Presidência (afora as solenidades protocolares) em algo distinto da vida de um professor universitário. Procurei ouvir os que tiveram acesso a mim, o que com freqüência era entendido como se eu estivesse sempre de acordo com o interlocutor, quando apenas não o queria inibir com a "autoridade formal" do Presidente.[35] Jamais permiti que o tom da voz ou a rispidez no trato tolhessem as opiniões do interlocutor. E sempre achei graça dos que, saudosos do autoritarismo, vez por outra cobravam do Presidente um murro na mesa... Se caísse nessa tentação, emitiria sinais contrários aos de minha pregação de tolerância democrática.

De forma menos pessoal e mais ligada à institucionalização das práticas democráticas modernas, favoreci não só a relação necessariamente distante e sempre arriscando a manipulação, de explicar em discursos e entrevistas as razões das políticas, como também a de criar espaços mais efetivos para dar ouvidos à sociedade. Tornaram-se rotineiras as audiências públicas para elaboração de projetos de lei e respectivas regulamentações, muito freqüentemente lançando-se mão da Internet para auscultar a reação das pessoas e entidades e para criar um espaço de interação no processo deliberativo. Nunca antes, como nos dois mandatos que exerci, houve tanto empenho em fazer avançar o chamado *e-government*, quer dizer, o colocar serviços governamentais e propostas de leis e regulamentos, antes de formalizá-los, ao alcance do público pela Internet.

---

[35] O Presidente francês Charles de Gaulle pronunciou frase, dirigindo-se aos compatriotas na Argélia, que ficou famosa: "*Je vous ai compris*", que não implicava concordância. O grande Presidente americano Franklin Delano Roosevelt era conhecido por evitar a confrontação com os interlocutores. Sorria, dando a impressão de haver concordado, para desilusão dos que assim o interpretavam. Ver Roy Jenkins, *Roosevelt*, Rio de Janeiro, Record, 2005, cap. 4, "As sugestivas ambigüidades do primeiro mandato".

Em outros termos, agi com a preocupação de valorizar o que o cientista político norte-americano Joseph Nye, pensando no Estado e não em lideranças individuais, chama de *soft power*,[36] que é outra maneira de colocar a questão da legitimidade do mando democrático. O líder democrático, em um mundo de mensagens intercomunicadas e de participação crescente, embora consciente dos conflitos e das diferenças de classe, deve propor valores que possam ser compartilhados pela parcela majoritária da sociedade. Caso contrário, perde força. Como sua relação com os liderados não é estática, ele tentará convencê-los o tempo todo, arriscando-se, ora a ganhar, ora a perder. Ao ganhar, buscará atrair um número cada vez maior de pessoas, grupos, movimentos e instituições para seu lado. Ao perder terá de ver no que se equivocou e, dentro de suas convicções, refazer, humildemente, o circuito do convencimento que pode levar à vitória.

Não sendo um líder moral, ao ganhar, o "chefe", quando não é líder e quer mudar algo, apenas exerce a força. Nesta hipótese, parafraseando Rousseau,[37] não estabelece uma relação propriamente política com os liderados. Ou, para parafrasear a referência de Marx aos camponeses no *18 Brumário*, governará jogando uns contra os outros como batatas num saco. Acaba por ser a expressão das forças sociais que se impõem por seu intermédio, e não exerce liderança genuína.

Assim como Marx escreveu que os homens fazem a História em condições dadas, ou como Montesquieu se referiu à variação das leis confor-

---

[36] Joseph S. Nye, Jr., *Soft Power, the Means to Success in World Politics*, Nova York, Public Affairs, 2004. Embora o autor discuta o poder no plano internacional, suas idéias se aplicam a qualquer situação. Sem desconhecer, nas palavras dele, que o poder inteligente combina *soft* com *hard power* (neste caso, o uso da força), ele ressalta que no mundo contemporâneo o convencimento requer simbolismo, atratividade (cultural e pessoal), valores, instituições e políticas que sejam vistos como legítimos ou que tenham autoridade moral: "Se o líder representa valores que as outras pessoas desejam seguir, custa menos comandar" (p. 6). Para Nye, *soft power* não equivale a influência, pois esta pode ser obtida pelo dinheiro ou por ameaças de uso do *hard power*, enquanto o *soft power* implica a habilidade de atrair, e a atração leva freqüentemente à aquiescência, como a índole do poder democrático requer.

[37] "Convenhamos, pois, que força não faz direito, e que não se é obrigado a obedecer senão às autoridades legítimas." Jean-Jacques Rousseau, *Du contrat social*, edição original de 1762, em fac-símile, comentada por Voltaire, Paris, Le Serpent à Plumes, 1998, p. 12.

me a natureza dos regimes políticos, não custa repetir que o "projeto", o "programa" ou o "caminho", o rumo, ou que nome se dê aos propósitos e aos valores sustentados pelos que governam, estão limitados pelo condicionamento material e institucional da sociedade, por suas bases produtivas. Os condutores de mudanças não devem imaginar que sua vontade (ou a de seu partido, grupo ou movimento) opera no vazio da História. Tentarão exercer influência para mudar o curso das coisas, mas pagarão alto preço se não forem capazes de identificar os limites que, com sua liderança, estão procurando alargar.[38]

A liderança genuinamente democrática está indissociavelmente ligada à capacidade de simbolizar e transmitir mensagens e, portanto, o que no fundo é a mesma coisa, à virtude de enxergar e propor à sociedade um caminho que seja aceito pelos liderados, ainda que de forma momentânea. Em uma sociedade interativa, esse "projeto" não pode ser concebido como um ato de razão ou de vontade, mas como uma construção coletiva em que uns — os líderes — expressam melhor e simbolizam em dado momento o movimento da sociedade, o qual necessariamente está condicionado por valores, por modelos culturais, com os quais e sobre os quais se age. Ou o líder (digo metaforicamente, como Gramsci falava do Príncipe, e não à moda de Maquiavel) aponta e abre caminhos ou perde poder.

É em nome da validade intrínseca dos valores propostos e do caminho arquitetado que o poder renova no dia-a-dia sua legitimidade, mesmo quando esta, em uma democracia, tenha no voto e na Constituição sua base fundamental.

---

[38] Já o grande Tocqueville mostrara os condicionantes gerais da ação dos homens em seus painéis sobre *A democracia na América* e em *O antigo regime e a Revolução*. Mas jamais se esqueceu de que se bem "o acaso só produz o que estava preparado anteriormente (...)", pois "os fatos precedentes, a natureza das instituições, o feitio dos espíritos, o estado dos costumes, são os materiais com os quais ele produz essas viradas que nos surpreendem e nos atemorizam", nada disso se dá sem a interferência da vontade humana. E nas suas memórias disse detestar os sistemas intelectuais que fazem tudo depender das grandes causas primeiras, suprimindo os homens da história do gênero humano, como mostra com síntese e clareza Evaldo Cabral de Mello em *Um imenso Portugal*, São Paulo, Editora 34, 2000, de onde tirei as citações acima.

CAPÍTULO 2

Aprendendo na política

Nossos partidos e um equívoco: as referências européias

Os atuais partidos políticos brasileiros nasceram da desagregação do regime autoritário formado a partir do golpe de 1964. Não é necessário descrever passo a passo a História recente, que permanece fresca na memória. Mencionarei somente algumas características da formação partidária atual, que ajudam a compreender o jogo político e seu significado na vida nacional.

Com as exceções de praxe, o papel que os partidos e o Congresso Nacional desempenham tem sido avaliado de modo superficial pela literatura especializada e pela imprensa. Isso para não falar das pesquisas de opinião, que invariavelmente situam ambas as instituições entre as de menor prestígio, quando não de menor serventia.

Nada mais equivocado, entretanto, do que subestimar o papel político do Congresso e dos partidos. Os chavões sobre estes oscilam. Ora os consideram incoerentes, sem ideologias, meras máquinas eleitorais. Ora confundem legendas com partidos e vêem nas votações do Congresso coerência partidária, quando na maior parte das vezes trata-se apenas de apoio ao governo ou oposição a ele. Pior ainda, muitas vezes, nos dois casos, os parlamentares agem por motivos que nada têm a ver com as ideologias proclamadas nos programas partidários.

Na verdade há um pouco de tudo isso em cada um dos partidos — coerência, apoio em troca de vantagens de todo o tipo, visões ideológicas —, dependendo das regiões e da força dos chefes políticos, bem como do momento, da formação dos dirigentes partidários e de suas trajetórias de vida.

Mesmo alguns acadêmicos têm contribuído para uma leitura incompleta sobre os partidos e sobre o Congresso.[1] Talvez porque partam da re-

---

[1] À exceção dos trabalhos de Bolívar Lamounier, de Maria do Carmo Campello de Souza e de poucos autores mais. Ver notadamente, de Lamounier, *Da Independência a*

ferência à História política européia. Na Europa, os partidos, na acepção moderna, nasceram como expressão da luta de classes, em sociedades rigidamente hierarquizadas, quando o Terceiro Estado, no caso da França, ou os burgueses da Revolução Gloriosa, no caso da Inglaterra, se opuseram à dominação estamental da aristocracia. À medida que o capitalismo industrial se desenvolveu, as diferenciações internas da *societas civilis* foram se tornando mais significativas, ao mesmo tempo em que "os de baixo" passaram a tomar consciência da diversidade de seus interesses e buscaram formas próprias de organização política.

Na França, os partidos socialistas, da classe operária, foram as primeiras organizações que, de modo estrito, poderiam ser chamadas de "partidos de massa". Nestes, as máquinas partidárias se tornaram mais complexas e burocratizadas, para dar conta da participação ampliada de afiliados. As definições doutrinárias, por sua vez, continham crescentemente uma visão global da sociedade e do lugar que os trabalhadores deveriam ocupar nela. Estas definições passaram a ser critério para a adesão ao partido.

De forma menos nítida, ocorreu algo semelhante também na Inglaterra, com o Labour Party. De fins do século XIX em diante, ser trabalhista ou conservador tinha simultaneamente um significado social e um significado político, um relacionado ao outro. Ou seja, os partidos polarizavam interesses e visões "de classe". Os antigos clubes das classes dominantes viram-se desafiados pela presença de organizações políticas com grande número de aderentes. Elas, ademais, se estruturavam, criavam uma burocracia partidária e sustentavam uma visão alternativa sobre o que seria a "boa sociedade". Moviam-se ancoradas em valores que incitavam à reorganização da produção, do consumo e da distribuição dos bens para se tornarem mais acordes com os interesses de classe de seus afiliados e votantes.

Esse modelo, por assim dizer "clássico" de organização partidária, embora haja influenciado decisivamente a noção corrente de partido, está longe de ter sido a única forma de organização política no mundo contemporâneo e nem sequer a mais difundida. Houve múltiplos modelos de vida partidária que não se orientaram por ideologias de classe. Os parti-

---

Lula: dois séculos de política brasileira, São Paulo, Augurium, 2005, e de Campello de Souza, *Estado e partidos políticos no Brasil*, São Paulo, Alfa-Omega, 1976. Ver também Simon Swartzman, *Bases do autoritarismo brasileiro*, Rio de Janeiro, Campus, 1982.

dos de tipo nazista, fascista, franquista ou salazarista aspiraram a ser a expressão do sentimento de "todo o povo" e deram ênfase à vontade nacional, antes do que à das classes.

Essa tendência não se limitou aos desdobramentos autoritários europeus. Os partidos "de libertação nacional", tão presentes nas lutas anticolonialistas do Terceiro Mundo, após a independência tornaram-se muitas vezes partidos únicos, mantendo o apelo poderoso à "união nacional" contra o estrangeiro, contra os ricos ou contra o que fosse, diluindo e amalgamando na mesma organização política diversos setores de classe, clãs e etnias.

Mesmo partidos originariamente classistas e nascidos em sistemas políticos mais pluralistas, como os comunistas da Europa Oriental, se transformaram em partidos únicos quando chegaram ao poder, embora continuassem a se proclamar "da classe operária" e até permitissem em certos casos, só para constar, a existência de outras pequenas agremiações.

Isso sem mencionar os partidos "religiosos", de grande influência em algumas regiões, como na Irlanda do Norte ou, se sairmos do mundo ocidental, em alguns países da África, do Oriente Médio e da Ásia, onde sobretudo o islamismo mas também o hinduísmo pesam decisivamente na aglutinação política.

No extremo oposto da tradição clássica européia, os partidos fundadores da democracia americana, embora defendendo valores e interesses distintos, nunca se autoproclamaram classistas, nem o recrutamento de seus quadros ou de seu corpo de votantes se deu, exclusiva ou mesmo majoritariamente, pelo critério de pertencimento ou de afinidade com os valores de uma classe social predominante. A clivagem inicial teve muito mais a ver com o espírito autonomista das províncias (depois estados) originárias das antigas colônias britânicas, em contraposição à visão federalista, que separou os jeffersonianos dos seguidores de Madison, por exemplo.

Portanto, não há razões maiores para desqualificar os partidos brasileiros em função de um modelo abstrato que restringe a capacidade de ação partidária coerente a organizações políticas cuja marca seja uma ideologia definida em função dos interesses das classes sociais. Até porque, com a fragmentação da sociedade contemporânea, mesmo nos países europeus onde prevalecem as anteriores formas partidárias o que se vê é a dissolução crescente do modelo classe/partido/ideologia.

Primeiro, o óbvio: o que abalou o regime militar de 1964 foi o crescimento da sociedade urbana e de massas, acelerado pelo "milagre econômico" dos anos 1970, e a forma desigual como ele se deu. Na época, quando se dizia que o Brasil não estava estagnado e que havia a ampliação do proletariado urbano (ainda se chamava assim...) e de uma classe média, não-burocrática, ligada à expansão da economia industrial e dos serviços, surgia logo a suspeita de que esse tipo de análise, no fundo, justificava o regime autoritário.

Parte da oposição "de esquerda" via por todo lado retrocesso não só político, mas econômico, e só uma saída: a revolucionária; se não com apelo às armas, pelo menos com força suficiente para lançar as bases do socialismo. Com este, teríamos de novo democracia e, quem sabe, bem-estar social. Coroando a antecipação do paraíso, teríamos um crescimento econômico autônomo a ser incentivado pelo Estado, mas não o Estado servidor das multinacionais e, sim, servidor do povo.

Não foi esse, entretanto, o rumo principal da política brasileira. Houve quem acreditasse — como eu — que a desagregação do autoritarismo poderia dar-se por um movimento de pinças que juntaria os participantes do poder que se tornaram seus críticos (por vários motivos, desde interesses econômicos contrariados até a vontade de ter mais "voz") à oposição generalizada dos *outsiders*. Estes últimos eram os opositores contumazes tanto do autoritarismo quanto dos malefícios causados pela concentração de riquezas e de privilégios: movimentos populares formados ao redor de vários tipos de reivindicação, grupos religiosos orientados por ideologias popular-progressistas, tipo Teologia da Libertação, intelectuais críticos, o chamado sindicalismo "autêntico", classe média descontente etc.

Novos atores nas greves de São Bernardo

Por outro lado, começavam a ganhar força reações que mesclavam a reivindicação operária à luta por liberdade. Essas insatisfações foram aumentando desde a greve dos metalúrgicos de Osasco e Contagem (MG), no final dos anos 1960, ainda permeadas pela ação de grupos ditos "subversivos", que proclamavam abertamente o objetivo de derrubar o regime.

Nas greves de 1978, 1979 e 1980 em São Bernardo, os metalúrgicos inovaram pela forma não-violenta que suas lutas assumiram e pela amplitude da mobilização alcançada, abrangendo setores não ligados aos partidos então clandestinos da esquerda tradicional. E não me refiro como forças tradicionais de esquerda apenas ao PCB, mas também aos vários grupos e movimentos de inspiração trotskista, maoísta ou fidelista. Pouco a pouco, consolidava-se a presença política dos trabalhadores urbanos, independentemente de sua ligação com esse tipo de movimento organizado. E as manifestações de apoio de setores das classes médias, intelectuais, padres e jornalistas, sem contar estudantes, mostraram que os sindicalistas não estavam isolados.

Já se notava a presença desses "atores sociais" na segunda metade dos anos 1970, quando se começou a falar no papel da "sociedade civil" na política, utilizando-se uma linguagem não usual na época. A linguagem tradicional se referia unicamente a classes e setores de classe. O que deu força à crítica e à ação dos novos grupos foi a perda de vigor econômico do "milagre", precipitada pelos choques do petróleo dos anos 1970 e dramatizada pela crise da dívida externa, a partir da moratória mexicana de 1982. Mesmo antes disso, era clara a mudança no jogo político nacional. A repressão brutal dos governos anteriores ao do general Ernesto Geisel e a leniência inicial deste com a continuidade da repressão, alcançando agrupamentos políticos não ligados à luta armada — que teve como conseqüência o assassinato em dependências do DOI-Codi, em São Paulo, do jornalista Vladimir Herzog no final de 1975 e do operário Manuel Fiel Filho no início de 1976 —, haviam provocado forte reação entre os setores que se opunham em maior ou menor grau ao regime, e nas próprias elites governantes. Talvez a primeira manifestação de massa contra o regime opressor tenha sido o ato ecumênico realizado na Catedral paulistana da Sé, no dia 31 de outubro de 1975, em protesto contra o assassinato de Herzog.

Tudo isso só se tornou possível porque o regime, debilitado, começava a ser impotente para manter a dura censura aos meios de comunicação. O que explodiu como um foguete imantado na época dos grandes comícios em favor das eleições diretas, em 1984, contudo, já se prenunciava nas greves de São Bernardo: não há forma de ação política no mundo contemporâneo que dispense a mídia ou deixe de se apoiar nela.

Foi a junção desses fatores que deu os contornos da "nova política". Ela, ao contrário do que muitos desejavam, correu no mesmo leito da antiga política. É só ver as figuras que apoiaram, por exemplo, as greves de São Bernardo: desde partidários do regime que passaram a repudiá-lo por seus desmandos, como Teotônio Vilela (AL) e Severo Gomes (SP), até políticos da oposição dita "consentida", do velho MDB, como Ulysses Guimarães, André Franco Montoro e, no caso específico, o prefeito de São Bernardo, Tito Costa. Seria de estranhar menos a presença constante dos jovens deputados Eduardo Suplicy, Fernando Morais e Airton Soares e mesmo a minha, e de outros intelectuais engajados, cujo ativismo na vida política já era conseqüência dos novos tempos.

Depois dessas manifestações de protesto, o grande movimento que marcou a redefinição dos partidos foi a luta por eleições diretas, e, previamente, a fundação do PT. Contarei com certo detalhe alguns episódios, não tanto por amor à minúcia histórica, mas porque eles ajudam a explicar o atual sistema partidário.

A rede oposicionista: do MDB a Lula

No período anterior à formação do PT, quero registrar o que me recordo do estado de espírito dos principais líderes do "novo sindicalismo" sobre a política. Em meados dos anos 1970, mais precisamente em 1974, ainda havia muita resistência, mesmo nos setores não vinculados às organizações políticas revolucionárias, a aceitar o jogo eleitoral contido nos limites do bipartidarismo imposto: Arena, apoiando o governo autoritário, e MDB, na oposição congressual. A oposição que se pretendia "conseqüente" vivia distante da vida institucional, não acreditava ser possível mudar algo por meio das eleições sob as regras do regime e, de alguma maneira, considerava os políticos institucionais "farinha do mesmo saco".

A política mais "pura" dava-se no âmbito da sociedade civil, com seus movimentos reivindicatórios: a SBPC, as pastorais religiosas, as comunidades eclesiais de base, os sindicatos, a OAB, a ABI, as Comissões de Justiça e Paz e o que restava das organizações estudantis. A esses setores juntou-se a "imprensa nanica", ou seja, pequenos periódicos de oposição, como *Pasquim, Opinião* e *Movimento*. Formava-se dessa maneira uma rede, mais do que um partido de oposição. Essa rede foi ganhando alguma capacidade de mobilização e de influência na nascente "nova opinião pública", uma espécie de espaço democrático num país controlado autoritariamente.

Talvez o primeiro encontro entre essa rede e a política institucional se tenha dado nas eleições de 1974, quando Ulysses Guimarães lançou sua anticandidatura à Presidência da República em um pleito previamente definido pela vitória da Arena. O candidato desta, general Geisel, teria automaticamente a maioria dos votos do Colégio Eleitoral — instância que em tempos de eleição indireta sacramentava o nome previamente escolhido pelos comandos militares — composto pelos membros do Congresso Nacional somados a delegados indicados pelas assembléias legislativas. Ulysses, acompanhado por seu braço direito, o deputado João Pacheco e Chaves, de tradicional liderança política paulista (ambos haviam pertencido ao velho Partido Social Democrático, o PSD, com raízes no varguismo e sustentáculo do conservadorismo do regime democrático pós-varguista), procurou o Cebrap. Haviam lido artigos que alguns de nós publicávamos no semanário *Opinião*, notadamente um texto que escrevi sobre o papel da oposição, no qual defendia a possibilidade de um alargamento democrático com a utilização dos canais institucionais disponíveis.

Nossa surpresa foi grande. A de Ulysses também. Nós éramos cientistas sociais, não ativistas políticos, e receávamos a contaminação no contato com os "políticos". Ulysses pedia que colaborássemos na preparação do programa eleitoral do MDB, já que em 1974, além da escolha biônica do Presidente, também haveria eleições para o Senado, a Câmara dos Deputados e as assembléias legislativas. A colaboração consistia na preparação de um documento definindo as propostas partidárias a serem apresentadas ao eleitorado e, eventualmente, no treinamento dos candidatos majoritários para os debates pela TV, pois só os candidatos ao Senado podiam aparecer nesse tipo de programa do horário eleitoral.

O Cebrap funcionava em uma velha e cômoda casa na rua Bahia, em Higienópolis. As paredes do casarão testemunharam os acirrados debates no que nós chamávamos de "mesão", mesa ao redor da qual se sentou durante anos a fio boa parte dos intelectuais críticos, que muito tempo depois, em 2005, estavam espalhados entre o PSDB, o PT, o PMDB e os sem partido. Colaborar ou não com setores do "regime", mesmo de oposição, no caso o MDB, era a questão. Alguns toparam: Paul Singer, Francisco de Oliveira, Francisco Weffort, Bolívar Lamounier, Carlos Estevam Martins, Maria Hermínia Tavares de Almeida, eu próprio, e talvez alguns outros cujos nomes me escapam à memória. Fomos os primeiros. Daí por diante, a cada eleição aumentava o número dos aderentes a uma postura mais participativa, visando mudar as instituições, por assim dizer, por dentro. O programa para a campanha do MDB de 1974 se tornaria a matriz dos programas futuros, e não só do MDB. Nele, falávamos de sindicatos, de salário e distribuição de renda, do direito de greve, das questões das mulheres, dos negros, dos índios, enfim, desenhávamos uma política "social-democrática" nas condições de então e do Brasil.

Num Brasil que já foi governado pelo PSDB e sucedido pelo PT, tudo isso perdeu sentido. Naquela época, não. Havia tensão entre os defensores de uma política "pura", longe do solo lamacento do Estado, fincada no sacrossanto terreno da sociedade civil, e os que aceitavam participar das lutas políticas em partidos que atuavam no marco da ordem vigente. No máximo se aceitava militar de alguma maneira no PCB, como se fosse o único depositário das esperanças redentoras da humanidade, o velho Partidão, como era conhecido — ou em alguns de seus desdobramentos mais combativos. A herança da esquerda revolucionária, mais na versão do Leste Europeu, da China e de Cuba do que dos socialistas e comunistas dos tempos primevos, pairava como um fantasma nas mentes e corações de muitas pessoas de boa vontade, como até hoje continua pairando em alguns círculos.

Como desdobramento dessa mudança de postura por parte de setores anti-regime, em 1977, quando nos aproximávamos das eleições de 1978, novamente alguns dirigentes do MDB buscaram contato com os grupos da sociedade civil que se haviam mostrado mais propensos a uma ação conjunta. Dentro do MDB, atuavam, com significativa presença política, setores do PCB e de outras organizações de esquerda de menor porte. Recordo-me bem de uma reunião na casa de José Gregori, mais tarde presidente da Comissão de Justiça e Paz da Arquidiocese de São Paulo, quando se começou a falar na possibilidade de lançamento de uma candidatura ao Senado para agrupar as oposições à esquerda. A situação política, mesmo antes da Lei da Anistia, de 1979,[2] havia permitido a volta de líderes que estiveram no exílio, notadamente, entre os de São Paulo, Almino Affonso, Plínio de Arruda Sampaio e José Serra. Pois bem, de todo o numeroso grupo reunido naquela casa um único sabia onde se localizava a sede paulistana do MDB, Flávio Bierrenbach, advogado como Gregori, que se elegera vereador. Bierrenbach precisou me indicar o local: no subsolo da sede da Câmara Municipal, no Viaduto Maria Paula, no centro de São Paulo. Para lá me dirigi, depois de resolvido que seria eu o candidato, para inscrever-me no partido.

Por que eu? Basicamente porque os candidatos naturais, os que, por assim dizer, tinham currículo e experiência eleitoral, ainda jaziam sob o tacão do AI-5 que lhes suspendera os direitos políticos. Eu, além de conhecido nos meios acadêmicos e nos círculos de oposição no âmbito da sociedade civil, havia sido alcançado pelo AI-5, que me aposentara compulsoriamente da cátedra de Ciência Política da USP em 1969, mas não fora objeto de proibição expressa de me candidatar, pois nunca exercera mandato popular. A interpretação sobre o alcance da punição que me impuseram permitia recursos jurídicos, e de recurso em recurso, acabei registrado como candidato ao Senado por uma sublegenda do MDB.

Diversos artistas, intelectuais, estudantes, líderes operários e uns poucos setores do MDB sustentaram a candidatura. Entre os artistas, Chico Buarque, que uma manhã me telefonou cantarolando um refrão para o que seria o *jingle* de campanha. Ele escrevera uma letra que cabia, compasso a compasso, nos primeiros versos da conhecida canção *Acorda Maria Bonita*, de Antonio dos Santos: "*Acorda Maria Bonita/ Acorda, vem fazer café/ Que o dia já está raiando/ E a polícia já está de pé.*"

A letra de Chico dizia: "*A gente não quer mais cacique/ A gente não quer mais feitor/ A gente agora está no pique/ Fernando Henrique pra senador.*"

Intelectuais de prestígio como Sérgio Buarque de Holanda, Mário Pedrosa, Florestan Fernandes e Antônio Candido, entre outros, aderiram à campanha. E a ela deram brilho artistas como Elis Regina, Lima Duarte, Regina Duarte, Ruth Escobar, Gianfrancesco Guarnieri, Bruna Lombardi, Carlos Alberto Riccelli e Fúlvio Stefanini, para citar só alguns nomes. Um dia recebi um recado do principal dirigente metalúrgico de São

---

[2] Lei nº 6.683, de 28/8/1979.

Bernardo, por intermédio de Francisco de Oliveira, manifestando o desejo de apoiar a candidatura. Eu conhecera Luiz Inácio Lula da Silva no Cebrap, em 1973, trazido pelo presidente do sindicato, Paulo Vidal, quando Francisco Weffort e Régis de Andrade, cientistas políticos, realizavam entrevistas sobre o movimento sindical. Não o vira desde essa ocasião e as grandes greves ainda não haviam ocorrido.

Fui até São Bernardo e me espantei com o porte, a movimentação e a máquina do sindicato. Os militares haviam escorraçado as antigas lideranças, geralmente ligadas ao PCB e ao velho PTB extinto pelo regime militar, que eram influentes nos setores vinculados ao Estado: ferrovias, portos, usinas siderúrgicas e funcionalismo público. Durante os anos do "milagre", a onda industrializadora permitira o crescimento do operariado urbano e dera margem à presença de lideranças não ligadas às antigas forças políticas. Os governos autoritários não extinguiram as fontes de renda dos sindicatos. Apenas contavam com sua despolitização e, portanto acreditavam que sequer "pelegos" seriam os líderes, mas somente, como se diria hoje, "sindicalistas de resultados".

Ledo engano. Alguns sindicatos começaram a nuclear dirigentes combativos, apoiados por eficientes advogados trabalhistas, e a mover ações judiciais em defesa dos direitos dos trabalhadores. Além disso, o sindicato oferecia assistência médica, dentária e jurídica e outros benefícios, e era um ponto de convivência. Os dirigentes dos partidos institucionais simplesmente desconheciam essa realidade. Encontrei Lula em uma pequena sala, cercado por companheiros, muitos dos quais, como Djalma Bom e José Cicote, viriam a se destacar, anos depois, como vereadores, deputados ou dirigentes partidários. Tivemos conversa direta. Lula disse que se dispunha a me apoiar, que poderia fazer pouca coisa, mas que eu iria contar com a ajuda do advogado do sindicato, Almir Pazzianotto, deputado estadual pelo MDB, que votaria em mim na convenção do partido (para ser candidato por uma sublegenda eu precisaria obter 20% dos votos dos delegados à convenção, e os candidatos tradicionais se opunham a me dar uma vaga).

A reunião foi simpática, mas um tanto chocante. Estávamos amontoados na salinha de Lula, fumavam muito, e as palavras, por exemplo, para pedir um copo de água ou para passar um cinzeiro eram quase ríspidas, na percepção de um professor universitário educado dentro de formalidades tradicionais. Perguntei a Lula por que resolvera me apoiar. A resposta foi elucidativa:

— Porque você não faz como os outros que vivem dando lições aos trabalhadores, dizendo o que eles devem fazer, nem se diz senador dos trabalhadores.

Tratava-se de indireta pouco sutil. Montoro, com intensa atividade parlamentar em favor dos trabalhadores — propôs e viu aprovado, entre muitas medidas, o salário-família — e iniciativas como a distribuição de cartilhas em defesa dos direitos trabalhistas, era a quem Lula se referia. O jovem sindicalista já aspirava, talvez sem ter plena consciência, a uma posição "autônoma" e ao direito de ser o líder dos trabalhadores.

Não que Lula tivesse uma visão politizada. Diferentes episódios reforçam minha interpretação de como "o novo" nascia, sem o saber, muito misturado com práticas e visões tradicionais. Menciono apenas duas passagens para esclarecer esse ponto. A primeira se deu em 1979, quando Almino Affonso, Plínio de Arruda Sampaio, José Serra e eu, entre outros, estávamos organizando com Lula o Encontro de São Bernardo, destinado a juntar setores "autênticos" — mais aguerridos — do MDB, militantes de esquerda de várias organizações, sindicalistas, setores da Igreja e intelectuais para decidir passos conjuntos, fosse no sentido de fortalecer o MDB fosse, eventualmente, no de tentar fundar um novo partido.

Almino Affonso e eu fomos uma manhã à casa de Lula, modesta casa de vila suburbana. Lá o encontramos com o sindicalista Enilson Simões, o "Alemão", uma espécie de seu secretário — pertencia ao Movimento Revolucionário 8 de Outubro (MR-8), agrupamento político àquela altura tido como ligado a Cuba, o que Lula parecia ignorar. Queríamos convencer nossa principal contraparte sindicalista da conveniência de levar para o encontro, que antecipava a reformulação partidária, dirigentes da "oposição sindical", alguns muito próximos à Igreja Católica, como Antônio Flores, outros independentes, ativistas de organizações esquerdistas. Lula se opunha, pois achava que esses "politiqueiros", como dizia, nada tinham a ver com os verdadeiros sindicalistas, ou seja, com os que atuavam dentro dos sindicatos oficiais existentes. Finalmente, acabaram todos convidados.

Segundo episódio, este útil para mostrar que a evolução política alcançou muita gente. Tempos depois, houve um encontro de Lula com Ulysses Guimarães no apartamento onde eu então residia, à alameda Joaquim Eugênio de Lima, em São Paulo. Airton Soares convencera Lula a comparecer. Tanto o deputado como eu imaginávamos possível levá-lo para o MDB. No dia aprazado eu deixei minha chácara, em Ibiúna, e voltei a São Paulo de carro. Chovia muito, um pneu furou e, dada minha pouca habilidade manual, não consegui trocá-lo. Pedi carona e cheguei quando os convidados já se encontravam em minha casa. Lula ouviu, falou bastante, manifestou-se simpático às nossas teses gerais. Não mencionamos nada de concreto. Depois de sua partida discutimos a hipótese de formar um departamento sindical no MDB. Ulysses Guimarães, àquela altura líder indiscutível do partido e mesmo das oposições, não se sensibilizou com a possibilidade. Estávamos ainda em uma época em que, para Ulysses, partido era uma coisa, sindicato outra muito diferente e não deveria haver mistura de estações...

Apenas para ressaltar a visão "despolitizada", quer dizer, distante não somente dos partidos, mas de práticas institucionais, relato outro episódio. No desenrolar da greve de 1979 em São Bernardo houve um momento no qual coube recurso ao Tribunal Regional do Trabalho (TRT) de São Paulo para julgar os direitos reclamados pelos trabalhadores e a legitimidade da greve. Almir Pazzianotto, advogando a causa do sindicato, me convidou para assistir com ele ao julgamento, pois acreditava que haveria uma decisão histórica, com a vitória dos trabalhadores, pela primeira vez no regime militar. Fomos ao julgamento e houve a vitória: o TRT acolheu algumas reivindicações sem declarar a greve, em princípio, ilegal. Do TRT, que ficava nos arredores da avenida Ipiranga, no centro de São Paulo, seguimos para São Bernardo no carro de Almir para comunicar o sucesso. Chegamos ao estádio de futebol de Vila Euclides, onde os trabalhadores se reuniam em assembléia. Entrando pelos fundos, atravessamos a massa de operários até chegar ao pequeno palanque onde estava Lula. Comunicamos o resultado e Lula se dirigiu aos companheiros para encaminhar o fim da greve. A massa protestou, pois continuava altamente mobilizada e desejava alcançar ainda mais resultados do que os acordados pelo TRT, sem perceber que o simples fato de uma decisão considerar a greve *legal* era histórica. Lula, habilmente, para não perder a confiança dos liderados, propôs a continuação da greve, logo aprovada entusiasticamente.

Terminada a assembléia, tomamos o mesmo carro de volta com Lula e outro dirigente sindical. Lula, que acabara de propor a continuação do movimento, nos disse:

— Precisamos terminar essa greve.

Ao que Almir perguntou:

— Mas, como? Vocês agora saíram da lei.

Com efeito, a partir daquele momento a continuidade da greve representava um desafio à decisão do TRT. Na noite seguinte, eu jantava com Lula e com o jornalista e deputado estadual Fernando Morais em um boteco próximo ao sindicato quando o rádio informou que Lula tivera os direitos sindicais suspensos pelo ministro do Trabalho. Levei-o em meu carro ao sindicato, e ele me disse:

— Pois é, não dá mesmo para fazer no Brasil um sindicalismo como eles têm lá na Argentina.

Conto esses episódios para mostrar, primeiro, que o distanciamento "dos políticos" caracterizava quase toda a oposição ao regime, com exceção dos que militavam no MDB e no PCB. Buscava-se uma ação política "fora da política", longe do modo como esta se dava nos partidos e no Parlamento. Segundo, que nenhum de nós tinha muita clareza sobre a melhor forma partidária ou sobre qual seria a relação correta entre política e sociedade. Lula, em discursos publicados, disse que ele só se deu conta da necessidade de ultrapassar os muros das fábricas e dos sindicatos após as grandes greves, a mais marcante das quais foi possivelmente a de 1979.

Um testemunho sobre os primórdios do PT

A formação do PT, posterior aos fatos que narrei, deu-se quando havia competição pela liderança do movimento sindical entre Lula e Benedito Marcílio, presidente do Sindicato dos Metalúrgicos de Santo André (SP) que se elegeu deputado federal. Marcílio mantinha relações com a Convergência Socialista, uma facção ligada ao movimento trotskista internacional. Aproveitou um congresso dos metalúrgicos realizado em Lins, a 430 quilômetros de São Paulo, em janeiro de 1979, para lançar a idéia de um partido dos trabalhadores. Lula só encampou a proposta posteriormente, embora alguns sindicalistas de São Bernardo tenham colaborado com os autores do manifesto em prol de tal partido. Anteriormente a isso,

Lula comparecera, e eu também, a um encontro de dirigentes sindicais, sobretudo petroleiros, em Camaçari, na Bahia, em 1978, com, entre outros, Jacó Bittar, da região de Campinas, Henos Amorina, de Osasco, Paulo Skromov, do Sindicato dos Coureiros de São Paulo, Hugo Peres, dos eletricitários de São Paulo, José Cicote, dos metalúrgicos de São Bernardo, e Arnaldo Gonçalves, dos metalúrgicos da Baixada Santista (SP), ligado ao PCB. Na reunião mencionou-se a possibilidade da formação de um partido de trabalhadores.[3]

A idéia de um novo partido estava, portanto, no ar, alimentada pela expectativa do fim do bipartidarismo. Entretanto, transcorreria um ano, com muita discussão e muitos episódios, até que viesse a alteração efetiva na legislação para permitir a formação de partidos, em dezembro de 1979, antes de o PT ser lançado formalmente, o que ocorreu em reunião no dia 10 de fevereiro de 1980 no tradicional Colégio Sion, na avenida Higienópolis, em São Paulo. A partir daí, o tom do partido passou a ser dado pela presença não só de sindicalistas "puros" como de dirigentes sindicais vindos de outros setores que não o metalúrgico, e principalmente de militantes católicos, oriundos das experiências das comunidades eclesiais de base, além de intelectuais independentes e quadros de várias organizações de esquerda, alguns ligados a grupos que no passado apoiaram a luta armada. E o tom do PT, nos tempos iniciais, era de distanciamento da política institucional.

O debate que marcou a separação de muitos de nós, participantes das discussões prévias sobre o novo partido, da formação do PT teve relação direta com esse distanciamento. Eu não acreditava no caminho de um partido que imitasse a tradição da esquerda européia. Preferia, como escrevi na época, um partido dos assalariados em vez de um partido dos trabalhadores, com a conotação de partido proletário. Tampouco acreditava em política sem alianças. Defendia, portanto, o pluripartidarismo e o policlassismo. No movimento sindical houve discrepância semelhante: os sindicatos sob influência do PCB e do MDB formaram a "unidade sindical", de inspiração partidária, e os demais se agruparam no "sindicalismo autênti-

---

[3] E. Margareth Keck, *PT: a lógica da diferença, o Partido dos Trabalhadores na construção da democracia brasileira*, São Paulo, Ática, 1991, e Rachel Meneguelo, *PT: a formação de um partido, 1979-1982*, Rio de Janeiro, Paz e Terra, 1989.

co", que se pretendia desligado dos partidos. Posteriormente ocorreram novas cisões na organização das centrais, dando lugar à Central Única dos Trabalhadores (CUT), à Central Geral dos Trabalhadores (CGT), à Força Sindical e outras menores. Embora não houvesse relação direta entre os sindicatos e os partidos, o espírito dos debates e as dúvidas reinantes guardavam relação com a discussão sobre a natureza dos partidos, a relação entre as classes, uma visão de revolução à antiga ou não, e a autonomia do movimento sindical diante das agremiações partidárias.

Minha iniciação na política partidária

Como eu decidira permanecer no MDB, a partir de 1979 transformado em PMDB, dediquei-me, com Mário Covas, Almino Affonso e Alberto Goldman, a reorganizar o partido no estado de São Paulo. Não só cumprimos essa tarefa como fomos adaptando o programa partidário na direção das idéias apresentadas pelo grupo do Cebrap em 1974. Tornei-me, após as eleições de 1978, vice-presidente do PMDB. Quando Covas se afastou da direção em 1982 para se candidatar a deputado federal, na campanha que levou Montoro ao governo de São Paulo, assumi a presidência da seção paulista, a principal do partido no país. Nessa posição, participei da mobilização pelas eleições diretas.

A militância no MDB e no PMDB me ensinou muito a respeito do funcionamento e do jogo político dos partidos. Substituindo Montoro, entrei no Senado em 1983, ainda na vigência do regime autoritário, mas em seus momentos de agonia. Ainda assim, o Congresso espelhava impotência: corredores vazios, o monopólio absoluto da pauta exercido pela maioria, e esta submetida ao controle estrito do Planalto. Mesmo as relações pessoais entre governistas e oposicionistas eram escassas e submetidas ao "patrulhamento". Recordo-me de que o senador Virgílio Távora (CE), vice-líder do governo e seu porta-voz para questões econômicas, um dia me convidou para almoçar. Nossas famílias tinham relações históricas desde as revoluções dos tenentes de 1922 e 1924, das quais participaram tanto membros da família Távora como meu avô, meu pai e vários outros parentes. Conversei com Ulysses sobre o convite. Ulysses me aconselhou cautela. Decidi aceitá-lo, mas, para evitar intrigas, marquei o almoço em lugar visível e terreno costumeiro da oposição em Brasília: o restaurante Tarantella (depois Piantella).

Na mesma época, recebi convite para um jantar no Itamaraty em homenagem ao Presidente do México, Miguel de la Madrid, que visitava o Brasil. Era normal, mesmo durante o regime militar, que poucos representantes da oposição estivessem presentes a esse tipo de encontros formais. Quando ia tomar lugar à mesa, um ajudante-de-ordens do Presidente Figueiredo se aproximou dizendo que ele queria me conhecer. Em solenidades como aquela, antes de entrar no salão principal do magnífico edifício do Itamaraty, os presidentes permanecem em um amplo *hall*, o Salão Portinari, como se chama, devido aos grandes painéis do pintor que exibe. Para lá me dirigi e, em pé, troquei frases protocolares com o Presidente. Conversamos durante dez minutos, no máximo. Figueiredo foi simpático e gentil. Ele perguntou sobre meu pai, àquela altura já falecido, e comentamos a relação que o uniu a seu pai, Euclydes Figueiredo, ambos militares e envolvidos nas revoluções das décadas de 1920 e 1930, ambos tendo vivido situações de exílio — meu pai, confinado na Amazônia; o general Euclydes, asilado na Argentina —, em épocas diferentes. Contei ao Presidente que tinha morado em uma rua do bairro paulistano do Morumbi que levava o nome de seu pai. Como a Prefeitura não havia colocado a placa indicativa, eu próprio mandara fazer uma e a afixara. Aproveitei para, sutilmente, cutucá-lo sobre as eleições diretas para a Presidência — o país fervia com a questão, e não havia declaração pública do Presidente contra ou a favor. Figueiredo procurou não ser taxativo, mas me deixou a impressão de que não se oporia a uma eventual decisão do Congresso nessa direção. No final, abraçou-me cortesmente. Foi a única vez em que falei pessoalmente com o general Figueiredo. Nos dias seguintes, notinhas nos jornais e até uma crônica na revista *Manchete* sobre tão inusitado encontro. Que classe de conchavos teríamos feito?...

Depois de derrotado nas eleições de 1974, o regime se prevenira para não perder o controle do processo político. O "pacote de abril" de 1977 modificou a Constituição para criar os senadores biônicos (um em cada três senadores nos estados não era eleito, mas escolhido pelas assembléias legislativas), aumentar desproporcionalmente aos demais a representação dos pequenos estados na Câmara e adiar, de 1978 para 1982, as eleições diretas para governador. No intervalo de tempo entre esses fatos e minha ida para o Senado, entretanto, muita coisa mudara, principalmente, tinha havido um afrouxamento da censura aos meios de comunicação. A Emenda Constitucional nº 11, de 13/10/1978, pôs fim ao AI-5 e ao bipartidarismo. A Lei de Anistia, em 1979, reabilitou para a política lideranças cassadas. A nova legislação partidária, no mesmo ano, permitiu a formação dos novos partidos; além do Partido Democrático Social (PDS), partido que apoiava o governo e substituíra a Arena, do PT e do PMDB, criou-se o Partido Popular (o PP, liderado por Tancredo Neves, que acabaria se fundindo ao PMDB em 1982), e Leonel Brizola organizou o PDT após perder a legenda do velho PTB de Getúlio para a deputada Ivete Vargas, de São Paulo, por ingerência do chefe da Casa Civil de Figueiredo e principal estrategista do governo, o general Golbery do Couto e Silva.

Tudo isso propiciou um novo clima político. Talvez a primeira rachadura a abalar o bloco governista no Congresso haja sido a rejeição de uma lei salarial, na verdade um decreto-lei de 1983 — parte integrante do acordo com o FMI —, que a oposição considerava arrocho salarial. Acabou sendo derrubado no dia 6 de junho. Derrotados, os parlamentares governistas levantaram uma série de dúvidas sobre o processo de votação e tentaram impugná-lo. O presidente do Congresso, senador Nilo Coelho (PDS-PE), tinha que tomar uma decisão sobre se a votação fora válida ou não. O governo pressionava intensamente, porque a lei salarial seria um dos pilares da política econômica de então. Houve uma tensão imensa madrugada adentro, com a oposição insistindo na validação — principalmente o senador Saturnino Braga (PMDB-RJ) e eu, que tínhamos respeito e estima pelo senador Nilo. Com coragem, Nilo validou a votação, proclamou o resultado, e vencemos. Mesmo assim, as pressões e críticas do governo contra Nilo continuaram, só cessando com a promulgação da decisão, publicada no *Diário do Congresso Nacional* a 13 de agosto. O episódio, a meu ver, deixou marcas no senador, submetido a um brutal estresse. Em novembro, Nilo Coelho sofreu um enfarte e faleceu.

A convergência da oposição institucional com a opinião de pessoas ligadas ao governo, mas que se opunham às medidas mais arbitrárias, somada ao vento forte das ruas e ao barulho da mídia — na época ainda um sussurro —, precipitavam a crise do regime. O quadro internacional igualmente mudara. Além da crise da dívida externa, a onda democratizadora desencadeada na Europa, especialmente na Península Ibérica, com o fim das ditaduras de corte fascista em Portugal, em 1974, e na Espanha, em 1975, alcançava a América Latina. A derrota contra o Reino Unido na Guerra das Malvinas, em 1982, acelerou a desagregação do autoritarismo na Argentina. No Brasil seria uma questão de tempo. Restava saber como se daria o desenlace. A partir de 1982, com a vitória do PMDB nas eleições diretas para governador em dez estados, notadamente em São Paulo, com Montoro, e em Minas Gerais, com Tancredo Neves, sem esquecer de Leonel Brizola (PDT) no Rio de Janeiro, dava a impressão de que um sopro seria capaz de fazer o regime desabar. Este sopro viria a ser a campanha pelas eleições diretas para a Presidência, as "Diretas Já".

A derrota das Diretas Já e a opção por Tancredo

A arrancada da campanha das Diretas Já foi fruto do descortino e da persistência de um homem, André Franco Montoro. Às vésperas do memorável comício da Praça da Sé, em 25 de janeiro de 1984, todos nós, da Executiva do PMDB paulista, achávamos que o governador Montoro arriscara muito convocando o povo às ruas em pleno regime autoritário para clamar por eleições. Informei o governador das resistências no partido. Ele procurou os outros partidos. O mesmo desânimo, apesar de já ter havido um comício em Curitiba com razoável apoio popular.

O PT, como sempre, queria marchar só. Compareci ao comício em favor das eleições diretas convocado pelos petistas em frente ao Estádio do Pacaembu, em São Paulo, em novembro de 1983. Nenhum outro líder não-petista apareceu; temiam as vaias dos "companheiros". Só não me vaiaram porque coube a mim o dever de transmitir a triste notícia da morte do senador Teotônio Vilela (PMDB-AL), que àquela altura, pregando em favor da anistia e das liberdades públicas por todo o Brasil, a despeito do câncer incurável que o consumia, tornara-se uma espécie de unanimidade nacional.

Novamente, a clivagem que se manifestara nas discussões sobre a formação dos novos partidos marcou o início da campanha das Diretas. O PT tentou levar adiante sozinho a mobilização popular. Passaram-se vinte anos para que o partido aprendesse a construir alianças para alcançar os objetivos desejados, embora nem sempre faça as melhores composições, como se pôde verificar no governo Lula. Na época das Diretas Já, somente quando a força da massa mostrou nas ruas que a questão não era a de saber "quem" convocava as manifestações, mas em nome do que (da democracia) e contra quem (o regime autoritário), tornou-se possível a junção das forças democráticas.

Também me recordo de uma reunião, naquele mesmo janeiro de 1984, na chácara de Ibiúna, com vários dirigentes do PMDB, inclusive Ulysses Guimarães. Lá, à noite, vimos pela TV o general Figueiredo dizendo que Diretas Já era "subversão". Nossas dúvidas cresceram; diante das ameaças será que o povo irá mesmo às ruas?

Pois bem, foi Montoro quem desafiou os poderosos. Ele tinha o sentimento das ruas. Soube antes o que nós vimos depois: não éramos nós àquela altura que estávamos sozinhos, mas sim o governo, o regime. A tal ponto que as TVs, apesar da pressão que sofriam do governo e da virtual autocensura que praticavam, passaram a registrar a sagrada ira pela democracia, porque era impossível não fazê-lo. Mesmo a Rede Globo, que procurou diminuir a importância do fenômeno que tomava conta do país, acabou tendo que se render à opinião pública.

Nunca me esquecerei do dia do grande comício da Praça da Sé, no coração de São Paulo. Participava, com Montoro, de solenidade comemorativa do aniversário da USP quando José Gregori me chamou ao telefone com urgência. Gregori, deputado estadual pelo PMDB, estava na Sé nos esperando e, para surpresa de todos, era de tal porte a multidão que o som dos alto-falantes não chegava aos mais distantes do palanque. Nem mesmo o entusiasmo de Osmar Santos, o locutor das Diretas Já, acalmaria a massa, que esperava as palavras de ordem dos líderes políticos.

Empenhamo-nos a fundo na campanha. No final, embora tivéssemos obtido a maioria dos votos da Câmara na madrugada de 26 de abril de 1984 — 298, contra 65 e 113 ausências —, não conseguimos atingir 320 votos, a maioria qualificada necessária na época para alterar a Constituição. Como líder no Senado, pronunciei o discurso a favor da emenda pelas Diretas, apresentada pelo deputado Dante de Oliveira (PMDB-MT). A defesa do ponto de vista contrário, dificílima, coube ao líder do governo, deputado Nelson Marchesan (PDS-RS), em um discurso corajoso, vibrante. Mas, claro, não foi por isso que perdemos: nessas horas ninguém vota em função de belas palavras. Os parlamentares entravam no plenário com a "cabeça feita". Derrubada, a emenda Dante de Oliveira na Câmara terminou sendo arquivada, sem ser apreciada pelos senadores presentes à reunião do Congresso.

Não faltou quem maldosamente dissesse que alguns, como Tancredo Neves e eu próprio, preferíamos perder. Políticos do PT — a começar pelo próprio Lula — anteviam a possibilidade de a oposição vencer no Colégio Eleitoral e achavam que um grupo, com Tancredo à frente, vinha arquitetando a própria vitória desde a campanha das Diretas Já. Não se julgavam fatos, e sim supostas intenções. Era a "política da infâmia", de acusar-nos de "traições", sendo eles os "puros". Da minha parte asseguro: é falso. O que eu não quis, após a derrota, foi transformá-la em cataclismo ainda maior, com a vitória no Colégio Eleitoral do ex-governador biônico de São Paulo, Paulo Maluf, ou do coronel Mário Andreazza, ministro dos Transportes e candidato do Presidente Figueiredo, que disputavam a indicação do PDS, vencida por Maluf. Este já àquela altura simbolizava tudo o que não desejávamos, desde a conivência, e mesmo o protagonismo, com práticas inaceitáveis que mesclavam o público com o privado, até a arrogância cúmplice com o regime autoritário.

Nos dias seguintes à decisão, derrotados que fomos no Congresso, outra vez as águas oposicionistas se separaram. Propus em discurso no Senado o lema "Mudança já", em vez de "Diretas Já", defendendo que participássemos do Colégio Eleitoral, para aproveitar o clima de insatisfação crescente e derrotar o candidato do governo. Ganhamos paulatinamente o apoio da maioria do partido, principalmente depois que Montoro, abrindo mão de qualquer pretensão de ser candidato à Presidência (títulos para isso possuía), subscreveu algo que vinha sendo articulado em Brasília, São Paulo e Minas — a candidatura de Tancredo Neves.

Ulysses Guimarães resistia a essa manobra (para não falar no PT, que a "denunciara"), apoiado dentro do PMDB por um grupo purista, integrado entre outros por Flávio Bierrenbach, a essa altura deputado federal, e pelo também deputado federal Pimenta da Veiga (MG). Durante um jantar em Brasília, na Churrascaria do Lago, presentes Ulysses, Pacheco e Chaves, Pedro Simon e eu (talvez outros mais), defendi nossa ida ao Colégio Eleitoral apoiando um candidato de oposição. Disse Ulysses:

— A responsabilidade é de quem for. Eu não irei.

Retruquei que dos ali presentes eu pagara o preço mais alto pela ditadura: vivi no exílio, perdi a cátedra, tinha ido parar no DOI-Codi. Também por isso, queria logo mudar as condições políticas, com eleições diretas ou indiretas.

A articulação pró-Tancredo, enquanto isso, seguia firme, tendo como principais protagonistas o deputado Fernando Lyra (PMDB-PE), o senador Affonso Camargo (PMDB-PR), oriundo do ex-PP de Tancredo e muito próximo ao governador mineiro, vários políticos de Minas e o pessoal de São Paulo ligado a Montoro. O governador de Minas, porém, mantinha-se discreto, quieto. Lembro-me de um jantar com ele e Affonso Camargo no apartamento de Fernando Lyra em Brasília. À mesa, discutiu-se a conveniência de sua candidatura, pela óbvia circunstância de ser o nome mais capaz de atrair apoios no Colégio Eleitoral. Matreiro, Tancredo relutou, dizendo:

— Eu, de jeito nenhum. Não posso deixar de servir a Minas.

À saída, me pegou pelo braço e disse:

— Vá se preparando, é a sua vez.

Percebi de imediato que seria ele o homem, pois, dentre tantos nomes de peso no PMDB, eu, senador verde de primeiro mandato, e ainda mais tendo chegado à cadeira na condição de suplente, não poderia de forma alguma ser candidato.

Apesar de sua relutância em ir ao Colégio Eleitoral, e, já depois de ter concordado com a idéia, Ulysses não somente foi, como comandou a vitória de Tancredo a despeito da legítima ambição que ele próprio alimentava de ser o candidato das oposições à Presidência pelo voto direto. Jatobá frondoso, Ulysses sabia resistir aos ventos. Mas sabia, também, que alguns galhos se perdem. Comportou-se de modo admirável. Roberto Gusmão, chefe da Casa Civil do governo Montoro, dera uma entrevista à revista *Veja* um mês após a derrota da emenda das Diretas[4] dizendo que "São Paulo" (isto é, Montoro) apoiava a candidatura de Tancredo. Ulysses, como fazia habitualmente, foi me ver na sede do PMDB paulista, na rua Pio XII, no bairro da Bela Vista. Reproduzo de memória a conversa que tivemos, de pé, olhando os jardins pela janela, na sala de minha secretária, Lola Berlinck:

---

[4] "Páginas amarelas", edição de 24/5/1984.

— Que história é essa do Gusmão? É o *Montóro*? — perguntou-me com seu jeito de carregar a paroxítona no nome do governador.

Respondi:

— Sim, Dr. Ulysses [era como todos o chamavam].

E ele:

— E você, o que pensa?

Dei uma das respostas mais sofridas da minha vida:

— O senhor sabe como eu o estimo, Dr. Ulysses. Mas, para ganhar no Colégio Eleitoral, só o Tancredo, de quem não sou tão próximo. Ele conta com mais apoio.

Ele perguntou:

— No meu lugar, o que você faria?

— Iria a Minas, para apoiar Tancredo, e chefiaria a campanha dele.

Ulysses me olhou com a mirada de jacaré que sabia ter, gélido, polido e firme:

— É, mas quero ouvir isso do *Montóro*.

E assim se fez. Jantamos no Palácio dos Bandeirantes, sede do governo paulista, o governador Montoro, Ulysses, Gusmão e eu. Conversa de "cerca-lourenço", até que Ulysses nos intimou:

— Quero saber a opinião de cada um de vocês sobre o Colégio Eleitoral.

Demos, novamente constrangidos, nossas opiniões. Grande Ulysses. Voou para Belo Horizonte, selando seu apoio ao governador de Minas num jantar no Palácio das Mangabeiras, a 20 de junho de 1984, chefiou a campanha, ajudou a definir o Ministério de Tancredo. E coube ao Vice-Presidente José Sarney, efetivado no cargo, haver-se com ele depois da trágica morte de Tancredo, a 21 de abril de 1985.

O PT julgou um erro disputar no Colégio Eleitoral, pois teríamos poucas chances de vitória. Considerou, sobretudo, que era uma manobra para coonestar o regime. Não faltaram acusações, como disse, de que durante a campanha das Diretas o que alguns de nós queríamos mesmo eram eleições pelo Colégio Eleitoral... Sem o apoio do PT — exceto pelos deputados Airton Soares (SP), Bete Mendes (SP) e José Eudes (RJ), que em decorrência foram expulsos do partido —, Tancredo Neves ganhou por 480 votos a 180 na histórica eleição de 15 de janeiro de 1985 e, depois de sua morte, José Sarney se tornou Presidente da República.

O pacto com os demônios beatificados

Outra vez, a circunstância incrível de termos elegido como Vice-Presidente um político "do regime", que fora presidente do partido sucessor da Arena, o PDS, e que se tornou depois Presidente da República, mostra a ambigüidade do jogo político e abre pistas para entender como ele se dá no Brasil. Aliás, não só aqui: a Espanha é outro exemplo de transição para a democracia na qual os "puros" ou influíram menos do que gostariam ou tiveram que pactuar com os anjos decaídos, ou melhor, com os demônios beatificados.

Na verdade, além das razões políticas que levaram Tancredo a preferi-lo, Sarney se tornou Vice-Presidente graças a uma tecnicalidade. Aqui, cabe recordar que a eleição de Tancredo só foi possível diante da inconformidade de importantes setores do PDS com o crescimento — graças a práticas de aliciamento que condenavam — da candidatura Maluf dentro do partido. Esse grupo, tendo à frente os senadores Marco Maciel (PDS-PE) e Jorge Bornhausen (PDS-SC) e o Vice-Presidente de Figueiredo, Aureliano Chaves (PDS-MG), afastou-se do partido oficial, agrupou-se na Frente Liberal (que não tardaria a se tornar o PFL) e, em coligação com o PMDB, formou a Aliança Democrática que derrotaria Maluf. Aureliano chegara a aspirar à Presidência, mas desistira de disputar. Sarney, que se integraria aos dissidentes, havia sido eleito senador pelo Maranhão pela legenda da Arena sete anos antes, em 1978. Outro candidato, que talvez gozasse da preferência do PMDB, Marco Maciel, se elegera senador por Pernambuco já pelo PDS, uma reformatação da Arena. Segundo as leis partidárias de então, parlamentares eleitos pelos vários partidos criados após a Emenda Constitucional nº 11 perderiam o mandato se concorressem à Presidência trocando de legenda. Essa regra, descobriu-se logo, não alcançava Sarney, que poderia filiar-se sem problemas ao PMDB e disputar pelo partido.

Fosse Sarney ou fosse Marco Maciel, ambos vinham do "antigo regime" e teriam de ser absorvidos pelos oposicionistas "históricos" e por outros nem tanto, mas que no decorrer do processo político se juntaram no PMDB. A verdade é que tanto Sarney como Maciel, bem como Aureliano ou Bornhausen, foram fundamentais para ampliar a cisão dentro do sistema autoritário. Aos poucos, constituíram uma oposição interna no PDS e se opuseram ao continuísmo do regime, que seria obtido com decisão palaciana predefinindo o futuro Presidente, graças ao controle do PDS, com Maluf ou Andreazza. Assim como ocorrera, bem antes, com Severo Gomes e Teotônio Vilela, voltaram-se contra o regime autoritário e ajudaram a encerrar seu ciclo.

Não tive papel relevante nas articulações entre o PMDB e a dissidência do PDS. Do lado do PMDB, elas estiveram a cargo de Ulysses, Tancredo, Affonso Camargo e Pedro Simon, entre outros. Marco Maciel e Bornhausen, aos quais se juntaria depois Aureliano, falavam pela dissidência. Pude participar de alguns episódios das tratativas, como conversas na casa de Bornhausen, com Simon, facilitadas pela circunstância de que os três, além de Maciel, morávamos no mesmo edifício da SQS 309 de Brasília.

Meu principal papel acabaria sendo involuntário e casual, e teve a ver com a divulgação precoce do rompimento de Sarney com o PDS. O estreito contato que, juntamente com Simon, mantinha com nossos vizinhos de apartamento Maciel e Bornhausen na época em que ambos se preparavam, junto com outros companheiros, para romper com Figueiredo me permitiu saber que Sarney estava se aproximando do grupo, que àquela altura já incluía Aureliano. Sem me dar conta da inconfidência, a bordo de um avião entre Brasília e Rio, a caminho de Paris, onde iria proferir na Sorbonne a conferência "Marc Bloch", a convite da École des Hautes Études en Sciences Sociales, me encontrei com o jornalista Ricardo Noblat, do *Jornal do Brasil*, e adiantei a ele os rumores. No dia seguinte tudo saiu estampado no jornal, precipitando os acontecimentos.

Foram dias tensos, aqueles, que não haja dúvida a respeito. Temia-se, por exemplo, uma reação militar a um candidato oposicionista com chances. Pode-se medir a temperatura da preocupação com as Forças Armadas pelo fato de que chegou a haver conversas sobre para onde iria Tancredo na eventualidade de um pronunciamento militar. Instigado por Roberto Gusmão, um discreto articulador desse delicado assunto foi o banqueiro e ex-prefeito de São Paulo Olavo Setúbal, ex-companheiro de Tancredo no extinto PP. Decidiu-se que o destino de Tancredo seria alguma cidade do Sul. O general Leônidas Pires Gonçalves, comandante do então denominado III Exército, com quartel-general em Porto Alegre e jurisdição sobre Rio Grande do Sul, Santa Catarina e Paraná, era muito próximo ao governador paranaense, José Richa (PMDB), de quem se tornou amigo após exercer, anos antes, um comando em Curitiba. Leônidas se opunha a qualquer ruptura da normalidade e seria posteriormente escolhido por Tancredo para ser ministro do Exército, cargo que exerceu durante toda a Presidência de Sarney.

A propósito de preocupações militares, vale narrar um episódio. Depois de eleito, um dia Tancredo, demonstrando alguma inquietação, visitou-me em meu apartamento em Brasília. A essa altura, eu, que não pertencia originalmente a seu círculo íntimo, tornara-me muito próximo do Presidente eleito. Após sentar-se no sofá, perguntou:

— O que você andou fazendo para os militares acharem que você e o Brizola são os maiores problemas? Precisamos dar um jeito nisso. Eles acham que vocês dois são um perigo.

De minha parte, o problema todo era que, na mesma entrevista à *Playboy* em 1984 na qual surgira a questão da maconha, mencionada anteriormente, eu abordara a necessidade de se debater novos caminhos para as funções constitucionais das Forças Armadas. Eu não tinha em mente uma plataforma específica, ou algo assim. Os militares, porém, sempre se mostraram muito sensíveis em relação a essa questão, tanto que, mais tarde, na Constituinte, o debate a respeito seria tenso e difícil. Acredito, e disse a Tancredo naquele dia, que as Forças Armadas pudessem ver em mim alguma intenção de vingança ou revanchismo, o que não era próprio de meu espírito. Quem ajudou a desfazer o mal-estar foi Sarney, bem relacionado entre os militares. Ele teceu a boa intriga de que eu não preparava armadilha alguma contra as Forças Armadas.

O jogo político não se desenvolve contando aritmeticamente os "contra", como se o fossem para sempre, e os "a favor", sendo estes os bons e maus os outros. Pelo contrário: dialeticamente, trata-se de transformar "maus" em "bons". A política implica um processo de convencimento, por motivos e com objetivos variáveis, que, olhados de forma individual, podem ser moralmente aceitáveis ou discutíveis, mas cujo significado histórico será julgado por suas conseqüências. Este não é um tema banal. É em função dele que se desdobra, como vimos, a discussão weberiana sobre a ética da responsabilidade. Conforme ele seja compreendido, também Maquiavel se transforma no símbolo do horror na política ou na virtude da governabilidade. O fato é que, sem a Frente Liberal, o caminho para o término do autoritarismo teria sido provavelmente muito mais difícil.

Por que Figueiredo não passou a faixa a Sarney

Empossado provisoriamente José Sarney, com Tancredo hospitalizado, o país viveu semanas de enorme angústia. E os políticos, dias decisivos. Três dias antes da crise que levou Tancredo ao hospital estive com ele, na Granja do Riacho Fundo, residência oficial onde morava desde a eleição pelo Colégio Eleitoral. O PMDB já estava se acalmando do susto com a indicação de Sarney como Vice-Presidente, na convenção do partido, ocorrida em agosto de 1984. Os gritos do MR-8, agrupamento àquela altura ligado a políticos do partido, de *"Ei, ei, ei, Sarney é nosso rei"*, haviam abafado na convenção os votos dos setores do PMDB que não se conformavam com a escolha.

Eu perdera a disputa para exercer a liderança do PMDB no Senado, pretensão estimulada por Tancredo em reunião que tivemos na sede da representação da Fundação Getulio Vargas (FGV) em Brasília. Com o característico estilo suave, malicioso e simpático, escusando-se, ele me disse que apoiaria minha indicação para líder, uma vez que não seria possível designar mais ministros paulistas, tantos haviam sido convidados... Eu não ambicionava posição no Ministério porque era impossível: meu suplente no Senado, Magalhães Teixeira, se elegera prefeito de Campinas em 1982; se assumisse a cadeira, com meu eventual afastamento, ele perderia o mandato. Se eu me afastasse sem o substituto legal assumir haveria novas eleições para o Senado, algo politicamente inaceitável.

Acontece que o senador Humberto Lucena (PMDB-PB), a quem eu sucederia como líder, fora derrotado na eleição para presidente do Senado, e por isso, a pedido de Tancredo, abri mão da indicação, propiciando que Lucena continuasse a exercer a liderança. Montoro, entretanto, me queria numa posição de destaque na nova situação. Depois da recondução de Lucena à liderança, ele sugeriu a Tancredo me designar para uma função nova (e difícil), a de líder do governo no Congresso. Uma manhã, nas antevésperas da posse, Ulysses me telefonou e perguntou:

— Que história é essa de líder no Congresso?

Tancredo, ao anunciar o Ministério, tinha informado que a mim caberia a função. Respondi a Ulysses que iria imediatamente ver do que se tratava, e ele contestou que não adiantava mais, pois o Presidente já se dera conta de minha escolha. Essa a razão da visita a Tancredo no Riacho Fundo: saber das minhas novas funções.

No Riacho Fundo, esperei longo tempo que o Presidente eleito terminasse um encontro com o ex-governador e deputado Miguel Arraes (PMDB-PE). Havia rumores de que Tancredo estava com alguma leve enfermidade, talvez problemas de garganta. Não notei nada. Conversamos por não muito tempo em um alpendre largo. Perguntei-lhe sobre o que esperava de mim. Respondeu que gostaria que fosse a pessoa de sua confiança no Congresso — Câmara e Senado em conjunto, que em várias situações apreciam como uma só casa determinadas questões —, e que não me preocupasse com mais nada. Ele iria chamar o recém-eleito presidente do Senado, José Fragelli (PMDB-MS), que vencera a disputa com Lucena, e daria instruções para que fossem demolidas paredes e adaptassem uma sala imensa para mim. Assim, disse-me, logo vão ver quem tem poder...

Fiquei para o almoço, juntamente com Arraes e com o casal Yvone e Henry Gigliotti, ele embaixador da Ordem de Malta no Brasil. À mesa, sentado ao lado de Tancredo, ouvi do outro lado a esposa, dona Risoleta, pedir que não se oferecesse vinho ao Presidente. Como seu copo estivesse servido, troquei-o com o meu. Boa parte da conversa, amena, girou, ironicamente, sobre a boa saúde de Tancredo. Ele, gracejando, disse que todos viam-no como adepto de tomar sais de magnésio, hábito em moda entre os senadores, o que, corrigiu, não era correto. E brincou dizendo que nem ginástica fazia, mesmo porque os leões, que se saiba, não a praticam e, afinal de contas, são os reis dos animais. Ao final do almoço, acompanhou-nos, a Arraes e a mim, até o carro, abriu a porta para nós e ainda brinquei, tentando impedir o gesto, dizendo que me sentia honrado em ser ajudado pelo Presidente da República, mas que o protocolo não lhe permitia mais tais gentilezas.

Foi a última vez que vi Tancredo com vida. Na antevéspera da posse, quando jantava no Tarantella, recebi uma chamada de Fernando Lyra, recém-designado ministro da Justiça, para comentar rumores sobre uma crise de apendicite do Presidente eleito. No outro dia, jantávamos na embaixada de Portugal, com o Presidente Mário Soares, Ulysses Guimarães, penso que o deputado Pimenta da Veiga (PMDB-MG) e outros políticos, quando chegou a má notícia: Tancredo tivera que ser internado em caráter de urgência no Hospital de Base de Brasília. Para lá rumamos todos. Entrei até a antecâmara do quarto onde ele se encontrava. Falei rapidamente com seu sobrinho, o ex-secretário da Receita Federal e ministro da Fazenda designado Francisco Dornelles, que acabara de estar com o tio. Minutos depois passava Tancredo em uma maca rumo ao elevador que o conduziria ao centro cirúrgico.

Dirigi-me a outro andar onde se concentravam vários políticos. Em uma roda, conversavam, entre outros, Sarney, Ulysses, Fragelli e o general Leônidas. Sarney dizia que não pretendia assumir, que tinha dúvidas sobre quem deveria suceder Tancredo durante o impedimento, que todos imaginavam temporário. Àquela altura, Afonso Arinos, constitucionalista de peso, havia declarado pelos meios de comunicação seu entendimento de que correspondia ao Vice-Presidente, e não ao presidente da Câmara, isto é, a Ulysses, assumir a interinidade.

Em certo momento, creio que foi Ulysses quem disse:

— Vamos conversar com o professor Leitão de Abreu para tomar uma decisão.

Leitão de Abreu era ministro-chefe da Casa Civil da Presidência e figura-chave do governo Figueiredo, além de, como vimos no Capítulo 1, ministro aposentado do STF. Saímos sorrateiramente, Ulysses, o general Leônidas e o senador Fragelli e, no automóvel do general, nos dirigimos a toda velocidade para a Granja do Ipê, residência oficial do ministro. Somente um jornalista se apercebeu da manobra, Jorge Bastos Moreno, de *O Globo*, que nos viu entrar nos portões do Ipê.

Passava da meia-noite, e aparentemente o dr. Leitão de Abreu se recolhera. Esperamos bom tempo até que viesse ter conosco, mas ele surgiu na sala trajando paletó, gravata e colete. Colocada a questão, continuavam as dúvidas. Recordei-me do livro de Afonso Arinos, *Rodrigues Alves: apogeu e declínio do parlamentarismo*,[5] no qual há referências a situação semelhante, quando o Presidente Rodrigues Alves, que governara de 1902 a 1906, não pôde tomar posse do segundo mandato, em 1918, abatido pela gripe espanhola. O vice Delfim Moreira assumiu e tornou-se Presidente efetivo dois meses depois, com a morte de Rodrigues Alves. A biblioteca

---

[5] Edição recente é Afonso Arinos de Melo Franco, *Rodrigues Alves: apogeu e declínio do parlamentarismo*, Brasília, Senado Federal, 2001.

do professor Leitão, porém, já estava encaixotada, não poderíamos consultar o livro. Havia disponível apenas um exemplar da Constituição. Foi lido com cuidado por todos nós. O general Leônidas disse que não era jurista e acataria qualquer decisão. Leitão de Abreu parecia pender para a interpretação que favorecia o presidente da Câmara como sucessor constitucional, posto que ainda não ocorrera a posse do vice. Ulysses Guimarães, no entanto, secundado pelo presidente do Senado, alinhou-se com a tese de Arinos e convenceu o professor Leitão da validade de sua exegese. O ministro do Exército e eu ficamos a ouvi-los, sem credenciais para discutir o mérito. A certa altura alguém perguntou:

— E a faixa, o Presidente Figueiredo vai transmiti-la?

O chefe da Casa Civil redargüiu com firmeza:

— Presidente só transmite faixa a outro Presidente.

Assunto encerrado.

Está aí a verdadeira razão que levou o Presidente Figueiredo a não transmitir o cargo — e a faixa — a Sarney. Diferentemente do que diz a lenda, segundo a qual Figueiredo "saiu pelos fundos do palácio" para não passar a faixa porque não suportava Sarney, houve uma discussão prévia a respeito do assunto com o chefe da Casa Civil e renomado jurista Leitão de Abreu, em que se levantou uma questão constitucional que incluía outra, de protocolo. Figueiredo podia, efetivamente, não tolerar Sarney, a quem não perdoava a deserção do PDS, mas a realidade dos fatos é a que agora descrevo.

A morte de Tancredo, o vazio e o butim do Estado

Boa parte do PMDB ficou inconformada com a decisão. Na volta da Granja do Ipê, Ulysses, Fragelli e eu rumamos para o Congresso. Havia firme expectativa entre as bancadas, tendo à frente o líder do partido na Câmara, Freitas Nobre (SP), de que Ulysses seria o ocupante provisório do cargo e com ele, portanto, o PMDB (Sarney, pela filiação recente e por razões óbvias, não era considerado, para este efeito, PMDB). Ulysses, comandante indiscutível, cortou, incisivo: questão resolvida, não se falava mais no assunto. E assim foi. É possível conjeturar o porquê de tanto empenho em passar o cargo para Sarney. Seria temor a uma reação militar, uma vez que Ulysses e todos nós do MDB histórico éramos críticos ferozes do regime?

Para quem assistiu às deliberações e viu a reação do general Leônidas, é pouco provável. Os maldosos insinuaram, mais tarde, que Ulysses teria querido se poupar para uma eventual nova eleição no Colégio Eleitoral em caso de falecimento de Tancredo, já que, assumindo interinamente, se tornaria inelegível. Maldade e bobagem. A verdade é que nenhum de nós imaginava que Tancredo viesse a morrer. Tratava-se, pensávamos, de mera interinidade e não convinha perturbar um processo tão penosamente levado adiante para afastar os militares e seus partidários do poder. Ademais, a Constituição abonava a decisão tomada. A verdade é que Ulysses, além de tudo, revelou-se altruísta no episódio.

As conseqüências políticas de tudo isso, após a morte de Tancredo, foram enormes. Havia um sentimento de estar pouco à vontade que alcançava, penso eu, o próprio Presidente Sarney. Com Tancredo ainda no hospital, mas se tornando óbvio que não se recuperaria, Fernando Lyra, Affonso Camargo — que Tancredo designara ministro dos Transportes — e eu fomos ter com Sarney, no Palácio do Jaburu, a residência oficial dos vice-presidentes da República, onde se instalara. Encontramos o Presidente em exercício conversando com o jornalista Carlos Castello Branco, o Castelinho, respeitado colunista do *Jornal do Brasil*. Insistimos com ele para assumir plenamente as funções presidenciais. Sarney, por prudência ou natural constrangimento, relutava. Ele já era Presidente de direito, durante o impedimento de Tancredo, mas não decidia as nomeações necessárias ao pleno funcionamento da máquina pública nem dava rumos ao governo. Nós integrávamos o grupo próximo a Tancredo, desde quando o ajudamos no Colégio Eleitoral, e tínhamos a legitimidade de sermos, Lyra e eu, emedebistas antigos. Apelamos a Sarney para que exercesse plenamente o mando, pois Tancredo, embora ainda vivo, lamentavelmente não sobreviveria e a situação política se deteriorava gradativamente. Lembro-me de um de nós dizendo:

— Viemos aqui pedir a você que comece a governar, porque tudo indica que infelizmente o Tancredo não vai sair dessa.

Eu estava em Brasília quando terminou o martírio de Tancredo no Instituto do Coração do Hospital das Clínicas, em São Paulo. Com muitos companheiros, fomos esperar a chegada do corpo no aeroporto e nos perdemos no caminho para o Palácio do Planalto, onde seria velado, tal a multidão que tentava acompanhar o cortejo. Depois, o enterro do Presidente em São João Del Rey (MG) me comoveu muito. O ambiente todo me trouxe de alguma forma à memória as pequenas cidades milenares da Itália, cada uma com arraigada cultura própria. Minas tem isso, à sua maneira. Naquele dia, o Presidente morto, a bela igreja barroca de São Francisco de Assis, a música mineira, também barroca, compunham um quadro impressionante. O enterro se deu ao anoitecer. Ulysses fez um discurso admirável à beira do túmulo. Tive a sensação de uma tragédia shakespeariana, como de fato era. É muito grande a força de Minas e de seus símbolos, e aquilo tudo como que explodiu ali, naquele momento, no coração de todos nós, que estávamos na verdade enterrando muitas esperanças. A Nova República, que Tancredo lançara, seria tocada adiante por Sarney, com as limitações que sua condição de Presidente por acaso acarretavam, sem que nunca seja possível saber como teria sido com seu idealizador.

O vazio provocado pela morte de Tancredo seria gigantesco, como não podia deixar de ser. E Sarney, mesmo depois de efetivado como Presidente, tinha pouca margem de manobra. O Ministério fora montado por Tancredo em consonância com Ulysses. Lembro-me de que, certo dia, Ulysses convidou para jantar em sua casa todos os ministros do PMDB, e não incluiu o ministro da Fazenda, Francisco Dornelles, que não pertencia ao partido. Por circunstâncias familiares, eu tinha uma ligação pessoal com Dornelles — seu pai, Mozart Dornelles, tinha sido o maior amigo de Ciro do Espírito Santo Cardoso, o primo-irmão de meu pai que ocupara o Ministério da Guerra sob Getúlio, no começo dos anos 1950. Tomei a iniciativa de ir à casa do ministro para explicar que o jantar não era voltado contra ninguém. Na prática, porém, Ulysses presidiu um jantar do Ministério, e com a ausência não apenas de Dornelles, mas do próprio Presidente da República. A bem da verdade, diga-se que Sarney precisou munir-se de grande tolerância para atravessar aquele período.

O PMDB, enquanto isso, estava exercendo plenamente o butim do Estado, como passou a fazer o PT após a vitória eleitoral de Lula em 2002, trocando funcionários e técnicos por partidários e clientes, pretextando a necessidade de expurgar a máquina administrativa dos que haviam servido ao regime passado: houve até, nas bancadas parlamentares, sorteio para ver quais cargos em que órgãos públicos seriam preenchidos por indicações de quais deputados e senadores. A anuência ao procedimento era quase geral, havendo discrepância maior de um pequeno grupo de que faziam parte, entre outros, o líder do partido na Câmara, Pimenta da Veiga, e eu próprio.

A Constituinte me fez lembrar maio de 1968

Foi nesse contexto que ganhou força a idéia de se convocar uma Assembléia Nacional Constituinte, movimento antigo e forte na sociedade civil. Uma comissão designada ainda por Tancredo, e mantida por Sarney, se formara para preparar, sob a direção de Afonso Arinos, um anteprojeto de Constituição. O divisor de águas, nesse caso, era: Constituinte exclusiva ou Congresso com poderes constituintes. Ou seja, os partidos existentes e as lideranças que emergiriam das eleições parlamentares teriam maior peso, ou um grupo de notáveis ou de representantes mais "puros", com menos vínculos partidários, se encarregaria, depois de eleito, de aprovar uma nova Constituição, dissolvendo-se ao final? Havia uma influente corrente de formadores de opinião favorável a que se convocassem os eleitores para duas tarefas simultâneas: a eleição de deputados e senadores para os trabalhos regulares do Congresso — na qual teriam papel preponderante os partidos existentes, lideranças consolidadas e políticos de carreira em ascensão — e a eleição de um coletivo de "constituintes puros", a que poderiam concorrer candidatos sem filiação partidária e "notáveis" de todo tipo, cuja única e exclusiva função seria elaborar uma nova Carta para o Brasil redemocratizado, após o que essa Constituinte seria dissolvida.

O pragmatismo e a compreensível pressão dos políticos em atividade levaram a que predominasse a alternativa de um Congresso com poderes constituintes, que se chamaria Assembléia Nacional Constituinte.

O Presidente Sarney não custou a convocá-la. Ulysses Guimarães, como seu presidente, foi o gigante da Constituinte. Pimenta da Veiga era o mais insistente na necessidade e urgência da convocação. O Plano Cruzado de fevereiro de 1986, que abrira tantas esperanças, contendo momentaneamente a inflação e conseqüentemente aumentando o poder de compra das classes populares, se dissolvera na incontinência fiscal e, novamente, lançara o desânimo na população e o desprestígio nos políticos. A Constituinte eleita a 15 de novembro daquele ano funcionaria como um *ersatz* dos belos dias de esperança.

Aquela Assembléia algo caótica era a expressão do Brasil popular gerado nas décadas anteriores pelo regime autoritário e contra ele. Pelo regime, por causa do "milagre econômico", com maior urbanização, mais migração interna, mais diferenciação de classes. Contra o regime, porque as novas classes e grupos nos anos 1980, e desde o fim dos 1970, começaram a se mobilizar e não encontravam mais posições no mercado, sofrendo com a inflação em alta e com a perda de dinamismo econômico. As forças mais organizadas que marcavam presença na vida nacional, fora o empresariado, eram as corporações produtivas estatais, as igrejas, os sindicatos e as associações, tanto de trabalhadores como de funcionários. Todas elas reapareceram, como veremos adiante, nos debates constitucionais, tratando de defender seus valores e interesses.

O Dr. Ulysses me designou para ser o relator do Regimento Interno da Constituinte, ou seja, o documento que regulamentaria o funcionamento da Assembléia. Pedi ajuda ao deputado Nelson Jobim (PMDB-RS), porta-voz da OAB em matéria constitucional. Os constituintes recusavam partir de um texto elaborado fora da Assembléia. Os parlamentares desdenhavam do anteprojeto da Comissão Arinos que, segundo Tancredo imaginara inicialmente, poderia organizar o debate, com Afonso Arinos — de volta à vida pública como senador eleito pelo PFL do Rio de Janeiro — presidindo-a e tendo a mim como relator. Também não chegou a ser examinada uma iniciativa de um famoso jurista de oposição, Fábio Konder Comparato, que, para pasmo de muitos, elaborou um projeto fortemente corporativo, com laivos ingenuamente autoritários, propondo um planejamento central.

O Regimento que apresentamos, e que acabou prevalecendo, tentava apenas pôr ordem nos procedimentos. Cada constituinte tinha o direito de apresentar as sugestões que quisesse, e estas seriam encaminhadas às respectivas comissões temáticas, que preparariam um texto para ser consolidado em uma Comissão de Sistematização. Incluiu cláusula inovadora que abria espaço para emendas populares, portanto oriundas de nãoconstituintes. O Regimento predefiniu a divisão de capítulos da Constituição, tal como acabaria se mantendo na Carta. Foi recebido, entretanto, como se fosse uma "rolha". Cada parlamentar sentia-se no direito e no dever de participar de tudo e tudo fazer. Recordei-me muito, naqueles dias, do meu tempo de Nanterre, da Revolução de Maio de 1968 na França, quando era "proibido proibir".

Ocorreram pressões enormes, da direita e da esquerda, para se alterar o Regimento. Lembro-me de uma conversa com Lula, eleito deputado constituinte por São Paulo com a maior votação do país, em que a certa altura ele me disse:

— Entendo sua posição, mas tenho de lutar para modificar o Regimento.

Ao que alertei:

— Cuidado, a emenda pode resultar pior que o soneto.

Dito e feito. Ulysses determinou uma revisão no Regimento e o resultado só não foi uma redução de avanços democratizadores porque eu consegui manter o essencial da proposta: as emendas populares e as cláusulas de autonomia da Constituinte.

Sarney, por seu lado, temia o que pudesse estar sendo engendrado contra sua autoridade presidencial. A posição dele não era fácil: Vice-Presidente transformado em Presidente da República, ex-presidente do PDS, sustentado sem firmeza por seu novo partido, o PMDB, com um Ministério que não escolhera e à sombra do prestígio de Ulysses. Um dia, o líder do governo na Câmara, deputado Carlos Sant'Anna (PMDB-BA), e eu fomos até ele. Havia preocupação com um dispositivo do Regimento Interno que permitia à Constituinte barrar decisões do Executivo que de alguma forma ferissem a vontade soberana da Assembléia. Isso poderia parecer um golpe branco e na verdade foi interpretado como uma tentativa de o Dr. Ulysses "tutelar" o Presidente. Não era essa minha intenção, ao incluir o dispositivo no Regimento. Queria somente reafirmar o óbvio: a Constituinte era soberana. Não visava, contudo, permitir casuísmos. O dispositivo lá permaneceu, e nunca ninguém o usou para manobras menores.

Com esse clima de incertezas; com um governo que, em razão das circunstâncias de seu nascimento, pouco podia influenciar as decisões no dia-a-dia da Constituinte; com um líder, o recém-eleito senador Mário

Covas, experiente, mas afastado por longo período do convívio dos políticos por força do AI-5 e sem ter ocupado até então a cadeira de deputado obtida em 1982 porque exercera a Prefeitura de São Paulo; com o predomínio de Ulysses, mas com a irrupção do chamado "Centrão";[6] com um sem-número de "poréns", com tudo isso, a Constituinte foi um grande momento da vida política nacional.

É certo que a Constituição votada nasceu a destempo: era estatizante e corporativa, e isso às vésperas da queda do Muro de Berlim e da virada anticorporativista de boa parte das próprias esquerdas mundiais. É certo, como diziam o Presidente Sarney e o último de seus ministros da Fazenda, Mailson da Nóbrega, que o regime fiscal criado sufocaria o governo federal. Isso só não ocorreu porque a União passou a usar o aumento das "contribuições sociais" como válvula de escape, vindo, isto sim, a sufocar a sociedade com o peso dos tributos.

Sobre tudo isso, contudo, Ulysses tinha razão: é uma "Constituição Cidadã".

A ampla liberdade partidária (que começou antes da Constituinte, com a Emenda Constitucional nº 25, de maio de 1985, à antiga Constituição de 1967), a independência do Ministério Público (por mais dor de cabeça que causem os abusos de alguns procuradores da República), o novo papel do STF no controle da constitucionalidade, a extensão a novos atores políticos do direito de argüir a inconstitucionalidade das leis, as liberdades civis, a aspiração à maior igualdade de gênero, de classe, de raça, o acesso mais fácil ao sistema de saúde constituem alguns dos marcos bem fincados pela Constituição na prática de nossa sociedade.

E dizer que a oposição da época, principalmente o PT (que não aprovou o texto final), considerava-a uma Carta "burguesa"!

---

[6] Grupo de constituintes integrantes de diferentes partidos, com orientação liberal na economia e clientelista na política. O Centrão conseguiu derrubar um item do Regimento Interno que conferia preferência nas votações em plenário a emendas provenientes da Comissão de Sistematização, espécie de coração da Constituinte, controlada por Ulysses. Passaram a ter preferência emendas assinadas por metade mais um dos constituintes. Como novo dispositivo, o Centrão conseguiu retirar parte considerável do poder da Comissão em matéria de decidir o andamento da pauta da Assembléia. Mais à frente, no texto deste livro, vou abordar o comportamento político e a importância do Centrão.

Os debates e um caleidoscópio nos partidos

Os debates da Constituinte se iniciaram, como já disse, em torno de dois eixos: o primeiro, a discussão sobre a Constituinte exclusiva ou não. O segundo girava ao redor da aceitação ou não de um projeto preliminar de Constituição para orientar os debates. Tal proposta teria sido elaborada por "sábios", como maldosamente insinuavam os que só aceitavam discutir propostas vindas diretamente dos constituintes.

Embora possa parecer que essas questões são de interesse menor, na verdade elas anteciparam um debate que durou o tempo todo e que prenunciou as diferenças partidárias. Por trás estava a questão da "soberania" da Constituinte e, portanto, um eventual choque com o governo Sarney e com o modo pelo qual seria tratado o "entulho autoritário" — a herança institucional e legislativa do regime militar. Os que desejavam uma Constituinte dita soberana propunham mudar imediatamente alguns itens da Constituição em vigor, que consideravam ilegítima. Essas mesmas forças temiam manobras para restringir o alcance democratizador da ação dos constituintes. O Planalto sentia tais temores de maneira oposta: havia constituintes com vontade de desestabilizar o governo e de diminuir o mandato do Presidente eleito.

Não é o caso de entrar em detalhes. A reação à proposta do Regimento Interno que dava à Constituinte capacidade para eventualmente barrar atos do Executivo contrários à sua vontade soberana resume a questão. Na verdade o texto aprovado, depois de negociações lideradas pelo deputado Antônio Britto (PMDB-RS), foi uma emenda do deputado Maurílio Ferreira Lima (PMDB-PE) que amortecia os temores de que a Assembléia extrapolasse seu legítimo direito de afirmação e defesa. E coube ao deputado Flávio Bierrenbach apresentar a proposta da Constituinte exclusiva, que não vingou.

Essas discussões tinham como pano de fundo uma questão política que embaçou a análise de quase tudo: a duração do mandato do Presidente Sarney. Antes mesmo da eleição de Mário Covas como líder do PMDB na Constituinte, no início de março de 1987, surgiu um "grupo de centro" liderado pelo senador José Richa (PMDB-PR) — sem relação alguma com o futuro Centrão, a que vou me referir mais detidamente em seguida — que se propunha a garantir que não seriam tomadas medidas casuísticas de reforma da Constituição vigente e que o mandato do Presidente seria definido no prazo de seis meses.

Mesmo depois de aprovado o Regimento Interno e de compostas as comissões temáticas, que foram oito, nas quais os constituintes se distribuíram, os trabalhos andavam morosamente. Cada constituinte não poderia participar de mais de uma comissão temática e havia 49 parlamentares que integravam a Comissão de Sistematização, que deveria conciliar os pontos de vista eventualmente divergentes e dar forma, gradativamente, ao novo projeto de Constituição, antes de ele passar às mãos do relator, deputado Bernardo Cabral (PMDB-AM). Este, junto com três ou quatro relatores-adjuntos, deveria redigir cada texto a ser submetido ao Plenário. Fui relator-adjunto por um tempo. Logo após, como a Comissão de Sistematização, sob a Presidência do senador Afonso Arinos, a essa altura no PSDB, requeria intenso trabalho político, houve a decisão de me incorporar nela junto com o senador Jarbas Passarinho (PDS-PA), como vice-presidentes, para, com o deputado Brandão Monteiro (PDT-RJ), que já era vice, assumirmos na prática a liderança do processo decisório. Paulatinamente, apesar dos vários choques de opinião, fomos conseguindo avançar a discussão dos temas constitucionais.

Já se prenunciavam choques do que veio a ser posteriormente o Centrão, agrupamento de centro-direita formado por parlamentares conservadores e por congressistas tradicionalmente ligados ao Planalto, sem serem necessariamente conservadores, que se organizou como contrapeso às lideranças do PMDB e às esquerdas. As divergências giraram, inicialmente, ao redor do quórum para deliberações. O PFL queria que se dessem por maioria absoluta, ou seja, por metade mais um de todos os integrantes da Constituinte; os líderes do PMDB (embora não todos os peemedebistas), por maioria simples, quer dizer, a maioria dos parlamentares que estivessem participando de cada votação. As razões da disputa eram óbvias: propostas mais controvertidas teriam maior dificuldade de aprovação por maioria absoluta.

Os constituintes não se dividiam apenas quanto a questões conjunturais ou de tramitação. Suas opiniões discrepavam nas questões econômicas, nas questões sociais em geral e no alcance da ação do Estado. E os alinhamentos se davam em cada questão específica, não necessariamente a partir de uma visão do mundo, de uma ideologia. Um determinado constituinte poderia defender um mandato para o Presidente Sarney de quatro, cinco ou seis anos, sendo ou não parlamentarista, poderia ser mais propenso à iniciativa privada ou mais intervencionista, aceitar a redução da jornada de trabalho ou não, e assim por diante. Ou seja, podia alinhar-se segundo questões específicas, sem que elas se concatenassem. Mais complexo ainda: em um mesmo partido, os parlamentares se dividiam como em um caleidoscópio quanto a esses diversos temas.

Uma visão apressada sobre as incoerências partidárias e as inconseqüências político-ideológicas pode, portanto, condenar facilmente o sistema partidário que se estava montando como incapaz de espelhar as diferenças da sociedade e de dificultar o funcionamento de uma democracia "verdadeira". E até certo ponto é assim mesmo. Porém o processo é mais complexo. Vejamos pouco a pouco como se pode argumentar de outra maneira. Comecemos, a seguir, pelos temas econômicos mais gerais.

Os temas econômicos e o nacionalismo estatizante

Nesses temas, predominaram as questões relacionadas à dívida externa e às taxas de juros. A média dos constituintes manifestava viva repulsa às elevadas taxas de juros e críticas ao FMI e ao pagamento da dívida externa. Note-se que o debate ocorria depois da moratória da dívida do governo Sarney, quando, por exaustão das reservas, mas sob fundamentos retóricos de "soberania", o país deixara, em fevereiro de 1987, de cumprir seus compromissos sem buscar uma renegociação. Logo no início dos trabalhos da Constituinte, havia um novo ministro da Fazenda, o peemedebista Luiz Carlos Bresser-Pereira. Ele substituíra Dilson Funaro, empresário nacionalista, homem determinado, cercado por alguns assessores de primeira ordem, em cuja gestão fora decretado o cruzado e que, durante o auge do sucesso do plano, obtivera um êxito político até então inédito na História do país, tornando-se um ministro da Fazenda popularíssimo e carismático. Lembro-me de uma viagem em que acompanhei a Campinas o Presidente Sarney e o próprio Funaro — amigo com quem, quando mais moço, costumava jogar baralho numa mesa que incluía Roberto Gusmão, o empresário e editor Fernando Gasparian e o jornalista Fernando Pedreira. O ônibus da comitiva, como ocorria com freqüência com o ministro, tinha que ir parando ao longo do caminho para que as pessoas viessem saudar e aplaudir Funaro. Nas ruas, queriam pegar nele, tocá-lo, como se ele fosse um profeta, um santo.

Mas, por motivos que não cabe aqui aprofundar, veio o naufrágio do cruzado e durante a gestão de Funaro o governo decretou a moratória. Quando Bresser assumiu, o governo começava a entabular conversações com os credores e precisava explicar ao público interno que a renegociação seria "altiva", na expressão do ministro. Bresser, velho amigo e vizinho em Ibiúna, economista e professor respeitado, tinha boa experiência na vida pública, adquirida sobretudo nas diversas posições de relevo que ocupara durante o governo Montoro em São Paulo (1983-1987). Mas sua tarefa não se revelaria fácil.

Constituintes de diversos partidos opinavam constantemente sobre a questão da dívida, quase sempre pedindo cautela nas negociações, quando não expressando repúdio ao FMI e ao próprio pagamento do que o país devia. A cada instante se exigia uma auditoria no Banco Central (BC), para verificar a legalidade dos contratos de empréstimos. Lula, um pouco antes, cuidadoso com as multinacionais, dissera ser de bom senso não se posicionar contra elas, embora devessem existir critérios para controlar sua ação. Mesmo assim, manifestou-se pela suspensão do pagamento da dívida externa.[7] O deputado Luiz Henrique da Silveira (SC), líder do PMDB na Câmara, apoiava a suspensão do pagamento dos juros e, indo mais longe, sugeriu à Constituinte, logo em seu discurso inaugural, uma reforma para regulamentar os "lucros exagerados dos bancos" e impedir que o Banco do Brasil (BB) fosse supostamente esmagado pelos bancos privados.[8] Vários outros pronunciamentos tiveram teor semelhante.

---

[7] No dia 27 de janeiro de 1987, Lula, deputado constituinte eleito e presidente do PT, e o deputado Eduardo Suplicy reuniram-se em São Paulo com o embaixador dos EUA, Harry Schlaudeman. Um resumo do noticiário a respeito publicado por *Jornal do Brasil*, *Folha de S. Paulo*, *Gazeta Mercantil* e *O Estado de S. Paulo* indica que foram discutidas propostas do partido para a Constituinte, dívida externa, pacto social e a presença de multinacionais no Brasil. Lula, entre outras afirmações, disse que se não fosse elaborada uma nova ordem político-econômica ocorreria uma "crise institucional". O PT, assinalou ele, apoiava a suspensão do pagamento da dívida externa e uma reforma agrária justa e sem violência.

[8] *Folha de S. Paulo*, 21/2/1987; *Gazeta Mercantil*, mesma data; *O Estado de S. Paulo*, mesma data.

Não era de estranhar, portanto, que logo surgissem propostas para utilizar a Constituição como freio à política econômica. Nesse sentido, o deputado Fernando Gasparian (PMDB-SP) sobrepujou com seu zelo até mesmo os partidos de esquerda: propôs incluir na Constituição a limitação da taxa de juros a 12% ao ano, o cancelamento da captação de depósitos por bancos estrangeiros e também a substituição do Conselho Monetário Nacional por uma comissão de parlamentares que poderia emitir títulos públicos para ajudar empresas nacionais em dificuldades. Não contente com isso, o deputado Luiz Gushiken (PT-SP) queria a estatização dos bancos. O deputado José Genoino (PT-SP) disse ter votado a favor dos 12% por convicção e por se tratar de uma emenda "histórica" da esquerda. Mas também o deputado Roberto Cardoso Alves (PMDB-SP), fazendeiro e empresário rural, que viria a ser um dos líderes do Centrão, apoiou o tabelamento dos juros. Em contraposição, para citar alguns exemplos, os deputados José Serra (PMDB-SP), Francisco Dornelles (PFL-RJ) e Cesar Maia (PDT-RJ), não por acaso economistas respeitados, votaram contra, como eu também. O absurdo de colocar limite às taxas de juros na Constituição — manietando de forma suicida a capacidade de o governo, qualquer governo, executar uma política monetária — era tamanho que mesmo Celso Furtado, economista de reputação internacional e figura reverenciada por diferentes correntes de opinião, principalmente à esquerda, considerou que se tratava de uma resposta exagerada às agruras das empresas.

O ministro Bresser penou para levar adiante a negociação "altiva" com os bancos estrangeiros e o FMI. Este foi alvo preferencial de críticas de todos os lados do espectro político. Finalmente o PMDB concordou que o ministro procedesse à negociação da dívida, desde que o país não se submetesse "a um monitoramento e a ajustes recessivos na economia". Note-se que essa autorização cautelosa veio a público por meio do porta-voz da Presidência, em nome de Ulysses Guimarães e do próprio Presidente Sarney,[9] depois que ambos se reuniram no Planalto. A esta declaração seguiu-se um encontro entre as principais lideranças do PMDB que apoiavam as negociações com os bancos, desde que excluíssem um acordo com o FMI. Considerava-se a instituição "nociva" ao país. Covas afirmou que se o mi-

[9] *Folha de S. Paulo*, 29/7/1987.

nistro conseguisse tratar com os bancos sem o Fundo, isso representaria uma "revolução" na estrutura interna do sistema capitalista internacional.

Apesar da bravura de suas posições, Bresser não conseguiu a negociação naquele momento. O Tesouro norte-americano rejeitou as propostas brasileiras de alongamento dos títulos da dívida e o país continuou sufocado, sem créditos externos. Anos mais tarde, as teses de Bresser acabariam incorporadas ao plano que leva o nome do secretário do Tesouro dos EUA entre 1988 e 1993 (governos Ronald Reagan e George H. Bush), Nicholas F. Brady.

Essas reações, que, repito, expressavam o sentimento da maioria e empolgavam as minorias "à esquerda" do próprio PMDB, tinham a aceitação de líderes como Pimenta da Veiga, para não falar de Fernando Gasparian. Joguei água na fervura, declarando que eram exagerados os pruridos em torno do pagamento de parte dos juros devidos, embutido na proposta Bresser. Também Mário Covas achou politicamente aceitável a proposta Bresser, nos termos apresentados.

Esse ziguezague durou todo o tempo. Bem mais tarde, em janeiro de 1988, com o novo ministro da Fazenda, Mailson da Nóbrega, até então secretário-geral do Ministério e funcionário de carreira do BB, que substituíra Bresser no posto, continuavam as dificuldades para que se aceitasse uma negociação com o FMI. Pronunciei então um discurso no Senado sobre "A crise e as opções nacionais", criticando as hesitações do governo na matéria, propondo a integração "soberana" de nossa economia no plano mundial, a partir do fortalecimento entre nós do que chamei de "espírito de empresa", que dispensaria o protecionismo, aceitaria regras de concorrência e assimilaria a revolução tecnológica. Via nisso o caminho para melhorar a eficiência da burocracia pública e ampliar a democracia social. Mais ainda, criticava a indiferença criminosa das elites diante da miséria do povo. Segundo os jornais da época, eu assumia uma posição eqüidistante entre o "arcaísmo" do Centrão e o "corporativismo" de setores que se diziam progressistas. O discurso começava por reconhecer a crucial importância política da volta das eleições diretas: "No Império — e Joaquim Nabuco imortalizou o tema — toda a discussão girava ao redor da questão da escravidão. Mesmo quando nela não se tocava, era ela quem comandava. Pois bem, a grande questão política é uma só: a das eleições diretas." Além desse ponto central à redemocratização plena do país, eu defendia uma revisão completa de nossa agenda, incluindo temas como maior abertura da economia, desenvolvimento tecnológico e menos corporativismo. Criticava os que confundiam progresso com monopólio estatal e também os que viam a indispensável ação do Estado como uma ameaça à iniciativa privada, dizendo que a antinomia estatização *versus* privatização constituía um falso problema, pois a aplicação de uma ou outra medida depende de circunstâncias e de saber em quais setores. Afirmava que os "progressistas" defendiam o populismo e os conservadores, o atraso. Seria um discurso antecipatório de muito do que realizei ou tentei realizar na Presidência.

A verdade é que, a despeito do ziguezague mencionado anteriormente, um dos eixos ideológicos principais durante os debates ocorridos na Constituinte foi o nacionalismo estatizante. Sua forma mais exaltada apareceu nas propostas de estatização do sistema bancário, na definição do conceito de empresas brasileiras e estrangeiras e na defesa dos monopólios estatais, especialmente para a exploração das jazidas minerais. E o principal problema trazido por essas posições era seu sabor antiquado, que dificultava a correta definição dos verdadeiros interesses nacionais em um mundo cuja economia se globalizava e cuja bipolaridade terminava. Não foi muito diferente o que ocorreu com as questões sociais, que tratarei em seguida, começando por uma apreciação geral e depois me detendo especificamente nas questões trabalhistas e no tema da reforma agrária.

As questões sociais e o corporativismo

O debate ideológico não se esgotava na questão do nacionalismo exaltado a que acabei de me referir. Nas questões sociais, como a da reforma agrária, a definição da duração da jornada de trabalho e, principalmente, a proposta de estabilidade no emprego, as divisões eram profundas. Isso sem mencionar polêmicas de menor polarização, como a que separou os favoráveis à unicidade sindical — ou seja, aqueles alinhados com a tese de que cada categoria de trabalhadores só deveria ser representada por um único sindicato em cada base territorial — dos defensores da tese oposta, a pluralidade, ou quanto ao papel das Forças Armadas, se limitado à defesa diante de ameaças externas ou abrangendo também, em circunstâncias dadas, a defesa da lei e da ordem.

As principais clivagens durante a Constituinte ocorreram em torno desses temas. Além, obviamente, das questões políticas, relativas ao regime de governo e à extensão do mandato presidencial. Os debates sobre a duração da jornada de trabalho e a estabilidade no emprego mobilizaram fortemente os empresários e os sindicatos. A questão da reforma agrária igualmente levou a uma disputa acirrada. Importava mais obter uma vitória política do que inscrever na Constituição uma posição racional. Por trás de tais embates havia o temor, em setores da sociedade, de um estrangulamento da iniciativa privada e do fortalecimento das tendências favoráveis ao intervencionismo estatal e ao aumento do poder das burocracias. Não obstante, as lideranças da Constituinte acabaram sempre por fazer uma espécie de mediação, tendo como resultado o "não tanto ao mar, nem tanto à terra". Isso se deu, por exemplo, no terreno das questões trabalhistas.

A verdade é que as lideranças empresariais se mantinham atentas e mobilizadas. Além das entidades da indústria, do comércio, da agricultura e do sistema financeiro, novas associações, como o Pensamento Nacional das Bases Empresariais (PNBE), a União Brasileira de Empresários (UBE) e a União Democrática Ruralista (UDR) atuaram fortemente. Houve uma frente unida do empresariado para barrar o que eles consideravam excessos, como a exagerada proteção ao trabalho — com o conseqüente efeito sobre o custo da produção e a competitividade internacional do país —, as restrições nacionalistas à ação das empresas e o sempre ameaçador estatismo.

O empresariado se mobilizou intensamente, escolhendo alguns pontos nevrálgicos para concentrar fogo. Em geral as lideranças e os setores do PMDB que, em aliança com os partidos da esquerda, comandaram o processo constituinte até o advento do Centrão começavam o debate incentivando as propostas mais radicais. Por exemplo: reduzir a jornada de trabalho semanal de 48 horas para 40 horas. E terminavam, sob protesto da esquerda, aceitando uma negociação com os setores empresariais e seus representantes no Congresso, por exemplo, ao redor das 44 horas, como ocorreu nesse caso, aprovando proposta do deputado Gastone Righi (PTB-SP). Por delegação do líder em exercício do PMDB, deputado Euclides Scalco (PR), pois Covas estava enfermo, José Serra defendeu em plenário a proposição vitoriosa. Ato contínuo, também os empresários representativos dos setores "duros" protestavam. As batalhas se sucediam. Não bastou definir o número de horas da jornada de trabalho, pois logo surgiu a questão dos turnos contínuos, que, segundo proposta majoritária, não deveriam ultrapassar as seis horas. Novamente, o coro empresarial proclamou que, sendo assim, haveria que contratar mais mão-de-obra e, em conseqüência, a produtividade cairia.

Nenhum tópico trabalhista mobilizou mais energias do que o da estabilidade no emprego. Os líderes peemedebistas usaram a mesma tática: abriram a discussão com a reivindicação sindical e das esquerdas de colocar na Constituição o princípio da estabilidade no emprego. O projeto que sintetizou as negociações teve como palco a Comissão de Sistematização. No dia 8 de outubro de 1987, aprovou-se a estabilidade. Os empresários, nas vésperas, procuraram o Presidente Sarney para mostrar seu alarme.[10] Simultaneamente, mas sem que houvesse plano preconcebido para levar adiante o que qualifiquei de "mediação" exercida pelas lideranças maiores, tanto o Sindicato dos Metalúrgicos de São Paulo como o ministro do Trabalho, Almir Pazzianotto, começaram a falar de "garantia de emprego", implicando restrições e multas para as "demissões imotivadas". Esta noção substituiria a desejada estabilidade no emprego, princípio que feria a mobilidade dos fatores de produção.[11]

---

[10] O texto aprovado pela Comissão de Sistematização elencava no artigo 7º, entre os direitos dos trabalhadores: "I – garantia de emprego protegido contra despedida imotivada, assim entendida a que não se fundar em: a) contrato a termo nas condições e prazos da lei; b) falta grave, assim conceituada em lei; c) justa causa, baseada em fato econômico intransponível, fato tecnológico ou infortúnio da empresa, de acordo com critérios estabelecidos na legislação do trabalho." Ou seja, mesmo que lei posterior regulamentasse o dispositivo, ele estreitava consideravelmente a faixa de possibilidades para empregadores demitirem funcionários. Vale notar que o texto não exigia "n" anos de trabalho ou outra condição para a estabilidade.

[11] O texto negociado com os empresários e o Centrão, que passou a figurar na Constituição, previu, para o mesmo inciso I do artigo 7º, "relação de emprego protegida contra despedida arbitrária ou sem justa causa, nos termos de lei complementar, que preverá indenização compensatória, dentre outros direitos". Até a publicação deste livro não se tinha aprovado essa lei complementar. A situação passou a ser regulada "provisoriamente" pelo art. 10º, I, das Disposições Transitórias da Carta: a demissão imotivada implica, além dos direitos previstos na legislação trabalhista, multa de 40% sobre o saldo do trabalhador no Fundo de Garantia do Tempo de Serviço (FGTS).

Após a aprovação da estabilidade no emprego pela Comissão de Sistematização, sem confiar muito nas mediações das lideranças do PMDB, um grupo de parlamentares de diferentes partidos formou um "Centro Democrático", logo alcunhado Centrão, que apoiou um documento inspirado pelo Palácio do Planalto chamado "Democracia e Desenvolvimento". Com essa manobra iniciava-se a fragmentação do PMDB. O novo agrupamento, com teses mais liberais nas questões econômicas, daria suporte ao sistema presidencialista de governo e à duração de cinco anos para o mandato do Presidente Sarney — questão esta que tomou conta da Constituinte e mobilizou a opinião pública por bom tempo. Pelas regras da Constituição herdada do regime autoritário, que prevaleciam no momento da eleição de Tancredo, o Presidente teria direito a cumprir seis anos de mandato. Tancredo, porém, se comprometera formalmente, inclusive no documento de constituição da Aliança Democrática que o levara à Presidência, a promover a redução para quatro anos. No final, a Constituinte, sob intensa pressão do Planalto, fixou o mandato em cinco anos.

Com a entrada em cena do Centrão, criou-se um núcleo de pensamento econômico a buscar sustentação política no governo Sarney, o que levou Ulysses a dizer-se preocupado com a "direita" no país. A adesão do PFL a esse tipo de ação levou o PMDB a denunciar a ruptura da Aliança Democrática e a lançar nas costas do PFL a responsabilidade por tal ato (esquecendo-se, naturalmente, das dezenas de peemedebistas que engrossavam o coro do Centrão).

A Comissão de Sistematização aprovou uma série de vantagens para os assalariados, como, por exemplo, a ampliação da licença às trabalhadoras gestantes, o aviso prévio proporcional ao tempo de serviço para a dispensa de empregados, o pagamento integral do 13º salário aos aposentados e de um adicional para os trabalhadores em férias, o financiamento do seguro-desemprego, o salário mínimo nacional unificado, a participação dos trabalhadores nos lucros das empresas. Muitas dessas vantagens, mesmo depois das modificações no Regimento Interno patrocinadas pelo Centrão para dificultar a aprovação de propostas controvertidas, terminaram inscritas na Constituição e absorvidas pela sociedade. Outras vantagens, na verdade benesses clientelistas, acabaram também apoiadas pelos partidos tradicionalmente conservadores, como a estabilidade para quem estivesse no serviço público há cinco anos, algo extremamente oneroso para o país. Esses empregados públicos deixaram de ser regidos pela Consolidação das Leis do Trabalho (CLT) e se transformaram em funcionários "estatutários", ou seja, servidores sob as regras do Estatuto dos Funcionários Civis da União — passando, portanto, a ter benefícios como estabilidade no emprego e aposentadoria integral — sem serem concursados. Tudo isso serviu de combustível para movimentos de fragmentação no PMDB e a formação de novas agremiações partidárias. Os setores "à esquerda" concentraram preocupação e votos na defesa de interesses corporativos, esmiuçando-os no texto da Carta.

O número de artigos da Constituição que definem regras de acesso e promoção no Judiciário, por exemplo, não deve ter paralelo em outras Constituições democráticas no planeta. De igual modo, houve a "constitucionalização" de numerosas profissões e uma blindagem na estrutura das organizações sindicais, tanto patronais quanto de trabalhadores. Os grupos de pressão compostos por funcionários, especialmente os do Judiciário, por representantes das polícias, civil e militar, e das empresas estatais se movimentaram com muita liberdade e perseverança para inscrever na Constituição o que consideravam seus direitos, beirando às vezes a privilégios. Os representantes do empresariado, do mesmo modo, defenderam com unhas e dentes seus interesses, tal como ocorreu com os do setor rural quando se discutiu o tema que vou expor agora.

As paixões despertadas pela reforma agrária

O tema que mais despertou paixões foi o da reforma agrária, tendo como cavalo de batalha a desapropriação de terras produtivas. Houve um sem-número de outras questões ao redor da reforma agrária, mas a briga ideológica se travou, no fundo, em torno do direito de propriedade: seria ele sacrossanto ou estaria submetido a um valor maior, o da função social da propriedade? Neste caso, defendia-se, uma área, mesmo sendo produtiva, poderia ser desapropriada para fins de reforma agrária se não cumprisse a "função social".

As escaramuças entre progressistas e conservadores começaram cedo na Comissão de Sistematização, depois de os blocos haverem duelado na comissão especial que cuidava do tema. Já em junho de 1987 a Contag mobilizava seus aderentes, aos gritos de "UDR assassina", para a batalha contra os partidários dessa organização de fazendeiros. Em agosto, o Centrão, ainda embrionário, contando com o apoio do líder do governo na Câmara, somado aos combatentes da UDR, com o futuro candidato à Presidência e depois deputado federal Ronaldo Caiado como seu presidente, rebelaram-se contra o texto aprovado pela comissão que tratava do tema agrário. Este autorizara a "imissão de posse imediata" pelo governo nas terras desapropriadas. Os conservadores alegavam que o dispositivo destruía o direito de propriedade do setor rural.

O relatório do deputado Bernardo Cabral, que seria votado no fim de agosto de 1987 na Comissão de Sistematização, era uma síntese de várias propostas e incluiu a vistoria prévia da terra como requisito para as desapropriações. Com esse procedimento, haveria a avaliação do cumprimento da função social da propriedade antes de qualquer ato de desapropriação. Além de tudo, o relatório abria recurso à Justiça, caso o proprietário não concordasse com a decisão administrativa, e estabelecia que a eventual indenização pelas benfeitorias existentes deveria ser paga em dinheiro. Mesmo assim, o impasse se desdobrou durante meses a fio, embaralhando reivindicações justas, posições ideológicas e questões políticas. Em maio de 1988 a discussão esquentou. Os líderes de todos os lados foram limando diferenças, mas o braço de ferro continuou no ponto central já abordado: a função social como pré-requisito para validar o direito de propriedade. A 4 de maio de 1988, no auge do impasse, a proposta do Centrão proibindo a desapropriação de terras produtivas foi a voto e se viu derrotada por 248 votos a favor, 242 contra e 37 abstenções. Não alcançou os 280 votos necessários para a aprovação. O Centrão, no entanto, mostrou força.

Daí por diante, recomeçou o trabalho de costura do "nem tanto ao mar, nem tanto à terra". As lideranças do PMDB, do PT e do PDT procuravam novo acordo, a partir de uma posição que garantisse alguns avanços, segundo sua ótica. Na barricada, o presidente do PDS, senador Jarbas Passarinho, em geral mais conciliador, reagiu: "Atacar a propriedade produtiva é arrasar a feição produtiva do país." Os dois lados terçaram armas e ambos perderam: a emenda do Centrão proibindo a desapropriação de terras produtivas (neste caso, cumprissem ou não a função social) caiu por 237 votos contra 225; em seguida, colocou-se em votação a emenda da Comissão de Sistematização, que dava ensejo à desapropriação das terras que não cumprissem a função social, fossem ou não produtivas. A emenda também sucumbiu com apenas 129 votos a favor e 365 contra (nas duas votações houve três abstenções). Resultado: configurou-se o que se chamava na época de "buraco negro", ou seja, a Constituição acabaria ficando sem o capítulo sobre Reforma Agrária, posto que nenhum dos dois lados obtinha maioria suficiente para aprovar suas teses. Ulysses encerrou a sessão marcando o prazo de 48 horas para o relator apresentar um texto de conciliação, que poderia receber emendas de qualquer agrupamento, como rezava o Regimento.

O resultado da obstinação de certos líderes progressistas em não abrir negociações com o Centrão no tocante à reforma agrária fez com que tivéssemos que nos consolar com uma manobra para evitar o pior. Depois de infindáveis idas e vindas com acordos de curta duração e recusas estrepitosas da UDR, a Constituinte aprovou a proposta conciliadora que tornou insuscetíveis de desapropriação as terras produtivas e as pequenas e médias propriedades e fixou normas para definir o cumprimento da função social da propriedade. Para obter o acordo, o líder Mário Covas, já refeito do problema de saúde que o acometera, aceitou que se votasse a proposta dos partidos progressistas que voltava ao tema da possibilidade de desapropriação de terras produtivas, mas sob uma forma que, pelas regras da Constituinte e do atual Congresso, se denomina "destaque para votação em separado", que tem exigências especiais para ser aprovada.[12] No caso concreto, a emenda dos progressistas precisaria de inalcançáveis 280 votos. Não passou. Assim, fixou-se o princípio, que pareceria óbvio, de que terras produtivas (em um país cheio de terras não utilizadas!) não poderiam ser desapropriadas para fins de reforma agrária. Ou seja, a desapropriação teria de ser feita no quadro legal do regime capitalista, que tem

---

[12] Esse mecanismo até hoje dificulta a aprovação de reformas no Congresso. Os "destaques para votação em separado" (DVSs) invertem a mão natural das votações. Quando determinado projeto é aprovado em bloco por uma maioria parlamentar, os destaques solicitados pela minoria para votar em separado artigos ou parágrafos desse projeto conferem a ela o poder de derrubá-los caso a maioria não consiga, na nova votação, reunir outra vez número suficiente de votos para reassegurá-los um a um. O natural seria que os interessados nos destaques é que tivessem de obter maioria de votos para derrubar esses dispositivos previamente aprovados.

como pressuposto a garantia da propriedade privada. Daí a regra, fixada na Carta, de que a desapropriação, quando ocorre, se dá mediante prévia indenização em dinheiro.

No segundo turno das votações houve tentativa de novamente tornar ao tema para excluir qualquer limitação às desapropriações para fins de reforma agrária. A proposta, contudo, sofreu outra derrota, o que levou um jornal a dizer que "o resultado da votação sobre o tema foi a única vitória significativa dos 'conservadores' no segundo turno".[13]

O mandato de Sarney: uma disputa pelo poder

Vista com a perspectiva do tempo, parece claro que a questão "doutrinária", a de saber se o melhor sistema de governo para o país seria o parlamentarismo ou o presidencialismo, pesou menos do que a luta pelo poder na Constituinte. Esta se travou em torno da definição da data das eleições e, conseqüentemente, da duração do mandato do Presidente Sarney, a serem ambas fixadas nas Disposições Transitórias da Constituição. Estabelecer a data das eleições para 1988, como queria parte do Congresso, atenta ao compromisso de Tancredo, ou para 1989, como pretendiam partidários do Presidente e o Palácio do Planalto — significava encurtar para quatro ou para cinco anos o mandato original de seis anos que a Carta ainda em vigor atribuía a Sarney e, portanto, implicaria a possibilidade de mudar o grupo de comando da República. A disputa em torno da extensão do mandato espelhava também um esforço para acomodar ambições pessoais, grupais e partidárias na corrida eleitoral.

O debate sobre o parlamentarismo era natural. Tratava-se de um dos poucos temas de caráter realmente "constituinte". Nada mais compreensível que, após tanta crítica ao presidencialismo brasileiro, chamado por alguns de "imperial", com as tendências centralizadoras do Executivo aguçadas pelos governos do período autoritário-militar, houvesse uma reação dos constituintes na direção da desconcentração do poder. Basta ver o que ocorreu na área tributária, com o fortalecimento do poder local. À força do Executivo se atribuía com freqüência a debilidade dos partidos políticos. Estes eram tidos e havidos por ajuntamentos de pessoas ao redor de

[13] *Folha de S. Paulo*, 29/8/1988.

interesses (como se isso não fosse da natureza de qualquer partido) sem propósitos ideológicos definidos, relacionando-se com o poder central por intermédio de nomeações, trocas de favores e não raro concessões de facilidades moralmente condenáveis.

À objeção de que com partidos fracos e pouco representativos seria difícil um regime parlamentarista obter êxito, respondia-se que com o presidencialismo imperial jamais teríamos partidos verdadeiros.

Esse debate, contudo, por importante que fosse, e era, entusiasmou apenas umas poucas lideranças. Em um primeiro momento de entusiasmo, contando com a força simbólica de Afonso Arinos como um dos defensores do parlamentarismo, a tese venceu na Comissão de Sistematização. Seus opositores, mais realistas, reagiram à derrota, buscando o apoio do Planalto e firmando posição em torno da proposta de presidencialismo com cinco anos de mandato. A sustentação do parlamentarismo se esboroou com maior rapidez do que o esperado. Em votação acalorada, a emenda presidencialista do senador Humberto Lucena venceu, em março de 1988. A emenda final, que resultou da fusão de várias proposições, somente substituía na Constituição a parte relativa ao Poder Executivo, criando um sistema complexo que, embora tendo sido escoimado posteriormente de alguns artigos de inspiração nitidamente parlamentarista, ampliou consideravelmente o poder fiscalizador do Congresso.

No entretempo, houve escaramuças. Entre elas, uma tentativa de instituir o parlamentarismo ainda durante a Presidência Sarney, mantendo-se o mandato de cinco anos, tal como o governador de Goiás, Henrique Santillo (PMDB), propôs em julho de 1987 em convenção do PMDB. Recordo que a certa altura o próprio Presidente Sarney se inclinou nessa direção. A verdade, contudo, é que as tentativas de conciliar os cinco anos com o parlamentarismo não encontraram eco nos líderes peemedebistas. Ulysses Guimarães era presidencialista convicto e não se aferrava tanto ao mandato de quatro anos, pretendido por muitos de seus partidários. Mário Covas, por seu turno, alinhava-se com o parlamentarismo, mas ainda mais fortemente com os que desejavam eleições presidenciais em 1988 (o que significava posicionar-se por um mandato de quatro anos já para Sarney). E não estava isolado na posição: a maioria do PMDB "autêntico" o acompanhava, entre os quais, ardoroso, Pimenta da Veiga.

Covas, desde que Santillo sugeriu o acordo na convenção do PMDB em 1987, declarou-se a favor de qualquer negociação, à condição de que as eleições fossem marcadas para o ano seguinte. Sarney, depois que o relator Bernardo Cabral apresentou sua proposta de "parlamentarismo imediatamente", tentou convencê-lo de outra tese. Testemunhei uma reunião entre o Presidente, o chefe da Casa Civil, Ronaldo Costa Couto, e o consultor-geral da República, Saulo Ramos, no final de agosto de 1987, da qual saí com a impressão de que o relator se havia comprometido com outra proposta e decepcionara o Presidente, apoiando subitamente a mudança de sistema de governo. O Planalto reagiu, como era de prever. Richa, Sandra Cavalcanti (PFL-RJ), José Fogaça (PMDB-RS), o líder na Câmara, Luiz Henrique, eu próprio e tantos outros nos esforçávamos para encontrar fórmulas que pudessem ampliar a aceitação da tese parlamentarista.

Em outubro de 1987 a Comissão de Sistematização aprovou cinco anos como período de duração do mandato do futuro Presidente, mas deixou a decisão específica sobre o mandato de Sarney para votação posterior, quando se aprovariam as Disposições Transitórias. A partir de janeiro de 1988 a discussão esquentou muito. Criou-se um Comitê Pró-Diretas, suprapartidário, para insistir em eleições no final daquele mesmo ano, atribuindo em conseqüência um mandato de quatro anos a Sarney. O governo, mesclando-se às forças do Centrão, somava seus votos. A oposição denunciava o uso de práticas fisiológicas para obter apoio às teses presidencialistas e cincoanistas, como, por exemplo, as concessões de canais de rádio e de retransmissoras de TV que, na época, dependiam exclusivamente do Presidente da República (práticas, a propósito, extintas em meu governo, quando ocorreu uma mudança radical nesse terreno, com a introdução de licitação pública para as concessões, submetidas a regras rígidas e a exigências não apenas em relação ao maior preço oferecido como também a condições técnicas e outras). Em fevereiro, o próprio Presidente, em seu programa semanal de rádio, se insurgiu contra outros aspectos das resoluções dos constituintes (na verdade questões relativas a exigências criadas para que fosse possível a prisão de pessoas em flagrante delito), dizendo que provocariam "o caos, o império do crime e da impunidade" e atribuiu as denúncias de corrupção no governo que circulavam ao propósito de desestabilizá-lo. Falou em ambições descontroladas (aludindo aos que seriam pretendentes à Presidência e, por isso, queriam antecipar as eleições) e chegou a dizer que estavam querendo "tocar fogo no Brasil".

Ulysses reagiu, considerando as críticas um "ataque à Constituinte" desferido pelo Presidente. O mesmo Ulysses, indo indiretamente ao ponto, ou seja, às manifestações de alguns ministros militares favoráveis às teses do Presidente, criticou duramente a Junta Militar de 1969 — a cujos integrantes, aliás, costumava referir-se como "os três patetas" —, deixando implícito que ocorria algo semelhante. O ministro das Comunicações, Antonio Carlos Magalhães, entrou na liça, criticou o presidente da Constituinte e defendeu as Forças Armadas. A Constituinte em peso (isto é, os presentes ao plenário no dia) aplaudiu em pé Ulysses Guimarães, que fez discurso memorável em defesa da autonomia da Assembléia. Os círculos mais oposicionistas — inclusive a liderança do PMDB — passaram a falar em "ensaio golpista" por parte dos governistas.

Tudo isso mostra que a luta pelo poder ofuscava os debates propriamente constitucionais. As tratativas de encontrar uma solução para o impasse sobre a data das eleições diretas e sobre um acordo que permitisse parlamentarismo com a permanência de Sarney cumprindo mandato de cinco anos continuaram o tempo todo. O governo, à frente seu líder, deputado Carlos Sant'Anna, e com apoio de grande parte do Centrão, apostava nos cinco anos e na vigência do sistema presidencialista. As tentativas de entendimento de última hora com o Planalto não progrediam. O Presidente se queixava da falta de um interlocutor do PMDB. O ministro da Saúde, Luiz Carlos Borges da Silveira, chegou a se demitir depois de declarar apoio à tese do parlamentarismo com Sarney. O grupo de José Richa e Sandra Cavalcanti procurava conciliar. Ulysses se manteve fiel, como de resto Marco Maciel, às convicções presidencialistas. Mário Covas jogou água na fervura. Desmascarava a real natureza das diversas posições e, quanto ao possível acordo entre parlamentarismo e cinco anos, fulminou, peremptório: "Não apóio, não voto e trabalho contra."[14]

No dia 21 de março de 1988 a Constituinte, aprovando como já vimos a emenda Lucena, resolve: presidencialismo com mandato de cinco anos, 344 votos a favor contra 212 e 3 abstenções. Em junho, na votação das

---

[14] *O Estado de S. Paulo*, 19/3/1988.

Disposições Transitórias, o mandato do Presidente Sarney é convalidado para a duração de cinco anos, com votação favorável de 328 parlamentares contra 222 e 3 abstenções.

Minha posição nessa matéria se expressa pela reprodução de duas declarações publicadas pela imprensa: considerava que o fundamental seria aprovar o parlamentarismo, "pois um ano a menos ou a mais para Sarney não tem muita importância",[15] reafirmando o que dissera dias antes, ao deixar o gabinete do presidente da Constituinte, após encontro das lideranças do PMDB com o relator Bernardo Cabral: "Importante é alterar o sistema."[16]

Não foi essa, contudo, a preferência dos constituintes, nem o ânimo dos debates se centrou na pergunta "qual o melhor sistema de governo para o país?", mas sim, de forma muito mais conjuntural, "quais as melhores chances que eu ou meu agrupamento temos para ascender ao poder ou para mantermo-nos nele com um ou outro sistema?" Faço injustiça a muitas pessoas; não estou, porém, julgando intenções. Quero apenas mostrar a linha de força da História.

Curiosamente, a adoção do instituto das medidas provisórias com força de lei (MPs) suscitou pouco debate na Constituinte, embora tenha sido um dos pontos que mais polêmica vem causando desde a entrada em vigor da nova Carta. Que me lembre, a sugestão para a inclusão desse instrumento partiu de Ulysses Guimarães, preocupado em substituir os inaceitáveis decretos-leis do regime militar — que tinham prazo fatal para votação pelo Congresso, sob pena de se tornarem leis, e não podiam sofrer qualquer emenda — por algum mecanismo, sob controle do Congresso, que assegurasse a governabilidade. Coube ao deputado Nelson Jobim redigir o texto, inspirado pela Constituição italiana, que utiliza recurso semelhante no sistema parlamentarista.

Ainda quanto aos aspectos políticos da Constituinte, vale a pena mencionar o impasse que ocorreu na definição das funções constitucionais das Forças Armadas. Participei de uma reunião no edifício-sede do Serviço de Processamento de Dados do Senado (Prodasen), que era um dos locais reservados à relatoria da Constituinte, na qual o deputado Bernardo Cabral

---

[15] *O Estado de S. Paulo*, 19/3/1988.

[16] *Folha de S. Paulo*, 17/3/1988.

se comprometeu com as lideranças dos partidos de esquerda a colocar no relatório a ser submetido à Comissão de Sistematização o texto sobre o papel das Forças Armadas tal como definido pela Comissão Arinos. Eu o havia subscrito na comissão especial da Constituinte que tratava da questão dos militares. O texto não previa qualquer possibilidade de convocar as Forças Armadas para garantir a ordem interna, pois elas se restringiriam à defesa nacional. O texto pretendido pela esquerda contrariava acordos feitos com o governo pelo próprio relator. Embora eu tivesse recordado o fato, Bernardo Cabral reafirmou que iria mudar a proposta aceitando a sugestão dos líderes dos partidos de esquerda. Temiam que houvesse novas intervenções políticas dos militares.

Essa decisão produziu forte crise. Durante reunião do Ministério presidida por Sarney a que estive presente como líder, o ministro do Exército, general Leônidas Pires Gonçalves, pediu a palavra e lançou uma catilinária contra a Constituinte. Leônidas não mencionou diretamente a questão das funções das Forças Armadas: alertou, em termos duros, para os gastos enormes que várias medidas aprovadas pela Constituinte acarretariam. O que ele queria, porém, era rever — como se reviu — o texto sobre o papel dos militares. Coube ao senador José Richa e a mim resolver o impasse, redigindo novo texto depois de conversas na residência oficial do general Leônidas, no Setor Militar Urbano de Brasília, abrindo a possibilidade de os chefes dos três Poderes (Executivo, Judiciário e Legislativo) convocarem as Forças Armadas em circunstâncias críticas, sempre respeitada a hierarquia que dá o comando supremo ao Presidente da República. A matéria gerou críticas acerbas a mim, pois me coube defendê-la no plenário, sob o fogo da ironia do deputado José Genoino, a relembrar que, na comissão especial sobre o assunto, eu tinha sido favorável à fórmula da Comissão Arinos. Hoje, depois que a realidade do país mostrou a necessidade da presença de tropas federais para afastar dúvidas sobre a licitude eleitoral em certas regiões e da indispensável intervenção das Forças Armadas em rebeliões da Polícia Militar ocorridas em diferentes estados, sem esquecer de ações emergenciais que elas protagonizaram para controlar o tráfico de drogas e de armas, a discussão sobre manter Exército, Marinha e Aeronáutica voltados apenas para a defesa externa do país mostrou o quanto era vã.

Novos partidos e o surgimento dos tucanos

A leitura deste capítulo, sobretudo da última parte, pode reforçar no leitor a impressão de que nosso sistema partidário é frágil. E é mesmo. Trata-se, entretanto, de uma leitura incompleta. Em outros capítulos voltarei ao tema. Não obstante, convém mostrar desde agora que a realidade política tem complexidade maior, não se restringindo apenas às limitações e imperfeições da legislação partidária.

Em primeiro lugar, é natural (os autores clássicos diriam que é da "natureza" dos partidos, ou da sua "essência" ou que lhes é próprio) lutar pelo poder.[17] Nada, portanto, a objetar que as disputas sobre a duração do mandato presidencial ou mesmo a forma de governo encobrissem na Constituinte a busca de poder, pessoal ou grupal. Claro está que se a política se resumisse à ambição pessoal, teríamos, uma vez alcançado o poder, a tirania ou o clientelismo reles de algum(ns) "mandonista(s)". Mas, como vimos, estavam presentes vários outros cortes na Constituinte: nacionalismo estatizante *versus* maior atenção às forças de mercado e às realidades de uma sociedade que começava a se adaptar à globalização; estatismo contraposto à maior crença nas forças da sociedade civil; visão de uma sociedade socialista que valoriza mais o coletivo *versus* respeito às regras que asseguram primazia da propriedade privada; visão social-democrata, que busca garantias para que os direitos sociais sejam efetivamente exercidos dentro de uma economia de mercado contra individualismo liberal, e assim por diante.

A complicação em nosso caso é o que chamei de caráter caleidoscópico dos arranjos partidários: a presença, no mesmo partido, de pessoas e até correntes com visões diversas. Mais sério ainda, o fato de que a mesma pessoa pode se orientar politicamente por dimensões valorativas pertencentes a campos ideológicos, senão opostos, ao menos distintos. Isso porque o sistema eleitoral e as diferenças regionais que compõem nosso esdrúxulo federalismo levam a acomodações partidárias que não espe-

---

[17] Desde Aristóteles, passando por Maquiavel e Montesquieu, chegando a Weber e Michels para aterrissar no mestre francês da ciência política Maurice Duverger ou em Joseph Nye, essa obviedade — os partidos lutam pelo poder e é essa sua função principal — encontra apoio.

lham necessariamente as escolhas ideológicas dos afiliados e porque estas têm pouca consistência em sociedades de grande mobilidade social, forte desigualdade e enorme concentração de poder. Esses fatores, sem serem os únicos, dificultam a homogeneização das visões e das perspectivas valorativas.

Mesmo assim, e com toda a incoerência que essas características implicam, os germes de uma decantação partidária se esboçaram na Constituinte. O PT vinha aos poucos consolidando posições e, com o tempo, foi modificando-as. Após a aprovação da Emenda Constitucional nº 25, logo no primeiro ano do governo Sarney, houve ampliação da liberdade partidária. Além do PFL, cuja ruptura com o PDS ocorrera anteriormente, e do PT, os partidos comunistas se reconstituíram e os trabalhistas também. Estes últimos duplicaram-se, formando o PTB e o PDT. Com o tempo outras organizações se foram compondo para acomodar interesses regionais e eleitorais, como o Partido Liberal (PL) ou o que veio a ser o Partido Progressista Brasileiro — PPB, uma continuidade do PDS depois renomeado Partido Progressista (PP) e que nada tem a ver com o Partido Popular fundado por Tancredo Neves e outros em 1979, que em 1982 se fundiria ao PMDB.

O sistema partidário brasileiro se foi, portanto, reformulando, mantendo-se o que restou do PMDB como núcleo central (eleitoralmente vigoroso), com o PSDB e o PT à "esquerda" e o PFL e o PDS — na versão Partido Progressista Reformador (PPR), depois PPB e, mais tarde, PP — à "direita". Funcionam ainda, subsidiariamente à esquerda, mas galvanizados pelo PT, os partidos comunistas e seus desdobramentos. O Partido Popular Socialista (PPS) oscila no espectro esquerda/direita entre o PT e o PSDB. O PTB e o PL se situam entre o PMDB e o PP, ficando o PDT como um "radical livre" à esquerda do centro. Dito isto, que consistência tem o espectro esboçado?

Muito pouca, porque os eixos ideológicos atravessam quase todos os partidos. E o Executivo, apesar das limitações introduzidas pela Constituinte, continua com poder de agregação suprapartidário, que torna o binômio governo-oposição outro eixo ordenador dos debates e dos votos congressuais. No relacionamento com o Executivo, os parlamentares se organizam em "frentes parlamentares" englobando várias legendas, saltando inclusive o eixo governo-oposição. Analisarei essas questões em outro capítulo, restando, para os fins deste, fornecer alguns detalhes sobre a construção do PSDB.

Tal como o PT foi a formação partidária que correspondeu a um momento de mobilização de massas urbanas, com apoio das organizações sindicais e das comunidades eclesiais de base, com seus desdobramentos, apoios ideológico-organizacionais e braços universitários, o PSDB nasceu como conseqüência da presença de uma classe média urbana, profissional e universitária, mais incorporada às forças modernizadoras da sociedade e da economia. Essas forças se sentiram desamparadas pela fragmentação do MDB, antigo partido da resistência democrática, e pela incapacidade de suas lideranças para imprimir uma linha política afim com os valores republicanos e com a "modernidade". Assim, entre os problemas e os valores que motivaram a formação do PSDB incluíam-se o das novas funções do Estado e sua abrangência, bem como os da eficiência da gestão pública. Estava em jogo também a valorização da democracia e a necessidade de um *aggiornamento* dos grandes temas do desenvolvimento econômico. A questão da democracia era, até então, secundária no PT, dado o horizonte revolucionário e, portanto, "antidemocracia burguesa" aceito por parte dos militantes e de sua liderança. Coube ao PSDB recolher a herança democratizadora do antigo MDB e renová-la. O contexto atual exige o revigoramento do republicanismo e profunda revisão na organização e no modo de atuação do Estado, para torná-lo capaz de se haver com os desafios dos mercados globalizados e, sobretudo, da sociedade contemporânea.

Não está nos objetivos deste livro relatar a história do PSDB. Apenas dou umas pinceladas, como fiz no caso do PT, para mostrar que, a despeito das aparências de vivermos um quadro político-partidário amorfo e incoerente (e, repito, aspectos disso realmente existem), pouco a pouco se estão criando configurações políticas que expressam correntes de opinião com impacto transformador. Se me referi unicamente a esses dois partidos é porque eles ocuparam a partir de meados da década de 1990 as posições polares do eixo governo-oposição. Não sendo partidos majoritários no Congresso, não podem governar sem os demais. E tampouco podem governar se não forem capazes de oferecer uma visão e um caminho para a sociedade. Este jogo complexo e profundamente interessante constitui o nervo da política nacional contemporânea.

Desde os seminários de fundação do PSDB, havia a idéia de rever o papel que a sociedade, o Estado e o mercado desempenham num mundo em frenética transformação.[18] As conseqüências da economia globalizada em um mundo livre das amarras da guerra fria, e, sobretudo, marcado por novos canais de participação e de comunicação político-social conferem à opinião pública um novo dinamismo. Essas preocupações, embora sem muita clareza, já estavam presentes no ânimo dos fundadores do PSDB. E havia, evidentemente, toda uma série de questões políticas concretas por trás do propósito da formação de um novo partido. De um lado, o PMDB constituía o que denominei de um partido *omnibus*, em latim, ou seja, de todos, uma frente ampla. (O termo acabou se transformando, na mídia e no Congresso, em "partido-ônibus".) Em face da grande salada que era o PMDB, nosso grupo considerava necessário marcar uma diferença ideológica, como expliquei acima. Mas de outro lado havia a importante questão ética, especialmente em estados importantes como São Paulo e Minas, governados pelo PMDB, nos quais pululavam acusações de corrupção governamental. Acredito que tenha sido eu o primeiro a levar à imprensa as articulações em curso, em entrevistas que, por sinal, me causaram grande dor de cabeça. Entre os dirigentes partidários do PMDB, também o deputado Pimenta da Veiga se expôs. De toda forma, evidenciara-se para a

---

[18] Especialmente, no caso, um seminário realizado no Hotel Nacional, em Brasília, em 1988, e outro no Hôtel Jeu de Paume, em Paris, no ano seguinte, que definiram os rumos político-ideológicos do partido. Do encontro em Brasília participaram, entre outros, Montoro, Covas, Scalco, Pimenta da Veiga, Richa, os deputados Saulo Queiroz (MS), Jaime Santana (MA), Nelton Friedrich (RS), Cristina Tavares (PE), Célio de Castro (MG), Artur da Távola (RJ), Sigmaringa Seixas (DF) e eu, além de intelectuais como Hélio Jaguaribe, André Lara Resende, Edmar Bacha, Winston Fritsch, Luiz Carlos Bresser-Pereira e vários outros. O segundo encontro foi organizado por Sérgio Motta, engenheiro e empresário, ex-militante de esquerda e grande amigo, que seria meu ministro das Comunicações. Realizou-se em Paris como forma de atrair para uma discussão sobre "Políticas Econômicas e Sociais do Desenvolvimento" dezenove especialistas de dez diferentes países, entre os quais o indiano Amartya Sen, que viria a ser Prêmio Nobel de Economia de 1998. Pelo Brasil, participaram Montoro, Scalco, Friedrich, Pimenta, Serra, o então executivo e futuro ministro Clóvis Carvalho, os economistas José Roberto Mendonça de Barros, Sérgio de Freitas e Winston Fritsch, o sociólogo Vilmar Faria, o filósofo José Arthur Giannotti, o cientista político Bolívar Lamounier, Sérgio Motta e eu.

mídia a insatisfação de um grupo de esquerda do PMDB — que alguns, brincando, chamavam de "os barbudinhos" — com as características e os rumos do partido. Curiosamente, vários dos interessados no novo partido, por diferentes razões, acabaram não marchando para o PSDB, como João Herrmann (SP), Miro Teixeira (RJ), Antônio Britto (RS), Márcio Santilli (SP) e Dante de Oliveira (MT) — embora os dois últimos, mais tarde, terminassem entre os tucanos.

Ao longo da Constituinte alguns dos parlamentares que fundaram o PSDB já manifestavam inconformismo com a polaridade entre o conservadorismo tradicional misturado com certa visão liberal em economia (que caracterizou o Centrão) e o nacional-estatismo da visão desenvolvimentista dos setores democráticos, fortemente inclinados ao intervencionismo econômico e ao corporativismo. Esses constituintes sentiam-se emparedados e desconfortáveis com tais posições, por não terem modo de expressar uma visão que fosse ao mesmo tempo progressista e não-estatizante. Não desejavam ser confundidos com o Centrão, nem tinham espaço na esquerda tradicional ou na esquerda petista. Esse era notadamente o caso de José Serra e o meu, e mesmo o de Franco Montoro, Euclides Scalco e José Richa.

Partindo dessas inquietações, o PSDB abriu novos caminhos para a política de esquerda e vem agregando a seu redor segmentos significativos da sociedade. Basta olhar a concentração de votos urbanos atribuídos ao PSDB no Sudeste e no Sul e ver a distribuição deles, principalmente nos bairros de classe média, para perceber quais são os setores sociais mais afins com o partido.

Como em qualquer sociedade de massas, a votação partidária "engorda" na época das eleições majoritárias. Os candidatos têm de englobar segmentos das massas despossuídas, sem os quais não há vitória eleitoral possível. Nessas oportunidades o desempenho pessoal do candidato — do líder — conta mais do que a agregação de interesses, de esperanças e de votos que o partido é capaz de conseguir, pois o líder pode alcançar um espectro social mais amplo.

Também é perceptível que nas atuais circunstâncias os partidos expressam mais um "estilo" de comportamento político do que uma "ideologia" no sentido tradicional. No caso do PSDB, a frugalidade no uso da máquina pública e o repúdio ao esbanjamento de recursos e à ostentação de poder, somados à presunção de competência técnico-gerencial, constituem sua marca. Seus quadros são, em geral, universitários com boa formação profissional. Esta marca, ou este estilo, contrasta com o "estilo PT", mais obreiro-sindicalista, com uma ostensiva retórica moralista, nem sempre apoiada pela prática dos dirigentes. O PT se caracteriza também por uma conduta administrativa marcada por um "assembleísmo" de inspiração católico-popular ou esquerdista-revolucionário, que torna infinita a distância entre as decisões dos "coletivos" e sua implementação. E, não menos importante, por uma tendência ao aparelhamento do Estado por militantes, dando freqüentemente primazia à militância partidária em prejuízo da competência técnico-profissional.

No nível propriamente político-ideológico, no PSDB as aspirações de maior autonomia na sociedade civil convivem com a valorização da solidariedade social. Por isso, o partido vê na ação do governo um instrumento fundamental para a modernização da sociedade (acesso universal à saúde, à educação e ao bem-estar social), mas sempre que possível ela deve se articular com as organizações da sociedade civil. Os oligopólios e as grandes organizações econômicas, por sua vez, devem respeitar o interesse público. A democratização, em sentido amplo, é, portanto, peça central da ideologia do partido. Ele não separa os avanços da democracia substantiva (que inclui acesso amplo da população aos bens sociais e culturais, bem como melhoria dos padrões de vida) do respeito às regras da lei, sem as quais não há sistemas verdadeiramente democráticos. Resumindo, o PSDB busca um ponto de encontro entre os valores de liberdade, inclusive individual, e a eficácia na ação pública para combater os males da sociedade.

Essa tendência é geral no mundo ocidental. Basta referir os esforços da chamada Terceira Via, do Primeiro-Ministro britânico Tony Blair e do ex-Presidente americano Bill Clinton, ou a revisão das práticas dos partidos socialistas na Europa. Há uma adaptação da social-democracia às condições atuais de funcionamento das sociedades afetadas pela globalização econômica. Ocorre uma convergência entre o liberalismo social, não-economicista, que respeita os direitos da pessoa humana mas não se esquece dos direitos sociais, e a tradição esquerdista de crítica ao mercado, sem o desejo de substituí-lo pela ação das burocracias estatais.

No caso das economias emergentes, contudo, demanda-se maior ação do Estado. Seria enganoso pensar na transposição pura e simples das práticas renovadas da social-democracia européia ou da democracia social americana para o âmbito local. Como já dizia o poeta, as aves que aqui gorjeiam, não gorjeiam como lá. No caso específico do PSDB, uma ave — que na vida real não gorjeia —, o tucano, acabou sendo escolhida como símbolo do partido, por ser um pássaro tipicamente brasileiro e uma referência ecológica, expressando a preocupação com os chamados "novos temas" da agenda política.

Contudo, no capítulo seguinte tratarei de um tema "velho": a necessidade de domar a inflação e como fazê-lo.

CAPÍTULO 3

O Plano Real: da descrença ao apoio popular

Um exército Brancaleone contra o dragão da inflação

Para falar do Plano Real, é preciso voltar àquele 19 de maio de 1993, decisivo para minha trajetória política. Informado pelo secretário-geral do Itamaraty, embaixador Luiz Felipe Lampreia, de que havia de fato sido nomeado ministro da Fazenda, telefonei para o Presidente Itamar Franco, que respondeu à minha perplexidade dizendo:

— Sua nomeação foi bem recebida...

E me deu carta branca para mudar na área econômica quem eu desejasse.

Nunca acreditei na política de terra arrasada como bom ponto de partida. Durante meu período no Ministério das Relações Exteriores mantive quase todo o gabinete de meu predecessor, Celso Lafer. Prefiro conquistar o respeito e a confiança das pessoas a mudá-las sem lhes dar uma oportunidade. Procedi da mesma forma no Ministério da Fazenda. Em vez de substituir dirigentes e funcionários, mantive em muitas funções importantes os anteriormente nomeados, inclusive em órgãos como o BB, o BC, a Caixa Econômica, a Secretaria da Receita Federal e o Tesouro Nacional. Minha obsessão naquele momento era buscar cérebros, pessoas que me ajudassem a pensar.

Ainda em Nova York, pedi que os economistas Pedro Malan e Armínio Fraga fossem ver-me no gabinete do embaixador Ronaldo Sardenberg, na sede da missão do Brasil na ONU, no 9º andar de um edifício da Terceira Avenida, em Manhattan. Malan eu conhecia desde o final da década de 1960. Na época ele estava casado com uma sobrinha do sociólogo da USP Juarez Brandão Lopes, um dos fundadores do Cebrap, meu amigo e vizinho em Ibiúna, e veio com a mulher visitá-lo. Em 1971, sendo eu professor-visitante na Universidade Stanford, na Califórnia, e ele aluno do economista Albert Fishlow no doutoramento em Berkeley, estivemos, de novo, juntos em diferentes ocasiões. Posteriormente, em São Paulo, ele se sentaria à mesa em alguns seminários no Cebrap. O próprio Malan me apresentaria a Armínio, com quem tive alguns contatos quando de sua passagem por uma das diretorias do BC, durante o governo Sarney.

Malan representava o Brasil no Banco Mundial e tinha a função de negociador da dívida externa. Nesta condição, estive com ele algumas vezes, pois eu participava no Senado da comissão que fazia o acompanhamento da questão da dívida. Muito competente, sempre foi mais de ouvir do que de falar. Discreto e reservado, com jeitão de chinês em um balcão, paciente e educado. No entanto, sabe perfeitamente bem o que faz e é tão persistente em seus objetivos quanto discreto em anunciá-los. Armínio, que eu viria a conhecer melhor mais tarde, após ele ter assumido o BC, em 1999, já àquela época tinha consistência técnica profunda. Sempre demonstrou acuidade e raciocínio rápido, somado à capacidade de ação. Com seu jeitão adolescente — depois de minha saída da Presidência, várias vezes apareceu na minha casa em São Paulo de mochila às costas —, sua simplicidade pessoal e a maneira agradável, direta e clara de expressar o que pensa e faz cativam logo. Além disso, é de um otimismo fundamental.

Convidei Malan para trabalhar comigo no Brasil. Malan, tão surpreso quanto eu ficara com o convite do Presidente Itamar, talvez perplexo — porque, como negociador da dívida, sabia até mais do que eu o tamanho do problema que a nova equipe econômica deveria enfrentar — acedeu em me ajudar esporadicamente:

— Vou trabalhar em Brasília com vocês uma semana por mês.

Num primeiro momento, manteria sua posição como negociador da dívida externa e representante do Brasil no Banco Mundial. Armínio, entretanto, desculpou-se e declinou qualquer função, pois recém-ingressara no mercado financeiro em Nova York.

No avião, de volta a Brasília, acompanhado pelo embaixador Sinésio Sampaio Góes, meu chefe de gabinete, preparei mentalmente o discurso de posse. Como chanceler eu viajara mundo afora tentando convencer que havia crescimento em nossa economia. Mas a inflação toldava o cenário. O motor de nossa desorganização, do empobrecimento crescente e da corrupção teria de ser eliminado. Foi o que disse no discurso de posse, no dia 23 de maio de 1993. Precisávamos enfrentar, como relembrei anteriormente neste livro, os três grandes problemas do país: a inflação, a inflação e a inflação.

Curiosa a vida. Eu sempre olhara para a economia pelo viés sociológico das questões estruturais. De repente, tive que entrar em cena em um momento no qual o desafio a ser enfrentado requeria medidas ortodoxas de política fiscal e de política monetária, sem contar negociações com os banqueiros internacionais para pôr fim à desafortunada moratória de 1987.

Do Ministério das Relações Exteriores levei para a Fazenda, junto com o embaixador Sinésio, o conselheiro Eduardo Santos e dois colaboradores desde os tempos do Senado, Ana Tavares e Eduardo Jorge Caldas Pereira. Conhecia Ana Tavares havia tempos. Trabalhava na *Folha de S. Paulo* com seu pai, o colunista José Tavares de Miranda, que me entrevistara algumas vezes. Além disso, ela era amiga de dois de meus filhos, Paulo Henrique e Luciana. Ajudou-me na campanha ao Senado em 1986. Com minha eleição, após algum tempo veio trabalhar em meu gabinete em Brasília. É difícil encontrar alguém tão devotado ao trabalho e tão leal às pessoas em que confia. Alegre, com opiniões fortes e definitivas, sabe entretanto ouvir como ninguém, mesmo dando a impressão de que só ela fala. Sua agudeza de percepção das pessoas e dos processos políticos substitui com vantagem o aborrecimento que sente frente às análises demasiadamente sofisticadas ou intelectualizadas, muitas vezes vagas.

Eduardo Jorge, por seu turno, juntou-se a minha equipe depois que Milton Seligman, conhecido meu e amigo de antiga colaboradora, Gilda Portugal Gouveia, indicou para atuar em meu gabinete de senador sua irmã, Maria Delith Balaban, funcionária de carreira do Senado. Eduardo, também servidor de carreira, estava virtualmente encostado no trabalho devido a picuinhas internas do Senado. Como temperamento, ele é antípoda de Ana. A expressão carrancuda esconde suas qualidades de pessoa prestante. Detalhista e arguto, fala pouco e não é fácil decifrar para que lado vai sua análise, até que, quando tem oportunidade, abre-se e mostra o quanto de paixão há escondida em seu semblante. Toma posições sempre firmes.

Os diplomatas Sinésio Sampaio Góes e Eduardo Santos são bem a expressão do que há de melhor no Itamaraty. O primeiro, de uma geração anterior, erudito e discreto, sabe como guardar as formas sem perder o olhar agudo. O segundo, mais jovem, preocupa-se com o *aggiornamento* das posições políticas de sua casa de origem. Trabalhador e inteligente, ajudou-me inclusive no Palácio do Planalto: em meu segundo mandato como Presidente, após ter servido na embaixada em Londres durante o primeiro, seria o chefe da assessoria diplomática da Presidência. No final do governo, assumiu a embaixada em Montevidéu.

O começo da organização da equipe foi difícil. Com a ajuda de José Serra e Sérgio Motta, iniciamos as conversas e os convites. Conheci Sérgio Motta por intermédio de Serra, quando este voltou do exílio para o Brasil em 1977 e incorporou-se ao Cebrap. Como um dos sócios de uma empresa de consultoria em engenharia, a Hidrobrasileira, ele contratou o Cebrap para a análise social de um projeto urbano. Soube depois que estava ajudando financeiramente a publicar o semanário de oposição *Movimento*, resultante de uma cisão da equipe que editava o *Opinião*. Integrara o grupo católico de esquerda Ação Popular (AP). Desde então nos tornamos amigos, tendo sido ele um dos organizadores de minha campanha à Prefeitura de São Paulo em 1985. Bonachão, de uma imensa generosidade — empregava em sua empresa todos os perseguidos políticos que podia, até mesmo uma ex-companheira de Carlos Marighella, uma das principais figuras da luta armada contra o regime autoritário —, era dotado de coragem e audácia. Extremamente inteligente, às vezes precipitado, podendo ser rude, tinha uma capacidade de trabalho e de entrega às causas em que acreditava que engolfava, em seu ardor de mudar o mundo, os que dele se aproximavam. Foi sempre leal comigo. Inteligente, sem contenção verbal, me criou vários transtornos, todos mais do que perdoáveis pela grandeza de alma que o mantinha como figura ímpar.

Convidamos, de início, Clóvis Carvalho, ex-secretário adjunto de Planejamento de Serra em São Paulo durante o governo Montoro, que aceitou deixar a função de vice-presidente do grupo industrial Villares (siderurgia e outros empreendimentos) para assumir a secretaria executiva do Ministério. No passado, participara das lutas políticas como católico de esquerda, graças ao que esteve preso. Completamente talhado para o cargo — engenheiro formado pela Escola Politécnica da USP, cabeça metódica, organizador competente e leal —, veio trabalhar comigo por puro idealismo. Sua correção e profissionalismo ajudariam a plasmar a gestão administrativa, separando claramente o público do privado, graças a uma retidão absoluta. Três economistas que participaram dos debates para a formação do PSDB e integrantes do partido, Edmar Bacha — de há muito meu conhecido, desde que lecionei nos anos 1970 nos EUA, onde ele aperfeiçoava seus estudos —, Winston Fritsch e, logo após, Gustavo Franco, igualmente vieram colaborar, mais por dever político do que por crença na possibilidade que teríamos de fazer o necessário, tal a desconfiança que tinham do governo e dos políticos. Bacha incorporou-se à equipe como consultor especial, ocupando-se, de início, da tarefa de arquitetar os passos indispensáveis à recomposição das finanças públicas. Fritsch assumiu como secretário de Política Econômica e Gustavo Franco, inicialmente, seria seu adjunto, para logo depois se encarregar da área externa do BC. E foi assim, com uma pequena equipe diante de um desafio gigantesco, como um exército Brancaleone, que começamos a trabalhar, sob um clima político desanimador.

Assumindo interinamente a Presidência a 2 de outubro de 1992 (a posse definitiva se daria depois da renúncia de Collor diante do *impeachment* que seria decretado pelo Senado, a 29 de dezembro), o governo Itamar Franco tentava dar rumo ao país diante de enormes dificuldades. Fui o quarto ministro da Fazenda em sete meses, como assinalei no capítulo anterior. A atmosfera conturbada incluiu também a tarefa de o Congresso purgar seus males, o que desaguaria na Comissão Parlamentar de Inquérito (CPI) dos Anões do Orçamento, finalmente instalada em outubro de 1993, e destinada a rastrear os caminhos da corrupção dentro do Legislativo. Na área econômica, o governo patinava num vaivém inconseqüente. A inflação poderia ultrapassar, se anualizada nos momentos de pico, os 3.000% ao ano. E todos a esperar a revisão constitucional automática, prevista no texto da Carta de 1988 para cinco anos após o início de sua vigência, que deveria começar também em outubro de 1993. A exigência de um quórum menor do que o da regra constitucional para promover modificações — em vez dos votos de três quintos dos congressistas, bastariam os da metade mais um — teoricamente facilitava muito o processo e criava expectativas (que não se realizariam).

O Orçamento se constituía em uma peça de ficção. As contas do BC e do Tesouro se misturavam e delas ninguém sabia grande coisa. O BB e as demais instituições financeiras públicas ou privadas viviam do *floating*, isto é, de apropriarem-se das sobras inflacionárias. Não obstante, a inflação dava a muita gente (mas não à grande massa de brasileiros pobres) a ilusão da abundância. Os diferentes tipos de depósitos que tinham direito a correção monetária rendiam esperança. Os bancos oficiais emprestavam e não sabiam se ganhavam ou perdiam, o que pouco importava, já que a inflação gerava resultados fictícios nos balanços. Os estados contratavam dívidas impagáveis junto a seus bancos para financiar déficits crescentes.

Enfim, governava-se às cegas e na desordem. O Congresso imperava na ilusão econômica: para prometer acima do que podia entregar bastava aumentar um pouco a taxa de inflação esperada e gerar no Orçamento bilhões em recursos inexistentes, como se os parlamentares fossem, para lembrar o romance de André Gide, moedeiros falsos.[1] A cada tantos meses recalculavam-se os excedentes de arrecadação. O Tesouro, por seu lado, dava de ombros: um simples atraso de alguns pagamentos (até mesmo salários) e a inflação corroía o valor real dos desembolsos, poupando-lhe recursos. Ao final do ano tudo dava aparentemente certo.

Nem tudo, porém, era ilusão. Alguns congressistas poderosos, alguns lobistas muito bem relacionados, sempre com alguma cumplicidade na máquina administrativa, conseguiam "agilizar" a liberação de recursos contingenciados — ou seja, cuja liberação depende de decreto do Presidente da República — e com isso podiam se beneficiar.

Esse era o sistema. Não o do período autoritário, que os editoriais de *O Estado de S. Paulo* grafavam com S maiúsculo. Mas outro, mais sutil, para melhor operar nas sombras, que não gostava de ver-se descrito nem com letras minúsculas.

As várias tentativas para deter a inflação nos governos Sarney (1985-1990) e Collor (1990-1992) haviam deixado um travo amargo nos economistas. No povo, o pavor de novos congelamentos de salários ou do confisco de depósitos e poupanças. Apesar disso, também se espraiava a sensação de que não seria possível continuar do jeito que estava. O único plano do qual o público e os políticos tinham saudades era o Cruzado. É certo que o Cruzado terminou em moratória e na volta da inflação. Pelo menos, no entanto, legara a boa lembrança do gosto de expansão do consumo e de melhores salários durante um certo período.

Essa é a dificuldade política para lidar com a economia. O Cruzado ruíra, entre outras razões, porque o governo não teve força para impor

[1] André Gide, *Os moedeiros falsos*, São Paulo, Abril Cultural, 1985.

maior disciplina fiscal e porque, na partida, concedeu um aumento real de salários. Uma medida que produziu sensação de desafogo e prosperidade — e até mesmo crescimento econômico — causou também o recrudescimento da inflação. Depois da tentativa frustrada de volta ao paraíso com o Plano Bresser (junho de 1987) e das peripécias do Plano Verão (janeiro de 1989), veio a catástrofe do Plano Collor (março de 1990). A prefixação dos preços, os congelamentos temporários, as mudanças de índices perpassaram vários desses planos e geraram incontáveis demandas judiciais, dando margem a parte do que se chamou de "esqueletos" do setor público, ou seja, dívidas existentes, ou bombas-relógios de débitos em pleno curso de estourar, mas não incluídas formalmente na contabilidade pública. Diante da algaravia dos economistas, das alterações súbitas das leis, enfim, das incertezas que se seguiram aos vários planos salvadores, explicam-se a desconfiança do povo, o ceticismo dos economistas envolvidos nas experiências anteriores de estabilização e a urgência em tomar alguma providência que aliviasse a situação.

O curioso é que o invento tupiniquim da correção monetária — que levou à indexação generalizada e aos "ganhos inflacionários" (seja via *floating* bancário, seja pelos ganhos do governo) — dava a falsa sensação de normalidade à minoria que aprendera como conviver com a inflação e dispunha de condições para tanto. Quem realmente pagava o custo era a massa de assalariados e os pobres que não tinham conta remunerada em banco e nem poupança para ser resguardada pela correção monetária, instituída no início do regime militar pelo governo do marechal Humberto Castello Branco e parte integrante da vida do país desde então.

Compreende-se, portanto, o temor do nosso exército Brancaleone. No começo tínhamos apenas a disposição de Clóvis Carvalho, com a colaboração contínua do secretário do Tesouro, Murilo Portugal — ex-funcionário do Itamaraty com doutorado em Economia em Cambridge, na Inglaterra, membro da elite do que há de melhor entre os profissionais da burocracia federal —, para reorganizar as dívidas dos estados, e a luta de Edmar Bacha, Winston Fritsch, Gustavo Franco e Eduardo Jorge para ganhar no dia-a-dia a batalha orçamentária, os cortes de gastos e o destrinchamento das relações entre o BC e o Tesouro Nacional, para o que foi fundamental o "livro branco" preparado por Bacha, analisando aquelas complexas e confusas relações. Ao lado disso, travava-se uma guerra para submeter ao controle do Ministério da Fazenda as finanças das empresas estatais, tentando melhorar sua eficiência para serem menos dependentes do dinheiro dos contribuintes, se não fosse possível torná-las fonte de receitas para o Erário.

Havia maior consenso, fora e dentro do governo, quanto ao combate ao déficit público. Mesmo assim, certos economistas renomados de diferentes tendências, bem como determinadas forças sociais, não viam ou não queriam ver relação direta entre uma e outra coisa. Refiro-me a nomes como Paul Singer, João Sayad e, até certo ponto, Delfim Netto, e a setores como os industriais da área de consumo, organizados na Federação das Indústrias do Estado de São Paulo (Fiesp) e no Instituto de Estudos para o Desenvolvimento Industrial (Iedi). O argumento que sustentávamos para dizer que existia, sim, relação entre controle fiscal e inflação baseava-se na interconexão entre dispêndios descontrolados e a expectativa de corrosão da moeda, que tornava cômodo para os governos continuar alimentando o que se chamava de déficit potencial. Quer dizer, sem inflação as contas públicas, em vez de exibirem falsos superávits operacionais, mostrariam na verdade o vermelho em que se encontravam, como Edmar Bacha explicara. Não apenas os bancos, mas também o governo ganhava com a inflação.

Apesar da unanimidade da equipe a favor das medidas racionalizadoras do gasto público, sabia-se perfeitamente que elas não seriam suficientes para matar, como se dizia, o "dragão da maldade" inflacionária.

Quatro frentes de batalha e uma arma: a persuasão

O caminho para chegar a uma economia mais estável passava por várias frentes de batalha e desdobrava-se em etapas. Não tínhamos de antemão inteiramente estabelecido o mapa de vôo, mas certa noção do rumo que queríamos tomar e, não menos importante, dos descaminhos pelos quais nos recusaríamos a enveredar.

A primeira frente de batalha era ajustar tanto quanto possível o Orçamento daquele ano, 1993, e preparar um Orçamento equilibrado para 1994. Estabelecer a "verdade orçamentária", segundo expressão da época, era parte essencial do esforço para recuperar a credibilidade do governo. A sociedade precisava acreditar que o governo estava de fato comprometido com o equilíbrio das contas públicas. O governo, por sua vez, necessitava dispor dos meios para tanto. E tinha que elaborar um Orçamento que espelhasse isso da forma mais transparente possível. Sem encaminhar solução adequada a essa complicada equação, o combate à inflação não iria longe. Por essa razão, nos empenhamos em obter no Congresso leis que permitissem cortar gastos, elevar impostos e reduzir a rigidez do Orçamento, desvinculando receitas de gastos predeterminados.

A segunda frente de batalha travou-se principalmente com os estados, que acumulavam gigantescas dívidas com a União e não as vinham pagando com a regularidade devida. Pôr fim à inadimplência quase generalizada dentro do setor público e impedir que ela viesse a se repetir no futuro constituíam também tarefas indispensáveis à reconstrução da credibilidade do governo.

A terceira frente consistiu em defender a necessidade de caminhar no processo de privatização de empresas estatais, não só para ajudar o esforço de ajuste fiscal, mas principalmente para promover o investimento na expansão e melhoria de serviços públicos, conforme a sociedade exigia de um governo sem recursos. Ainda que nessa frente não se tenha podido progredir muito, a insistência na idéia preparou o terreno para, quando cheguei à Presidência, deslanchar as privatizações nos setores de infra-estrutura.

A quarta frente dizia respeito à renegociação da dívida externa e ao retorno do Brasil ao mercado financeiro internacional, com a suspensão da moratória. A conclusão do acordo da dívida, em bases satisfatórias para o país, era outro dos elementos fundamentais para a recuperação da confiança, não somente do mundo financeiro internacional, mas também da própria sociedade brasileira.

Em seu conjunto, essas quatro frentes de batalha formavam o que entendíamos ser a etapa preparatória para um ataque frontal à inflação. Não havia como empreender a reforma monetária propriamente dita sem obter, como precondição, progressos significativos nessas frentes.

Pouco a pouco, em meio a muitas discussões dentro da equipe, tornou-se claro que a reforma monetária se desdobraria em duas fases. Na primeira, o objetivo seria promover um alinhamento voluntário de preços e preparar o terreno para a derrubada da inflação, sem congelamentos e desrespeito a contratos. Como "alinhar preços", se eles variavam a cada dia? Seria preciso mostrar à população que era o dinheiro nacional que variava, e não o custo objetivo da produção ou o ganho com ela. A maneira mais simples de ver isso seria transcrever tudo em dólares, mas este procedimento traria vários inconvenientes. Daí a decisão de utilizar como termo de comparação uma moeda estável inventada por nós, a Unidade Real de Valor (URV), que seria um substituto do dólar como ponto de referência. A população já se acostumara, por exemplo, a pagar impostos com o que se chamava de Unidade Fiscal de Referência (Ufir), que atualizava o valor dos impostos e de alguns contratos diante do desgaste da moeda. Pretendíamos deixar claro que uma moeda — o cruzeiro real de então — estava doente, e que a outra era sã, estável. Dito assim pode parecer simples. Custou, porém, muita discussão técnica e cuidado jurídico para que a idéia inicial tomasse forma concreta.

A segunda fase da reforma monetária consistiria no lançamento da nova moeda propriamente dita e na definição das regras cambiais e monetárias consistentes com o objetivo de manter a inflação baixa.

Nas várias frentes e etapas, atuei para que as incertezas e temores de toda ordem, que muitas vezes eu mesmo compartilhava, e os obstáculos de toda natureza, que freqüentemente pareceram instransponíveis, não bloqueassem o caminho do processo de estabilização. Busquei exercer a arte da política, que consiste justamente em criar condições para que se possa realizar um objetivo para o qual as condições não estão dadas de antemão. Por isso a política é uma arte e não uma técnica. E sua arma principal na democracia é a persuasão. Graças à persuasão, ao convencimento da sociedade, em que me empenhei obsessivamente, acabou sendo possível formar os consensos mínimos onde eles eram presumivelmente mais difíceis e certamente mais necessários: dentro do governo, no Congresso, com os partidos, ou seja, entre os agentes que tomam as decisões políticas ou impedem que elas sejam tomadas. Não sendo economista, minha ação se animava pela intuição política e pelos valores da minha formação democrática. Em meio a muitas dúvidas, abrigava só uma e fundamental certeza, de que só um programa que pudesse ser explicado e compreendido pelas pessoas seria capaz de derrubar a inflação de forma duradoura e colocar em marcha a reorganização do Estado brasileiro.

A dura tarefa de pôr a casa em ordem

O primeiro passo para reduzir a inflação de modo consistente era pôr um mínimo de ordem na casa. Tomamos como ponto de partida a elaboração do que chamamos de Plano de Ação Imediata (PAI). Tivemos pouco tempo para prepará-lo. Já no dia 13 de junho, três semanas após assumir a Fazenda, apresentei o que chamamos de início de um programa de combate à inflação. Programa, não pacote, como nos tempos do autoritarismo ou dos choques heterodoxos.

A leitura desse documento mostra que, desde o início, graças aos seminários realizados pelo PSDB citados no Capítulo 2 e à pregação de seus líderes intelectuais, inclusive vários economistas, tínhamos claramente propostas social-democráticas. Para fundamentar o ajuste fiscal, está escrito no PAI: "A reorganização financeira e administrativa do setor público tem implicações que vão muito além do econômico. É uma tarefa de salvação nacional e um desafio político que pode ser resumido nos seguintes termos:" e cita os desequilíbrios sociais "que infernizam o dia-a-dia da população"; a dívida social que só seria resgatada com a retomada do crescimento auto-sustentado; o fim da superinflação, que só poderia ser derrotada com o fim da desordem das contas públicas dos municípios, dos estados e da União; e tudo isso ocorreria somente quando "as forças políticas" decidissem "caminhar com firmeza nessa direção, deixando de lado interesses menores".[2]

Estávamos convictos da necessidade de reconstruir degrau a degrau as teias que dão ao Estado condições para agir na área econômica. Como tornar transparentes as contas públicas? Como retirar do Orçamento o caráter ficcional? Como incutir na mente dos administradores públicos (governantes, presidentes de bancos, autarquias, empresas e seus funcionários) a plena noção de contrato? Como levá-los a agir para que pagassem nas condições estipuladas nos contratos?

Edmar Bacha dera o ponto de partida do documento e na versão final houve a ajuda de José Serra, então deputado federal. Da experiência do Plano Cruzado, o PAI reteve a lição fundamental: não bastava dispor de boa técnica sem o essencial passo de buscar apoios na sociedade, na

---

[2] *Plano de Ação Imediata*, Brasília, Ministério da Fazenda, junho de 1993, p. 2-3.

mídia, no Congresso, principalmente para propor medidas tidas como impopulares.

No início ninguém acreditava ser possível, já não digo estabilizar a economia, mas ao menos dar maior seriedade e eficiência à gestão financeira e fiscal do Estado. A pequena equipe mantinha sempre um pé no ar, prestes a lançá-lo fora do governo, para não passar pelas frustrações do passado. Cito como exemplo o caso de um dos diretores do BC, Francisco Pinto, que ajudou a elaborar o Plano Real. Um dia ele me procurou dizendo achar quase impossível que, por conveniência político-eleitoral, não fôssemos obrigados a fazer concessões. Queria ir embora. Eu o dissuadi por alguns meses, mas ele acabou pedindo demissão. Esse estado de desânimo durou até quase o momento final da proposta da URV. A cada instante meus colaboradores insistiam na necessidade de precondições: sem que controlássemos o BB, a Caixa Econômica, o Ministério do Planejamento e não sei quantas outras posições estratégicas, seria impossível domar a inflação. Lembrei-lhes que o Presidente da República era Itamar Franco, não eu, e que ele, sim, esperava que nós resolvêssemos, nas condições dadas, os percalços da economia. Teríamos que atuar dentro delas e só pouco a pouco, credenciando-nos pelo êxito, poderíamos ganhar confiança e obter influência sobre outras áreas significativas.

Tomei a decisão prudente de conferir clareza a cada passo, para que a sociedade, ou pelo menos a opinião interessada, compreendesse nossos propósitos e pudesse dar-nos sustentação. Evitamos apresentar metas quantitativas globais, que logo no dia seguinte pudessem ser desqualificadas pelo não-cumprimento eventual. Cuidamos de não cair na tentação de dolarizar a economia, como havia sido feito na Argentina no ano anterior pelo Plano Cavallo — assim denominado por causa do poderoso ministro da Economia do Presidente Carlos Menem, Domingo Cavallo —, na época muito popular. Em vez dessa alternativa, insistimos em temas pouco atraentes, como o combate ao déficit público e a busca do equilíbrio fiscal.

Era inevitável o choque entre a lentidão dos resultados das medidas propostas e as expectativas formadas no governo e na sociedade. Quase todos aspiravam a um golpe rápido e certeiro na inflação. Desiludidos pelo *ippon* fracassado do governo anterior, esperavam algo na linha de um "pacto social" que reunisse ao redor da mesma mesa sindicatos de trabalhadores, empresários e governo para controlar os preços. Seria a tão anelada versão cabocla do Pacto da Moncloa — o grande acordo que permitiu a consolidação da democracia e alavancou o progresso econômico da Espanha, em 1977 —, que povoava (e continuou povoando) a imaginação de setores influentes no país.

Como pedir paciência ao povo se a cada mês a moeda perdia 30% de seu valor? Como convencer os políticos de que a inflação se alimentava de *expectativas* futuras e, pior ainda, expectativas formadas nos mercados, e não simplesmente pela ganância dos especuladores (que por certo havia) e por custos crescentes? Nesse processo, a própria expectativa de um novo choque acelerava a inflação. Tudo isso, entretanto, feria o senso comum, e a decifração dessa charada desafiava quem sabe que a economia é também política.

A briga se anunciava de bom tamanho. Na opinião corrente, em uma visão popular do keynesianismo, cortar gastos públicos acarretaria a recessão. Na verdade, não se cortavam investimentos, e sim espuma inflacionária. Mais difícil ainda seria promover um ajuste patrimonial para equilibrar o gasto público, quer dizer, privatizar empresas públicas, ou melhor, continuar a privatizá-las. Isso ia contra o sentimento tradicional da esquerda, impenetrável à percepção de que, dada a crise fiscal do Estado, privatizar significava a saída não só para cortar os déficits mas para viabilizar a expansão dos serviços públicos. O maior obstáculo, no entanto, não estava nas visões ideológicas, e sim nos interesses corporativos dos empregados públicos e das empresas privadas beneficiárias do modelo nacional-estatista. Uns e outros viam na empresa estatal a alavanca para o crescimento do país e a promoção de seus interesses.

Na época, como hoje, havia grande resistência a aumentar a carga fiscal. O importante, dizia-se, é combater a sonegação, o que também é verdade. Só que a sonegação baseia-se em dois pilares firmes, que tornam exíguos os resultados do combate. Primeiro, as decisões liminares da Justiça — ou seja, proferidas em caráter provisório — nunca julgadas no mérito, mas concedidas por juízes de direito com base nas brechas da lei. Ademais, seguindo o devido processo legal, os devedores do Fisco podiam apelar das decisões sem depositar o montante de recursos correspondente às suas dívidas. A morosidade do Judiciário jogava a favor dos eventuais devedores: com inflação alta, a diferença para mais entre as taxas de juros obtidas por eles no mercado e as diferentes formas de correção monetária que incidiam sobre suas dívidas favorecia grandemente os contribuintes relapsos.

O segundo pilar em que se funda a sonegação é a economia informal, a que se soma uma cumplicidade muitas vezes inconsciente, embora generalizada, do consumidor e sua prática de não pedir nota fiscal nas compras. Em um país de economia inflacionária é difícil desenvolver a consciência do contribuinte para exigir provas de pagamento dos impostos. Falei abundantemente nas emissoras de TV e rádio sobre os ralos de dinheiro da República, criticando duramente a sonegação, o desperdício e a corrupção. Critiquei-os, não porque esperasse que o combate a esses males resolvesse a crise fiscal sem aumentar impostos, mas porque, além de colaborar na solução dela, expunha seu caráter de moralmente inaceitáveis. São os verdadeiros inimigos do bolso dos contribuintes e da crença nas instituições.

O PAI era basicamente um programa de ajuste fiscal, mas enquadrado em uma visão estratégica sobre os passos necessários à retomada do crescimento. Precisávamos cortar o equivalente a 6 bilhões de dólares do Orçamento corrente, de 1993. Enquanto o Congresso não aprovasse a amarga medida, o Ministério da Fazenda aplicaria cortes trimestrais no orçamento de cada Ministério. Propusemos um Orçamento mais realista para 1994, sem contar com receitas inflacionárias. Pedimos ao Senado que aprovasse projeto de lei votado na Câmara, que limitava o gasto com pessoal nos estados e municípios a 60% da receita.

A inflação, sabíamos, não baixaria apenas com austeridade fiscal. O antigo hábito de aceitar como normal a desvalorização da moeda mantinha firmes as expectativas inflacionárias. Havia que redefinir as políticas monetária e cambial. A indexação generalizada garantia que a elevação de um dos preços da economia contagiaria automaticamente os demais. Os entraves estruturais requeriam reformas (a tributária, a previdenciária etc.) que se pensava empreender quando da revisão constitucional, prevista, como vimos, para começar em outubro de 1993.

Conhecíamos o diagnóstico e sabíamos o que deveria ser feito. Faltava convencer o país sobre o caminho. Embora cada segmento da sociedade estivesse, em termos gerais, de acordo com o rumo, ao longo da marcha cada um deles poderia ter interesses contrariados ou pelo menos assim imaginar. As expectativas favoráveis criadas com a boa acolhida de minha nomeação iam sendo corroídas pelo tempo. Os interesses reais e os ideológicos afetados pelos rumos definidos no PAI começaram a mover-se contra nós. A impaciência, como se verá adiante, se refletia na mídia. E, quem sabe, o próprio Presidente pudesse ter outros coelhos na cartola para atender as aflições do povo.

O nervosismo dos meios políticos e da mídia era inversamente proporcional à difícil carpintaria requerida para alcançar os objetivos que pretendíamos. A ponte entre os anseios da população e os períodos de tempo necessários para o combate radical à inflação tinha de ser construída pelo ministro e por seus partidários. Muito discurso, muitas entrevistas, muitas explicações pelo rádio e pela TV. Nessa tarefa a competência verbal e a seriedade dos técnicos ajudam bastante, porque em geral eles são mais ouvidos do que os políticos.

A luta por um ajuste fiscal

Tínhamos consenso na equipe quanto à política fiscal. Fora do governo, entre os membros das elites econômicas e em setores conservadores, existia forte clamor para cortar gastos públicos. Havia mesmo quem visse na redução do gasto público (e se possível da carga tributária) a ante-sala da felicidade. Exageros à parte, o equilíbrio orçamentário, ou pelo menos criar a expectativa de alcançá-lo, é com efeito essencial em qualquer programa de estabilização.

Outros setores da sociedade tinham visão diametralmente oposta. Para esses o importante era assegurar o bem-estar social. Muitos imaginavam que para tal bastava vincular no Orçamento um percentual de recursos destinado às áreas sociais, importando menos os efeitos inflacionários dos gastos ou até sua viabilidade. Não podíamos, pois, deixar de mostrar ao Congresso e ao país que, na verdade, o repasse automático de verbas aos estados e municípios (sem a contrapartida de honrar suas responsabilidades, especialmente para com o Tesouro nacional) e a rigidez acarretada à gestão pública por receitas vinculadas eram incompatíveis com a boa administração do gasto público.

Reuni-me incontáveis vezes com as bancadas partidárias e com a Comissão do Orçamento do Congresso (que inclui deputados e senadores).

Finalmente, no dia 13 de julho obtivemos a aprovação de uma nova lei orçamentária com o corte requerido de 6 bilhões de dólares. Ajudou-me extraordinariamente, nesta como em outras ocasiões, ter sido senador da República e líder no Senado tanto do PMDB quanto do PSDB. A prévia e longa passagem pelo Congresso me dava autoridade e familiaridade para tratar com os congressistas e, quando necessário, enfrentá-los, sem o temor que a agressividade oratória pode causar aos ministros e técnicos não habituados às práticas parlamentares.

Vencida a luta pela reorganização do Orçamento de 1993, pusemo-nos a criar condições para elaborar um Orçamento melhor para 1994. Inicialmente, os economistas pretendiam propor uma lei geral das finanças, que assegurasse melhor manejo dos recursos. Edmar Bacha, pragmático, logo desistiu de tamanha ambição. Em seguida, Gustavo Franco, aconselhado por Eduardo Jorge, bom conhecedor da máquina pública, também se convenceu de que teríamos que nos contentar com um remendo.

O remendo foi um Fundo Social de Emergência (FSE), desenhado por Edmar Bacha com a colaboração do economista Raul Velloso, respeitado especialista em contas públicas, e do economista e funcionário de carreira da área econômica Daniel de Oliveira — posteriormente nomeado para a diretoria do Banco Interamericano de Desenvolvimento (BID). Propus o FSE ao Congresso como emenda a ser votada no processo de revisão constitucional. A proposta se resumia a obter a liberação da utilização de 20% das receitas constitucionalmente vinculadas a despesas específicas, como educação e seguridade social, e das que eram transferidas automaticamente aos estados e municípios. Com o FSE o governo federal aumentaria sua reduzida margem de manobra, podendo usar os recursos liberados para a necessária amortização de dívidas ou para financiar programas sociais.

Nós demonstramos, à saciedade, que sem a desvinculação proposta o dinheiro que o governo federal podia movimentar sem amarras mal chegava a 15% do total do Orçamento — e era com esse dinheiro que se levantavam obras públicas e se atendiam os programas prioritários. O Congresso aprovou o FSE e, com pequenas modificações, prorrogou sucessivas vezes esse remendo, com diferentes nomes (primeiro mudou para Fundo de Estabilização Fiscal, o FEF, e depois para Desvinculação das Receitas da União, a DRU). Houve críticas à designação Fundo "Social" de Emergência, quando seu objetivo na verdade nada teria de social: tratava-se simplesmente de desengessar um pouco o Orçamento para o governo poder dirigir mais recursos para seus programas, fossem eles sociais ou não. A verdade, admito, é que o denominamos "Social" para facilitar sua aprovação pelo Congresso.

Logo depois de publicada a medida que propunha o FSE, o deputado José Serra me enviou uma nota alertando que a emenda seria recusada na parte que atingia os estados e municípios. E assim aconteceu. Os estados que mais dependiam de transferências de recursos federais previstas na Constituição, por terem escassa receita própria, eram precisamente os que detinham representação no Congresso desproporcionalmente maior que os demais em relação à sua população e se opuseram tenazmente à emenda.

Por isso, para aprovar o FSE tivemos que fechar um acordo isentando estados e municípios dos efeitos da medida. A aprovação só ocorreu a 9 de fevereiro de 1994. As apostas até aquela data eram contra o êxito do esforço fiscal. O Congresso reagiu lentamente. Apesar do muito que realizáramos nos oito meses anteriores em matéria de pregação da necessidade do ajuste fiscal, a mídia recebeu com surpresa a vitória no Congresso. Alcançamos um placar de 338 votos favoráveis contra 88, nestes incluídos o PT e boa parte do que se chamava de esquerda. Sem essa aprovação teria sido impossível levar adiante o que depois se batizou de Plano Real. Àquela altura chamavam-no de Plano FHC-2 porque a mídia, alimentada pelos críticos à direita e à esquerda, estabelecia subliminarmente um paralelo com o Cruzado, que teve os números 1 e 2, tendo sido o segundo o enterro das esperanças do primeiro.

As dívidas dos estados e uma mudança cultural

A árdua batalha para rever as dívidas dos estados e pactuar novos contratos ficou sob o comando de Clóvis Carvalho. O trabalho para rever o endividamento dos estados já vinha de antes. O secretário do Tesouro, Murilo Portugal, como funcionário da área econômica, tinha lidado com as conseqüências da moratória da dívida externa de 1987. A União, que dera aval aos estados, teve que assumir essas dívidas para com a Caixa Econômica Federal ou o Tesouro. (O BC também executara várias operações de salvamento de bancos estaduais, redescontando suas dívidas para evitar riscos que poderiam atingir todo o sistema financeiro.) E ainda havia dívidas dos estados para com o Instituto Nacional do Seguro Social (INSS) e o FGTS, negociadas com a União no fim dos anos 1980. A despeito disso, elas não eram pagas. Essa inadimplência criou na equipe do Tesouro uma forte indisposição para abrir novas negociações com os governadores.

Ao longo de 1993 houve um tremendo esforço para criar um mecanismo "blindado", quer dizer, que obrigasse os estados a honrar compromissos que viessem a assumir. Além das dívidas referidas, precisávamos alcançar um entendimento para que o BB, a Caixa Econômica e outros credores no âmbito da União recebessem dos estados o que lhes era devido. A verdade é que o país vivia um clima de calote público generalizado. No setor elétrico, por exemplo, graças à ação de Eliseu Rezende, meu antecessor na Fazenda, se alcançou um acerto para pagar dívidas dos estados, principalmente de São Paulo, em valor superior a 20 bilhões de dólares.

Como conclusão desse esforço inicial, o Congresso aprovou uma emenda constitucional para permitir que a União, caso algum estado não pagasse o estipulado nos contratos de refinanciamento, se apropriasse automaticamente de quantia equivalente, subtraída das receitas federais que seriam transferidas ao estado caloteiro. Esta emenda[3] não bastou, entretanto, para garantir que os estados efetivamente pagassem o que deviam.

Com efeito, trabalhamos duro o restante do ano para aprovar uma lei federal autorizando nova rolagem das dívidas; obter leis em cada estado autorizando o governador a assinar contrato que não poderia ser modificado mesmo que leis posteriores beneficiassem os devedores; obter o parecer de cada procuradoria-geral dos estados reconhecendo a legitimidade dessas leis. Enfim, numa maratona técnica e política exaustiva, de proporções provavelmente jamais realizadas no país em qualquer época nesse terreno, criamos um arcabouço jurídico para evitar que, no futuro, os estados deixassem de pagar à União.

Concomitantemente, tivemos que negociar com cada secretaria estadual de Fazenda o montante das dívidas, e as chamadas "datas de corte", quer dizer, até que data as dívidas se beneficiariam com novos prazos de

[3] Emenda Constitucional nº 3, de 17/3/1993.

pagamento e novas taxas de juros, e numerosos outros detalhes. Custou uma trabalheira imensa convencer os bancos federais a participar do esforço saneador dos estados. De tudo isso se ocupou Clóvis Carvalho, com a ajuda competente de Murilo Portugal e do adjunto de Clóvis, Fuad Noman, economista que havia trabalhado no BB e, anos depois, se tornaria secretário da Fazenda do governador de Minas, Aécio Neves (PSDB).

A Lei n° 8.727, aprovada no dia 5 de novembro de 1993, refinanciou por um prazo de 20 anos, prorrogáveis por outros 10, um montante equivalente a 33,4 bilhões de dólares de dívidas estaduais para com a União, a uma taxa real de juros de 6,5% ao ano, equivalente ao que os estados, em alguns casos, pagavam *por mês* aos credores privados.

Apesar de todo esse esforço, com a estabilização, a partir de julho de 1994, surgiram novos problemas. Alguns governadores não avaliaram corretamente as conseqüências da estabilização. Concederam aumentos salariais que, não sendo mais corroídos pela inflação, colocaram os tesouros estaduais em maus lençóis por muitos anos. Assim, a despeito do aumento de arrecadação havido, surgiram dificuldades para honrar os compromissos. A pressão política levou a novas negociações com o governo federal. A essa altura o interesse do governo não era apenas receber o que os estados lhe deviam, mas que estes aceitassem certa disciplina fiscal.

No final de 1995, sendo eu já Presidente da República, o Conselho Monetário Nacional aprovou uma resolução permitindo nova reestruturação das dívidas dos estados. Ela obrigava, ao mesmo tempo, a adoção de medidas para obter um equilíbrio fiscal sustentável. Os estados se comprometiam a manter os gastos com pessoal no limite legal de 60% das receitas, a privatizar ou conceder serviços públicos à iniciativa privada, a melhorar a arrecadação do ponto de vista técnico, a assumir metas de superávit primário e a oferecer suas contas à análise do Tesouro.

Assumidos tais compromissos, haveria novas linhas de crédito federal. Mais ainda, as dívidas dos estados com os bancos particulares, por meio das chamadas Antecipações de Receitas Orçamentárias (AROs), isto é, empréstimos garantidos por receitas futuras, que haviam sido contratados com taxas de juros elevadíssimas, seriam refinanciadas pelos mesmos bancos, porém com taxas bem menores, porque os empréstimos seriam avalizados pela União.

Como esse mecanismo não funcionou a contento, em 1997 começamos a aprofundar a reestruturação fiscal dos estados. Eles em geral não pagavam os juros e muito menos o principal das dívidas que contraíam com seus próprios bancos públicos. Não bastasse isso, alguns deles, além das dívidas com a União, tinham emitido papéis no mercado. Essa dívida com o público — dívida mobiliária — precisava ser equacionada para que os estados gerassem superávits primários. Resultado: novas negociações, novos limites de comprometimento das receitas estaduais com o pagamento da dívida (até a um máximo variável de 11% a 15% da receita) e novos mecanismos para progressivamente reduzir o endividamento a uma relação de 1 para 1 com a receita líquida real. Isto é, o montante da dívida não poderia ultrapassar o valor da receita líquida anual de cada estado, sob pena de uma série de restrições para os faltosos. A nova lei de reestruturação seguiu, em linhas gerais, o arcabouço jurídico e os mecanismos que haviam sido estabelecidos pela anterior, de 1993.

A lei proibiu os estados de contraírem novas dívidas e a União pôde ressarcir-se automaticamente do que lhe era devido. Graças a esses mecanismos, a percentagem de 11% a 15% das receitas que passou a ser paga à União se transformou em superávit primário dos estados.

Sem essa luta contínua, áspera, que demandou tempo, não teríamos podido levar adiante o programa de estabilização. Tudo isso seria coroado, anos depois, pela Lei de Responsabilidade Fiscal (LRF), aprovada em maio de 2000,[4] graças, neste caso, ao empenho do ministro do Planejamento, Martus Tavares, e à colaboração de técnicos como o economista José Roberto Afonso, ligado ao PSDB. A partir daí o governo federal passou a dispor de instrumentos para obrigar os estados a cumprirem seus compromissos, com uma sólida base legal para evitar calotes. Essa luta produziu também, com o transcorrer do tempo, um efeito importantíssimo: uma transformação cultural. Nos primeiros anos, como vimos, foi necessário um grande esforço — técnico e político — para evidenciar que sem ajuste fiscal não havia plano de estabilização duradouro. Já a tramitação da LRF pelo Congresso não demandou energia comparável à que tinha sido despendida para aprovar, por exemplo, o FSE.

---

[4] Lei Complementar nº 101, de 4/5/2000.

A privatização emperrada: até a Igreja era contra

Quando assumi o Ministério da Fazenda, o programa de privatização já fora definido por lei. O Presidente Itamar Franco, contudo, via com muita cautela a venda de empresas públicas, principalmente a Companhia Siderúrgica Nacional (CSN) e a Companhia Vale do Rio Doce (CVRD). A Petrobras exercia o monopólio definido pela Constituição, mas ele era, de direito, da União. Nunca esteve em nossa cogitação privatizá-la, nem mesmo depois de rompido o monopólio estatal da exploração e refino de petróleo por emenda constitucional que propusemos ao Congresso, em 1995.[5] Participei da privatização da CSN apenas como ministro das Relações Exteriores, quando, a instâncias do Presidente da República, atuei em uma reunião para definir o lance mínimo no leilão de privatização.

Muito custou explicar a alguns integrantes do governo, preocupados em propor um preço mínimo elevado — como o ministro do Trabalho, Walter Barelli, e alguns colaboradores próximos do Presidente Itamar, como o assessor especial Alexandre Dupeyrat —, que o importante era atrair um grande número de compradores, pois o próprio leilão se encarregaria de alcançar o melhor preço. Se, pelo contrário, o governo fixasse um valor elevado demais para o lance mínimo, surgiriam poucos concorrentes e o Tesouro poderia ter prejuízo relativo. Também não foi fácil deixar de lado a idéia de senso comum que defende como preço mínimo o valor histórico do patrimônio — e não, como é o normal no mundo capitalista, uma relação entre faturamento, endividamento e expectativas futuras de geração de caixa.

Esse, entretanto, era o clima da época (e, de certo modo, continuou sendo). Existe sempre a suspeita de que há alguma manipulação para vender os ativos públicos "abaixo do valor", sem explicar que valor, se o do mercado, o histórico ou até o sentimental. Na verdade uma ojeriza ao sistema capitalista, por parte de pessoas que jamais foram socialistas e que, no fundo, mesmo sem o saber em certos casos, são patrimonialistas ou estatistas. Cansei de ouvir falar em "vender o patrimônio público a preço de banana" quando, na verdade, certas estatais tinham patrimônio negati-

[5] Emenda Constitucional nº 9, de 9/11/1995.

vo e requeriam constantes injeções de dinheiro por causa de alto endividamento e má gestão.

Outras empresas trabalharam durante bom tempo tendo como principal objetivo melhorar a vida de seus funcionários — depositando exorbitâncias em seus fundos de pensão, por exemplo, e dando pouco ou nenhum retorno ao Tesouro ou ao contribuinte. A propósito, lembro-me de que o economista de enorme bagagem Roberto Campos, ex-ministro do Planejamento (1964-1967) e ex-senador e então deputado federal (PDS-RJ), usando dados oficiais, demonstrou naquele mesmo 1993 que a Petrobras — cujo maior acionista é a União — recolhia ao fundo de pensão de seus funcionários, o Petros, *dez vezes mais* do que repassava ao Tesouro. Isso acabou em meu período como Presidente, quando finalmente se estabeleceram limites à contribuição das empresas estatais aos fundos de pensão dos respectivos funcionários: elas podem depositar no máximo o equivalente ao que o servidor recolhe, ele próprio, por mês. Por nossa iniciativa, o Congresso aprovou os limites no âmbito da Emenda Constitucional nº 20, de 15/12/1998, a chamada emenda da reforma da Previdência, por meio de alteração no parágrafo 3º do artigo 202 da Constituição.[6]

O programa do PSDB, redigido em 1988, foi o primeiro a admitir a necessidade das privatizações e o papel eventualmente positivo do capital estrangeiro. Ressalvava, entretanto, as empresas que deveriam permanecer estatais "por sua importância estratégica". Certamente, quando se trata de privatizações, coloca-se a questão dos interesses nacionais estratégicos. O problema é como defini-los adequadamente diante dos condicionantes contemporâneos da economia e da política. No caso da CSN, estabelecida em 1941 por Getúlio Vargas, restava o valor simbólico de ter sido pioneira na industrialização brasileira.

Ocorre, porém, que a diversificação da produção de aço no Brasil, a existência de vários grupos nacionais e estrangeiros operando no setor e, ao lado disso, o endividamento crescente das empresas públicas nessa área, obrigando os contribuintes a arcarem com os custos da má gestão, aconselhavam a privatização. E, além de tudo, a crise fiscal do Estado impedia

[6] A questão seria regulamentada por projeto igualmente apresentado pelo governo e que se transformou na Lei Complementar nº 108, de 29/5/2001.

que houvesse os investimentos necessários para melhorar a produtividade e ampliar a produção.

Com base nesses argumentos, quando assumi o Ministério da Fazenda reafirmei que intensificaria o ritmo da privatização, não porque a empresa privada fosse necessariamente mais bem gerida do que a pública — embora na maior parte das vezes o seja —, mas porque o Estado se tornara desinvestidor líquido pela falta de recursos. E também por causa das dificuldades burocráticas para adaptar as empresas públicas à dinâmica dos mercados. Tratava-se de uma opção prática para revigorar o crescimento dos setores industrial e de serviços, e não de uma opção ideológica.

Em fins de julho e começo de agosto de 1993 a polêmica sobre a privatização da Vale esquentou. Confesso que eu mesmo custei a aceitar a necessidade de privatizá-la, processo que só ocorreria no curso de meu primeiro mandato no Planalto. O Presidente Itamar mostrava-se ainda mais relutante. Promoveu mudanças na Comissão Diretora do Programa Nacional de Desestatização (PND), aumentou os obstáculos para sua efetivação e deixou clara sua pouca disposição a respeito quando o secretário executivo da Fazenda, Clóvis Carvalho, se manifestou favoravelmente à venda da estatal, em um seminário promovido pela Associação Brasileira dos Analistas do Mercado de Capitais (Abamec).

Reagindo às declarações de Clóvis Carvalho, um funcionário, encarregado do Departamento Nacional de Combustíveis (DNC), emitiu nota criticando duramente o secretário executivo da Fazenda, sem que houvesse qualquer reação reparadora do Palácio. A nota, típica do pensamento nacional-estatista que se pensa esquerdista, dizia: "Vender a Vale é entregar para grupos estrangeiros parte do território nacional; é abrir a Amazônia por meio de Carajás para o interesse estrangeiro. É esquecer a participação do povo mineiro na construção da companhia" — e por aí afora. A Vale acabou sendo privatizada em maio de 1997, passando a ser controlada por fundos de pensão e empresas nacionais. O incidente me alertou, entretanto, para os riscos de tentar forçar o governo a acelerar as privatizações: acabaria por perder a confiança do Presidente Itamar, vital para eu levar adiante o programa de estabilização.

A reação contrária às privatizações não se restringiu aos círculos políticos. Sem falar nos sindicatos mais ligados aos partidos de oposição, a Igreja Católica revelou-se, por intermédio da CNBB, crítica pertinaz dessa matéria, que de religiosa tem muito pouco. Ou melhor, no sentido vulgar, tem tudo, pois não privatizar era sagrado para portadores de uma visão que confunde o interesse do povo com os interesses momentâneos de corporações e partidos. Mesmo tempos depois, sendo eu Presidente da República, o presidente da CNBB, dom Luciano Mendes de Almeida, em diversas oportunidades manifestou esse pensamento, tanto em conversas comigo quanto publicamente. Por mais que não visse ligação entre a pastoral religiosa e uma posição contrária à privatização, jamais consegui, com argumentos razoáveis, demover alguns setores da Igreja Católica da crítica acérrima à "entrega" da Vale. O mesmo se diga de setores que se apossaram da OAB e outras associações corporativas cuja obediência fundamental era aos interesses da oposição, com pouca atenção para o que efetivamente podia ser feito para tirar o Brasil da inflação e do atraso econômico e tecnológico.

O processo de privatização andou muito pouco no período de preparação da estabilidade. Prudentemente, esperamos momento mais oportuno para fazer um ajuste patrimonial de maior envergadura, tirando das costas do Tesouro a dívida de algumas estatais. Só então alguns serviços e setores produtivos tiveram condições para se expandir. Simultaneamente, o Estado teve o tempo necessário para se reorganizar, com a criação de agências reguladoras para assegurar o interesse nacional, a vigência dos contratos de concessão e o interesse dos usuários.

Renegociando a dívida: a paciência chinesa de Malan

Desde a moratória de 1987, no governo Sarney, o Brasil viu-se envolvido em um emaranhado de negociações com mais de 700 bancos. O próprio governo Sarney esforçou-se para alcançar um entendimento que nos livrasse do peso da moratória, representado por falta de recursos externos novos para financiar o país e taxas de juros escorchantes sobre o pouco dinheiro que se conseguia captar. Tornava-se vital viabilizar um acordo compatível com a capacidade de pagamento do Brasil e que nos desse novamente acesso ao mercado financeiro internacional.

O assunto adquiriu gravidade econômico-financeira com forte conotação política. Muitos setores consideravam um acordo com o FMI que fosse realizado no processo de renegociação das dívidas tão ou mais lesa-pátria do que a venda da Vale. Desde priscas eras esta organização internacional, da qual o Brasil é fundador e parte integrante, projetava horror nos corações e nas mentes de quem se dizia progressista. E existiam boas razões para isso. Primeiro porque sempre tivemos no Brasil um progressismo anticapitalista (embora raramente se confessasse isto) e profundamente nacionalista, alimentando uma visão autárquico-isolacionista. Segundo, o Fundo — afastando-se da missão para a qual havia sido criado, pelo menos na aspiração do grande economista britânico John Maynard Keynes, um de seus idealizadores — tornara-se, na prática, guardião dos interesses dos credores, impondo quase sempre receitas de recessão que custavam caro aos trabalhadores e empresários locais. Sem falar, claro, no custo dos juros, que a política do BC dos EUA — o Federal Reserve Board, ou Fed — havia levado naquela época à estratosfera para padrões de Primeiro Mundo, chegando a ultrapassar 15% ao ano. Duvidava-se também da legitimidade das dívidas. Conseqüentemente, não faltava quem propusesse, pura e simplesmente, não pagá-las.

Houve vários negociadores da dívida externa, no transcorrer do tempo: os diplomatas Sérgio Amaral e Jório Dauster, os economistas Pedro Malan e André Lara Resende. O Senado criou uma CPI sobre a dívida externa, de que eu tinha sido relator. Nada ficou demonstrado quanto a fraudes e o que realmente importava avaliar seria a utilização dos recursos da dívida no Brasil, pela qual não se podia responsabilizar os banqueiros internacionais, mas sim, caso houvesse desvios de finalidade no uso do dinheiro ou mesmo corrupção, as autoridades locais e os destinatários dos empréstimos.

Pouco a pouco nossos negociadores foram desbastando o terreno. Finalmente, Pedro Malan, primeiro como negociador-chefe e depois como presidente do BC, com firmeza e seriedade, além da paciência chinesa que o caracteriza, preparou um intrincado pacote de opções para a troca dos antigos títulos da dívida por novos, com melhores condições de pagamento.

Essa negociação, entretanto, supunha que o FMI firmasse um acordo com o governo brasileiro e monitorasse nossas contas, dando uma espécie de chancela para os bancos credores confiarem nos pagamentos futuros. Havendo acordo com o FMI, os credores saberiam que as políticas fiscal e monetária, bem como o regime cambial a serem praticados, seriam "confiáveis e tecnicamente corretos". Com esse aval nas mãos o Tesouro americano emitiria bônus de uma série especial que o BC do Brasil compraria e depositaria no Banco Internacional de Compensações (BIS) — espécie de banco central dos bancos centrais, sediado em Basiléia, na Suíça. Esses bônus serviriam de garantia aos bancos credores (o que nas negociações financeiras chama-se de colaterais) na troca dos títulos velhos por novos, com melhores condições de pagamento e juros menos agressivos.

O volume total da dívida renegociada chegou a 70 bilhões de dólares, sendo cerca de 50 bilhões com credores privados e o restante com governos e instituições oficiais. Emitiram-se títulos novos de prazo médio superior a 20 anos. Com a renegociação da dívida, o Brasil saiu da moratória e voltou ao mercado internacional de crédito. Foi a maior operação de renegociação de dívidas feita até então pelo mercado financeiro internacional. Malan, com a experiência que tinha, desconfiava que o FMI não daria o *nihil obstat* a nosso programa de estabilização. Por isso, antes de nossa visita ao Fundo em setembro de 1993, conversou comigo sobre a eventualidade de o BC começar a comprar os papéis do Tesouro americano no mercado secundário, sem esperar pela emissão especial dos bônus.

A operação era arriscada. Tínhamos que agir cautelosamente para que o mercado não percebesse o interesse do BC nas compras, o que aumentaria o valor dos papéis, e para evitar que o Tesouro americano e o FMI se sentissem ludibriados. Mais ainda, Malan e eu tivemos que assumir a responsabilidade da decisão sem que qualquer outra pessoa soubesse. E assim fizemos.

Malan, que estava em Washington, combinara que só me chamaria se tudo estivesse resolvido ou se o impasse fosse grande. Nos momentos finais da negociação com o FMI, antes do acerto definitivo com o comitê negociador dos bancos, chefiado por Bill Rhodes, vice-presidente do Citibank, ele telefonou-me de Washington pedindo que eu viajasse para lá com urgência. Ao chegar ao FMI fui ter com o diretor-gerente, o francês Michel Camdessus, a quem conhecera por intermédio do ex-ministro da Fazenda Marcílio Marques Moreira e de Michel Rocard, ex-Primeiro-Ministro da França. Na conversa a sós, Camdessus foi franco: ele não via maneira de obter aprovação do programa pela equipe técnica do Fundo. Vivíamos grande incerteza política no Brasil — além da imprevisibilidade do Presidente Itamar, estávamos nos primórdios do que seria a CPI dos

Anões do Orçamento — e baixo grau de convicção sobre o êxito eventual do plano proposto (àquela altura ainda incompleto).

Quem pensa que o aspecto pessoal não ajuda em questões institucionais engana-se. Sempre conservei uma boa relação com Camdessus, homem com formação de fundo evidentemente humanístico, discrepando da média do funcionário típico das organizações financeiras internacionais. Pessoalmente caloroso e simpático, até brincalhão, tinha características antes de político do que de tecnocrata, fora o fato de conhecer de perto a realidade de muitos países. Apesar de tudo, disse-me ele, dada a simpatia que nutria pelo Brasil e pelos negociadores brasileiros, havia escrito uma carta, na véspera, em francês e de próprio punho, que passava a ler. A carta concedia uma espécie de endosso pessoal e indireto ao programa de estabilização, manifestando confiança em nosso trabalho. Agradeci o gesto, mas, comentei, nossas dificuldades permaneciam. Teríamos de convencer os bancos a fechar a negociação sem o aval do FMI e obter os bônus do Tesouro para depositá-los no BIS. Sorridente, Camdessus disse:

— Mas vocês já os têm...

O segredo meu e de Malan vazara, porém era tarde: já havíamos comprado os papéis.

Mesmo assim faltava resolver onde depositar as garantias, posto que sem o aval do Tesouro nem o BIS nem o Fed aceitariam a guarda. Disso também se ocupou o diretor-geral do FMI. Se Enrique Iglesias, presidente do BID, concordasse, assegurou-me, seria possível depositar os títulos com ele. Juntamo-nos à equipe brasileira para o almoço e em seguida Camdessus e eu concedemos uma entrevista à imprensa na qual o anfitrião mostrou-se generoso em elogios ao programa de estabilização e hábil em desconversar sobre o apoio formal. Em seguida enviou a carta pessoal aos bancos, conforme prometido.

Ato contínuo, Malan, André Lara e os demais companheiros fomos ao BID falar com Iglesias que, com a solidariedade de sempre, dispôs-se a guardar os títulos do Tesouro americano. Do BID partimos para o Departamento do Tesouro, que nos EUA corresponde ao Ministério da Fazenda. O encontro foi com o subsecretário encarregado das questões internacionais, Larry Summers, depois ele próprio secretário do Tesouro e, posteriormente, presidente da Universidade Harvard. Recebeu-me com um abraço, quase eufórico:

— Parabéns, ministro.

Já sabia tudo a respeito dos bônus e até facilitou a guarda dos títulos. A certa altura perguntou-me (o que também ocorrera com Camdessus):

— O senhor será candidato à Presidência da República?

Começava a obsessão, no Brasil e no exterior, com as candidaturas. Eu, no exterior, não negava porque sentia que isso facilitava as negociações, embora estivesse longe de pretender ser candidato.

Foi de posse desse apoio, quase pessoal e informal, que conversamos em Nova York com Bill Rhodes e demais membros do comitê negociador. Pouco tempo depois Malan e eu assinamos os novos contratos da dívida externa brasileira, em Toronto, no Canadá, no dia 30 de outubro de 1993, durante uma manhã inteira — pois tratava-se literalmente de milhares de papéis relativos a contratos com mais de 700 bancos participantes da renegociação. Estava suspensa a moratória e nossos compromissos redefinidos com 30 anos de prazo para pagá-los com taxas de juros limitadas.[7]

O nome do jogo foi: firmeza, decisões arriscadas mas competentes e construção de credibilidade. Pedro Malan e, nos momentos finais, André Lara funcionaram como os artífices dessa carpintaria.

---

[7] A dívida foi renegociada em prazos entre 12 e 30 anos (prazo médio ao redor de 20 anos), com taxas de juros girando em torno dos índices das duas taxas internacionais de referência, a Libor e a Prime Rate, mais um percentual fixo comparativamente baixo. Com isso a dívida pública brasileira tornou-se estável e cadente nos anos seguintes. Os 124,6 bilhões que devíamos em 1993 reduziram-se até atingir seu ponto mínimo em 1997, durante meu primeiro mandato: 108,4 bilhões, após o que a dívida pública voltaria a crescer gradualmente devido às necessidades da economia brasileira. O que explodiu entre 1993 e 1999 foi a dívida externa privada, na esteira da sobrevalorização do câmbio e da onda de investimentos deflagrada pelo real. Os 21,07 bilhões de dólares devidos por empresas brasileiras em 1993 subiram vertiginosamente até atingir 128,3 bilhões de pico em 1998, iniciando o processo de queda a partir de 2000. Ao final de meu segundo mandato, o montante atingia 85,2 bilhões de dólares.

Quanto aos juros anuais pagos sobre a dívida externa ao longo dos três governos anteriores ao de Lula, eles foram de 9,7 bilhões de dólares em 1990, diminuíram para 7,9 bilhões em 1995, elevaram-se para 14,9 bilhões em 1999, após a desvalorização do câmbio, e declinaram ligeiramente desde então, chegando ao patamar de 13 bilhões de dólares/ano a partir de 2002.

A questão salarial e a busca da racionalidade

Nos programas de estabilização a questão politicamente mais delicada costuma ser a salarial. A experiência indica que nesses programas, principalmente quando monitorados pelo FMI, são freqüentes o aumento do desemprego e a perda da renda dos trabalhadores.

Embora tenha havido com o correr do tempo mudanças nas políticas de controle inflacionário recomendadas pelo Fundo, essa não era a experiência disponível na primeira metade dos anos 1990. O aumento da taxa de juros para conter a especulação e a limitação aos agregados monetários, ou seja, as restrições às emissões de moeda e ao crédito, levavam freqüentemente à recessão. E, portanto, à diminuição da renda dos assalariados e ao desemprego.

Não foi isso que propusemos, nem o programa de estabilização passou por monitoramento do Fundo. Não obstante, politicamente, o flanco mais vulnerável para criticar o governo e o Ministério da Fazenda é sempre a questão salarial, com a afirmação de que os trabalhadores é que pagarão a conta da estabilização. Por causa da inflação elevada, diferentes dispositivos legais passaram a determinar ao longo dos anos o reajuste do valor tanto do salário mínimo quanto dos salários em geral a cada 12 meses e até em períodos mais curtos.

Graças a isso, estabelecera-se um jogo de complementaridade entre os atores políticos. Os dirigentes sindicais afirmavam sua liderança propondo "aumentos salariais" que, no melhor dos casos, apenas repunham a inflação, dando margem, entretanto, a mobilizações de trabalhadores e a greves. Os empresários transferiam o custo dos reajustes para seus preços e, portanto, para os consumidores. Além das centrais sindicais e dos sindicatos, também alguns partidos e congressistas competiam para ver quem conseguia maiores "aumentos", ganhando, assim, a boa vontade dos assalariados. E o Executivo, em geral representado pelo ministro da Fazenda, que pedia o veto, e pelo Presidente, que o atendia, desempenhava o papel de mau, negando total ou parcialmente os reajustes para evitar que as contas públicas e a própria inflação saíssem de controle.

A regra geral de ajuste vigente na época foi definida pela Lei n° 8.542, de 23 de dezembro de 1992. Ela determinava ajustes quadrimestrais para repor a inflação passada e uma antecipação bimestral de 60% da inflação ocorrida no período. Era de esperar que os mesmos atores que se envolviam na luta por aumentos fictícios de salários aproveitassem a proposta do PAI, que acarretava aumento de impostos e corte nos gastos, para bater na tecla do "reajuste já".

Com efeito, mal anunciamos os cortes no Orçamento de 1993 e propusemos o aumento da Contribuição para o Financiamento da Seguridade Social (Cofins) e a criação do Imposto Provisório sobre Movimentação Financeira (IPMF), precursor da CPMF, a Comissão do Trabalho da Câmara dos Deputados aprovou um projeto do deputado Paulo Paim (PT-RS) que mandava repor integralmente os salários a cada mês.

Tivemos uma peleja muito difícil para derrotar essa proposta. Embora a experiência mostrasse que a inflação ganhava sempre dos salários e portanto o certo seria acabar com ela, o senso comum não percebia isso. Não havia tampouco crença nas políticas oficiais, dados seus fracassos anteriores. Mais valia uma ave na mão, a reposição salarial, do que duas voando — a estabilização e seus benefícios. Para agravar o problema, o governo acabara de conceder um reajuste de vencimentos aos funcionários públicos. Como justificar a não-correção dos salários do setor privado?

A 23 de junho de 1993 a Câmara aprovou a emenda que criava o IPMF, com validade até 31 de dezembro do ano seguinte. A proposta obteve o quórum mínimo para uma mudança na Constituição: disseram "sim" 308 deputados — os votos de exatos três quintos dos 513 exigidos pela Carta. Votaram contra 87 deputados, entre esses a "esquerda", PT à frente, e parte da bancada do bloco PFL-PTB, inclusive a poderosa bancada baiana do PFL. Com a aprovação desse imposto e o aumento também autorizado na alíquota da Cofins (só esta renderia 9 bilhões de dólares), obtivemos boa folga para o Orçamento de 1994.

No dia seguinte, entretanto, a Câmara "reparou o mal". Aprovou quase por unanimidade o projeto salarial da Comissão do Trabalho, que introduzia a correção integral da inflação todo mês, contra o voto de somente dois deputados, sendo um deles o ex-ministro da Fazenda Gustavo Krause.

As incertezas sobre o futuro do programa de estabilização aumentaram imediatamente. Membros da equipe econômica me procuraram, assustados com as conseqüências da decisão. Garanti-lhes que o projeto ainda teria de passar pelo Senado e, se aprovada a lei, o Presidente Itamar a vetaria. No Senado, graças à ação do senador Beni Veras (PSDB-CE), repusemos boa parte do que nos parecia razoável. Inutilmente: a Câmara, para a qual o projeto precisava voltar por ter sido alterado na outra Casa, recusou de novo todas as modificações introduzidas pelo Senado.

Hoje é difícil avaliar a preocupação que tais problemas causavam. Na época as incertezas eram grandes. As resistências a medidas racionais, antipopulares na aparência, não se limitavam à oposição. Basta dizer que a aprovação do projeto da Comissão do Trabalho teve o voto dos líderes de todos os partidos, inclusive os do governo. E mesmo no governo havia dificuldades para lidar com a questão salarial. Apesar de eu ter garantido o veto presidencial, ele seria custoso. O Presidente fora evasivo ao responder à imprensa se vetaria ou não a lei. Chamou uma reunião com a liderança sindical, na busca do almejado Pacto da Moncloa caboclo.[8] Nela, diante da firmeza dos sindicalistas, muitos ministros calaram, deixando a mim o ônus da argumentação racional, que sempre aparecia como impiedosa.

Anteriormente, em reunião do Ministério, o Presidente mandara exibir um vídeo sobre o New Deal, o audacioso conjunto de medidas — a começar por maciços investimentos públicos — com as quais o Presidente Franklin Delano Roosevelt tirou os EUA da catástrofe causada pela Grande Depressão iniciada com o *crack* da Bolsa de Nova York em 1929. O recado me pareceu óbvio: em vez de cortar gastos públicos e de ser restritivo nos aumentos salariais, por que não ativar a economia com investimentos públicos? Ao terminar a reunião pedi a palavra e disse:

— Agiu bem o governo Roosevelt na crise americana. Lá o setor privado estava sem liquidez e o setor público dispunha de crédito praticamente ilimitado. Exatamente o oposto de nossa situação. No Brasil as empresas estão financeiramente líquidas e o setor público quebrado.

---

[8] O deputado Aloizio Mercadante (PT-SP), preocupado com as conseqüências da votação no Congresso, procurou-me no Ministério da Fazenda e sugeriu que convocássemos os líderes sindicais para uma negociação. Achei a sugestão pertinente. Em julho, em Salvador, no próprio hotel onde se realizava a III Cúpula Ibero-Americana e em que estava hospedado, e antes da reunião deles com o Presidente Itamar e os ministros, tive um encontro com dirigentes sindicais.

Os colegas ministros me ouviram calados. O solitário apoio veio do ministro da Previdência, Antônio Britto:

— Palavras de estadista — disse ele.

Os meses de junho, julho e agosto foram extremamente ásperos. O PMDB quase rompeu com o governo. Numa reunião da Comissão Executiva Nacional, a permanência no governo Itamar se definiu por três ou quatro votos, em um total de 50 membros. Dificilmente teríamos conseguido mudar as decisões do Congresso e do próprio governo não fosse o sofrimento da sociedade com a inflação e o desgoverno dos anos anteriores. Somando-se a isso havia nossa convicção militante de que era necessário insistir nos ajustes fiscais. Conseguimos assim vencer a descrença, a resistência surda dos beneficiados pela inflação e o barulho dos setores políticos que se opunham a qualquer medida racionalizadora do gasto público. O Presidente vetou a lei salarial do Congresso e editou uma MP, embora repondo parte das vantagens previamente aprovadas na Câmara.

Novamente o senador Beni Veras foi o relator da proposta e, num parecer luminoso, fez prevalecer os ajustes quadrimestrais com uma regra, sugerida por Gustavo Franco, que previa a antecipação mensal da parte da inflação que excedesse 10%, mas somente para quem ganhasse até seis salários mínimos. Em sessão conjunta o Congresso aprovou o parecer do relator, no dia 19 de agosto de 1993. Dessa feita, seguindo a argumentação do líder do PSDB, o deputado José Serra, os partidos que em tese apoiavam o governo — PMDB, PSDB, PFL, PTB, PPS e o PPR (que depois seria PPB e PP) — votaram a favor. Não, entretanto, sem constrangimentos. Nas palavras do líder do PPS, Sérgio Arouca (RJ), votaram "com o coração partido". A MP, modificada, obteve 318 votos favoráveis e 144 contrários, transformando-se na Lei n° 8.700.

Ultrapassamos os obstáculos para mudar a lei salarial e para aprovar medidas de reforço fiscal graças ao apoio da opinião pública e de setores organizados do empresariado. A Fiesp, sob o comando de Carlos Eduardo Moreira Ferreira, junto com outros setores da sociedade civil, lançou o movimento Acorda Brasil, destinado a apoiar as reformas. Sabíamos, no entanto, ser sucesso momentâneo, pois a luta para dar maior racionalidade ao manejo das finanças públicas e para conter a inflação mais se assemelha ao mito de Sísifo: mal termina, recomeça.

Veremos adiante que em 1994, quando o Plano FHC, com a URV, estava prestes a se transformar em Plano Real, a questão salarial voltou com força total.

Na equipe, muito engenho, muita arte e muito debate

Os juros altos e a indagação constante sobre o nível que a inflação atingiria no final de 1993 enervavam a todos, desde o povo até o Presidente, passando por mim, como ministro da Fazenda. As taxas de juros criavam indisposição com o BC, sempre acusado de favorecer os banqueiros. Itamar volta e meia referia-se à "caixa-preta" do BC. Por causa dessa indisposição, na primeira oportunidade ele dispensou o presidente da instituição, Paulo César Ximenes, aliás, funcionário de carreira e sem ligação com bancos privados. A demissão deu-se porque, quando decidimos cortar três zeros do cruzeiro, criando o cruzeiro real, o BC, com razão, alertou que os cheques pré-datados, largamente utilizados, perdiam valor. Portanto seus detentores deveriam refazê-los, formatando-os de acordo com a nova moeda. Esse aspecto aborreceu o Presidente. Sua mãe, dona Itália, fora proprietária de uma farmácia em Juiz de Fora e ele dizia se lembrar sempre da importância dos pré-datados para o pequeno comércio, e do impacto que a nova situação provocaria. A reação negativa de Itamar levou à demissão de Ximenes. A despeito das qualidades de Ximenes, o incidente permitiu, paradoxalmente, que a equipe econômica fosse reforçada.

Conto com algum detalhe o episódio. Cansado de ouvir críticas ao BC, Ximenes, que havia sido nomeado antes de minha chegada ao Ministério da Fazenda, telefonou a Clóvis Carvalho para colocar o cargo à disposição. Ele não acreditava mais poder ser útil a nós, dadas as críticas crescentes a todas as ações do BC. Eu estava no Rio de Janeiro quando o Presidente me telefonou para dizer que aceitaria o pedido de demissão e queria que eu indicasse o substituto. No dia seguinte, como ocorria habitualmente na semana que, a cada mês, passava no Brasil, Pedro Malan — que continuava morando nos EUA e terminando os acertos extremamente complexos do acordo da dívida — jantaria comigo. André Lara Resende, com quem eu privava desde anos antes, por ocasião das discussões sobre a fundação do PSDB, e que já colaborava informalmente conosco, nos faria companhia. O jantar foi numa sexta-feira, 13 de agosto, no apartamento funcional onde eu morava em Brasília. André e eu tentávamos convencer Malan a aceitar a presidência do BC. A mudança súbita para o Brasil acarretaria transtornos pessoais a ele, com filhos pequenos há tempos vivendo e estudando nos EUA. No afã de dobrar suas resistências, André se dispôs a assumir o final da negociação da dívida externa. Malan hesitou mas acabou cedendo. Nem bem assentiu e coloquei-o no telefone com o Presidente Itamar, tendo-lhe dito que iria falar com o novo presidente do BC. Assim, constrangido, Malan iniciou sua trajetória no governo, que iria durar quase dez anos... André, *ipso facto*, tornou-se negociador da dívida. Ele, que só se dispusera a me ajudar informalmente, acabou enredado nas teias oficiais, embora tivesse empurrado para Malan o compromisso mais pesado.

Não foi de outro modo que Pérsio Arida integrou o grupo. Economista de há muito ligado ao PSDB — daí nossas relações pessoais —, com doutorado no Instituto de Tecnologia de Massachusetts (MIT) e fecunda produção acadêmica, Arida tinha sido um dos formuladores do Cruzado, como Bacha e André, e ocupara uma diretoria do BC no governo Sarney. Acabou se juntando ao time em conseqüência de um conflito entre o ministro do Planejamento, Aléxis Stepanenko, e o empresário Luiz Carlos Delben Leite, presidente do BNDES, que deixou o posto. Conversei bastante sobre quem poderia substituí-lo. Cogitei convidar o economista Luiz Gonzaga Belluzo, professor da Universidade Estadual de Campinas (Unicamp), também um dos formuladores do Cruzado e ex-integrante da equipe econômica do governo Sarney, ligado ao PMDB, para ampliar o apoio no partido. Visitei Belluzo em São Paulo, mas ele, magoado com denúncias sobre supostas irregularidades em importações de equipamentos para universidades quando ocupara a Secretaria de Ciência e Tecnologia do governo Quércia, em São Paulo, não queria voltar à vida pública.

Todos na equipe gostariam que fosse Arida, mas havia o temor de uma leitura perigosa: reagrupados os dois economistas considerados os principais criadores do Cruzado, Pérsio e André, haveria inevitavelmente especulação sobre um novo choque heterodoxo, mais um pacote que do dia para a noite mudaria a vida dos brasileiros. Àquela altura, uma simples cogitação dessa natureza poderia produzir expectativas inflacionárias de difícil controle, devido às desventuras do passado. Sabendo que o Presidente não queria outra coisa senão um choque salvador, dei-lhe pelo telefone uma lista com três nomes, entre os quais o de Pérsio, com a advertência que cabia sobre os riscos de se imaginar que estávamos fabricando outro pacote mágico. O escolhido para o BNDES acabou sendo, naturalmente, Pérsio Arida.

Reforçada a equipe responsável pela tessitura do Plano Real, muito engenho e arte estiveram presentes, ao calor de muito debate. Este se deu fora da luz pública, para evitar apostas sobre o "choque" que estaríamos preparando, que levariam o mercado à loucura e quem sabe o governo à ruína.

Àquela altura, 1993-1994, não se especulava sobre divergências entre "desenvolvimentistas" e "neoliberais" dentro do governo, que mais tarde encheram páginas de jornais e revistas. Na equipe existia, apenas, a disposição de criar as precondições para acabar com a inflação e algumas variações sobre quais seriam as melhores. Quanto às políticas monetária e cambial, tínhamos mais dúvidas do que decisões amadurecidas. Mantínhamos discussões infindáveis sem que encontrássemos as respostas que a sociedade esperava.

Havia entre especialistas e políticos a antiga discussão sobre se o déficit público é causa da inflação. Meus colaboradores acreditavam que sim, pois a inflação levava o governo a ter e propiciar aos outros a ilusão de que podia gastar acima das possibilidades reais, e até mesmo gerar superávits. Nas palavras de Bacha, o governo estava "casado" com a inflação. Todos, portanto, viam como vital o ajuste fiscal proposto no PAI. Nem dentro nem fora da equipe, entretanto, se formara um consenso sobre que passos adicionais adotar para derrubar a inflação.

Do quanto me recordo, Gustavo Franco e Winston Fritsch, a certa altura, quando a inflação se acelerou, cogitaram uma combinação entre o PAI (cujo efeito sobre a inflação seria de longo prazo) e algum esquema que atuasse mais diretamente sobre o processo de formação de preços, como uma prefixação temporária, concentrada nos setores oligopolistas. José Serra, fora da equipe, ostentava a postura mais fiscalista entre todos. Francisco Pinto, diretor do BC, era guardião da liberdade do mercado, sempre temeroso do intervencionismo político. À luz da História transcorrida pode parecer estranho que fossem essas as posições. Na época, contudo, eu brincava com Gustavo Franco chamando-o de "pedetista", pois seria o mais intervencionista, e Francisco Pinto de "pessedista", embora o correto tivesse sido qualificá-lo de "udenista", por mais liberal. Bacha, não obstante soubesse da necessidade de uma reforma monetária, duvidava que tivéssemos condições políticas para tanto. Assim, aferrava-se ao ajuste fiscal.

Desde o Plano Cruzado, André Lara Resende e Pérsio Arida, que costumavam trabalhar a quatro mãos a ponto de serem conhecidos como a dupla "Larida", vinham revisitando idéias sobre o que chamavam de "inflação inercial". Elas tinham originalmente sido apresentadas no célebre artigo assinado por André que forneceria inspiração teórica ao Plano Cruzado, "Moeda indexada: projeto para eliminação da inflação inercial", publicado em 26 de setembro de 1984 no jornal *Gazeta Mercantil*. A tese é simples, mas suas conseqüências de grande complexidade. Em uma economia indexada, como era a brasileira, o aumento de uns preços puxa automaticamente o dos outros, mas com um descompasso permanente que realimenta a inflação. Os preços tendem a subir no futuro simplesmente porque subiram no passado. A inflação se reproduz continuamente, por inércia. A sociedade percebera intuitivamente esse mecanismo e apostava sempre na continuidade da inflação.

A conversa que mudou meu ânimo

Antes de avançar mais na descrição de como se chegou à nova moeda, o real, passando por um embrião de moeda, a URV, cabe um esclarecimento. Cresciam as pressões para que obtivéssemos um resultado mais palpável. De tempos em tempos, Luiz Carlos Bresser-Pereira, na condição de amigo e economista experimentado, insistia na necessidade de um "plano B", pois, como ex-ministro da Fazenda que tentara uma estabilização, não acreditava que o PAI, embora necessário, bastasse para dar conta do recado. Em nossas conversas, ele sempre mencionava o famoso artigo da dupla Larida e também antigas propostas de Francisco Lopes, o Chico Lopes, outro economista que tinha colaborado na construção do Plano Cruzado e, posteriormente, trabalhado com o próprio Bresser no Ministério. Até fins de julho eu não estava preparando nenhum plano alternativo. No dia 6 de agosto de 1993, nas reuniões que fazíamos às sextas-feiras em meu apartamento de Brasília, Edmar Bacha me trouxe a sugestão de tomar a Ufir, ou seja, o índice com o qual se reajustavam as dívidas com a Receita

Federal, como referencial geral para a economia. Em fins de julho, antes, portanto, da sugestão de Bacha, inspirado nas conversas com Bresser, visitei André Lara Resende em sua casa, em São Paulo. Era um fim de semana. Dirigindo eu mesmo o carro, fui discretamente e sozinho à busca de novas idéias. Essa conversa mudou meu ânimo.

André produzia idéias aos borbotões. Com seu jeito um tanto sôfrego de falar, levantando-se da cadeira e ajustando as calças a cada instante na excitação do entusiasmo, foi abrindo meu horizonte com novas perspectivas. Falou sobre a bimonetização, a dolarização, a inflação inercial, o *currency board* (basicamente, um regime monetário e cambial que vincula a emissão da moeda nacional à existência de um fundo em moeda forte, de curso internacional) e outros conceitos. E também sobre as dificuldades políticas para dar o combate correto à inflação. Gato escaldado, como os demais economistas que tiveram decepções prévias com o sistema político, não faltaram lamentações sobre a fragilidade do governo, os interesses enraizados na sociedade e no Congresso que favoreciam a inflação, a falta de liderança e questões semelhantes. Com jeito e persistência, acabei arrancando dele o compromisso de me ajudar informal e discreta, senão secretamente. Disse-lhe que só deveria falar sobre o plano (B?) com duas pessoas: Bacha e Malan.

Assim, quando Bacha, na reunião do dia 6 de agosto, mencionou a "ufirização", o amarrar todos os contratos à mesma unidade de referência (e até se cogitou que pudesse ser o dólar), aquilo soou como música a meus ouvidos. Esta seria, segundo ele, a resposta à questão que Clóvis Carvalho e Winston Fritsch levantavam. Nas palavras deste último, dispúnhamos de um plano de vôo mas ainda precisávamos de um trem de aterrissagem para conduzir a economia, com segurança, da superinflação à estabilidade. Bacha, como a maioria dos colaboradores, buscava dar-me mais um plano de defesa para responder às críticas de imobilismo do que propriamente um programa que viesse a ser posto em prática. Antes de tão auspicioso resultado, alguma crise política, acreditavam, nos derrubaria. Com um plano, não sairíamos de mãos abanando e haveria uma resposta política para o PSDB utilizar: "não nos deixaram fazer o que era necessário", diríamos, e iríamos embora.

Daí por diante, principalmente depois que Malan, André e Pérsio se juntaram ao pequeno núcleo inicial, passamos a dispor de massa crítica.

As discussões se sucediam com regularidade. Para que a imprensa não desconfiasse que estávamos preparando algo inesperado, reuníamo-nos, seja no gabinete de Clóvis, seja em nossas casas em Brasília, seja em meu gabinete no edifício do Ministério da Fazenda, em São Paulo, na região central da cidade. Clóvis tinha a obsessão de introduzir método em nosso trabalho. Estipulou multa para quem chegasse atrasado, anotava tudo num quadro-negro, distribuía tarefas e as cobrava, para que o fio da meada não se perdesse em discussões interessantes, mas vãs. As idéias, brilhantes e cambiantes, iam se sucedendo, mas com muita dificuldade de migrar para o papel sob forma de futuros decretos, MPs ou projetos de lei. O duro trabalho de fazer a lição de casa para resolver os problemas que iam surgindo coube principalmente a Gustavo Franco, que, claro, também participava com idéias. No meio das discussões, de repente um dos economistas se punha no quadro-negro e escrevia uma equação que me intrigava. Meus conhecimentos da matéria são de consumidor de textos, sobretudo dos clássicos, tendo chegado com esforço a ler a *Teoria geral do emprego, do juro e da moeda*,[9] o clássico de Keynes, mas incapaz de acompanhar a matemática que está por trás dos modelos contemporâneos. Pedia que não me confundissem e traduzissem para a vida política as conseqüências do que estavam propondo, pois caberia a mim explicar ao país e assumir as responsabilidades. Eles o faziam com generosidade.

Meu entusiasmo aumentou quando, em uma das reuniões de fim de semana no edifício do Ministério em São Paulo, após longas digressões e várias fórmulas no quadro-negro, houve um debate acérrimo entre os principais membros da equipe e Pérsio Arida apresentou a sugestão revolucionária: minimizar as regras e torná-las transparentes. A complicada relação entre preços cambiantes, graças à erosão diária do cruzeiro real, e a URV seria explicada à população. Isso batia com o que eu mais acreditava, a pedagogia democrática. Nada seria secreto. Nós anteciparíamos os principais passos do que iria ocorrer e mostraríamos que se tratava de um processo e não de um ato milagroso. Portanto, haveria que trabalhar com o tempo e tornar o povo partícipe ativo desse processo. Riscos havia: se os

[9] O livro foi lançado em 1936 na Grã-Bretanha como *General Theory of Employment, Interest and Money*. Uma das mais recentes edições brasileiras até a publicação deste livro era a da Atlas, São Paulo, 1992.

meios de comunicação não atuassem para ajudar nas explicações, se nós não fôssemos capazes de certo didatismo, se a descrença vencesse antes da troca de moeda (quer dizer, antes de a URV transformar-se em real), perderíamos a guerra. Preferi, no entanto, correr esse risco e não fazer um plano apenas tecnocrático.

À esquerda e à direita, uma bateria de críticas

Outra decisão que teve significado político foi a de evitar a dolarização. Lembro-me de que certa feita Domingo Cavallo visitou São Paulo e eu o acompanhei em uma solenidade no consulado argentino. Ele dizia não entender por que estávamos hesitando tanto em fazer qualquer coisa do gênero *currency board*; nossas reservas em dólar eram grandes o suficiente para darmos o passo. E Cavallo tinha atrás de si o êxito do câmbio fixo, gabado *urbi et orbi*. Enquanto no Brasil discutíamos nosso plano de estabilização, compareci à reunião anual do FMI em Washington e verifiquei o quanto elogiavam o sucesso alcançado na Argentina. Eu me sentia como a Gata Borralheira, vendo o francês Camdessus conversar com grande familiaridade — em espanhol — com vários ministros e autoridades sobre fatos de que eu não tinha participado e sobre pessoas que eu não conhecia. Além de não-economista no meio de tantos sábios, fora incapaz de dolarizar ou coisa que o valha para conseguir a estabilização. Não obstante, a engenhosa URV nos daria a vantagem de dispormos de uma unidade estável de valor, como se fosse o dólar, essencial para se ter uma amarra de estabilização, sem contudo ser o dólar. Ou seja, preservando margens de manobra para proceder a alguma desvalorização não traumática. E, sobretudo, não perdendo o valor simbólico de moeda nacional, um fator de identidade cultural e de autonomia decisória.

O não-congelamento e o não-atrelamento da nova moeda ao dólar, todavia, conferiam apenas os contornos mais significativos do plano de estabilização. Não constituíam, por assim dizer, seu miolo. O aspecto didático da utilização simultânea de duas moedas — ou melhor, de uma moeda de curso corrente corroída pela inflação e de outra estável, mas virtual — contrariava as expectativas, sobretudo as dos políticos, que desejavam algo mais contundente, como o congelamento ou a prefixação dos preços essenciais da economia. A não-dolarização agradava à maioria dos políticos, mas era vista com certa desconfiança por alguns setores econômicos, sempre temerosos das influências políticas na economia.

Eu, como já disse, concordava com ambos os pontos, ou seja, com não dolarizar nem congelar preços, mas continuava preocupado com a seqüência das medidas necessárias para o andamento do programa de estabilização. Travava-se intensa discussão teórica, dentro e fora do governo. João Sayad, economista consagrado ligado ao PMDB, ex-secretário da Fazenda de Montoro em São Paulo e ex-ministro do Planejamento de Sarney, por exemplo, provocou uma polêmica sobre a existência de relação de causa e efeito entre déficit público e inflação, até porque, alegava, não estava havendo déficit operacional — ou seja, a diferença entre tudo o que o governo arrecada e tudo o que gasta, incluindo o pagamento dos juros —, apesar da inflação elevadíssima. Em todo caso, melhor seria fazer primeiro a reforma monetária para depois enfrentar o problema fiscal, defendia.

Os economistas à esquerda viam com maus olhos os cortes orçamentários e acreditavam que o ponto central da inflação era de ordem distributiva, quer dizer, o da apropriação dos resultados inflacionários. Não sem razão, apontavam os interesses entrincheirados na inflação — dos banqueiros que se apossavam de parte dos ganhos inflacionários, dos especuladores, dos industriais e comerciantes que remarcavam preços incessantemente — como o principal obstáculo à estabilização. O preço desta, temiam, seria pago pelos trabalhadores. Paul Singer, por exemplo, era taxativo: a questão, argumentava, é que o PAI partia de um diagnóstico falso, o de que a causa da inflação seria a desordem administrativa e financeira do setor público. Além de pedir mais e melhores gastos públicos, afirmava que os cortes e os acertos de contas entre União, estados e municípios não serviam para coisa alguma.[10] Posteriormente, sendo o plano já de conhecimento público, Maria da Conceição Tavares, economista de formação matemática, inspiradora de idéias seminais e detentora de um amplo círculo de influência, elaborou mais claramente os mesmos argumentos.[11] Raciocínio semelhante expunha Aloizio Mercadante,

---

10 "O plano não basta", *Jornal do Brasil*, 18/6/1993.

11 "O sacrifício para derrubar a inflação", *Folha de S. Paulo*, 20/2/1994.

para quem a inflação não causaria déficit, pois ela resolveria os problemas do Tesouro.[12]

Mesmo contendo grãos de verdade, as críticas sobre a questão redistributiva não apontavam caminhos conseqüentes para conter a inflação. A menos que fosse possível e desejável uma revolução, como propôs o filósofo e professor de Harvard Roberto Mangabeira Unger: que não se pagassem as dívidas ou que o peso delas recaísse somente sobre as "classes endinheiradas", que se colocassem na cadeia os grandes banqueiros e industriais, que o BC fosse "nacionalizado", que houvesse um Estado forte e outras teses nessa linha. Antecipando-se à minha própria percepção das coisas, pois na época eu nem sonhava com candidatura à Presidência, ele disse que estávamos propondo uma terceira via, substituindo o "nada" (os ministros anteriores) pelo "pouco" (por mim), com o claro projeto de chegar ao governo.[13] Haja imaginação premonitória!

No plano oposto, os economistas liberais (ou "ortodoxos"?) cobravam rapidez: ajuste patrimonial imediato com privatização acelerada para reduzir as dívidas do Estado, abertura dos mercados, corte profundo nos gastos públicos, se possível redução e não aumento de impostos. E nada de "artificialismos", isto é, de choques heterodoxos. Outros comentaristas, como o jornalista Fernando Pedreira, embora favoráveis ao programa de estabilização, começavam a dar sinais de inquietação à medida que a inflação aumentava.[14] Mais otimista, Bresser-Pereira acreditava nas nossas chances de êxito.[15] Num exemplo da cultura autoritária prevalecente, Antonio Carlos Magalhães (PFL), governador da Bahia, recomendava que eu deveria "ser mais agressivo e menos conciliador".[16]

Com maior ou menor ironia ou mesmo cinismo, esse era o tom das críticas. O economista da USP Celso Martone, por exemplo, achava que estávamos próximos de uma aventura heterodoxa de conseqüências incertas, dada a fragilidade do ajuste fiscal. Criticava duramente o aumento dos impostos e classificava a proposta do PAI como sendo outra "melancólica

---

[12] "Para Mercadante, não há déficit", *Folha de S. Paulo*, 5/1/1994.

[13] "A Terceira Via no poder", *Folha de S. Paulo*, 28/5/1993.

[14] "O médico e sua medicina", *O Estado de S. Paulo*, 25/7/1993.

[15] "A hora e a vez", *Folha de S. Paulo*, 27/7/1993.

[16] *Exame*, 4/8/1993.

repetição da pusilanimidade e falta de imaginação que tem caracterizado os ministros da Fazenda".[17] Cobrava cortes adicionais e descria da capacidade de a lei substituir a coragem política e a responsabilidade fiscal dos governantes (ele não sabia, pois não tinha o dom divinatório de Mangabeira Unger, dos efeitos da futura LRF). Ou seja, no fundo o combate à inflação, ou a ausência dele, seria uma questão moral!

Roberto Campos, com fina ironia, chegou a afirmar que ainda não tínhamos plano porque "nosso simpático, ameno e inteligente ministro não resiste ao impulso de agradar a todos". De novo, tratar-se-ia de uma questão subjetiva: para "agradar" a Itamar, nada de privatização, para "agradar" à Receita, nada de simplificação tributária, e assim por diante. O plano consistiria em uma âncora cambial disfarçada e no aumento da carga fiscal, com o FSE escondendo o objetivo verdadeiro. Faltava decisão, segundo ele. Para quê? Para privatizar mais e mais depressa, não aumentar impostos, desregular a economia e atrair capitais.

A fórmula era sempre a mesma. Só faltava apontar o caminho e dizer como percorrê-lo, como se nisso não estivessem os verdadeiros problemas — e Roberto Campos, ex-embaixador nos EUA (1961-1964) e ex-ministro do Planejamento, certamente os conhecia. Como se a vontade (em uma visão simetricamente oposta e equivalente ao voluntarismo de esquerda) operasse no vazio, sem que existissem os interesses, as visões contrastantes, as estruturas estabelecidas.

A cantilena de descrença foi constante e até piorou quando anunciamos a URV com mais detalhes. Vários economistas expressaram publicamente sua opinião, todos num mesmo tom de ceticismo. Campos criticava a URV como um mecanismo pelo qual o governo "induzia as pessoas a corrigir os preços diariamente", podendo, portanto, "ter um efeito inflacionário".

Entre esses extremos, havia quem entendesse as dificuldades teóricas e práticas para pôr em marcha um plano de estabilização nas condições políticas da época. Deles falaremos oportunamente. Antes, contudo, convém explicitar melhor o que chamei de miolo do Plano FHC, ou seja, a proposta da URV.

---

17 Ver reportagem de Rolf Kuntz, "Reformas não avançaram, dizem técnicos", com entrevistas de vários outros economistas, *O Estado de S. Paulo*, 11/7/1993.

A URV: matando a inflação com o próprio veneno

A idéia de aproveitar a indexação preexistente para estabelecer a noção de valor estável tinha semelhanças com o princípio da homeopatia, *similia similibus curantur*: mataríamos a inflação usando seu próprio veneno, a indexação. Corrigiríamos os preços, diariamente, por um indicador da perda de valor da moeda corrente, o cruzeiro real. O governo adotaria e induziria a sociedade a adotar esse indexador diário para denominar os valores de contratos e preços. Depois de um tempo, quando todos se acostumassem a usar essa moeda virtual como uma unidade estável de valor, como muitos já faziam com o dólar ela se transformaria na nova moeda corrente, o real. Nesse período de transição os agentes econômicos teriam oportunidade de alinhar espontaneamente os preços, evitando que reajustes defasados "contaminassem" a moeda nova com a inflação na moeda velha, como ocorrera em planos anteriores.

O risco era grande, como anotaram Roberto Campos e Mário Henrique Simonsen — economista dos mais qualificados do Brasil em qualquer época, que havia sido ministro da Fazenda e do Planejamento e que exercia uma grande influência por meio de artigos, entrevistas e palestras —, este com a metáfora dos patins no gelo: a proposta de corrigir diariamente os preços, inclusive os salários, poderia terminar em uma derrapagem espetacular, com a corrida contra a inflação gerando hiperinflação. Tínhamos dois tipos de argumentos para sustentar a estratégia proposta. Um "iluminista": acreditávamos que a população compreenderia o mecanismo e iria preferir a referência de valor estável que era a URV (um "feto de moeda", na expressão descrente e maldosa de Saulo Ramos), à moeda corrente, corroída pela inflação. Outro, simbólico-pragmático: trocaríamos fisicamente a moeda, quando transformássemos a URV em real.

Eu me preocupava muito com a questão simbólica da troca das moedas. Desde dezembro de 1993, portanto antes da aprovação e mesmo do desenho final do Plano Real, determinei a Eduardo Jorge que entrasse em contato com o diretor da Casa da Moeda, Tarcísio Jorge Caldas Pereira, seu irmão e almirante da reserva, para verificar o tempo necessário e o custo da produção em massa de novos bilhetes e de novas moedas propriamente ditas. Determinei mais ainda: que Tarcísio conversasse sobre esta matéria exclusivamente com Gustavo Franco, para receber suas instruções. Não fosse essa decisão e teria sido impossível efetuar a troca do meio circulante inteiro em um único dia, o 1° de julho de 1994. Havia que importar papel especial para a impressão, redesenhar as matrizes e cuidar da complexa logística da distribuição das cédulas e das moedas por um território gigantesco como o do Brasil.

Tudo isso era muito bonito, mas deixava de lado questões fundamentais. Com velha ou nova moeda, quais seriam as regras de emissão? Havia a proposta monetarista, sobre o controle quantitativo da massa de moedas, desde as moedas correntes até as fiduciárias (ou seja, os cheques, os títulos de toda espécie, os títulos sobre depósitos bancários, as mil formas de crédito que são negociáveis como quase-moedas). Que regras definir? Nesse ponto os economistas não se entendiam, nem os favoráveis ao monetarismo clássico, que de fora do governo criticavam o plano por não ser monetarista, nem os que trabalhavam nele. Gustavo Franco entendia necessário estabelecer metas mais rígidas para regular as emissões monetárias. Pérsio Arida acreditava ser difícil calcular a demanda monetária no momento em que a inflação caísse. Sem esquecer que André Lara Resende namorava a idéia do *currency board*. Essas decisões foram sendo tomadas até às vésperas do lançamento da nova moeda, naquele 1º de julho de 1994, quando eu já estava afastado do Ministério para ser candidato à Presidência da República.[18]

O resultado final seria um tanto eclético. Bacha propôs uma solução salomônica: dobrar os limites propostos por Gustavo Franco para regular as emissões monetárias e dar uma folga de 20% para o Conselho Monetário Nacional autorizar o BC, em situações extraordinárias, a ultrapassar as metas. Mais ainda, incorporando uma preocupação de André, fora da equipe naquele momento, e para atender aos reclamos do mercado por regras de emissão, a MP de 29 de junho de 1994 que criou o real, em seu artigo 3°, chegou a fazer uma referência à vinculação entre a nova moeda, o real, e as reservas internacionais. A regulamentação desta parte da nova lei, que ao pé da letra assegurava a relação entre 1 real e 1 dólar, jamais se efetivou. Mesmo porque, em outro artigo, a lei facultava ao Conselho Monetário Nacional revogar a vinculação.

---

18 As afirmações acima estão baseadas em entrevistas com Gustavo Franco e Pérsio Arida, feitas por Sérgio Fausto especialmente para este livro.

Esses poucos parágrafos são suficientes para mostrar que em matéria de política monetária e cambial o Plano Real estava longe de ser uma obra acabada. As conseqüências iriam se perceber logo no início de 1995, quando o governo tentou corrigir o câmbio, como veremos no Capítulo 5.

Outras questões merecem tratamento mais cuidadoso. A primeira é a relativa ao respeito aos contratos. Até a aprovação final do plano, tivemos um trabalho insano para antecipar problemas e resolvê-los. Nesse esforço, a preservação da ordem jurídica teve um peso enorme. Assustava-nos o fantasma das ações na Justiça contra o governo geradas por planos anteriores, por falta de pleno fundamento legal nas decisões. Desta carpintaria, que não vê a luz da ribalta como os engenhos da URV, ocupou-se Gustavo Franco, com a colaboração de Eduardo Jorge, de Ruy Jorge Rodrigues Pereira, advogado da Petrobras e primo de Eduardo Jorge, e da equipe jurídica do BC, à frente o dr. José Coelho. O apoio da consultoria jurídico-tributária dos drs. José Luiz Bulhões Pedreira, Gilberto de Ulhôa Canto, um dos autores do Código Tributário Nacional, Alcides Jorge Costa e Tadeu de Chiara foi inestimável. E a equipe ouviu também os advogados Saulo Ramos e Ives Gandra Martins. A questão mais delicada era como inserir a URV, uma moeda virtual, no ordenamento jurídico monetário. Qualquer engano e seriam bilhões de cruzeiros reais, ou que moeda viesse a ser reconhecida pelos tribunais, a serem pagos pelos cofres públicos como indenização por prejuízos causados. Tanto mais que havia as indexações e a transformação de milhões de contratos de uma unidade monetária em outra, com a imensa quantidade de dúvidas sobre os índices de reajuste.[19]

Pois bem, até a publicação deste livro apenas uma única causa relevante contra o Plano Real havia sido acolhida pelo STF: uma ação referente

---

[19] Tomo emprestada de Gustavo Franco a explicação sobre como se calculava a passagem de uma a outra unidade monetária: "(...) A metodologia para cálculo da paridade diária entre o cruzeiro real e a URV tomaria por base uma 'banda' de três índices de preço de ampla utilização — IGP-M, IPCA-E e o IPC-Fipe, 3ª quadrissemana — adotando, assim, procedimento muito semelhante ao utilizado para reajuste da Ufir diária, que refletia, a cada dia, uma 'projeção' do IPCA (série especial) relativo ao mês em curso, apenas enquanto o índice 'fechado' não era divulgado" (Gustavo H. B. Franco, *O Plano Real e outros ensaios*, Rio de Janeiro, Francisco Alves, 1995).

à data de conversão para a URV dos salários dos servidores do Legislativo e Judiciário. A decisão implicou um aumento de 11% nos salários.

Tudo isso tem a ver com nosso ponto de partida de crença na necessidade de estabilizar a economia garantindo contratos e respeitando a democracia. Muitos julgavam esse tremendo esforço de modo sumário, como mostrarei adiante. Críticos e adversários (quando não alguns aliados) superestimavam a vontade política como fator de mudança. Subestimavam as dificuldades, as rugosidades da vida real. E, *ex-cathedra*, lançavam no papel artigos demolidores ou jogavam ao ar discursos inflamados, cuja falta de correspondência com a realidade do país equivalia à arrogância com que julgavam nossas intenções.

Covas não acreditava, mas apoiou

A exposição de motivos para justificar a MP do Real ficou pronta em dezembro de 1993, embora a respectiva lei somente tenha sido finalmente aprovada pelo Congresso em junho de 1995.[20] (Até lá, a MP foi sendo reeditada.) Ainda que André estivesse afastado de posições de governo, incumbi-o de redigir os resultados a que chegáramos para conceber o Plano Real. A proposta tinha uma arquitetura simples e arriscada. Outros planos haviam soçobrado não tanto por erro central de concepção, mas pela negligência para com os detalhes. As poucas alusões que fiz às dificuldades para chegar a acordos e o tatear em quase tudo, principalmente nas reações do Congresso e do governo, mostram que a implementação de um programa como o Plano Real, que implicava mudar uma cultura e requeria transformações na organização do Estado, é algo muito diferente do previsto nos textos dos manuais ou em reflexões meramente teóricas sobre como deve ser a boa economia. No espírito dos que estávamos tentando mudar o Brasil abrigavam-se menos certezas do que apostas.

Entre outubro e dezembro de 1993 os lineamentos básicos do plano estavam formulados. Já se sabia que não daríamos um choque de estilo habitual, que não seriam impostos congelamentos nem prefixações, que apostaríamos nas induções corretas para o mercado e a população reagirem adequadamente. Acreditávamos que o somatório entre informação

---

[20] Lei nº 9.069, de 29/6/1995.

adequada e liberdade de escolha apresentaria bom resultado. Mas tínhamos receio de muitas coisas. Lográramos um apoio tíbio dos mercados internacionais, com a negociação da dívida externa. A desconfiança sobre o êxito de nossos propósitos era considerável.

Em mais de uma oportunidade Stanley Fischer, que fora professor de André Lara no MIT e funcionava como uma espécie de assessor informal de Larry Summers, estivera no Brasil para avaliar os avanços na formulação do plano. (Dali a um ano, Fischer se tornaria o vice-diretor-gerente do FMI.) Também me encontrei com ele por ocasião da tal reunião no FMI em que me senti um tanto deslocado. Em conversas com Fischer e com Alexandre Kafka, legendário representante do governo do Brasil no Fundo, percebi as dúvidas. Não se questionava a boa qualidade da equipe, mas tinham-na como "inexperiente". Os progressos que vínhamos obtendo no ajuste fiscal não pareciam suficientes aos técnicos do FMI. Em certo momento Stanley Fischer chegou a sugerir um congelamento de preços por dois a três meses, para facilitar a aceitação do plano pelos sindicatos. Sim, essa sugestão não partiu de economistas de esquerda, de setores nacionalistas ou de saudosistas do Plano Cruzado: veio de alguém próximo do supremo escalão do Departamento do Tesouro dos EUA.

Era difícil manter o moral da tropa com tantas incertezas e, ainda por cima, com o clamor da opinião pública para que agíssemos com presteza, sabendo, como sabíamos, que ainda faltava acertar numerosos pontos. Foi neste contexto que pedi apoio ao PSDB. Reunimo-nos em meu apartamento de Brasília, creio que em fins de setembro. Pelo PSDB, Mário Covas, Tasso Jereissati, ex-governador do Ceará, e seu sucessor, Ciro Gomes, e José Serra. Tasso era presidente do partido, Covas e Serra, líderes no Senado e na Câmara. Dentre os meus colaboradores estavam Clóvis, Bacha, Gustavo Franco, Winston Fritsch, André e Pérsio, todos filiados ao PSDB. Mostramos aos líderes políticos, em linhas gerais, no que consistiria o plano: um risco complexo com a utilização de duas moedas. Insistimos que precisávamos da aprovação do FSE e do aumento de impostos para equilibrar a situação fiscal, antes de propormos as medidas de maior impacto. Mais difícil ainda: não haveria congelamentos e outras decisões politicamente apetitosas.

Eu não esperava da reunião, diferentemente do que se publicou a respeito, apenas o endosso do partido. Esperava uma injeção de entusiasmo para evitar a tendência de "é melhor não fazer já, porque as coisas ainda não estão maduras na nossa cabeça". Ou seja, receava que o temor do fracasso levasse a equipe ao imobilismo. Os líderes ali presentes reagiram com certa decepção por estarmos pedindo tanto (sem falar nas reformas constitucionais que nos pareciam indispensáveis para enfrentar a reorganização do Estado, a questão tributária e a previdenciária) e oferecendo tão pouco como moeda política de troca. Indagados sobre o cronograma do plano de estabilização, nossos economistas tergiversaram e mencionaram como data provável o mês de novembro de 1994 — depois das eleições, portanto. Jogar o deslanche do programa para o final do ano denotava o receio de arriscar tanta coisa, com escassas certezas. Àquela altura as chances de vitória de um candidato que nos apoiasse eram muito pequenas. Com a possível derrota eleitoral em outubro, o plano iria ladeira abaixo.

O silêncio de uns e a perplexidade de outros não diminuíram a solidariedade e também a visão clara dos líderes de que era tudo ou nada. Se nada fizéssemos ou se não desse certo, o PSDB, com seus candidatos, pagaria o preço do nosso fracasso. Foi Mário Covas quem expôs isso de maneira decidida, franca, sem ilusões, mas com muita solidariedade:

— Vocês sabem o que estão pedindo, não é? Que a gente concorde em ser derrotado nas eleições, que são em outubro... Mas se é esse o preço que vocês acham que é preciso pagar para o país sair da entalada, eu apóio.

Acrescentou:

— Não sei se vai dar certo, acho que não, mas apóio e vou lutar no Congresso até o fim para aprovar as medidas que vocês enviarem.

E assim agiu, com raro espírito público, a despeito de ser pré-candidato ao governo de São Paulo e de ter tido a impressão de que o plano prejudicaria suas chances eleitorais.

Como me tornei candidato à Presidência

Apesar do delineamento do programa de estabilização ter sido apresentado em dezembro de 1993, o ceticismo continuava, como registrado pelos comentários que reproduzimos páginas atrás. Pior, começava a aparecer o espectro de minha candidatura à Presidência. Em dezembro de 1993 Hélio Jaguaribe publicou um artigo no qual pôs o dedo na ferida afirmando que o plano tinha tudo para se converter em grande trunfo eleitoral.[21] As águas começaram a dividir-se, mesmo antes de eu ter considerado seriamente a hipótese de concorrer. Não posso afirmar com segurança quando esta eventualidade se tornou clara na minha consciência. Em dezembro de 1993 minha preocupação obsessiva ainda se concentrava no plano de estabilização. O PSDB buscava contatos com o PT, para uma eventual aliança. O partido realizava pesquisas de opinião com seus nomes mais conhecidos, inclusive o meu, sobretudo a instâncias de Tasso Jereissati, mas os resultados mostravam baixo reconhecimento por parte do eleitorado. Tentávamos também atrair para o PSDB, para ser nosso candidato, o ministro da Previdência, Antônio Britto, filiado ao PMDB. Ele fazia boa administração e me apoiou dentro do governo o tempo todo. Além de tudo, imaginávamos Britto entre os tucanos em razão da pequena chance de ser escolhido por seu próprio partido.

Lembro-me de que na fase de elaboração do programa recebi em meu apartamento o presidente do PT, deputado José Dirceu (SP), e Lula, o candidato óbvio do partido. Chamei-os para tentar convencê-los a apoiar as medidas do Plano Real no Congresso. Disse-lhes que não me pareciam acarretar perdas aos trabalhadores. Pelo contrário, o acerto dos salários tendo como referência a URV, uma vez estancada a inflação, seria vantajoso. A certa altura Dirceu me perguntou:

— Você acha que será possível, no segundo turno, uma disputa entre o PT e o PSDB?

Na eleição anterior estivéramos juntos no segundo turno, com os principais nomes do PSDB apoiando Lula contra Collor. Não hesitei e, referindo-me a meu partido, respondi com sinceridade:

— É quase impossível.

Não mudei o ânimo dos petistas, pois votaram contra tudo no Congresso, mas disse o que realmente pensava na ocasião. De fato não acreditava que tivéssemos chance de chegar ao segundo turno.

À época, me parecia visível que o Presidente Itamar tinha bastante apreço por Britto e por mim. Provavelmente o que mais pesou no meu espírito para enfrentar o desafio de uma candidatura à Presidência tenha sido sua decisão, no final de dezembro de 1993, de pedir a renúncia de

---

[21] "O plano e a candidatura Cardoso", *Jornal do Brasil*, 15/12/1993.

todos os ministros que fossem participar das eleições de 1994, com exceção do ministro da Fazenda. Considerei tratar-se, à maneira oblíqua de Itamar, de um sinal de sua preferência entre os dois. Além do que, como Britto se encaminhou para disputar o governo do Rio Grande do Sul — uma candidatura à Presidência pelo PSDB implicaria troca de partido, o que entre os gaúchos sempre constituiu problema sério —, Itamar estava ficando sem opções.

O curioso nesse processo — e agora cabe-me fazer uma revelação — é que terminei sendo o candidato de Itamar sem que jamais, em nenhuma ocasião, tivéssemos conversado de maneira aberta e clara sobre a questão, embora, obviamente, nos cercassem cogitações de terceiros. O Presidente nunca abria o jogo, neste assunto como em vários outros. Não dizia nada; ouvia. Não posso garantir, mas creio que, dentro do governo, minha candidatura era encarada com simpatia pelo advogado-geral da União, José de Castro, um dos colaboradores próximos do Presidente, e também seu amigo de muitos anos, da mesma forma como entendo que outro dos amigos do círculo íntimo, o chefe da Casa Civil, Henrique Hargreaves, a ela não se opunha. Apesar de retrancado em sua prudência mineira, a realidade é que Itamar sem dúvida me apoiou o tempo todo.

Aliás, devo deixar claro aqui o que considero ter sido uma relação muito generosa que Itamar, na Presidência, sempre teve para comigo, começando no Itamaraty e prosseguindo em meu período como ministro da Fazenda. Ao contrário do que muita gente comentava na época, e das futricas que apareciam em veículos da mídia, o Presidente jamais manifestou ciúmes ou inveja pela evidência em que meu trabalho no governo me colocava. Como ministro da Fazenda, não raro o Presidente, em vez de discursar em encontros de trabalho ou reuniões ministeriais, tomava a iniciativa de pedir a mim que falasse. Quando chanceler, em viagens ao exterior, por iniciativa de Itamar, por vezes parecia que eu, e não ele, era o chefe da delegação. De minha parte, sempre me mantive leal ao Presidente e não avançava o sinal. As coisas entre nós dois só se complicaram depois, quando eu já o sucedera, e tardiamente percebi que Itamar gostaria de voltar à Presidência. Eu não podia imaginar isso, diante da contrariedade e mesmo do sofrimento que, não poucas vezes, manifestou com o exercício do cargo.

O fato é que, com a simpatia do Presidente, acabei sendo candidato. Até então preferia apoiar um nome que, uma vez eleito, me mantivesse à frente do Ministério da Fazenda. Se Itamar não tivesse um candidato, provavelmente perderia interesse em sustentar minha ação no Ministério, como sustentava, a despeito de seu estilo um tanto enigmático. Ficaríamos em tal caso no pior dos mundos, sem chances de implementar o plano de estabilização.

A candidatura ajudou a aprovar o FSE

Estas considerações *ex-post* não serviriam, como não serviram, para evitar o inevitável: a partir do fim de dezembro de 1993, início de janeiro de 1994, a discussão do plano de estabilização, para o bem ou para o mal, partidarizou-se mais ainda. Graças a isso, paradoxalmente, conseguimos aprovar o FSE no começo de fevereiro. O PFL estivera retraído, quando não contrário ao plano, pois temia que ele dificultasse a revisão constitucional automática prevista na Carta, na qual haveria mais oportunidades para as reformas liberalizantes que desejava implantar, com redução de impostos. Aos poucos, todavia, o partido foi perdendo as ilusões quanto à efetividade da revisão constitucional. Passou então a cogitar de me apoiar como candidato. Tive pelo menos dois cafés-da-manhã no apartamento de Marco Maciel com Jorge Bornhausen e o deputado Luís Eduardo Magalhães (PFL-BA), entre outros, onde o apoio me foi oferecido. Num terceiro encontro, lembro-me da frase com que Bornhausen deixou clara a posição do PFL:

— Olha, nós estamos dispostos a apoiar você. De modo que conte conosco.

Não pude ser conclusivo, porque precisava aplainar o caminho com meus companheiros do PSDB. Tinha, contudo, plena clareza não apenas do peso eleitoral do PFL — no Nordeste, território do partido, nosso único bastião era o Ceará de Tasso Jereissati e Ciro Gomes — como da importância de seu apoio no Congresso para a implementação de um plano de governo, caso me elegesse. A partir dessas conversas, e mesmo antes da aliança formal PSDB-PFL, aumentou substancialmente a base de sustentação para as medidas que propusemos ao Congresso. Além do PFL e de boa parte do PMDB, que já apoiava o Plano Real, outros deputados e senadores passaram a ver que o "sacrifício" de votar medidas nem sempre populares poderia ser compensado por uma candidatura que, se ainda não apresentava viabilidade eleitoral nem havia sido assumida, começava a ter peso político. Mais tarde, em abril, depois que o PSDB em bloco me visitou no Ministério da Fazenda e aceitei formalmente ser candidato, participei de um almoço no apartamento de Serra na SQN 302 de Brasília com a direção do partido — Covas, Richa, Tasso, Montoro, Pimenta, Scalco e outros.

Durante a conversa, mencionei reunião que tivera no mês anterior com Carlos Augusto Montenegro, presidente do Instituto Brasileiro de Opinião Pública e Estatística (Ibope), no apartamento de Eduardo Jorge. Montenegro mostrou dados, retirados dos periódicos levantamentos de opinião pública que promovia, indicando que duas pessoas tinham potencial para vencer as eleições daquele ano: Antônio Britto e eu. Podíamos, um ou outro, ganhar sozinhos, assegurou.

— Mas a gente não governa sozinho — lembrei, para defender novamente a necessidade da aliança com o PFL. — Uma coisa é pesquisa, outra é a vida depois.

Tal como Ulysses fizera com Montoro, Roberto Gusmão e eu a respeito da candidatura de Tancredo pelo Colégio Eleitoral, quase dez anos antes, perguntei a eles:

— Quero saber a opinião de cada um de vocês sobre essa aliança com o PFL.

Houve unanimidade em aceitar o apoio dos liberais, embora mais tarde, na convenção do PSDB em Contagem que selou a aliança, dia 18 de maio, tenha havido um início de tumulto de parte de militantes hostis ao PFL. Ciro Gomes chegou perto de se envolver em luta corporal com alguns deles.

O apoio do PTB, que se aliaria à chapa PSDB-PFL, veio em seguida. O presidente do partido, senador José Eduardo Andrade Vieira (PR), aspirava à candidatura, mas abriu mão dela para juntar-se a nós. Colegas no Senado, os dois nos aproximamos como ministros de Itamar. Como chanceler, cabia-me tratar em fóruns internacionais da questão, extremamente intricada, da legislação de patentes, e Andrade Vieira, ministro da Indústria e Comércio, me ajudou muito no esclarecimento do assunto. Banqueiro, um dos donos do Bamerindus, não faltou quem achasse, e talvez tenha continuado a achar, que ele financiou a campanha. De modo algum. Certamente contribuiu — eu nunca soube com quanto —, inclusive por ter cedido para uso da campanha um espaçoso jatinho HS. O fundamental, porém, seria seu apoio político, porque o PTB contava muito, tanto para a sustentação ao Plano Real como do ponto de vista eleitoral. Ele dedicou-se com afinco à corrida eleitoral, integrou o comitê principal de campanha que viríamos a constituir, sediado em Brasília, e, entre outras tarefas, ajudou a organizar o comitê de arrecadação de recursos em São Paulo, trabalhando junto ao tesoureiro, Luiz Carlos Bresser-Pereira.

A postura do PFL e também a do PTB explicam como foi possível aprovar o FSE com tanto ceticismo ao redor. Vejamos alguns exemplos, não só de ceticismo, mas de oposição real ao que propusemos.

A crítica mais constante era a de que a URV não passava de uma promessa de efeitos duvidosos; em contraposição, o FSE deixava margem imediata para o governo gastar arbitrariamente e, ainda por cima, havia o aumento considerável de impostos que pedimos ao Congresso com o objetivo de equilibrar o Orçamento de 1994.

Esse estado de espírito prevaleceu desde a divulgação do plano. A conversão dos contratos para serem denominados em URV seria realizada livremente, dando-se aos contratantes o direito de definir se desejavam ou não fazê-lo, tanta era nossa confiança em que a população entenderia as vantagens de uma moeda estável quando contrastada com outra, inflacionária. Esta proposta, não autoritária, chocava-se, entretanto, não só com o comportamento do governo nos seis planos anteriores, desde o Cruzado, como com a cultura política tradicional, segundo a qual o Estado deve impor e não oferecer opções. Além disso, achavam injusto que a conversão dos salários para a URV fosse obrigatória e a dos outros preços da economia, voluntária. Não percebiam as vantagens da conversão para os trabalhadores.

Mesmo publicações que no geral apoiavam o plano expressavam restrições. "O pacote do ministro Fernando Henrique não deixa de vir embrulhado no velhíssimo papel do aumento dos impostos." Esta era a opinião da revista *Exame*, que no entanto explicava a proposta de maneira favorável, dizendo que a URV buscava restabelecer a noção de preço, baseando-se na inflação corrente, não na passada, e mostrando que ela só se transformaria em moeda depois de um período de adaptação das pessoas à proposta.[22]

---

22 "Façam suas apostas, senhores", *Exame*, 8/12/1993.

A generalizada descrença abriu a brecha para o contra-ataque dos políticos. O mais direto: é inaceitável cortar verbas dos estados e municípios, entoavam os governadores do Nordeste, com apoio ostensivo do presidente do Senado, Humberto Lucena, e do líder da bancada do PMDB, senador Mauro Benevides (CE). Todos propunham a solução popular: aumentar os impostos sobre os bancos (por mais que os taxássemos, e taxamos bastante, obteríamos recursos bem inferiores aos 20% das verbas orçamentárias que o FSE propiciaria).

Em dezembro de 1993 e janeiro de 1994, negociei diligentemente com cada bancada partidária e cada grupo de governadores. Com o auxílio de Edmar Bacha, me desdobrei em cafés-da-manhã, almoços e jantares (às vezes dois de um deles no mesmo dia). Esfalfei-me, com dados à mão para mostrar que precisávamos de mais recursos para depois lançar medidas mais audaciosas. Cedi no caso dos estados e municípios, cedi em outros pontos, porém não desisti nem cedi no essencial. Em 17 de dezembro a *Gazeta Mercantil* trazia na manchete: "Fernando Henrique luta sozinho pela aprovação do plano." A *Folha*, recolhendo a opinião de parlamentares, proclamava no dia 30: "Estilo de FHC desagrada parlamentares." Para comprovar citava o deputado Delfim Netto (PPR-SP): "Ele está fazendo terrorismo ao dizer que a única solução para o país é seu plano."

No meio-tempo, consegui que o Presidente Itamar assinasse uma MP elevando os impostos antes do fim do ano, como a Constituição exigia para que o aumento valesse no ano seguinte. Com isso ganhamos tempo, pois o Congresso poderia aprovar a medida na convocação extraordinária de janeiro. O líder do PFL na Câmara, Luís Eduardo Magalhães, comentou:

— Ministro, isso vai cair. Vai ter gente brigando para ver quem derruba primeiro essa medida.

A briga não se travaria só com os parlamentares arredios. O líder do governo, deputado Roberto Freire (PPS-PE), um dos que tinham recomendado com maior ênfase ao Presidente minha nomeação como ministro da Fazenda, defendia ardorosamente um projeto de lei para readmitir dezenas de milhares de funcionários públicos demitidos pelo governo Collor. Eu me opus ao projeto devido à aberta contradição existente entre elaborar um Orçamento austero, aumentar impostos para cobrir despesas obrigatórias e, ao mesmo tempo, admitir mais funcionários, sendo que parte deles já recebera indenização do poder público. A proposta, todavia, era politicamente irresistível. Apoiavam-na políticos de meu próprio partido, o PSDB, para não falar no Presidente Itamar, de coração sempre pronto a abrigar reivindicações justas em si, embora nem sempre viáveis.

Os ministros militares, o da Educação, Murílio Hingel, e, principalmente, o do Trabalho, Walter Barelli, colocavam dúvidas sobre a conversão dos salários em URV e sobre os cortes de verbas. O ministro da Saúde, Henrique Santillo, não queria a desvinculação dos recursos destinados a sua pasta. O procurador-geral da República, Aristides Junqueira, impetrou ação junto ao STF pedindo que o corte de 25% no Orçamento do Judiciário por nós aplicado fosse declarado inconstitucional. O senador Sarney, por sua vez, considerava inconstitucional o pedido para aprovar o FSE no processo da revisão constitucional automática (quando, lembro novamente, precisaríamos de apenas 50% mais um dos votos do Congresso), como emenda às Disposições Transitórias da Constituição, já aceita pelo relator, Nelson Jobim. Nesse clima, era difícil não concordar com a mídia: "Pode parecer exagero, mas o fato é que não existe nenhuma corrente política no Congresso, à exceção talvez do PSDB do ministro Fernando Henrique, interessada em colaborar no sucesso do plano", como publicou *Exame* (22/12/1993).

Durante janeiro a luta parecia perdida, tanto para a aprovação do FSE como do aumento dos impostos que facilitaria o Orçamento de 1994. O relator da Comissão de Orçamento, deputado Marcelo Barbieri, do PMDB quercista de São Paulo, foi irredutível. Como o Orçamento de 1994 incluía verbas que só existiriam se o FSE fosse aprovado, considerou o procedimento inconstitucional. "Logo, todo o Orçamento deve ser recusado", defendia.

Os governadores, como já dito, opunham-se ao FSE. E nós da equipe econômica lutando como se estivéssemos sós dentro e fora do governo, pois o Presidente Itamar nos apoiava, mas não expressava publicamente sua posição. Revendo as manchetes dos jornais, o bordão era sempre o mesmo: o Congresso não vai aprovar o ajuste, nem a emenda constitucional. Pior ainda, se aprovar, nada dará certo... Os economistas, mesmo quando favoráveis, continuavam céticos. "Brasil não terá hiper nem estabilidade", manchetava a *Folha de S. Paulo* (2/1/1994). Na reportagem, os economistas ouvidos insistiam na tecla: embora o Plano seja consistente, não há condições políticas para executá-lo. Os burocratas de Washington associavam-se ao coro do pessimismo. "Banco Mundial e FMI vêem poucas chances para o plano", noticiava a *Folha* (29/1/1994), citando o vice-presidente do Banco Mundial, Sahid Hussain: "O Brasil é a nova nuvem no horizonte da América Latina."

E assim foi mesmo depois de 19 de janeiro de 1994, a partir de quando o Congresso começou a aprovar, por etapas e com alterações, as principais medidas do Plano Real. Aprovava-as, com idas e vindas, com falta de número para votar na comissão especial, com ausência de deputados no plenário, com desânimo. Repito: as análises expressas na mídia apenas ecoavam o clima de desconfiança criado pelas inúmeras dificuldades que tivemos que enfrentar.

No dia 27 de janeiro, por exemplo, houve falta de quórum para votar uma elevação no IR das empresas, sendo que o aumento do mesmo imposto para as pessoas físicas já havia sido aprovado. A imprensa proclamou nossa derrota no Congresso, que poria tudo a perder. Vi-me obrigado a reagir com energia. Reclamei publicamente da displicência da maioria governista que se ausentara, ameacei renunciar, recebi apoio explícito dos ministros militares e, em fevereiro, vencemos de novo. A intriga política, no entanto, continuava. "Presidente está decepcionado com resultado do Plano FHC", apregoava a *Folha* (26/1/1994). "Sucessão põe em risco o Plano Cardoso", previa o *Correio Braziliense* (28/1/1994). "Do caos nasce a desconfiança", escrevia Dora Kramer no *Jornal do Brasil* (29/1/1994). "O Plano FHC está isolado", sustentava Carlos Alberto Sardenberg na *Folha* (30/1/1994).

Não bastassem as outras dificuldades, a emenda constitucional sobre o FSE ocupava o último lugar na pauta do Congresso. Foi preciso que o líder do governo, a essa altura o deputado Luiz Carlos Santos (PMDB-SP), com a ajuda do líder do PFL, Luís Eduardo Magalhães, lançasse mão de uma manobra regimental pedindo preferência para votá-la. Tudo isso com muita articulação: negociamos com o PMDB, Itamar ficou firme e ganhamos por 388 a 38 votos. Para um ministro "ameno" e propenso a agradar a todos não foi um resultado tão mau assim...

Não obstante, Fernando Pedreira vaticinou: "O ministro Fernando Henrique acabou ganhando sua decisiva batalha política no Congresso, embora cometesse três erros crassos que o mineiro José Maria Alckmin [primeiro ministro da Fazenda de Juscelino] certamente não cometeria." A saber: lancei-me candidato à Presidência, promovi um aumento de impostos e anunciei "antes da hora" uma URV ainda mal definida. "Um ministro da Fazenda que joga com as cartas abertas é porque não sabe que espécie de jogo está jogando."[23]

Para evitar derrotas de última hora nas votações no segundo turno, reclamei da conduta de alguns ministros que estavam cabalando votos contra nossas propostas e o Presidente Itamar me apoiou, fato que tornei público. Tudo isso em um ambiente turvo, enquanto o Presidente enfrentava críticas e pressões após uma desafortunada passagem pelo desfile das escolas de samba do Carnaval do Rio. Chegaram a pairar no ar boatos sobre sua renúncia, o que levou a um desmentido formal do líder do governo no Senado, Pedro Simon.

As dificuldades eram tantas que a cada vitória cantava-se um réquiem. *O Globo* escreveu: "Com esta vitória, Fernando Henrique saiu fortalecido, mas, como contrapartida, praticamente inviabilizou sua candidatura à sucessão presidencial."[24] Além disso, ponderava o jornal, ainda haveria que enfrentar o segundo turno de votação da emenda e, se aprovada, sua promulgação isolada, antes do fim da revisão constitucional, seria questionada no Judiciário.

Nada acabou sendo impossível. Insisti e vencemos. Tinha razão, entretanto, o editorial de *O Globo* quando disse: "As dificuldades para a aprovação do Fundo Social provam que os filhos da inflação ainda darão muito trabalho nos meses pela frente."

Os salários e a URV: oposição até dentro do governo

Lançado o plano com a idéia da URV, os meses seguintes, de janeiro e fevereiro de 1994, serviram-nos para aprimorar a MP que consubstanciaria o programa de estabilização e para aprovar no Congresso o FSE. Tínhamos enfrentado uma dura refrega para aprovar o FSE, mas ela se esgotava no círculo político. Tratou-se de uma luta pela repartição do bolo orça-

[23] "O jogo dos três erros", *Jornal do Brasil*, 13/2/1994.

[24] *O Globo*, 9/2/1994.

mentário entre a União, por um lado, e os congressistas e governadores, pelo outro. Já a questão salarial afetava todo mundo e tinha nos sindicatos e nos partidos os interlocutores mais ativos.

Os combates para aprovar a URV superaram em dificuldades os travados para a aprovação do FSE. Havia numerosos problemas. Os principais eram, de um lado, a conversão dos salários, e de outro as aplicações no mercado financeiro. Com o mesmo espírito com que demos duro para resolver as questões dos contratos e as questões jurídicas em geral, dedicamo-nos a solucionar o contrato mais sensível para o povo, o salarial.

Os Planos Collor, Bresser e Verão deram margem a numerosas disputas judiciais (e a um alto custo para o Tesouro com as causas ganhas pelos que contestavam a União, como no caso do FGTS) porque não implicaram mudança de padrão monetário, isto é, troca da moeda corrente. No caso de mudanças de padrão monetário, entretanto, o STF reconhecia que não fazia sentido pagar na moeda nova a inflação prevista na moeda velha. Essa configurava uma questão-chave para as aplicações financeiras. A introdução de uma "moeda virtual", mantendo-se a moeda antiga, corresponderia a uma mudança de padrão monetário? E quando ela efetivamente ocorreria — desde a introdução da URV ou só depois que ela se transformasse em real? Isso ensejou muita discussão. Por fim, o artigo 36 da MP determinou que não se levasse em conta no momento da conversão dos contratos para URV a projeção da inflação na moeda "velha", o cruzeiro real. Politicamente a medida era indispensável, para mostrar que não estávamos privilegiando as aplicações financeiras em relação aos salários. Nada disso, no entanto, diminuiu a barulheira sobre as supostas perdas salariais.

Outro ponto polêmico, mesmo dentro do governo, viria a ser a conversão dos salários. O modo de fazê-la tomou em consideração uma sugestão do professor de Direito do Trabalho da USP Amauri Mascaro do Nascimento. Ele aconselhou o ministro da Previdência, Sérgio Cutolo, e o secretário executivo do Ministério, Luciano Oliva Patrício, que cuidaram da matéria, a introduzir explicitamente no artigo 27 da MP uma regra determinando a revisão dos salários na primeira data-base de cada categoria de trabalhadores.

Na época a lei previa uma data para o reajuste salarial de cada grupo de trabalhadores. A regra preexistente, como vimos, falava em reajuste a cada quatro meses e antecipação bimestral de 60% da inflação. Decidimos que a conversão em URV seria efetuada em 31 de março de 1994 pela média dos salários recebidos em cruzeiros reais nos últimos quatro meses.

Na antevéspera da assinatura da MP, o ministro do Trabalho, Walter Barelli, e o almirante Arnaldo Leite Pereira, ministro-chefe do Estado-Maior das Forças Armadas (Emfa), encarregado da questão salarial dos militares dentro do governo, chegaram juntos ao Ministério da Fazenda altas horas da noite, cálculos à mão, para mostrar o "desastre" que a URV ocasionava nos salários. Seria um achatamento geral dos vencimentos. Técnicos dos dois lados se juntaram e, ao final, constatou-se estarem erradas as suposições em que as perdas se baseavam.

Não obstante, no dia seguinte, um sábado calorento de fim de fevereiro, dia 26, o Presidente convocou alguns ministros ao Palácio do Planalto para revisar a MP, dentre eles os que tinham estado comigo na véspera. A discussão foi extremamente ardorosa. Além das "perdas", havia a questão do salário mínimo, que o ministro Barelli queria aumentar, no que era acompanhado por quase todo mundo na sociedade, no Congresso e no governo. Falava-se em elevá-lo para o equivalente a 100 dólares. Nós havíamos fixado o salário mínimo em 64,5 URVs, mera conversão dos valores de então. Estávamos convencidos de que o fim da inflação proporcionaria um ganho na capacidade real de compra. Sabíamos também, sem a menor dúvida, do valor baixíssimo do mínimo. Só que ele interferia diretamente no equilíbrio fiscal, pois a Previdência Social é a maior pagadora de salários mínimos do país e qualquer incremento aumenta o déficit do INSS.

A questão, portanto, não era a de que o salário mínimo fosse aceitável ou que não devesse ser aumentado, mas de insistir que *naquele momento* estávamos fazendo somente uma conversão monetária, dentro de um processo de controle da inflação. Os aumentos deveriam vir depois, como vieram.[25] Assim como, se possível, o governo deveria promover no Congresso a desvinculação do piso de benefícios do INSS ao salário mínimo dos trabalhadores ativos do setor privado. Isso viria a ocorrer, na prática, a

---

[25] O salário mínimo teve aumentos sustentados a partir do Plano Real. De junho de 1994 até o fim de meu governo, acumulou um aumento real de mais de 40%. Em relação ao custo da cesta básica, a valorização foi de 93%.

partir da promulgação da lei complementar que permitiu aos governadores fixar pisos salariais nos estados,[26] embora poucos tenham usado essa faculdade.

Confesso que me irritei profundamente na reunião do dia 26. Os mesmos ministros que me haviam procurado na véspera, aos quais demonstramos — com a anuência dos respectivos técnicos, diga-se — os erros de avaliação dos efeitos da URV nos vencimentos do funcionalismo, pressionavam o Presidente (agregando, ainda, a questão do salário mínimo) para que ele me obrigasse a ceder.

Tivemos uma discussão longuíssima. Gustavo Franco participou de parte da reunião para esclarecer certos pontos. Voltou à tona a mesma dificuldade da véspera, como se minha reunião anterior com os ministros não tivesse existido. Insistia-se em que haveria perdas para os assalariados e, portanto, era necessário aumento de salário. Nesta reunião, de que participaram, além de Barelli e o almirante Arnaldo, entre outros, o chefe da Casa Civil, Henrique Hargreaves, o secretário-geral da Presidência, Mauro Durante, o ministro da Indústria e Comércio, Élcio Álvares, e o ministro da Administração, general Romildo Canhim, só obtive o apoio efetivo de Élcio. Ao longo das discussões, vinha-me com freqüência à memória o aumento salarial concedido pelo Presidente Sarney no lançamento do Cruzado, em 1986 — sem dúvida um dos fatores da explosão de demanda que levaria o plano a fracassar.

Cheguei a me exaltar, dizendo:

— Vocês não estão entendendo nada, está tudo errado.

E olhava para o Presidente Itamar. Ele se mantinha como uma esfinge. Dirigia o olhar para baixo, para os lados, sua fisionomia crispada deixando evidente sua tensão e constrangimento. Não tomava, entretanto, uma decisão. No fundo, julgo saber o que se passava no interior do Presidente. Itamar estava dividido entre o impulso generoso, que o inclinava a conceder um aumento, de um lado, e, de outro, o respeito a mim somado à expectativa de que finalmente teríamos um plano.

Cedi pouco: propus que concedêssemos um aumento geral de 5% aos funcionários antes de converter seus vencimentos à URV e que formásse-

[26] Lei Complementar n° 103, de 14/7/2000.

mos uma comissão para avaliar até o fim daquele ano, 1994, a possibilidade e as conseqüências da elevação do salário mínimo para 100 dólares.

Isso depois de um episódio que não pude evitar de protagonizar. Levantei-me da mesa, contrafeito, saí de meu posto, e me dirigi a Hargreaves. Inclinei-me sobre ele e sussurrei a seu ouvido, ilustrando o que dizia com o gesto de bater a mão em meu próprio ombro:

— Estou cansado de carregar o governo aqui. Cansei de carregar vocês nas costas, estou fazendo isso há muito tempo. Vá lá e diga a seu chefe que nomeie o Barelli para meu lugar. Ele deve ter soluções melhores para os nossos problemas. Cansei.

O Presidente continuava tenso, mas não proferiu qualquer palavra que me desautorizasse. Até que, a certa altura, com um meneio, manifestou sua concordância com a solução que propus. Saí da reunião quase na hora anunciada em que, diante de uma multidão de jornalistas que me aguardava no Ministério da Fazenda, explicaria ao país como seria, finalmente, a MP da URV e como funcionaria o plano. Concedi uma bateria de entrevistas naquela mesma noite a vinte e tantos diferentes veículos da mídia, começando pelas TVs, que haviam montado toda uma parafernália eletrônica no edifício do Ministério. Falei calma e claramente, respondendo a todas as perguntas dos jornalistas, como se o dia houvesse transcorrido na maior normalidade. A imprensa, contudo, nos dias seguintes, relataria as dificuldades e o tom das negociações. "Reunião de nove horas vence resistências", noticiou *O Globo* (28/2/1994). "FHC cede e dá abono de 5% ao servidor", registrou Clóvis Rossi na *Folha de S. Paulo* na mesma data. "Itamar ficou à margem até a última hora", dizia outra matéria da *Folha*, também no mesmo dia.

Os sindicatos logo protestaram contra as "perdas" que estaríamos infligindo aos trabalhadores. Para demonstrá-las, tomavam o valor mais alto dos salários de cada mês, que não correspondia ao dia efetivo de seu recebimento pelos trabalhadores, mas ao da entrada em vigor do aumento, convertiam em URV estes "picos" e comparavam com o que aconteceria com o valor das médias em URV. Tautologicamente, "demonstravam" as perdas.

Deixavam de lado o principal, ou seja, que se a inflação atingisse, como chegou a acontecer, 40% ao mês, um salário que hipoteticamente valia 100 cruzeiros reais no dia 1º de determinado mês, quando fosse efetivamente recebido pelo trabalhador, trinta dias depois, teria encolhido para 60 cruzeiros reais. Feita a conversão pelos "picos", estaríamos concedendo um enorme aumento salarial, que inflacionaria os custos e poria por terra o esforço de estabilizar. O desastroso aumento real decidido por ocasião do lançamento do Cruzado fora relativamente pequeno em comparação com o que ocorreria se cedêssemos às pressões para corrigir os salários pelo pico.

Esse raciocínio era formulado com clareza meridiana não somente pelos técnicos do governo mas por vários economistas independentes. "Desta vez, existe a âncora do bom senso", Mário Henrique Simonsen escreveu na revista *Exame* (16/3/1994). Como demonstrou nesse e em outros artigos, ele talvez tenha sido o economista de fora do governo que melhor entendeu e apoiou o plano.

Nem por isso as críticas deixaram de ser contundentes. O Departamento Intersindical de Estatísticas e Estudos Sócio-Econômicos (Dieese), órgão de pesquisas ligado aos sindicatos, publicou dados mostrando as "perdas", usando naturalmente o critério acima criticado de comparar picos com médias sem levar em conta o valor real dos salários no dia em que concretamente eram pagos. Errou tanto que teve que se desdizer nos meses seguintes, quando os trabalhadores perceberam que estavam ganhando com a URV.

Acadêmicos continuaram a dar sustentação à tese das "perdas". Paul Singer, em diversos artigos desde dezembro de 1993, previu recessão e outros efeitos negativos a menos que o Congresso corrigisse o plano e aí, quem sabe, fosse possível discutir as verdadeiras causas da inflação — para ele, como já vimos, o conflito distributivo. O ideal seria negociá-lo ao redor de uma mesa, em uma série de Câmaras Setoriais da produção.[27]

Maria da Conceição Tavares, embora advertindo que não podia concordar tecnicamente com a proposta que logo veremos de criar um "gatilho salarial", acabou pedindo-o para proteger os trabalhadores, posto que os banqueiros, com o artigo 36, apenas deixariam de ganhar, enquanto "esse plano, se der certo, jogará na pobreza uma grande quantidade de

---

[27] "Estabilização e repartição da renda", *Jornal da Tarde*, 25/2/1994; "A transição monetária", *Jornal do Brasil*, 11/3/1994; "O plano FHC e os credores", *Jornal da Tarde*, 26/3/1994.

gente, porque bancos, exportadores e empresas, para se ajustarem, vão demitir". Propunha também ajustar os preços por meio de uma negociação com as cadeias produtivas, depois que Lula fosse eleito Presidente, como ela acreditava que aconteceria.[28] Note-se que todos os dados posteriores mostraram diminuição da proporção das pessoas que viviam abaixo da linha de pobreza. Demissões aconteceram, mas muito posteriormente, ligadas às crises internacionais e à política cambial, que em 1994 ainda não fora definida.

Com esse tipo de argumentação "técnica", não é de estranhar que os sindicatos, o PT e os políticos que apostavam em outra saída política tivessem feito o que fizeram durante a campanha eleitoral, mantendo sob intenso fogo de críticas o Plano Real.

De fato, mal a MP que criava a URV aportou na Câmara, o deputado petista Paulo Paim voltou à carga. Propôs que na data-base de cada categoria profissional houvesse a reposição das "perdas" salariais. Isso, diga-se em louvor do deputado, apesar de ter sido um dos poucos de seu partido a considerar o plano bem-intencionado, bem fundamentado. Acreditava que a sociedade aderiria a ele se se fizesse a reposição proposta e não via razão para o movimento sindical convocar uma "greve geral" antes da hora, como vinha sendo feito. Numa reunião no Ministério da Fazenda para explicar a URV a alguns membros da bancada do PT, o deputado Paim disse duas vezes que não estava entendendo:

— Então, trata-se do salário móvel? — indagou.

Era uma velha reivindicação do movimento trabalhista. De certa forma, era isso mesmo. Não adiantava, no entanto, explicar aos líderes sindicais ou aos políticos da oposição: a questão era derrotar o governo e os potenciais adversários na sucessão presidencial.

Lançada a semente da reposição das perdas, floresceram as idéias salvadoras. A comissão especial do Congresso que analisaria a MP, presidida pelo senador Odacir Soares (PFL-RO), tendo como relator o deputado Gonzaga Motta (PMDB-CE), dedicou-se a estudar iniciativas para "remediar o mal". Logo surgiu a proposta do infalível "gatilho" salarial, quer dizer, um mecanismo para corrigir automaticamente o valor dos salários toda vez que a inflação atingisse certa percentagem mensal ou por que pe-

---

28 *O Estado de S. Paulo*, 14/3/1994.

ríodo fosse. As propostas sobre que percentagem requeria o disparo do gatilho e em que intervalos de tempo variavam ao gosto de cada parlamentar. O que não variava era a convicção de que a inflação voltaria. E nós no pólo oposto, a querer apagar a memória inflacionária e, portanto, as medidas que a reavivavam. Até o PFL propunha mecanismos de correção salarial.[29]

Os líderes sindicais ameaçavam com a "greve geral", antiga palavra de ordem que, embora jamais se cumprisse na plenitude, assustava meio mundo. Sindicatos ligados à CUT e à Força Sindical chegaram a promover greves que, mesmo não sendo gerais, alcançaram proporções significativas. Entretanto, a maioria da população, trabalhadores inclusive, aguardou os resultados da URV antes de perder a esperança em alguma melhoria na "carestia", como a inflação era chamada popularmente.

Diante desse quadro, minha posição foi firme: "Pela primeira vez os trabalhadores farão greve para ganhar menos, porque o plano beneficia os assalariados", disse.[30] De fato, como o valor da URV expresso em cruzeiros reais variava diariamente e se realizava a conversão aos salários pelo valor da URV no dia do pagamento, havia uma espécie de correção diária e automática dos salários de todo mundo, empregados em atividade ou aposentados. O argumento era forte.

No Congresso, entretanto, a desinformação e a demagogia tornavam-se difíceis de vencer. Optamos por não votar o relatório sobre a URV na comissão especial. O relator se havia comprometido com setores sindicais a incluir gatilhos, datas-base e quejandos, que alterariam completamente

---

[29] *Folha de S. Paulo*, 2/3/1994.

[30] *Ibidem*. Ver também *O Globo*, 5/3/1994, quanto às reações às tentativas do Congresso de desvirtuar a URV: "Meu plano é consistente e, em certos pontos, impopular. Se meu objetivo fosse eleitoral, com as condições que temos poderíamos fazer um 'cruzadinho' que durasse um ano, mas isso nunca passou pela minha cabeça." Na mesma reportagem há o relato de um discurso que proferi na Secovi-SP (sindicato do setor imobiliário), que me pedia o reajuste dos contratos imobiliários em menos de um ano. Alegavam que havia uma "cultura do mercado imobiliário". Repliquei: "É preciso então mudar a cultura do pessoal. Com a URV não vai ser preciso reajustar os preços antes de um ano."

A linguagem era a mesma para lidar com sindicalistas, congressistas, ministros, banqueiros ou empresários.

o programa. O PMDB ajudou o governo, o relator faltou à reunião na qual apresentaria seu parecer, e o PFL, àquela altura já comprometido com minha candidatura, convenceu o presidente da comissão especial a não apreciar a matéria. Assim passou o mês de março de 1994 e, à medida que a URV ia sendo percebida por todos, trabalhadores à frente, como proveitosa, pois não acarretava perdas e, em geral permitia ganhos, sua aceitação se tornou mais fácil.

Perdidos ficaram os líderes sindicais que se manifestaram contra o plano. Vicente Paulo da Silva, o Vicentinho, presidente da CUT, e com ele o PT persistiram nas críticas mesmo depois da nova moeda estar circulando e de os efeitos da inflação terem começado a ceder. "Parece pesadelo, mas é real", ele escreveu.[31] Paulo Pereira da Silva, o Paulinho, da Força Sindical, deu meia-volta e alfinetou o PT: "Só faz campanha contra o real quem sente o pesadelo de ver mais uma vez suas chances de virar Presidente irem por água abaixo."[32]

Num último lance da negociação para conseguir a aprovação da MP da URV antes do lançamento do real, Edmar Bacha, estimulado por mim, formulou uma regra que assegurava a reposição automática da inflação *na nova moeda* desde 1° de julho de 1994 na primeira data-base de cada categoria de trabalhadores. A novidade, embora tenha amaciado o caminho para a aprovação do plano, criou um resíduo de indexação legal que viria a dificultar a mudança da política cambial em 1995.

A lei resultante da conversão da MP da URV foi finalmente sancionada no dia 27 de maio de 1994.[33]

O triunfo do real e o papel de Ricupero

Com a votação da URV ainda inconclusa, exonerei-me no dia 2 de abril do Ministério da Fazenda para ser candidato à Presidência da República. Era o último dia do prazo previsto na Constituição para o afastamento dos ocupantes de determinados cargos públicos que quisessem ser candidatos às eleições de 3 de outubro. Voltei ao Senado e continuei apoiando

---

[31] *Folha de S. Paulo*, 1/7/1994.

[32] "É preciso uma política salarial", *Folha de S. Paulo*, 14/7/1994.

[33] O Congresso converteu a MP da URV na Lei nº 8.880, de 27/5/1994.

as lutas do governo Itamar para consolidar o plano. Dias antes, a bancada do PSDB e sua Executiva, com Pimenta da Veiga e Tasso Jereissati à frente, conforme já narrei, me haviam procurado no Ministério para que eu declarasse formalmente aceitar a candidatura.

Em seguida, a imprensa queria saber quem me sucederia na Fazenda. Respondi, naturalmente, que essa questão competia ao Presidente. Diante da insistência sobre nomes de eventuais sucessores, disse:

— Há diversos modelos possíveis para o Presidente se fixar em um nome. Se prevalecer a escolha de um técnico, temos vários — e arrolei os nomes de meus principais colaboradores.

Se um político, sugeri Tasso ou Serra. Se uma figura de indiscutível autoridade moral e intelectual, indiquei Clóvis Carvalho ou Rubens Ricupero, diplomata com excelentes conhecimentos de economia, que fora embaixador nos EUA em 1991 e 1992 e àquela altura estava à frente do Ministério do Meio Ambiente.

O Presidente Itamar Franco, por decisão própria, previamente tomada pelo que entendi, escolheu o embaixador Ricupero para me suceder.Tendo a seu lado José de Castro,[34] Itamar me informou da decisão e das razões para a escolha. Ele acreditava, e com muito acerto, que o embaixador Ricupero dispunha de estatura intelectual e moral para dialogar com o país. Ricupero manteve toda a equipe econômica e se transformou em um apóstolo do real. Mostrou-se mais didático do que eu poderia ter sido, ganhou a confiança da sociedade e teve papel decisivo na implantação do programa. Até que uma armadilha do acaso o impediu de continuar. Co-

---

[34] José de Castro foi consultor-geral da República (função que seria absorvida pela Advocacia-Geral da União) e advogado-geral da União do governo Itamar. Pertencia ao chamado "grupo íntimo" do Presidente. Sempre colaborou para fortalecer minha posição e minhas propostas econômicas. Entreguei, por exemplo, ao Presidente a minuta da MP da URV numa sexta-feira (anterior àquela da discussão no Palácio) junto com algumas propostas de reformas constitucionais que complementariam o plano. Na segunda-feira seguinte o Presidente me chamou e, tendo ao lado José de Castro, na sala íntima (saleta entre o gabinete presidencial e um salão de recepções), disse-me que lera os papéis superficialmente, mas confiava em mim. Assinaria também as emendas constitucionais, algumas das quais, eu o advertira, poderiam ser-lhe incômodas. Certamente, se o Presidente disse que as leu superficialmente foi porque José de Castro, pessoa de sua estrita confiança, as havia examinado atentamente e com elas concordara.

lhido pela fadiga e na informalidade de uma conversa privada com o jornalista Carlos Monforte, que o entrevistaria em seguida para a TV Globo na sede da sucursal de Brasília da emissora, ele expressou com palavras pouco felizes o grau de empenho que tinha para ajudar o Plano Real e minha eleição. Sem que nenhum dos dois se desse conta, a fala do ministro foi captada pelo sistema da emissora e transmitida a milhares de lares servidos por antenas parabólicas. Surpreendido pela divulgação espalhafatosa dessa conversa, teve que se exonerar duas semanas antes das eleições presidenciais. O Brasil deve a Rubens Ricupero o ter dado continuidade a uma política de difícil aceitação, para cujo êxito contribuíram em grande grau sua seriedade, seu empenho e sua capacidade de convencimento.

Até que essa vitória fosse mais perceptível, entretanto, as escaramuças continuaram. Quando deixei o Ministério, a equipe econômica hesitava sobre o melhor momento para transformar a URV em real. Mesmo fora do governo, várias vezes me vi obrigado a interferir junto ao Presidente para que se marcasse a data definitiva. Eu achava mais oportuno efetuar a troca das moedas no dia 1º de junho. A cada trinta dias, conforme a Constituição permitia na época, havia que reeditar as MPs ainda não aprovadas pelo Congresso. Terminamos com uma solução de compromisso. A MP do dia 1º de junho marcaria a data de 1º de julho de 1994 para a troca das moedas.

Não obstante, as dúvidas sobre o lançamento do real continuaram. Algumas delas tinham fundamento operacional, outras, nem tanto. Prosseguia, dentro do governo, o embate entre os que acreditavam no programa estabilizador e os que queriam "um outro modelo" para a economia. Na véspera do dia em que o Presidente deveria assinar a MP estabelecendo a troca das moedas, e depois de uma estafante discussão entre os membros de sua equipe e o ministro da Justiça, Alexandre Dupeyrat — este como representante da ala mais atrasada do governo, que se pensava "de esquerda" —, o ministro Ricupero procurou o Presidente Itamar para reclamar das impertinências e cobranças descabidas para modificar o texto da medida. Graças à postura firme do ministro da Fazenda, o Presidente entendeu que era inaceitável a interferência de última hora por pessoas despreparadas para compreender as decisões daquele momento.

Pérsio Arida e André Lara, entre outros economistas, preferiam por motivos operacionais que houvesse uma "fase longa" de transição entre a

URV e o real. Seria melhor, ao ver deles, dar mais tempo para que os contratos fossem progressiva e livremente reescritos na nova moeda, permitindo mais fôlego à sociedade para a repactuação. O casulo poderia amadurecer um pouco mais antes de virar borboleta. Não se tratava de opinião isolada da dupla. Chico Lopes, por exemplo, também pensava dessa maneira. Eu não achava necessário muito mais tempo, pois a velocidade com que as pessoas aderiram à URV foi maior do que esperávamos. Além de tudo, havia indiscutivelmente a questão eleitoral. Nas primeiras sondagens de opinião após ter deixado o governo (e ainda em fins de maio) eu não ultrapassava muito os 15% das preferências, e Lula alcançava 40%. Sem que os efeitos práticos do fim da inflação fossem sentidos no bolso dos assalariados e sem o efeito simbólico da nova moeda, tornar-se-ia verdadeira a lengalenga de que o real era um "estelionato eleitoral" (como dizia, entre outros, o deputado Delfim Netto, sempre pronto a disparar uma frase de efeito para encobrir os malabarismos de seu raciocínio ou as inverdades que quer passar adiante como válidas).

No meio tempo, mais problemas: o Presidente desejava dar continuidade à decisão constitucional de incluir todos os funcionários em um estatuto jurídico único. E o faria em termos tais que os servidores previamente contratados pelas normas do setor privado, submetidos à CLT (chamados por isso "celetistas"), passariam a gozar de todas as vantagens do funcionalismo, inclusive aposentadoria integral. Da mesma maneira, o Presidente gostaria de ver melhorados os salários de todos, unificando-os e dando-lhes aumentos. Essa discussão perpassou o período inteiro da gestão Itamar, mesmo quando Ciro Gomes, deixando o governo do Ceará, por quatro meses — até o final do mandato de Itamar — substituiu o ministro Ricupero. Muitas vezes tive que mediar entre a pressão dos técnicos, temerosos das conseqüências dos incrementos salariais sobre a situação fiscal (como de fato ocorreu), e a vontade presidencial de atender os funcionários.

Estranhos curtos-circuitos

Apesar de tudo, implantamos o real e venci as eleições, no primeiro turno, com 54% dos votos — 35,9 milhões de votos, entre 67,6 milhões de votos válidos. Como foi possível isso, em circunstâncias tão desfavoráveis?

Os candidatos dos demais partidos opuseram-se ao Plano Real durante todo o tempo, desde a discussão no Congresso até a campanha eleitoral, apregoando que ele traria conseqüências nefastas ao país. A recessão era inevitável, diziam, e a volta da inflação também, além das catastróficas perdas salariais. Os candidatos, inclusive o principal oponente, Lula, guiados por seus economistas, batiam com insistência nessa tecla, que se chocava crescentemente com a percepção popular. A opinião técnica se dividia, embora àquela altura — durante a campanha eleitoral — a maioria já se alinhasse a favor do plano. Roberto Campos, que fora relutante em aceitá-lo, temia que uma derrota nossa no Congresso desencadeasse uma reação heterodoxa. "Se o Fernando Henrique sair, haverá choque. Só não tivemos neste governo por causa dele."[35] E passou a apoiar o programa.

Assim, só o contexto explica como foi possível estabilizar a economia. Paradoxalmente, porque "faltavam condições políticas", um pequeno grupo de pessoas com visão política, a partir do Presidente, somado a outro pequeno grupo de técnicos, empenhados e convictos da necessidade de produzir uma mudança significativa nos rumos do país, teve a chance de levar adiante a transformação que, ao contrário do que diziam as pitonisas do fracasso, perdurou. A desorganização das forças políticas tradicionais, desde o *impeachment* do Presidente Collor até a CPI dos Anões do Orçamento, facilitou a ação decidida do nosso exército Brancaleone e o Plano Real passou no Congresso. Fossem normais as condições, os beneficiários da inflação ter-se-iam oposto às transformações com maior energia, defendendo seus interesses.

Contou também para o êxito o apoio do PSDB e o faro político de outros partidos para se darem conta de que havia algo de novo no ar. E, sobretudo, contou o cansaço da sociedade, do povo, com a "carestia". Isso levou à busca de um caminho de esperança. O apoio popular mantinha a expectativa otimista de que seria possível melhorar o país, embora sem muita clareza sobre os caminhos para tanto. Este sentimento difuso tornou-se apoio mais concreto pela ação da mídia e do empresariado, que jogaram papel importante na aceitação do programa. Quase por saturação, a velha ordem de coisas deu passagem a uma situação nova.

---

[35] *O Globo*, 5/2/1994.

A verdade é que o clima na mídia virara e a opinião pública tornara-se favorável. Não quero cansar o leitor com detalhes adicionais. A lista de editoriais e de articulistas que sustentaram teses a favor do novo programa econômico é grande. Bem como seria valiosa, ao lado do apoio político, a colaboração de líderes empresariais e decisiva, em textos na imprensa, a solidariedade de políticos de peso do PSDB.[36]

Assim operam os mecanismos de mudança nas sociedades contemporâneas. Nelas a luta entre interesses de classe e de grupos contrapostos permanece como pano de fundo. Mas tais grupos são extremamente fragmentados e constituem coalizões eventuais e mutáveis, com pouca clareza quanto a objetivos globais, num caleidoscópio que se rearranja na medida em que mudam as percepções sobre os interesses gerais e os caminhos para servi-los. O passado conta e pesa, mas a visão de futuro é essencial para mover a sociedade, desprendendo-a, ainda que parcialmente, do passado. E cada vez mais esta visão de futuro requer um "programa". Progra-

---

[36] Por exemplo, *O Estado de S. Paulo*, bem como o *Jornal da Tarde*, apoiaram os esforços estabilizadores desde o início. Ver o editorial "Programa para o futuro", 8/12/1993, do *Estado*, e "Instinto de conservação", do *Jornal da Tarde*, 8/12/1993. Ver ainda, *Jornal do Brasil*, "Dilema fatal", de 8/12/1993, e *O Globo*, como já citado. Também as revistas *Veja* e *Exame*, sobretudo esta última, eram favoráveis ao programa. Os editoriais de Mário Henrique Simonsen em *Exame* e as matérias da revista, inclusive de capa, deram suporte contínuo ao Plano FHC e, depois, ao Real. A colunista Miriam Leitão viu desde o início perspectivas melhores para o país. Ver, por exemplo, a coluna "Panorama Econômico" de *O Globo*, 23/5/1993.

Na área política os principais dirigentes do PSDB escreveram artigos de apoio. Ver José Serra, "Mitos e problemas", *Folha de S. Paulo*, 14/12/1993; Mário Covas, "Sem magias e com transparência", *Folha de S. Paulo*, 11/12/1993; Tasso Jereissati, "O plano que pode unir", *O Globo*, 12/12/1993; Antonio Kandir, "Estabilização passo a passo", *Folha de S. Paulo*, 1/3/1994.

Empresários e suas associações, da mesma maneira, manifestaram-se favoravelmente ao Plano Real.

Alguns articulistas também apoiaram o programa desde o início. Outros mudaram de opinião à medida que viam os resultados. Ver, a título de exemplo, Luiz Weis, "O pacote-que-não-é", *O Estado de S. Paulo*, 9/12/1993, e Carlos Alberto Sardenberg, "O êxito do plano depende da candidatura FHC", *Folha de S. Paulo*, 12/12/1993. Outros, mesmo sendo críticos de alguns aspectos, mantiveram posição equilibrada. Ver Antônio Barros de Castro, "Armadilhas da estabilização", e Luiz Gonzaga Belluzo, "Câmbio fixo e superávit fiscal", ambos na *Folha de S. Paulo*, 30/4/1994.

ma que se fundamenta em valores, como a democracia, e por isso mesmo não deve levar os que dirigem o país a afastar-se da missão republicana de busca do equilíbrio entre os interesses setoriais em choque para torná-los compatíveis com os do povo e do país. Cada vez mais, porém, os dirigentes precisam apresentar um caminho prático, com base técnica, sem o qual a sociedade não se mobiliza ou, quando se mobiliza e não encontra os resultados esperados, dá meia-volta, como aconteceu com o Plano Collor. Nada disso ocorre sem a formação de uma opinião pública que, nos dias de hoje, é inseparável da opinião publicada, isto é, dos meios de comunicação de massa.

Em 1986, muito antes de ser Presidente, ao passar a presidência da Associação Internacional de Sociologia, em Nova Delhi, na Índia, proferi uma conferência sobre as teorias de mudança social. Inspirado no que vira em 1968 em Nanterre, na França, quando da chamada Revolução de Maio, disse que as mudanças em sociedades complexas podem dar-se pelo que chamei de "curtos-circuitos". Um gesto, uma greve, um choque emocional, uma proposta galvanizadora são capazes de despertar reações em cadeia que levam a transformações muito mais profundas do que havia sido inicialmente imaginado ou desejado. Dependendo, naturalmente, da história das reivindicações, dos conflitos de classe, dos choques ideológicos, das frustrações preexistentes etc.

Foi o que ocorreu com o Plano Real. A sociedade brasileira, cansada da inflação e de seus efeitos nefastos, viu nele uma saída. Aderiu a ele contra a opinião de muitas pessoas e contra muitos interesses. Em certos momentos, contra a maioria dos "bem-pensantes" e dos pretensos donos das massas populares.

O "pragmatismo responsável", no entanto, não explica a mudança. Sem uma liderança capaz de apresentar um caminho aceito como válido pela maioria não acontecem transformações significativas em uma sociedade democrática. E essa aceitação não se dá às cegas. Sem uma pedagogia democrática, sem que haja o convencimento, quer dizer, o esforço para "vencer juntos", a ordem tradicional prevalece sobre os ímpetos modernizadores e mudancistas. Tudo fica mais fácil quando há símbolos que ajudam a visualizar a mudança.

O real, como moeda física e como expressão de um valor, de um caminho para o Brasil, teve uma importância enorme. Darcy Ribeiro, na época senador (PDT-RJ), com seu instinto de antropólogo, percebeu a força simbólica da moeda. Ressaltou que a moeda, junto com o idioma e a bandeira, tem uma função aglutinadora fundamental. Daí por que a dolarização, ainda que pudesse funcionar como âncora para a estabilização, implicaria perda simbólica de soberania, além das limitações efetivas que acarretaria na gestão das políticas econômicas.

No dia 11 de julho de 1994, candidato, eu participava de um comício em Santa Maria da Vitória, no sertão da Bahia. Naquele dia percebi que ganharia as eleições. Na praça, o povo, com notas de 1 real nas mãos, pedia que eu as autografasse. Alguns gritavam, entusiasmados, sem prever as conseqüências disso, que o real valia mais do que o dólar, moeda na qual nunca haviam tocado. Naquele instante, o senhor político da Bahia, que estava a meu lado, era menor do que eu, um professor paulista três meses antes praticamente desconhecido naqueles sertões. O real resgatava a esperança e a confiança, não só na moeda e na estabilização econômica, mas no país. Meu adversário eleitoral, Lula, era um símbolo em si. Um líder operário, migrante e pobre de origem, reivindicando o mando supremo no Brasil. Não precisava de símbolos. Eu, sem que o tivesse feito para isso, criei um símbolo e venci. E tive como desafio manter viva a esperança.

A campanha eleitoral: epopéia e aprendizado

Para enfrentar esse desafio de manter viva a esperança, tão logo se formalizou a aliança com o PFL e com o PTB, mergulhei de corpo e alma na campanha eleitoral — um trabalho física e psicologicamente estafante além do imaginável por quem não conhece a política de perto. O candidato se desdobra, envolvendo-se em dois planos. O primeiro é o da relação com o público, o que inclui os comícios, as caminhadas, as carreatas, os debates, as entrevistas e os programas de rádio e TV do horário eleitoral. Outro é o da articulação política com seu partido, com os demais da aliança e, no meu caso em 1994, com o governo. A relação com o público envolve o aspecto especificamente cênico, e não raro épico, que representam os comícios gigantes, os deslocamentos de comitivas, a enorme infraestrutura necessária para mover a máquina da candidatura.

Meu procedimento, desde o começo, foi o de me entregar por inteiro à campanha propriamente dita e à busca do apoio político, do convencimento e do voto do eleitorado. Embora participasse em algum grau dos bastidores de tudo, e fosse informado a respeito, não me envolvi nem me preocupei diretamente com mais nada que não a campanha — nem com o comitê financeiro, nem em discutir a programação a ser cumprida, muito menos com detalhes como o esquema de transporte e hospedagem. Sequer da roupa que usava eu cuidava. Periodicamente o comando ou comitê da campanha se reunia com o candidato, estabeleciam-se as premissas e prioridades básicas, e depois cada área tocava o seu barco. Se não for assim, o candidato se perde — e perde a eleição. (No nosso caso, tínhamos um comitê composto por Sérgio Motta, coordenador-geral, Pimenta da Veiga, como presidente do PSDB, o deputado Saulo Queiroz, MT, secretário-geral do PFL, e Andrade Vieira, como presidente do PTB.)

Torna-se vital concentrar-se no que é importante. Preparar o programa eleitoral na TV é importante, mais que isso, decisivo. Estar descansado para ir a um comício é importante. As articulações vão sendo crescentemente menos importantes, perdendo espaço para o trato com o público, que por sua vez abranda as dificuldades políticas.

O candidato precisa ter muito cuidado ao lidar com a mídia. Tem que bater o martelo final sobre os comícios, porque, aqui e ali, há o risco de um deles ser um fracasso, e em tal caso a prudência indica o cancelamento como a melhor solução. Toda atenção à distribuição do tempo é pouca. E, como todo mundo dá palpite o tempo inteiro, o candidato precisa saber resistir, filtrar, até esquecer. Se for atrás dos palpites, também se perde.

Selecionei ao máximo os conselheiros. Sobre TV, ponto-chave de tudo, e rádio, seguia as recomendações dos publicitários Nizan Guanaes e Geraldo Walter, o "Geraldão" — que infelizmente viria a falecer em 1998 —, e de alguns de seus colaboradores. Boas dicas recebia também do jornalista Gilnei Rampazzo, sócio da produtora encarregada dos programas. Sobre o conteúdo do que ia ao ar, eram fundamentais os não-marqueteiros: Sérgio Motta, sempre muito próximo a mim, e Paulo Renato, Vilmar Faria e Eduardo Graeff, que haviam elaborado o futuro programa de governo. No meio do torvelinho da campanha, as reuniões com esse time se tornavam interregnos agradáveis e divertidos, sempre em torno de uma mesa farta, montada na própria sede da produtora, no bairro paulistano da Bela Vista. Sérgio, Geraldão e Nizan eram comilões extraordinários, que eu procurava, com alguma cautela, acompanhar. Participava também Paulo César Bernardes, o "PC", autor de comerciais e *jingles* de primeira qualidade, por sinal um excelente imitador de Lula.

Como sempre, ouvia Ana Tavares. Além das qualidades já referidas, sua espontaneidade e franqueza às vezes brutais lhe permitiam dizer a certas pessoas aquilo que eu não poderia. E também dava ouvidos à publicitária Bya Aidar, encarregada da complexa armação dos shows da campanha, que abrangia desde itens como a escolha de músicos e cantores, da trilha sonora, do som e da iluminação até a forma segura de o candidato chegar ao palanque e, depois, sair dele.

A dedicação à TV, como disse, é crucial. A TV tem uma linguagem própria, e cabe ao candidato o cuidado de não deixar que o pessoal de marketing político o transforme em algo que ele não é. Na TV, há uma série de detalhes a serem levados em conta. Por exemplo: o *teleprompter*, instrumento importante que, após algum treino, permite ao candidato falar com naturalidade a partir de um texto escrito, pode também ser um complicador. Quem escreve os textos não é o candidato, por absoluta falta de tempo. As palavras utilizadas não são necessariamente as dele, a respiração que elas impõem não é a dele, nem as pausas e o corte das frases. Às vezes o candidato tem alguma dificuldade de pronunciar uma ou outra palavra e, portanto, evita utilizá-las — só que de repente, na hora da gravação, lá estão elas. É necessário, pois, dedicar algum tempo a rever, pessoalmente, os textos antes de gravá-los. E isso requer que o candidato esteja minimamente descansado. Como sou calmo e brincalhão, me dava bem com todos da equipe e a feitura dos programas de TV, como os de rádio, acabava não apenas não pesando, mas me dando prazer.

Numa campanha, porém, o inesperado sempre está à espreita, e o candidato deve preparar seu espírito para isso.

Um bom exemplo é o que ocorreu comigo no Rio Grande do Sul. No estado, o deputado e àquela altura ex-ministro da Previdência Antônio Britto encarava um problema delicado. Ele finalmente saíra candidato ao governo gaúcho pelo PMDB, cujo aspirante à Presidência era o ex-governador paulista Orestes Quércia. Britto nunca aceitou Quércia, sempre esteve comigo e, depois de uma complexa articulação, seu apoio público a mim iria se materializar no dia 4 de setembro, com a inauguração de um comitê conjunto dos dois candidatos em Porto Alegre. Não poderia me esquecer da ocasião porque coincidiu com a crise que levou à saída do governo do ministro Rubens Ricupero.

Desembarquei em Porto Alegre e, já à noite, Britto e eu fomos visitar em casa o senador Pedro Simon, que tinha passado por uma cirurgia. Ali nos inteiramos do episódio Ricupero. No dia seguinte de manhã seria a inauguração do comitê e o anúncio do apoio de Britto. Difícil haver *timing* mais complicado. Mas fomos em frente, inauguramos o comitê, e precisei fazer das tripas coração para enfrentar o pesado questionamento da imprensa, uma vez que Ricupero havia dito, para resumir em poucas palavras, que ele e o governo fariam qualquer coisa para eu ganhar.

Diante de tal quadro, desde a noite anterior, naturalmente, minha cabeça estava em Brasília. Preocupava-me muito com a continuidade do Plano Real, tão bem conduzido até ali por Ricupero. Do hotel simples em que me hospedei, troquei inúmeros telefonemas com o Presidente Itamar. Indiquei nomes para substituir o ministro, como os de Bacha e Malan, cuja competência ele conhecia. Mas Itamar já se decidira por outro: o de Ciro Gomes. Admirava o Canal do Trabalhador, obra de emergência com a qual o governador do Ceará, em poucos meses, pretendia trazer água de grandes açudes do interior para abastecer Fortaleza, e gostava de Ciro.

Com um número maior ou menor de sobressaltos, como a súbita queda de Ricupero naquela ocasião, e apesar da imensa importância da TV, não há campanha sem comício. Quando me lancei à Presidência, já me candidatara três vezes — ao Senado, em 1978, à Prefeitura de São Paulo, em 1985, e novamente ao Senado, em 1986. Tinha, portanto, certa experiência com comícios, embora nunca tivesse me sentido inteiramente à vontade neles. O caminho, então, seria tentar aprender e me aperfeiçoar. Assim, procurava prestar atenção aos oradores que me antecediam. Poucos, muito poucos são aqueles capazes de "segurar" a massa. A grande maioria dos oradores políticos é monocórdia, não captura a atenção da multidão, não consegue sintonizar-se com ela. Procurei aprender com os melhores. Antonio Carlos Magalhães, por exemplo, era um peixe n'água nos comícios. Impressionante: ele fica à vontade com o povo, se eletriza, e como que mergulhava, fisicamente, na multidão antes ou depois de subir ao palanque. Aprendi muito com Tasso Jereissati — prestes a obter seu segundo mandato após ter deixado o governo do Ceará quatro anos antes — e sua empatia com o público. Também com Marcelo Alencar, ex-senador, ex-prefeito do Rio e que venceria as eleições para governador do estado naquele ano pelo PSDB. Tinham o que chamo de sentimento de povo. Enriqueceu-me ouvir e ver os políticos com sentimento de povo, tentando entender como e por que tinham "liga" com o povo.

Era sempre interessante observar. O estilo dos oradores de comício varia muito pelo Brasil afora. Uns são mais discursivos, conversam com a multidão, e ela acompanha; alguns se exaltam, chegam a gritar e o povo acompanha; outros que fazem a mesma coisa encaram o silêncio ou o desinteresse do público. Nem sempre o bom orador de auditório é bom no comício em praça pública, e vice-versa. Com freqüência, nenhum deles funciona na TV. Uma das dificuldades dos comícios é que suas imagens serão usadas na TV. Duas linguagens distintas aí se cruzam, e precisam compatibilizar-se: a audiência da TV não gosta da gritaria do comício enquanto, por sua vez, o público do comício precisa, justamente, de calor. É complicado dosar tudo isso. Tive que aprender a trocar constantemente de pele — porque saía de um comício, com todo o tom emocional que ele envolve, para uma entrevista no rádio, onde precisava ser calmo e didático; logo adiante, deixava uma reunião política intrincada e em seguida já me via num estúdio de TV para gravar programas para o horário eleitoral, e assim por diante.

Em relação especificamente aos comícios, ao longo da campanha, a experiência, a observação e os conselhos dos companheiros me ajudaram, até que passei a me sentir bem com a rotina de falar a multidões distintas entre si a cada momento. Lembro-me de certo dia em Canudos, na Bahia — que, por sinal, nada tinha a ver com a Canudos da minha imaginação, uma vez que a cidade do Conselheiro acabou inundada por uma represa. Meio-dia, praça principal lotada. Falaram ao povo Luís Eduardo, Paulo Souto, vice-governador de ACM, ex-secretário estadual e candidato a governador, e o próprio ACM — e eu prestando atenção. Aí chegou minha vez. Falei à multidão. Terminado o comício, ACM, com sua franqueza sem cerimônia, me disse:

— Ah, o senhor está melhorando....

O candidato aprende também em outros aspectos, à medida que transcorre a campanha. Percebe, por exemplo, que uma coisa é um comício no interior de São Paulo, outra, no sertão da Bahia ou, mais diferente ainda, na Amazônia. Em São Paulo o usual são as carreatas, não raro mais importantes que os comícios — a longa fila de carros embandeirados, os alto-falantes ribombando, as pessoas nas ruas aplaudindo, agitando cartazes, saudando o candidato e sendo saudadas por ele. Já no interior da Bahia, da Paraíba ou de Pernambuco, não existe campanha sem a massa na praça. E é claro que acontecem equívocos e tropeços, que também nos ensinam. Certa ocasião, começamos uma carreata no interior de Santa Catarina tarde demais — caía a noite, a temperatura baixou muito, não havia quase ninguém nas ruas.

Viver a campanha, os deslocamentos, as carreatas, os encontros com chefes políticos locais, os comícios é que me levou a dizer que campanha eleitoral, no Brasil, é uma troca de energia física. As pessoas querem pegar no candidato, abraçá-lo, até beijá-lo, e o candidato tem que se deixar abraçar, e abraçar também. As pessoas se comportam desse jeito porque de alguma forma precisam, e esse comportamento não tem a mais remota e longínqua alusão a erotismo, é outra coisa, é algo profundo. Nosso país é assim. E o público claramente se frustra se o candidato, por vontade própria ou não, permanece distante. Uma vez eu estava no interior de Pernambuco, num lugarejo bem próximo à divisa com Alagoas para um comício, e um agente da Polícia Federal, parte do esquema designado para a proteção dos candidatos, me disse:

— Hoje ninguém chega perto do senhor aqui.

A PF tinha prendido um homem que ameaçara atirar em mim. Não houve nada de grave no episódio, mas naquele dia os agentes me cercaram, deixando irritados todos os políticos e militantes locais em cima e em volta do palanque porque, como sempre, eles queriam chegar perto.

Quando o candidato acerta o ponto no contato com o público, acaba ele próprio se enchendo de entusiasmo e vitalidade, é aplaudido por onde passa. É porque provocou uma reação, uma imantação — e, se não provocar, a candidatura não decola. Ou o candidato produz eletricidade no ar, ou perde a eleição.

Os comícios, porém, representam também um constante teste de tolerância para o candidato. Em meu caso, havia sempre que se levar em conta que o PT e seus aliados constituíam um adversário aguerrido. Podíamos estar certos de que, a certa altura do comício, haveria provocação.

E o candidato não pode se abalar com provocação. No começo, admito que não era fácil, sobretudo para um professor universitário, habituado a ser ouvido: volta e meia, enquanto discursava, grupos gritavam ofensas. Acabei me acostumando.

A enorme diversidade de auditórios é outro desafio. Durante uma visita a Mato Grosso, o governador Jaime Campos (PFL) e seu irmão, o senador Júlio — um político divertidíssimo —, foram me pegar no hotel em Cuiabá para o primeiro compromisso: visitar uma igreja pentecostal. Tratava-se de um galpão gigantesco, com vários pastores oficiando uma cerimônia para duas, três mil pessoas, que a cada momento proclamavam "Aleluia!", "Aleluia!" Os pastores deram a palavra para Júlio, e o que vi a partir daquele momento foi uma verdadeira pregação. Quando me tocou falar, um tanto atordoado, acabei inserindo num discurso sobre o Plano Real referências a Deus mas também a Max Weber, o qual, analisando a ética calvinista, mostra que a acumulação de riquezas pode ser vista como um chamado do Senhor a seus eleitos. Toda a mídia nacional estava lá representada, e fiquei temeroso do que seria publicado.

À saída da igreja, com Júlio à frente, e sempre com os louvores mútuos de "Aleluia!" entre o público e os políticos — acabei também aderindo —, percebia que Júlio se detinha diante de um e outro, como se abençoasse: "Aleluia, irmão! Aleluia, irmão!" Ao entrarmos no carro, expus a Jaime minha surpresa:

— Eu não sabia que seu irmão era tão ligado à Igreja Pentecostal.

O governador respondeu:

— Ih, o senhor não viu nada, ainda. Precisava ver o Júlio na umbanda, ele é ótimo.

São características do Brasil. Político canta em igreja evangélica, toma passe em terreiro de umbanda e se ajoelha em igreja católica. Será demagogia, ou farsa? Muitas vezes, claro que sim. Mas é difícil entender o Brasil quando a pessoa se agarra apenas ao estereótipo. Há ocasiões, e como tal considero o ocorrido em Cuiabá, em que tais gestos acabam contendo um sinal de respeito. De algum maneira o político está expressando para aquelas pessoas que tem empatia com elas, que vai respeitá-las. É como se procurasse entrar no comprimento de onda delas. É um gesto, e política também é gesto.

O aprendizado propiciado pela corrida presidencial abrange ainda aquilo que Sérgio Motta chamava "fazer cara de paisagem" ante uma série de situações ocorridas nas próprias hostes do candidato, principalmente devido a pendengas regionais. São seus partidários que brigam entre si para ver quem fala primeiro e quem fala depois nos comícios, ou sobre se determinada figura vai ou não subir no palanque, ou ainda se o candidato visita a casa de um ou de outro, antes ou depois do comício. Isso é outra dificuldade brasileira: há um candidato à Presidência apoiado por diversos partidos, mas em vários estados estão em curso brigas ferozes entre candidatos locais desses partidos. O candidato à Presidência, diante disso, manda emissários falarem com uma e outra partes antes da viagem ao estado, efetua acordos, combina ir ao comício de um candidato de dia, e ao de outro à noite. Se o comício diurno é menos importante, há que compensar realizando determinada visita, ou participando de um jantar na casa de algum líder local. É tudo assim. Às vezes, é melhor não ir a certos estados onde seus apoiadores, adversários entre si, parecem querer se matar. O candidato tem sempre que fingir que não está acontecendo nada, nunca deve se envolver, precisa saber pairar acima desses arrufos. São problema dos outros.

Outra questão que se dá no interior da campanha é a permanente disputa por espaço junto ao candidato, a chamada "hierarquia da bicada". As pessoas imaginam que quanto mais perto estão dele e quanto mais influentes se tornem na campanha, mais garantido será seu futuro. Aí começam as cotoveladas, as rusgas sobre quem tem acesso ou não tem acesso, a ciumeira. Manter-se à parte é fundamental, inclusive pelo fato de, se e quando a eleição for ganha, a equipe de campanha não se tornará a assessoria do Presidente. A transição de uma coisa para a outra, aliás, é um momento traumático: o candidato não pode enganar grande parte das pessoas que tanto o ajudaram, mas precisa despedir-se delas. Nessa fase, ocorre outra transição igualmente nada simples, do informal (o candidato) para o formal (o Presidente eleito). Requer que o candidato lance mão de suas reservas de habilidade para agir, sempre tendo em mente que continuará a haver a hierarquia da bicada.

Com esse retrato que procurei traçar, pode-se constatar que a campanha política é um enorme gerador de tensão. O candidato se sente uma corda de violino permanentemente esticada. Depois de três ou quatro meses, e a despeito dos cuidados que possa tomar, está exausto. Portanto, se não se aplicar com convicção e de bom grado àquela tarefa, se achar que tudo é aborrecido, se desanimar diante das dificuldades, a empreitada se transforma num grande sofrimento e muito dificilmente chegará a bom termo.

Entendi isso nos primeiros dias, em maio, quando cheguei a esmorecer: os resultados das pesquisas de intenção de votos não melhoravam, e um jantar com possíveis colaboradores financeiros da campanha, na casa de Andrea Matarazzo em São Paulo, me decepcionara, ante a hesitação de empresários que, convidados, cancelaram o comparecimento. Cheguei a mencionar a Ruth que me passava pela cabeça a idéia de desistir. Não teria, claro, nenhum cabimento, e seria uma irresponsabilidade que não faz meu jeito. Resolvi, em vez disso, encarar as coisas de frente, aceitar plenamente os encargos e a dureza de ser candidato, e tratei de esquecer tudo o mais: lia só por alto jornais e revistas, examinava as pesquisas eleitorais apenas de vez em quando para não me atormentar, e me entreguei de corpo e alma ao objetivo de *convencer* as pessoas, de ganhar suas mentes e seus corações para nossas idéias e projetos. Deu certo.

Por tudo o que expus, considero que a campanha política, além de ser uma epopéia, constitui também uma experiência humana extremamente enriquecedora e uma espécie de obra de arte. Não é difícil concluir que, apesar dos sobressaltos, do dispêndio de energia, das pressões, do cansaço, gostei imensamente da longa jornada que me levaria ao Palácio do Planalto.

A vitória, a posse e o peso da História sobre mim

Veio, então, o dia da eleição. Pelo calor da campanha, pelas pesquisas de intenção de voto, pela reação da mídia — por tudo —, eu sabia, racionalmente, que ela estava ganha. No íntimo, porém, não tinha certeza da vitória já no primeiro turno, embora os números e o ambiente do país a desenhassem com clareza. Ruth e eu votamos em São Paulo e depois decidimos, procurando não permitir que a informação vazasse à imprensa, nos refugiar do enorme rebuliço a nosso redor num local agradável e tranqüilo: a Fazenda Bela Vista, em Pardinho, a 200 quilômetros da capital, pertencente ao empresário Jovelino Mineiro e a sua mulher, Maria do Carmo Sodré, antigos amigos nossos. Viajamos até a cidade próxima de Botucatu, num dos jatinhos que nos serviram durante a campanha. Do pequeno aeroporto local nos levaram de carro à fazenda.

Nossos filhos, genros, nora e netos foram todos para lá. Paulo Henrique, o mais velho, à época casado com Ana Lúcia Magalhães Pinto, e as filhas gêmeas, Joana e Helena; Luciana, grávida da filha Isabel, mais o marido, Getúlio Vaz; e Beatriz, a Bia, com o então seu marido, David Zylberztajn, e os filhos Júlia e Pedro. Apenas nós, e os anfitriões com o filho, Bento, assistimos num grande aparelho de TV aos resultados da apuração. Não tardou para minha dúvida íntima se dissipar, e ficou claro que, sim, vencia no primeiro turno.

A partir daí, passamos um curto período agradabilíssimo e alegre, comendo bem, conversando, descansando e desfrutando da companhia da família. Carmo e Jovelino transformaram a terra vazia num belo empreendimento, um centro de excelência para a melhoria genética de touros da raça Brangus. A fazenda faz jus ao nome: situada num platô, da sede — inclusive da piscina, onde dei alguns mergulhos — avista-se um grande vale e cinco ou seis cidades, entre elas Botucatu e Pardinho. Dois dias depois, a Globo descobriu que estávamos lá. Começou uma revoada de helicópteros da imprensa, com muita movimentação, e decidimos regressar a São Paulo.

Imediatamente iniciei as conversas sobre a formação do governo, no apartamento em que então morava, na rua Maranhão. Na calçada do prédio, postava-se um permanente plantão de jornalistas. Veículos da mídia e toda aquela tralha tecnológica das emissoras de TV atravancavam a rua. Acabara de vez minha paz. Mas o ritmo da campanha me acostumara a isso, que é parte do jogo e que o político deve encarar com tolerância e equilíbrio.

O PSDB alugou uma casa no Lago Sul, em Brasília, para que eu pudesse permanecer na capital durante esse período, no qual naturalmente também seriam freqüentes os contatos com o governo Itamar. Ruth e eu nos transferimos para lá. O Presidente Itamar, que estava morando havia algum tempo no Palácio do Jaburu — residência oficial do Vice-Presidente da República —, cedeu-me o Alvorada para despachar e realizar encontros. Comecei a usar a biblioteca do palácio como local para discutir a montagem de minha equipe. Às vezes, almoçava ali mesmo. Nessas condições, o Presidente eleito dispõe de uma barreira protetora excelente, que lhe permite trabalhar sem ser assediado, e escolher com tranqüilidade com quem vai falar e quando. No final de meu governo, procurei propiciar a Lula um esquema semelhante. No meu caso, em 1994, foi mais simples essa transição, porque eu era muito próximo a Itamar, fora seu ministro e seu candidato. Existia, naquele período, plena confiança entre nós.

Ruth e eu mudamos para o Alvorada no dia 31 de dezembro de 1994, véspera da posse. Levamos alguma bagagem, e depois aos poucos nos instalamos por completo. No geral, contudo, o que carregamos conosco foram roupas, livros e objetos pessoais. A maioria de meus livros, como os de Ruth, permaneceu em São Paulo, da mesma forma como nossos quadros. Meus livros e uma grande massa de documentos atulhavam, naquela época, uma casa da família na rua dos Ingleses, no bairro da Bela Vista, onde nossa filha Bia havia morado. Como ilustração do que é nosso país, registre-se que a casa foi assaltada duas vezes — estando eu na Presidência da República...

O dia da posse não poderia ser mais carregado de emoção. Deixei o Alvorada num veículo da Presidência, escoltado por carros da segurança e por motociclistas. Diante da Catedral de Brasília, a comitiva parou para que eu e o vice eleito, Marco Maciel, subíssemos no Rolls-Royce presidencial. Como é de tradição, acompanhava-nos, no banco da frente, o futuro chefe da Casa Militar, general-de-divisão Alberto Cardoso.[37] Ruth e Ana Maria, esposa de Marco Maciel, não seguiram neste carro. Em certo sentido, Brasília é anticlímax para tais solenidades, não só por seus enormes espaços vazios, mas especialmente porque a Constituição, talvez em momento infeliz, fixou a posse para o dia 1º de janeiro. Sendo o primeiro dia do ano, por vezes em meio a um feriado prolongado, torna inviável o comparecimento de muitos chefes de Estado e de governo que poderiam conferir ainda maior peso e importância à data. Mesmo personalidades da iniciativa privada, do mundo da cultura, parlamentares e até os novos governadores — empossados no mesmo dia — acabam encontrando dificuldade para comparecer a Brasília. Além disso, a cidade não vivia um

---

[37] Embora tenhamos o mesmo sobrenome, o general Cardoso não tem relações de parentesco comigo

daqueles dias luminosos de hábito, com um céu esplêndido sem nuvens: pelo contrário, caía uma garoa intermitente.

Mas o tempo incerto não impediu que uma considerável multidão se concentrasse na Esplanada dos Ministérios, nas proximidades do Congresso e na Praça dos Três Poderes. A garoa dava folga aqui e ali, de modo que foi possível manter baixada a capota do Rolls-Royce conversível. De pé, eu e Marco acenávamos para o público durante o pequeno desfile até a porta do Congresso, onde seríamos empossados em sessão solene. Tudo nesse dia é ritual, e ritual rígido, produto de um trabalho conjunto do Cerimonial do Palácio do Planalto e dos diplomatas do Itamaraty, que previamente nos instruíram a respeito de cada passo e, durante o dia inteiro, diante de qualquer pequena hesitação minha ou de Marco, nos conduziam com indicações discretas.

Subimos a rampa do Congresso, recebidos pelos presidentes do Senado e da Câmara e, no grande Salão Negro, nos esperavam os líderes partidários. Daí, com dificuldade devido à massa que se comprimia no Salão Negro, aos poucos seguimos para o plenário da Câmara, que é também o do Congresso, para o solene juramento à Constituição, a assinatura do termo de posse diante, também, do presidente do STF, e meu discurso, já como Presidente da República.

No Brasil não temos muito o gosto pelos rituais solenes. Há sempre um pouco de desordem, até de tumulto. Naquele dia, no Congresso, as pessoas avançavam em minha direção, queriam me abraçar, me cumprimentar, dar uma palavra ou um sorriso, para desalento e preocupação dos diplomatas. Algo semelhante se dera durante o desfile no Rolls-Royce, e voltaria a ocorrer quando da transmissão do cargo de Itamar para mim, no Palácio do Planalto. Embora possam prejudicar os detalhes do espetáculo programado, a afetividade e o calor humano, em nosso país, são mais fortes do que o ritual.

Com tumulto ou com um pouco de desordem, o certo é que uma poderosa emoção tomou conta de mim à medida que o veículo que me trazia do Alvorada ia se aproximando da Catedral de Brasília. Ao subir no Rolls-Royce, me vinham pensamentos e sentimentos sobre a imensa responsabilidade que teria dali por diante, e interrogações sobre o que seria de meu governo, o que iria acontecer nos próximos quatro anos e o que eu poderia fazer pelo país. Toda a carga simbólica e o peso da História e de sua continuidade me vieram à mente e começaram a se fazer sentir sobre meus ombros: o próprio Rolls-Royce, que o Presidente Getúlio Vargas recebeu como presente de empresários e transferiu ao patrimônio público em 1953, servira a Vargas, a Juscelino...

Esse sentido de História continuou me acompanhando pelo dia afora, reforçado por outro fato simbólico: assinei o termo de posse no Congresso com uma caneta Sheaffer's dourada que Vargas dera ao segundo ministro da Guerra de seu governo constitucional (1951-1954), general Ciro do Espírito Santo Cardoso, primo-irmão de meu pai, e presenteada a mim por seu filho, meu primo, embaixador Ciro Filho. À saída do Congresso, já empossado, novas solenidades tocantes: perfilados, Marco Maciel e eu ouvimos o Hino Nacional executado por uma banda militar, enquanto troava uma salva de 21 tiros de canhão e a Esquadrilha da Fumaça da Força Aérea Brasileira (FAB) marcava o céu com listras verdes e amarelas. Tornamos ao Rolls-Royce para o pequeno trajeto do Congresso ao Planalto. Subi a rampa com Marco, sua esposa, Ana Maria, e Ruth. Itamar esperava à porta. Na passagem da faixa presidencial — outro elemento poderosamente evocativo —, tanto Itamar como eu estávamos profundamente emocionados. Quando ele a colocou em meu peito, brinquei:

— Itamar, quem sabe um dia eu ainda lhe devolva essa faixa...

O Presidente me deu um abraço apertado. Éramos àquela altura muito próximos, embora depois tenhamos seguido caminhos diferentes e, por iniciativa dele, rompido relações, posteriormente em certo grau restauradas. De toda maneira, tinha e ainda tenho plena consciência do quanto lhe devo, porque com todas as suas ambivalências, me proporcionou, no governo e nas eleições, um apoio fundamental.

Encerrado o ato, meu passo seguinte seria, já como Presidente, conduzir o ex-Presidente até o elevador que leva à garagem para iniciar sua viagem de partida para Juiz de Fora, sua terra. Despedimo-nos, de novo em clima de amizade e emoção.

Esse conjunto de atos consumiu toda a tarde. Tivemos um breve período de descanso e recuperação de forças para o evento seguinte, o banquete de gala no Itamaraty — um banquete imenso, com mil e tantas pessoas, todas com traje a rigor. O ritual reza que o Presidente que sai, Itamar, recebe no Planalto as delegações estrangeiras que chegam para a posse, e o Presidente que assume as recepciona no Palácio do Itamaraty, juntamente com embaixadores estrangeiros, políticos, empresários, intelectuais, artistas e alguns amigos e parentes. O casal presidencial precisa circular pelo amplo ambiente do banquete, cumprimentar as pessoas, trocar palavras e amabilidades. Cheguei a ficar com um começo de tendinite, de tanto estender a mão — o que havia feito desde o começo do dia. Não sentia dor, porém, anestesiado de emoção e de cansaço como estava.

Sempre durmo bem, é uma espécie de bênção que recebi. Naquela noite, a despeito da torrente de emoções e do extremo cansaço, não foi diferente. Mas era a segunda noite que Ruth e eu passávamos no Alvorada, e ainda estranhávamos o ambiente. Gosto, sempre gostei do Alvorada. Os aposentos presidenciais são muito agradáveis e cômodos. E, claro, faziam-nos companhia os filhos e netos. Até me sentir em casa, contudo, levou algum tempo. O problema do palácio é que ele também é uma repartição pública, embora o Alvorada, dos que tive a oportunidade de conhecer, seja dos que menos dão essa impressão. Ainda assim trata-se de uma repartição pública. No palácio e seu entorno devem viver umas cem pessoas, entre a segurança presidencial, a guarda do Palácio, os empregados — mordomos, garçons, cozinheiros, copeiras, arrumadeiras. Há gente dia e noite operando nos setores de serviço. O Presidente e sua família o tempo todo se defrontam com pessoas que não conhecem. Passa-se a residir numa espécie de aquário — e, no caso do Alvorada, a metáfora é ainda mais apropriada, sendo como é um edifício envidraçado.

No segundo andar, onde mora o Presidente, há privacidade. Só têm acesso direto à área empregadas e garçons que atendem a família. Os próprios ajudantes-de-ordens pedem licença para subir. A família do Presidente chega ao andar por um elevador privativo. Ele dá para um pequeno *hall* e para a porta principal dos aposentos. Aberta, conduz a um grande salão confortavelmente mobiliado que transformamos numa espécie de sala de TV, mas onde também tínhamos livros e minha mesa de trabalho, e dispúnhamos de um excelente banheiro. Muitas vezes fazíamos nesse salão nossas refeições — uma vez que a enorme sala de banquetes do andar térreo só se destina a ocasiões oficiais de gala. (Quando tinha convidados — políticos ou jornalistas, por exemplo —, lançava mão de uma sala de almoço no térreo, erigida posteriormente à construção original do palácio.) Mais adiante, passado um *hall*, há outra sala que seria o escritório de Ruth, forrado de livros. Passa-se um vestíbulo e chega-se a um *closet* destinado ao Presidente, tão vasto que jamais tive roupas para preenchê-lo. Uma passagem leva ao quarto do casal, com banheiros individuais e uma varanda. Tudo muito grande, amplo e alegre.

À medida que nos familiarizamos com o Alvorada, passamos a usar todo o segundo andar, cujo mezanino dispunha de um salão confortável, com poltronas, uma mesa de jantar e uma copa anexa, que nos permitia fazer refeições também ali. A ala residencial inclui vários apartamentos completos. Graças a eles, pode-se aplacar a "solidão do poder" hospedando a família e alguns amigos.

Ali vivi, com Ruth, oito anos intensos, de que me recordo, apesar das muitas limitações e dos equívocos que possa ter cometido, e que descrevo neste livro, com a sensação de dever cumprido.

CAPÍTULO 4

No Planalto: desvendando a esfinge do poder

A alma e o diabo

Eleito Presidente, senti desde o início a "solidão do poder". Lançado por uma coligação heterogênea, como todas são, centrada em um partido ainda pequeno e inexperiente, com não mais de seis anos de vida, que elegera menos de 20% da Câmara de Deputados, com que forças contar para promover as mudanças que haviam sido desde sempre a razão para eu ingressar na vida político-partidária? Que poder seria esse, meu Deus?

Essa era a esfinge a ser decifrada. O mapa que levaria a desvendá-la não poderia ser outro que a força das convicções para desenhar os objetivos consistentes com elas e o cálculo dos meios para alcançá-los.

Meu aprendizado político não fora longo. Contudo, tinha sido suficiente para evidenciar as artimanhas do jogo partidário, a fragilidade das alianças e a pouca renovação da máquina pública para fazer frente a uma sociedade que se urbanizara rapidamente, com elevada taxa de crescimento demográfico. Para não falar das grandes transformações no panorama mundial, com suas conseqüências econômicas e políticas.

Eu aprendera a necessidade de ter rumo na política e a importância de não menosprezar as instituições, mesmo que aparentemente frágeis. Costumo dizer que fiz "cursinho" de Presidente. Quando ministro da Fazenda do Presidente Itamar Franco, assisti ao desmanche do Congresso com a CPI dos Anões do Orçamento e as brechas que essa situação abriu para o exercício do comando pelo Executivo, calçado pela opinião pública. Pouco antes, durante o *impeachment* presidencial, presenciei a fuga desabalada dos "aliados" diante do imperativo maior da voz das ruas. E muitas vezes testemunhei cambalhotas na política. Quando se espera que o inevitável aconteça, ocorre o imprevisto.

Arte difícil esta, a da política. As estruturas pesam, sem dúvida. Os interesses organizados atuam. O sonho faz parte dela, sob a forma antiga de ideologias cristalizadas ou, mais modernamente, inspirado em maior grau por visões do que por certezas. De qualquer modo, sempre é necessário ter objetivos e tratar de alcançá-los, ainda que eles se reduzam, como ocorre com alguns, à manutenção do poder pelo desfrute dele. E há, permanentemente, um jogo entre as estruturas nacionais e internacionais (dos partidos, das igrejas, dos sindicatos, das empresas, das organizações econômicas internacionais, da burocracia civil e militar, da mídia), de um lado, e, de outro, os movimentos, as propostas, as lideranças, a busca contínua do convencimento para ganhar mais adeptos e acumular mais força para se chegar aonde se deseja.

Quem menosprezar um dos lados, seja o do já estabelecido, mesmo que antiquado ou aparentemente frágil, seja o dos impulsos que levam à mudança, com suas propostas e com o tecer do novo, ainda que a partir do antigo, não caminha. Quantas vezes, na ânsia de buscar mudanças, somos obrigados a pactuar com o oposto? Trata-se, como no caso do Fausto, não diria de vender, mas de alugar a alma ao diabo. Se o aluguel se prolonga e o demo não ganha pelo menos os contornos do anjo, quem faz o pacto se perde. No ponto de partida não há certeza sobre o vencedor da aposta. A vontade política e a firmeza dos objetivos não asseguram a vitória: existem mais incertezas entre o céu e o inferno do que imagina a vã ingenuidade. O resultado dependerá sempre da ação de muitos e das repercussões das ações e dos desejos de quem manda. As pessoas reagirão indiferentes à vontade e à motivação dos atores principais, e, em certas circunstâncias, até aos seus êxitos, se estes não forem suficientemente amplos e consistentes para convencer a maioria.

O círculo próximo e sua importância crucial

Vista do ângulo mais terreno do dia-a-dia da política, a primeira tarefa de quem ganha o ápice do poder formal é constituir o grupo da estrita confiança. Esse procedimento ocorre nas mais variadas estruturas de poder: na empresa, na associação esportiva, em uma repartição pública, em um sindicato, ou no plano maior do poder nacional. E se repete, indiferente ao tamanho das estruturas, em qualquer país ou organização. Quem são os próximos, o *inner circle*, é definição fundamental. Sem um grupo sólido de apoio pessoal e direto é difícil caminhar. Só com ele, contudo, não se vai longe. E dele podem partir também os maiores aborrecimentos. Cabe ao chefe, ao líder, constituí-lo e limitá-lo, dar-lhe força e cortar-lhe as asas.

Quem chega ao mando pela via democrática constitui esse grupo no decorrer das campanhas eleitorais. Quem, além disso, viveu a experiência da administração, vai ampliando o círculo, colhendo dentre os não-políticos as pessoas que possam ajudar a governar. A tentação maior nas estruturas tradicionais de mando é limitar o *inner circle* à família e amigos, ou compô-lo com demasiados membros da parentela ou da clientela. Não em meu caso: o núcleo duro do poder foi sendo composto, desde os tempos do Ministério da Fazenda, por profissionais que eu julgava capazes e por políticos em quem confiava.

Não faltou, naturalmente, quem me acusasse de nepotismo, concentrado em dois pontos: o trabalho de minha filha Luciana no Planalto e a designação do engenheiro e ex-secretário de Energia do governo de São Paulo David Zylberzstajn, na época meu genro, para a direção-geral da Agência Nacional do Petróleo (ANP).

No caso de Luciana, era o nome mais indicado para uma função inteiramente desconhecida do público, mas essencial a quem está na Presidência: estabelecer a ligação do Palácio do Planalto com a família e os assuntos pessoais do Presidente, sua correspondência familiar e a de pessoas íntimas, contas, talões de cheque etc. Ela trabalhava num setor sob a supervisão do secretário-geral da Presidência. Não era subordinada a mim, jamais estive em sua sala, nunca soube sequer em que andar do Palácio ficava. Não tinha ligação direta comigo. Tratava dos assuntos com Ruth e com o chefe do gabinete pessoal do Presidente. Vários presidentes respeitáveis tiveram uma pessoa da família exercendo essas tarefas. Basta lembrar Alzira Vargas do Amaral Peixoto, filha de Getúlio, que ia além na assistência política que prestava ao pai.

Quanto a Zylberzstajn, designei-o em primeiro lugar por se tratar de um técnico extremamente competente: um engenheiro e professor da USP com sólida experiência em administração pública no governo de São Paulo, sob o comando rigoroso e exigente de Mário Covas. A nomeação atendeu também a uma decisão política que tomei. A instalação, em janeiro de 1998, da ANP, agência reguladora e fiscalizadora, certamente significaria — como de fato significou — um difícil enfrentamento com a Petrobras. Setores poderosos dentro e fora da empresa resistiam às claras à situação inédita que a Petrobras passaria a viver, submetendo-se a um efetivo controle externo. A circunstância de o primeiro diretor-geral da ANP manter uma ligação pessoal comigo lhe conferia condições especiais para exercer esse papel. Foi, na verdade, um fator essencial para a escolha. E não custa lembrar que seu nome passou pelo crivo do Senado, como manda a lei.

Voltando ao círculo próximo ao Presidente, na verdade ele obedece às regras da geometria variável: para a administração, ele é formado por certas pessoas; para o jogo político no Congresso, por outras; para a política mais ampla, por outras ainda. Se possível, convém mantê-los razoavelmente separados. A autonomia decisória do Presidente depende de sua habilidade para jogar com a diversidade dos personagens e com a informação posta à disposição por cada um dos componentes dos vários círculos ao seu redor. Cada qual terá acesso apenas a parte do cenário, pois o Presidente deve dispor do maior número de informações, ficando mais bem situado para as decisões finais.

Essas considerações me serviram de base quando comecei a escolher quem formaria a barreira protetora no Palácio e a montagem do Ministério. Existem modelos variáveis para preencher o organograma do poder. Decidi dar toda força administrativa à Casa Civil e tirar-lhe o poder político. Mais que isso, pelo menos no início, tentei organizar as relações entre o Palácio do Planalto e o Congresso por meio de mediadores não-políticos, fossem ministros ou secretários. O contato propriamente político se formalizaria por intermédio dos presidentes dos partidos que sustentavam o governo.

Nomeei Clóvis Carvalho para a chefia da Casa Civil. Essencialmente um executivo, Clóvis, contudo, era filiado ao PSDB, com experiência política advinda da resistência aos governos autoritários e já familiarizado com as engrenagens do governo federal por sua atuação por quase dois anos como secretário executivo do Ministério da Fazenda. (Além dele, nos oito anos de governo tive um único ministro nessa área, Pedro Parente, funcionário de carreira do BC de ampla experiência político-administrativa, com passagens por vários cargos de relevo na Fazenda e no Planejamento.) Não somente nomeei Clóvis Carvalho como, ao anunciar a formação do Ministério, disse que ele seria "o segundo" na hierarquia, depois de mim. Sobrevieram tempestades imediatas, mostrando que eu tinha razão: outros, de maior proximidade pessoal comigo e de maior poder partidário, sentiram o golpe. Perceberam que gozavam da minha confiança, mas era em minhas mãos que estava o poder real. Podiam até dar a impressão de que eram os "donos do pedaço", porém sabiam que não era assim. Mantive de caso pensado fora do palácio os colaboradores e amigos mais próximos a mim, como José Serra e Sérgio Motta.

Por certo, os que ambicionavam ser uma espécie de *ersatz* do Presidente descarregaram os tiros de que dispunham na direção do chefe da Casa Civil, bem como nos ministros que vieram a ocupar-se das relações com o Congresso, mas não tiveram êxito, porque deleguei aos escolhidos a força necessária para atravessar as tempestades. Nunca me passou pela cabeça a idéia de hostilizar amigos. Não tive outra motivação que o interesse maior do governo e a necessidade de distinguir o público do privado.

Além dessa, tomei outras decisões eminentemente pessoais, como a designação da titular da Secretaria de Imprensa, Ana Tavares, que lá ficou os oito anos de meus dois mandatos e realizou um excelente trabalho. Levei comigo para o Planalto antiga colaboradora desde os tempos do Cebrap, Danielle Ardaillon. Danielle chefiou o setor da Presidência da República que cuida da documentação histórica. Antropóloga com formação na USP, onde fez doutorado em Sociologia, não só demonstrou capacidade excepcional na função como, pela lealdade, discrição e competência, ocupou-se também das gravações que eu fazia para registrar minhas impressões. Já transcreveu os registros relativos ao primeiro mandato (cerca de 4 mil páginas) e continua trabalhando comigo com a eficiência de sempre. Até hoje foi a única pessoa que teve acesso à referida documentação e é quem cuida da minha bibliografia, das publicações de meus artigos, livros e da documentação do instituto que organizei depois de deixar a Presidência.

Como secretário particular, nomeei Francisco "Xico" Graziano — agrônomo, professor da Universidade Estadual Paulista (Unesp) e antigo colaborador, que conheci ainda durante minha campanha à Prefeitura de São Paulo, em 1985, e que se tornaria meu assessor na capital paulista depois que assumi o mandato de senador, em 1983. Eduardo Jorge Caldas Pereira foi de grande valia, como secretário-geral da Presidência, indo parar em sua mesa de trabalho os mais variados assuntos. Todos os três tinham longa convivência comigo. Posteriormente, com a saída de Graziano para assumir a presidência do Instituto Nacional de Colonização e Reforma Agrária (Incra), chamei o dr. José Lucena Dantas, assessor do Senado que trabalhou com Mário Covas na Constituinte e que servia no Ministério das Comunicações com Sérgio Motta, para assumir as funções de chefe do gabinete pessoal, função que desempenhou com discrição e eficiência até o final do segundo mandato.

Junto ao Presidente, ao lado dos auxiliares mencionados anteriormente, funcionam o gabinete do porta-voz e a Assessoria Especial, que decidi compor principalmente de diplomatas. Nesse setor tive no início a colaboração do embaixador Gelson Fonseca e, posteriormente, do conselheiro Eduardo Santos, o primeiro contando com a cooperação dos diplomatas Luís Fernando Panelli, José Estanislau do Amaral e Júlio Bitelli, e o segundo, com a de Tarcísio Costa e José Humberto de Brito Cruz. Para a função de porta-voz do governo, e de seu adjunto, nomeei outros dois diplomatas: os embaixadores Sérgio Amaral e Georges Lamazière. Cabe à Assessoria Especial, além de fazer a ponte com o Itamaraty e lidar com as questões internacionais, preparar os discursos (que eu nem sempre lia na íntegra, mas que tomava em consideração para meus "improvisos") e as entrevistas presidenciais, pelas quais a principal responsabilidade é da Secretaria de Imprensa.

Essa Secretaria, graças a Ana Tavares, acabaria sendo essencial para o que acredito ter sido um bom e transparente relacionamento da Presidência com a imprensa. Detenho-me no assunto porque, para o governante, numa democracia, o trato freqüente com a mídia é uma forma de prestar contas à opinião pública, e para tanto é preciso estar disponível com a possível freqüência. Tive contato intenso com a imprensa. Costumava conceder entrevistas coletivas com regularidade, no Brasil ou no exterior — foram dezenas ao longo de meus dois mandatos. Ana me mostrou a conveniência de uma vez por semana descer de meu gabinete no segundo andar do Planalto até a chamada sala de *briefing*, no primeiro, onde o porta-voz conversava diariamente com os jornalistas. Ali, eu próprio dava alguma notícia em primeira mão, fazia um ou outro comentário e acabava respondendo a todas as perguntas dos jornalistas credenciados. Não passei uma semana sequer sem conversar pessoalmente com algum jornalista, em cafés-da-manhã, almoços, jantares ou encontros no Planalto ou no Alvorada. Recebia sempre donos de empresas de comunicação, diretores de jornais e revistas, dirigentes de emissoras de TV, editores e repórteres, com quem também falava, regularmente, por telefone.

Devo a Ana uma diretriz que adotei o tempo todo, com uma ou outra rara exceção: não ter jornalistas, assim como empresários, viajando comigo no avião presidencial. Trata-se de situação em que o Presidente, pela própria circunstância física de espaço, acaba ficando à mercê do interlocutor, e por tempo prolongado. Ana igualmente me lembrou da necessidade de dar atenção à mídia do interior do país. Inventou o que chamava de "rodadas de rádio". Separava o país em Norte, Sul, Leste e Oeste, e de cada vez eu atendia a emissoras de uma dessas regiões, das 7 às 11 horas da manhã, ao vivo. O jornalista Antonio Martins coordenava esse trabalho, realizado num pequeno estúdio montado no Palácio da Alvorada. Não era raro um radialista do Amapá ou de Roraima, por exemplo, perguntar, no meio da entrevista:

— Que horas são aí em Brasília, Presidente?

Era para mostrar que estava ao vivo, e eu respondia.

A mídia é o trilho por onde corre a política, e o político que não entender isso se dá mal. Mas minhas preocupações naquele momento, por certo, iam além da imprensa. Desde a preparação do programa de governo, na campanha eleitoral e, mais tarde, na Assessoria Especial, meu amigo e colaborador Vilmar Faria, doutor em Sociologia por Harvard, professor da Unicamp e ex-diretor do Cebrap, além de antigo aluno na Faculdade Latino-Americana de Ciências Sociais (Flacso), no Chile, atuou como meu braço direito. Algodão entre cristais e sempre dedicado e imaginativo no encaminhar as questões sociais e harmonizar pontos de vista entre os ministérios afetos à área, foi um assessor excepcional, até que a morte prematura aos 60 anos, em 2001, privou os amigos de sua convivência e o governo de sua competência. Na Casa Civil, chefiada por Clóvis Carvalho, contava com Eduardo Graeff, sociólogo de formação, também antigo aluno na USP, colaborador de grande valia, tanto na preparação de programas como na articulação política, além de ser capaz como ninguém de corrigir meus textos e, sendo necessário, funcionar como *ghost writer*, e com outro excelente quadro, Silvano Gianni, experiente funcionário que ajudara a montar, no governo Sarney, a Secretaria do Tesouro, no Ministério da Fazenda, tinha dirigido o Serviço Federal de Processamento de Dados (Serpro) e que depois presidiu, no biênio

2003-2004, o Serviço Brasileiro de Apoio às Micro e Pequenas Empresas (Sebrae).

Esse pequeno grupo, dedicado e eficiente, somado ao general Alberto Cardoso, chefe da Casa Militar (que posteriormente seria reorganizada como Gabinete de Segurança Institucional), constituiu, por assim dizer, o "primeiro círculo de defesa" do Presidente. Sem esquecer, é claro, das duas fiéis secretárias, Maria Tereza de Fátima Barbosa e Soraia Barros Gomes, e dos incansáveis e utilíssimos ajudantes-de-ordens, oficiais das Forças Armadas que atendem diretamente ao Presidente, alguns dos quais serviram anos a fio em meu gabinete, em meus dois mandatos. Menciono, com seus postos à época, os majores-aviadores José Luiz Villaça Oliva e Carlos Eduardo Alves da Silva, o capitão-aviador Aldo Matsuhiro Miyaguti, o major do Exército Tomás Miguel Miné Ribeiro Paiva, os capitães-de-corveta Marcus Jorge Matusevicius, Carlos Alberto de Souza Filho e Marcos Valle Machado da Silva, e os capitães do Exército Eduardo Paiva Maurmann e Alexandre Oliveira Cantanhede.

Quem desconhece os meandros do poder não imagina o quanto é de vital importância contar com esse pelotão quase anônimo. É ele quem apara arestas, ajuda a implementar decisões e, principalmente, agüenta as pressões de todos os que desejam ter acesso ao Presidente. Na Secretaria de Imprensa, então, a pressão é indescritível: o tempo todo, um nunca cessar de chamadas telefônicas, de que somente a agilidade de Ana Tavares poderia dar conta durante oito anos. Na Casa Civil, entre muitas outras funções, efetua-se a triagem dos despachos e se analisa, documento por documento, a imensidão de papéis que vêm à mesa do Presidente. Nos casos mais sérios há que contar com o apoio do advogado-geral da União, sustentáculo jurídico das decisões presidenciais.

Logo depois desse círculo, estão os diplomatas, os "da Casa", que cuidam do protocolo, e os do Itamaraty, cuja proximidade com o Presidente só é comparável à do chefe da Casa Militar, como então se chamava, e dos ajudantes-de-ordens, que estão o tempo todo no gabinete e acompanham o Presidente por toda parte — no carro oficial, no helicóptero que atende ao Presidente, no avião presidencial, em todas as viagens pelo país ou ao exterior. Desempenharam essas funções os diplomatas Júlio César Gomes dos Santos, Valter Pecly Moreira e Frederico César de Araújo, todos embaixadores no momento em que escrevo este livro.

Na verdade, do ponto de vista instrumental, o corpo diplomático e os militares, ao lado da burocracia fazendária em geral — funcionários concursados e de carreira de órgãos como o BC, o Tesouro, a Receita Federal, o Instituto de Pesquisa Econômica Aplicada (Ipea) e o Orçamento —, fornecem os quadros técnicos de maior valia à Presidência. E os ministros da Fazenda e das Relações Exteriores costumam gozar de uma proximidade funcional, e por fim pessoal e afetiva, que lhes dá um lugar de destaque no círculo de poder. Mesmo não dispondo das alavancas políticas, exercem uma influência que não deve ser subestimada.

Tive o cuidado, desde o início, de estabelecer procedimentos simples, mas eficazes, para delimitar os graus de intimidade com o Presidente. Partindo da experiência antiga no trato da coisa pública, desde a de meus ancestrais, tios e primos até as recentes experiências pessoais como ministro das Relações Exteriores e da Fazenda, determinei que o acesso à sala presidencial se fizesse invariavelmente por intermédio dos ajudantes-de-ordens. Ninguém, nem sequer os familiares, entraria na sala sem prévio anúncio. Quase sempre as audiências tinham o término marcado pela volta do ajudante-de-ordens a lembrar ao visitante os outros compromissos do Presidente. No carro, da mesma maneira, decidi que a meu lado, no banco de trás, sentaria sempre um ajudante-de-ordens, à frente o coronel da segurança — durante meus oito anos, exerceram as funções os coronéis do Exército Sérgio Sett Sparta de Souza, José Elito Carvalho Siqueira e Manoel Luiz Narvaz Pafiadache — e o motorista (foram muitos a servir durante minha Presidência). Dessa maneira, ninguém, nem um ministro ou um amigo, teria a possibilidade de conversar com o Presidente e, sem o perceber, entrar em assuntos que os acompanhantes do banco da frente não devessem escutar. Além de evitar as interpretações sobre quais amigos ou ministros eram mais próximos, os "amigos do peito" do Presidente. Regra semelhante se aplicava às viagens no helicóptero presidencial. Nele só entravam os auxiliares diretos e, nas visitas aos estados, os governadores. Regras banais, porém importantes: a polidez presidencial, somada a certas pequenas restrições de acesso — debitadas ao protocolo —, ajudam a prática de uma convivência suave, mas não confundida com falta de decoro ou com excesso de intimidades, que não combinam com o exercício da máxima função pública.

Tudo isso, entretanto, são os preparativos para as batalhas. Estas se dão principalmente (mas não de modo exclusivo) entre o Executivo e o Congresso, e, dentro e fora dele, entre os partidos. A presa são os ministérios e as políticas a serem implementadas, bem como os cargos a serem distribuídos. Esse é o jogo maior, sempre vigiado pela mídia que, mais do que voz da opinião pública, é também fator de poder. E por sobre tudo isso, o jogo de poder da sociedade com o governo e com o Congresso, mediado ou não pelos partidos e movimentos sociais.

Governo de coalizão não é estelionato eleitoral

O sistema político brasileiro tem suas peculiaridades. Diz-se que nosso presidencialismo é imperial. Será? Sim e não. É certo que do ponto de vista formal, e mesmo na prática em muitas questões e momentos, o poder presidencial (a vontade de quem manda) se aproxima do que se imaginaria uma função imperial. Mais no sentido de nossa Constituição do Império, com a esdrúxula figura do Poder Moderador e da prática interveniente e clientelística, do que do presidencialismo autoritário dos anos recentes. Muitas vezes o Presidente dispõe do instrumento legal para transformar sua vontade, senão em lei, em decreto ou MP com força de lei. E mesmo da autoridade, isto é, do reconhecimento da legitimidade da decisão, para que a ordem seja obedecida. Por motivo da boa política, contudo, para ganhar mais adeptos ou para suavizar e viabilizar a efetivação de seus propósitos, não exerce em toda a extensão o poder virtual e trata de compor situações nas quais, embora sua vontade não transpareça na integralidade, as probabilidades de êxito das políticas e das decisões que deseja efetivar se tornam maiores.

Por que isso? Porque o Executivo, simbolizado pelo Presidente e pelos ministros, é somente uma parte do sistema de poder (para não falar na dominação estruturalmente exercida pelas classes e setores de classe, organizados na estrutura não-formal de mando, que no dia-a-dia exercem pressão e dispõem de recursos de poder entrincheirados de mil maneiras nas práticas sociais). O Congresso, os partidos, o Judiciário, para me limitar aos componentes formais da estrutura de mando, condicionam, obviamente, o jogo político.

Com boa dose de exagero, diria que o Presidente eleito (com seu partido ou sua coligação) ao ser consagrado nas urnas levanta a esperança da mudança e da construção do caminho do paraíso. Quando Presidente e partido estão alicerçados em um programa com objetivos claros e espelham uma "visão" afim com o sentimento e as possibilidades das conjunturas nacional e internacional, o sistema decisório começa a andar. Dependendo, naturalmente de o Executivo estar preparado, técnica e politicamente, para propor medidas e implementá-las.

A maior parte dessas medidas, sendo renovadoras, requer aprovação no Congresso e apoio nos partidos, com tudo o que isso representa em matéria de vinculação aos interesses da sociedade e de intermediação dos meios de comunicação. O eleitorado, ao depositar a confiança no Presidente eleito, despreocupa-se das condições do suporte para sua ação. O Presidente vê-se só diante dos interesses estabelecidos, do Congresso e dos partidos. Transposta esta primeira barreira para colocar em prática seus projetos, encontrará no Judiciário o teste final para saber se poderá ou não concretizar o que deseja. Em suma, vivemos, de fato, uma situação democrática. À nossa moda, funcionam os freios e contrapesos para evitar que a vontade de um, de alguns, ou mesmo da maioria, se imponha sem mais a todos.

O maior engano do Presidente (refiro-me simbolicamente, pois não se trata apenas de uma pessoa, mas do grupo vencedor) é imaginar que, sozinho, tudo pode e que o Congresso é um tigre de papel. Já era suficientemente maduro quando assisti às crises de Jânio Quadros (1961) e de João Goulart (1961-1964). Participei, como senador, da *débâcle* do governo Collor. Nesses casos, o menosprezo ao Congresso levou os governos à paralisia e depois à ruína. Por outro lado, se o Presidente "se entrega" ao Congresso, está perdido. É esse o jogo político principal: para realizar o que a sociedade deseja e o que ele prometeu na campanha, o Presidente necessita do Congresso. Constrói, portanto, alianças, de vez que em nosso sistema eleitoral, em uma Federação muito desigual, os partidos são fragmentados e o Presidente apenas com o seu partido não dispõe de maioria. Pode fazer as alianças antes (o que é melhor) ou depois do voto. Mas terá de fazê-las para governar. A grande questão é: alianças para quê? Só para se manter no poder, ou para realizar os objetivos de um projeto específico e claro de governo? E com quem?

É esse o nó górdio a ser desatado logo no início do mandato, quando os partidos (o do Presidente, os coligados ou, quando nem assim se consegue a maioria, os dos ex-adversários), com apetite voraz, sentam-se à mesa para discutir que partes terão no latifúndio do poder. É o momento da formação do Ministério e da definição dos comandos parlamentares (controle das Mesas que dirigem a Câmara e o Senado e designação de líderes). Se o governo não dispuser dos recursos políticos e de informação para preservar os setores do Executivo que considera essenciais à realização de seus projetos, ao "fechar" as alianças e entregar partes do mando a pessoas e partidos que não necessariamente comungam de visão e valores comuns, começa a vender a alma ao diabo sem chances de recompra.

No meu caso, desde a campanha, havia uma marca de "governo de coalizão". Como já descrito, optamos por uma aliança eleitoral que juntou o PFL e o PTB ao PSDB. Essa "juntada", entretanto, partiu de uma visão e de um programa. As idéias básicas e os objetivos do governo foram registrados em um livro chamado *Mãos à obra, Brasil*,[1] preparado sob a coordenação de Paulo Renato Souza, economista com obra reconhecida, ex-reitor da Unicamp e ex-secretário da Educação do governo Montoro, além de amigo, e de meus assessores Vilmar Faria e Eduardo Graeff. A própria formulação do Plano Real durante o governo Itamar implicara uma série de definições e comprometimentos que balizaram as alianças e as ações do que seria meu governo. Ainda que não tenha podido realizar tudo o que prometi, tanto no primeiro como no segundo mandato (para o qual preparamos outro livro com o título de *Avança Brasil*),[2] não me afastei da filosofia proposta.

Os partidos e grupos que se aproximaram do governo não o fizeram, portanto, porque eu tivesse praticado um "estelionato eleitoral", dizendo uma coisa na campanha e me associando a eles com outros propósitos, nem poderiam alegar ignorância dos objetivos governamentais. Isso não quer dizer que os tenham seguido unânime e conscientemente, mas significa que o governo sempre proclamou que tinha um rumo, e procurou mantê-lo. E também não quer dizer que o governo não tenha feito compromissos, aceitando a participação de pessoas e setores partidários que

---

[1] Fernando Henrique Cardoso, *Mãos à obra, Brasil: proposta de governo*, Brasília, 1994.
[2] *Idem*, *Avança Brasil: proposta de governo*, Brasília, 1998.

se sabia, de antemão, não comungavam de propósitos idênticos: o pragmatismo com objetivos definidos implica um cálculo e uma aposta. O cálculo diz respeito aos apoios necessários à sustentação geral da política governamental, mesmo quando em detrimento de objetivos específicos, e a aposta tem a ver com a crença de quem conduz de que é capaz de induzir (ou, no limite, forçar) os aliados, inclusive os de última hora, a aceitarem os objetivos que pretende alcançar.

O risco de perder o controle do processo ou de o governo se descaracterizar é permanente. Trata-se de uma aventura perigosa, pois mesmo com a melhor das intenções pode-se errar nas apostas. O sucesso delas, repito, depende de condições objetivas e de disposições de vontade que não se definem nem são limitadas apenas pelo círculo maior do poder. De qualquer forma, política não é apenas a continuação da guerra por outros meios, conforme o célebre conceito de Clausewitz,[3] não é a substituição da força pela submissão. Nem é um método para contar e separar os bons dos maus. É a arte de persuadir os "maus" a se tornarem "bons", ou em todo caso a agirem como se fossem, nem que seja pelo temor das conseqüências. De transformar os inimigos em adversários, os adversários eventualmente em aliados. Quando ocorre a cooptação em vez da persuasão (por diferentes meios), o lugar da política é ocupado pelo escambo entre interesses menores. O drama é que são tênues os limites entre a grandeza e a perdição.

Controle do Congresso: Luís Eduardo, Sarney, ACM, Temer, Aécio

Mal terminada a eleição, pus-me a campo para ampliar a base de apoio do governo. Para alcançar meus objetivos como Presidente, precisava propor mudanças na Constituição que conferissem maior competitividade à economia brasileira. Era urgente liberar o Estado, ainda em franca crise fiscal, do pesado ônus de ser o único responsável pelos investimentos de infra-estrutura, graças aos monopólios constitucionais. Tínhamos que

---

[3] Carl Philipp Gottfried von Clausewitz (1780-1831), general prussiano e pensador militar. Sua obra mais conhecida, *Vom kriege*, publicada em 1832, mereceu várias traduções em português. Ver Carl von Clausewitz, *Da guerra*, São Paulo, Martins Fontes/ Universidade de Brasília, 1979, tradução de Teresa Barros Pinto Barroso.

preparar o Estado para levar adiante, com mais recursos e melhor gestão, as políticas sociais e previdenciárias que lhe correspondem. Era preciso adaptar a máquina pública às suas novas funções regulatórias, criando agências independentes, dirigidas por funcionários com mandato fixo e não coincidente com o período presidencial, para assegurar aos investidores o rigoroso cumprimento dos contratos e aos consumidores o bom desempenho dos serviços públicos que passariam a ser executados, parcialmente, por agentes privados.

Tais objetivos implicavam uma reforma profunda do setor público, desde o modo de fazer o Orçamento e de executá-lo, de distribuir tarefas e despesas, por exemplo, na educação, entre municípios, estados e governo federal, até a quebra dos monopólios. Requeriam emendas à Constituição, e as reformas constitucionais, como sabemos, exigem a aprovação de três quintos do total dos parlamentares em cada uma das Casas do Congresso, em votações repetidas, artigo por artigo, dadas as peculiaridades dos regimentos da Câmara e do Senado.

Pareceu-me que, além das alianças previamente feitas para a eleição com o PFL e o PTB, era indispensável a inclusão do PMDB na base de sustentação do governo. Dos grandes partidos brasileiros o PMDB é o mais peculiar. Embora tenha perdido lideranças e mesmo capacidade aglutinadora interna depois da redemocratização, continuou enraizado no país e manteve considerável eleitorado. Herdeiro da tradição democrática da luta contra o autoritarismo e possuidor de um vago ideário desenvolvimentista algo estatizante — muito afim com o sentimento geral do país, deve-se reconhecer —, não deixa de ser um aliado importante, até indispensável para os governos que desejam reformas constitucionais, graças às dimensões de suas bancadas no Congresso.

Nessas circunstâncias o jogo político exigia perícia para distribuir no tabuleiro do poder o partido do Presidente, o de seus aliados de campanha e os recém-chegados. As peças do jogo deviam ser alocadas em posições nos ministérios, nos grandes órgãos de governo e no Congresso, sem falar dos postos de mando nos estados da Federação. No Congresso, decidiu-se de início respeitar a tradição que atribui a Presidência de cada Casa ao respectivo partido majoritário. No entanto, acabou sendo preciso fazer uma composição para assegurar o controle da Câmara dos Deputados ao PFL, com bancada menos numerosa do que o PMDB. A Câmara é o organismo político mais nervoso e nevrálgico da República. Composta por 513 deputados, com a tradição de renovar cerca de 40% dos membros em cada eleição (por especificidades do sistema eleitoral que não cabe esmiuçar), é nela, normalmente, que se esboçam os movimentos opositores mais contestatórios e é dela que advêm as pressões mais diretas dos eleitores. Embora o Senado disponha de poderes equivalentes, e de algumas prerrogativas adicionais em casos especificados na Constituição, sua renovação é mais lenta e a acomodação dos interesses mais fácil, sem contar que abriga muito menos parlamentares (81). No que respeita a mim, senador que fui por doze anos, tendo exercido a liderança de dois partidos, o PMDB e o PSDB, o relacionamento com o Senado era mais pessoal e direto. Na Câmara, além das características descritas, contava (sempre conta) o fato de que os projetos de lei enviados pelo Executivo ao Congresso, inclusive as reformas constitucionais, se iniciam ali e, se terminarem sendo derrotados, nem chegam ao Senado. Havia, portanto, que ter na direção da Câmara alguém de minha total confiança.

Na aliança para as eleições presidenciais, coube ao PFL a Vice-Presidência da República. Minha preferência, na época não acompanhada pelo PSDB, recaía sobre o deputado Luís Eduardo Magalhães. Mas Luís Eduardo, para meu partido, era pano vermelho por causa das desconfianças provocadas pelo pai, Antonio Carlos. Ouvi de diferentes líderes tucanos quase a mesma frase:

— Não dá, o ACM vai conspirar contra você.

Luís Eduardo, político jovem porém atilado, percebia perfeitamente o problema. Sem que nunca tivéssemos comentado as dificuldades trazidas pelo nome do pai, ele próprio, em gesto de fidalguia, procurou-me para dizer que era sabedor de meu desejo mas também de minhas dificuldades e por isso assumiria publicamente a decisão de não aceitar a posição. Diante da reação do deputado, o PSDB não teve dificuldades em aceitar o nome do senador Guilherme Palmeira (AL) para figurar como candidato a Vice-Presidente na chapa. Votara em Tancredo no Colégio Eleitoral, era um político experiente (ex-prefeito de Maceió e ex-governador de Alagoas) e uma pessoa esplêndida, de trato muito agradável e fácil — por coincidência, outro vizinho de apartamento em Brasília —, com trânsito em diversas áreas. Acabou renunciando à indicação depois que um deputado do PT representou contra ele na Procuradoria-Geral da República por suposto favorecimento a uma empreiteira via emendas ao Orçamento. As acusações, como freqüentemente ocorre, não seriam provadas na Justiça.

Ficamos, Guilherme e eu, sabendo da história durante um compromisso de campanha em Chapecó (SC), num dia de frio terrível, em maio de 1994. Ainda hoje tenho a impressão de que, no fundo, ele não estava à vontade como candidato e não queria ir até o fim naquela empreitada. Não porque não confiasse em nossa vitória, mas como se achasse que o posto deveria ser destinado a outro líder do PFL. Na volta a Brasília, durante reunião comigo no escritório de advocacia de Pimenta da Veiga, de que participaram também, pelo PSDB, Tasso Jereissati e, pelo PFL, Jorge Bornhausen e Luís Eduardo, Jorge indicou como substituto de Guilherme o ex-presidente da Câmara, ex-ministro, ex-governador e senador Marco Maciel (PE). E foi uma bênção. Difícil encontrar pessoa que, além de competente, seja mais discreta, eficiente e leal. Exerceu durante oito anos a Vice-Presidência, assumiu dezenas de vezes o cargo e nunca deu um passo que não fosse absolutamente correto. Ajudou-me substancialmente em várias questões, sobretudo na coordenação política, e o fazia com discrição e eficiência. Tínhamos sido colegas no Senado por vários anos, mas sua polidez irretocável levava-o a me chamar, cerimoniosamente, de "senhor".

Quanto a Luís Eduardo, quando cavalheirescamente recusou ser meu companheiro de chapa, respondi que, uma vez vencedor na disputa eleitoral, caberia a ele escolher o posto que desejasse no governo. Com meu entusiasmo, preferiu tentar ser presidente da Câmara, para o que trabalhei. Sem grande resistência dos outros partidos, cumpriu-se o desejado: a união entre PSDB e PFL garantiu o requisito de maioria.

Com a decisão relativa à Câmara, passou a ser natural que a presidência do Senado coubesse a um peemedebista, não somente porque o partido ali tinha maioria (que poderia ser contestada se houvesse a junção dos demais partidos aliados num bloco contra o PMDB), como porque a governabilidade requeria distribuição de poder entre as legendas que formariam a base parlamentar do governo. Em encontro que tive com o senador José Sarney, na casa do embaixador Júlio César Gomes dos Santos — encarregado dos assuntos externos do Ministério da Fazenda e que se licenciara das funções para participar da campanha eleitoral —, ouvi dele o interesse em assumir a posição. Embora no PMDB houvesse também a candidatura do senador Pedro Simon, peemedebista histórico e combativo, pareceu-me que naquele momento a grande experiência do senador Sarney, que incluía naturalmente seus cinco anos na Presidência, serviria melhor a meus propósitos reformistas e aos interesses da República do que a impetuosidade oposicionista, um tanto nacional-estatizante à moda dos anos 1970, do senador gaúcho. Não interferi, mas não me desagradou a eleição do senador pelo Amapá para a presidência do Senado.

O equilíbrio entre os grandes partidos, deixando meu próprio partido, o PSDB, à margem do controle do Congresso, mesmo quando se tornou majoritário na Câmara após as eleições de 1998, revelou-se fundamental para compor um quadro de estabilidade. Este quadro sofria alguma perturbação a cada dois anos, quando se processavam as renovações das Mesas Diretoras, mais por motivos grupais, regionais e pessoais, do que pela ação de correntes políticas descontentes com o governo. O equilíbrio político só se rompeu em janeiro de 2001, quando o PSDB, dizendo-se cansado de ser sacrificado pelos interesses do Executivo (como se não detivesse as posições fundamentais nele), movimentou-se pela candidatura à presidência da Câmara do deputado Aécio Neves (PSDB-MG), neto de Tancredo, seu ex-secretário e hábil articulador, com apoio do PMDB. Aécio só seria derrotado se o governo, isto é, o Presidente, impusesse um veto. Não me pareceu, àquela altura, que coubesse tal interferência, inclusive pelas excelentes relações que sempre mantive com o deputado. Alertei, porém, o presidente do PSDB, senador Teotônio Vilela Filho (AL) — companheiro leal e pouco ambicioso —, das conseqüências do gesto: rompido o equilíbrio, o PMDB, que na época governava a Câmara, não concordaria com a manutenção do PFL no comando do Senado, ocupado até então pelo senador Antonio Carlos Magalhães, e buscaria a adesão do PSDB, para que este retribuísse o apoio recebido na Câmara.

Dito e feito: naquele início de 2001, a luta entre ACM e o líder do PMDB no Senado e presidente nacional do partido, Jader Barbalho (PA), que vinha desde quando disputavam as luzes da ribalta das CPIs do Judiciário e do Sistema Financeiro, em 1999, eclodiu com estrépito. Jader derrotou o candidato à presidência do Senado apoiado pelo PFL, Arlindo Porto (PTB-MG). Daí por diante, até as eleições de 2002 (embora não só por causa desse episódio), o apoio ao governo no Congresso perdeu progressivamente pontos de equilíbrio. Antes disso, as rusgas intra e interpartidárias na disputa pela composição das Mesas do Congresso, salvo poucas exceções, tinham sido levadas com tranqüilidade pelo governo.

Uma dessas raras exceções se deu quando, em fevereiro de 1997, o candidato do PMDB à presidência da Câmara, deputado Michel Temer (SP), também líder do partido, teve a eleição contestada pelo chamado "baixo clero"[4] e pelas oposições. Foi lançado um candidato contestatório, extraído do próprio PSDB, Wilson Campos (PE). Caro custou ao governo e a seus líderes assegurarem os votos adicionais de que o PMDB necessitava para eleger Michel Temer. Ao final, o placar indicava vitória, mas com a diferença de apenas um voto. Nessas horas, ou o comando governamental é forte e se empenha, ou, quando perde a influência na condução da Câmara ou do Senado, começa o enfraquecimento do governo. Não por acaso as oposições, como não têm força própria para vencer as votações, buscam sempre apoiar candidato dissidente do grupo governista, para abrir uma brecha no muro do poder.

Com menor desgaste, também a eleição de Antonio Carlos Magalhães para suceder José Sarney, no mesmo ano de 1997, enfrentou o desafio da candidatura peemedebista de Íris Rezende (GO). Mas a força política de seu filho Luís Eduardo, presidente da Câmara, somada à impetuosidade do ministro Sérgio Motta, de indiscutível liderança no PSDB, além sem dúvida do prestígio e da ação do candidato, garantiram os votos necessários à vitória. Para não desarrumar o equilíbrio na distribuição de poderes entre os grandes partidos, ou seja, pela exata razão que levou a Presidência a se jogar diretamente no apoio à candidatura de Michel Temer na Câmara, desta feita, no Senado, preferi não me envolver em tal grau na disputa, apesar das boas relações que mantinha com Íris Rezende. Ques-

---

[4] Assim se tornou conhecido, de forma algo depreciativa, o conjunto de parlamentares que não dispõem de prestígio suficiente para exercer funções de liderança formal ou informal, ou que não se situam no comando das comissões nas quais se realiza o processo parlamentar. Em geral não mais de cinqüenta parlamentares, talvez um pouco mais, se sobressaem em cada Legislatura, ou seja, 10% da Casa. Os demais, embora muitos de valor, não conseguem aparecer na mídia nacional nem exercer influência política preponderante. Não obstante, é deles que vêm os votos para a aprovação das decisões fundamentais, a começar pelas eleições das Mesas.

tões de fácil entendimento na lógica maior do poder, mas de difícil aceitação pelas pessoas envolvidas no quotidiano da política e pelos que de longe acompanham essas manobras.

As dificuldades para acomodar interesses no comando do Congresso implicam negociações com os chefes partidários, ou seja, com um número reduzido de pessoas. Já o relacionamento com o conjunto dos parlamentares, principalmente com o "baixo clero", é muito mais complicado. No início do governo imaginei ser possível uma relação institucional com o Congresso, por intermédio dos presidentes de partidos. Eles deveriam encaminhar as questões com as bancadas. Tanto o deputado Pimenta da Veiga, que chefiava o PSDB, como o deputado Luiz Henrique, presidente do PMDB, ou o senador Bornhausen, do PFL, como o senador Andrade Vieira, do PTB, constituiriam um comitê para gerir as relações dos congressistas comigo e com o governo. O mecanismo seria logo prejudicado pela decisão do senador Andrade Vieira de assumir ele próprio a posição ministerial que caberia ao PTB (o Ministério da Agricultura). Em seguida, os líderes partidários de cada uma das Casas passaram a se queixar de que o relacionamento com os presidentes de partidos deveria incluí-los. Por fim, na dura realidade de nossos partidos, viu-se que o comando sobre as bancadas, não apenas o dos presidentes como o de muitos líderes, é tênue.

O paradoxo desafiador: partidos fracos, Congresso forte

Cabe aqui um parêntese sobre a natureza de nossos partidos e da representação parlamentar. Com exceção dos ditos de esquerda, desde as variantes dos partidos de origem comunista ao PT, que vêm de uma tradição de "centralismo democrático", os demais, variavelmente, têm um comando frouxo sobre as bancadas. Alguns, como o PDT, o PSDB e o Partido Socialista Brasileiro (PSB), ainda mantêm alguma consistência no voto dos parlamentares, embora com dissidências admitidas. Outros, como o PFL, se esforçam por obtê-la, mas freqüentemente se dividem em função de lideranças regionais. Outros mais já dão por descontado que cada cabeça sempre será uma sentença. O próprio sistema eleitoral encoraja a desconfiança entre companheiros de legenda: elege-se deputado quem obtém maior número de votos comparativamente com outros candidatos da mesma chapa. Ou seja, os membros do mesmo partido competem em todo o território de seus estados uns com os outros. Ademais, não vigoram regras de fidelidade partidária que levem à homogeneização do voto nas pelejas parlamentares.

Por fim, no processo eleitoral os eleitores votam preferencialmente na pessoa, não na legenda e muito menos no partido, se esse for entendido não como mera sigla e sim como uma organização composta por pessoas que defendem um conjunto de princípios, formando uma visão política coerente. As regras do processo eleitoral permitem ao eleitor votar em candidatos de diferentes partidos para diferentes cargos — por exemplo, em um determinado partido para deputado estadual, em outro para federal ou num terceiro para governador ou presidente. Isso dá ao deputado uma grande liberdade de atuação no Congresso: ele sabe que na próxima eleição o eleitor, se ainda se lembrar do representante escolhido no pleito anterior, não cobrará dele fidelidade partidária, mas serviços prestados à comunidade, a seu grupo de apoio ou mesmo a ele próprio, eleitor, individualmente.

Dessa maneira temos um sistema representativo cuja "representação", quando chega a se organizar, é pós-eleições. Entretanto, se ficarmos apenas nesta constatação, podemos incorrer no engano de pensar que o Congresso, no conjunto, não representa interesses ou valores, o que não é certo. A forma dessa representação é que tem peculiaridades. Certos segmentos de congressistas e de partidos expressam valores e interesses. Parlamentares desses segmentos representam, de fato, as partes da sociedade que lhes deram o voto. Outros parlamentares há que são selecionados por setores da sociedade para expressar seus interesses *depois* de eleitos. A seleção se dá porque determinado setor identifica em certo parlamentar ou grupo de parlamentares afinidade com seus interesses ou, na via inversa, os próprios parlamentares tratam de se aproximar de grupos de interesse na sociedade. Chegam até a se organizar em frentes parlamentares suprapartidárias que defendem, por exemplo, a educação pública, ou os fazendeiros, ou os pequenos produtores, quando não ambos os grupos, ou os interesses do sistema financeiro, ou todo tipo de interesses corporativos, de funcionários públicos a sindicatos ou setores da produção, ou então valores morais ou religiosos. Refiro-me a essa forma estranha de "representação" pós-voto sem necessariamente desqualificá-la: os interesses ou os valores assim atendidos podem ser bons ou maus, dependendo da filosofia de quem os julgue, bem como podem ou não ser legítimos — e se forem ilegítimos devem, é claro, ser combatidos.

Não é a partir de uma perspectiva moral que desejo chamar a atenção para essa forma de atuação parlamentar e de conexão entre o Congresso e a sociedade. Processos semelhantes podem se observar em algumas democracias consolidadas, inclusive nos EUA. Chamo a atenção para outro aspecto, o do jogo político entre o Legislativo e o Executivo. Ele se torna muito mais volátil nesse tipo de representação parlamentar do que nas situações nas quais os partidos têm maior tradição e capacidade de controlar o comportamento dos parlamentares, como nos sistemas parlamentaristas de governo. É por isso que as tentativas de relacionamento "institucional" entre o Presidente, ou o Executivo, e os partidos funciona precariamente. É pela mesma razão que a negociação política, ainda que legítima, aparece aos olhos do público como uma negociação "de balcão": ela se dá quase individualmente ou, no caso das "frentes parlamentares", juntando deputados que podem ir, por exemplo, do PT ao PP, unidos em situações específicas ao redor do mesmo propósito, como a redução da dívida agrária, a oposição à facilitação do aborto ou a defesa do parlamentarismo.

Os próprios líderes partidários tornam-se cada vez mais partes de uma cadeia de transmissão das demandas individuais dos parlamentares ao Executivo do que guias políticos de seus liderados. Muitas análises incorrem em simplificações ao tomar as legendas por partidos e considerá-los, em bloco, "de esquerda" ou "de direita" ou até como "governistas" e "oposicionistas": como qualificar em bloco, se os "partidos" são fragmentados?

Além dos inconvenientes de funcionamento desse sistema político, existem outros mais sérios. Há riscos para o sistema democrático, advindos da transformação de partes do Congresso em *lobbies*, ainda que legítimos. Esvaem-se os partidos, se por estes se entenderem organizações sem dúvida comprometidas com a defesa de seus interesses de poder, mas que têm também uma visão sobre "a boa sociedade" e orientam sua conduta política por valores compartilhados por seus membros.

A experiência prática da situação acima descrita me levou a estabelecer uma teia de relações complexas para conseguir a aprovação dos projetos indispensáveis ao encaminhamento da agenda reformista. Essa teia enredada e trabalhosa era manejada mais freqüentemente por ministros ou secretários encarregados das relações com o Congresso. Contei permanentemente, da mesma forma, com a cooperação do PSDB, tanto graças à ação de seus sucessivos presidentes, Pimenta da Veiga, Artur da Távola, Teotônio Vilela e José Aníbal, como de Sérgio Motta, que foi secretário-geral e, enquanto viveu, manda-chuva. Não havendo partidos coesos e homogêneos, a negociação institucional torna-se impossível. Embora eu tivesse resistido de início à nomeação de um político para fazer a mediação fragmentada com o Congresso, acabei nomeando, em abril de 1996, o deputado Luiz Carlos Santos (PMDB-SP), líder do governo na Câmara, como ministro Extraordinário para a Coordenação Política.

Mesmo sendo certo que cabia ao ministro político a função de indicar as pessoas combinadas com os parlamentares para exercer certos cargos que a lei permite serem de livre provimento, a consecução do ato passava pelo crivo da Secretaria-Geral, da Casa Civil e do ministro da pasta correspondente ao cargo pretendido. Evitei entregar a materialização dos acordos políticos aos ministros que cuidaram da área política. Barravam-se assim os compromissos que poderiam afetar o desempenho, por falta de capacitação profissional suficiente dos indicados, ou a honorabilidade do governo, por eventual falta de qualificação moral deles. Embora nem sempre a peneira tenha sido efetiva, ela limitou os desgastes do governo. Por outro lado, o ocasional descumprimento de acordos teve um alto custo para os ministros encarregados da coordenação política. Daí a rotatividade relativamente elevada dos titulares dessa pasta, que tinham de funcionar como "fusível" do Executivo. Em dois mandatos, contei com seis auxiliares nessa função.

Na prática este mecanismo de relacionamento dos deputados com o eleitorado e com os partidos, bem como com o Executivo, torna a própria caracterização de nosso sistema governamental um tanto elusiva. Como falar propriamente de um "presidencialismo de coalizão", que em geral se refere às alianças partidárias, quando a fragmentação de interesses e de focos de poder desborda os canais partidários? A noção é valiosa, mas precisa ser contextualizada.[5] Antes tivéssemos a possibilidade de organizar alianças estáveis e coalizões. Na verdade, o aspecto "imperial" do presiden-

[5] Quem melhor chamou atenção para o presidencialismo de coalizão foi o cientista político Sérgio Abranches.

cialismo brasileiro deriva menos da vontade do Presidente do que das condições efetivas de funcionamento do jogo político. Contraditoriamente, queira ou não o Presidente, dada a fraqueza relativa dos partidos e a força do Congresso — um paradoxo brasileiro —, se o Presidente não se mantém forte, o "fisiologismo" (como vulgarmente se chama o sistema de pressões diretas dos parlamentares sobre os recursos públicos, materiais e políticos) predomina sobre a capacidade de o governo definir e implementar uma agenda de transformações no país.

Do Presidente, para se manter forte, além de habilidade política, se requerem certas características e condições. A característica indispensável é a respeitabilidade, que depende em grande parte da compostura frente às questões públicas. Depois, vem a popularidade, que está sujeita ao êxito das políticas, sobretudo das econômicas, ou da sorte de viver conjunturas favoráveis. Não sendo o caso, o Presidente e o governo têm que ser capazes de se desvencilhar das condições adversas. Tudo isso dependerá em parte da capacidade de comunicação do Presidente, sem esquecer da sustentação do governo na mídia. Nessa altura, a opinião pública volta a ser a voz do eleitorado e, portanto, a senhora da verdadeira fonte do poder democrático. Isso não quer dizer que em nosso regime político os presidentes caiam necessariamente ao perderem respeitabilidade e popularidade. No entanto é inegável, dada a fragilidade do apoio propriamente partidário, que os riscos de interrupção do mandato existem e a agitação para-golpista de setores oposicionistas continua sendo um sinal de fraqueza institucional que não deve ser descuidado. Ainda que não se chegue a esses extremos, o desempenho do governo, sua capacidade de administrar e implementar políticas, decai muito quando as condições que mencionei se tornam desfavoráveis. O marasmo político-administrativo prepara, então, futuras derrotas.

A escolha na Fazenda: Malan queria ficar só um ano

Composto o círculo próximo, e não necessariamente em ordem cronológica, tarefa decisiva é a da formação do Ministério. É nesse momento que os políticos e o Congresso sentem o pulso de quem comanda. Para comandar, o Presidente precisa ter noção clara do que deseja fazer na administração e por intermédio de que pastas. No meu caso havia uma obsessão inicial óbvia: continuar o que começara, a estabilização. Portanto dediquei-me, mesmo antes da posse, a escolher os colaboradores da área econômica. E não se tratou de tarefa fácil.

A primeira pessoa com quem conversei sobre a composição do governo, lá por fins de novembro de 1994, foi Tasso Jereissati, recém-eleito pela segunda vez governador do Ceará. Ele tinha sido o articulador principal das eleições e era presidente do PSDB, e sempre nos entendemos muito bem. Abordei em especial a área econômica, pois havia rumores de que alguns de seus componentes queriam deixar o governo. Em dezembro chegou a vez do primeiro convite: queria Edmar Bacha como ministro da Fazenda. Não obtive êxito: Bacha estava cansado do governo, de morar em Brasília e queria voltar ao Rio de Janeiro e se dedicar à família. O argumento era de difícil contestação:

— Assim acabo me separando de minha mulher. Ela ficou trabalhando no Rio, e eu, afogado de trabalho em Brasília esses meses todos. Para mim, não está dando mais.

No limite, consegui que aceitasse a presidência do BNDES, cuja sede é no Rio. Chamei Pedro Malan, já que eram os dois a meu ver mais adequados para a função. Foi também muito difícil. A família se adaptara completamente à vida em Washington, onde Malan residia como negociador da dívida externa, e resistia à mudança. Conversei com Pérsio Arida. Não poderia nomear André Lara Resende porque ele se afastara do governo e assumira o comando de um banco privado, o Matrix. Nesta hipótese, pensei e disse a alguns, nomearia José Serra, de todos o amigo mais próximo, economista competente e relativamente crítico de algumas das políticas que vinham sendo postas em prática. Com a eventual escolha de Serra concordou André, como Tasso já assentira. Acabei não indo nessa direção pelos problemas que surgiriam com a situação de ter, à frente da equipe econômica, alguém que não participara do trabalho de concepção e implantação do Plano Real.

Vários membros da equipe econômica inclinavam-se por Clóvis Carvalho, pelo extraordinário desempenho como secretário executivo do Ministério, pelas qualidades pessoais e morais acima do comum e por sua capacidade de fazer grupos funcionarem. Eu, no entanto, tinha outros planos para aproveitar sua colaboração. Além disso, minha opinião, idêntica no caso à de André, era de que são requisitos absolutos para um ministro da Fazenda possuir conhecimentos sólidos, profundos de economia ou, então, força política, e eles não se aplicavam a Clóvis.

Diante de minha insistência com Malan, ele acabou por aceitar o Ministério por um curto período (falava em no máximo um ano, e durou oito...). Acho que o fato de termos conseguido para sua família uma casa, e não um apartamento funcional, colaborou para o "sim" de Malan. Pressionei Pérsio Arida para que presidisse o BC. Pérsio, sempre hesitando entre o sentimento do dever, que nele é forte, e seu estilo de vida pessoal — gosta de música, de leitura, de vida acadêmica e do mercado —, disse-me que aceitaria, observando, premonitoriamente:

— Mas só por um tempo, até o Armínio poder me substituir.

Gustavo Franco, que desejava a posição e tinha capacidade para exercê-la, ficou no comando da área externa do BC. Contra meu desejo, porém, Winston Fritsch, importante colaborador do Plano Real, não quis continuar no governo.

O outro ponto nevrálgico de qualquer governo é o Ministério do Planejamento. Inicialmente a idéia era de trazê-lo para junto do Planalto, como uma secretaria próxima do Presidente, e entregá-lo a Paulo Renato Souza. O sociólogo Luciano Martins, amigo de longa data, que ajudara a formulação do organograma de governo e que depois se integrou à Assessoria Especial, concebera, junto com Eduardo Jorge, uma Secretaria de Planejamento funcionando no Planalto, que cuidaria também do Orçamento.

Discuti muito o futuro político de Serra

Eu queria muito que José Serra, não podendo ficar no comando da equipe econômica, integrasse o governo. Isso tanto pela proximidade que temos como por sua incrível capacidade de trabalho e inteligência analítica. Meu outro objetivo fundamental era recompor as áreas sociais, à frente os Ministérios da Educação e da Saúde, para colocar em marcha políticas universais de acesso à cultura, à cidadania e ao bem-estar social. Não consegui convencer Serra a tocar uma das duas pastas. Parecia-me que, além de ganhar um colaborador de primeira nessas áreas-chave, qualquer dos dois ministérios lhe abriria mais facilmente um caminho político-eleitoral do que as pastas econômicas. Seria difícil obter êxito eleitoral gerindo ministérios econômicos. A situação que vivi graças ao Plano FHC, que virou Real e pôs fim à inflação, dificilmente se repetiria.

Minha opinião não era compartilhada por Serra. Conversei muito com Sérgio Motta sobre as perspectivas de Serra na vida pública. Ele tinha talento e ambição política. Eu achava que seu futuro dependeria de votos. Tentei convencê-lo disso, mas ele compartilhava a obsessão de muitos economistas de pensar que sua carreira deve estar ligada à respectiva área. Talvez não acreditasse em minha convicção de um caminho eleitoral que passasse pelas áreas sociais. Quem sabe eu estivesse tentando "enrolá-lo", poderia pensar. Nunca me disse nada a respeito, mas a resposta era simples:

— Eu não sei nada de saúde e nem mesmo de educação. Não me sinto à vontade.

Que futuro político de Serra era esse de que eu cogitava? A essa altura, era uma preocupação genérica com um velho amigo cujo talento e capacidade eu admirava. Não pensava especificamente em minha sucessão na Presidência, mas devo dizer, neste livro, que para mim ele sempre foi uma possibilidade como meu sucessor, até porque nenhum dos outros técnicos ou políticos que eu estava nomeando ministros me parecia ter de antemão um caminho definido para chegar ao Palácio do Planalto.

Os futuros membros do grupo econômico e, principalmente, Sérgio Motta, que gozava de grande proximidade e prestígio junto a mim, considerando o peso técnico e político de Serra, pressionaram para que eu o colocasse no Planejamento. Relutei um pouco pelas razões já expostas em relação à cogitação de seu nome para a Fazenda, e novamente por temer choques de pontos de vista e de temperamento, dessa feita entre o time da Fazenda e a equipe do Planejamento. Preferia Paulo Renato, mas avaliei que Serra tinha como ninguém os contatos e o pulso necessários para negociar o Orçamento com o Congresso, a que pertencera como deputado e para o qual fora eleito senador a 3 de outubro.

Tomada a decisão, sobrava a questão para mim crucial de escolher bons ministros da Educação e da Saúde. A ela me dediquei. Primeiro tratei de convencer Paulo Renato, desagradado por ter perdido o Planejamento, de que muito haveria a fazer na Educação. Consegui. Em seguida, tentei Ciro Gomes para a Saúde. Achava, com a experiência de lidar com os vários ministérios desde que me encarreguei da Fazenda, que a boa condução do Ministério da Saúde, assim como do da Educação, dependeria mais de capacidade gerencial e conhecimento dos mecanismos orçamentários do que de *know-how* específico das respectivas matérias, que poderia ser preenchido por equipes técnicas competentes. Sentia-me devedor a Ciro Gomes pela disposição que teve de deixar o governo do Ceará para substituir Rubens Ricupero na Fazenda, em pleno momento eleitoral. Embora, como na época ele próprio reconhecia, ainda sem um perfil nacional e o conhecimento das sutilezas político-administrativas de Brasília, tinha reputação de haver realizado um bom governo. Convidei-o, pois, para a Saúde. Ele, entretanto, declinou do convite, dizendo que iria estudar nos EUA e que, se no futuro eu tivesse que trocar algum ministro, poderia considerar seu ingresso no governo.

Almoçamos sozinhos, na casa alugada pelo PSDB em Brasília, e Ciro me disse com franqueza:

— Preciso de um tempo. Quero estudar para me preparar melhor.

Pareceu-me sincero.

Não dei razões para a ruptura de Ciro

A ida de Ciro para uma temporada em Harvard talvez tenha marcado o início de sua distância em relação a mim e a meu governo. Ele aproximou-se de Mangabeira Unger, crítico da política econômica que eu adotava, e suas próprias críticas a mim começaram por ela. Conhecera-o no Ceará como jovem impetuoso e de futuro, como parceiro de Tasso Jereissati, que apoiou sua vitoriosa candidatura a prefeito de Fortaleza, em 1988, e depois à sua sucessão como governador do estado, em 1990. Tinha dele uma boa imagem, embora certa feita haja me impressionado mal a agressividade com que atacou Eduardo Azeredo durante um encontro do PSDB na Pontifícia Universidade Católica (PUC) do Rio.

Os reparos de Ciro à ação econômica do governo subiram de tom e se estenderam ao terreno político. Embora seja difícil avaliar políticos pela via da psicologia, passei a ver no ex-governador traços de um iconoclasta, que busca a notoriedade postando-se contra quem está no poder. O fato é que não propiciei motivos para que rompesse comigo. Rememorando eventos, contudo, considero possível que a raiz de seu afastamento possa estar num episódio acontecido no processo de sua escolha — que mencionei anteriormente — como ministro da Fazenda do Presidente Itamar, em substituição ao embaixador Ricupero. Como Itamar se detivera sem hesitação no nome do governador do Ceará, eu, já candidato ao Planalto e logicamente interessado na continuidade do real, julguei ser meu dever ajudar o Presidente a convencer Ciro, bastante relutante diante da perspectiva de assumir a Fazenda. Tivemos um encontro no meu apartamento à rua Maranhão, em São Paulo. Disse-lhe que, se aceitasse o convite do Presidente, eu próprio lhe ficaria grato.

— Você vai nos tirar do sufoco — explicitei.

E Ciro:

— Não sei se vai dar certo. Você sabe o meu jeito lá no Ceará. Tenho um jeito meio estabanado de fazer política, não sei se vai funcionar em nível nacional.

Insisti. E também adiantei que ele seria nome certo em meu governo, em caso de vitória. Só que acrescentei:

— Mas não na área econômica.

Talvez o problema todo tenha começado com essa frase.

O distanciamento que mantivemos não impediu que, já no final de meu primeiro mandato, quando Ciro pretendia candidatar-se à Presidência e dava sinais de que deixaria o PSDB, eu quisesse interferir para mantê-lo em nosso partido. Tasso me pediu que não, que ele próprio cuidaria do assunto. Muita gente gostava de Ciro no PSDB. De São Paulo, o governador Covas me cobrava uma atitude. Ciro acabou, mesmo, indo para o PPS do deputado Roberto Freire (PE). Considero um erro político essa saída *easy rider*, solitária. Em política, há que se jogar com um time e com um elenco de idéias. Se Ciro tivesse se mantido fiel ao PSDB, e com uma atitude de mais equilíbrio, menos estabanada, poderia ter chegado a alturas maiores.

Na campanha da reeleição, em 1998, efetivamente Ciro, candidato pelo PPS, atacou muito ao governo e a mim. Tempos depois das eleições, recebi recado de Tasso de que ele gostaria de ter um encontro comigo. Recebi-o no Planalto. Explicou que suas críticas eram políticas, não pessoais, reafirmou suas principais discrepâncias, mas desculpou-se por eventuais exageros cometidos. Pareceu-me um gesto conciliatório, embora mais adiante ele voltasse às críticas, muitas delas duríssimas. Como é de meu feitio, porém, tento não misturar política e relações pessoais. Mesmo rompidos, telefonei a sua mulher, a atriz Patrícia Pillar — a quem não conhecia pessoalmente —, para solidarizar-me quando soube do câncer que ela terminaria vencendo. Também telefonei a Ciro quando seu pai, José Euclides, ex-prefeito de Sobral (CE), faleceu. Voltaria a encontrá-lo de modo circunstancial, como quando do casamento de uma das filhas do Presidente Itamar, no Rio — ele me cumprimentou civilizadamente —, e, mais tarde, quando me preparava para firmar acordo com o FMI em 2002 e julguei ser meu dever informar com detalhes, um a um, os candidatos à Presidência, conforme narro ao longo do Capítulo 6.

Curiosamente, para alguém que passou a me recriminar severamente depois de termos sido aliados e companheiros, Ciro havia sido, anos antes, o principal defensor de minha ida para o governo que terminou maldito: o de Fernando Collor. A primeira tentativa de me atrair para o governo Collor antecedeu sua posse, ocorrida a 15 de março de 1990. A sondagem se deu durante visita a meu apartamento em São Paulo do senador Carlos Chiarelli (PFL-RS), que iria assumir o Ministério da Educação. Éramos colegas de Senado, ele líder de seu partido, eu do PSDB, e nos dávamos bem. Não se tratava de incorporar o PSDB ao governo, mas de minha eventual ida, individualmente, para o Itamaraty. Respondi a Chiarelli com franqueza:

— Não tem cabimento. Trabalhei para o Mário Covas no primeiro turno e nós, tucanos, subimos no palanque do Lula no segundo, justamente contra Collor.

O assunto morreu ali.

Anos depois, em abril de 1992, o tema recomeçou quando Collor chamou Jorge Bornhausen para um cargo político denominado Secretaria de Governo. Era o início do que se tornaria uma grande reforma ministerial para o Presidente enfrentar os primeiros esboços da crise que viria a derrubá-lo, com a incorporação ao governo de um grupo dos assim chamados "ministros éticos", como o ex-embaixador Marcílio Marques Moreira indo para o então existente Ministério da Economia ou o ex-ministro do STF Célio Borja assumindo a Justiça. Jorge viajou a São Paulo e se encontrou comigo no bar do hotel Maksoud Plaza. Antes de narrar as linhas gerais da reforma e do que ele próprio pretendia no governo, me avisou:

— Não vou falar com você agora sobre sua ida para o governo porque você vai recusar. Mas quero que saiba que estou indo, pretendo fazer uma grande transformação lá e vou precisar de vocês [os tucanos].

Tempos depois, eu estava em viagem ao exterior e Jorge tentou, sem conseguir, falar comigo em Moscou. Da Rússia segui para a Itália, onde me esperava um compromisso com um grupo de trabalho em ciência política no *campus* da Universidade de Bolonha, em Forli. José Serra me alcançou ao telefone e colocou-me a par dos rumores sobre a eventual participação de tucanos no governo — a que ele se manifestava totalmente contrário —, começando por mim, novamente cotado para as Relações Exteriores.

Na volta, Pimenta da Veiga esperava-me no aeroporto de Brasília. De pronto me informou que Collor solicitara uma conversa com os tucanos mas que a direção do partido, reunida, havia decidido recusar a ida ao Planalto. Repliquei que achava errado qualquer grupo político negar-se a conversar com o Presidente da República. O ato seguinte seria uma reunião da Executiva do PSDB, no edifício anexo ao do Senado, durante a qual vários integrantes, entre os quais Franco Montoro, Tasso Jereissati e eu concordamos em que, até por elementar cortesia, deveríamos nos avistar com Collor. Afinal, ele não nos apresentara proposta alguma: o convite era para conversar.

A Executiva designou Tasso e eu para irmos ao Planalto. Entramos pela garagem. Dirigi-me à sala de Bornhausen, e Tasso, como presidente do partido, reuniu-se com Collor. Daí a algum tempo, o Presidente nos chamou. Após as amenidades de praxe, disse-me, chamando-me pelo primeiro nome, como fazíamos um com o outro desde quando colegas no Congresso — eu no Senado, Collor como deputado:

— Olha, Fernando, o Tasso não está querendo aceitar, mas eu preciso de vocês. Gostaria de ter você nas Relações Exteriores e ele no Ministério de Minas e Energia (MME). Preciso de gente com quem eu me entenda, gente de uma nova geração de políticos, como vocês.

Ao longo da reunião, ficara claro para nós que Collor não queria o PSDB ajudando-o a formular políticas, a mudar de rumos sua administração, a nada. Queria ter a grife do partido no governo, que já estava montado e preparado há algum tempo, com tudo definido. O partido não teria voz nem vez no governo, não influiria em coisa alguma.

Respondi:

— O Tasso não veio aqui para ser ministro, eu também não. Viemos para ouvi-lo.

Com sua maneira impaciente, ele nos deu 24 horas para decidir. No carro rumo à casa do senador Sérgio Machado (CE) num setor de Brasília denominado Parkway, onde a Executiva novamente se reunia, Tasso me deixou claro que não aceitaria o convite, mas me apoiaria caso eu decidisse dizer sim. Disse o mesmo a ele. Da casa de Sérgio, telefonei a Covas, informei-o do que ocorrera e pedi que viesse à reunião. Ele tinha um compromisso antes, uma rápida entrevista à TV Manchete. Na sucursal da rede em Brasília, como era inevitável, perguntaram sobre os tucanos no governo Collor, e Covas, obviamente, disse que ninguém aceitaria participar. Muita gente acha ainda hoje que Covas "vetou" a entrada de Tasso e a minha no governo, mas não houve nada disso, muito menos qualquer má-fé por parte do senador. Ele não se ofereceu à TV Manchete, nem atropelou a Executiva. Disse o que pensava, que era o que os demais pensavam.

E foi nesse segundo encontro da Executiva que Ciro se alterou. Ele era favorável a que Tasso e eu aceitássemos o convite. Covas defendia posição radicalmente contrária, e um se exaltou com o outro. Ao fim do encontro, Serra e Euclides Scalco foram designados para comunicar nosso "não" a Bornhausen, o que fizeram naquela mesma noite. Circularam várias versões e contraversões a respeito do episódio, mas o que ocorreu, e que presenciei, se deu exatamente assim.

Militares: o requisito era apoiar o Ministério da Defesa

Voltando à formação do governo, diante da recusa de Ciro em ocupar o Ministério da Saúde, inclinei-me por Adib Jatene, que fora ministro na fase final do governo Collor. Não apenas um grande cirurgião, Jatene era conhecedor do Orçamento da República, grandemente respeitado e batalhador. Eu pensara nele para ministro de Ciência e Tecnologia, pois também é inventor e tem interesse pela matéria. Por intermédio de um amigo comum, o médico Adolpho Leirner, mantive um encontro com Jatene em São Paulo, sem que fosse registrado pela mídia. Alguns dias depois o chamei para a entrevista conclusiva.

Os comandantes das Forças Armadas, que ainda conservavam *status* de ministro, também deviam ser de escolha direta do Presidente. Convidei o general Zenildo de Lucena, que já ocupava o cargo de ministro do Exército, para permanecer. Acompanhei seu trabalho no governo Itamar, ele me apoiou dentro do governo nas negociações sobre o Plano Real e eu o admirava por ser discreto, eficiente, de trato fácil, além de ter autoridade. Não me decepcionou, comandando a tropa com tranqüilidade, tanto quanto o general Gleuber Vieira — que era o chefe do Estado-Maior do Exército e, com a criação do Ministério da Defesa no segundo mandato, passou a ser comandante do Exército — seguiu as linhas de profissionalismo e serenidade do antecessor. Para a Aeronáutica nomeei o brigadeiro Mauro Gandra, que gozava de prestígio na Arma, e para a Marinha, depois de certa hesitação, fiz convite ao almirante Mauro César Rodrigues Pereira. A hesitação se deveu a uma definição prévia que eu tomara: a criação do Ministério da Defesa.

A criação dessa pasta era importante para melhorar o desempenho conjunto das Forças Armadas e porque ela simbolizava um relevante avanço democrático, exprimindo com maior clareza a subordinação dos militares ao poder civil. Nenhum dos meus antecessores quis colocar a mão na cumbuca, possivelmente temendo as reações dos militares. Decidi mudar esse estado de coisas, com paciência mas com determinação. Não tinha certeza do apoio à idéia por parte de alguns oficiais-generais. Por isso, estabeleci a aceitação da tese como condição prévia para as nomeações. No caso da Marinha, pedi a Eduardo Jorge, com trânsito na área por causa de seu irmão, o almirante Tarcísio, que consultasse o eventual futuro ministro antes da conversa final comigo. O almirante Mauro César respondeu de forma positiva à sondagem, e declarou-se a favor da criação do Ministério da Defesa, embora mais tarde tenha se mostrado relutante a respeito. Quanto à chefia do Emfa, escolhi o general Benedito Leonel, amigo do senador José Richa, com quem mantive longas conversações. Pensava inicialmente nomeá-lo ministro do Exército. Se não o fiz, nada teve a ver com falta de competência e confiança, mas porque queria manter o general Zenildo na pasta e porque era decisivo encontrar o homem certo para encaminhar a formação do Ministério da Defesa. Confiei a tarefa ao general Leonel e ele, também por sua posição no Emfa, com uma visão global dos demais ministérios militares, e sempre contando com o apoio do general Alberto Cardoso[6] e de Clóvis Carvalho, trabalhou paciente e habilmente até alcançar o alvo desejado.

Em poucas palavras: nomeei os ministros da área militar que quis e nas condições que quis e deles não tenho senão memória de lealdade. Apesar das inúmeras dificuldades orçamentárias para atender tanto a parte salarial como a do equipamento de Exército, Marinha e Aeronáutica, e a despeito das suscetibilidades políticas que poderiam advir da minha firme disposição de rever os abusos do período dos governos militares, tanto os ministros inicialmente nomeados como os que os sucederam mantiveram a disciplina e o profissionalismo necessários para o bom funcionamento das Forças Armadas em uma democracia.

Como informei aos militares a decisão de rever os abusos

Sobre minha disposição de encarar a questão, naturalmente delicada, dos abusos da ditadura, vale estender-me a respeito da conversa franca que tive com meus ministros militares logo no início do governo, durante um jantar na residência oficial do ministro da Marinha, no Lago Sul. Acompanhou-me o general Cardoso, chefe da Casa Militar. Presentes, além do almirante Mauro César, anfitrião, os generais Zenildo e Benedito Leonel e o brigadeiro Gandra. Jantar agradável, com todos em manga de camisa, sem as esposas. Propus um brinde à democracia, brincando com eles que, afinal, o Presidente da República estava reunido com os ministros militares e não apenas ninguém estranhava o fato, como nem sequer a imprensa andava em nosso encalço.

Depois do jantar, passamos a uma sala de estar ao lado. Disse, então, que pretendia promover reparações no caso das pessoas mortas, desaparecidas, torturadas ou presas de forma ilegal durante o regime militar. Expliquei que não se tratava de uma questão política, mas de direitos humanos e, para mim, se revestia até de um caráter existencial. Narrei-lhes

---

[6] Devo ao general Zenildo a indicação de Cardoso para a Casa Militar. Para o processo de criação do Ministério da Defesa, ver Eliezer Rizzo de Oliveira, *Democracia e defesa nacional: a criação do Ministério da Defesa na Presidência de FHC*, Barueri, Manole, 2005.

a própria experiência pessoal de minha breve, e nem por isso menos marcante, prisão pelo DOI-Codi, em 1975, a que já me referi de passagem ao longo do Capítulo 1. O que sucedeu comigo não foi nada diante do ocorrido com tantas pessoas durante o período autoritário. Nunca utilizei essa passagem de minha vida como argumento político, e poucas vezes comentei-a fora do círculo de pessoas próximas. Mas julguei ser oportuno fazer o relato a meus ministros militares. Descrevi-lhes as tentativas de intimidação e grosserias que me foram dirigidas, já sem o capuz que me haviam colocado para levar-me aos porões da rua Tutóia, situada no bairro ironicamente denominado de Paraíso, em São Paulo. De uma patética ameaça que meus interrogadores proferiram contra Roberto Campos — sim, o grande economista conservador, ex-ministro do marechal Castello Branco e um dos Grandes Satãs prediletos das esquerdas — por terem lido notinha de jornal sobre um jantar a que ele e eu comparecemos. Das barbaridades que vociferavam contra o governador de São Paulo, Paulo Egydio Martins. Contei-lhes que, tal como um delinqüente, fotografaram-me com algum número, talvez uma data, para me identificar junto aos chamados órgãos de segurança (a foto deve existir em algum arquivo dessa época; jamais me preocupei, mesmo como Presidente, em procurá-la, o que vale igualmente para eventuais dossiês que existiram a meu respeito).

Os interrogadores queriam saber de mim sobre o movimento trotskista na Argentina e no Uruguai, a respeito de que, obviamente, eu não tinha a mais longínqua idéia. Eram vários, que se revezavam na saraivada de perguntas, gritos e ameaças. Ostentavam um monte de papéis, sabe-se lá de onde. Perguntavam qual era a minha organização. "O Cebrap", respondia... Até que percebi a origem de pelo menos parte das perguntas. Eu estivera num evento na Universidade do México, em Oaxaca, de que também participou o teórico marxista alemão Ernst Mandel, principal líder do movimento trotskista internacional, com quem, por sinal, debati e de quem divergi em várias passagens. Na hora de embarcar no aeroporto para voltar ao Brasil, porém, coincidiu de me encontrar com Mandel e sua mulher. Fiz a gentileza de carregar a mala dela, e alguém fotografou. Sabe-se lá como, essa foto deveria ter chegado aos chamados órgãos de segurança. Ali estava a razão de meu "envolvimento" com o trotskismo de que queriam saber os interrogadores. Tudo isso relatei a meus ministros militares. Inclusive que, a uma certa altura na sede do DOI-Codi, lembrando-me de conselho de meu pai para a hipótese de prisão — "nunca deixe de manter algum diálogo com o carcereiro" —, disse a um deles que queria ir ao banheiro. Indicaram-me o caminho, e, ao longo dele, vi, no chão de uma cela, pessoas inequivocamente torturadas.

Os ministros me ouviam sem interromper. Disse-lhes que até mesmo recordava do nome do militar responsável pelo DOI, um certo coronel Paes. O general Zenildo sabia de quem se tratava. Era o coronel José de Barros Paes, chefe da Segunda Seção do Estado-Maior do então denominado II Exército, que não comandava o DOI, mas ao qual o organismo era, pelo menos teoricamente, subordinado. (Posteriormente eu viria a saber que, depois do assassinato de Vladimir Herzog no calabouço da rua Tutóia, no final daquele mesmo 1975, o Exército o transferiu para uma unidade em Mato Grosso.) Estava ainda vivo, contou-me o general Zenildo, e em Mato Grosso. Lembrou-se que tinha um esdrúxulo apelido. Pois bem, acabei depois de minha prisão estando duas ou três vezes com esse coronel, no quartel-general do II Exército, ao lado da sede da Assembléia Legislativa de São Paulo, onde ficava seu gabinete, para reclamar da prisão de companheiros do Cebrap, como o economista Paul Singer e o sociólogo Vinícius Caldeira Brant. Numa das visitas, acompanhou-me Juarez Brandão Lopes. Não sei exatamente como me permitiram chegar à sala dele — talvez devido a essa característica tão brasileira de a pessoa chegar, vestida formalmente e pisando firme, com ar de classe dominante, para então ver as portas se abrirem sem que lhe façam perguntas. Por alguma razão, o coronel mantinha um rádio ligado, em alto volume. Cheguei a ter altercação com ele, que, diante de meu protesto ante violências físicas cometidas contra colegas meus, alegava que eu falava sobre coisas que "não existiam". Lembrei-lhe que vi marcas de tortura em Vinícius Caldeira Brant e, diante de suas juras de amor ao país, contestei que não era ele quem iria me dar lições de patriotismo.

O jantar e a conversa com os ministros militares terminaram como começaram, em clima agradável e cortês. Os ministros, comunicados de minha intenção de criar a comissão especial sobre mortos e desaparecidos políticos, e de iniciar um processo de reparação aos atingidos pelo regime militar,[7] não opinaram, já que era decisão tomada por seu chefe, mas receberam-na com naturalidade.

O porquê de Sérgio Motta e a surpresa com Pelé

Da mesma forma como procedera com os ministros militares, escolhi por critérios pessoais os outros colaboradores das áreas afins com a Presidência. Nomeei como ministro das Relações Exteriores o embaixador Luiz Felipe Lampreia, secretário-geral do Ministério em meu período como chanceler. Diplomata completo, deu continuidade e impulso ao que eu considerava essencial nessa matéria. Tive apenas dois chanceleres. Além de Luiz Felipe, nomeei no segundo mandato antigo companheiro meu, Celso Lafer, intelectual respeitado, professor da Faculdade de Direito da USP e grande conhecedor de nossa diplomacia, ex-embaixador junto à Organização Mundial do Comércio (OMC) e ex-chanceler na fase final do governo Collor. Para a Secretaria de Assuntos Estratégicos trouxe outro diplomata, o embaixador Ronaldo Sardenberg, na época nosso representante na ONU. Desloquei Sardenberg nos primeiros meses do segundo mandato para o Ministério de Ciência e Tecnologia, onde desempenhou papel notável. Ele assentou novas bases para o avanço dessa área, que já se havia beneficiado muito com a ação do professor José Israel Vargas, ministro da pasta no governo Itamar e que mantive durante todo o primeiro mandato. Vargas, velho amigo desde quando alunos da USP, pôde realizar um trabalho sério durante os seis anos em que chefiou o Ministério.

Na Saúde, Jatene resolveu deixar o governo em novembro de 1996. Estava insatisfeito com as restrições orçamentárias ao uso das verbas que ele obtivera por ter batalhado fortemente, desde o governo anterior, em favor do novo imposto que se tornaria a CPMF, destinado a financiar os gastos de sua área. Com a ajuda de Vilmar Faria, trouxemos para o cargo um médico que se notabilizara na administração hospitalar em Porto Alegre,

[7] Para a cerimônia em que assinaria os respectivos atos, convidei para estar presente a advogada e batalhadora pelos direitos humanos Eunice Paiva, viúva do ex-deputado Rubens Paiva, amigo dileto a quem cheguei a auxiliar na campanha eleitoral para a Câmara, em 1962, e que fora morto em janeiro de 1971, depois de preso por agentes dos chamados órgãos de segurança, no Rio. Seu corpo jamais foi encontrado.

Carlos César de Albuquerque. O ministro deu vigoroso impulso ao novo Plano de Atendimento Básico da Saúde. Acabaria sendo substituído em março de 1998 por José Serra, que se manteve na posição até quase o final do governo e teve tanto êxito na pasta que dela saiu para ser candidato à Presidência da República, em 2002.

Também para o Ministério da Cultura procedi a uma escolha pessoal, o professor Francisco Weffort, antigo aluno e meu colaborador na USP e na Cepal, meu amigo e que, mesmo tendo sido secretário-geral do PT e assessor internacional do partido, se dispunha a trabalhar comigo. Percebi isso em sondagem que realizei durante um almoço na mesma casa alugada pelo PSDB na região do Lago Sul de Brasília em que conversara com Ciro Gomes. Weffort aceitara convite para comparecer a um seminário preparatório ao novo governo, em dezembro, que eu ajudara a promover, de que participaram, como do almoço, vários intelectuais, inclusive o já referido Albert Hirschman, o brasilianista americano Alfred Stepan e o sociólogo francês Alain Touraine, amigo de longa data, sempre interessado no Brasil. Na Cultura, Weffort realizaria um excelente trabalho e acabou permanecendo os oito anos à frente do Ministério, assim como aconteceu com Paulo Renato e Malan. (Ronaldo Sardenberg também ficou oito anos no governo, mas em dois diferentes postos.)

Nomeei ainda, dentro do que chamei de minha quota pessoal, os ministros da Administração e Reforma do Estado, das Comunicações e o da Comunicação Social. Para a primeira dessas pastas indiquei o antigo companheiro Luiz Carlos Bresser-Pereira, ex-tesoureiro das minhas duas campanhas e que caro pagou por isso, graças às infâmias de uns poucos membros do Ministério Público que, a despeito de todo tipo de devassa com base em hipóteses, nada encontraram que o desabonasse, nem aos demais correligionários que trabalharam nessa função extremamente espinhosa. Ocorre que uma planilha de avaliação de possibilidades de arrecadação caiu nas mãos de uma repórter da *Folha de S. Paulo* e terminou sendo publicada como se se tratasse de dinheiro efetivamente doado à nossa campanha, supostamente não declarado à Justiça Eleitoral. Integrantes do Ministério Público convocaram empresários para prestar depoimento, escarafuncharam o que podiam e não encontraram nada irregular — não se instaurou sequer processo.

Até poucas horas antes de anunciar a composição do Ministério passei grudado no telefone com Bresser, que estava em São Paulo e eu em Brasília, discutindo o alcance de sua gestão. Meu desejo era lançar as bases de um novo Estado, mais ágil e competente, que nada tinha a ver com a imagem que as oposições tentaram grudar de um mini-Estado, de corte neoliberal. Bresser, professor da FGV de São Paulo, espírito inovador, deu um empurrão importante na modernização da máquina pública.

Para a Secretaria encarregada da comunicação institucional do governo, a de Comunicação Social, nomeei inicialmente Roberto Muylaert, que cogitara para o Ministério da Cultura, dado seu desempenho criativo na direção da Fundação Padre Anchieta, gestora da TV Cultura de São Paulo. Muylaert, entretanto, nunca se sentiu muito à vontade na função, mesmo porque na época os recursos para publicidade e as maiores possibilidades de atuar ficavam no âmbito das estatais e de cada Ministério, e não centralizados na Comunicação Social. Em abril de 1995, deixou o governo, sendo substituído pelo embaixador Sérgio Amaral, que passou a exercer o cargo cumulativamente com as funções de porta-voz do governo.

Uma escolha a ser pesada com grande critério era a do titular do Ministério das Comunicações. Sabia que a área requeria profundas reformas. Paulo Renato Souza, Vilmar Faria e Eduardo Jorge haviam preparado na plataforma eleitoral as diretrizes para o impulso que veio a ser dado mais tarde com a privatização da Telebrás. Eu pensara nomear Sérgio Motta, que seria o ministro, para a presidência da Eletrobrás, dada sua experiência anterior, durante o governo Montoro, como vice-presidente da Eletropaulo, na época estatal paulista da área de energia. Sérgio mostrou-se tão trabalhador, dedicado e competente durante a campanha eleitoral de 1994, da qual foi coordenador-geral, que, sendo figura de proa do PSDB, ganhou a confiança do PFL e do PTB. Vi seu nome na mídia para a pasta das Comunicações e observei as reações, positivas. Havia o boato de que a pasta viria a ser entregue a "alguém ligado à Globo", organização cujos proprietários jamais mencionaram o tema a mim e que, procurada para obter informações técnicas sobre pessoal competente, reafirmou que não esperava nada do governo no plano ministerial e que desejava apenas seriedade e equanimidade. Mesmo assim, e não só por causa da TV Globo, nesta área o ditado sobre a mulher de César é absolutamente válido.

Os antecedentes de manipulação política na concessão de canais de rádio e TV me levavam a redobrar os cuidados com ela. Entregue a pasta a Sérgio Motta, ficava claro que eu a controlava, não partidos ou interesses empresariais. Além disso, dado seu caráter impulsivo, sendo Sérgio o poderoso ministro das Comunicações os adversários teriam receio de preparar armadilhas para ele. Nomeei-o e mostrou-se um colosso na rearticulação de todo o sistema de telecomunicações.

Na apresentação do Ministério em uma conferência de imprensa, reservei uma surpresa: nomeei Edson Arantes do Nascimento, o Pelé, para o recém-criado Ministério de Esporte. A escolha de Pelé merece um registro à parte, por ser meu ex-ministro a figura única que é e também pelos lances um tanto cinematográficos que envolveram o encontro em que acertamos sua vinda para o governo. De início, minha opção era por uma Secretaria de Esportes, e sondei o jornalista Juca Kfouri, que eu conhecera ainda estudante do primeiro ano de Ciências Sociais na USP como aluno de Ruth na cadeira de Antropologia e que sempre lutara, ao longo da carreira, pela moralização do esporte. Juca, entretanto, não se via na vida pública, e não aceitou. Mas se propôs a me ajudar. Com Sérgio Motta no circuito, logo se chegou ao nome de Pelé. Não imaginávamos que aceitaria um convite. A nosso pedido, Juca telefonou para Pelé, que se encontrava em Nova York. Juca me relataria a reação do craque:

— Já recebi três convites desse tipo antes. Mas com o Fernando Henrique acho que vou aceitar.

O passo seguinte seria marcar um encontro entre nós, que eu não pretendia tornar público por duas razões: poderíamos não chegar a um acordo e, mesmo que tudo corresse bem, gostaria de manter a surpresa do anúncio. Juca ofereceu o local: sua casa, um apartamento à rua João Lourenço, no bairro de Vila Nova Conceição, em São Paulo. No dia combinado, o encontro se daria às 9h30. A mídia, que me seguia por toda parte, já sabia de minha programação, oficialmente uma visita a um ex-aluno (ele participara de seminários em que atuei depois de ter sido afastado da USP pelo governo militar). Nem imaginava que Pelé estaria presente. Para evitar risco de vazamentos, o anfitrião prontificou-se a, com grande antecedência, buscar pessoalmente Pelé em seu carro. O craque chegou à garagem do edifício às 8 horas, deitado no chão do Fiat Tempra de Juca e tendo o corpo coberto por um paletó.

Observado por um batalhão de jornalistas, subi ao apartamento na hora combinada. Pelé e eu conversamos sobre o novo Ministério e sobre a necessidade de moralizar os esportes, sobretudo o futebol. Pelé, além de glória nacional e esportista mundial, nunca deixou de ter preocupação social. Com generosidade e espírito público, se dispôs a ajudar-me, aceitando o encargo. Explicou que tinha contratos de divulgação comercial no Brasil e no exterior. Diante de ponderações minhas, imediatamente dispôs-se a cancelar tudo o que se referisse ao país, evitando conflitos de interesse. Num determinado momento, toca o interfone. Alguém quer falar com Juca. Era uma repórter do SBT que pergunta:

— O Pelé está aí?

Como parte do despiste, Juca deu uma gargalhada e respondeu:

— Mas não basta estar aqui o Presidente da República? Você também quer que esteja o Rei?

Acertados os ponteiros com Pelé, despedi-me e segui para outro compromisso, brincando com Juca, enquanto ele me acompanhava até a garagem:

— Agora você é que tem que tourear os seus amigos da imprensa.

Ele me contaria depois que, conversando com os colegas, ninguém acreditou na história da visita a um ex-aluno. Os repórteres estavam certos de que eu o convidara para o Ministério. Acabaram, no entanto, indo embora, exceto a insistente jornalista do SBT. Juca já tinha passado da hora de sair para o trabalho — aguardavam-no os deveres de diretor de revista na Editora Abril — e precisou deixar Pelé um tempo mais em sua casa. À saída da garagem, topou novamente com a repórter. Ela continuava desconfiada de que Pelé estivera no apartamento e poderia, só agora, estar se esgueirando para fugir da imprensa. Juca abriu as janelas do carro, descortinando o interior, e ofereceu-se para abrir o porta-malas. Convencida, a moça finalmente capitulou. Pelé sairia dali a pouco, novamente deitado no chão de um automóvel — desta vez, o Santana de Leda, mulher de Juca —, e uma vez mais coberto com o paletó.

Do trabalho de Pelé no Ministério, entre várias outras iniciativas que beneficiaram o esporte, resultou a Lei Pelé. Avaliações que me chegaram de diversos setores indicaram que a lei significou um marco na modernização possível do futebol brasileiro, incluindo o fim da escravidão profissional que era o "passe" dos jogadores. Somente seria aprovada tendo alguém como Pelé à frente. Infelizmente, porém, depois que Pelé deixou o Ministério, em abril de 1998, começaram pressões para modificá-la. Mais adiante, uma série de mudanças promovidas por parlamentares, à frente o senador Maguito Vilela (PMDB-GO), acabou por desvirtuá-la.

Durante a fase da transição meus colaboradores haviam definido as linhas gerais de um programa novo, que veio a ser denominado Comunidade Solidária. Ele resultou da cooperação entre Ruth Cardoso, Vilmar Faria e a socióloga Ana Peliano, do Ipea, órgão ligado ao Ministério do Planejamento. Além de sua excelente reputação profissional, Ana conhecia perfeitamente os meandros burocráticos. Este programa se dividiria em duas partes. Uma, para obter recursos privados e dinamizar parcerias, seria dirigida por um Conselho, composto por gente do governo e da sociedade civil[8] e presidido por Ruth. Outra, uma secretaria governamental, que eu quis entregar a Euclides Scalco. Com a recusa deste, optei por Ana Peliano.

O conjunto de ações desse programa teria um caráter inovador e ajudaria o governo a focar os programas sociais para serem implementados por meio dos ministérios da área social, como Educação e Saúde, e da Secretaria de Ação Social do Ministério da Previdência. Como havíamos

[8] Os primeiros conselheiros da sociedade civil que designei (biênio 1995-1996) foram: André Roberto Spitz (Furnas e Comitê das Entidades Públicas no Combate à Fome e pela Vida), Arzemiro Hofmann (Igreja Evangélica de Confissão Luterana no Brasil), Augusto de Franco (Comunidade Solidária), Denise Dourado Dora (Themis, Assessoria Jurídica e Estudos de Gênero), dom Luciano Mendes de Almeida (CNBB), Érem de Aguiar Maranhão (Universidade Federal de Pernambuco, UFPE), Gilberto Gil (cantor e compositor), Hélio de Souza Santos (Núcleo de Estudos Interdisciplinares do Negro Brasileiro, Neib), Herbert José de Souza, o Betinho (Instituto Brasileiro de Análises Sociais e Econômicas, Ibase), Joaquim de Arruda Falcão Neto (FGV), Jorge Eduardo Saavedra Durão (Federação de Órgãos para Assistência Social e Educacional, Fase), Maria do Carmo Brant de Carvalho (Centro de Estudos e Pesquisas em Educação, Cultura e Ação Comunitária, Cenpec, e PUC-SP), Miguel Darcy de Oliveira (Instituto de Ação Cultural, Idac), Ney Bittencourt de Araujo (Associação Brasileira de Agrobusiness, Abag), Pedro Moreira Salles (Unibanco), Regina Duarte (atriz e produtora), Renato Aragão (ator e embaixador do Unicef), Romeu Padilha de Figueiredo (Câmara dos Deputados), Ruth Cardoso (Comunidade Solidária), Sérgio Eduardo Arbulu Mendonça (Dieese) e Sonia Míriam Draibe (Núcleo de Estudo de Políticas Públicas da Unicamp, Neep).

extinguido o Ministério da Ação Social, bem como a Legião Brasileira de Assistência (LBA), de má memória pela corrupção reinante em ambos no período Collor, quis criar um órgão mais moderno e dinâmico, logo acoimado pelas oposições como eleitoreiro. Os críticos não se pejaram de atacar o fato de a mulher do Presidente estar à frente de um Conselho que, imaginavam, teria dinheiro público à disposição, coisa que não passou por minha cabeça e não ocorreu. Confundindo o Conselho com o órgão estatal dirigido por Ana Peliano, levou tempo para aprenderem que a ação do programa Comunidade Solidária foi extremamente positiva para implementar novos métodos de ação social, baseados na parceria entre os setores público e privado, e nada tinha de eleitoreiro. Ruth, como eu esperava, desempenhou-se com grande competência, trabalhando arduamente e com discrição.

Todas as áreas mencionadas até aqui, fundamentais a meu projeto de governo, ficaram abrigadas dos vendavais da política partidária. Com baixíssima rotatividade de ministros, houve continuidade administrativa.

Sobre partidos, nomeações e sapos engolidos (ou não)

Assegurado o conjunto de ministros capazes de me ajudar a imprimir a marca que eu queria de um governo responsável na economia, reformador e voltado, desde o início, para a universalização do atendimento na educação e na saúde, tornou-se mais fácil a negociação com os partidos.[9] Isso não quer dizer que as demais pastas tivessem importância menor ou que eu as tivesse deixado à sanha de interesses menores. Esclareço, para evitar aparecer bem na fotografia porque retocada: a ordem cronológica não teve a rigidez do primeiro e do depois. As decisões se tomaram no tumulto das pressões cotidianas. O que é necessário preservar, nessas cir-

[9] É de assinalar que preservei o conjunto da área econômico-financeira das nomeações meramente políticas: BB, BC, Caixa Econômica Federal, BNDES, Banco do Nordeste, Banco da Amazônia, Receita Federal, Petrobras, as geradoras de energia e similares. Com a privatização, muito do butim eleitoral perdeu sentido: só nas teles foram eliminadas mais de cem nomeações para cargos de direção e responsabilidade, em geral políticas. Em algumas circunstâncias fizeram-se nomeações políticas, mas para cargos de menor responsabilidade e, sempre que possível, houve compensação técnica no mesmo órgão para evitar maiores desvios de rumo.

cunstâncias, é o sentido geral, o propósito maior. Às vezes não se consegue nomear a pessoa desejada para o cargo. Paciência, busca-se outra. Ou então a pressão política leva à nomeação de alguém para um cargo que estaria mais bem servido se fosse preenchido por livre escolha do Presidente. O que se vai fazer? São injunções normais da vida política, que só se tornam graves quando se perde a capacidade de definir o rumo principal. Inversamente, nem sempre a indicação partidária, só por isso, é ruim. Existem bons quadros nos partidos e o Presidente sempre (ou quase sempre) pode influenciar as escolhas visando melhorá-las e ajustá-las aos propósitos fundamentais do governo. E há dirigentes partidários com espírito público que cuidam de preservar os interesses da administração quando fazem suas indicações.

Para incorporar o PMDB à base de apoio a meu governo, procurei o presidente do partido, deputado Luiz Henrique, antigo companheiro cujas relações comigo se estreitaram na legislatura de 1986, quando fomos líderes das bancadas do PMDB, ele na Câmara, eu no Senado. Com a intermediação de Pimenta da Veiga, presidente do PSDB, entabulou-se a negociação por meio de trocas de cartas, uma de Pimenta, abrindo a possibilidade de participação, outra de Luiz Henrique, explicitando pontos programáticos. Daí por diante nos lançamos a definir quem seriam os representantes do PMDB no governo. O primeiro nome cogitado foi Nelson Jobim. Pela admiração que tenho por ele, queria-o mais perto da Presidência, na Advocacia-Geral da União, ajudando-me no emaranhado de ações que existiam contra o Tesouro e que nos obrigavam a desembolsar bilhões de reais, freqüentemente pelo descuido dos defensores ou pela escassez de recursos humanos. Ele, no entanto, preferia o Ministério da Justiça, o qual, no meu entender, se transformara mais em um Ministério "da cidadania e da segurança pública". Concordei, por fim. Coube a Geraldo Magela Quintão, antigo consultor-chefe do BB, recuperar para a Advocacia-Geral da União a capacidade de defender os interesses do Estado.

O PMDB desejava obter mais do que uma pasta, mormente sendo a Justiça, em nosso governo, um Ministério mais "de Estado" que de ação política. Luiz Henrique me sugeriu o nome de um emedebista histórico, Odacyr Klein (PMDB-RS). Era candidato a liderar a bancada na Câmara. Em geral eu preferia não nomear parlamentares para o Ministério, porque para cada escolhido há vários que se sentem preteridos e, logo após a nomeação, a despeito das manifestações de agrado das respectivas bancadas, o raciocínio é outro: "Fulano 'foi atendido', é ministro, eu não; preciso uma compensação..." Acabei concordando, no entanto, com a nomeação de Odacyr. Tinha indiscutível prestígio e biografia sem mácula na vida pública, requisitos importantes em geral e em especial para o Ministério dos Transportes, freqüentemente envolto em suspeitas em seus vultosos contratos de obras. Adverti Luiz Henrique de que o ministro Alberto Goldman (que por mim teria continuado no Ministério, faltando-lhe, porém, apoio no PMDB) estava levando adiante processos de concessão de rodovias e ferrovias, aos quais eu pretendia dar continuidade. Ademais, havia que implementar a Lei dos Portos, objeto de muitas contestações na área sindical, mas a que meu governo igualmente queria dar curso. Luiz Henrique conversou com Odacyr Klein sobre tudo isso e o trouxe para que selasse comigo o compromisso quanto a esses temas.

Mesmo assim, continuaram as pressões. Os dois peemedebistas escolhidos eram do Sul, dando margem a demandas regionalistas: como fica o Nordeste, onde o PMDB e o PFL têm tanta presença? E lá vinha o argumento das desigualdades regionais para dar sustentação a mais uma pretensão ministerial. No caso a pressão veio dobrada. Nas conversas com o PFL, como logo direi, eu escolhera um pernambucano para o Ministério e agora, para contentar o PMDB, a proposta era incluir um paraibano. Mas aí como ficaria a Bahia, que pretendia o Ministério dos Transportes, se este fosse, como ocorreu, atribuído ao PMDB do Rio Grande do Sul? O embrulho era grande. Na verdade o regionalismo nessas horas é muito mais uma cortina de fumaça para esconder os apetites das chefias regionais. Veio daí a acusação de eu haver formado um "paulistério", ou seja, de haver privilegiado nomes de meu estado de adoção. Na verdade, entreguei a área econômica não a uma região, mas a um grupo de colaboradores dos tempos do Plano Real, muitos por sinal do Rio de Janeiro, a começar por Malan, e alguns de São Paulo. Nos ministérios em que nomeei livremente para garantir meu programa de governo, pouco me importava que viessem de São Paulo ou do PSDB. Sua escolha não se deveu a tais fatores e os titulares se comportaram como "ministros nacionais", sem região ou partido. O carro pega é na discussão com os partidos, que usam o regionalismo como uma deixa para ampliar o controle sobre partes da máquina pública.

O PMDB reivindicava criar um Ministério de Integração Regional e o candidato apontado era Cícero Lucena, ex-governador da Paraíba, que eu conhecera quando ministro da Fazenda e sobre quem tinha boa opinião. Quando iniciei conversas com o PFL sobre participação no Ministério, disse a seu presidente, senador Jorge Bornhausen, que gostaria de contar com dois pefelistas, Gustavo Krause e o deputado Reinhold Stephanes (PR), ex-ministro da Previdência quando a pasta era abrangida pela do Trabalho, no governo Collor, cuja visão reformista me agradava. Certifiquei-me das qualidades de Stephanes com Sérgio Cutolo, técnico competente que nos ajudara na formatação do Plano Real como secretário executivo do Ministério da Previdência. Quanto a Krause, conhecíamo-nos desde quando ele tinha sido titular da Fazenda e eu chanceler. A excelente conversa que mantivemos sobre governo e administração pública reafirmou minha percepção contrária à criação de um Ministério da Integração Regional, como alguns defendiam. Os argumentos eram os mesmos do senador Beni Veras, grande conhecedor de assuntos regionais: estes deveriam ser tratados pelo Ministério do Planejamento com políticas nacionais que diminuíssem as desigualdades e não por meio de órgãos regionais que acabam nas mãos das oligarquias, como ocorreu com as Superintendências de Desenvolvimento do Nordeste (Sudene) e da Amazônia (Sudam). Vendo o entusiasmo com que Krause discorria sobre a problemática das águas, pedi para que aceitasse ser ministro do Meio Ambiente. Orientei-o desde logo para a criação de uma Agência Nacional de Águas (ANA), que acabaria sendo implantada mais tarde e entregue a um técnico competente, Jerson Kelman, a quem conheci por intermédio de Tasso Jereissati.

Meu propósito inicial para a área do meio ambiente era ter no Ministério o deputado Fábio Feldman (PSDB-SP), um grande conhecedor e batalhador ecológico. O fato de Krause ser nordestino e não ser filiado ao PSDB pesou em desfavor de Feldman. Criou, porém, um problema: nomearia um pernambucano e, ainda a decidir pelo nome, um baiano (a Bahia me dera muitos votos e nela a liderança dos Magalhães era incontrastável), e ambos do PFL. Isso desequilibrava a relação entre o PFL e o PMDB do Nordeste. Daí a pressão para nomear Cícero Lucena, à qual cedi em parte. Criei uma Secretaria de Políticas Regionais, no Ministério do Planejamento, e lhe entreguei o comando. Não sem antes recomendar que o importante era coordenar políticas, e não simplesmente fazer nomeações na Sudene, na Sudam, na Zona Franca de Manaus ou no Departamento Nacional de Obras Contra as Secas (DNOCS) — que no final acabariam sujeitas aos Ministérios do Planejamento e dos Transportes.

No xadrez político-partidário restavam várias questões, algumas impossíveis de resolver e outras que pude solucionar. Uma destas foi precisamente a questão baiana. Embora a pretensão fosse o Ministério dos Transportes, graças à intermediação de Luís Eduardo Magalhães e à compreensão de Antonio Carlos o PFL baiano aceitou a pasta de Minas e Energia. O indicado, Raimundo Brito, advogado e técnico de vasta experiência que incluía duas gestões na secretaria estadual correspondente em duas administrações de ACM, revelou-se excelente. Ficou combinado também que os dirigentes das grandes empresas de geração de energia seriam indicados por mim.

É de justiça ressaltar a franqueza de Antonio Carlos quando discutimos a presença de nordestinos em postos ministeriais. Disse-me que considerava difícil o aproveitamento de Krause por causa de sua derrota nas eleições para o governo de Pernambuco para Miguel Arraes, a essa altura no PSB. (Concordo com o raciocínio de ACM quanto a trazer para o governo federal companheiros derrotados nas eleições. Krause acabaria sendo a única exceção que fiz.) Acrescentou que na Bahia via apenas um nome e que os outros deveriam vir do Ceará: Tasso ou Ciro. Tasso, moderno na visão política, não pensava em ministérios, até porque acabava de ser eleito para o segundo do que seriam três mandatos de governador do estado; indicou um nome, competente, para o Banco do Nordeste, Byron Queiroz, seu ex-secretário da Fazenda e Planejamento, executivo formado em Administração com experiência também na iniciativa privada. Ciro, como vimos, não aceitou integrar o Ministério. O PFL, pelas vozes de Bornhausen, Marco Maciel e Luís Eduardo, teve atitude compreensiva e aceitou de bom grado as indicações de Krause e Stephanes.

Falta mencionar o problema mineiro. Entre os políticos dos grandes estados, os de Minas Gerais são os mais ciosos da influência de seu estado na Federação. O Departamento Nacional de Estradas de Rodagem (DNER), órgão do Ministério dos Transportes, tradicionalmente ficava sob controle mineiro e nele continuou. Utilizei critério semelhante ao da escolha do ministro da área: nomeei o ex-deputado Tarcísio Delgado, peemedebista histórico e de boa reputação, e ademais de Juiz de Fora, terra de Itamar Franco. Por falar no ex-Presidente, eu o mantinha informado das decisões que ia tomando e, embora ele nada tivesse pedido, cuidei de preservar alguns ex-colaboradores próximos, como o ex-chefe da Casa Civil, Henrique Hargreaves, designado para a direção dos Correios, e Djalma Moraes, ex-ministro das Comunicações, para a BR Distribuidora, braço importante da Petrobras.

A grande questão política, contudo, era mesmo a partilha dos ministérios. No caso mineiro, a equação requeria, além de não desagradar Itamar Franco, satisfazer o governador eleito, Eduardo Azeredo (PSDB), e também o governador que terminava o mandato e fora aliado fiel na campanha eleitoral, Hélio Garcia (PTB). A designação de Paulo Paiva para o Ministério do Trabalho agradou a Itamar. Filiado ao PTB, secretário do Planejamento de Hélio Garcia desde o início de sua gestão, relacionava-se bem com o ex-Presidente. Para reforçar os mineiros e porque se tratava de boa solução, utilizei o fato de José Israel Vargas, ministro de Ciência e Tecnologia de Itamar, ser mineiro e ter bom curso no setor do PFL ligado ao senador Francelino Pereira para fazer de conta que sua nomeação, em vez de ser, como era na verdade, de minha quota pessoal, fora uma indicação política.

Entretanto, por engenhosa que tivesse sido a solução, não resolveu as suscetibilidades mineiras. Em dezembro de 1994 estive em Minas para assistir à assinatura dos acordos de Ouro Preto, sobre o Mercosul. Esperava avistar-me com Hélio Garcia, a quem estimo. Houve equívocos protocolares e não me encontrei com ele. No aeroporto estavam Pimenta da Veiga, como sempre me ajudando a costurar soluções, e Eduardo Azeredo. Deram-me conta dos incômodos que permaneciam. Azeredo pressionava pela nomeação de um mineiro com peso político no PSDB, como Aécio Neves ou Roberto Brant, sendo Aécio próximo a mim, política e afetivamente. O que não faltava no Ministério, entretanto, eram tucanos. Ofereci-lhes a Presidência do BB, na pessoa de um técnico, João Heraldo de Lima, que tinha sido secretário da Fazenda de Hélio Garcia e reorganizara as finanças mineiras. Ou então Dorothea Werneck, economista com grande experiência administrativa — entre as várias funções que exerceu, fora ministra do Trabalho no final do governo Sarney. Terminei designando o ex-presidente do BC no governo Itamar, Paulo César Ximenes.

O Ministério tornava-se vergonhosamente masculino. Malan me sugerira Dorothea para o Ministério de Indústria e Comércio,[10] posição com peso político e importância econômica, e concordei. Eu já decidira dar continuidade à direção das empresas estatais. Assim, tanto a Petrobras como a Vale do Rio Doce permaneceriam nas mesmas mãos, igualmente mineiras, que as dirigiam desde o governo Itamar Franco: Joel Rennó na Petrobras e Francisco Schettino na Vale. Além da continuidade administrativa, queria ganhar tempo para decidir como levaria adiante a quebra do monopólio do petróleo e, eventualmente, a privatização da Vale. Seria melhor ir modificando aos poucos as chefias das empresas.

Esse breve resumo evidencia as dificuldades para se compor o governo e a margem de manobra de que o Presidente dispõe no início do mandato. No fundo, com poucas exceções, mesmo quando as escolhas foram ou apareceram como sendo partidárias, orientei a maior parte delas e tomei decisões segundo meus critérios. A leitura das negociações políticas feita pela opinião pública, que em grande medida é a opinião publicada pela mídia, freqüentemente exagera as pressões e os "sapos" que o Presidente tem de engolir. Assim como exagera as "barganhas" de todo tipo a que são reduzidas as negociações políticas. A verdade é que, pelo menos inicialmente, se erros há (e naturalmente acertos também), eles se devem mais ao julgamento do Presidente (e talvez ao de seus próximos) do que a capitulações e pressões insuportáveis.

Coisa muito diferente de montar o time é fazê-lo andar, processo que também é da responsabilidade do Presidente mas que, seja por obstáculos administrativos, por equívocos nas escolhas ou pelas dificuldades para harmonizar estilos pessoais e interesses, às vezes se torna muito difícil.

O caso Sivam: nem crise militar nem escândalo

As modificações no Ministério promovidas no decorrer do mandato já são muito mais complicadas. A primeira mudança, tumultuada e inesperada (à parte as ocorridas na área econômica, descritas em outros capítulos),

---

[10] Antes de cogitar o nome de Dorothea eu havia pensado em Luiz Fernando Furlan, alto executivo e acionista da indústria de alimentos Sadia, que, anos mais tarde, seria nomeado para a mesma posição no governo Lula.

seria a do ministro da Aeronáutica, brigadeiro Mauro Gandra, em novembro de 1995. Ela ocorreu como conseqüência do episódio dos "grampos telefônicos" que levaram à saída do governo de Xico Graziano, meu ex-secretário particular, na ocasião presidente do Incra, e do chefe do Cerimonial da Presidência, embaixador Júlio César Gomes dos Santos. O ministro, na verdade, não teve nada a ver com o assunto, que se relacionava a um suposto tráfico de influência (que nunca houve) no rastro do projeto do Sistema de Vigilância da Amazônia (Sivam), uma rede de coleta e processamento de informações destinada a monitorar e proteger a Amazônia Legal (que compreende toda a região Norte, o Mato Grosso e parte do Maranhão).

Por motivos para mim incompreensíveis, o brigadeiro Gandra se sentiu atingido e, embora eu o tivesse instado para que não se demitisse, pois alguém de má-fé poderia ver no gesto não brios ofendidos, mas confissão de responsabilidade no episódio, não logrei convencê-lo. Num dia de troca da grande bandeira brasileira que tremula na Praça dos Três Poderes, em ato organizado pela Aeronáutica, nos encontramos em meu gabinete no Palácio do Planalto, uma vez que deveríamos seguir juntos, a pé, até o palanque oficial. O brigadeiro mencionou seu pedido de demissão e mostrou-se irredutível; só não me surpreendeu porque eu fora alertado antes pelo general Alberto Cardoso de sua decisão. Assim sendo, dirigi-me sozinho ao encontro do chefe do Estado-Maior da Aeronáutica, brigadeiro Sergio Ferola, que me acompanhou na revista à tropa e, depois, ao palanque onde se perfilavam dezenas de oficiais-generais.

Foi a única ocasião em que senti o travo de uma possível crise militar. Felizmente, nada ocorreu. Recebi de todos a civilidade e o respeito devidos e me pus a buscar um novo ministro. Estava em jogo a continuidade do projeto Sivam, naquele momento sob fogo cruzado dos que haviam perdido a concorrência e da má-vontade de certos círculos ultranacionalistas que preferiam desenvolver tecnologia própria para os radares de vigilância em vez de comprá-los no exterior, sobretudo porque a empresa vencedora era norte-americana. Eu queria dar continuidade à decisão do Presidente Itamar e, além de já termos um contrato assinado, eu me convencera plenamente de que uma eventual decisão em prol do desenvolvimento doméstico da tecnologia demoraria demais. Enquanto isso a Amazônia permanecia desprotegida em relação a uma série de ações daninhas que a implantação do Sistema ajudaria a coibir, de invasões de terras indígenas e sobrevôo de aeronaves clandestinas ao tráfico de drogas e eventuais incursões, fronteira adentro, de guerrilheiros colombianos.

Como anos depois do final de meu governo volta e meia críticos e opositores continuavam se referindo ao "escândalo" Sivam, vou discorrer mais detalhadamente sobre esse projeto — que, por sinal, foi decidido antes de minha chegada à Presidência.[11]

As Forças Armadas sempre se preocuparam com a efetiva proteção da Amazônia. Ao longo do tempo, consolidou-se no âmbito da Aeronáutica, depois com a cooperação da Secretaria de Assuntos Estratégicos, o que se chamaria de projeto Sivam. No governo Itamar, em 1993, já devidamente formatado e detalhado, ele foi aprovado pelo Conselho de Defesa Nacional. Em 1994, ainda sob a Presidência Itamar, e com dispensa de licitação autorizada por lei por tratar-se de tema ligado à segurança nacional, o governo encarregou de desenvolvê-lo e implantá-lo uma das grandes fabricantes internacionais de material militar, a empresa norte-americana Raytheon.

A disputa pelo gordo contrato — 1,4 bilhão de dólares — interessou a meia centena de empresas. No final, tinha se afunilado de forma acirrada entre a Raytheon e a francesa Thomson, apoiadas mais ou menos abertamente pelos respectivos governos. Lembro-me de que o Presidente Bill Clinton chegou a telefonar a respeito ao Presidente Itamar. Os franceses faziam pressão semelhante. A Thomson oferecia não apenas tecnologia, mas boas condições de financiamento. Os especialistas brasileiros, porém, consideravam a Raytheon tecnologicamente mais capacitada, e o martelo acabou sendo batido quando, num esforço da Aeronáutica, o Eximbank americano se dispôs a financiar a proposta da Raytheon em condições similares às do projeto rival da Thomson. A feroz disputa entre as duas empresas, que com freqüência incluía vazar informações nem sempre acuradas para a imprensa, resultaram, ainda, na divulgação de acusações sobre supostos subornos a funcionários brasileiros. O ruído não impediu que o Senado aprovasse o acordo com a Raytheon em 1994, ainda na Presidência Itamar.

---

[11] Baseei boa parte da narrativa sobre o caso no "livro branco" *Combate à corrupção e denuncismo na era FHC*, elaborado por Eduardo Graeff, publicado pelo Instituto Teotônio Vilela, ligado ao PSDB, e divulgado em outubro de 2002.

Para o desfecho pró-Raytheon minha participação havia sido nula, pois o ministro da Fazenda, meu cargo na ocasião, sequer integrava o Conselho de Defesa. Já como Presidente eleito, para ajudar o governo do Presidente Itamar, solicitei ao embaixador Júlio César Gomes dos Santos, que também tinha trabalhado com Sarney, que pedisse ao ex-Presidente seus bons préstimos para um objetivo específico. Sarney era amigo do senador Gilberto Miranda (PMDB-AM), relator da comissão especial criada no Senado para reavaliar o projeto e examinar os termos do empréstimo do Eximbank. A solicitação era para que Miranda agilizasse o trabalho de forma a que o projeto fosse aprovado antes do término do mandato de Itamar. Em conseqüência disso (e foi a única participação do embaixador no episódio) ambos vieram ter à minha casa. Sem a presença do embaixador, o senador Miranda me disse que apresentaria, e prontamente, parecer favorável.

Mas, já como Presidente, vi-me exposto a denúncias nesse episódio que culminou com a saída do brigadeiro Gandra. Na ocasião Xico Graziano me encaminhou a transcrição de conversas telefônicas entre o embaixador Júlio César e o representante da Raytheon no Brasil, José Afonso Assumpção, presidente da empresa Líder Táxi Aéreo. Numa das conversas, o embaixador aludia ao que parecia ser exigência de propina pelo senador Gilberto Miranda.

Quem passara as fitas a Graziano, divulgadas com estardalhaço pela revista *IstoÉ*, fora um seu assessor, Paulo Chelotti, agente de carreira da Polícia Federal (PF) e irmão do diretor-geral da PF, Vicente Chelotti. As gravações tinham prévia autorização de um juiz da Vara de Entorpecentes do Distrito Federal, a pedido de um delegado da PF que estaria investigando suspeitas de narcotráfico. Tais suspeitas, segundo um relatório em poder do delegado — apoiado em denúncias anônimas —, envolveriam Júlio César. O juiz declarou posteriormente que o relatório não informava ser o suposto envolvido embaixador, muito menos assessor direto do Presidente da República, e que autorizara a escuta para não ser acusado de impedir uma investigação policial sobre narcotráfico.

Ao saber da identidade do investigado, o magistrado determinou a suspensão do "grampo" por ter ficado claro para ele que o motivo da escuta era outro. A imprensa especulou que havia partido de Graziano a sugestão para a feitura das gravações, e que ele e Júlio César teriam se atritado quando Graziano chefiava o gabinete do Presidente da República, antes de assumir o Incra.

Xico Graziano, estou convicto, não sugeriu nem encomendou nada, mas provavelmente as gravações foram, sim, produzidas para agradá-lo. E eram corretas as especulações segundo as quais ele e Júlio César não se entendiam. Os dois mantinham uma pinimba que vinha desde a campanha eleitoral, e que envolvia a "hierarquia da bicada" a que já me referi, algo usual em redor do governante — quem dava ou não a terceiros acesso a mim. Além do mais, Xico abrigava a suposição, falsa, de que o embaixador Júlio César estava levando lobistas para conversar comigo. Júlio efetivamente tinha relações pessoais com Assumpção, e, nos EUA, chegou a ir num avião da Líder ou por ela alugado a uma festa. Ele se licenciou do governo para isso, mas não teve como evitar que a mídia utilizasse o episódio para engrossar o caldo do "escândalo". Também o brigadeiro Gandra certa vez se hospedara na casa de Assumpção, e talvez por isso haja concluído ser melhor pedir demissão. O fato é que, embora tenham deixado o governo, não perdi a confiança que depositava nos três.

De toda maneira, ordenei em dezembro de 1995 a formação de uma comissão de sindicância interna para apurar se ocorrera tráfico de influência envolvendo gente do governo. No mês seguinte, a comissão concluiu que existiam "indícios da prática de atos passíveis de caracterizarem transgressão a dispositivos do Regime Jurídico Único [do funcionalismo público]". Por isso, propôs, entre diversas outras providências, a remessa dos autos à Procuradoria-Geral da República e ao Ministério das Relações Exteriores, para que procedessem à abertura ou instrução de inquéritos. O secretário-geral da Presidência aprovou as conclusões da comissão, mas não tornou público o relatório final da sindicância para não prejudicar o direito de defesa das partes.

Concretamente, a única falta atribuída a Júlio César foi ter aceitado a tal carona nos EUA. No Itamaraty, uma comissão de inquérito composta por três embaixadores respeitáveis decidiu pelo arquivamento do processo administrativo contra Julio César "por não haver prova de que tenha transgredido" a lei que rege a conduta dos servidores públicos. Na Procuradoria-Geral da República, nunca se tomou qualquer iniciativa contra o embaixador junto à Justiça.

Sindicâncias da Polícia Federal não confirmaram que o embaixador tivesse feito *lobby* em favor da Raytheon, como se alegara. Depondo no Senado, Júlio César confirmou ter perguntado ao presidente da Líder "quanto é que ele queria", referindo-se ao senador Gilberto Miranda, tendo em vista as objeções por este levantadas ao prosseguimento do projeto Sivam. Negou, porém, ter sugerido tratar-se de pagamento de propina. "Foi uma pergunta interlocutória dentro de um contexto irônico, em tom de troça", disse, e se desculpou publicamente com o senador.

O Tribunal de Contas da União (TCU) instaurou 16 procedimentos sobre o Sivam, incluindo seis auditorias, desde 1995. Em dezembro de 1996, o tribunal considerou "regulares os procedimentos adotados pelo Ministério da Aeronáutica" no governo Itamar para a seleção e contratação da Raytheon. Em março de 2001, um acórdão do TCU concluiu pela "inexistência de prejuízos ao erário", que "não houve afronta à legalidade e à moralidade administrativa" e "que não houve má-fé por parte dos responsáveis, não tendo nenhum deles se locupletado com dinheiro público, e que em nenhum momento houve a intenção de causar dano ao erário, restando evidenciado que todos agiram no estrito senso do cumprimento do dever que lhes era confiado".

Finalmente, no Congresso, um relatório de avaliação do Senado, de fevereiro de 1996, e uma CPI da Câmara dos Deputados, encerrada em junho de 2002, tampouco apontaram irregularidades no projeto. As que chegaram a meu conhecimento, posteriores à conclusão do contrato, diziam respeito a uma empresa, integrada por alguns oficiais da FAB já na reserva, que estava contratada para acompanhar a implementação do projeto. Dei ordens e o Ministério da Aeronáutica tomou todas as providências para corrigir eventuais erros e restabelecer a transparência necessária aos contratos públicos. A isso se resume o "caso Sivam", uma infâmia utilizada politicamente pela oposição.

Com a demissão do brigadeiro Gandra, decidi convocar novamente o brigadeiro Lélio Lobo, engenheiro e ex-ministro da Aeronáutica de Itamar e, portanto, um dos patrocinadores do Sivam. O brigadeiro Lobo se deslocou da presidência da Telebrás, para onde eu o havia nomeado, e substituiu sem traumas o brigadeiro Gandra, mantendo-se no posto até a criação do Ministério da Defesa, em 1999. Sempre correto, ajudou, junto com o brigadeiro Marcos Antônio Oliveira, a salvar o Sivam e manifestou grande lealdade quando, em outro momento, autorizei a compra de aviões para a Marinha dispor de uma aviação embarcada, matéria extremamente delicada nas relações entre as duas Forças.

Ato contínuo à demissão de Gandra, convidei-o para um almoço no Palácio da Alvorada, com todos os ministros militares e o chefe da Casa Militar. Fiz uma breve saudação deixando claro que sua saída não se deveu a quebra de confiança. O brigadeiro agradeceu emocionado. Pensava assim ter encerrado o episódio. Tempos depois, insinuações de má-fé levaram-me a escrever-lhe uma carta, reafirmando o que dissera na saudação. A carta se tornou pública no jornal *O Globo*. Como neste caso, tanto quanto possível tratei de manter boas relações com os colaboradores que acharam por bem deixar o governo ou que, por uma ou outra razão, tive de afastar.

As emendas como instrumento de pressão

A primeira mudança mais ampla no Ministério se deu entre abril e junho de 1996. Ela ocorreu por dois motivos. O primeiro teve a ver com as pretensões normais de alguns ministros de se tornarem candidatos a prefeito, pois as eleições seriam em outubro de 1996, o que obrigava à desincompatibilização seis meses antes. O segundo motivo está ligado à contínua pressão política sobre o controle que o Palácio exercia no processo legislativo e nas nomeações, que deixava insatisfeitos os parlamentares. A pressão dos partidos voltava-se contra a decisão, correta, de entregar o relacionamento com o Congresso e o peneiramento das nomeações ao secretário-geral da Presidência, Eduardo Jorge, e não a um ministro político.

Um ano e meio depois de iniciado o governo, as forças partidárias evidenciavam estar insatisfeitas e pouco articuladas. Apesar da gritaria das oposições e do permanente jogo de cumplicidade entre elas e parte da reportagem que denuncia incessantemente o "fisiologismo", a verdade é que o governo mostrou-se cauteloso nas nomeações. Os grandes ministérios, como os da Previdência, Educação, Saúde e Reforma Agrária, adotaram critérios formais ou informais crescentemente rigorosos para impedir que o clientelismo minasse a ação administrativa. Da mesma forma, o Ministério de Minas e Energia procurou preservar a qualidade técnica dos comandos das empresas e departamentos (nem sempre com sucesso, graças ao peso dos partidos, e não pela indulgência dos ministros). A privatização das teles eliminou a pepineira que eram mais de cem diretorias, anteriormente preenchidas por critérios político-partidários. E assim se procurou proceder na administração toda.

A nomeação de políticos e de pessoas por eles indicadas para realizar uma política é um processo normal nas democracias. O que não é normal nem aceitável é o clientelismo e sua versão "moderna", o aparelhamento partidário. A privatização, de um lado, e a profissionalização da máquina pública, do outro, não a tornaram imune às influências partidárias, mas limitaram o efeito deletério do clientelismo, do aparelhamento e da corrupção que anda junto com eles.

Na tensão política permanente entre o Executivo e os partidos e parlamentares, estes dispõem de um poderoso instrumento de pressão: a força do voto para aprovar legislação em geral e o Orçamento em especial. Esse instrumento acabou sendo reforçado pela faculdade de senadores e deputados apresentarem emendas ao Orçamento, garantida pela Constituição de 1988. Iniciado meu governo, o leito preferencial para as chamadas "emendas paroquiais" dos parlamentares — destinando dinheiro a pequenas obras ou serviços em seus redutos eleitorais — foi aos poucos sendo a Secretaria de Políticas Regionais. O ministro Cícero Lucena administrava adequadamente esse difícil dia-a-dia, mas afastou-se para concorrer à Prefeitura de João Pessoa. Em junho de 1996, nomeei para seu lugar o correligionário Fernando Catão, ex-secretário de Planejamento do próprio Lucena no governo da Paraíba, que ficou até quase o final do primeiro mandato. No início do segundo mandato, para ampliar a presença do PMDB (de que eu precisava por motivos que logo explicitarei), convenci o senador Fernando Bezerra (RN), presidente da Confederação Nacional da Indústria (CNI), a assumir a pasta, dando-lhe o *status* de Ministério autônomo com o propósito de ser o órgão encarregado da Integração Nacional, ficando a ele subordinadas as agências de desenvolvimento regional. Apesar dos esforços do senador para reformar a Sudene e a Sudam e cuidar da transposição das águas do rio São Francisco, o assédio dos parlamentares com suas emendas reduziu muito o alcance da ação do Ministério.

Essa tendência ia aos poucos se acentuando na medida em que o segundo mandato transcorria, a despeito do empenho dos diferentes ministros que ocuparam a posição. Nessas circunstâncias o governo passa a utilizar o contingenciamento de verbas como último recurso em defesa do Tesouro — ou seja, o Presidente não assina os decretos de autorização de gastos. A história desse Ministério mostra não só o erro em que incorri ao criá-lo (apesar dos bons propósitos de alguns dos ministros e meus) como põe a nu o quanto de atraso subsiste em nosso sistema político. Quando se comparam os montantes dos recursos para as emendas parlamentares na área da Integração Nacional, ou em setores de outros ministérios sujeitos a pressões semelhantes, com o total de recursos do Orçamento, vê-se que são relativamente pequenos. Por pequenos que sejam, entretanto (e nem sempre são tão pequenos assim), infectam a percepção do uso de recursos públicos. Toda liberação de verbas proveniente de emendas parlamentares é noticiada com alarido, como se tudo fosse clientelismo e todo clientelismo, em si mesmo, corrupção. O resultado é que os ministros ou secretários incumbidos da relação com os parlamentares acabam por sofrer considerável desgaste, na medida em que não cedem às pressões. E quando cedem, ainda que nos limites da lei e do moralmente aceitável, vêem-se associados às piores práticas.

Em abril de 1996, aproximando-se o momento das desincompatibilizações para os ministros candidatos, o conjunto do sistema partidário começou a reclamar mudanças no Ministério. Mesmo os líderes mais próximos a mim, como Sérgio Motta e Luís Eduardo Magalhães, ponderaram que, para o Congresso continuar a apoiar as reformas, depois da avalanche de emendas à Constituição aprovadas em 1995 que quebraram os monopólios, era preciso reforçar os vínculos político-partidários. Havia em causa, especialmente, as reformas administrativa e da Previdência, estando ainda em tramitação a CPMF e o que veio a ser o Fundo Nacional de Desenvolvimento do Ensino Fundamental (Fundef), que abriu possibilidades de propiciar acesso à escola fundamental para 97% das crianças em idade escolar, para mencionar apenas algumas das medidas para cuja aprovação a maioria congressual era indispensável. Os partidos pleiteavam mais espaço no Ministério (caso do PMDB), seu ingresso nele (caso do PPB, que depois se transformaria em PP), ou melhor "acesso" às decisões, com o que queriam significar o afastamento de Eduardo Jorge, considerado meticuloso e duro, do controle das nomeações.

Nessas ocasiões o governo mede suas forças, recua se necessário, mas não deve capitular. Tanto o líder do governo na Câmara, Luiz Carlos Santos, como Luís Eduardo Magalhães, presidente da Casa, como Sérgio Motta, que se juntava aos dois, avaliaram que seria importante contar com o PPB. Nas avaliações, Francisco Dornelles parecia ser a melhor indicação para representar esse partido no governo, com o que concordavam também Jorge Bornhausen e o Vice-Presidente Marco Maciel. De início, propuseram-no para o Ministério da Agricultura, pois circulavam notícias do afastamento do titular, Andrade Vieira. A sugestão me pareceu descabida: Dornelles, além de não ter ligação alguma com a agricultura, representava um estado sem tradição agrícola, o Rio de Janeiro.

As pressões para um ajuste no Ministério continuaram. Minha percepção era diferente. Eu queria ganhar tempo, aprovar as reformas e só depois modificar o governo. Tinha horror a cair, como caí, na armadilha de partidos e parlamentares de transformar a aprovação das reformas em instrumento de pressão para exigir mais espaço no governo. Visto *a posteriori* se poderia até dizer que eu estava certo e deveria ter resistido mais à intromissão crescente do jogo partidário no andamento do governo. Na situação da época as coisas apareciam de outra forma. Vejamos.

A injustiça que cometi com Dorothea Werneck

Na segunda quinzena de abril de 1996 um fogo cerrado alvejava o governo. Acabara de ocorrer uma chacina de militantes do MST pela PM do Pará que procurava cumprir um mandado judicial na localidade de Eldorado dos Carajás, no sul do estado. O governo federal nada tinha a ver com a tragédia, que me indignou profundamente. Mas ela deu gás às oposições.[12] Tive uma reunião de cerca de duas horas com líderes do MST, o

[12] Tanto o chefe de gabinete do ministro da Justiça, José Gregori, como o general Cardoso se deslocaram para a área dos acontecimentos. Jobim, posteriormente, foi a Belém e voltou com a impressão de que a apuração estava sendo levada adiante de maneira insuficiente. Tomamos as medidas políticas cabíveis para, sem que houvesse qualquer tipo de intervenção no estado, dar força ao governador Almir Gabriel (PSDB) de forma a que ele levasse adiante as investigações. Deslocamos tropas para a região e a mantivemos sob controle até que os ânimos se desanuviassem. Além

dirigente João Pedro Stédile à frente, para mostrar o empenho do governo em apurar os fatos e não esmorecer na continuidade da reforma agrária. Ao mesmo tempo eu enfrentava séria crise no Paraguai, onde o Presidente constitucional Juan Carlos Wasmosy encontrava-se sob ameaça iminente de sofrer um golpe de Estado. Vi-me compelido a atuar pessoalmente nesse momento delicado de um aliado tão próximo do Brasil, sempre com a ajuda do embaixador em Assunção, Márcio Paulo de Oliveira Dias, do Itamaraty e das Forças Armadas. Simultaneamente, discutíamos os aumentos do salário mínimo (pois era tradição defini-lo no 1º de maio, Dia do Trabalho) e das aposentadorias. O ministro Stephanes falara em reajustar as aposentadorias em 18%, os ministros do Planejamento e da Fazenda não convergiam quanto ao percentual razoável. Estava no ar a discussão sobre se o esforço fiscal deveria ser feito cortando-se gastos correntes e de investimento, para produzir superávits primários, ou se toda a questão se resumia às altas taxas de juros (embora no momento estivessem em queda). Havia dúvidas sobre se os aumentos provocariam uma piora acentuada na situação fiscal, já não tão sólida.

Esse conjunto de fatores provocou uma onda de desânimo que me levou a promover várias reuniões com os chamados formadores de opinião. A indústria crescera 8% no trimestre e os supermercadistas me informaram, naqueles dias, que o consumo de produtos importados não ultrapassava os 2% do total, mostrando estar em curso a readaptação da indústria depois da avalanche importadora provocada pelo real estável e valorizado. Eu recebia incessantemente informações sobre novos investimentos, em especial no setor automobilístico. Apesar disso, a todos parecia que "sem as reformas" a catástrofe nos aguardava... Esse era o tom das declarações de empresários, financistas internacionais, economistas e da mídia em geral.

Talvez aproveitando o quadro instalado, as forças políticas se moveram para me pressionar, seja pelo ânimo de aumentar sua presença no gover-

---

disso, insistimos com o Congresso para que crimes que ferissem os direitos humanos passassem à alçada da Justiça Federal, saindo da esfera estadual. Até o final de meu segundo mandato, não conseguimos a aprovação da medida. Assim, o governo federal sofria as conseqüências de atos que não praticara e não dispunha de elementos para punir seus autores.

no, seja pelas legítimas preocupações de que sem mais apoios as reformas não andariam. Acabei concordando com a sugestão de incorporar o PPB, mas em outro Ministério que não o da Agricultura — o da Indústria e Comércio, que seria ocupado por Francisco Dornelles. Para discutir o assunto convoquei para almoço no Alvorada Luiz Carlos Santos, Luís Eduardo Magalhães, Sérgio Motta e José Serra. Este último resistiu muito a que o governo perdesse a colaboração de Dorothea Werneck, a titular da Indústria e Comércio, decisão que a mim também doía. Disse que nada do decidido deveria transparecer antes de eu conversar com a ministra. Eu resolvera transferir Luiz Carlos Santos da liderança no Congresso para a coordenação política do governo, com anuência dos novos dirigentes do PMDB, que desejavam participar mais diretamente das indicações dos ministros que os representariam. Pedi a Luiz Carlos para começar suas funções negociando com o PPB, pois nele existiam três grupos: o do prefeito de São Paulo, Paulo Maluf, que àquela altura queria ir para a oposição; o do deputado Vadão Gomes (SP), ao redor de quem se agrupavam principalmente os deputados da bancada ruralista, que desejava o Ministério da Agricultura; e, por fim, havia os que aceitavam Dornelles.

No mesmo dia do almoço houve vazamento do possível convite a Dornelles para assumir a pasta da Indústria e Comércio. A TV Globo noticiou a decisão, bem como a designação do novo coordenador político. Isso me causou profundo aborrecimento e posso imaginar como se sentiu Dorothea Werneck, que estava fora do país quando soube da notícia pela mídia. Dois dias depois, decidi visitá-la em seu apartamento. Sentia-me inseguro e mal com a decisão tomada naquelas circunstâncias. Tivemos longa e penosa conversa, muito emotiva de parte a parte, e saí mais convencido ainda do valor de Dorothea e da injustiça que praticara,[13] em nome das reformas... Dorothea, às lágrimas, me disse:

— Logo agora que meu trabalho está rendendo essa gente da política vem para estragar tudo.

[13] Não tendo sido possível reparar de imediato a injustiça que fiz, assim que tive uma oportunidade, anos mais tarde, convidei Dorothea para dirigir a Agência de Promoção de Exportações (Apex). Logo em seguida à decisão de substituí-la no Ministério, já havia pedido a Paulo Renato Souza que visse com Enrique Iglesias a possibilidade de nomeá-la diretora adjunta da Cepal, no Chile, função que ela recusou.

Serra sai do governo para concorrer em São Paulo

A designação de um coordenador político, embora não alterasse muita coisa, uma vez que Luiz Carlos Santos já era líder do governo, provocou reações no PSDB. O partido temia perder força e, apesar dos bons modos do líder José Aníbal e do presidente Teotônio Vilela Filho, ambos expressaram sua contrariedade. Expliquei-lhes as contingências em que nos encontrávamos e voltei à tecla. Tratava-se de um recuo, mas não de uma capitulação. Não destituí Eduardo Jorge da Secretaria-Geral nem o desobriguei, mesmo não participando das negociações com o Congresso, de proceder à triagem das nomeações. De igual modo, José Abraão, ex-deputado do PSDB de São Paulo (que posteriormente chefiou o Incra, sucedendo Raul Jungmann quando este, em 2002, se afastou para ser candidato a deputado), continuaria sendo adjunto da coordenação política e Eduardo Graeff a fazer o relacionamento da Casa Civil com o Congresso.

As modificações não pararam por aí. Andrade Vieira, ministro da Agricultura, a quem se subordinava o Incra, me comunicou que se afastaria do governo para cuidar da reorganização do Bamerindus, do qual era um dos acionistas controladores. Isso logo depois de Eldorado dos Carajás, o que me pareceu inconveniente. O MST vivia em pé de guerra contra o ministro da Agricultura. A saída de Andrade Vieira poderia passar a impressão de haver relação entre uma coisa e outra, puxando para o governo federal o tema do massacre. O ministro demorou um pouco a dar curso à demissão. Dias depois, como que confirmando minha suposição, procuraram-me os líderes do PTB na Câmara, deputado Pedro Abraão (GO), e do PFL, Inocêncio Oliveira (PE) —, pois os dois partidos estavam unidos em um bloco parlamentar — preocupados com a vacância, como se houvesse sido conseqüência de pressão do Planalto por causa de Eldorado. Expliquei-lhes que não e, efetivamente, o próprio ministro depois veio ter a mim com Abraão e reafirmou que se afastava para dirigir o banco em dificuldades. Percebi que também o PTB queria ter uma palavra na designação do sucessor. Ato contínuo, para não perder o controle da nomeação do novo titular, aproveitando uma sugestão do ministro Paulo Paiva, do PTB, resolvi pelo nome do senador Arlindo Porto. Era mineiro, petebista, amigo de Hélio Garcia e de Eduardo Azeredo, calmo, agricultor de café mas não tão ligado à bancada ruralista. E aceitava manter a equipe técnica do Ministério, dirigida pelo secretário de Política Agrícola, Guilherme da Silva Dias, que se entrosara perfeitamente com José Roberto Mendonça de Barros, o "Beto", secretário de Política Econômica do Ministério da Fazenda. Desse modo, seria possível continuar as diretrizes que estávamos levando adiante na área. De novo, evitei um recuo.

Mais ainda, por sugestão de Tasso Jereissati, trazida quando houve uma convenção do PSDB em abril, resolvi criar o que ele chamou de Ministério da Terra, e que com o tempo se transformaria no Ministério da Reforma Agrária. A este liguei a Secretaria de Desenvolvimento Rural, de onde surgiu o Programa Nacional de Fortalecimento da Agricultura Familiar (Pronaf), que se tornaria pedra angular dessa atividade. A primeira sugestão de titular, creio que do próprio Tasso, voltou-se para o presidente da Contag, Francisco Urbano, filiado ao PSDB. Urbano ponderou que sua designação provocaria resistências à esquerda, por causa da CUT, que desejava ocupar a Contag e não conseguia, e à direita, que o tinha como perigoso invasor de terras. Diante disso, quase designei Odacyr Klein, ligado às cooperativas rurais, porque assim manteria o apoio do PMDB e poderia abrir nova vaga no Ministério se ele deixasse os Transportes. Tanto Paulo Renato como Serra favoreciam essa alternativa. Acabei, contudo, por aceitar a indicação de Clóvis Carvalho: Raul Jungmann, companheiro desde o governo Itamar Franco, quando ocupou a secretaria executiva do Ministério do Planejamento e que realizava boa administração no Instituto Brasileiro do Meio Ambiente e dos Recursos Naturais Renováveis (Ibama). Jungmann, além de muito trabalhador, é dotado de coragem intelectual e política, facilidade de diálogo e trato com a imprensa, e teria aptidão, como teve, para enfrentar os radicalismos, de lado a lado, e para levar adiante a reforma agrária. Ademais era filiado ao PPS, sucessor do antigo Partidão comunista. Daríamos assim uma resposta à altura dos desafios colocados pelo previsível acirramento das pressões no campo depois da tragédia de Eldorado dos Carajás.

A última pasta a ser preenchida seria a do Planejamento. José Serra finalmente resolvera concorrer à Prefeitura de São Paulo, depois de me ter pedido para não citar seu nome entre os possíveis candidatos e de o governador Mário Covas patrocinar a candidatura de Sérgio Motta (que preferiu continuar enfiado até o pescoço na privatização do sistema de telecomunicações). Perguntei-lhe uma noite, à saída do Palácio da Alvorada, a razão da mudança de opinião. A resposta foi simples: havia uma espécie de veto do PFL a seu nome e ele queria quebrar essa resistência injustificada. Escrevo isso porque não faltaram hipóteses sobre meu interesse em afastá-lo do governo ou sobre sua candidatura como sendo uma forma de sair do Ministério sem romper comigo.

A verdade é muito outra: quando chamei o economista e deputado Antonio Kandir (PSDB-SP) para suceder Serra, em conversa reservada na salinha contígua ao gabinete presidencial no Planalto e na presença do ministro que se afastava, deixei claro a Kandir que se Serra não fosse eleito o lugar no Planejamento continuaria a ser dele. Eu optara por Kandir, ex-integrante da equipe econômica no governo Collor, por ser um economista de talento (que também trabalhara no Cebrap) e um deputado operoso. Certamente se haveria bem à frente do Ministério. O outro candidato óbvio era o economista Andrea Calabi, que só não escolhi porque poderia significar falta de confiança na vitória de Serra: Calabi era seu segundo no Ministério e a nomeação apareceria à opinião pública como algo temporário. (Lamentavelmente, Serra não venceu a eleição para a Prefeitura naquele ano. O secretário de Finanças de Maluf, Celso Pitta, embalado por marqueteiros competentes, seria o novo prefeito — e faria uma das mais desastrosas administrações da história de São Paulo. Algo que Serra, eleito finalmente para o cargo em 2004, com bela vitória sobre Marta Suplicy, do PT, ajudaria a consertar.) Depois dessas a única modificação que promovi em 1996, em dezembro, foi a substituição já referida de Adib Jatene por Carlos César de Albuquerque.

A verdadeira história da reeleição

Muito das não-decisões e da morosidade das reformas se atribuiu, não tanto na época, mas em versões posteriores, à concentração de energia política, principalmente de minha parte, para a aprovação da emenda constitucional que permitiu a reeleição, que ao ver de alguns poderia ser postergada, senão que era mesmo inconveniente.

Tal como apresentado ao debate público, o tema da reeleição tornou-se matéria mais de interesse político-partidário do que propriamente uma discussão sobre "engenharia institucional", em cujos termos tem cabimento. Vale a pena, entretanto, rememorar as discussões sobre a reeleição e seus efeitos sobre a condução da política econômica.

Que eu me lembre e nos registros que tenho de meus dias de governo, a primeira menção ao assunto comigo partiu do deputado baiano João Almeida, do PMDB. Mas desde o início de 1996 havia alusões à possibilidade de se mudar a regra constitucional que proibia a reeleição. O deputado José Mendonça Filho (PFL-PE) apresentara, à minha revelia, proposta de emenda à Constituição nesse sentido. A matéria estava no ar desde quando, ao longo dos trabalhos da revisão constitucional automática iniciada em 1993, ocorreu a redução do mandato presidencial de cinco para quatro anos, no entendimento mais ou menos explícito de que, com um mandato encurtado, haveria mudança de regra para permitir a reeleição. Mais tarde, por manobras casuísticas, pelo temor da eleição de Lula — à época da revisão constitucional de 1993, as pesquisas de intenção de voto o colocavam como virtual vencedor da disputa presidencial no ano seguinte —, o complemento da decisão acabou não sendo votado.[14]

Em fins de fevereiro de 1996 tenho registro de uma conversa com um governador do partido chefiado na época por Paulo Maluf, Esperidião Amim (PPB-SC). Dela concluí que Amim se oporia à reeleição se não houvesse anuência para a generalização da regra, ou seja, o princípio da reeleição deveria abranger também prefeitos e governadores. Se não, pensava o governador, que se deixasse a discussão para depois do pleito municipal de outubro daquele mesmo ano. Eu achava que, em se tratando de um princípio, ou bem se incluiriam os três níveis de governo, ou seria um casuísmo gritante, *ad hominem*, beneficiando o Presidente que estivesse em exercício. No final de março de 1996 autorizei a deputada Sandra Cavalcanti a transmitir minha opinião sobre a matéria.

Paralelamente, no início de março houve uma quase rebelião no Senado e na Câmara. Começaram fortes rumores sobre uma CPI do Sistema Financeiro, limitada a investigar fatos ocorridos em 1995, para envolver o governo. O alvo era o Programa de Estímulo à Reestruturação e ao For-

---

[14] A redução do mandato para quatro anos foi estabelecida pela Emenda Constitucional de Revisão nº 5, de 7/6/1994; a reeleição foi instituída pela Emenda Constitucional nº 16, de 4/6/1997, originária da Proposta de Emenda Constitucional nº 1, apresentada pelo deputado Mendonça Filho em 22/2/1995.

talecimento do Sistema Financeiro Nacional (Proer), que a oposição alegava ter sido criado para beneficiar banqueiros, pensando no Banco Nacional, que na ocasião tinha minha nora, Ana Lúcia Magalhães Pinto, como uma das acionistas. Chegou a haver aprovação pelo plenário de requerimento firmado por 27 senadores, quórum necessário à tramitação de um pedido de CPI. (Acabaria havendo, bem depois, uma CPI do Proer na Câmara, que abordarei no Capítulo 5, e da qual o governo se saiu muito bem.) Em seguida, outro problema: na reforma da Previdência, perdemos a votação do parecer do relator, que obteve 296 "sim" quando seriam necessários 308. Isso depois de o líder do governo, Luiz Carlos Santos, me haver assegurado que as coisas estavam sob controle. Ou seja, houve um movimento de rebeldia capitaneado por alguns líderes do PMDB, à frente o senador Jader Barbalho, com apoio nos descontentes da base parlamentar do governo. Ao mesmo tempo, a situação do sistema bancário era delicada, como relatarei adiante, no Capítulo 5. Resultado: me vi obrigado a mobilizar congressistas para impedir a constituição da CPI que, além de ser uma provocação ao governo, punha em risco a estabilidade do sistema financeiro. Os políticos não sabiam, mas estávamos às vésperas de reconhecer as dificuldades do BB decorrentes da inadimplência do setor rural, dos altos salários de seus funcionários e das dificuldades de viver sem o *floating* inflacionário, o que implicaria socorrê-lo com um gigantesco reforço de caixa do Tesouro, que chegou a 8 bilhões de reais, na época equivalentes a dólares.

Foi nestas circunstâncias que anotei, pela primeira vez, as vantagens de se aprovar a emenda da reeleição. Mais tarde passou a ser lugar-comum que, sem o fantasma da reeleição, teria sido mais fácil para o governo conseguir a aprovação das reformas. Meu raciocínio era o oposto: temerosos da eventualidade de minha candidatura, os pré-candidatos à Presidência dos partidos que me apoiavam ficariam inibidos. Isso dificultaria a formação de um pólo aglutinador independente do governo, o que, por conseqüência, reforçaria meu poder no Congresso. Estando eu fortalecido, cessariam ou diminuiriam os arreganhos prematuros de desafiar a autoridade presidencial, inclusive nas reformas, pouco menos de três anos antes do fim do mandato. Não considerava ainda, no meu íntimo, uma candidatura efetiva, mas apenas sua possibilidade, para fortalecer-me politicamente. As pesquisas de opinião eram claras: a tese da reeleição tinha apoio superior a 60% entre os consultados, contra vinte e tantos por cento que se opunham.

O assunto foi-se espichando no decorrer de 1996. Falava-se da possibilidade de uma candidatura do ex-Presidente José Sarney ao Planalto, pelo PMDB. No dia 8 de junho tive longa conversa com Luís Eduardo Magalhães. Ele ponderou que a emenda da reeleição deveria ser votada já naquele ano, depois das eleições municipais de outubro. Argumentou com razões políticas. Por um lado, meu nome unificaria o bloco majoritário. Por outro, ainda sendo presidente da Câmara, ele teria como controlar a formação da comissão encarregada do parecer inicial sobre a reeleição. Além do mais, poderíamos jogar com as ambições dos candidatos do PMDB à sua sucessão no comando da Casa, pois os dois principais (Michel Temer e Luiz Carlos Santos) tudo fariam para ter as graças do Presidente da República. Apesar disso, no dia 31 de julho anotei: "Tenho pensado sobre essa questão de reeleição, que vira e mexe aparece como se fosse um tema prioritário meu. É um tema prioritário do país. Mas fico pensando se não devo, num dado momento, dizer: 'Bom, tudo bem, mas não vou ser candidato a mais nada, mesmo que haja a possibilidade.' Em um dado momento talvez faça isso. Estou há um ano e meio [no mandato], faltam dois anos e meio. É muito tempo. As pessoas não imaginam o que significa de esforço para se conseguir ficar esse tempo todo realmente segurando o leme. Mas a verdade é que existe um desgaste."

No dia 15 de agosto de 1996, discuti com Tasso Jereissati, pela primeira vez, o assunto reeleição. E falei sobre nomes para minha sucessão, com ou sem a aprovação de uma emenda pró-reeleição, eventualmente ele próprio. Nesse mesmo dia, mais tarde, mantive longa conversa com o líder do PMDB no Senado, Jader Barbalho, pretendente à presidência da Casa. Com seu jeito desconfiado de índio na tocaia, mas preciso e franco nos conceitos e no jogo político, pôs as cartas na mesa: ele poderia ou não apoiar a reeleição.

— O jogo é mais complicado do que parece — disse.

Jader temia que Sarney, presidente do Senado, estivesse manobrando para ajudar a eleição de seu ex-poderoso ministro das Comunicações e grande amigo Antonio Carlos como sucessor. Sendo ACM do PFL, isso colocaria o PMDB, partido de Jader, em posição difícil e não seria razoável imaginar que nessas condições Sarney pudesse ser o interlocutor principal do partido. Ou seja, de novo os prenúncios da tempestade que caiu sobre o Congresso: os partidos aliados disputando espaço político, como é natural, e os líderes se confrontando em luta aberta. Jader, realista, eventualmente até abriria mão da pretensão à presidência do Senado, mas gostaria de saber, com a reeleição, que parte lhe tocaria no controle político do Pará (cujo governador, Almir Gabriel, era do PSDB).

No dia seguinte jantei em Brasília na casa da governadora do Maranhão, Roseana Sarney (PFL). Seu pai, o senador Sarney, a sós comigo, em sala à parte, aflorou o tema da reeleição. Ele sabia das intrigas de que sua eventual candidatura à Presidência seria contra mim, e assegurou, chamando-me de "você", como eu a ele quando não estávamos diante de terceiros:

— Você não deve acreditar nessa história de minha candidatura para lhe prejudicar. Se a emenda for aprovada, ela vai incluir governadores e prefeitos, e a Roseana poderá se reeleger. Eu, como você, sou político. Quando o cavalo passa selado, a gente monta. Mas não é o caso agora. O Maluf quer ser candidato à Presidência, e ele é inaceitável. Nós dois nos damos bem, somos intelectuais e temos sentido público.

Sarney, além do mais, sabia da relação amistosa que eu mantinha com Roseana. Sendo assim, disse, ele estava disposto a apoiar a reeleição. Portanto, dali por diante conviria afinar a viola: a votação da matéria deveria começar pelo Senado e nós teríamos que nos ocupar da renovação das Mesas do Congresso. Ele iria ter um encontro com o ex-Presidente Itamar Franco, outro possível candidato à Presidência, para dissuadi-lo do propósito. Em outros termos, colocação semelhante, mas provavelmente em sentido contrário, à do senador Jader. Lembrei que, embora fosse certo que tanto ele como eu preferíamos a eleição do deputado Luiz Carlos Santos para a presidência da Câmara, havia meu compromisso com Luís Eduardo de começar a votação da emenda da reeleição por aquela Casa, pelas razões já expostas.

A despeito dos sinais de apoio não só à tese da reeleição como à minha candidatura, no dia 27 de agosto reiterei a Antonio Carlos Magalhães, Luís Eduardo, Tasso e Sérgio Motta, ou seja, ao PFL e ao PSDB, que continuava acreditando que não deveria intervir diretamente no debate ou no encaminhamento da questão. Não queria me comprometer de antemão com a candidatura. Mais ainda, ressaltei que o governo não poderia entrar de cabeça no assunto, até porque nos faltavam dados para avaliar melhor a situação. No outro dia, tudo o que se discutiu estava na mídia... Durante o mês de setembro me mantive em posição de cautela e um tanto irritado com a insistência da imprensa, que refletia as conversas havidas, vendo tudo como se eu estivesse ansioso pela reeleição. "Tudo em função do meu desejo. E meu desejo não é tão grande assim (...) até porque comecei a ficar cansado, entediado, as coisas estão começando a entrar na rotina demais", confidenciei ao general Alberto Cardoso, no dia 27 de setembro, conforme meu registro ao gravador. Reiterava que a questão era dos partidos e da possibilidade de levar adiante nosso projeto de país.

Por certo, não sou ingênuo. Começava, sim, a considerar a hipótese da reeleição. Não via quem pudesse aglutinar as forças políticas necessárias para levar adiante a modernização em curso. Nenhuma liderança surgira com força suficiente para exercer esse papel. Portanto, além da preocupação com meu fortalecimento político para ganhar as batalhas no Congresso, despontava também no horizonte psicológico — devo admitir, sem margem de dúvida — a tentação da reeleição. As adesões dos parlamentares continuavam aos magotes. Na oposição, o PT e Maluf, que não me queria como adversário numa disputa a que pretendia se lançar, como fizera em 1989. (Havia gente no PT um tanto embaraçada porque o partido fora favorável ao princípio da reeleição no debate da revisão constitucional.) As pesquisas de opinião, com acentos diferentes de interpretação conforme os órgãos de comunicação fossem mais aberta ou discretamente favoráveis à tese, corroboravam a vontade da maioria nessa direção. Cada vez mais a argumentação, um tanto artificiosa, de separar o princípio da pessoa beneficiada e minhas reservas em assumir compromissos com a recandidatura se transformavam em escudo preventivo, mais do que em disposição íntima.

Mesmo assim, havia um jogo ambivalente. Em dia melancólico, depois de assistir sozinho no cinema do Palácio da Alvorada ao filme *The Secret Garden*, da cineasta polonesa Agnieszka Holland, anotei: "Fico às vezes sozinho, pensando: 'Meu Deus, mais seis anos é muito tempo.' Não estou seguro de que valha a pena, nem de que eu tenha, no momento adequado, energia para topar tudo isso."

Esses lamentos vieram depois de uma enxurrada de distorções aparecidas na mídia. Artigos de antigos companheiros das lides universitárias, frases e declarações de políticos, enfim, parcelas da opinião, sempre julgando intenções que desconheciam e querendo fazer crer que o governo estava paralisado, "preparando somente o espetáculo do Congresso para a reeleição" e calçando-a, como se diz, com "trocas fisiológicas". Ora, eu vinha me esfalfando para agilizar as reformas, manter a economia sob controle, ativar a administração e convicto, como anotei em outubro, de que "não houve nenhuma troca fisiológica, não vai haver, não precisa, não deve" para assegurar a vitória da tese da reeleição.

No começo de novembro o jogo dos partidos (e dentro deles) para o controle das Mesas do Congresso começou a ficar mais claro, embora não mais calmo. Luís Eduardo Magalhães apoiou Michel Temer, do PMDB (e não Luiz Carlos Santos), para a Câmara, no que resultou ser mais fácil que um pefelista (no caso Antonio Carlos) assumisse o Senado. Sérgio Motta, respondendo a interesses políticos de setores do PSDB, se lançou abertamente a favor de ACM. O PMDB viu nisso, sem que fosse certo, manobra minha, tornando mais tensa a situação. No começo do ano seguinte, buscando ter maioria, ACM levou o senador Gilberto Miranda do PMDB para o PFL. Estavam armados o jogo e a confusão. Misturaram-se as lutas dos partidos por espaço no Congresso com o tema da reeleição. Começaram as acusações. Rumores de que Maluf estaria comprando votos dos membros da comissão especial que daria parecer sobre a emenda. Ninguém, entretanto, se dispunha a confirmar. Por outra parte, acusava-se o governo, sem comprovação, de pressionar deputados usando informações do BB sobre suas dívidas.

Indiferente às tricas e futricas, o Ibope registrou o estado de ânimo da população, medido a 12 de dezembro de 1996: a tese da reeleição tinha o apoio de 63% dos entrevistados. O governo continuava trabalhando: aprovou a delicada questão do aumento do Imposto Territorial Rural (ITR) para propriedades não exploradas devidamente, de forma a facilitar a reforma agrária,[15] e o rito sumário na desapropriação de terras,[16] algo que detalharei quando tratar mais detidamente da reforma agrária, no

[15] Para isso, o Congresso converteu a MP nº 1.528, de 19/11/1996, na Lei nº 9.393, de 19/12/1996.

[16] O rito sumário constava de projeto que o governo apresentou no final de 1995 e que o Congresso aprovou como a Lei Complementar nº 88, de 23/12/1996.

Capítulo 8. Temas distintos, com prazos e dificuldades diferentes, mas aprovados no contexto da mesma e difícil negociação no Congresso, simultaneamente com a bancada ruralista e os sem-terra. Como se tudo isso não bastasse, o governo insistia em fazer com que as reformas avançassem, embora, como sempre, a conta-gotas.

Neste quadro tenso, ainda mais que Sarney parecia haver encampado a candidatura do senador Íris Rezende à presidência do Senado, resolvi aceitar a tese do ex-governador Montoro, então deputado federal, que era favorável a um referendo para decidir o tema da reeleição. No fim do ano e começo de janeiro viajei com a família para descansar em Fernando de Noronha. Aproveitei para ler bastante. Li um livro sobre o casal Clinton,[17] outro do historiador francês e meu amigo François Furet,[18] li também as memórias do jornalista e político Mário Martins, preparadas por seu filho Franklin Martins, jornalista da Globo,[19] um estudo de Roger Bastide[20] sobre o candomblé, e assim por diante. E li matérias na imprensa que me chamavam a atenção para os inconvenientes da reeleição: entre muitas, um artigo de Gilberto Dimenstein e uma entrevista de velho conhecido meu, o inglês Perry Anderson, editor da *New Left Review* e historiador famoso, criticando o fato de eu ter aceitado a reeleição sem antes fazer a reforma dos partidos, o que lhe parecia um equívoco. Gostei das análises e anotei: "Acho que se houvesse uma saída que não a reeleição teria sido melhor (...) o ideal seria [ter sido previsto na Constituição] um mandato um pouco mais longo (...). Minha primeira reação à reeleição sempre foi essa. Em termos biográficos, não é uma boa. (...) Claro que pode ser até presunção da minha parte, mas busquei, falei com os partidos, ninguém topa outro nome. Não sei se estou racionalizando, mas com certeza para mim, pessoalmente, não é nenhuma boa ficar mais quatro anos."

Daí a recidiva, de tempos em tempos, da idéia do referendo: quem sabe o consentimento expresso do eleitorado diminuísse minha angústia. O referendo se transformou em plebiscito na pena de Elio Gaspari e no âni-

---

[17] Roger Morris, *Partners in Power: The Clintons and their America*, Nova York, Henry Holt & Co., 1996.

[18] François Furet, *O passado de uma ilusão*, São Paulo, Siciliano, 1995.

[19] Mário Martins, *Valeu a pena*, Rio de Janeiro, Nova Fronteira, 1996.

[20] Roger Bastide, *O candomblé da Bahia*, São Paulo, Companhia das Letras, 2001.

mo do senador José Serra. O assunto ultrapassou o fim do ano até o período da convocação extraordinária do Congresso, em janeiro de 1997. Eu me opus à idéia de um plebiscito, não por receio de perdê-lo (a opinião pública era maciçamente favorável à tese da reeleição), mas por temer a "democracia direta" que marginaliza o Congresso. Para mim, àquela altura, seria fácil jogar o povo contra o Congresso, se fosse o caso. Mas, além de não ser necessário, eu jamais embarcaria em tal tipo de aventura antidemocrática. Referendo, sim, porque o povo, em vez de dar um cheque em branco aos poderosos, como no plebiscito, é levado a dizer "sim" ou "não" a uma proposta concreta, de antemão aprovada pelo Legislativo. Entretanto, a tramitação da matéria levaria praticamente um ano e, aí sim, tudo o mais se paralisaria à espera de uma decisão. Como conseqüência, me joguei a fundo em apressar a decisão: precisaria ser em janeiro de 1997, para nos ocuparmos logo do que era essencial para o país, ou seja, completar as reformas, para dar sustentação ao crescimento, gerar mais renda e emprego.

Tivemos um janeiro extremamente difícil, que me obrigou a um envolvimento direto na apreciação da reeleição. A precipitação da candidatura ACM à presidência do Senado acendeu luzes amarelas no PMDB. O apoio de Sérgio Motta levou as luzes a mudarem de cor para vermelhas. Apesar das juras de governismo e fidelidade eterna, não havendo homogeneidade no partido e existindo interesses divergentes entre senadores e deputados, o PMDB voltou ao seu hamletismo tradicional. O núcleo de comando na Câmara, estimulado pelo apoio de Luís Eduardo, fechou questão em torno de Michel Temer; os senadores peemedebistas, que tinham a presidência do Senado na pessoa de José Sarney, se aglutinaram ao redor de Íris Rezende. E todos desconfiando de mim e do governo. Resultado: sob a chefia do ex-deputado Paes de Andrade (CE), presidente do partido e adversário da tese da reeleição, convocaram uma convenção para decidir se a apoiariam ou não e, sobretudo, para deslocar a data de votação para depois da eleição das Mesas Diretoras da Câmara e do Senado (a 15 de fevereiro).

Estava configurada a manobra do PMDB: queriam prender o Planalto a suas estratégias de expandir o poder congressual do partido e enroscar-me nas disputas internas do Congresso. Eu me indignei. Busquei apoio nos governadores do PMDB, também eles interessados em resolver a questão da reeleição. Tentei esvaziar a convenção. Pedi ajuda a Sarney e a Jader, antes comprometidos com a aceleração da decisão. Inútil: com as manobras de praxe, o partido levou à frente a convenção e decidiu postergar a votação. Isso se deu num domingo, 12 de janeiro. Ato contínuo, na segunda-feira, convoquei os líderes, inclusive Íris Rezende e Sarney, presidente do Senado (no que, confesso, exagerei, por sua posição institucional e por ser ex-Presidente), e li para todos eles, com certa solenidade, em uma grande mesa montada no salão contíguo ao gabinete presidencial, uma nota redigida de próprio punho. Nela, falo de deslealdade ("tenho um punhal cravado nas costas...") e exijo, preto no branco: ou colocam em votação a emenda da reeleição ainda em janeiro, separadamente da eleição das Mesas, ou se considerem fora do governo. Expliquei:

— Qualquer um pode ser contra a reeleição. O que não aceito é fazer de conta que se está a favor e, além de tudo, tentar aprisionar o Presidente para que ele influa na decisão do Congresso a favor de uma das partes.

Íris Rezende teve a hombridade de assumir a responsabilidade pela manobra, enquanto alguns outros dos ali presentes, tão ou mais responsáveis do que ele, calaram.

Apesar das queixas de que eu teria "passado um pito" no PMDB e em figuras respeitáveis da República (na verdade apenas lamentei a falta de lealdade), daí por diante ganhamos fôlego para forçar uma decisão, qualquer que fosse, antes da eleição das Mesas Diretoras, salvaguardando o Executivo de maiores pressões. Não cabe entrar em pormenores. Com avanços e recuos, entretanto, o Congresso voltava ao leito do anteriormente combinado, ao mesmo tempo em que as adesões à tese da reeleição cresciam. No dia 15 de janeiro a comissão especial do Congresso aprovou a emenda pró-reeleição por inequívoca maioria: 19 a favor e 11 contra, com o PMDB votando a favor. Isso acirrou os ânimos e a busca de votos pelos perdedores para o embate no plenário. Voltei a cogitar de uma consulta popular. Estava não somente irritado com os procedimentos, mas querendo me afastar das pressões por "trocas fisiológicas". Ou como se diria mais elegantemente, do escambo entre nomeações e votos. Nos dias anteriores à votação da emenda da reeleição continuou forte a zoeira sobre "compra de votos", não pelo governo, e sim por setores contrários à tese. No dia 18, um sábado, no fim da tarde, Sérgio Motta procurou-me no Palácio da Alvorada. Mostrava-se aflito e horrorizado. Tivera uma conversa com o presidente da Confederação Nacional dos Transportes (CNT), Clésio Andrade — que diziam pretender o Ministério dos Transportes com apoio do ex-governador mineiro Newton Cardoso —, que o alertou para o que estaria ocorrendo, principalmente nas hostes malufistas, em matéria de "compra de votos". Eu disse a ele:

— Não podemos fazer absolutamente nada que autorize alguém a entrar por esse caminho em nosso nome. Vamos sempre seguir o caminho da negociação política.

Sérgio concordou, embora receando que a "lama", como chamou, acabasse por derrotar de todo modo a tese da reeleição. Ele tinha razões para temer que o diz-que-diz-que malévolo e irresponsável nos atingisse. Um ex-governador de estado, cujo nome não posso citar, chegou a lhe apresentar, à margem de uma reunião política de que ele participou, uma lista de parlamentares, dizendo:

— Esses apóiam a reeleição, mas custam tanto.

Sérgio cortou a conversa na hora, com um "nem pensar!", mas teve tempo de ver alguns nomes da tal lista. Pois bem, vários deles já tinham assumido, sem qualquer tipo de desonestidade, o compromisso político de votar pela reeleição. E Sérgio temeu que a afirmativa de que "custariam" um preço, caluniosa para esses deputados, pudesse ter curso. O que impediria o ex-governador, por exemplo, de dizer a terceiros que havia lhe passado uma lista, sugerindo assim que Sérgio estaria tocando um "esquema" desonesto?

Era esse o clima. E eu insistindo na votação das reformas. Ainda no dia 21, conversei com o líder do governo no Senado, Élcio Álvares (PFL-ES), para saber por que se dera a substituição do senador Vilson Kleinubing (PFL-SC) pelo tucano Beni Veras como relator da reforma da Previdência. Fiz referências elogiosas ao senador Veras, pedi pressa e solicitei apoio às propostas de reforma política do senador Sérgio Machado, relator de uma comissão especial para tratar do assunto. Elas previam várias alterações importantes, como a exigência de fidelidade partidária, para impedir que parlamentares continuassem com o troca-troca imoral de legendas, ou a cláusula de barreira, destinada a evitar os partidos de aluguel, sem voto popular mas com direito a vários privilégios legais, como o acesso ao horário eleitoral na TV e no rádio, que muitos deles negociavam como mercadoria. Enquanto isso, eu tentava naqueles dias distrair o espírito lendo o *De senectute*,[21] do grande cientista político italiano Norberto Bobbio, mas em vão. No dia 22, novas informações, vindas do PFL, de movimentos suspeitos por parte de pessoas que, por suas posições, deveriam ser insuspeitas. Os votos contra, percorrendo caminhos tortuosos, pareciam aumentar. Eduardo Jorge relatou que um deputado do Espírito Santo tentou lhe falar sobre "dificuldades financeiras" — clara insinuação sobre receber dinheiro em troca de voto — e que ele foi muito claro:

— Olha, não posso nem ouvir esse tipo de conversa.

Não obstante nossos cuidados e nossa atitude, registrei no gravador que "o pior é que a imprensa, como sempre (...) tem olho voltado sobre o governo e não sobre a oposição, mesmo quando essa oposição é Maluf".

Mais adiante, me deterei com vagar sobre a suposta "compra de votos". Esses fatos e rumores me levaram a novamente cogitar de um referendo ou mesmo de um plebiscito, e só desisti pela demora que o procedimento requeria para tramitar no Congresso, como já escrevi. O tema chegou a ser objeto de negociações políticas, não apenas com o senador Sarney, mas até com setores da oposição, como o deputado Miro Teixeira (PDT-RJ). Minhas objeções à forma plebiscitária de decisão, e conseqüentemente a preferência pelo referendo foram anotadas no sábado, dia 25 de janeiro: "O plebiscito por um lado põe o Congresso em maus lençóis. Assalta o Congresso por meio da decisão direta do povo. Por outro lado [quem obtém] a vitória no plebiscito — no caso não é somente a reeleição, mas sou eu — passa a ser encarado pela população como um salvador. Mas de novo o Congresso existe [e] ou eu faço negociações com ele ou vão achar [o povo] que eu traí, ou então vou marchar firmemente cada vez mais contra o Congresso. Isso é o risco da ditadura. (...) É um cesarismo (...) virtual."

Com miuçalhas maçantes, negociações, pressões, tentativas de suborno pelos adversários da tese e outros movimentos, o certo é que a emenda da reeleição terminaria sendo aprovada na Câmara, na data em que eu queria, 28 de janeiro de 1997, por uma expressiva maioria de 336 votos, ou seja, 28 acima da exigência do quórum qualificado mínimo de três quintos dos deputados. Alguns meses depois o Senado aprovou com mais de 80% de votos favoráveis, depois de um segundo turno na Câmara com

[21] Norberto Bobbio, *De senectute e altri scritti autobiografici*, Turim, Einaudi, 1996.

votação mais folgada do que no primeiro. No processo tive novamente o cuidado de "não derramar sangue inútil". Mantive portas abertas para o PMDB. Voltei a negociar politicamente com todos eles, inclusive com o grupo goiano, que estava amuado. Os jornais anunciaram várias capitulações minhas... Eu, preocupado com as reformas futuras, falava a meus amigos do PSDB e do PFL que devíamos ser generosos na vitória e deixar para lá as pirraças contra os que tinham se oposto à emenda por motivos de política regional ou de interesses pequenos, mas politicamente legítimos.

Às vésperas da primeira votação na Câmara, no meio do fogaréu, encontrei tempo para conversar com Antônio Octávio Cintra e Fábio Wanderley Reis, cientistas políticos, sobre o que seria um comportamento de "exemplaridade" em política, que alguns colegas da universidade, alimentados pelas informações incompletas da mídia, cobravam de mim. Anotei: "O que tem que haver (...) nessa tensão, nesse vaivém da política [é] não deixar que o realismo seja só a vitória. O realismo implica também criar condições para que dessa vitória resulte uma ação concreta favorável aos ideais, aos objetivos que se deseja preservar. E, portanto, não [se] pode permitir expansão de ego nem expansão de poderes além de certos limites. Ainda que fosse possível nessa conjuntura exacerbar as duas: o ego e os poderes concretos, [isso] seria muito negativo porque poria em risco a democracia. E se, por outro lado, eu não tivesse a humildade necessária para recompor com o PMDB, receber críticas do PSDB e da sociedade, não teria condições de mais adiante fazer avançar os projetos que tenho em mente. E não quero estar no governo só por governar, mas para mudar o Brasil."

Esta foi, por assim dizer, a *rationale* de meu comportamento. Visto às vezes como arrogante, cesarístico, outras como capitulacionista, frouxo, na verdade nem uma coisa nem outra. Buscava alcançar objetivos, embasados em valores, mas por métodos democráticos e não deixando que o realismo necessário se transformasse em cinismo, nem que a exemplaridade abstrata dos que se aferram a princípios sem criar condições para pô-los em prática engessasse o processo político. Ao reabrir negociações com os que haviam sido "desleais", eu levava em conta a necessidade de não rachar o sistema político, de manter o PMDB como uma ficção de unidade necessária para que pudesse negociar com seus integrantes ou pelo menos simbolicamente ter sua adesão às reformas que estávamos levando à frente. Compreendi que as jogadas do PMDB naquele momento encerravam um fundamento político e não poderiam ser avaliadas apenas no plano subjetivo das lealdades: temiam perder a eleição das Mesas Diretoras do Congresso e, com a aprovação da emenda da reeleição, ter menos poder. Não sendo partícipes originários do pacto advindo das eleições de 1994, meu fortalecimento poderia ser-lhes fatal. Tendo os propósitos que tinha, eu não poderia permitir que fosse adiante essa percepção. Dada a expressão numérica da bancada peemedebista, ela poria por terra as ambicionadas mudanças no Brasil.

A absurda acusação de "compra de votos"

Uma nova onda de modificações no governo viria em abril de 1997. As condições e características dessa nova mexida foram semelhantes às das alterações anteriores. Nelas o que importa ressaltar, mais do que as minúcias históricas, é o vaivém do jogo político. O Presidente guarda, naturalmente, a última palavra. Em determinadas ocasiões, contudo, mal pode balbuciá-la, tal a força dos acontecimentos. Os personagens envolvidos nas decisões são poucos e quase sempre os mesmos, no caso o segmento do círculo próximo que participa das decisões políticas e um ou outro dirigente partidário, às vezes também membro desse círculo, que opina por sua força institucional. Raramente os interesses organizados da sociedade e seus grupos de pressão atuam diretamente nas escolhas. Esta pressão se dá, muito indiretamente, por meio de comentários na imprensa.

No jogo com partidos e candidatos a ministro ou a cargos de alto escalão, o Presidente procura preservar seus objetivos. Os partidos, bem como individualmente os líderes políticos, buscam não só maior controle efetivo da máquina pública e dos mecanismos decisórios, mas freqüentemente a manutenção ou a expansão de sua presença simbólica no tabuleiro do poder. Nessa hipótese, em geral mal lhes importa a competência do designado para a função. Mais vale que "fulano é meu" ou "fui eu quem o indicou". Nesse equilíbrio simbólico de poder entram considerações sobre a influência relativa de cada partido, de cada estado ou de cada corrente ou líder dentro do mesmo partido. Feita a nomeação, os "padrinhos" pouco se interessam pelo desempenho do indicado, e sobra para o Presidente e para o governo apagar os incêndios eventualmente provocados com a nomeação, ou responder pela ineficiência da *performance*.

As mudanças entre maio e junho de 1997 foram tocadas ao sopro do vendaval político. As reformas caminhavam lentamente. Em fins de abril, o governo chegou a perder uma votação importante na reforma administrativa. A privatização da Vale provocou forte reação entre procuradores da República, OAB, CNBB, CUT e demais organizações influenciadas em maior ou menor grau pelo PT e pelas esquerdas em geral. As afrontas ao Presidente se multiplicavam, chegando a ponto de a maioria dos procuradores da República assinarem uma nota ameaçando-me de processo por "crime de responsabilidade". O desassisado da ameaça era total. Eu exercia o poder de acordo com a Constituição para efetivar políticas aprovadas pelo Congresso, como, no caso, a privatização. A nova política, contudo, feria os interesses e as suscetibilidades ideológicas de muitos procuradores, como de vários grupos políticos e de pressão, que haviam sido derrotados nas eleições. O próprio STF, pela decisão individual de um ministro — não vem ao caso lembrar quem foi —, acolheu liminar que interferia no andamento das votações na Câmara, sustando matéria previdenciária, e assim por diante. No plenário do Congresso, cada vez que o governo ganhava, lá vinham os "apitaços" para significar que supostamente houvera barganha e, em seguida, a oposição levava as decisões legislativas ao STF, para impedir seus efeitos. Verificou-se uma verdadeira "tribunalização" da política. Enfrentávamos uma guerrilha cotidiana de liminares para impedir a ação administrativa do governo, principalmente nas privatizações.

Para cúmulo, em maio, fui surpreendido e reagi com indignação à volta das infâmias: a denúncia de compra de votos, não pelos opositores à tese da reeleição, mas pelo governo! As votações sobre a reeleição, já aprovada pela Câmara, iam se arrastado no Senado. Enquanto isso, as oposições, PT à frente, mas com respaldo de parte da imprensa, criaram a novela da "compra de votos".

No dia 13 de maio, antes da votação da emenda no Senado, surgiu a "denúncia": a *Folha de S. Paulo* publicou a transcrição de trechos de conversas entre o deputado Ronivon Santiago (PFL-AC) e um personagem não identificado, chamado na matéria de "Senhor X", que teria feito as gravações e entregue ao jornal. Nos trechos publicados, Ronivon afirma que ele e outros quatro deputados, todos do Acre — João Maia, Zila

Bezerra e Osmir Lima, do PFL, e Chicão Brígido, do PMDB — teriam recebido 200 mil reais cada um para votar a favor da reeleição. O dinheiro teria sido prometido pelo governador do Acre, Orleir Cameli (sem partido), e o pagamento efetuado pelo governador do Amazonas, Amazonino Mendes (PFL). No dia seguinte, 14 de maio, a *Folha* trouxe novos trechos de conversas gravadas pelo "Senhor X" com Ronivon e João Maia. Em alguns desses trechos são citados Sérgio Motta, Luís Eduardo Magalhães e o deputado Pauderney Avelino (PFL-AM). Em 15 de maio, na terceira e última matéria da *Folha* baseada nas gravações do tal "Senhor X", Ronivon alega que teria recebido do ministro Sérgio Motta uma concessão de TV e iria receber uma de rádio.

As matérias da *Folha*, com base nessas conversas, sustentavam o envolvimento do governo na compra de votos dos deputados para a emenda da reeleição. Pronto. Essa versão foi abraçada pela oposição, que passou a exigir a instalação de uma CPI e a anulação da votação da emenda na Câmara. Na voragem do denuncismo, estava feita a "prova" do fato e do envolvimento de Sérgio Motta no caso. Era o "Fora FHC". Qualquer argumento parecia bom para minar o prestígio do governo, sobretudo na área da decência.

Como indício de que eu estaria envolvido na operação apareceu outra "prova": teria recebido os governadores do Acre e do Amazonas em três ou quatro oportunidades no decorrer do ano. Naturalmente se esqueceram de cotejar quantas vezes concedi audiência aos outros governadores, com alguns do quais tive até onze encontros. Não importa, levantara-se a suspeita. Deputados petistas, sempre prontos a encenar a farsa do bom-mocismo ético, se deram ao desplante de ir lavar a rampa do Palácio do Planalto para, em manobra *à la* Goebbels, fixar na opinião pública a imagem de um governo corrupto.

Nesses dias jantei com Luís Eduardo, José Serra, Marco Maciel e o ex-governador do Rio e deputado Moreira Franco (PMDB). Registrei a respeito: "Reavaliamos tudo, é um pouco repetitivo, a questão do pessoal lá do Norte. O Luís Eduardo é favorável, como eu também, que cassem logo o rapaz, eu esqueço... não sei nem o nome dele, um bando realmente de gente muito perigosa." E acrescentei não saber se era certo ou não ter havido compra de votos regionalmente. Até poderia ter ocorrido — afinal, e isso os acusadores nunca mencionaram e sequer levaram em conta, a reeleição interessava a todos os 27 governadores, como também aos milhares de prefeitos de todo o país —, mas sem qualquer pedido ou interferência do governo.

Uma comissão de sindicância da Câmara presidida pelo deputado Severino Cavalcanti (PPB-PE), corregedor da Casa, ouviu os deputados citados e os governadores do Acre e do Amazonas. Todos negaram participação na venda ou compra de votos. A *Folha* entregou à comissão uma cópia editada das gravações, suprimindo as intervenções do "Senhor X" e outros trechos aptos a identificá-lo. O perito Ricardo Molina, da Unicamp, atestou a autenticidade dos trechos que examinou e reconheceu a voz dos deputados Ronivon Santiago e João Maia em todos, exceto uma passagem onde faltaram "elementos acústicos suficientes para uma avaliação segura".

Em 21 de maio, Ronivon Santiago e João Maia renunciaram ao mandato de deputado.

No mesmo dia a comissão de sindicância aprovou relatório do deputado e ex-ministro da Justiça Ibrahim Abi-Ackel (PPB-MG) concluindo pela existência de indícios de comportamento incompatível com o decoro parlamentar por parte dos deputados Osmir Lima, Zila Bezerra e Chicão Brígido. "As conversas dos deputados Ronivon Santiago e João Maia (...) contêm ainda elementos de convicção sobre a prática de crime de corrupção, por eles expressamente atribuído aos governadores do Amazonas e do Acre, bem como ao sr. Eládio Cameli [irmão do governador Orleir Cameli], diretor da empresa Marmud Cameli, e, ainda que de maneira imprecisa, ao ministro Sérgio Motta."

Seguindo as recomendações da comissão, a Câmara abriu processo na Comissão de Constituição e Justiça (CCJ) contra os deputados Osmir Lima, Zila Bezerra e Chicão Brígido por quebra de decoro parlamentar e encaminhou cópia do relatório da sindicância às assembléias legislativas, aos procuradores-gerais de Justiça do Acre e do Amazonas e ao procurador-geral da República.

Sérgio Motta, aludido, indignou-se. Queria logo uma CPI, na ingenuidade de imaginar que, naquelas circunstâncias, da CPI resultasse alguma coisa diferente do que culpar o governo. No dia da publicação da terceira matéria da *Folha*, 15 de maio, Sérgio divulgou nota contestando as ilações feitas a partir das menções ao seu nome nas gravações. "A transcrição das conversas publicadas não contém nenhum fato real ou acusação concreta. Os fatos citados são absurdos, mentirosos e, diria, surrealistas. No caso da Retransmissora de Televisão (RTV), a permissão foi outorgada em 9 de maio de 1996 [ou seja, um ano antes da votação da emenda da reeleição], como detalhamos a seguir."

Em 17 de junho, concordei com seu desejo de depor na CCJ. Sérgio negou, com a ênfase que lhe era habitual, qualquer participação na suposta compra de votos. Releu para a comissão os trechos das conversas em que era citado, mostrando que nenhum deles continha nenhuma acusação específica contra ele. Em nenhum momento nas gravações — é bom relembrar — os deputados diziam que o ministro lhes teria prometido ou pedido a quem quer que fosse para lhes dar dinheiro. Pelas conversas gravadas, as tratativas sobre dinheiro teriam sido com os governadores do Acre e do Amazonas. As menções a "Serjão" — como muitos se referiam a Sérgio Motta —, dando a entender que ele teria alguma combinação com o governador do Amazonas, eram alusões vagas em frases truncadas, entremeadas de expressões como "quem sabe", "parece", "eu acho, sei lá".

Sérgio esclareceu que recebera o deputado João Maia uma vez, em 23 de janeiro, antes da votação da emenda da reeleição na Câmara, na companhia do governador e de outros membros da bancada do Acre, para falar da construção da rodovia BR-364, a grande reivindicação do estado junto ao governo federal. E concedera audiência ao deputado Ronivon Santiago em 6 de março, após a votação, também na companhia do governador. Com o governador do Amazonas, informou que tivera somente dois encontros formais, sem nenhuma conversa mais longa. Os membros da CCJ, inclusive os da oposição — é bom ressaltar —, não questionaram especificamente as explicações do ministro. Os oposicionistas limitaram-se a insistir na tese de que só uma CPI poderia investigar o episódio a fundo.

Ronivon Santiago revelou a outros deputados a identidade do interlocutor oculto nas gravações, embora não tenha confirmado essa informação à comissão de sindicância. Seria Narciso Mendes, ex-deputado (PPB-AC), dono de uma emissora de TV no estado, casado com a deputada Célia Mendes (PFL-AC). Os líderes do governo sabiam da movimentação de Narciso Mendes na Câmara, especialmente junto ao PPB malufista, contra a proposta de reeleição. O "Senhor X", segundo a *Folha*, levou meses gravando conversas com Ronivon e João Maia. Narciso Mendes, além de prestar um serviço a Maluf, tumultuando a tramitação da emenda da reeleição, teria seus próprios motivos para produzir as gravações. No Acre ele estava em conflito com o governador Orleir Cameli. E tinha uma pendência de vários milhões de reais com a Receita Federal por sonegação de imposto, em relação à qual tentou, sem êxito, conseguir alguma interferência do governo. Segundo depoimento dado a mim pelo secretário da Receita Federal, Everardo Maciel, apesar dos muitos pedidos para aliviar pesada multa que sofrera — nenhum deles vindo de gente do governo, diga-se —, ela foi mantida pela Receita.

A Câmara não encontrou outras provas que justificassem a cassação dos deputados Osmir Lima, Zila Bezerra e Chicão Brígido. A ação dos governadores do Acre e do Amazonas na suposta compra de votos tampouco se comprovou. Nas conversas gravadas, Ronivon Santiago e João Maia se referem a "atrasados" que teriam a receber do governador Orleir Cameli. Conhecendo-se os personagens e os costumes políticos da região, é possível que os deputados tenham se aproveitado da oportunidade da votação da emenda da reeleição para saldar suas próprias dívidas, como contam nas gravações.

Nunca, nem por ouvir dizer, falou-se do envolvimento de outros deputados nesse caso. Nem jamais se acusou o ministro Sérgio Motta de abordar deputados ou quem quer que seja com propostas de suborno. Tudo o que existe para sustentar o envolvimento de Sérgio, um homem honrado, são alusões desconexas nas conversas entre essas três figuras — Ronivon, João Maia e Narciso Mendes ou "Senhor X" — gravadas e editadas nas condições descritas acima.

A despeito de o suposto autor da vaga denúncia não ser pessoa de respeito, parte da imprensa manteve no ar o clima de suspeição, sem nunca endossar abertamente a acusação. Na lógica política, pouco importava o descrédito do acusador. Havia interesse em desacreditar o governo. Mesmo o deputado Almino Affonso (SP), à época em meu partido, o PSDB, disse que era necessário "lancetar o tumor", mas que não existiam condições para isso. Não se referiu, porém, à motivação política óbvia de uma CPI, como se o governo é que não tivesse interesse em apurar as coisas. Em suma, o governo estava no pelourinho e daí por diante, a cada crise, lá vinham as oposições com a lengalenga da compra de votos, apesar do disparate. Tendo o governo maioria esmagadora da opinião e dos votos no Congresso — que, torno a lembrar, também refletia o enorme interesse de governadores e prefeitos na reeleição, algo sempre deixado de lado por meus críticos —, se não fosse por motivos éticos e de estrita obediência à lei, até por mera desnecessidade jamais iríamos nos meter na desventura e no pântano de comprar votos. (Vale lembrar que, no ano seguinte, Jorge Viana, do PT, com apoio do PSDB, ganhou a eleição para governador no Acre. Em novembro de 2000, ele denunciou a participação de Narciso Mendes e do deputado federal José Aleksandro, do Partido Social Liberal (PSL), num plano para matá-lo. O plano envolveria o ex-deputado Hildebrando Paschoal, cassado e cumprindo pena desde 1992 por homicídio e narcotráfico.) Se houve compra e venda de votos, ela se deu no plano regional, envolvendo personagens e práticas da velha política que o PSDB, com respaldo de meu governo, ajudou o PT a derrotar no Acre.

Com o passar das semanas, não sem prejuízo nas sondagens de opinião e, o que é mais grave, na credibilidade do governo, o assunto foi saindo da pauta da mídia. Mesmo porque surgiu outro escândalo: denúncias de militantes do PT contra Lula, como se ele estivesse comprometido com manobras menos claras para a obtenção de contratos em prefeituras controladas pelo partido. Como Presidente, dei logo declarações de que o acusavam sem provas e manifestei testemunho de apreço, temeroso de processos de desmoralização a granel de todos os políticos.

Por que tantas dificuldades no caminho das reformas? Por um lado porque os economistas, empresários, articulistas, políticos responsáveis, governadores e outros setores favoráveis à privatização e às reformas da Previdência e da administração como que se cansaram com a morosidade do andamento do Legislativo. Alguns cobravam do Presidente "pulso firme", mais autoridade (sem explicar que tipo, se democrática ou fujimorista). Na hora das votações, no entanto, muitos não apareciam para mostrar apoio às propostas, como se a aprovação delas fosse problema exclusivo do Presidente, deixando os parlamentares sob o bombardeio dos *lobbies* de funcionários, sindicalistas, ONGs e outras entidades e grupos organizados contrários às reformas. Os próprios parlamentares favoráveis se sentiam atropelados pela fúria contestatória das oposições. Freqüentemente o governo ganhava as votações, mas apanhava o tempo todo nos discursos e faltava ânimo a muitos defensores das reformas para o combate verbal. Por outro lado, havia certa desarticulação entre os ministros e os líderes governistas no Congresso, bem como internamente entre eles.

O ministro Sérgio Motta, que era um colosso na ação em sua pasta e que combatia com vigor e lealdade, tinha características de personalidade que freqüentemente o levavam a perder a batalha da opinião. Com entusiasmo e energia característicos, atropelava aqui e ali a autoridade presidencial, com declarações que afetavam estar ele de posse dos pensamentos mais recônditos do Presidente. Mais de uma vez falou à imprensa sobre matérias fora de sua alçada e sobre decisões que a seu ver o Presidente iria tomar, mas que não correspondiam ao que eu pensava nem ao que iria fazer. A tal ponto que, em maio de 1997, escrevi-lhe uma carta pedindo que se abstivesse de intrometer-se em outras áreas, chegando a dizer-lhe que tais atitudes poderiam levar-me a dispensar sua colaboração, por mais que isso me custasse. Ocorre que Sérgio Motta, no cômputo geral, sem contar sua competência específica como ministro das Comunicações, mais ajudava no terreno político do que — por seu estilo, não por suas intenções — atrapalhava.

Por trás de tudo estava a questão eleitoral. As pesquisas de opinião davam que a maioria da população apoiava a reeleição. A quase totalidade dos editoriais da grande imprensa ia na mesma direção. No plenário da Câmara, como já vimos na votação realizada, também. No Senado, para minha surpresa, depois de toda a zoada promovida pelas oposições em torno da suposta compra de votos, uma vasta diferença de votos aprovou, a 21 de maio de 1997, a emenda da reeleição (o placar final foi 63 a 6 porque a oposição se ausentou; se tivesse permanecido no plenário, teria sido 66 a 17).

Isso ia dando à oposição a sensação de estar em um beco sem saída. Ela própria espalhara que eu governava de forma imperial, abusando das MPs (provavelmente nem sonhavam que nesse terreno o governo Lula me bateria de longe...). Optou por desmoralizar o governo e atacar pessoalmente o Presidente. O *slogan* golpista "Fora FHC" seria derrotado na direção máxima do PT por apenas um voto. Esse partido se negou sempre a dialogar (ainda em maio tentei conversar com o próprio Lula, que ironizou o convite) e sobretudo a votar a favor do que quer que fosse, não só em matéria de reformas como de medidas que beneficiariam, por exemplo, a educação, como quando se propuseram contra o Fundef.

Ao núcleo duro da oposição, que àquela altura ainda se acreditava ideológico, somaram-se os ressentidos com o governo e os temerosos de um mau resultado eleitoral, em uma espécie de "complô" contra minha força política e eleitoral, no que foram seguidos pelos setores da imprensa que preferem um governo mais fraco a um mais forte.

Não se governa só com amigos bem-intencionados

Assim estavam as coisas quando tomei a decisão de mudar alguns ministérios e fortalecer os vínculos institucionais com o PMDB. Expliquei detalhadamente a meus principais colaboradores o que ia fazer. Disse-lhes que não era possível, nas circunstâncias, continuar mantendo relações fictícias com o PMDB, constrangendo-o aceitar como sendo indicações do partido os nomes que queríamos em vez de conceder aos peemedebistas maior margem de efetiva escolha, pois isso dificultava a marcha legislativa. Chamei mesmo a atenção para a necessidade de uma autocrítica do governo, que me incluía. Não tinha cabimento imaginar ser possível governar o Brasil com um grupo de dez ou vinte amigos bem-intencionados. Até àquela altura a única aliança real efetiva que fizéramos fora com o PFL, mais constante nas votações e mais comprometido com nossas teses. (O PTB nos apoiava, e seus votos eram importantes, mas tinha participação pequena no governo. Os ministros que "representavam" o partido eram muito mais de minha confiança do que da máquina petebista.)

Eu sabia, disse a meus colaboradores, que a direção do PMDB não controlava todo o partido e que os votos viriam sempre pela metade, mas que precisávamos ter o comprometimento efetivo de algumas dezenas de deputados e de alguns senadores, para caminhar com mais segurança no Congresso. Por isso, nomearia o senador Íris Rezende para a pasta da Justiça, que ficara vaga com a indicação de Nelson Jobim para o STF, e um deputado gaúcho, àquela altura quase desconhecido por mim, Eliseu Padilha, para o Ministério dos Transportes. Eles eram os preferidos do setor do partido que se dispunha a apoiar o governo. Consultei previamente os peemedebistas conterrâneos do novo ministro Padilha, o governador Antônio Britto e o ministro Nelson Jobim, que o avalizaram.

Os companheiros de partido e de jornada decepcionaram-se grandemente. Para a Justiça, preferiam outros peemedebistas: o deputado paulista Aloysio Nunes Ferreira (que posteriormente migraria para o PSDB) ou o senador gaúcho José Fogaça. Eu havia pensado também em José Paulo Sepúlveda Pertence, ministro do STF, e autorizei Eduardo Jorge a sondá-lo. Pertence, contudo, na ocasião há oito anos no posto, deixou entrever que gostaria de continuar no tribunal e esse movimento não prosperou. Nos Transportes, os tucanos desejavam promover de secretário executivo a ministro o engenheiro José Luís Portella, filiado ao PSDB paulista. Nas conversas com Padilha, disse-lhe que Portella permaneceria na secretaria executiva do Ministério. O PSDB ficou descontente em Goiás e o de Minas queria que eu criasse um Ministério da Habitação, para compensar a perda relativa de prestígio dos tucanos dada a presença maior do PMDB no governo.

No começo de junho, finalmente, conseguimos que Luís Eduardo Magalhães assumisse a liderança do governo na Câmara. (Houve quem achasse que ele não aceitaria a função, por ter exercido cargo de maior relevância — a própria presidência da Casa. Sem contar os temores em relação a seu pai, ACM.) Seu nome vinha aparecendo na mídia há um mês, desde quando o deputado José Aníbal, líder do PSDB, me trouxera a sugestão. O prestígio e a experiência de Luís Eduardo nos deram maior margem de controle nas votações. O PSDB contra-atacou, propondo que o peemedebista Luiz Carlos Santos fosse substituído por um tucano na função de ministro da Coordenação Política. Luiz Carlos, na verdade, desanuviou-se quando se tornou claro que Luís Eduardo se somaria a ele, um atuando na Câmara, outro desde o Executivo, para imprimir maior velocidade ao processo político. Tive ainda que esclarecer, em reunião de líderes, os temores do senador Jader Barbalho, visto que Antonio Carlos insinuara que "fizera" o ministro da Justiça. Na verdade, apenas consultei-o previamente porque, afinal de contas, ele havia disputado a presidência do Senado com Íris e do episódio poderia ter restado alguma aresta entre os dois. Desculpei-me, de toda maneira, por não ter participado com antecedência ao líder do PMDB no Senado a decisão de nomear um de seus liderados para o Ministério: mais um exemplo das minudências que fazem a trama do quotidiano da política e que são importantes, mesmo que não pareçam.

Itamar rompe comigo: "ingrato"

Não foram menores as agruras para recompor o Ministério em 1998, quando novas eleições se aproximavam. No início de março comecei a conversar com Vilmar Faria, Clóvis Carvalho e Eduardo Jorge. Cogitamos trazer Paulo Paiva para o Planejamento, pois Antonio Kandir se afastaria para candidatar-se à reeleição como deputado, e de criar um Ministério, a ser eventualmente entregue a José Serra, que cuidasse do desenvolvimento urbano e do emprego — obsessão de Vilmar. (Depois de perder a eleição para a Prefeitura de São Paulo em 1996, Serra voltara ao Senado, para o qual fora eleito com grande votação em 1994.)

Só que dessa vez as mudanças teriam de levar em conta não somente o que desejávamos para o bom governo como também a proximidade das eleições, em outubro. E nessas o PMDB era o problema maior. O PMDB convocara uma convenção para o dia 8 de março de 1998 e Itamar Franco movimentava-se fortemente, ao lado do presidente do partido, Paes de Andrade, para que na ocasião triunfasse a idéia de uma candidatura própria, com nome a ser definido em junho. Isso depois de me haver reafirmado que não era candidato — a nota que enviara ao PMDB candidatando-se não seria para valer, disse-me.

Na mesma conversa, expressou seu desejo de ser deslocado da embaixada junto à Organização dos Estados Americanos (OEA), em Washington, para onde eu o designara no final de 1996, depois de ter exercido por um ano e meio idêntica função em Portugal, para a representação do Brasil na Itália.

Esse tema já tinha sido examinado entre nós em encontro realizado em Nova York, em 1997, por ocasião de reunião da ONU a que ambos comparecemos. Já na ocasião havia rumores de que Itamar se lançaria candidato a Presidente. Reunimo-nos no hotel em que me hospedava. Itamar trazia consigo um papelzinho com anotações, como que um roteiro para a conversa. Disse estar insatisfeito com o cargo da OEA. Gostaria de mudar de embaixada e ir para "um país latino". Confesso que me preocupei com a hipótese de ele pretender representar o Brasil na Argentina, função delicada e estratégica, que requer um embaixador de carreira. No meio da conversa, entretanto, o ex-Presidente mencionou o fato de sua mãe se chamar Itália. Perguntei se gostaria de transferir-se para Roma. E ele:

— Sim, mas você não vai conseguir...

Perguntei:

— Mas por quê?

— Porque o Lampreia [Luiz Felipe Lampreia, ministro de Relações Exteriores] não vai deixar.

— Mas, Itamar, afinal quem é o Presidente? — perguntei. — Vou falar com o Lampreia e você vai para Roma, sim. Sem problema.

Por alguma razão, Itamar continuou:

— E daria para você nomear o Carlos Alberto [Leite Ribeiro, embaixador em Paris] para meu lugar na OEA?

Um tanto desconcertado, disse-lhe que, se fosse o caso, sim. Ele, não sei até hoje se brincando ou falando sério, arrematou:

— Ah, mas esse você não consegue mesmo...

O embaixador Carlos Alberto acabaria, sim, sendo designado para o posto na OEA.

Voltaríamos ao tema da embaixada em Roma em janeiro de 1998, no Alvorada. Perguntou-me se mantinha a disposição de nomeá-lo para o posto. Naturalmente, confirmei. Ele, por sua vez, comentou os rumores sobre uma candidatura à Presidência. Disse-me ainda que era contrário à reeleição, e também que considerava a hipótese de ser candidato a Presidente. Respondi que respeitava sua opinião. Contudo, lembrei, o caminho não seria simples: ele precisaria costurar apoios, obter recursos, montar um complexo esquema de campanha. Com franqueza, acrescentei:

— Não teria nada contra a sua candidatura. Se você for meu adversário, não há problema algum. Mas pense bem, porque acho que vou ganhar.

Mudamos de assunto. Itamar reclamou de supostas "perseguições" a aliados seus na máquina pública. Procurei esclarecer os casos que me trouxe. Terminamos em bons termos. Dias depois, no entanto, ele me transmite por fax cópia de mensagem ao PMDB, colocando o nome à disposição como candidato. No mesmo fax, dirigindo-se a mim, explicava que ainda não se decidira firmemente a concorrer.

De todo modo, havia uma corrente pró-candidatura própria no PMDB. Diante disso, contra-ataquei com os setores do partido que preferiam apoiar meu nome à reeleição, tendo à frente os líderes no Senado, Jader Barbalho, e na Câmara, Geddel Vieira Lima (BA), somados a Eliseu

Padilha, Moreira Franco, os governadores peemedebistas e várias seções regionais do partido. Até as vésperas da convenção, o PMDB não tinha certeza se Itamar voltaria ou não de Washington para ser candidato. No dia anterior à convenção, conhecedor das correntes que se entredevoravam no partido e preocupado com o que pudesse acontecer com o ex-Presidente, chamei ao Palácio os ministros Íris e Eliseu e expus minha preocupação:

— Estou achando que vão aprontar com o Itamar na convenção.

Tranqüilizaram-me, assegurando que o grupo mais turbulento do partido, o MR-8, controlado pelo ex-governador Orestes Quércia, meu adversário, apoiava Itamar. Mesmo assim, por intermédio de um amigo do ex-ministro José Aparecido de Oliveira, muito próximo do ex-Presidente, mandei recado a Itamar para que tomasse cuidado. Talvez ele não devesse comparecer à convenção, ponderei, pois, apesar de meus esforços junto aos ministros do PMDB, não considerava haver garantias de que o MR-8 abandonaria as técnicas de violência verbal e física que o caracterizavam, e haveria revide. (Grupos controlados pelo governador do Distrito Federal, Joaquim Roriz, dispunham-se ao enfrentamento.) Itamar compareceu, terminou sendo desacatado e perdeu na votação. No mesmo dia, telefonei-lhe. Não consegui encontrá-lo, deixei recado para que me ligasse no Alvorada. Ocorreu um desencontro: ele retornou a chamada enquanto eu estava no cinema do palácio e, a despeito de minhas recomendações para me interromperem caso o ex-Presidente estivesse ao telefone, os funcionários não o fizeram. Não nos falamos, e isto certamente contribuiu para o mal-entendido que se seguiria.

No dia seguinte os vitoriosos vieram me ver no Palácio da Alvorada. A imprensa fotografou o grupo comigo e o fato de eu aparecer sorridente serviu de pretexto para Itamar, dizendo-se "traído", romper comigo, concedendo uma entrevista muito agressiva à revista *IstoÉ*.[22] Na entrevista, disse que até então me apoiava, considerou-me conivente com a baderna na convenção — "quando vi aquela foto, aquele riso dele ao lado dos bandidos que me agrediram na convenção, me senti traído" —, tachou-me de "ingrato", acusou-me de desvirtuar o Plano Real, criticou as reformas promovidas por meu governo e, sobretudo, combateu a privatização da Vale do Rio Doce.

[22] Edição de 1/4/1998.

Daí por diante ficou claro que eu teria no máximo o apoio da metade do PMDB, tanto nas votações na Câmara como na eleição, e assim mesmo se reforçasse a presença do partido no governo. Essa circunstância serviu como condicionante na remodelação ministerial. Entregamos a Secretaria de Políticas Regionais a um representante das forças majoritárias de Goiás, Ovídio de Angelis. Na substituição de Íris Rezende, candidato ao governo goiano, o Ministério da Justiça passou, por indicação dos senadores peemedebistas e com a concordância do presidente do Senado, José Sarney, às mãos do senador Renan Calheiros (AL). Tentei viabilizar a nomeação de José Fogaça, mas não obtive sucesso no partido. Mantive Padilha nos Transportes, pasta que o PMDB queria para Jader Barbalho, que, porém, nunca havia pressionado neste sentido.

A negociação com o PPB foi mais fácil. Com a habilidade de sempre, Dornelles, que se afastava do Ministério da Indústria e Comércio para candidatar-se à Câmara, induziu o embaixador José Botafogo Gonçalves, diplomata muito qualificado para a área graças à sua formação e a experiência como um dos principais negociadores do Mercosul, a filiar-se ao partido. Dessa forma, quando veio quase toda a bancada ao Alvorada, à frente Paulo Maluf, presidente do PPB, para pedir a nomeação de Botafogo, não fez mais do que expressar o que havia sido uma combinação prévia entre mim e o ministro Dornelles. Maluf tentou indicar pessoas até mesmo para ministérios que não caberiam ao PPB, mas eu lhe disse que nomearia outro correligionário dele para o Ministério da Agricultura: Francisco Turra, que já estava dirigindo a Companhia Nacional de Abastecimento (Conab) e era bem avaliado no governo. A Agricultura iria ficar vaga diante da recusa de seu titular, Arlindo Porto, em aceitar o convite para assumir o Trabalho, substituindo Paulo Paiva, que seria transferido para o Planejamento. No dia seguinte Maluf "lançou" o nome de Turra para a Agricultura. Concretizada a nomeação, o meio político-jornalístico revelou-se impressionado com a força do político paulista, logo atribuindo a mim a intenção de fortalecê-lo em São Paulo na disputa com o governador Mário Covas, candidato de meu próprio partido...

Quanto ao PFL, de novo se colocou a questão dos equilíbrios simbólicos. Pediram-me a substituição do ministro peemedebista da Coordenação Política, Luiz Carlos Santos, por um pefelista, talvez o senador Guilherme Palmeira, meu ex-companheiro de chapa em 1994, com quem conversei e que não demonstrou interesse pela posição. Para o lugar de Reinhold Stephanes, que buscaria a reeleição como deputado pelo Paraná, escolhi o senador Waldeck Ornélas (BA). Embora estreitamente ligado a ACM, sua nomeação não se deu por pressão baiana (ao contrário, Luís Eduardo reclamou que os baianos seriam debitados pela nomeação quando a escolha fora livremente minha), mas sim porque a meu ver era o mais capacitado para levar adiante as reformas na Previdência, não só legislativas mas administrativas. E assim procedeu, com correção, até que tive de demiti-lo por razões políticas, em 2001, quando a conduta de Antonio Carlos ultrapassou os limites de minha tolerância, como narrarei mais à frente. Novamente se colocou a questão dita regional e de equilíbrios internos ao partido. Resultado: criei um Ministério Extraordinário para as Reformas Institucionais (cuja abreviatura, Mirin, não sem razão deu margem a muita charge) e o entreguei ao senador Freitas Neto, ex-governador do Piauí e pessoa séria. Desse modo encontramos uma forma de não descontentar o PFL.

Sobra mencionar as modificações que promovi para tornar mais ágil e eficaz a administração em certas áreas. Nomeei para o Ministério do Trabalho um técnico, Edward Amadeo, economista estudioso das questões do emprego (mais tarde desloquei-o para a Secretaria de Política Econômica da Fazenda) e, no fim de abril, o presidente do BNDES, o economista e ex-diretor do BC Luiz Carlos Mendonça de Barros para as Comunicações, depois da traumática morte de Sérgio Motta, sobre a qual falarei páginas adiante. André Lara Resende substituiu Mendonça de Barros no BNDES e os dois se encarregaram de levar adiante a privatização e regulação do sistema de telecomunicações, tão brilhantemente iniciadas por Sérgio. Apesar das críticas injustas que se despejaram sobre eles no Senado e na mídia, e de ações judiciais movidas por interesses contrariados, continuaram a obra com competência, de tal forma que o Brasil passou a dispor de um sistema de telecomunicações de padrão mundial. Data dessa época também a criação, no âmbito do Ministério do Planejamento, da Câmara de Comércio Exterior (Camex), para coordenar as políticas de exportação, entregue à competência do economista José Roberto Mendonça de Barros, irmão de Luiz Carlos.

Nessa temporada de modificações, houve a substituição do ministro Carlos César de Albuquerque por José Serra. Serra vinha discutindo comigo desde fevereiro sua eventual volta ao governo. Ele pensava inicialmente na criação de um superministério, juntando desenvolvimento urbano, emprego e saneamento, em uma ampliação da sugestão que Vilmar me apresentara. Achei que isso só acirraria as disputas no governo. Como reagiria à mudança, por exemplo, o BNDES, que cogitávamos passar para a órbita do novo Ministério? E a Caixa Econômica, grande financiadora da área de habitação e saneamento, que papel teria e a quem ficaria subordinada?

Jamais gostei de grandes estruturas burocráticas, menos ainda quando derivam da fusão entre burocracias com culturas organizacionais distintas. Custei, mas persuadi Serra de que seria melhor voltar à proposta inicial, dos primórdios da formação de meu governo, entregando-lhe a pasta da Saúde. Houve apenas um incidente que me aborreceu. Serra consultou algumas pessoas sobre a conveniência de aceitar a pasta e a hipótese inevitavelmente acabou indo parar na imprensa, deixando o ministro Albuquerque em situação incômoda e eu, uma vez mais, como "fritador" de colaboradores. Na verdade minha apreciação sobre Carlos César de Albuquerque é positiva. Ele deu uma contribuição marcante na criação do Programa de Atendimento Básico da Saúde (PAB), como contarei com mais detalhes no Capítulo 8. Apenas, não tendo base política e devendo o Congresso decidir sobre uma complexa proposta de emenda constitucional que garantia o financiamento da saúde nos planos federal, estadual e municipal,[23] parecia-me que Serra tinha melhores condições para obter sua aprovação por deputados e senadores, além de levar mais longe a implantação do PAB, como de fato ocorreu nos anos seguintes.

As referências que registrei para caracterizar em que condições o Presidente opera quando efetua as modificações no Ministério são suficientes para mostrar que elas seguem um certo padrão. Primeiro, a proximidade das eleições (que no Brasil se dão a cada dois anos) aguça os apetites dos partidos, da imprensa e dos candidatos aos diferentes postos. O governo também se aproveita da oportunidade para tentar corrigir algumas deficiências administrativas e políticas. Começada a temporada, os par-

---

[23] A Emenda Constitucional n° 29, de 13/9/2000, que teve origem em proposta apresentada em 1995 pelo deputado Carlos Mosconi (PSDB-MG).

tidos dificultam o quanto podem a marcha do processo legislativo e a efetivação das alianças eleitorais, ganhando assim maior poder de barganha. Dado o sinal de partida das alterações ministeriais, ele desencadeia um efeito em cascata nas expectativas: começa o jogo efetivo e simbólico de participação no poder. O argumento regional quase sempre entra em cena para reforçar posições de grupos ou líderes em cada partido. O Presidente e o círculo próximo, por seu lado, tentam melhorar as condições para a concretização do projeto de governo, ou pelo menos para evitar que ele se desfigure.

Fica visto também que se o governo tiver um projeto e o Presidente for capaz de navegar, é possível limitar os danos que a pressão partidária pode eventualmente causar à eficiência administrativa, sem esquecer que freqüentemente — é bom repetir isto — são feitas boas indicações partidárias. Em muito poucos casos a pressão partidária, a começar pela do meu próprio partido, o PSDB, tornou realmente difícil nomear ministros compatíveis com os projetos do governo. Em geral pude, ou bem escolher quem quis, ou acolher boas indicações, ou mesmo conseguir que os partidos me trouxessem nomes que eu queria nomear. Nosso presidencialismo oferece margens razoáveis para o titular do cargo operar politicamente e conseguir chegar a seus objetivos fundamentais.

É verdade que em certas conjunturas a decisão presidencial se vê limitada. Mostrei em que condições políticas fui levado a pactuar algumas alianças muito criticadas por certos setores que não compreendem a necessidade de incorporar grupos políticos que não coincidem sempre com os valores do governo. Sem essas alianças "heterodoxas" não se obtém apoio para aprovar no Congresso medidas que o Presidente considera necessárias e com as quais, freqüentemente, se comprometeu diante do eleitorado. É esse um paradoxo da política, com o tipo de representação partidária que temos.

Ao se aproximar uma eleição, o Presidente, pelas características de nosso sistema político, se transforma não apenas em chefe de seu partido, mas, freqüentemente, em chefe de cada um dos partidos aliados. Nessas ocasiões ele é levado a interferir mais do que é razoável nas lutas partidárias e paga um preço por isso. Não só a popularidade decai na medida em que a figura presidencial se confunde com a de um líder partidário, como ele é levado a conformar-se com nomeações que em outras circunstâncias dificilmente aceitaria. Entretanto, não é preciso assumir acordos que comprometam o rumo traçado. Há modos de avaliar se essa regra está sendo cumprida. Um é a capacidade de o governo continuar a definir e controlar a agenda legislativa e de manter a ação administrativa. Outro, quando há eleições gerais, é ver se o eleitorado avaliza ou não o governo, seu partido e os partidos aliados.

Duas grandes perdas: Sérgio Motta e Luís Eduardo

Ao terminar as várias modificações no governo já mencionadas, sofri, em abril de 1998, dois brutais abalos: a morte de Sérgio Motta no dia 19 de abril e, dois dias depois, a de Luís Eduardo Magalhães. Eram esteios políticos do governo e, afetivamente, pessoas muito próximas a mim. Participaram decisivamente das mudanças descritas até aqui.

Sérgio, aos 58 anos, tinha excesso de peso e não gozava de boa saúde. Luís Eduardo morreu de repente, na plenitude da vida, aos 43 anos, com toda uma carreira diante de si.

Sérgio já passara por complicações de saúde antes de ser ministro: tivera a "doença dos legionários", uma devastadora forma de pneumonia bacteriana assim denominada porque se manifestou pela primeira vez em um grupo de veteranos de guerra dos EUA, filiados à Legião Americana, durante convenção da organização em 1976, matando dezenas de pessoas. Quando Sérgio contraiu a doença, ela era praticamente desconhecida no Brasil, e seus médicos foram auxiliados por um especialista da França com quem trocaram informações e resultados de exames por telefone. No primeiro ano de meu governo, já ministro, sofrera um enfarte.

A doença dos legionários lhe deixara seqüelas permanentes nos pulmões e o obrigaria a uma segunda internação que o levaria a uma UTI. Quando deixou o hospital, me segredou que pretendia escrever um livro sobre o que vive, sobretudo interiormente, uma pessoa numa UTI. A experiência, somada a um determinado sonho que tivera, tornou-o algo místico. Ele então já fizera uma viagem até o santuário de Fátima, em Portugal, com a mulher, Wilma, e as três filhas. Como amigo, intuí que ele estava com um certo sentimento de morte, embora fingindo que não. Tão logo deixou o hospital daquela feita, porém, Sérgio voltou a sua vida de sempre: interessava-se por tudo, trabalhava quase sem limites, dormia tarde, era comilão, apreciava um bom vinho, gostava imensamente da vida.

As conseqüências da doença dos legionários, enquanto isso, minavam-lhe o organismo. Um mês antes de falecer, precisou ir aos EUA. Constatou-se que estava sofrendo um gradativo enrijecimento dos alvéolos pulmonares. De lá, Wilma me telefonou:

— Seu amigo quer falar com você.

Ele me disse, sem manifestar sobressalto correspondente à gravidade do que narrava, que talvez tivesse que realizar um transplante de pulmão — operação delicada, dificílima, de alto risco. Não lhe restavam alternativas.

Mas Sérgio era um grande lutador. Voltou ao Brasil e ao trabalho, insistindo em tocar para frente a gigantesca obra que realizava no setor de Comunicações. No final, andava permanentemente com um tubo portátil de oxigênio para auxiliar na respiração. Naquela que seria a última vez em que falaríamos, ele compareceu ao Alvorada com o tubo de oxigênio. Fiz um grande esforço para não demonstrar o quanto me penalizava seu estado. Ele também agia como se nada estivesse acontecendo. Pensava no Brasil, no governo. Queria completar o processo de transformação no setor, queria comandar a privatização — tarefa que os fados acabaram atribuindo a seu sucessor no Ministério, Luiz Carlos Mendonça de Barros.

Nesse meio-tempo, sofreu insinuações, acusações e calúnias de todo tipo por sua condução à frente das Comunicações — ele, que era um homem valente, idealista e íntegro. Insinuou-se que estaria participando de um suposto esquema de combinar previamente, num jogo de cartas marcadas, a distribuição das empresas estatais de telecomunicações a setores do empresariado, quando, na verdade, a privatização das teles se deu em processo público de licitação, impecavelmente conduzido.

Doente, ele viveu um período enormemente tenso, brigando e rebatendo acusações. Sua saúde, porém, chegara ao limite. Depois de nossa conversa no Planalto, viajou para São Paulo e ainda compareceu, sempre com o tubo portátil de oxigênio, a uma solenidade na sede dos Correios. Seu estado se agravou, e sobreveio nova internação no Hospital Israelita Albert Einstein. Apreensivo, segui para São Paulo. Queria ver Sérgio, falar com ele. Do aeroporto, telefonei a Wilma. E ela:

— Melhor não, hoje ele não está bem.

Preocupado, segui para a casa de campo da família em Ibiúna. Ali recebi, por fax, o famoso bilhete em que ele recomendava: "Não se apequene."[24] Não demorariam a surgir interpretações sobre o bilhete: de que Sérgio, nas entrelinhas, estaria criticando alianças políticas que precisei tecer. De minha parte, enxerguei uma mensagem extremamente amistosa e um recado para que eu fosse fundo e adiante nas reformas. Sérgio, ao contrário do que certas pessoas diziam, era muito favorável a alianças políticas para se atingirem objetivos de interesse público.

Fui ao hospital, mas não pude falar com o amigo. Só o vi na UTI, semi-inconsciente. Quando veio a notícia da morte, mesmo esperada, me golpeou duramente. Não sou de chorar, mas não houve como evitar. Compareci ao velório, no saguão da Assembléia Legislativa de São Paulo, porém não ao cemitério, diante de insistente recomendação da segurança. Devia, além de tudo, voar para a Espanha, em viagem de Estado programada com meses de antecedência.

Foi justamente no velório de Sérgio que percebi algo de errado com Luís Eduardo. Muito amigo de Sérgio, o deputado mostrava-se desolado, inconsolável, e chorava copiosamente. Muita gente mais também chorava, porque Sérgio era uma figura grandiosa, de uma presença forte, generosa, telúrica. Às vezes atropelava os amigos e eu próprio, mas era tão leal, tão repleto de boas intenções, de dedicação, tinha um tal caráter missionário, que o bem nele sempre prevalecia. Acho que sua perda deixou um vazio até nos inimigos. Luís Eduardo, transtornado, extremamente pálido e chorando, me abraçou. Ao fazê-lo, encostou o rosto no meu. Percebi então que ele estava gelado.

Puxei para um lado seu pai, Antonio Carlos:

— Senador, estou preocupado com o Luís Eduardo. Ele não está bem.

ACM atribuiu o estado do filho à carga de emoção que se abatia sobre todo mundo naquele saguão.

---

[24] No bilhete, ele dizia literalmente, entre outras coisas: "Não são processos conjunturais que deverão alterar ou afetar nossas políticas de transformação do Brasil. Nada disso (é verdade!) seria possível na minha área sem o seu apoio. Tudo o que propus e está revolucionando o setor, você nunca titubeou. Aja assim SEMPRE, em todas as áreas e conte comigo. (...) Não se apequene. Cumpra seu destino histórico. Coordene as transformações do país. Obrigado pelo apoio."

Tive que seguir viagem para a Espanha. Levei na comitiva minhas netas mais velhas, as gêmeas Joana e Helena, na época adolescentes. Visitas de Estado são revestidas de pompa, mesmo que o objetivo esteja mais no estreitamento de relações entre países do que na solução de problemas específicos, normalmente discutidos em visitas oficiais — e realizei várias à Espanha durante meu governo. Desembarcamos em Madri e nos conduziram ao Palácio de El Pardo, destinado aos hóspedes oficiais. Ali apresentei minhas netinhas ao Rei Juan Carlos, com quem sempre mantive excelentes relações, houve uma pequena cerimônia e revista a uma guarda de honra. A solenidade principal seria no dia seguinte: um banquete de honra no Palácio Real, no centro de Madri, presidido pelo Rei e pela Rainha Sofia.

À noite, jantamos com a comitiva na embaixada do Brasil. Durante o jantar telefonam do Brasil. Ana Tavares atende e me informa que Luís Eduardo tivera um enfarte. Ligo imediatamente para Antonio Carlos em Brasília. ACM parecia relativamente calmo e controlado. Luís Eduardo, disse, passa bem e se recupera. Mesmo assim, não pude deixar de preocupar-me. Estava amargurado pela morte de Sérgio e, agora, surgia um problema sério com o meu outro operador político por quem nutria um sentimento de irmão mais velho. O jantar se encerrou e voltamos a El Pardo. De madrugada, o ajudante-de-ordens me despertou com a notícia terrível: Luís Eduardo tinha morrido.

Fiquei atônito, principalmente porque ACM me tranqüilizara sobre o estado do filho. Não bastasse a pancada afetiva e política que isso representava, tínhamos pela frente um embaraço diplomático: era evidente que eu precisava voltar ao Brasil e abortar a visita de Estado, conforme me lembrava com insistência, entre outros, Ana Tavares. Com seu agudo espírito jornalístico, me alertava para a hecatombe que representaria aparecerem simultaneamente, na mídia, o noticiário sobre a morte de Luís Eduardo, no Brasil, e fotos de eu brindando com o Rei, em Madri. O chanceler Luiz Felipe Lampreia, que integrava a comitiva, assumiu a frente das tratativas com a diplomacia espanhola.

Naturalmente uma situação dessas é delicada, porque em lugar nenhum do mundo pareceria natural a necessidade de um Presidente voltar abruptamente a seu país devido à morte de um deputado. Como poderiam saber a profundidade de minhas relações com Luís Eduardo e sua importância para o governo? Os espanhóis, contudo, revelaram-se compreensivos, e interrompeu-se a visita.

Rumamos diretamente para Salvador, onde o corpo de Luís Eduardo estava sendo velado e seria sepultado. A comoção na capital da Bahia era tal que me lembrou outra tragédia, a morte de Tancredo. Uma multidão colossal acompanhou o corpo ao cemitério. O senador ACM, fora de si diante da morte do filho dileto e herdeiro político, parecia ter perdido a alma: a exuberância física se fora, envelhecera anos em um dia, chorava sem parar. Uma tristeza enorme me invadiu. Vieram-me à lembrança, em *flashes*, sucessivas imagens do político simpático, elegante e bem-apessoado de quem me tornei amigo durante a Constituinte, apesar de eu ser 24 anos mais velho e estarmos, na ocasião, em campos políticos opostos. Integrante do Centrão, Luís Eduardo um dia me brindou com um cumprimento:

— Ah, senador, se tivéssemos alguém como o senhor do nosso lado...

Eu lamentava a perda do amigo e também do político jovem mas já muito hábil, que sempre preferia o entendimento ao confronto e que tanto ajudara na aprovação de reformas importantes para o país. Com sua partida, dois dias depois de perdermos Sérgio, sentia-me desalentado e só.

Quando ACM regressou a Brasília, ainda arrasado, Marco Maciel e eu fomos estar com ele na casa oficial do presidente do Senado, no Lago Sul, onde se reunira toda a família, inclusive a mãe de Luís Eduardo, dona Arlete, a viúva, Michelle, e os três filhos. Numa pequena sala, reservada, sentamo-nos os três. Marco e eu procurávamos, de alguma forma, confortá-lo. O senador, mostrando grande comoção, bateu a mão em minha perna e disse:

— O Luís morreu, agora é o senhor... Seu gesto de voltar da viagem me deixou extremamente comovido. Serei permanentemente grato.

Sua atitude me tocou. Não soube interpretar exatamente o que ACM quis dizer com "agora é o senhor". Mas senti profunda sinceridade no senador. Isso não evitou que, mais tarde, tivéssemos sérios desentendimentos.

O vazio imenso representado pela ausência de Sérgio e Luís Eduardo não tardaria a se refletir na ação do governo. Não podendo mais contar com eles no prosseguimento das reformas e nas negociações da pauta legislativa, logo em maio, perdemos por apenas um voto um aspecto crucial da reforma da Previdência, a definição de idade mínima para a aposentadoria. Para uma agenda legislativa tão importante quanto difícil, que abrangia a reforma da Previdência e várias outras em discussão, e com uma oposição tão anacrônica e irada, tanto as alianças partidárias como as ações de líderes verdadeiros eram imprescindíveis.

Na leva de alterações no governo a que me referi anteriormente, eu substituíra Eduardo Jorge por Eduardo Graeff na Secretaria-Geral da Presidência porque o primeiro, cansado de tantas pressões e do bombardeio até de fogo amigo, fazia tempo queria se afastar do governo. Ele exercia uma função, reconheço, ingrata e desgastante, principalmente por se constituir em uma barreira sólida, como de fato era, a um aluvião de interesses fisiológicos, de dentro e de fora da máquina pública — por nomeações, por ação junto a fundos de pensão, por negócios de todo tipo com o governo. Isso lhe custou aborrecimentos sem conta, inclusive gravações clandestinas de telefonemas seus. Servidor de carreira há muitos anos, chegou a me confessar estar com "horror" da vida pública. Um dia, desabafou, referindo-se à resistência a pressões que opunha no dia-a-dia:

— O senhor não imagina o que é isso aí, Presidente. É tentativa de assalto para todo lado.

Não se interessou por um posto que insisti para que aceitasse: uma vice-presidência do BID, em Washington, para a qual era plenamente qualificado. Acabou pedindo para sair do governo, e saiu. Logo após a morte de Sérgio e de Luís Eduardo, porém, procurou-me:

— O senhor vai mesmo ser candidato?

Respondi:

— Que alternativa eu tenho a essa altura?

Eu já estava convencido, então, de que o segundo mandato seria fundamental para consolidar conquistas alcançadas a duras penas no primeiro — um período em que tentaríamos aprovar mudanças importantes como a LRF e ampliar e fortalecer a rede de proteção social, para ficar em apenas dois exemplos. Eduardo Jorge, diante de minha disposição de candidatar-me novamente, prontificou-se a colaborar comigo. A mim vinha a calhar, face à necessidade de ter alguém de confiança para coordenar operacionalmente a campanha eleitoral. A coordenação política coube a Euclides Scalco. Eduardo Jorge, ao contrário das insinuações malévolas freqüentes, nunca desempenhou funções de "tesoureiro" da campanha, mas sim de *controller*, ou seja, a pessoa encarregada de supervisionar o fluxo de despesas, verificar se é compatível com a receita obtida e autorizar gastos. A comissão encarregada de coletar recursos para a vitoriosa campanha da reeleição foi presidida novamente por Luiz Carlos Bresser-Pereira.

O segundo mandato e a gangorra PMDB-PFL

Descrevo no Capítulo 5 — "Pedras no caminho: as incertezas da economia" — as condições econômicas adversas nas quais ganhei as eleições de 1998 e, montei, em janeiro de 1999, o novo governo. Quando eleitores e opinião pública em geral esperavam um Ministério "de grandes nomes" (diga-se de passagem, nem sempre os mais eficazes para mover a máquina administrativa), eu me preocupava em ter uma equipe com apoio político e capacidade de influenciar o Congresso a aprovar as medidas de ajuste fiscal. É preciso admitir que o Congresso, com exceção da decisão tomada em dezembro de 1998 contrária à contribuição dos inativos para a Previdência, que tanto nos custou em termos de repercussão internacional, mostrou-se célere e deu ao governo os instrumentos necessários para ultrapassar as dificuldades financeiras. E também é de justiça reconhecer que as presidências da Câmara e do Senado, da mesma forma como os líderes parlamentares, se desdobraram para fazer face ao desafio, que era de grandes proporções.

As dificuldades financeiras e, em seguida, as políticas tornaram 1999 o ano de maior instabilidade ministerial em meu governo. Não sendo um ano eleitoral, era de esperar que depois de definido o Ministério houvesse calma para administrar. Mas não. No princípio, pelas razões já indicadas, reforcei os laços com o PPB, indicando Francisco Dornelles para o Ministério do Trabalho, pasta mais política, e reequilibrei as relações com o PFL, algo esgarçadas desde o último arranjo que fortalecera o PMDB. Troquei o ministro de Minas e Energia porque, a despeito de estar satisfeito com o trabalho do titular, Raimundo Brito, as forças majoritárias do

PFL baiano desejavam ver nomeado Rodolpho Tourinho, ex-secretário de Finanças, com prestígio nas áreas técnicas do governo federal. Isso resolvido, para atender ao regionalismo e às correntes internas do partido havia que designar alguém do Sul para o time. A indicação do PFL recaiu no ex-prefeito de Curitiba, Rafael Greca, para a ex-pasta de Esporte, reconfigurada como Ministério do Esporte e Turismo. Apesar de minhas ponderações quanto à pouca experiência nacional de um deputado recém-eleito como ele, Jorge Bornhausen, Marco Maciel e ACM insistiram. Faltava compensar o Nordeste pefelista. Escolhi o deputado José Sarney Filho (PFL-MA) para ministro do Meio Ambiente (depois de cogitar a nomeação do compositor e cantor Gilberto Gil), não só pelas conexões políticas óbvias como porque tinha o apoio de grupos ambientalistas (de fato, desempenharia suas funções a contento). Nomeei ainda, para a Caixa Econômica, Emílio Carazzai, ligado a Marco Maciel e homem de vasta experiência na administração federal — ocupara postos de responsabilidade nos Ministérios da Fazenda e da Agricultura —, para dar um sinal de que prestigiava meu Vice, companheiro impecável. Competente, Carazzai não era filiado a partidos. Não obstante, no início houve resistências nas áreas técnicas do governo, ante minha diretriz de não submeter às injunções partidárias nomeações nos órgãos financeiros. Quando perceberam a qualidade do indicado, o sentimento mudou completamente.

Resolvi também que a Pimenta da Veiga caberia o comando do Ministério das Comunicações. Eu havia cogitado de Pimenta para a coordenação política do governo, mas apareceram restrições do PMDB. Tal como no primeiro mandato, queria ter nas Comunicações alguém percebido como de minha confiança pessoal e imaginei que Pimenta pudesse seguir a linha de Sérgio Motta, que se fortaleceu politicamente sem comprometer as decisões técnicas do órgão. Os demais ministérios também foram preenchidos por critérios pessoais: o da Comunicação Social atribuí a Andrea Matarazzo, que, além da vivência como empresário, ocupara posições na administração paulista e sempre colaborou com o governo. Para o Desenvolvimento, Indústria e Comércio designei Celso Lafer, que vinha exercendo as funções de embaixador junto à OMC, e para o Ministério de Ciência e Tecnologia desloquei Luiz Carlos Bresser-Pereira. Transformamos o antigo Ministério da Administração e Reforma do Estado comandado por Bresser em Secretaria de Administração e Patrimônio, subordinada ao Ministério do Planejamento, e dela se ocupou Cláudia Costin, doutora em Políticas Públicas pela FGV e funcionária de carreira da área da Fazenda. Para a Secretaria de Assistência Social no Ministério da Previdência nomeei Wanda Engel, geógrafa e especialista em educação e na área de combate à pobreza, ex-secretária da área social do prefeito Cesar Maia (PFL) no Rio de Janeiro, que teve papel importante na redefinição dos programas sociais, como já antes sua antecessora, deputada Lúcia Vânia (PSDB-GO). Ainda criei uma Secretaria de Desenvolvimento Urbano para a qual transferi Sérgio Cutolo, que deixava a Caixa Econômica, onde realizou esplêndido trabalho de modernização e moralização antes da gestão de Carazzai.

Cabe registro à parte sobre o Ministério da Defesa. Depois de longas tratativas — afinal, o tema por décadas esteve em aberto na vida institucional brasileira —, finalmente, criamos o Ministério, há muito devido. Não o fizemos por modismo e menos ainda por pressão norte-americana, como chegaram a insinuar certos críticos. Simplesmente não tinha mais sentido, dado o avanço institucional do Brasil e a necessidade de racionalização e entrosamento entre as Forças Armadas, mantê-las sob a égide de ministérios distintos e mesmo distanciados. Não houve qualquer resistência militar à idéia de que o ministro fosse civil. Talvez preferissem pessoa de prestígio, mas não ligada a outras corporações do Estado. Por isso, embora tivesse cogitado de convidar o embaixador Ronaldo Sardenberg, destacado quadro do Itamaraty, desisti da idéia. É provável que os militares ficassem agradados com a designação do Vice-Presidente Marco Maciel para exercer a função, mas me pareceu desarrazoado, em tese, nomear alguém que em caso de substituição poderia causar uma dificuldade institucional. O nome de Élcio Álvares, líder do governo no Senado, me foi lembrado pelo ministro da Marinha, almirante Mauro César, com bons argumentos: tinha prestígio e condições de lutar por melhores verbas orçamentárias para as Forças Armadas. Infelizmente Élcio não pôde permanecer muito tempo, sobretudo devido ao desgaste político provocado por uma assessora de alto escalão que criou arestas com chefes militares e no Congresso e além disso viu-se acusada de envolvimento com irregularidades no Espírito Santo, seu estado de origem. Resolvi substituir

Élcio pelo advogado-geral da União, Geraldo Quintão, que lá ficou até o fim do governo desenvolvendo bom trabalho e sendo objeto de respeito dos comandos das Forças Armadas.

Precisei rever uma vez mais a composição do Ministério entre abril e setembro de 1999. Após a crise financeira do início de 1999, as crises políticas se sucederam. Uma coisa é certa no Brasil: o mercado e o Congresso não se afinam pelo mesmo diapasão. Em abril já era claro para o mercado e para as finanças internacionais que o governo e a sociedade haviam ganho a batalha da desvalorização do real. Não haveria inflação significativa e o câmbio flutuante permitiria o aumento das exportações. Mais tarde, as metas inflacionárias para regular a política monetária, somadas ao ajuste fiscal que começaria a ser efetivo em outubro de 1998, dariam condições de estabilidade à economia. Desde meados de março, quando Pedro Malan e o novo presidente do BC, Armínio Fraga, fizeram um périplo por bancos europeus, as linhas de crédito para as exportações começaram a ser reabertas.

Os políticos, contudo, não enxergavam o cenário dessa maneira. Muitos imaginaram que o governo perderia o controle do processo administrativo e legislativo. Um dos líderes da oposição, Tarso Genro, ex-prefeito petista de Porto Alegre, chegou a publicar um artigo pedindo a interrupção de meu mandato,[25] coisa que em outras épocas se chamaria de golpe, principalmente porque se tratava de governo recém-eleito, e com vitória no primeiro turno, e transcorrido menos de um mês de um mandato de quatro anos!

Enquanto as oposições se desmandavam em ataques, os "aliados" tampouco se aquietaram. Data desta época o início da briga aberta entre os senadores Antonio Carlos Magalhães e Jader Barbalho, cada qual incentivando uma CPI diferente no Senado, um a do Judiciário, outro, a do Sistema Financeiro. Os temas eram atraentes para a opinião pública e em ambiente de CPI sempre sobra para o governo, tenha ou não responsabilidade nos fatos investigados. A CPI do Judiciário deparou-se com o escândalo do TRT de São Paulo, em que a oposição tentou sem êxito envolver o governo nos desmandos de que era acusado o juiz Nicolau dos Santos Neto e que resultaram em sua condenação.

---

[25] "Por novas eleições presidenciais", *Folha de S. Paulo*, 25/1/1999.

A CPI do Sistema Financeiro também produziu resultados negativos ao governo. Ao longo de seus trabalhos, desencadeou-se verdadeira fúria contra dirigentes do BC, com exageros e injustiças. Freqüentemente a oposição tenta transformar políticas com as quais não concorda em atos criminosos. As suspeitas, mesmo que não comprovadas, permanecem no ar e enfraquecem o governo, dificultam a agenda legislativa e criam oportunidades para os partidos aliados, quando não o do próprio Presidente, para pressioná-lo.

Nesse contexto, as críticas se generalizaram na sociedade. De empresários, clamando por menores taxas de juros, e de comentaristas da mídia, não se apercebendo da mudança radical na política econômica, que permitiu que o PIB voltasse a crescer à taxa de 4,4% já em 2000. Muitos acreditavam iminente um desastre político. Essa leitura da conjuntura resultava em mais pressão para trocas no Ministério, o PFL querendo afastar o PMDB e este, de sua parte, queixoso do adversário. Não faltou mesmo quem no PSDB concordasse com essa tese, mas resisti: o equilíbrio político do governo e o êxito nas votações congressuais dependiam da gangorra entre esses dois partidos, dando margem a que o PSDB e o governo arbitrassem as disputas.

Diante de tanto despautério e da pressão de Itamar Franco, a essa altura governador recém-empossado de Minas, para que seus colegas de partido e de oposição se juntassem no não-pagamento das dívidas dos estados para com a União e na recusa em aprovar a CPMF, Lula teve uma conversa telefônica comigo bem mais aberta e responsável, evitando arremessar lenha à fogueira. E a Câmara, a 18 de março, a despeito de tudo, aprovou a CPMF por 357 votos, contra 125 do PT e aliados e 2 abstenções. Os números mostravam com quantas cartas o governo podia jogar.

Rearticulando batalhões para a guerra política

As pressões, entretanto não baixaram. O acúmulo de "escândalos" em maior ou menor grau fabricados, somado a uma oposição crescentemente decidida menos a discutir o interesse nacional e mais a desgastar o governo a qualquer preço, produzia efeitos. As brigas freqüentes entre PFL e PMDB tornavam árdua a operação político-administrativa do governo. Houve uma sucessão de episódios negativos: em fevereiro, o caso Marka-

FonteCindam; em abril, o caso Cacciola[26] e, logo em seguida, o escândalo do juiz Nicolau, tudo isso saindo das duas CPIs em que se defrontavam caciques do PMDB e do PFL mas das quais quem tirava proveito político eram as oposições. No final, de palpável quase nada. Nesse ínterim ressurgiu com força a também equívoca polarização na mídia, alimentada por descontentes do governo, entre monetaristas que controlariam a equipe econômica, Pedro Malan à frente, e desenvolvimentistas, supostamente inspirados por Luiz Carlos Mendonça de Barros e cujo ponto de referência seria o ministro da Saúde (e economista) José Serra.

Tais rumores, naturalmente, provocavam apreensões nos mercados financeiros. Além do mais, fisgou-se artificialmente o nome de Eduardo

---

[26] Foram dois episódios diferentes, embora coincidentes no tempo e assemelhados em sua natureza. Um diz respeito ao Banco Marka, controlado por Salvatore Cacciola, outro ao Banco FonteCindam, que tinha entre seus sócios dois ex-diretores do BC (Antonio Carlos Lemgruber e Luiz Antonio Gonçalves). Ambos os casos ocorreram no espaço de dois dias entre o anúncio da nova banda de câmbio, em 13 de janeiro de 1999, e seu colapso, dois dias depois. (Tratarei dessa questão com detalhes no Capítulo 5 deste livro.) Nesse intervalo o BC vendeu dólares às duas instituições em valor inferior ao da cotação que o câmbio havia atingido (1,32 real por dólar, o teto da banda natimorta). O BC justificou a operação com o argumento de que ambas as instituições tinham volumes expressivos de contratos de câmbio vendidos a 1,20 dólar por real — a cotação anterior à mudança da banda —, e que, sem auxílio da autoridade monetária, eles não teriam capital para honrar esses contratos. Em conseqüência, provocariam uma quebradeira em cascata na Bolsa Mercantil & de Futuros. O argumento do BC baseava-se na tese do "risco sistêmico" (a diretora de fiscalização, Tereza Grossi, solicitara à BM&F uma carta formal confirmando a existência de risco sistêmico se aqueles bancos não honrassem os seus contratos).

A oposição procurou imputar crise de responsabilidade a Malan, alegando que ele sabia da operação e a havia autorizado. A respeito, faço duas observações importantes. A primeira é que Malan não sabia de nada e isso ficou claro no curso da CPI do Sistema Financeiro, a tal ponto que a Ombudsman da *Folha de S. Paulo*, à época da conclusão dos trabalhos da comissão, reconheceu o modo impróprio pelo qual o jornal tratara o caso. A segunda observação é que o BC tomou a decisão de vender dólares mais baratos sob circunstâncias dramáticas, em meio a enormes incertezas e riscos. Pode ter sido errada, o que é fútil julgar fora do contexto em que ocorreu, mas não surgiram evidências de que tenham tido o objetivo de favorecer A ou B (se o Marka dispunha de informação privilegiada, então como é que estava na chamada "ponta" errada do mercado no dia 13 de janeiro, ou seja, apostando na manutenção da política cambial de Gustavo Franco, e não em sua mudança?).

Jorge no escândalo do juiz Nicolau para uma vez mais dar a impressão de que se estava em um mar de lama, tema que voltaria com força em 2001. Embora sabedor da inverdade de todas a acusações, não podia deixar de me recordar que Getúlio se suicidou quando não teve mais força para controlar a política, embora jamais qualquer das inúmeras denúncias contra ele tivesse fundamento no aspecto moral. Eu precisava, pois, rearticular os batalhões para a guerra política. Foi o que fiz.

Modifiquei de novo o Ministério, conferindo-lhe um caráter mais técnico. Paulo Paiva havia se deslocado para a vice-presidência do BID em Washington e em março Pedro Parente passou a comandar o Planejamento. Esse arranjo, entretanto, durou pouco. Logo em julho chamei Parente para a chefia da Casa Civil por haver optado por Clóvis Carvalho para o Ministério do Desenvolvimento. Clóvis tinha ligações com setores da área econômica percebidos como "desenvolvimentistas". Além disso, os empresários queriam mais ação no Ministério e, sendo injustos com o então titular, Celso Lafer, acreditavam que alguém considerado "duro" no trato com a Fazenda e conhecedor da Casa, como Clóvis, teria maior aceitação e poderia conseguir maior êxito nas negociações com sua burocracia. Daí por diante Pedro Parente, exemplo de servidor público, constituiu-se, como Clóvis, em "pau-para-toda-obra". Seu desempenho, para citar um caso, na crise energética de 2001 — que abordarei no Capítulo 9 — mostra a qualidade técnica de alguns dos nossos melhores funcionários. Outro modelo de dedicação ao serviço público, o economista Martus Tavares, profundo conhecedor da área econômica, em que ocupara várias funções, assumiu o Planejamento. Substituí o ministro Bresser pelo embaixador Sardenberg na Ciência e Tecnologia. Para a Agricultura — onde revolucionaria a área e seria paladino e precursor da virada exportadora —, nomeei Marcus Vinicius Pratini de Morais, do PPB gaúcho, que somava à condição de líder empresarial a de bom conhecedor da vida pública. Finalmente, coloquei Aloysio Nunes Ferreira na coordenação política, entregando-a, portanto, ao PSDB.

No final de abril de 1999 nomeei o economista Henri-Philippe Reichstul, meu amigo de muito tempo, para substituir Joel Rennó na Petrobras. Economista competente, Reichstul estivera comigo no Cebrap e, com minha intercessão, tinha obtido uma bolsa de estudos na London School of Economics. Sua experiência na administração pública incluía ter trabalhado com João Sayad no Ministério do Planejamento do governo Sarney. Rennó conheci já presidente da Petrobras, desde quando, como ministro das Relações Exteriores, convenci-o a iniciar a substituição da importação de petróleo do Oriente Médio pelo oriundo de Argentina e Venezuela, o que deu base à expansão de nossas trocas comerciais com os países da América do Sul e diminuiu nossa dependência de uma região do mundo com alto potencial de instabilidade. Mais ainda, foi Rennó quem obteve a aquiescência da direção da Petrobras para a política de flexibilização do monopólio. Quando nomeei Reichstul, modificamos também os critérios de direção da companhia. Ela se tornou menos sujeita a influências partidárias e passou a ser controlada por um Conselho de Administração técnico, com presença mais forte de acionistas minoritários e de representantes do governo e de companhias privadas. Pusemos fim, com essa medida, à esdrúxula situação anterior na qual os diretores eram simultaneamente membros do Conselho que deveria fiscalizá-los. No último ano de governo, Reichstul foi substituído por Francisco Gros, a quem conheci quando, presidente do BC no governo Collor, lhe pedi, cumprindo missão do Presidente Itamar, que permanecesse no cargo em nome da continuidade administrativa. Gros conservou a orientação de Reichstul na estatal. Sob a direção de ambos, a Petrobras se firmou como a mais importante multinacional brasileira, manteve seu nível técnico de excelência e se dinamizou financeira e comercialmente, deixando o país pronto para alcançar a auto-suficiência na produção de petróleo.

Em outra área do governo, o ministro da Justiça, Renan Calheiros, entrou em divergência com a Casa Militar da Presidência sobre a política de combate às drogas, bem como com o governador Mário Covas. Teve que deixar o governo e para seu lugar veio José Carlos Dias, jurista de valor, defensor dos direitos humanos e ex-integrante do governo Montoro em São Paulo. Para compensar a diminuição da participação do PMDB do Senado no governo com a saída de Renan, designei para o recém-criado Ministério da Integração Nacional o senador Fernando Bezerra, que pertencia a grupo distinto no partido e era mais próximo a mim, além de ser presidente da CNI. Indiquei ainda Andrea Calabi para o BNDES, reforçando as ligações com os setores industriais paulistas.

Entretanto, o que de mais insólito ocorreu foi a substituição, em setembro, de Clóvis Carvalho por Alcides Tápias, executivo dinâmico, ex-vice-presidente do Bradesco, ex-presidente da Federação Brasileira de Bancos (Febraban) e, naquele momento, presidente do grupo Camargo Corrêa (construção civil e outras atividades). Insólito porque tive que tomar uma das decisões mais difíceis de meu governo: exonerar um ministro leal e competente em razão de uma infelicidade vocabular em discurso que pronunciou em seminário organizado pelo PSDB precisamente para mostrar a unidade do partido e do governo. Clóvis usou palavras fortes referindo-se à condução da política econômica, que foram repetidas *ad nauseam* pela mídia. Ora, no meio de toda a borrasca eu sempre mantivera posição pública de defesa inabalável da política econômica. Em momento no qual ela se achava sob mira, não poderia deixar no ar a interpretação, inevitável dada a proximidade que tinha com o ministro, de que estava mudando de posição. Os setores produtivos saudaram efusivamente a nomeação de Tápias, especialmente porque ele vinha de posturas muito críticas quanto à morosidade da reforma tributária e proferiu enfática declaração no discurso de posse dizendo que seria um "guerrilheiro" em sua defesa.

O ano de 2000 transcorreu muito mais calmamente. A economia crescendo, as crises políticas, forjadas ou advindas de choques efetivos de opinião ou de interesses, amainadas. Enfim, depois de tantos trancos econômicos e políticos, voltava-se a discutir o principal: como melhorar o desempenho da máquina pública, como melhorar as condições sociais e como acelerar o crescimento da economia em um mundo globalizado. Nada disso, é claro, impedia a continuidade da política partidária e de percalços como os choques entre Jader Barbalho e Antonio Carlos Magalhães. ACM, que desde a CPI do Judiciário assumira as vestes de Catão, insistia na política de "dossiês", em geral recosidos de notícias publicadas em jornais e revistas ou mesmo de processos que corriam dentro do governo, e portanto públicos. Com a ajuda de Ciro Gomes, que se tornara um adversário tenaz, procurava fixar a imagem de que o governo (ou o Presidente) "não rouba, mas deixa roubar", quer dizer, deixava que o PMDB participasse do governo. Além desse mote, o senador baiano, hábil como ninguém para levantar temas que interessam à mídia e sabendo fazê-lo com agilidade e estardalhaço, viveu nas manchetes dos jornais, quando não como o anticorrupção em pessoa, como o paladino dos pobres. Propôs um Fundo de Combate à Pobreza que terminaria sendo útil porque, com ajuda do relator da matéria, senador Lúcio Alcântara (PSDB-CE), o governo usou a deixa para absorver as verbas nos programas sociais que já existiam e subtraiu da proposta o caráter demagógico.

As mudanças ministeriais foram pequenas. Logo no início do ano tive de demitir o comandante da Aeronáutica, brigadeiro Walter Brauer, que já vinha insatisfeito com as pressões exercidas pelo governo para ampliar o controle civil em órgãos que, sem razão, estavam subordinados à Aeronáutica, como o Departamento de Aviação Civil (DAC) e a Empresa Brasileira de Infra-Estrutura Aeroportuária (Infraero). Infeliz em declarações à imprensa, deixou o ministro da Defesa em posição incômoda. Mandei exonerá-lo, teve a solidariedade de militares da reserva, assumiu o comando o brigadeiro Carlos de Almeida Baptista e nada de mais sério ocorreu. Em abril seria a vez de o novo ministro da Justiça, que se chocara com o diretor da Secretaria de Combate às Drogas, dirigida pelo juiz aposentado e especialista em crime organizado Walter Fanganiello Maierovitch, e preferiu se afastar. Passou a gerir o Ministério o jurista Miguel Reale Júnior, que também pediu demissão logo depois — explicarei as razões mais adiante — e foi por seu turno substituído por José Gregori.

Gregori vinha colaborando com o governo desde o início, primeiro como chefe de gabinete do ministro Jobim e depois na função inovadora de titular da Secretaria de Direitos Humanos, vinculada ao Ministério da Justiça. Esta área foi fundamental no desenho do Brasil democrático e seu titular conseguiu êxito, chamando a atenção do país para a dimensão essencial à democracia da luta contra todos os tipos de discriminação e sobretudo contra a violência. Quando Gregori passou para o Ministério da Justiça, da Secretaria encarregou-se o diplomata Gilberto Sabóia, ex-embaixador na Suécia e também experiente e respeitado nesse terreno por ter representado o Brasil junto à Comissão de Direitos Humanos da ONU, em Genebra. Seria sucedido por outro paladino, Paulo Sérgio Pinheiro, professor de Ciência Política e diretor do Núcleo de Estudos da Violência da USP. Todos eles foram dedicados e efetivos na difícil tarefa de ampliar os direitos da cidadania. Em maio o deputado Carlos Melles (PFL-MG) assumiu o Ministério do Esporte e Turismo, substituindo o ministro Greca, depois de acusações, não comprovadas posteriormente, de que o ex-prefeito de Curitiba receberia propinas para autorizar o funcionamento de casas de bingo. E houve outras duas alterações em áreas importantes:

o procurador da República Gilmar Mendes substituiu Geraldo Quintão como advogado-geral da União e, no BNDES, Francisco Gros assumiu no lugar de Calabi, que se chocara com o ministro Tápias.

As modificações acima são, por assim dizer, de rotina, e não fruto de entrechoques políticos maiores, mostrando, uma vez mais, que com a economia em ascensão é muito mais fácil governar. Não que faltem problemas: o ano de 2000 foi de muita pressão do MST e agravamento da criminalidade e da sensação de insegurança nos cidadãos. Matéria dificílima de equacionar, até porque a ação do governo federal é limitada por dispositivos constitucionais e porque não se conseguiu, baldados os esforços, unificar os comandos das polícias estaduais, civil e militar, nem atribuir ao poder central maior controle ou pelo menos influência sobre a área. E mesmo que assim não fosse, o governo não dispõe de condições organizacionais para enfrentar a questão que talvez seja o maior desafio para o país no começo do século XXI.

Estrépitos: os casos Jader, ACM e Roseana

No início de 2001, a despeito das boas perspectivas da economia, havia nuvens cinzentas no horizonte da política. A tensão entre PMDB e PFL, que vinha se arrastando desde 1999, ora tomava o aspecto de uma disputa entre o presidente do Senado, Antonio Carlos Magalhães, do PFL, e o da Câmara, Michel Temer, do PMDB, ora surgia com estrépito como um choque direto entre o líder do PMDB no Senado, Jader Barbalho, e o presidente da Casa. Lançou-se mão sem reservas das armas habituais da política de caciques. Brandiram-se "dossiês" antigos para desmoralizar o líder peemedebista que se candidatara a substituir o presidente do Senado, pois em fevereiro haveria renovação das Mesas, sem possibilidade de reeleição dos ocupantes. A presidência, pela tradição, caberia à maior bancada, que era a do PMDB e que cerrara fileiras em torno de Jader.

Enquanto isso, na Câmara, o PMDB, sobretudo pela ação de Geddel Vieira Lima, oferecia apoio à candidatura de Aécio Neves, cujo partido, o PSDB, constituíra um bloco parlamentar com o PTB e se tornara amplamente majoritário. O PSDB sentia-se "primo pobre" da aliança governista. Embora sendo o partido do próprio Presidente da República e controlasse muitos ministérios, o critério de seleção e o modo de atuação dos ministros mantinham consonância com os propósitos do governo e não de clientelismos partidários. A bancada queixava-se de uma sensação de "falta de espaço", compensada, é verdade, por "muito carinho" presidencial, mas com poucas nomeações. Estava presente, além disso, a insatisfação dos parlamentares pela pressão contínua do governo em favor de medidas impopulares, como as reformas, e as rédeas curtas nos aumentos de vencimentos do funcionalismo.

Tudo isso era fácil de ser explorado com o tema: o governo é imperial e o Presidente governa com MPs, esquecido o fato de que elas poderiam ser recusadas de plano se funcionassem a contento as comissões do Congresso encarregadas de dar o parecer sobre sua admissibilidade — ou seja, se elas cumpriam os pré-requisitos constitucionais, sobretudo os de urgência e relevância. Antonio Carlos destacou-se como o paladino da luta "pela dignidade" do Congresso, isto é, pela limitação do uso das MPs. Aécio Neves logo encampou a tese e, naturalmente, as oposições também. Em conseqüência, depois de eleito Aécio presidente da Câmara e de negociações comigo, se chegou a uma fórmula nova. O mecanismo adotado limitou a apenas uma vez o poder presidencial de reeditar as MPs, restringiu consideravelmente a gama de assuntos passíveis de serem tratados por MPs e propiciou o bloqueio da ação legislativa: não submetendo as MPs a voto depois de esgotado seu prazo de validade constitucional, a Câmara passou a não poder mais deliberar sobre qualquer outra matéria. Apesar de minhas advertências sobre os inconvenientes institucionais da solução — principalmente a possibilidade de freqüente paralisia dos trabalhos legislativos —, cedi, pois estava no final do governo e não queria lançar-me a um cabo-de-guerra com o Congresso, em especial estando a Câmara sob direção do PSDB.

Essa foi também a razão pela qual me tinha comprometido com Aécio Neves a não vetar sua candidatura. Explicitei ao deputado e ao senador Teotônio Vilela Filho, presidente do PSDB, os inconvenientes da ruptura do equilíbrio de forças no Congresso, cuja manutenção vinha sendo minha política desde o início do governo. O PFL, inconformado, lançou a candidatura de Inocêncio Oliveira na Câmara e queria minha interferência direta contra a candidatura Jader no Senado pelo PMDB. Começaram as manobras de bastidores. Enquanto Inocêncio, na busca de votos, se aproximou do PT e deu declarações desassisadas sobre o governo, os adversários de Jader, mesmo no PSDB, embora não pudessem "abrir o jogo" para não prejudicar a eleição de Aécio (que dependia grandemente do PMDB), torciam por sua derrota. Nenhum, entretanto, se dispondo a pôr as mangas de fora, temerosos dos efeitos de uma retaliação do PMDB na Câmara, que cortaria as chances de Aécio. Qualifiquei a situação como uma armadilha.

Aécio elegeu-se folgadamente para o posto ambicionado, enquanto fracassaram no Senado as tentativas do PFL de convencer algum peemedebista ou o PSDB a lançar candidatura avulsa contra a majoritária do PMDB. O PFL não ousara lançar nome próprio porque diminuiria as chances de Inocêncio na Câmara. Para abater a candidatura Jader, tentaram em vão Pedro Simon e José Fogaça, logo dois senadores do PMDB do Rio Grande do Sul, estado em que a fidelidade partidária tem mais sentido do que em qualquer outro — e que, portanto, teriam que votar no correligionário Jader. Os pefelistas então se voltaram para o senador Sarney, que reiterou a mim que não seria candidato, embora não chegasse a descartar inteiramente a possibilidade diante de seus pares. Finalmente acordaram em lançar o senador do PTB Arlindo Porto para competir com Jader. Verifiquei com antecipação, por intermédio do líder do governo, José Roberto Arruda (PSDB-DF), que os pefelistas equivocavam-se redondamente quanto às chances de êxito do candidato. Ainda assim me surpreendeu o número de votos alcançados por Jader, 41, ou seja, maioria absoluta, que excedeu as expectativas.

O PFL ficou com a impressão de que eu, no fundo, queria Jader, porque não fui enfático no apoio a uma candidatura Sarney nem pedi votos para Arlindo Porto. Eu estava, entretanto, diante de outro dilema: como manter a governabilidade em condições políticas cada vez mais precárias. Não queria me expor interferindo além do razoável nas decisões dos parlamentares. Mesmo a ala do PFL que não agia sob a influência de Antonio Carlos, mais ligada ao presidente Jorge Bornhausen, andava estomagada comigo, o que me preocupou. Por intermédio tanto de Tasso Jereissati como de Pimenta da Veiga, que eram próximos a Bornhausen, inteirei-me de rumores quanto à disposição do PFL de manter o apoio ao governo somente se eu demitisse os ministros Padilha e Dornelles, que estiveram ativos nas articulações em favor de Aécio, como se os ministros pefelistas não tivessem procedido de forma semelhante para beneficiar seus companheiros. Antes da votação sobre as Mesas mandei publicar uma nota que redigi de próprio punho, dizendo que contava com o apoio dos partidos para continuar as reformas, inclusive a do sistema político. Eu tinha o propósito de, depois do Carnaval daquele 2001, apresentar o programa de governo para os dois anos finais de mandato e só então escolher novos ministros, por critérios que eu definiria, sem ter no entanto o objetivo de compensar os perdedores da disputa na Câmara e no Senado.

Era perceptível a fratura na base de sustentação do governo. Eu recebia também sinais inquietantes de desavenças internas no PSDB. O ministro Paulo Renato me procurou para expor temores sobre o encaminhamento das candidaturas presidenciais:

— O Serra está atropelando todo mundo. Acho que ainda não é hora para candidaturas.

Em seguida, no entanto, expressava suas próprias pretensões a respeito.

O governador Tasso Jereissati via em cada movida no Congresso — por exemplo, a eleição do novo líder do PSDB na Câmara, deputado Jutahy Magalhães (BA) — o dedo de José Serra, talvez com minha cumplicidade... Os ingredientes para uma crise estavam dados. Eles vinham de longe, mas se precipitaram com a questão da eleição das Mesas e com os estilhaços das CPIs do Judiciário e do Sistema Financeiro, que ricocheteavam ora nuns, ora noutros, tendo no horizonte a sucessão presidencial em 2002. Vitorioso Jader, as escaramuças se transformaram em guerra. "*Delenda* Jader", mas na verdade, "*Delenda* FHC". Por um desses paradoxos comuns na política brasileira, embora com motivações diversas, esquerda e direita convergiram, se é que ao frenesi pela obtenção de poder por qualquer meio se pode chamar de esquerda e ao caciquismo atrasado de direita.

Ao moralismo de momento de ACM, que renovou denúncias não só contra Jader mas também contra os ministros peemedebistas, além de lançar achincalhes a mim, somou-se o udenismo — já sem macacão — do PT. Propalava-se, novamente, a suposição de que existia um "mar de lama". Eduardo Jorge novamente entrou na berlinda em função de insinuações não assumidas de ACM a certos procuradores da República muito bem relacionados com a mídia e com a oposição. A conversa, gravada, veio a público. A certa altura, o senador recomendava aos procuradores que quebrassem o sigilo telefônico de Eduardo Jorge, pois assim nos "pegariam", a ele e a mim. Pela reprodução dessa sugestão me convenci de que Antonio Carlos efetivamente fizera as insinuações. Meses antes, ele havia sugerido que Eduardo Jorge abrisse para o Senado os sigilos bancário, fiscal e telefônico. Eduardo Jorge seguiu a sugestão, exceto pelo sigilo telefônico. Ponderou a mim o provável incômodo para terceiras pessoas de se revelarem os telefonemas feitos por ele durante a campanha eleitoral de 1998. Eu, ingenuamente, transmiti essa preocupação a Antonio Carlos.

Assistiu-se a um corre-corre no PFL para disfarçar o episódio patético de se ver um ex-presidente do Senado, à socapa, fazendo alegações levianas. Jader voltou a ser atacado com base em antigas acusações, do tempo em que governava o Pará na década de 1980, sobre desvio de recursos públicos. O senador acabaria renunciando à presidência do Senado e, depois, ao mandato, como forma de evitar a cassação por seus colegas e a conseqüente suspensão dos direitos políticos. (Sucedeu-o o senador Ramez Tebet, do PMDB de Mato Grosso do Sul, que conduziu o Senado com equilíbrio até o final de meu governo.)

Nessas ocasiões a racionalidade na política baixa muito. Costumo dizer que em política a lucidez só aumenta o sofrimento. Sabe-se o que vai ocorrer (ou se pensa saber) e nada de efetivo se pode fazer para mudar o curso das coisas. A sorte estava lançada desde quando se rompeu o equilíbrio entre as forças de sustentação do governo. Jader passou a atacar não somente Antonio Carlos como o BC, que teria vazado relatórios. Nesses momentos, quando o escândalo e a infâmia substituem as propostas e a ação negociadora para alcançá-las, sobra para todo mundo e é difícil deslindar os novelos que enroscam os personagens envolvidos. Para cúmulo, pouco depois, Antonio Carlos é atingido por denúncias de ter violado o sigilo do painel de votações do Senado durante a decisão sobre a cassação de um senador do PMDB, Luís Estêvão (DF). As oposições, nesse quadro, nadavam de braçada, alimentando denúncias daqui e dali, sem se importar com a seriedade delas e muito menos com as instituições. Mas não foi assim também quando a União Democrática Nacional (UDN) liquidou Getúlio, ou quando Juscelino era bombardeado de acusações pela construção de Brasília? E não foi Jânio Quadros quem, mal tendo recebido o governo das mãos de Juscelino, passou-lhe a conta de outra "herança maldita"?

Em vez de me lamuriar, preparei-me para reagir à minha maneira. Antonio Carlos, antes de passar pelo pelourinho da Comissão de Ética do

Senado sobre a violação de sigilo, que o levou à renúncia para escapar da cassação — caso que terminaria atingindo o líder Arruda, que igualmente renunciou —, se vangloriava de que dizia o que bem entendia e eu não teria coragem para reagir. Confundia responsabilidade e cálculo com subjetivismo moral, ter ou não ter "coragem". A mídia dava curso, com gosto, às bravatas. Não faltava quem achasse que eu era lento nas decisões, não gostava de demitir ninguém, hesitava... Gostar de demitir é perversidade a ser evitada. Deixar de fazê-lo quando necessário é erro de alto custo. Hesitar pode ser uma tentativa de escolher o melhor momento para a decisão. Talvez eu me excedesse em cautelas, mas creio ser equivocada a percepção de que não fui capaz de atuar nos momentos necessários, ainda que correndo riscos. Foi o que fiz com Antonio Carlos.

O que estava em jogo era a sustentação política do governo, que poderia ficar seriamente abalada se eu errasse o golpe. Por outro lado, por mais tolerante e paciente que eu fosse, há limites a partir dos quais a falta de resposta às ousadias deixa de ser jogo de prudência para se transformar em pusilanimidade. Era o caso diante das atitudes estrepitosas e das declarações de Antonio Carlos depois da derrota de seu candidato na eleição da Mesa do Senado. Concedeu entrevistas, pronunciou discursos, insinuou corrupção e assim por diante. Isso quando, ao mesmo tempo, o governo abrigava dois ministros baianos ligados politicamente a ele. Eu, como se diz na gíria, dispus-me a ir engolindo sapos porque tinha uma obsessão: queria apresentar o plano de governo depois do Carnaval, no dia 5 de março de 2001, e, para dar mais compostura às ações, mudar o Ministério somente depois de os partidos declararem formalmente sua aprovação ao plano. Desse modo, ao escolher novos ministros partidários, teria razões para além do jogo de poder.

Antonio Carlos, indagado pelo líder Arruda se era certo que levara as denúncias aos procuradores, antes de serem públicas, negou. Meus assessores políticos e pessoais sabiam que a situação dos ministros baianos era insustentável. Antonio Carlos iria para Miami durante o Carnaval. Eu disse aos assessores: ele vai tranqüilo porque acredita que não vou demitir ninguém... Até que, nas vésperas do Carnaval, vi na TV Globo o senador, já em Miami, dando pelo telefone uma entrevista bastante ousada. Os dois ministros ligados a ele, Waldeck Ornélas e Rodolpho Tourinho, não tiveram a gentileza de sequer me telefonar durante o curso de todos os episódios relatados. Levantei-me de onde assistia à TV, na parte íntima do Palácio da Alvorada, e redigi naquela mesma madrugada a nota de demissão dos dois. Assunto encerrado. Fiz o que já decidira fazer havia muito, mas esperei o momento oportuno porque não queria oferecer ao PFL argumentos para deixar o governo. Troquei os dois baianos por dois políticos do partido, só que não carlistas: o deputado Roberto Brant (MG) no Ministério da Previdência e o senador José Jorge (PE) no de Minas e Energia.

A descrição um tanto longa desse episódio ilustra o que ocorre quando a disputa partidária se acirra e repercute no governo. Não é o caso de seguir passo a passo os acontecimentos posteriores. Algo semelhante se deu na proximidade das eleições de 2002, quando aconteceu outro choque com o PFL. Desde o começo do ano os partidos buscavam quais seriam os candidatos à Presidência. A governadora do Maranhão aparecia bem situada em pesquisas de intenção de voto, após inteligente utilização dos espaços do horário eleitoral gratuito pelo PFL, e eu, como lhe disse, não via com maus olhos a candidatura. Certa feita, Roseana Sarney veio jantar comigo no Alvorada. Asseverou-me que não queria disputar a Presidência:

— Essa história de candidatura acaba dando dor de cabeça.

Observei com sinceridade:

— Mas você não tem nada a perder, Roseana. E pode ser uma boa alternativa.

Julgava que ela poderia firmar-se e, mesmo que não fosse o caso, daria uma boa composição com o PSDB. Até que investigações em curso na Sudam, que já haviam atingido o senador Jader, tiveram desdobramentos no Maranhão e acabaram levando o PFL a se afastar do governo. A despeito de não ser este meu desejo e, creio eu, nem deles, os ministros de Minas e Energia, Previdência, Meio Ambiente e Esporte e Turismo tiveram que se exonerar. Foram substituídos, respectivamente por Francisco Gomide, José Cecchin, Caio Carvalho e José Carlos Carvalho, todos eles técnicos que já vinham servindo à administração em posições de relevo.

Cabe aqui um parêntese sobre outra das artes da política. Nas constantes trocas de ministros impostas pela vida real, a continuidade administrativa é em boa parte assegurada pela burocracia profissional. O Estado brasileiro, diferentemente do que muitas vezes se imagina e proclama, dispõe de quadros altamente competentes. É só saber motivá-los com um desafio e atribuir-lhes a importância devida que ajudam o governo a funcionar melhor. No ano final do mandato, afastados os ministros já referidos e outros que saíram para campanhas eleitorais, chegou o momento de fazer justiça, alçando ao comando de ministérios profissionais que, sem ambições especificamente políticas, sustentaram a administração anos a fio, comandaram grupos de trabalho, promoveram mudanças, deram idéias e se mostraram capazes de implementá-las. Foi o que fiz com Barjas Negri, designado para o Ministério da Saúde, com vários técnicos que substituíram os ministros pefelistas em debandada, com José Abraão (Reforma Agrária), Guilherme Gomes Dias (Planejamento) e alguns outros mais, como Juarez Quadros, que cooperou grandemente com Sérgio Motta e já exercera o Ministério das Comunicações interinamente em mais de uma ocasião, até tornar-se titular. Quase todos eles haviam sido, nos respectivos ministérios, secretários executivos, função que corresponde à de vice-ministro.

Por certo, Ministério é função política e não estou a pregar a burocratização do poder. Contudo, *cum grano salis*, é útil recompensar quem trabalha e demonstra competência, mesmo arriscando a fragilidade política. Tais critérios não podem ser aplicados no caso de certos ministérios, como o que se encarrega da coordenação política. Para essa função, depois que Aloysio Nunes se deslocou para a Justiça, chamei o deputado Arthur Virgílio Neto (PSDB-AM) e, quando este se candidatou ao Senado, apelei para um antigo companheiro que daquela vez estava prestando excelentes serviços na presidência da hidrelétrica de Itaipu, Euclides Scalco. Também para o Ministério da Justiça, sobretudo em ano eleitoral, era preciso buscar quem tivesse qualidades especiais para exercê-lo, como fiz escolhendo o jurista Paulo de Tarso Ribeiro.

Sempre há ministros que se vão por motivos próprios, como Alcides Tápias em agosto de 2001. Designei como seu substituto o embaixador Sérgio Amaral, que conferiu enorme impulso ao trabalho dos antecessores. Os efeitos do câmbio flutuante começavam a se fazer sentir, bem como os esforços do Itamaraty e da Camex, de modo que a virada exportadora e seus desdobramentos nos saldos comerciais deram concretude ao mote que lancei quando da posse de Sérgio Amaral: "Exportar ou morrer".

Mas, fechando o parêntese sobre a burocracia profissional, retomo, agora, o fio da meada da questão que levou ao rompimento do PFL com o governo. A ironia do episódio é que era desdobramento das mesmas investigações que haviam sido objeto dos vendavais verbais de ACM. Este, sem o querer, atiçou o fogo que queimou seu próprio partido. Num fim de tarde, quando eu recebia o governador do Rio Grande do Norte, Garibaldi Alves (PMDB), Jorge Bornhausen me telefonou aflito. Grande estrépito: ele me pedia ajuda para apagar um incêndio no Maranhão, porque a família Sarney e amplos setores do PFL estavam irritados com a violência da invasão, por agentes da Polícia Federal, dos escritórios de uma empresa de propriedade da governadora Roseana e do marido, Jorge Murad. Como não sabia da investigação — que corria nas mãos do Ministério Público, tendo a intervenção da PF se dado por determinação da Justiça —, procurei o ministro da Justiça para me informar. Não o encontrei. Recorri ao diretor da PF, delegado Agílio Monteiro Filho, que tampouco sabia de alguma ordem para praticar o ato. Mais tarde me telefonou informando que a PF dava cumprimento a uma decisão judicial, informação que tive também de Everardo Maciel, secretário da Receita Federal, igualmente envolvida na ação. Ato contínuo pedi uma cópia da ordem judicial. À noite, telefonei para o presidente do PFL e transmiti a ele os termos do mandado de busca e apreensão.

No episódio, minha boa-fé revelou-se pouco útil. Tudo foi atribuído a uma armação com propósitos eleitorais para beneficiar... José Serra, àquela altura pré-candidato à Presidência pelo PSDB. Ficou claro que o governo nada teve a ver com a ação do Ministério Público e da polícia, mas continuamos levando a "culpa" por não termos interferido para impedi-la. Caso se tratasse de um "inimigo" das forças atingidas, como ocorreu com Jader, tudo bem que a lei desabasse sobre sua cabeça, fosse quem fosse. Tratando-se, porém, de forças políticas "amigas", a isenção do governo é vista como conivência com os adversários, na melhor das hipóteses. De qualquer forma o caso mostra também que muita coisa mudou. O espírito republicano prevaleceu sobre o favoritismo. Mudou nas instituições e, se não em todos os políticos, em um número significativo deles.

Diante dos acontecimentos, pensei comigo com certo contentamento: termino o governo rompido com as principais oligarquias políticas. Isto representa um avanço institucional. Não poderia imaginar que o PT, vitorioso, iria reerguer o prestígio de muitos anjos decaídos do poder...

CAPÍTULO 5

Pedras no caminho: as incertezas na economia

Em vez de "lua-de-mel", crise cambial e nervos de aço

A mídia refere-se aos cem primeiros dias de governo como uma "lua-de-mel". De fato, a população costuma ser generosa nas avaliações iniciais. Mas, a medir pelos azares da política, meus cem primeiros dias foram tormentosos. Antes mesmo da posse, a 1º de janeiro de 1995, nuvens pesadas toldavam o horizonte da economia. A crise financeira do México estourou doze dias antes, a 20 de dezembro de 1994. Isso tornava impossível a sugestão que me fora trazida por José Serra e Pérsio Arida, de pedir ao Presidente Itamar Franco que tomasse medidas de ajuste de câmbio para facilitar a ação do BC, como o Presidente Sarney fizera às vésperas de transmitir o cargo ao Presidente Collor. Parecia claro que a taxa de câmbio a 82 centavos de real por dólar criaria problemas futuros para as exportações, encarecendo os produtos brasileiros. Mas interferir no câmbio quando o sistema financeiro internacional dava sinais de fadiga seria insensatez. Esse permanente pesadelo acompanhou o governo até janeiro de 1999, quando os mercados nos obrigaram a permitir a flutuação do câmbio.

Se o problema tinha sido percebido desde o início, por que, então, tanto tempo para resolvê-lo?

As decisões de política econômica não diferem de qualquer decisão, no Congresso ou no Executivo, que envolva escolhas complexas: há algo mais entre a teoria e a prática do que imagina quem pensa que basta saber ou querer para acontecer. E saber, quando se olha a História já feita, é bem mais fácil do que quando ela está sendo tecida, sob condições adversas.

Na impossibilidade de ajustar o câmbio antes de minha posse, o assunto voltou à tona logo em janeiro de 1995. Realizamos reuniões com os ministros Pedro Malan, José Serra e Clóvis Carvalho e o presidente do BC, Pérsio Arida. Ampliamos os encontros para incorporar José Roberto Mendonça de Barros, Edmar Bacha e também Gustavo Franco e Francisco

Lopes, diretores do BC. A meu juízo, independentemente de posições hierárquicas, eles deveriam tomar parte das decisões pelo conhecimento dos temas ou capacidade de execução que tinham.

A maioria, eu inclusive, considerava que a valorização do câmbio chegara a um ponto impossível de manter. Gustavo era o mais resistente à mudança. Havia operado a casa de máquinas do BC com competência na partida do Plano Real. Não fosse a apreciação do câmbio, dificilmente a nova moeda teria atravessado o Rubicão dos primeiros meses, quando maiores eram as pressões inflacionárias e os riscos de o plano perder credibilidade. Malan apoiava Gustavo. Se houvesse alteração de rumos, que fosse implementada de maneira lenta, gradual e segura. Serra, apreensivo com as repercussões da valorização cambial sobre a balança comercial e a indústria, sugeria puxar a taxa de câmbio, de uma só vez, para um degrau consideravelmente superior, e ali estacioná-la por algum tempo. Pérsio compartilhava a preocupação de Serra com o nível do câmbio. Defendia, no entanto, não só uma engenharia rápida, mas a adoção de uma nova arquitetura cambial: um sistema de banda — espécie de faixa dentro de cujos limites mínimo e máximo se permitiria que o valor do real flutuasse — que pudesse levar, em algum momento do futuro, à flutuação livre do câmbio. O piso e o teto da banda se ampliariam progressivamente, à semelhança do que se havia implementado em Israel e do que estava fazendo o Chile.

As discussões não envolviam apenas a política cambial. Os mais resistentes a uma alteração chamavam atenção para o risco de retomada da inflação, por causa do cenário externo que continuava turbulento e do ainda incipiente processo de desindexação da economia. Pérsio cogitava, com o auxílio de Bacha e o apoio de Serra, da adoção de medidas que golpeassem mais duramente a indexação. Isso significava acabar com a reposição automática aos salários da inflação acumulada entre a data de lançamento do real e a primeira data-base de cada categoria de trabalhadores. Colocavam-se também questões sobre a desindexação dos contratos financeiros. Como mexer nos salários e não nas aplicações? E se realizássemos mudanças nessas, qual seria o risco de desorganização do sistema financeiro, com danos para toda a sociedade? Discussões e discussões, dificuldades inesperadas, embora não de todo imprevisíveis depois de décadas de inflação e indexação. Decidimos eliminar a Ufir, o índice aplicado às obrigações dos contribuintes com a Receita. Ao mesmo tempo, buscávamos meios de acabar com a velha prática do BC de recomprar automaticamente títulos públicos da carteira dos bancos — a chamada "zeragem automática", que restringia a ação da política monetária.

A "zeragem automática" consistia na obrigação de o BC comprar de volta no encerramento diário do mercado os títulos vendidos aos bancos, se assim fosse do interesse deles. A obrigação derivava da inclusão de uma cláusula de recompra automática nos títulos vendidos, em parte colocados nas próprias carteiras dos bancos, em parte revendidos ao público por meio de fundos e cadernetas de poupança. Dessa maneira, o BC assumia, de antemão, o risco que corriam os bancos, seus principais credores, ao carregar títulos do governo. Tratava-se de uma espécie de "seguro" contra prejuízos dos agentes privados na compra desses títulos. Foi a forma que os governos anteriores tinham encontrado para assegurar que obteriam financiamento no mercado em meio a um processo de crescente desconfiança com relação a sua capacidade de pagamento.

Os problemas não paravam aí. Tínhamos de olhar o conjunto das políticas econômicas, também a fiscal e as regras de importação, sobretudo no referente aos veículos, que consumiam boa quantidade de divisas do país.

Eu não duvidava de que seria preciso mudar a taxa de câmbio. A questão para mim era em que velocidade, quando e junto com que outras medidas. Pelas minhas anotações, pensava que deveríamos alterar as regras até o Carnaval (a quarta-feira de Cinzas seria dia 1º de março daquele 1995). Pérsio, junto com Serra, batia na tecla de pedir uma decisão rápida para alcançar um nível mais confortável na relação real/dólar.

Inicialmente eu simpatizava com a posição de Pérsio. Depois, fiquei mais cauteloso. João Sayad, em carta a Serra, advertiu sobre os riscos de uma mudança forte e súbita. Armínio Fraga, em telefonema dos EUA, onde trabalhava com o megainvestidor George Soros, chamara minha atenção para os argumentos de um artigo de Mário Henrique Simonsen sobre o mesmo ponto. Eu já recebera o texto em que Simonsen expressava preocupação com a rapidez de uma eventual mudança. Mantive também abertos os ouvidos à questão fiscal e fiquei mais inclinado a tomar medidas de contenção do consumo, como alguns ministros desejavam. Em janeiro a indústria crescia 17% ao ano e isso criaria problemas na balança comercial, pois aumentaria a importação de insumos industriais, além de gerar pressões inflacionárias.

Continuei insistindo para que se alterassem as regras cambiais durante o Carnaval. No dia 22 de fevereiro, recebi três documentos distintos, de Gustavo Franco, Pérsio Arida e Chico Lopes, entrando em detalhes sobre o nível da taxa de câmbio e a maneira de defini-la para o futuro. Não cabe aqui esmiuçar tecnicalidades. Quero apenas registrar a angústia que vivíamos para modificar as regras do câmbio e os diferentes caminhos propostos, assim como as dificuldades de implementação. Tudo era tão complexo e incerto que concordei com Pérsio quando opinou que postergássemos a mudança para 6 de março. Acompanhava assim os constantes apelos de Gustavo e de Malan na mesma direção. Pareceu-me conveniente não aumentar as divergências no grupo.

Fixada uma data para a decisão, preparamos uma série de medidas para mostrar ao país e ao mercado que apertaríamos os gastos, cuidaríamos das importações, que se avolumavam, e iniciaríamos as esperadas reformas, sobretudo a da Previdência e a tributária, bem como aceleraríamos as privatizações. Providências e reflexões terminaram sendo posteriormente consubstanciadas num documento preparado por José Serra, com a ajuda de Fábio Giambiagi, talentoso economista de carreira do BNDES há tempos próximo ao PSDB. Intitulava-se *Esclarecimento sobre as medidas recentes do governo na área econômica*, e foi antecedido de uma discussão, no dia 22 de fevereiro, com base em outro *paper* denominado *Propostas de medidas fiscais*.

Coloquei de lado a sugestão anterior de Serra, que desejava uma subida vigorosa do dólar para depois fixá-lo em um degrau mais estável — ou seja, uma maxidesvalorização, como se promoveu no passado, seguida de um câmbio fixo que obrigaria o governo a vender os dólares, se os tivesse, quando a procura crescesse, podendo ser difícil ao Tesouro manter a posição. Dessa forma, havia duas outras possibilidades em discussão. Uma, capitaneada por Pérsio, com apoio, entre outros, de Serra e de Chico Lopes. O BC de imediato passaria a operar o câmbio dentro de uma banda mais larga e acima da faixa de variação informal em que vinha atuando até então; em lugar de 0,82 dólar por real como piso e 0,86 como teto, o câmbio poderia flutuar entre 0,88 e 0,93. Simultaneamente, a autoridade monetária anunciaria a compra de dólares, para entrega em maio, a uma taxa ainda mais elevada, indicando a ampliação do teto da banda e deixando clara a decisão de tornar menos rígida a política cambial.

Gustavo, com apoio de Malan, entendia ser melhor assegurar maior controle do BC sobre a evolução da taxa de câmbio. Ele se convencera, após o lançamento do Real, de que o mercado livre conduziria o dólar a um patamar elevado de valorização. Se no período de introdução da nova moeda acreditou, seguindo Pérsio, que, gradativamente, as forças do mercado encontrariam um ponto de equilíbrio, com a experiência de operador verificara, segundo dizia, que o mecanismo puro de mercado não funcionava. Teoricamente, a entrada de dólares com o novo programa encontraria um freio nas expectativas dos operadores; eles perceberiam ser insustentável cotação tão elevada do real, o que autocorrigiria a valorização inicial.

Em vez disso, o comportamento de manada levara a um afluxo contínuo de dólares sem nenhuma preocupação com uma desvalorização futura. Diante desse comportamento Gustavo defendia uma desvalorização lenta, temendo um ataque especulativo nas condições de um mercado internacional nervoso desde a crise do México. Por ele, o governo tornaria oficial a banda informal de 0,83 a 0,86 por dólar, por um período curto, após o que o centro da banda seria levemente alterado para cima e, então, também durante algum tempo, acompanharia a média das cotações do mercado. O BC, comprando e vendendo dólares, procuraria manter o valor da moeda tão próximo quanto fosse viável do centro da banda. Na prática, teríamos um câmbio quase fixo, e de todo modo muito controlado.[1]

O estopim de uma crise interna estava pronto para ser aceso. As discussões nos dias pré-Carnaval foram, como se diz hoje, estressantes. Além do mais, durante o Carnaval, Pérsio Arida, inadvertidamente, passou pela fazenda de um amigo, Fernão Bracher, ex-presidente do BC no governo Sarney. Só que o amigo àquela altura era banqueiro, diretor do Banco BBA. Embora a integridade e o espírito público de Pérsio indicassem que ele jamais forneceria qualquer informação a quem pudesse ser remota-

[1] Este episódio está esmiuçado no interessante livro da jornalista Maria Clara R. M. do Prado, *A real história do Real: uma radiografia da moeda que mudou o Brasil*, Rio de Janeiro, Record, 2005.

mente beneficiário dela (mesmo porque nada até aquele momento fora decidido) e o banco em causa, como se investigou depois, não tenha feito qualquer movimento especulativo, já se armara o enredo para a mídia: escândalo à vista.

A busca de consenso levou a uma reunião no domingo, 5 de março, da qual resultou uma vitória intelectual de Pérsio. Aceitou-se a idéia da adoção de uma nova banda de variação, devidamente acoplada à venda de dólar futuro a uma taxa ainda mais alta. A decisão, no entanto, se deu à base de um compromisso: haveria de imediato a formalização de uma banda de variação relativamente estreita, como queria Gustavo, só que embutindo uma desvalorização logo de cara, levando a uma banda entre 0,86 e 0,90 — maior do que Gustavo gostaria e menor do que a defendida por Pérsio. Concomitantemente, seria anunciado que o BC passaria a comprar e vender dólares em operações futuras a vencer em maio, mas dentro de uma banda relativamente bem mais larga (entre 0,86 e 0,98) — tal qual Pérsio propusera, e que apontava na direção da abertura da banda.

Tudo acertado, enfim. A fórmula parecia engenhosa. Só que não funcionou. A solução levada ao mercado no dia 6 de março não foi fruto, como muito se especulou, de uma "luta pelo poder" no BC, e sim das dúvidas e divergências sobre o melhor modo de chegar ao que se desejava: desvalorizar o real sem pressões inflacionárias insuportáveis e sem riscos especulativos. Na hora da operação, o anúncio da banda futura aos *dealers* (os bancos autorizados a operar no mercado de câmbio em nome do BC) provocou a pergunta inevitável: a compra de dólares para entrega em maio seria computada dentro dos limites que havia para os bancos comprarem ativos naquela moeda? Se excedesse o limite, os bancos tinham de efetuar depósitos não remunerados no BC, em valor equivalente. Gustavo, como diretor da área externa do BC, respondeu afirmativamente, deixando os bancos com um pé atrás, pois os limites vigentes eram tidos como apertados. Seria necessária uma reunião da diretoria do BC para ampliá-los. Uma única instituição apresentou proposta de compra de dólar futuro ao preço preestabelecido. Tão logo soube que teria de realizar um depósito no BC sobre aquilo que ultrapassasse o limite, desfez a oferta. Na quarta-feira, dia 8, o fracasso da operação tornou-se claro para todos.

Foi um corre-corre. Desde quarta-feira, entrando pela madrugada e durante toda a quinta-feira, para anunciar na sexta-feira, dia 10 de março, novas bases para o câmbio, só Deus sabe as aflições pelas quais passou a equipe econômica, e, naturalmente o Presidente e seu chefe da Casa Civil e porta-voz junto à equipe, Clóvis Carvalho. A cada dia eram *bilhões* de dólares que voavam do BC para o exterior ou para as tesourarias dos bancos. No total, mais de 6 bilhões se foram das reservas, trocados por reais, cujo valor futuro, em termos de dólares naquele instante, passava a ser indeterminado. A sensação é de que se está num hospital, em plena mesa de operações, e o paciente sofre de hemorragia em várias artérias, nem se sabe direito quais. Pior, o cirurgião-chefe, o Presidente, sequer é médico, pois não tem formação de economista e muito menos experiência de operador em mesa de câmbio. É à sua política, contudo, que se atribuirão todas as "culpas". Nessa hora é preciso, como diria Lupicínio, ter "nervos de aço, sem sangue nas veias e sem coração". Isso se aplica aos principais responsáveis pela condução econômica: presidente do BC, operadores diretos, ministro da Fazenda, chefe da Casa Civil, Presidente da República. Até mesmo na ordem inversa, pois o nervosismo dos maiores responsáveis contamina todos.

Antes de qualquer coisa, em tais ocasiões é necessário agir. Ter algum grau de racionalidade, mas muito de decisão e coragem. É como um toureiro enfrentando um touro em mau momento. Se piscar, perde. Pode ser que não tenha a força ou o ângulo de visão para enfiar a espada no ponto certo. Entretanto, é melhor golpear do que ser golpeado. E o mercado financeiro sente logo se o BC está ou não conduzindo o processo, como os cavalos que percebem se quem os monta é ou não cavaleiro. Por isso, Clóvis partiu para a reunião final na noite de quinta-feira com o ânimo e as instruções claras: chega de discussão teórica; ação, já!

Gustavo, que nunca estivera realmente de acordo com a mudança introduzida, saltou à frente: propôs uma banda de variação do câmbio entre um piso de 0,88 e um teto de 0,93, com uma puxada violenta na taxa de juros (para conter a especulação dos que se endividavam em reais para comprar dólares, e também para atrair investidores em dólares). E ainda, por sugestão de José Roberto Mendonça de Barros, uma oferta de títulos com correção cambial, permitindo que as empresas se protegessem — fizessem *hedge* — contra a desvalorização. Com o anúncio dessas decisões pelo BC na manhã de sexta-feira, os tesoureiros das multinacionais ficaram mais tranqüilos, os investidores externos da Bolsa se acalmaram e os especuladores que haviam apostado na alta do dólar perderam. De tudo fui sendo informado por Pérsio e Malan, desde quinta-feira. Clóvis Carvalho foi o nervo de aço que na quinta à noite levou a equipe às decisões. Estas, se não eram as dos nossos sonhos, despertaram-nos de um pesadelo. Na sexta-feira, dia 10, a Bolsa de São Paulo, que despencara, subiu 22,5%.

Relatei essa crise com algum detalhe porque ela revela o padrão de outras crises. Há sempre um problema real em jogo: a inconsistência da taxa de câmbio com as condições gerais da economia. Sobre a mesa, alternativas teóricas, mescladas com posições pessoais (afetivas, de interesse legítimo, de "poder pessoal", auto-estima, enfim, decisões de seres humanos). Pode haver erros de dosagem, de percurso e de implementação. Com alguma freqüência existe um "escândalo", em geral imaginário, alimentando os boatos, muita especulação e grandes dúvidas quanto ao acerto das decisões. E sempre o imperativo: decidir é preciso, caminhar não se sabe se será possível.

Quem decide, nessas horas, decide em boa medida no escuro. Necessita, porém, ao menos de uma lanterna (e não na popa). Não basta o jogo da força e da psicologia do poder. É preciso saber, ou pelo menos divisar, qual é o caminho possível. E sempre existem vários. Em geral os não-percorridos são apresentados ao público como os melhores, até que sejam experimentados, quando se verá que também eles apresentam percalços. No fundo o verdadeiro problema é que no sistema no qual vivemos, o capitalista (e, pelo menos por agora, outro não há), os mercados não somente existem e têm muita força como eles sempre contêm um ingrediente de irracionalidade, "o comportamento de manada", que perturba o pressuposto do cálculo racional. Mais ainda, o sistema inclui também um ingrediente de especulação *inerente e necessário* ao seu funcionamento. E durma-se com um barulho desses!

Foi importante ser firme na greve dos petroleiros

Mas, no início do governo, não foi essa pedra cambial a única em meu caminho. O Presidente toma posse no dia 1º de janeiro, mas os novos parlamentares só em 15 de fevereiro. Até lá, deputados e senadores não-eleitos somam suas frustrações à ansiedade dos que virão depois, recémeleitos, com o ânimo de realizar logo seus sonhos. Neste clima político tive de me haver com dois desafios imediatos. Um, o de sancionar a anistia votada pelo Congresso "velho", reunido em convocação extraordinária, para anular uma decisão da Justiça Eleitoral que cassara o mandato do senador Humberto Lucena. O senador fora acusado de proceder como era hábito de outros, por sinal autorizado pelo Regimento Interno do Senado: imprimir na gráfica da Casa calendários com seu nome e fotografia, material utilizado na propaganda eleitoral. Eu poderia vetar a lei ou, escondendo-me, deixar que o próprio Congresso a promulgasse. Estava convencido, porém, como disse na exposição de motivos da sanção, que a decisão da Justiça Eleitoral abrigava ânimo de política local. Embora eu não tivesse jamais lançado mão desse tipo de recurso e o julgasse equivocado, ele não estava capitulado dessa forma no Regimento do Senado nem nos costumes vigentes. Punir apenas um, quando muitos incorriam na mesma prática, seria discriminatório. Sancionei a lei de anistia por essas razões. A opinião pública, no entanto, queria "punir" um poderoso, coisa que se compreende, mas não deve servir de base para uma decisão presidencial. Não faltou quem interpretasse meu gesto como adesão ao clientelismo dominante.

Só que eu tinha à frente um desafio mais sério. Dia 18 de janeiro, junto com a anistia do senador Lucena, o Congresso votou lei elevando de 70 para 100 reais o salário mínimo — um reajuste de 42,8%. O aumento equivalia a romper o equilíbrio de um Orçamento já ampliado nos gastos pelo aumento de vencimentos do funcionalismo concedido pelo governo anterior. Como votar contra uma medida que, na percepção de senso comum, diminuiria as desigualdades e combateria a pobreza? De minha parte, vetei a lei com a convicção de que salário aumentado antes da hora, à custa de déficit, gera inflação que o corrói. Não poderia ser outra a atitude de um governante que se lançara, com o Plano Real, à busca da estabilidade. Como sempre, no entanto — e esta tem sido a permanente dor de cabeça e de consciência de todos os presidentes —, o desgaste é inevitável. Paciência. Quando se tem convicções, agüentam-se as pedradas, embora sangrando. O veto reforçaria o ambiente de estabilidade que possibilitaria o aumento real dos salários, como de fato ocorreu. O aumento real do salário mínimo acabou ficando entre 42% e 44% nos meus oito anos de governo, dependendo dos índices deflatores tomados em consideração, o que significa uma média anual de 4,7%. Como comparação, saliente-se que nos três primeiros anos do governo Lula obteve-se um aumento de apenas 11,18%, com média anual de 3,69%.

Sucede, porém, que ademais das dúvidas pessoais e do esforço para manter a coerência e o rumo, as pressões salariais desencontradas sempre deixam um rastro político. Barrei em janeiro o salto de 70 para 100 reais no mínimo, mas em 1º de maio concordei com reajuste nesse exato montante, com o conseqüente aumento de gastos de toda a Previdência em junho. É verdade que o ministro Serra, encarregado do Orçamento, resistiu, em função das conseqüências negativas sobre as contas públicas. Teve apoio do ministro Malan, mas eu, por motivos de equilíbrio político e, quem sabe, para corrigir mais depressa tão injusta redistribuição de renda, não ouvi as ponderações dos ministros da área econômica. De toda forma, com o reajuste se dando na data tradicional, e entrando em vigor em junho, o impacto sobre a Previdência e sobre os municípios, onde centenas de milhares de servidores recebem o mínimo, foi muito menor do que se não tivéssemos barrado a pretensão do Congresso em janeiro.

Não terminara a "lua-de-mel" dos cem primeiros dias de governo e tive pela proa outro problema de monta, uma greve da Petrobras. Enfrentá-la me doeu. Pertenço a uma família que historicamente lutou pela "emancipação nacional" (era assim que se dizia na época). Conseqüentemente, apoiou a campanha "O Petróleo é Nosso", da qual surgiu a Petrobras. Meu pai foi presidente em São Paulo do Centro de Estudos e Defesa do Petróleo, principal instrumento de mobilização política em favor da nacionalização da exploração do petróleo, e eu tesoureiro, conforme narrei na "Introdução" a este livro. Um tio meu ocupou a presidência nacional desse mesmo Centro. Muito antes, na casa do marechal Júlio Caetano Horta Barbosa, outro dos líderes da época e que presidiu o Conselho Nacional do Petróleo, brincando com seus netos, que eram meus primos, na rua Constante Ramos, em Copacabana, no Rio, via no aparador da sala de jantar vidrinhos cheios de petróleo extraído no Brasil, e isso nos anos 1940. Como enfrentar psicologicamente uma greve que, por trás da reivindicação salarial, sustentava de fato o monopólio do petróleo?

Os sindicalistas mantiveram a greve apesar de decretada sua ilegalidade e agrediram o Tribunal Superior do Trabalho (TST) com manifestações grosseiras. Daí por diante, houve um confronto direto com a Justiça.

O Executivo atender à reivindicação dos petroleiros significaria desmoralizá-la. Na questão de fundo, embora os petroleiros estivessem em luta aberta contra a privatização da Petrobras, ela nunca esteve em causa. O que eu viria a propor, com apoio da diretoria da empresa, foi o que chamei de "flexibilização" do monopólio, isto é, que outras empresas igualmente pudessem atuar em toda a indústria do petróleo, concorrendo com a estatal. Por que isso? Porque, além de permitir maior rapidez na obtenção da meta de auto-suficiência do país em óleo, a Petrobras passaria a sujeitar-se à concorrência, o que a levaria a atuar mais como empresa e menos como repartição pública. (Eu reconhecia a eficiência da Petrobras, mas amarrada às regras do setor público em áreas como as licitações para compra de material, sem contar o grau de corporativismo de seus funcionários a que já me referi.)

O resultado dessa política mostrou-se positivo. Em 1995 a Petrobras produzia 700 mil barris de petróleo por dia e em 2002, 1,5 milhão, para uma demanda de 1,7 milhão. E o óleo cru importado custava zero em termos cambiais, pois o país exportava a gasolina que excedia o consumo doméstico. Não bastassem esses números, a Petrobras melhorou consideravelmente a *performance* financeira e a governança empresarial, com a diminuição, durante meus dois mandatos, da ingerência política em seus negócios. E ainda passou a pagar *royalties* aos municípios afetados pela exploração de petróleo, proporcionando melhores condições financeiras a muitas prefeituras e alguns governos estaduais.

Nada disso, entretanto, se colocava em jogo na greve. Alguns dirigentes sindicais confundiam suas visões políticas e interesses corporativos com o interesse nacional: queriam impedir que um governo eleito democraticamente implantasse as políticas constantes de seu programa e que julgava adequadas ao país nas novas circunstâncias. Por isso não me deixei abalar quando cotejado com minhas posturas históricas. Continuava, como continuo, achando que a Petrobras deve ser controlada majoritariamente pelo Estado. Mas ela e o país se beneficiam com a concorrência e, dada sua força, nenhuma empresa, nacional ou estrangeira, conseguiu abalar sua posição de liderança no mercado.

O controle da greve não foi fácil. Diante das ameaças ao patrimônio da União e da coação aos empregados que queriam trabalhar, tive que ordenar a presença das Forças Armadas do lado de fora das refinarias.

Dada a insistência dos sindicalistas na continuação de uma greve ilegal que afetava o abastecimento da população, podendo paralisar a economia, decretei a intervenção no sindicato dos petroleiros e resisti às tentativas de readmissão dos líderes demitidos por justa causa pela direção da empresa. Naqueles momentos delicados, de quase braço de ferro, contei sempre com a ação do ministro Raimundo Brito. Bem que desejei apoiar uma tentativa de entendimento, de iniciativa do presidente da CUT, Vicentinho, sugerida com a intermediação do senador Artur da Távola (PSDB-RJ). Um tal acordo, contudo, causaria mal-estar no governo e entre os que tinham sido coerentes tratando a greve conforme o decidido pelo mais alto tribunal trabalhista do país — como ilegal. Decidi não negociar. Assim agi porque percebi que se não me mantivesse firme o governo teria dificuldades em discutir e aprovar no Congresso as primeiras propostas de reformas constitucionais que enviei, relativas, precisamente, à flexibilização dos monopólios.

É o preço que os homens de governo têm que pagar para manter coerência de propósitos e consistência no percurso. Não hesitei. Posso ter errado, exagerado ou ficado aquém do necessário. Só não fui pusilânime ou arbitrário, nem destoei do que havia pregado nas campanhas eleitorais.

Ainda dúvidas sobre o câmbio e um impasse com a Argentina

Logo depois dos cem dias da "lua-de-mel" que não existiu, em maio de 1995 tornaram-se crescentes os sinais de inquietação na área bancária. Nós nos havíamos preparado, como se viu no Capítulo 3, sobre o Real, para enfrentar a crise de alguns bancos públicos. Os bancos do Estado de São Paulo (Banespa) e do Estado do Rio de Janeiro (Banerj) encontravam-se sob intervenção do BC. Eu chamara a atenção de Mário Covas, ainda antes do primeiro turno das eleições de 1994 — antes, portanto, de ele ser eleito governador de São Paulo —, para a necessidade de indicar pessoas de sua confiança para tratar da crise do Banespa junto ao Ministério da Fazenda. A intervenção acabou ocorrendo na véspera da sua posse como governador. Inconformado com a medida, ele levou muito tempo tentando reaver o banco.

O BB fora alertado desde o governo Itamar Franco para os problemas do *floating*, isto é, de viver de empréstimos e lucros feitos na esteira da espuma inflacionária. Nada disso impediu que por duas vezes em meu governo o Tesouro tivesse que socorrê-lo com vultosas quantias para evitar a falência, tal o nível de inadimplência dos empréstimos concedidos (principalmente na área agrária e para quem ou era político ou tinha "padrinhos" poderosos).

Não sabíamos o grau de fragilidade do setor bancário privado. O primeiro banco de porte a sofrer com as desconfianças do mercado foi o Econômico, o que produziu não apenas um tremor na área financeira, mas um terremoto político, como veremos à frente.

Pouco antes da crise do Econômico eclodir, Pérsio Arida começou a falar em se demitir. Ele não se sentia confortável presidindo o BC sem poder pôr em prática suas idéias. O BC funciona com uma direção colegiada. Sempre havia a discordância de Pérsio com Gustavo Franco, firme defensor de um câmbio relativamente apreciado e juros mais altos, e com Chico Lopes, defensor de uma política monetária apertada, com juros altos e crédito limitado. Pérsio queria bandas de flutuação menores e desvalorizações mais freqüentes, sem taxas de juros tão elevadas. No dia 24 de maio de 1995, reafirmou que iria embora. Instei-o para que ficasse, pelo menos como meu assessor para o programa de estabilização. Ele concordou. Pedimos que não deixasse o posto no meio da greve dos petroleiros. Àquela altura, em seguidas reuniões com toda a equipe econômica, especialmente com José Roberto Mendonça de Barros, Serra, ministro do Planejamento, e Chico Lopes, parecia que se caminhava na direção de uma proposta cambial à chilena, com uma banda que deslizasse mais depressa.

A instâncias de Pedro Malan, que chamava a atenção para o lançamento de um empréstimo em bônus no Japão, denominado "samurai", conseguimos que Pérsio adiasse a demissão para a quarta-feira seguinte, 31 de maio. Eu já escolhera o novo presidente do BC (seria Gustavo Loyola), embora a decisão se mantivesse em sigilo. Gustavo Franco sinalizara a vontade de ocupar o posto, mas àquela altura preferi alguém mais experiente. Eu conhecera Loyola quando presidente do BC no governo Itamar, antes de Ximenes ocupar essa posição, e achava que poderia roer o osso duro da crise bancária que se desenhava no horizonte. As discussões sobre o câmbio continuavam no mesmo impasse de março. Antes da saída de Pérsio, em uma tentativa de acomodação, Gustavo Franco concordou em subir o piso da banda para 92 centavos de real por dólar e, com o apoio de Malan, reafirmou que para deslizar o câmbio com mais rapidez seria preciso olhar o conjunto da política econômica. Quase todos, formalmente, pareciam convergir para o "modelo chileno", que me satisfazia. Serra duvidava que os colegas viessem afinal a implementar proposta semelhante. Gustavo e Malan argumentavam sempre sobre a necessidade de primeiro aprofundar a desindexação.

E ainda por cima precisávamos colocar um freio nas importações de automóveis. O governo anterior se esquecera, quando assinou o Acordo de Ouro Preto sobre o Mercosul, de depositar junto à OMC o documento que explicitava as regras vigentes em matéria automobilística, o que possibilitaria manter por certo tempo incentivos especiais à produção local de autos. A Argentina, no entanto, fez o dever de casa. Em conseqüência, recebia investimentos crescentes, enquanto tarifas reduzidas levavam ao crescimento das nossas importações de automóveis. José Serra e Dorothea Werneck, ministra da Indústria e Comércio, um tanto ao arrepio dos acordos existentes, mas com a força da necessidade, queriam rever a questão. Nova tensão, desta vez entre Serra e Dorothea, de um lado, e de outro Malan e o chanceler Lampreia. Nos meses seguintes, elevaríamos as tarifas de importação e criaríamos um novo regime de incentivos aos investimentos na indústria automobilística local, à custa, porém, de muita briga e muito trabalho diplomático. Senti que era o caso de negociar diretamente com o Presidente da Argentina, Carlos Menem, numa reunião num hotel em São Paulo.

Foi uma noite tensa. As duas delegações se entreolhavam com pouca vontade de chegar a um compromisso. Mesmo Menem, em geral afável e até carinhoso, mostrava-se lacônico e de rosto fechado. Chamei-o a um canto, propus uma flexibilização recíproca e redigi, em castelhano e à mão, termos de um acordo que entendia possível. Ele por fim concordou. Nosso embaixador na OMC, Celso Lafer, conseguiu sustentar a discussão em Genebra, com o argumento de que sofríamos de grande desajuste do balanço de pagamentos, que nos obrigava a tomar medidas de proteção (embora o pior desse desajuste já tivesse ficado para trás).

Na quinta-feira, 25 de maio, para emitir um sinal firme de minha disposição de baixar os juros, anunciei que, nos empréstimos agrícolas com recursos do governo, iria fixá-los em 16% ao ano, sem correção monetária. Isso não agradou à equipe econômica — preocupada com o custo da medida para o Tesouro. Não consultei a equipe previamente: presentes ao anúncio, eles souberam ali mesmo e "engoliram" a decisão. Ao mesmo tempo, começávamos a ganhar no Congresso as votações para alterar a Constituição, modernizando-a no aspecto econômico. Parecia que o horizonte se desanuviaria. A própria greve dos petroleiros, depois da tentativa de conciliação pelo presidente da CUT e da presença, sem incidentes, das Forças Armadas, dava sinais de refluir. No dia 2 de junho, acabou. Minha popularidade e a do Plano Real, a despeito de tudo, permaneciam em patamares muito satisfatórios.[2]

No entretempo, avançávamos com as reformas constitucionais, como se verá no Capítulo 7. Logo em fevereiro, aprovamos a Lei de Concessão de Serviços Públicos,[3] com base em projeto que eu próprio apresentara como senador em 1991. Por falta dessa lei, os investimentos em energia elétrica tinham praticamente cessado nos anos anteriores. A partir de fins de abril, o Congresso começou a aprovar as emendas que acabavam ou flexibilizavam monopólios e punham fim à discriminação constitucional contra a empresa brasileira de capital estrangeiro. Se as reformas da ordem econômica caminhavam bem, as dificuldades para caminhar nas reformas fiscal, tributária, previdenciária e administrativa começavam a se tornar claras.

Crises bancárias e tiroteios políticos

Até que... Enfim, até que, de fato, os bancos começaram a pipocar. Falava-se do Nacional, mas entre os maiores bancos quem primeiro sofreu um abalo forte foi o Econômico. Sobre o Nacional, aos poucos o BC constatou que havia problemas, mas também potencial comprador: o Banco de Boston (anos depois rebatizado como BankBoston). O Nacional colocava para mim uma questão delicada, pois tinha minha nora Ana Lúcia entre os acionistas controladores. A exploração política de qualquer tentativa de solução seria inevitável. Mas isso não nos desobrigava de atuar e nos im-

[2] Pesquisa do Instituto Datafolha divulgada a 2/7/1995 pela *Folha de S. Paulo* indicava que 40% dos pesquisados consideravam o governo "ótimo/bom", e 69% apoiavam o Plano Real.

[3] Lei nº 8.987, de 13/2/1997.

punha cuidados redobrados para evitar quaisquer facilidades indevidas, como se verá.

O Econômico estourou como uma bomba de grande alcance. Em meados de julho era patente a situação insustentável do banco. Nesse meio tempo, Pérsio continuava meu assessor (permaneceu até fins de julho) e discutíamos, sem avançar, o que fazer com o câmbio, sempre os mesmos personagens e as mesmas opções ou falta delas.

A complexidade do quadro levou a questão do Econômico a tomar vulto maior do que a de uma intervenção em mais um banco. Não somente tinha porte considerável, como se tratava de um banco regional e da Bahia, cujos dirigentes políticos eram muito influentes. Havia o senador Antonio Carlos Magalhães e seu filho, o presidente da Câmara, Luís Eduardo Magalhães, sem falar no governador Paulo Souto e em toda a bancada baiana, unida e poderosa. O episódio merece consideração especial porque revela as vinculações profundas entre o jogo político e as decisões econômicas, nas circunstâncias brasileiras.

Desde meados de julho, os rumores sobre dificuldades no Banco Econômico vinham crescendo. A revista *Veja* andava no encalço do assunto. Eu visitara a Venezuela e, nas conversas com o Presidente Rafael Caldera, impactou-me a descrição da crise bancária vivida pelo país no ano anterior. A quebra de um banco desatara uma formidável reação em cadeia. Na ausência de providências enérgicas para deter o problema no nascedouro, a Venezuela mergulhara em recessão e estava a braços com a necessidade de capitalização do sistema financeiro privado com dinheiro público, em montante que devorava grande parte dos recursos do governo. Posteriormente, o BID estimaria em espantosos 13% do PIB o custo fiscal daquele programa.

No dia 31 de julho, em Canoas (RS), tive uma conversa ocasional com um grande empresário da Bahia razoavelmente a par da situação do Econômico. Disse-lhe que o governo não pressionaria ninguém para "salvar" o banco, nem estimularia a sua compra na bacia das almas com dinheiro público. O comprador teria de aportar recursos e, mais ainda, era indispensável afastar os administradores e os controladores do banco e substituí-los por administradores profissionais. Dei conta da conversa ao ministro da Fazenda e ao presidente do BC e reafirmei os dois pontos: não permitiríamos que o controle do patrimônio continuasse nas mãos dos que levaram o banco ao desastre e nos guiaríamos única e exclusivamente pela preocupação de manter o sistema financeiro estável, sem favorecer quem quer que fosse, vendedores ou compradores. Outra não era a atitude de meus interlocutores no governo, e assim pensava também o empresário com quem eu conversara.

No dia 10 de agosto, após reunião com a equipe econômica, alertaram-me de que a situação do Econômico estava "por um triz". Dito e feito. No dia seguinte, Malan me informou que um diretor do Bamerindus, sondado para saber se haveria interesse na compra do Econômico, deu resposta negativa. O ministro da Fazenda acreditava que o governo deveria partir para uma intervenção. No mesmo dia, sexta-feira, 11 de agosto, eu despertara com uma chamada telefônica de Antonio Carlos Magalhães, muito exaltado, embora educado, dizendo ser contra uma intervenção no Econômico e pedindo que, em qualquer caso, ele não tivesse tratamento distinto do que merecia o Banespa. O Banespa sofrera uma intervenção sob o Regime de Administração Especial Temporária (Raet) do BC, que garantia os depósitos bancários e presumia, por ser temporária, que o banco não seria fechado. Retruquei que não apenas ele, como senador pela Bahia, mas eu próprio, como Presidente, tinha o maior interesse em não prejudicar os depositantes e que não pensávamos em liquidação do banco baiano.

Essa frase, de boa-fé, criou mais tarde grande confusão. Malan me esclareceu, depois da conversa telefônica com Antonio Carlos, que existiam razões técnicas para não aplicar o Raet ao Banco Econômico; em última análise, a alternativa levaria a comprometer recursos públicos, sem perspectiva de retorno, numa instituição privada levada àquela situação por má gestão de seus controladores. A solução seria uma intervenção que poderia marchar para a liquidação. Estava armado o *imbroglio*. Antonio Carlos telefonou para Malan, confiado no que ouvira de mim, e recebeu uma resposta diferente do ministro da Fazenda. Mandei chamar Luís Eduardo. Expliquei a ele meu equívoco. Ato contínuo, liguei para Gustavo Loyola e pedi que transmitisse a Luís Eduardo o que ocorreria quanto às garantias que seriam dadas aos depositantes, dentro das restrições dos regulamentos, que não permitiam "salvar" todos os depositantes com dinheiro do BC.

Luís Eduardo me disse, repetindo expressão que seu pai usara:

— Isso vai ser uma tempestade na Bahia.

— Sim — respondi —, mas o que você quer que eu faça, privatize o Meridional e estatize o Econômico?

O Meridional era um banco federal gaúcho cuja privatização o PFL defendia reiteradamente, com apoio da equipe econômica. Luís Eduardo percebeu a incoerência, mas me pediu que ouvisse a opinião do economista e banqueiro Daniel Dantas, que tinha algumas sugestões. Nesse meio tempo, telefonemas incessantes do senador Antonio Carlos e dos políticos preocupados com a situação. Tive uma conversa com Daniel Dantas. Ele acreditava ser possível aplicar o Raet, embora admitindo que o Tesouro pagaria o preço do salvamento. Mencionou também a possibilidade de o governo da Bahia desapropriar o banco, o que talvez permitisse aplicar o Raet, pois nesse caso se trataria de um banco público. Pedi que Loyola falasse com ele. Antonio Carlos me telefonou e disse com franqueza:

— Presidente, para nós seria melhor ganhar tempo até o domingo [o que equivaleria a três dias].

Transmiti a sugestão a Loyola, que pediu para refletir. Uma hora depois me ligou dizendo:

— Presidente, não dá para esperar. A situação do banco é delicada. Só há uma solução técnica: a intervenção.

Ou seja, na prática, uma pré-liquidação.

Insisti em saber se existia outra possibilidade, e ele foi franco:

— Se a posição do BC causar incômodo político ao senhor, nós não seremos obstáculo.

Era só o que faltava! Perder o presidente do BC numa situação daquelas. Fez-se a intervenção naquele dia mesmo.

À noite liguei para Antonio Carlos, respondendo aos inúmeros chamados que me dirigira durante a tarde. Muito tenso, ouviu minhas explicações, reafirmou que eu lhe informara de modo diferente como seria a intervenção, mas que respeitava minha decisão e divulgaria uma nota a respeito. Coisa que fez, em termos adequados.

Eu sabia que estávamos apenas no começo de um enredo complicado. No fim de semana, domingo, creio, repassei com Malan todas as questões. Recebi nova chamada telefônica de Luís Eduardo dizendo que a Bahia se pusera em pé de guerra. O tiroteio político incluía propostas de CPI sobre o BC e um exame do fluxo dos empréstimos interbancários, pois suspeitavam que a Caixa Econômica, por baixo do pano, vinha sustentando alguns bancos. Ou seja, poderiam alastrar o fogo por todo o sistema financeiro. Ficamos de divulgar uma nota do BC dizendo que prosseguiríamos as negociações para encontrar um comprador para o Econômico e que o restante do sistema financeiro mantinha-se saudável. Os baianos começaram a se articular com o governador Miguel Arraes, pois o Mercantil de Pernambuco também sofrera intervenção, e a coisa tomava proporções de uma luta política do Nordeste, espoliado, contra São Paulo, beneficiado (porque o Banespa não tinha sido liquidado). Ironicamente, ao mesmo tempo, em São Paulo o governador Covas esbravejava por achar injusta a intervenção no Banespa.

Na segunda-feira, 14 de agosto, o governo constatou que estava havendo transferência de recursos de alguns bancos privados nacionais para os bancos públicos e para o exterior. Espalhou-se um boato de que o BC não teria honrado uma dívida de 20 milhões de dólares do Econômico fora do país. Enfim, o terrorismo dos dirigentes baianos produzia efeitos. Depois de muita conversa decidimos que talvez fosse melhor reatar as negociações para ver se seria possível, como proposto, que o governo da Bahia entrasse em campo, levando os grandes depositantes baianos a ajudarem a manter um banco regional e quem sabe, nessas condições, coubesse tecnicamente a aplicação do Raet. No mesmo dia, ao final da manhã, surgiram novos rumores: o senador Antonio Carlos teria dado um ultimato (que não sei no que poderia consistir) para que se resolvesse a situação do Econômico até as 14 horas. Peguei o telefone pessoalmente e liguei para Luís Eduardo em tom de desabafo:

— Luís, desse jeito nada dá certo.

E o deputado, referindo-se à informação sobre o ultimato do pai:

— Mas, Presidente, não é verdade. Não houve declaração nenhuma nesse sentido.

Mais tarde o próprio Antonio Carlos falou com Ana Tavares, desmentindo a pretensa insolência.

Telefonei para o governador Paulo Souto para dizer-lhe que não bastava o governo estadual desapropriar o banco. Teria de colocar dinheiro e assegurar depósitos do setor privado. O governador me disse que o Banco do Estado da Bahia (Baneb) não teria recursos para efetuar a compra. Lembrei que se ele desapropriasse o banco mesmo por 1 real estaria fazendo péssimo negócio para o Tesouro baiano, porque assumiria uma pesadíssima dívida do Econômico, cerca de 2 bilhões de reais, e que talvez a transação, ainda por cima, lhe custasse no futuro uma ação popular na Justiça. Ainda assim Souto me informou que o governo federal precisaria assinar um decreto para que a desapropriação pudesse avançar. Encarreguei o secretário-geral da Presidência, Eduardo Jorge, de verificar com o advogado-geral da União, Geraldo Quintão, o procedimento jurídico pertinente.

Enquanto estávamos às voltas com esse emaranhado, recebi nova ligação telefônica de ACM dizendo que queria vir com a bancada da Bahia ao Planalto para agradecer o esforço que estava sendo feito e, com o gesto, desfazer qualquer mal-entendido em relação a mim e ao BC. Marcamos o encontro para as 15 horas. De fato, à hora aprazada entram Antonio Carlos e a bancada da Bahia. Recebi-os no salão que fica ao lado do gabinete presidencial, todos nós de pé. Eu desejava o testemunho da imprensa, mas, para não repetir mecanicamente o que fizera em outras circunstâncias o Presidente Itamar Franco ao receber o senador para denúncias, concordei, equivocadamente, em não ter a presença de jornalistas. Não obstante, o microfone do qual falaríamos, como é habitual quando a audiência se abre para a mídia, permaneceu inadvertidamente ligado. Esse microfone, além de retransmitir os discursos à sala de imprensa, era conectado a um gravador, para posterior divulgação aos repórteres ausentes das cerimônias daquele tipo. Dessa feita, como se cancelou a presença da mídia à última hora, sobraram as gravações.

Antonio Carlos agradeceu em nome da Bahia, disse que nada das insinuações divulgadas era certo e que esperava a solução do problema, com a desapropriação do Econômico pelo governo da Bahia e posterior reabertura. Ao agradecer, reiterei algo do que dissera ao governador Paulo Souto e mencionei ainda as dúvidas jurídicas que persistiam. Notei que o senador não gostou da referência. Por isso, à saída, voltei a tocar no assunto a sós com ele, que retrucou:

— Mas o BC sabia da situação e nas conversas que tivemos não levantou dúvida jurídica alguma.

Tornei a me certificar com o presidente do BC sobre suas dúvidas e ele me alertou que, dependendo da forma da desapropriação, o proprietário do banco poderia alegar coação na Justiça e reaver o controle. Diante disso, me reuni novamente com alguns responsáveis pela área econômica e decidimos que o BC divulgaria nova nota, colocando no papel, preto no branco, as condições necessárias para a reabertura do Econômico. E ressaltaria principalmente um ponto: a União não promoveria nenhum tipo de "socorro" financeiro ao banco. Ato contínuo, o porta-voz do governo, Sérgio Amaral, leu a nota para a mídia.

Terminada a elaboração da nota, Gustavo Loyola, ao se despedir, disse que precisava ir depressa ao BC porque havia nova crise no ar: insatisfação com o que era percebido como "vacilações" do Presidente por pressão política. Os jovens dirigentes do BC eram avessos a esse tipo de pressão. Naquele dia, o Presidente de Angola, José Eduardo dos Santos, realizava visita oficial ao Brasil. À noite, compareci ao jantar de gala no Itamaraty. Na volta ao Alvorada, lá pela meia-noite, Pedro Malan, de regresso de uma viagem de trabalho a Buenos Aires, me chama ao telefone: estava no BC e sentia, compartilhando, mal-estar no ambiente diante dos últimos acontecimentos.

Chamei todos ao Alvorada para uma reunião que terminou às 2h30 da madrugada. Rememorei etapa por etapa o que se passara, sempre com o testemunho correto de Loyola, e mostrei o descabido das apreensões. O diretor de Fiscalização, Cláudio Mauch, declarou que não havia como salvar o Econômico. Retruquei que "se é assim, perdemos tempo", pois eu estava seguro até então de que a discussão era entre aplicar o Raet ou proceder a outro tipo de intervenção, ambas permitindo, porém, uma renegociação para posterior reabertura do banco. "O governo", disse eu, "não cedeu a pressões políticas." Apenas tentamos evitar, sem prejuízo para o Tesouro, a quebra de um importante banco regional.

A razão para toda a atmosfera negativa era uma só: a ida de ACM, a pé e à frente da bancada baiana, da sede do Congresso ao Planalto. A cena, fotografada e televisionada por toda a imprensa, deu lugar à versão de que teriam ido ao Palácio para "exigir" que o Presidente da República cedesse e anulasse a intervenção no Banco Econômico. Além de tudo, a diretoria do BC estava estomagada com as contínuas ameaças de ACM, falando sempre em "dossiês" contra eles ou a instituição. Percebi que, embora os diretores do BC acreditassem na sinceridade do que eu afirmava, queriam algo que mostrasse mais claramente a nossa posição. Disse-lhes:

— Se vocês quiserem, processem Antonio Carlos pelos dossiês contra vocês que ele vem proclamando ter. O governo vai apoiá-los e não vai exonerar ninguém. Mas, por favor, não pratiquem um desatino pedindo demissão.

Mostrei a eles que uma demissão coletiva causaria um dano enorme ao governo e ao país, e, adicionalmente, daria "vitória" a ACM.

Disse-lhes ainda:

— Amanhã, quarta-feira [na verdade já estávamos na madrugada de quarta-feira], a imprensa vai cair de pau em mim. Depois será a vez do Congresso, partindo do pressuposto de que "cedi" aos políticos baianos... Mas pouco a pouco as coisas serão repostas em seus lugares e o importante é evitar uma tremenda crise financeira.

A quarta-feira toda se consumiu em telefonemas e reuniões, pois a repercussão negativa do "ultimato" conseguira transformar um sério problema bancário em uma pugna ACM *versus* FHC. A nota lida pelo porta-voz desapareceu no fogo de artifício das manchetes e no verbo ácido das oposições. Brizola, que ficara em quinto lugar na eleição presidencial de 1994, com pequena votação, mas ainda dirigia o PDT, disse que eu já era um cadáver ambulante. Lula classificou-me de "frouxo". Até Pedro Simon, formalmente governista, sentenciou: "O governo acabou." Depois, conhecedor dos detalhes, se desdisse. Chamei uma reunião de líderes para explicar tintim por tintim o que ocorrera. Isso após ouvir do senador Jader Barbalho, líder do PMDB, que o governo (quer dizer, o Presidente) fora desautorizado — "o pior que poderia acontecer a um governo", disse. Após minhas explicações, porém, o mesmo Jader, seguido pelo líder do governo, Élcio Álvares, fez a melhor defesa de nossa postura no Senado. Em seu discurso, aproveitou para criticar duramente ACM, antecipando o choque que eclodiria entre os dois, anos mais tarde.

Também na Câmara os deputados governistas foram à forra: exigiram que Antonio Carlos apresentasse formalmente, e embasadas em dados, as denúncias com que ameaçava o BC, reafirmaram que o governo não forneceria dinheiro público para salvar o Econômico, e assim por diante. Recuperamos o fôlego, não sem perda de tempo. Concedi entrevistas aos jornais, às revistas e às emissoras de TV e rádio para desfazer uma jogada de *marketing* que talvez não tivesse sido premeditada pelo próprio Antonio Carlos. As circunstâncias favoreceram as interpretações pelas quais um

Presidente é "jogado às cordas" pelo ímpeto de um líder audacioso. O próprio senador provavelmente agiu de boa-fé quando se aferrou à primeira conversa telefônica que tivéramos, na qual me equivoquei sobre as condições da ação do governo no Econômico, e talvez não tenha entendido todas as dificuldades legais para levar adiante a solução que preconizava, até porque isso de *the due legal process* não é muito afim com as chefias tradicionais. Mas, quando começou, um tanto gabola, a dar entrevistas, mandei entregar a Luís Eduardo a gravação de nossa conversa com a bancada baiana, sugerindo que era melhor ACM ter mais cuidado com o que andava dizendo. Dali em diante, ele foi cuidadoso.

O que ocorreu com o Econômico depois é história sabida. Tentativa malsucedida de compra por um concorrente (além do Bamerindus, sondamos o Bradesco, que não se interessou) e, finalmente, após ser adquirido por um banco menor, o Excel, liquidação para ressarcir os prejuízos aos depositantes e ao BC. O processo se espichou pelo ano de 1995 adentro, consumindo nossa energia. A liquidação viria em 1996. No meiotempo, conversas infindáveis com a área econômica e com dirigentes do PFL preocupados com as conseqüências políticas dos acontecimentos bancários. No rastro da intervenção no Econômico, outros bancos começaram a balançar. Não se requeria muita argúcia para adivinhar o que sucederia dali em diante.

No retrato que tracei, vê-se não somente o dia-a-dia de um Presidente e seus principais auxiliares nos momentos de crise, mas, sobretudo, como a pressão política interfere nas decisões e de que modo tudo isso se imbrica na mídia e na luta do Presidente pela legitimação por meio do convencimento, seja racional, seja emocional. Em tais condições, promover o saneamento das finanças deixa de ser uma questão técnica para ser eminentemente política. Da grande política: as conseqüências das decisões podem afetar o equilíbrio entre os partidos no Congresso. De política interna do governo: é preciso convencer os próprios auxiliares no curso da ação para não perdê-los e não jogar lenha na fogueira dos que são contrários à ação do Presidente. E do posicionamento geral da Presidência em meio ao novelo de avaliações.

Volta-se por aí à tecla antiga: a versão é o fato. Uma imagem bem jogada na TV, como a "marcha sobre o Planalto" da bancada baiana, põe em xeque uma política de convicções e responsabilidade. Refazer a tessitura da razão custa um trabalho tão penoso quanto essencial. Tanto mais que se tratava, de certa maneira, de um embate entre dois mundos: um, do mandonismo local e da fidelidade à região, e outro, baseado em uma concepção racional-legal, tendo em vista os interesses gerais do país. Em certos momentos os lances podem assumir uma conotação dramática. Quando, por exemplo, Luís Eduardo, convencido da necessidade da ação saneadora, teve de ceder aos imperativos das circunstâncias político-emocionais. Situação em que o vi tantas vezes envolvido, sempre procurando, ao servir à terra natal, não desservir ao país, tais eram suas virtudes pessoais.

Nessas horas difíceis, o Presidente precisa ter o descortino para visualizar não só o que fazer, mas quando fazer. Ser capaz de avançar e de retroceder. Ter, enfim, a capacidade de ajuizar. Não existe regra que prescreva o certo e o errado. Há apostas que podem falhar e devem ser refeitas. O que não se deve é perder a visão de conjunto e o sentido de oportunidade. No meio do bombardeio contra mim, aproveitei um encontro no Palácio do Planalto naquela mesma semana para, ao apresentar um programa de saneamento básico conduzido pelo ministro José Serra, discorrer sobre o que significava ser homem de Estado e o que é um político tradicional. Estavam presentes alguns governadores, entre eles os da Bahia, Paulo Souto, e de Pernambuco, Miguel Arraes. Este, antigo amigo dos tempos de exílio e que sempre teve sentido da política maior, saudou-me em nome dos colegas e mostrou o quanto vínhamos atuando nas áreas sociais. Aproveitei a deixa para, sem citar Antonio Carlos, estabelecer o contraste.

No dia seguinte, a mídia e o Congresso registraram o contraponto. Sem que isso, naturalmente, abalasse a força e o prestígio devidos, na ótica tradicional, ao combativo e ardiloso senador baiano. Quantas vezes, ao longo de meus dois mandatos, em circunstâncias variadas, se deu essa mesma polarização. Quanto tempo e esforço perdemos com ela. Foi possível, todavia, com paciência e tolerância, manter os apoios necessários para as transformações a que me propus. Até que as tensões políticas tornaram impossível a "ternura" (que tinha sido recíproca) e eu, para dar um basta às bazófias, tive que romper com o senador, demitindo e perdendo colaboradores competentes próximos a ele.

O Proer, o Nacional e o que não fizemos direito: explicar

Se o caso Econômico significou grande gasto de energia e preocupação, susto maior com o sistema bancário aconteceu quando se tornou claro que o Nacional abrigava um "furo" próximo a 4 bilhões de reais. Fomos nos apercebendo da situação aos poucos. Ainda no quadro da discussão sobre alternativas para resolver a crise do Econômico, viu-se a gravidade que significava o país não dispor de um sistema de seguros para os depositantes.

Não existiam compradores nacionais para todos os bancos periclitantes. Para evitar a liquidação e as perdas decorrentes, Pedro Malan sugeriu que eu delegasse ao Conselho Monetário Nacional a faculdade que a Constituição me atribuía de autorizar a entrada de bancos estrangeiros no mercado brasileiro. Legalmente, porém, a delegação não era possível. Posteriormente eu mesmo autorizei, amparado em dispositivo da Constituição, o banco britânico HSBC a ter uma participação pequena no Bamerindus para tentar evitar, o que afinal se revelou inviável, que o banco tivesse dificuldades maiores. Nossas digressões continuaram. Até que, após uma reunião com os dirigentes da área econômica para discutir uma proposta do governador Covas de trocar dívida por patrimônio e assim suspender a intervenção no Banespa, Loyola e Cláudio Mauch, junto com Malan, me pediram uma reunião reservada.

Quando ministros pedem reunião reservada, sobretudo o ministro da Fazenda acompanhado por diretores do BC, já se sabe que alguma bomba está por estourar. Esse tipo de reunião ou se realizava na biblioteca do Palácio da Alvorada, em geral à noite, para despistar a imprensa, ou na sala contígua ao gabinete presidencial, no Planalto. Uma pequena sala dotada de banheiro que durante algum tempo, no passado, contivera uma cama (resquício dos hábitos militares de estar o comandante sempre preparado para eventualidades que o levem a dormir no quartel), substituída por um sofá, uma pequena geladeira, TV e duas cadeiras. A salinha era o local preferido pelo Presidente Itamar para conversar com seus interlocutores mais íntimos. Eu raramente a usava.

Dessa feita, diante do ar misterioso dos que me pediram a reunião, deixamos o gabinete presidencial, no qual estávamos sozinhos, e fomos para a sala reservada. A informação não chegou a me surpreender: tratava-se do "furo" no caixa do Nacional. Que algo estranho havia, já imaginávamos. Que o "furo" fosse tão grande, acho que nem os proprietários, a família Magalhães Pinto, sabiam. O susto foi enorme e a antecipação de crise maior ainda, pois, dadas minhas relações familiares, era fatal a exploração política, por mais que fôssemos rigorosos e corretos. Os participantes da reunião são testemunhas das determinações que transmiti: impessoalidade e preservação do interesse público acima de qualquer outra consideração. É de justiça dizer que não aconteceu qualquer pressão familiar para que agíssemos de modo diferente. Houve, naturalmente, as apreensões de quem percebia que as coisas evoluíam mal e que eventualmente tudo poderia explodir.

Houve tentativas de compra do Nacional pelo Banco de Boston. No entanto, as negociações não prosseguiram satisfatoriamente porque esbarraram em exigências da legislação bancária americana para autorizar a operação. O governo logo recebeu sinais de que o Unibanco também se interessava pelo Nacional. No fim de outubro chegou-me uma informação direta de que isso era certo. Minha posição foi clara: "Até prefiro que o comprador seja um banco nacional, mas, no caso, deve prevalecer a melhor proposta para os vendedores e para o Tesouro."

Por que o Tesouro? Porque àquela altura o BC começava a delinear com o Ministério da Fazenda o que veio a ser depois o Programa de Estímulo à Reestruturação e ao Fortalecimento do Sistema Financeiro Nacional (Proer),[4] ou seja, um instrumento para amparar juridicamente intervenções bancárias que não constituíssem meras "operações de salvamento" de bancos privados à custa do dinheiro do Erário e que visava, também, garantir o equilíbrio e a solidez do sistema financeiro. Finalmente, e não menos importante, instituía a até então inexistente garantia, dentro de certos limites, do dinheiro dos depositantes. Não se aceitaria a permanência dos antigos proprietários no controle dos bancos objeto de intervenção e muito menos a pura e simples transferência de recursos do BC para viabilizar as compras por particulares, como procederam alguns governos anteriores, principalmente durante o regime militar.

---

[4] O programa foi instituído pela MP nº 1.179, de 3/11/1995, que passou por várias reedições. Três anos depois, convertida pelo Congresso, tornou-se a Lei nº 9.710, de 19/11/1998.

Tal discussão se estendeu até o começo de novembro. A essa altura, as revistas semanais farejavam confusão, arrastando o Nacional e, em seguida, o Bamerindus. Sob pressão de uma crise que poderia ser catastrófica, a Fazenda me apresentou o projeto do Proer, que deu origem à MP nº 1.179 e à Resolução do BC nº 2.208, ambas de 3 de novembro de 1995. A MP permitia a separação dos bancos em crise em duas partes, o "banco bom", que seria vendido no mercado, e o "banco mau", cujas contas (débitos) ficariam penduradas no BC, com as garantias que os acionistas pudessem oferecer, e desde logo as pessoais. Quer dizer, os bens dos acionistas, inclusive seus depósitos bancários particulares, com a única exceção da casa própria (que a Constituição veda penhorar), se tornariam indisponíveis para garantir o ressarcimento das dívidas com o BC.

Mais ainda: como havia a questão familiar e para que dúvidas não houvesse sobre a lisura dos procedimentos, o BC baixou circular especificando que o dispositivo se aplicava não só aos administradores dos bancos em dificuldade, mas *a todos os acionistas que formassem parte do bloco de controle*. Desse modo, no dia em que o BC decretou a intervenção no Nacional, a pedido, aliás, do próprio Marcos Magalhães Pinto, seu presidente, ficaram bloqueadas as contas e os bens de toda a família proprietária, que, naturalmente, não foi avisada de que as coisas se passariam dessa maneira. E o BC repetiria idêntico procedimento em 1997 para o caso do Bamerindus, cujo principal controlador, José Eduardo Andrade Vieira, tinha sido não só meu ministro da Agricultura como um entusiasta apoiador de minha campanha em 1994, como se viu no Capítulo 3.

Tomaram-se todos os cuidados com o interesse público, sem levar em conta o impacto que as medidas necessárias pudessem ter nos sentimentos das pessoas, inclusive nos meus. A despeito disso, o Proer foi criticado no Congresso e na mídia como uma "maracutaia" para salvar com dinheiro público banqueiros falidos, deixando-se de levar em conta que os Magalhães Pinto e Andrade Vieira, só para mencionar os dois casos mais graves ocorridos em meu governo, tiveram os bancos que controlavam liquidados extrajudicialmente — ou seja, ficaram sem os bancos.

Na verdade, as avaliações internacionais de entidades respeitáveis são unânimes em reconhecer que o Proer se constituiu em uma operação extremamente bem-sucedida e relativamente pouco custosa. Em países como Argentina, Chile e México, além da Venezuela que mencionei há pouco, o custo do saneamento bancário superou 10% do PIB! Em nosso país, as estimativas mais recentes até o momento em que escrevi este livro apontavam para um custo inferior a 3%. É claro que não se trata de valor desprezível, pelo contrário. Quando, porém, se cotejam essas estimativas com os gigantescos prejuízos em matéria de renda e emprego e mesmo a tragédia social decorrentes de uma quebradeira de bancos, fica ainda mais claro que não havia alternativa. Além disso, com a experiência do que aconteceu com o Econômico, o governo criou, *com recursos dos próprios bancos*, um sistema de seguros para os depósitos, protegendo assim a maioria dos correntistas que, sem o saber, podem ser vítimas de uma crise financeira ou da má gestão de determinadas instituições. Mais importante, o BC reforçou a supervisão sobre os bancos, aplicando legislação voltada a prevenir a ocorrência de novas crises no sistema financeiro, à luz do Acordo de Basiléia, de 1988, que o Brasil, entre outros países, recém-assinara.

As críticas das oposições e o jogo de cena no Congresso, contudo, se arrastaram por longo tempo. Até projeto proibindo socorro aos bancos chegou a ser apresentado, como se, sem um mecanismo como o Proer, não coubesse aos próprios depositantes e, por conseqüência, ao sistema econômico como um todo, pagar o preço da crise. Durante cada campanha eleitoral desde então as críticas voltam a aparecer, sempre para dar a impressão de que o governo estava servindo aos banqueiros amigos e não à economia do país... Faltou a meu governo e a mim, no caso, a capacidade de exercitar a pedagogia democrática, explicando e tornando a explicar à opinião pública do que se tratava. *Mea culpa.*

Consolam-me as conclusões favoráveis ao Proer por uma CPI instaurada pela Câmara dos Deputados especificamente para investigar o programa, tendo como relator o deputado Alberto Goldman (PSDB-SP). A despeito de ter criticado o BC por não haver detectado fraudes praticadas por administradores do Nacional, o relatório final, aprovado em 17 de abril de 2002 pelos integrantes da comissão, pertencentes a diferentes partidos, considerou o Proer como sendo "uma necessária intervenção do poder público para evitar um mal maior" quando existe possibilidade de risco a todo o sistema financeiro provocado pela situação de uma instituição. O item 8 das conclusões do trabalho é taxativo: "Não há banqueiros beneficiados. Pelo contrário, [os banqueiros das instituições ali mencionadas] passaram a ser responsáveis solidários com os administradores das instituições. Deixaram de ser banqueiros e respondem, civil e criminalmente, pelos danos provocados, tendo seus bens tornados indisponíveis."

O que fazer com o dinheiro das privatizações?

Fossem somente essas as pedras em que tropeçamos em 1995-1996 e já daria para entender que efetuar mudanças cambiais, nas circunstâncias, era arriscado. Houve, entretanto, outros problemas políticos e financeiros de trato igualmente difícil. Ainda no caso dos bancos, o governador do Rio, Marcelo Alencar (PSDB), compreendeu logo a importância da privatização do Banerj. O processo transcorreu calmamente, nos marcos do Programa de Incentivo à Redução do Setor Público Estadual na Atividade Bancária (Proes), criado pela MP nº 1.514, de agosto de 1996,[5] o equivalente do Proer aplicável aos bancos estaduais (com custo muito maior para o Tesouro, diga-se, do que o Proer). As tratativas com São Paulo, ao contrário, foram longas e difíceis. As dívidas do Banespa eram vultosas, provocadas pela administração desastrada dos dois antecessores de Covas, Orestes Quércia (1987-1991) e Luiz Antonio Fleury Filho (1991-1995), ambos do PMDB, que, sem a menor cerimônia, ligaram o banco ao Tesouro estadual.

As tentativas de trocar dívidas por patrimônio esbarravam num obstáculo intransponível: não havia imóveis que nem de longe as compensassem, mesmo nas avaliações mais favoráveis. Por outro lado, o BC obstinava-se em efetuar a privatização. Resultado: terminamos por federalizar o Banespa como primeira etapa, realizar um acerto de contas com São Paulo (a essa altura Covas já se convencera da real situação e dispunha-se a sanear o estado, como saneou), e só muito mais tarde, em novembro de 2000 — seis anos depois da intervenção —, e enfrentando toda sorte de objeções políticas, corporativas e de chicana judiciária, conseguimos

[5] Esta MP passou por várias reedições até a MP nº 2.192-70, de 24/8/2001, ainda em vigor quando da edição deste livro por efeito da Emenda Constitucional nº 32, de 12/9/2001, que alterou as regras sobre edição de MPs, mantendo por prazo indeterminado a validade das que tramitavam nessa data no Congresso, até sua apreciação final por Câmara e Senado.

privatizá-lo, aliás, por excelente preço. O grupo espanhol Santander pagou nada menos que 281% de ágio em relação ao valor mínimo estabelecido (que era de 1,8 bilhão de reais) para comprar 60% do capital votante do banco. Não sem que o governo federal absorvesse, como disse, grande parte da dívida mobiliária de São Paulo (cerca de 50 bilhões de reais em valores correntes de 1997, equivalentes a cerca da metade do total da dívida dos estados renegociada com a União, que passaram a ser pagos em parcelas mensais).

Esse processo integrou o portentoso esforço fiscal descrito no capítulo sobre o Plano Real. A mobilização de energias e de trabalho incluiu o Proes e se desdobrou com uma MP que decretei em dezembro de 1996 regulando a renegociação das dívidas dos estados,[6] desta feita sob condução de Pedro Parente. Era política, financeira e juridicamente intricado o processo de saneamento das finanças estaduais. Não menos complexa era a tramitação das reformas da Previdência e da administração pública no Congresso. O ritmo lento desses processos e as incertezas quanto aos resultados finais colocavam pressão sobre as taxas de juros, dificultando sua queda mais rápida e aumentando, portanto, o endividamento do governo federal.

Nesse contexto, aflorou dentro do governo e na opinião pública a discussão sobre o destino a ser dado às receitas do programa de privatização de empresas e concessões de serviços públicos, que deslanchava depois da aprovação das emendas constitucionais alterando dispositivos sobre a ordem econômica, em 1995, e da Lei de Concessões, em 1997. Usar as receitas para abater dívidas públicas ou para realizar investimentos em infraestrutura e na área social? Com exceção de um aporte de 500 milhões de dólares que destinei ao programa Toda Criança na Escola, em 1998, todos os recursos serviram para a amortização da dívida pública. Insensibilidade? Não, convicção de que se tratava da melhor alternativa para o desenvolvimento. A utilização de receitas de privatização para abater dívidas é, salvo situações excepcionais, a opção recomendável para qualquer governo fiscalmente responsável. Além de tudo, naquelas circunstâncias, representava uma das condições para que pudéssemos ter sucesso na estratégia de ir gradualmente ajustando as contas públicas.

---

[6] Aprovada pelo Congresso, a MP converteu-se na Lei nº 9.496, de 11/9/1997.

Levianamente houve quem acusasse o governo de ter "sumido" com o dinheiro da privatização. A acusação infundada tomava o aumento da dívida pública no período como prova de que as receitas do programa não haviam sido utilizadas para o fim anunciado. A verdade é que, não fosse termos lançado mão delas para esse fim, a dívida pública teria aumentado ainda mais e provavelmente fugido ao controle do governo, levando o país à moratória da dívida interna. Seria o colapso financeiro, a recessão e a retomada da inflação. Infelizmente, a destinação das receitas para o abatimento da dívida pública se deu num período em que, pela suprema conveniência de manter a inflação sob controle, não tínhamos alternativa senão manter em patamares altos as taxas de juros pagas pelo governo aos compradores de seus papéis. O efeito sobre o total da dívida, portanto, terminou sendo muito inferior ao que poderia ter sido em outras circunstâncias — daí, provavelmente, parte das críticas desinformadas ou mal-intencionadas.

Retomando a iniciativa

Durante os anos do primeiro mandato, não houve "contenção orçamentária", o que não significa, como vimos, que não tenhamos realizado intenso trabalho de criação de condições para a mudança do regime fiscal. Não podíamos ignorar a ânsia do país, absolutamente compreensível, por programas sociais, embora só no segundo mandato tenhamos definido uma política mais focalizada na pobreza. Os governos estaduais igualmente careciam de espaço para fazer frente às demandas locais. Tal quadro levava o Ministério do Planejamento (durante a gestão Serra, mas também quando Antonio Kandir o substituiu), as áreas sociais do governo e o próprio Presidente a não apoiarem uma política orçamentária mais restritiva. Ao contrário, lançamos o programa Brasil em Ação, baseado em meu plano de governo como candidato à Presidência, e desencadeamos investimentos de vulto.

Com a inflação em queda e o gasto em expansão, o resultado primário do governo federal — ou seja, o total de receitas menos o total de despesas, excetuadas as destinadas aos pagamentos da dívida pública — passou de um superávit de 4% do PIB em 1994 para zero em 1995, mantendo-se nesse patamar até 1997. Perdemos com isso? Ou o gasto foi necessário para atender às expectativas do país com a mudança da inflação galopante para a estabilidade? O fato é que não havia, salvo na área econômica do governo, a consciência aguda da necessidade de aperto orçamentário, envolvidos que estávamos nas questões apontadas acima — o saneamento do sistema financeiro, o equacionamento das dívidas dos estados, as reformas constitucionais —, que significaram também o assentamento das bases para a reconstrução de longo prazo das finanças públicas. Depois de passados os anos, muitos dos que naqueles tempos cobravam investimentos passaram a me acusar de "irresponsabilidade fiscal" no primeiro mandato.

Enquanto isso, o BC, preocupado com os resultados fiscais de curto prazo, continuava com sua política de desvalorização lenta do real. Diga-se de passagem, política que, dada a calmaria externa e o afluxo de dólares, contava com apoio da maioria dos economistas (com as exceções conhecidas) e da população em geral. Também foram, ao contrário do que hoje dizem os que tanto criticam esse período da política econômica, os anos de ouro do consumo interno. O real era o vetor da incorporação das massas populares ao mercado, da melhoria das condições alimentares do povo, da redução drástica do número e da proporção de pobres na população e, graças à queda contínua das taxas de juros depois da crise do México, da ampliação do acesso aos bens de consumo duráveis. Além disso, o real apreciado frente ao dólar permitiu o reequipamento industrial em condições mais favoráveis: importar equipamentos ficou mais barato para as empresas brasileiras.

Somada à já comentada campanha de difamação do Proer, a oposição teve relativo êxito em instrumentalizar politicamente episódios lamentáveis como os que descrevi, sem mencionar o grotesco caso da chamada "pasta rosa" encontrada no Banco Econômico.[7] O prestígio do Plano Real,

---

[7] Em dezembro de 1995 a imprensa divulgou uma lista encontrada quatro meses antes, na sede do Banco Econômico, dentro de uma pasta referente a contribuições a candidatos nas eleições de 1990. O já mencionado "livro branco" preparado por Eduardo Graeff e divulgado em outubro de 2002, *Combate à corrupção e denuncismo na era FHC*, assim trata do assunto: "Tentou-se estabelecer um nexo obscuro, seja entre os financiamentos e a alegada demora da intervenção do governo no banco, seja entre a divulgação da lista e a ação do Proer no saneamento do Econômico. Em janeiro de

do governo e do Presidente, a despeito de tudo, mantinha-se em patamares elevados.[8] E dava-nos fôlego político para progredir no caminho das reformas administrativa e da Previdência, vencendo a resistência do velho Brasil a tudo que significasse quebra do paternalismo estatal.

Para alavancar as exportações, apesar da taxa de câmbio desfavorável, que encarecia nossos produtos no mercado externo, o governo precisava atuar com vigor. Deveríamos, porém, fazê-lo de forma menos atabalhoada do que em 1995 para conter as importações de automóveis e eletroeletrônicos, quando o aumento de tarifas ocorrido afinal se mostrou maior do que o necessário para proteger a indústria nacional. O principal instrumento de coordenação das ações governamentais nessa área viria a ser a Camex, criada em 1995. Dentro dela, podíamos tomar medidas eficazes para incentivar a "inserção competitiva" do Brasil na economia internacional, sempre com apoio do BNDES. O próprio BNDES, com sua capacidade de financiamento ampliada em mais de três vezes nesse período, firmou-se como o principal instrumento para ir desenhando o que não se chamava assim, mas era, um conjunto de políticas industriais, incluindo a rearticulação, entre outros, dos setores de papel e celulose, siderúrgico, têxtil, de móveis, calçados e, mais lentamente, petroquímico. Por tais razões, sempre encarei como uma idéia fora do lugar qualificar de "neoliberal" meu governo. Na verdade, em vez de "abrir" a economia, acabei em bom grau por "fechá-la" com aumento de tarifas e dei sustentação à modernização da indústria nacional, não porque quisesse evitar a abertura necessária, mas para que o real depreciado não levasse ao desmantelamento de alguns setores industriais, como se chegou a temer.

1996, o procurador-geral da República, Geraldo Brindeiro, determinou à Polícia Federal a abertura de inquérito para apurar os fatos. Com base no relatório recebido um mês depois, ele concluiu que não havia 'elementos de convicção de práticas delituosas' (crime eleitoral) e emitiu parecer pelo arquivamento do inquérito. O parecer foi acatado pelo presidente do STF, ministro Octavio Galotti."

[8] Relatório de pesquisa telefônica da Marketing e Comunicação Institucional Ltda (MCI) de 19/12/1995 indicava que, embora os episódios recentes tivessem contribuído para 37% dos entrevistados diminuírem sua confiança no governo, para 71% deles o primeiro ano do governo havia sido "melhor" do que esperavam ou "igual" ao que esperavam, 71% consideravam o Plano Real o fato mais positivo da administração e 42% avaliavam o governo como "ótimo" ou "bom".

As pressões contra Gustavo Franco

Como sempre, é mais fácil dizer o que poderia ter sido feito mas não foi depois de transcorrida a História. Reconstituindo-se com minúcias o clima político e as perspectivas econômicas, entende-se melhor em que circunstâncias tomaram-se ou não as decisões.

Passado o impulso inicial das reformas econômicas no ano anterior, 1996 seria um período relativamente calmo. A abundância dos dólares que começaram a ingressar por causa das privatizações e da retomada do crescimento, bem como o ainda elevado diferencial entre as taxas de juros domésticas e as internacionais, que atraía capital estrangeiro, dava credibilidade ao ponto de vista dominante no BC. Ou seja, não havia por que acelerar a correção da taxa de câmbio e, sem maior aperto fiscal, a baixa da taxa de juros deveria ser lenta e progressiva, para evitar o risco de recaída inflacionária, em uma economia com a memória fresca da inflação.

Mantinham-se contra esse ponto de vista algumas associações industriais, sobretudo a Fiesp e o Iedi, e as oposições. Estas criticavam a partir do "*Delenda* FHC": se as medidas vêm do governo, são por definição e por princípio más e servem a interesses inconfessáveis. Denunciavam desde o desemprego até a miséria crescente, tudo sempre se debitando na conta do governo "neoliberal". E "desvendavam" o sentido oculto das ações governamentais: servir, sempre e invariavelmente, aos interesses internacionais... A verdade é que, àquela altura, listava-se o Brasil entre os países de menor desemprego no mundo. A taxa era pouco superior a 5% da população ativa. Mesmo assim, preocupava-me o índice de 7% medido pelo Instituto Brasileiro de Geografia e Estatística (IBGE) na Grande São Paulo, que mais tarde, comparativamente, não pareceria tão alto, pois no primeiro ano do governo Lula se aproximaria de 9% pelo mesmo critério. Quanto à miséria, entre 1995 e 2002, a renda média com a principal fonte de trabalho passou de 416 para 611 reais — um aumento nada negligenciável de 46%, descontada a inflação do período. Esse aumento se verificou fundamentalmente fora das regiões metropolitanas, nas quais a renda permaneceu praticamente estável, sem crescimento, quando se comparam os dois anos extremos do período. Já o percentual de pobres na população diminuiu de 42%, na média do período de 1992-1994, para 33%, na média dos oito anos de meu governo. O percentual de indigentes caiu de 20%, no mesmo período, para 14%.[9]

Eu recebia com uma ponta de dúvida as críticas dos órgãos de classe dos empresários industriais: não estariam saudosos de um modelo "nacional-estatista", mais do que desenvolvimentista, que supunha dirigismo econômico, e, quem sabe, favorecimentos indevidos a setores, quando não a empresas, graças ao protecionismo e a empréstimos subvencionados do BNDES?

Naturalmente havia quem, de dentro do governo, persistisse questionando tanto o câmbio como as taxas de juros. O ministro do Planejamento, José Serra, manteve suas críticas, embora outros, como Chico Lopes, tenham moderado suas opiniões. Chico Lopes, em um exercício econométrico apresentado no dia 15 de fevereiro de 1996, indicara que alterações razoáveis nas taxas de câmbio e de juros teriam efeito praticamente neutro para acelerar o crescimento da economia. Prevalecia a opinião de que seria mais seguro um crescimento moderado (como estava ocorrendo) sem riscos inflacionários. Havia sido um êxito controlar a inflação e começar a mudar o regime fiscal sem recessão, tão temida por todos e tão apregoada pela oposição.

No fim de março de 1996, em discussão na Câmara de Política Econômica, Serra insistiu que os juros elevados para garantir o fluxo de dólares sem alterações maiores nas taxas de câmbio pesavam mais sobre as contas públicas do que a falta de maior aperto fiscal. O documento apresentado na mesma ocasião por José Roberto Mendonça de Barros fincava pé, com anuência geral, em dois aspectos diferentes: a crise bancária e o comportamento fiscal. Este causava preocupação por causa de um acúmulo de novas despesas: os aumentos salariais do funcionalismo federal no fim do governo Itamar Franco; as novas despesas da Previdência, embora moderadas, que o ministro Reinhold Stephanes propunha, com um aumento de 18% para os aposentados e pensionistas; a ajuda a idosos carentes que passaria a ser paga com a entrada em vigor da Lei Orgânica da Assistência Social (Loas).

---

[9] O Ipea considera pobres as famílias cuja renda é inferior a meio salário mínimo *per capita*, e indigentes as famílias de renda inferior a um quarto do salário mínimo por componente.

Àquela altura as exportações cresciam, diminuindo a pressão por correções cambiais, e os juros caíam. Ainda assim, Serra e Sérgio Motta, ambos ministros e amigos próximos, continuavam criticando Gustavo Franco. No dia 17 de maio de 1996, disse-lhes que se eu acolhesse a sugestão de substituí-lo, rolaria também a cabeça de Malan, dada a relação de afinidade e de lealdade no trabalho que ligava os dois.

— Tirar Gustavo é tirar Malan — disse-lhes.

Procurei conversar com um *tertius*, no caso, Edmar Bacha, em cujas opiniões sempre confiei e que, exercendo atividades na iniciativa privada, não queria nada para si no governo, para me ajudar a ver as coisas com maior clareza. Tivemos um encontro no dia 21 de maio de 1996, em meu apartamento em São Paulo, que reforçou meu sentimento. Demos voltas à imaginação para ver quem eventualmente poderia substituir Malan. Apesar de existirem bons candidatos, como José Roberto Mendonça de Barros, nenhum nos parecia superar, na média, a soma de contatos e experiência internacionais, respeitabilidade pública, correção, dedicação e capacidade de trabalho de Malan.

Em maio, Serra, instado por Mário Covas e também descontente com a política econômica, começou a cogitar de candidatar-se a prefeito de São Paulo nas eleições daquele ano. O novo ministro do Planejamento, Antonio Kandir, que assumiu em junho, empenharia seus esforços mais na elaboração do programa Brasil em Ação e na reforma das práticas orçamentárias do que na crítica da política do BC. Porém, os fatores objetivos que deram margem às críticas do ministro anterior permaneciam. Sem contar que o ajuste fiscal dos estados era recebido com apreensão, até por governadores aliados e competentes. Não apenas Covas protestou de início. Também os governadores de Minas, Eduardo Azeredo, e do Rio Grande do Sul, Antônio Britto (este temeroso das conseqüências políticas da privatização do Banco Meridional), para não falar de governadores filiados a partidos oposicionistas, como José Orcírio da Silva, o Zeca do PT, de Mato Grosso do Sul, ou a partidos de relação instável com o governo, como o do Piauí, Francisco de Assis de Moraes Souza, o "Mão Santa", do PMDB. Seria, porém, injusto restringir só a esses as reticências ao ajuste, pois quase todos penavam com a falta de recursos para cumprir as respectivas obrigações. Na verdade, todos pagamos alto preço eleitoral em outubro de 1996.

A crise bancária continuou pelo ano afora. O BB parecia ter um "furo" assustador de duas dezenas de bilhões de reais, que depois se revelou próximo a 8 bilhões. Ainda assim, um rombo colossal, que exigia a capitalização do banco pelo Tesouro. Indaguei como fora possível chegar a tal descalabro. A resposta: sem o *floating* inflacionário, veio à tona a cara medonha dos desatinos de administrações anteriores. A situação do BB reforçou em mim a convicção de que era necessário privatizar os bancos estaduais e gerir o grande banco estatal com critérios de empresa e de mercado, para evitar que o povo pagasse pelos atos de administradores perdulários do dinheiro público, como tão freqüentemente acontecera no passado.

Quando estávamos a braços com problemas desse tipo, alguns senadores propuseram uma CPI do Sistema Financeiro. Só que, tal como aprovada em comissão do Senado, a CPI seria para verificar os problemas financeiros ocorridos a partir de 1995 — ou seja, de meu governo, única e exclusivamente, como já disse antes. A má-fé política era evidente: queriam levantar suspeitas sobre o Banco Nacional e os demais, como se se tratasse de responsabilidade minha ou de meu governo, quando essas instituições vinham capengando há anos. Por trás dessa atitude, um episódio menor: uma reportagem crítica de *Veja* sobre aposentadorias de políticos, mexendo com o presidente do Senado, José Sarney, e familiares, provocara retaliação, a partir da suposição infundada de que fora inspirada "pelo Planalto". O episódio Econômico permanecia gotejando o tempo todo. Buscavam-se "culpados", no caso Gustavo Loyola e sua equipe, o que os levava a pensarem continuamente em demissão, para me deixar com as mãos livres para os acordos políticos (que eu não pensava em fazer).

Ainda o câmbio, o caso Lamarca e a polêmica entrevista de Sérgio Motta

No início de agosto daquele 1996, Gustavo Franco voltou à carga contra a política fiscal. O balanço das transações correntes, quer dizer, a diferença entre os recursos em dólar que o país envia para o exterior e tudo o que recebe de lá, era razoável (déficit de 3 bilhões de dólares); não fazia sentido olhar apenas o déficit da balança comercial, que era crescente. Precisávamos cortar gastos orçamentários. Mas como? Só se fosse no físico, anotei eu: dispensa de pessoal, coisa que a Constituição vedava — excetuados os ocupantes de cargos de livre provimento, de significação mínima em meu governo, e pessoal necessário ao andamento da máquina do Estado —, cortar serviços públicos etc., em circunstâncias nas quais o déficit maior provinha dos estados e municípios. Uma verdadeira camisa-de-força. André Lara Resende, na ocasião integrando o Banco Matrix, com quem conversei no dia 20 de agosto de 1996, três dias depois da apresentação de Gustavo, expôs duras críticas ao governo. Repliquei que a perda de tempo inicial nas reformas da Previdência e administrativa se deveu à falta de propostas de mais simples entendimento. André se sensibilizou e se dispôs a colaborar na reforma da Previdência.

Nesse meio-tempo, vários complicadores, entre eles, a discussão sobre a reeleição, como vimos no capítulo anterior. Também problemas provocados pela delicada questão dos mortos e desaparecidos durante o regime militar. O general Osvaldo Gomes, representante do Exército na comissão especial que criei no Ministério da Justiça sobre o assunto — que julgava os pedidos de reparação às vítimas da ditadura —, ameaçava renunciar se se concedesse indenização à família do ex-guerrilheiro Carlos Lamarca. Alegava que o ex-capitão morrera de armas na mão, e não em prisões sob responsabilidade do Estado. Além do que, argumentava, a família de Lamarca já recebia pensão mensal do Exército.

O general era um homem digno. Eu o conhecera anos antes, quando exercia a função de assessor parlamentar do Exército na Constituinte. Ele me procurou no Alvorada, seguido pela imprensa. Lembrou que vinha trabalhando com correção e lealdade na comissão. Contou-me inclusive que, estando na reserva, não somente votara em mim nas eleições de 1994 como criara um comitê de apoio a minha candidatura em sua cidade, Juiz de Fora. Acreditava, pois, em meu governo. Mas queixou-se:

— Presidente, todas as minhas propostas são derrotadas na comissão. Não há uma que passe, não há hipótese. Minha situação está ficando difícil, e agora vem esse caso Lamarca.

Disse ao general que respeitava seus argumentos, que eles mereciam ser discutidos, porém que eu não poderia de forma alguma deixar de seguir uma recomendação da comissão oficial. E acrescentei:

— O senhor naturalmente tem o direito de se demitir, mas vai me criar um grande embaraço.

Ao sair do Alvorada, o general Gomes informou à imprensa que não deixaria a comissão.

Vaivéns constantes, com algum progresso, nas reformas e na aprovação do FEF e da CPMF. Na área política, com a proximidade do fim do ano os partidos começaram a se mover para controlar as Mesas da Câmara e do Senado, cujas eleições se realizam no começo do ano seguinte. Malan me propôs, no dia 14 de setembro, substituir Loyola, sempre demissionário da presidência do BC, por Gustavo Franco. Anteriormente, Bacha me apresentara a mesma sugestão, argumentando que o mercado temia Gustavo Franco — que jogava duro nas apostas e tinha uma atitude de combate franco diante de tentativas de especulação — e que esse sentimento constituía um trunfo para evitar sobressaltos. Com a preocupação de minimizar perdas e de somar em lugar de diminuir o número já tão pequeno de pessoas capazes e dispostas a se sacrificar para reconstruir o país, tratei sempre de afastar soluções potencialmente sangrentas. Não substituí Loyola. No meio de novembro, logo após o feriado do dia 15, Luiz Carlos Bresser-Pereira, outro crítico permanente da política cambial, disse compreender as dificuldades do momento, mas sugeriu que eu promovesse as modificações necessárias entre março e abril do ano seguinte, 1997. Certamente pensava que seria mais fácil depois de resolvida a questão da reeleição.

No meu registro da conversa com Bresser, digo que, de fato, estávamos hesitando em acelerar o deslizamento do câmbio e que o déficit na balança comercial não nos deixava tranqüilos. Temíamos, contudo, as perdas de reservas e o descontrole da inflação. Em balanço no dia 18 de setembro com Clóvis e os irmãos Mendonça de Barros (antes críticos do que entusiastas da política do BC), verificamos que a inflação do mês se aproximava de zero; a balança comercial não era uma maravilha, mas parecia razoável; havíamos resolvido os principais "pepinos" da agricultura — renegociação da dívida passada, redução e fixação das taxas de juros etc. — e o investimento crescera bastante em toda a economia. Neste contexto, anotei: "Não sou favorável a nenhuma movida no câmbio que possa pôr em risco as reservas. (...) Porque receio algumas oscilações no mercado internacional que nos afetem. (...) O fato de termos um colchão de divisas como reserva ajuda, o custo não é tão alto como se diz." Manifestei-me favoravelmente a uma diminuição mais rápida do valor do real, com cuidado, porém, para não provocar uma fuga de capitais. E acrescentei: "Mas a taxa de juros vai ter que cair também." O quadro geral era, portanto, de certa calma e detectavam-se sinais nítidos de fortalecimento da economia, dando margem a oscilações na apreciação sobre a trajetória futura de variáveis críticas como as taxas de juros e o câmbio. Estaria o copo meio cheio ou meio vazio?

Questões políticas dominaram o final de 1996 e o início de 1997: dificuldades com o PMDB, debate sobre a reeleição e eleição das Mesas do Congresso. Em fevereiro, de novo, um problema à vista no sistema financeiro: a situação do Bamerindus parecia agravar-se. E nova pressão de Malan: a questão é fiscal e não cambial; quer dizer, o governo continuava a gastar muito, acumulando déficits, e era isto que elevava a taxa de juros, não apenas nem principalmente a alta taxa de câmbio que mantínhamos; devemos nomear logo Gustavo Franco para o BC. Isso em um momento no qual se discutia a volta de Serra ao governo e falava-se num Ministério do Comércio Exterior. O Itamaraty e a Fazenda sempre se opuseram à criação de um Ministério para cuidar de áreas que eram "deles" — principalmente se tocasse a Serra comandar a nova pasta. A equipe econômica temia novas tensões internas. Mas a criação desse Ministério não estava, então, de modo algum em minhas cogitações. Depois da vitória na Câmara da tese da reeleição, no fim de janeiro de 1997, insisti para que o Senado votasse logo a reforma da Previdência.

Instigado por notas informais de José Roberto Mendonça de Barros, que me chegaram às mãos por intermédio de Clóvis Carvalho, não sem que antes o autor as tivesse mostrado a Malan, instruí o chefe da Casa Civil a reunir a equipe econômica para colocar em pauta a idéia de acelerar a correção da taxa de câmbio. José Roberto assinalava a conveniência de fortalecer o ajuste fiscal e flexibilizar a política cambial. Pressentia problemas no horizonte do sistema financeiro internacional e pedia que nos preparássemos antecipadamente. Clóvis, que normalmente coordenava as reuniões da Câmara de Política Econômica, convocou reuniões à parte, mais restritas, para a discussão do tema câmbio. Pelas informações que eu recebia, caminhava-se ali a duras penas na direção de um consenso em torno da adoção de uma banda mais larga de flutuação do câmbio que se abriria progressivamente segundo uma regra preestabelecida, à semelhança do que, em linhas gerais, defendera Pérsio em março de 1995. O consenso, no entanto, era fugidio. Dentro e fora do governo.

Em meados de março, promovemos uma reunião com gente de fora do governo em quem eu confiava intelectualmente, organizada pelo sociólogo Luciano Martins, meu assessor especial. Participaram Antônio Barros de Castro, economista, professor da Universidade Federal do Rio de Janeiro (UFRJ), meu amigo e ex-colega na Cepal e ex-presidente do BNDES na gestão Itamar; Gilberto Dupas, economista e ex-secretário de Agricultura do governo Montoro em São Paulo; Edward Amadeo, economista próximo ao PT, funcionário de carreira da área econômica e que acabaria se tornando mais tarde meu ministro do Trabalho; e Dionísio Dias Carneiro, da PUC do Rio de Janeiro, considerado um dos maiores economistas brasileiros. Nessa reunião, a situação da Argentina serviu para uma discussão interessante: criticaram-se os efeitos do câmbio fixo sobre a indústria do país, mas Dionísio voltou ao argumento de Gustavo Franco: a Argentina já se desindustrializara antes de ter sua moeda equiparada ao dólar. Estaria errado visualizar os problemas somente do ângulo do déficit da balança comercial.

Sem ser economista e vendo a diversidade de opiniões dos técnicos, anotei: "Enfim, há algumas nuvens no horizonte. Não digo isso de público, mas acho que há. Não sei se a equipe econômica tem condições de dar uma reviravolta sem se estilhaçar." Minha preocupação, como sempre, era administrar as tensões e conflitos dentro da equipe na expectativa de que, desse processo, resultassem as melhores soluções, evitando rompimentos que poderiam abalar a credibilidade da política econômica, além de acarretar a perda de auxiliares de inquestionável valor e capacidade técnica.

Pouco depois, no dia 25 do mesmo mês de março, voltei a ouvir opiniões de economistas de fora do governo, presentes também Malan, Loyola e José Roberto Mendonça de Barros. As mesmas questões foram colocadas, o desequilíbrio da balança comercial, sobretudo. Mesmas dúvidas, com uma sugestão concreta de um dos participantes: deixar o câmbio flutuar; provavelmente ele encontraria um ponto de equilíbrio próximo ao de então, mas terminaria a desconfiança de que ele seria forçado. Tal opinião já havia sido exposta publicamente por Ibrahim Eris, ex-presidente do BC na gestão Collor, que, tendo nascido na Turquia e falando com acento característico, emitia idéias com grande clareza, sem tropeçar em qualquer sotaque. Na prática, o governo estava em outra posição: não mexer no câmbio e conter importações.

Daquele encontro em diante as coisas se complicaram. Em abril, houve intervenção no Bamerindus e a emenda da reforma da administração pública passou raspando no Congresso em uma votação delicada que nos obrigou a ceder em relação ao teto salarial de parlamentares e membros do Judiciário. Desdobrei-me em conversas durante o mês. Jantei com o grupo do Iedi, inquieto com os juros e a taxa cambial. Encontrei-me com João Sayad, a quem sempre gostei de ouvir por sua independência de espírito e imaginação. Sayad achava que seria preciso um aperto fiscal e uma pequena recessão antes de alterar a política cambial, o que só seria possível passadas as eleições de 1998. No fim do mês Loyola voltou à carga na questão de sua demissão. Propôs André Lara Resende para substituí-lo, o que era um modo de dizer que não queria Gustavo Franco. Eu disse a Loyola que concordava com a análise de Ibrahim Eris de deixar o câmbio flutuar:

— Acho que não dá para esperar, esperar, esperar. Não estou preocupado com a opinião pública ou com a questão da eleição. Por mim, tomo a medida já.

A partir de maio de 1997 a situação política piora. Surge a denúncia da "compra de votos" para aprovar a emenda da reeleição. As reformas se arrastam lentamente no Congresso que, a despeito de tudo, aprova algo importantíssimo, que produziria uma revolução no setor: a Lei Geral de Telecomunicações.[10] Nada disso diminui a pressão no BC: as mesmas indefinições e divisões internas. Em junho Malan volta a propor a nomeação de Gustavo Franco e eu postergo, ainda preocupado em manter Chico Lopes e não perder Beto Mendonça. A partir de julho, a despeito de clarividentes notas deste último sobre as conseqüências que poderiam resultar de crises nos países do sul da Ásia (desde abril, mas sobretudo num memorando de julho, depois do colapso cambial da Tailândia e da Indonésia), não há convergência de pontos de vista na equipe, e mesmo Chico Lopes parece pouco propenso a promover alterações no câmbio.

---

[10] Lei nº 9.472, de 16/7/1997.

As condições políticas levaram-me a mudar o Ministério para incluir representantes do grupo majoritário do PMDB. Queria assim aplainar o caminho das reformas, bem como me prevenir contra a agressividade das oposições. Elas jogavam pesado com as ameaças e realidades das CPIs, inclusive a famosa sobre os precatórios, que alcançava a Prefeitura de São Paulo e alguns governos estaduais. Buscavam algum pretexto, como a alegada compra de votos, para complicar a vida do governo. Sem falar na crise em polícias estaduais, que me levou a autorizar o uso de tropa federal para manter a ordem pública. Em julho, na discussão sobre estabilidade do funcionalismo, apesar de gigantesco esforço, ganhamos apertado no Congresso a aprovação da possibilidade de demissão em casos de insuficiência de desempenho: obtivemos tão-somente os 308 votos indispensáveis.

A nomeação de Gustavo Franco era objetada por quase todos, e insistentemente defendida por Malan. Eu buscava abrandar as resistências, ao mesmo tempo em que enfrentava dificuldades com o Congresso. No fim de julho, dentro de características pessoais que comentei no capítulo anterior, Sérgio Motta concedeu uma entrevista a *Veja*[11] sobre mudanças no Ministério, opinando desabridamente sobre políticos de quem não gostava e sobre decisões que tomamos. Classificou de "incestuosas" relações que o governo precisava manter com setores do Congresso, tachou como "decepcionante" a aliança com o PMDB e o ingresso de dois ministros do partido no governo, ironizou o PFL, nosso firme aliado, considerou "uma vergonha" uma nomeação que fizéramos para uma área do Ministério dos Transportes e chegou a insinuar omissão do ministro da Fazenda, Pedro Malan, durante uma votação importante no Congresso. No horizonte, a crise da Bolsa de Hong Kong, que provocou queda passageira em nossas bolsas. Luiz Carlos Mendonça de Barros, dirigindo àquela altura o BNDES, com a experiência de mercado que tinha, me alertou:

— Eles (os especuladores) voltarão.

Finalmente decidi, nas circunstâncias e pela dedicação e competência de Gustavo Franco, nomeá-lo para a presidência do BC. Chico Lopes, que poderia aspirar à posição, teve uma reação positiva, para não falar de Beto Mendonça que, ainda quando discordando, sempre foi construtivo.

---

[11] Edição de 23/7/1997.

A crise asiática e nós, vítimas do próprio êxito

Vínhamos nessa toada quando surgiram os primeiros sinais de que uma crise financeira com epicentro na Ásia, detectados já em abril por Beto Mendonça, poderia espalhar-se pelo mundo. Entrávamos no segundo semestre de 1997. Embora dúvidas e receios nos atormentassem, particularmente a mim, até aquele momento acreditávamos que a estratégia de ajuste fiscal gradual (sem aperto drástico do Orçamento no curto prazo) e correção também gradual da valorização do câmbio (ocorrida no início do Plano) surtiria efeito. Asseguraríamos, assim, sem recessão e sem traumas, a consolidação da estabilidade e a modernização do aparelho produtivo, bases para o desenvolvimento. A mudança no cenário internacional nos obrigaria, entretanto, a mudar radicalmente de estratégia.

Já em julho houve significativa troca de documentos entre os membros da área econômica sobre a crise que parecia aproximar-se, incluindo o *paper* mais consistente antecipando o que ocorreria no Sudeste Asiático e suas repercussões no Brasil, elaborado por Beto Mendonça, intitulado *Ajuste na questão externa.* Cabe, portanto, renovar a pergunta: por que não se tomaram as medidas cabíveis?

Pedi a Gustavo que discutisse comigo e com Beto Mendonça as medidas que pensava tomar. Em meados de agosto, consta nas minhas anotações que, depois de longa reunião com os principais condutores da política econômica e com Clóvis Carvalho, chegou-se à conclusão de que, diante do quadro internacional, qualquer mudança mais drástica ou de surpresa seria arriscada. Passou-se assim o mês de setembro até que, em fins de outubro, a tempestade recomeçou intensa. Começávamos a descobrir o que era o "contágio" entre as bolsas de valores dos países chamados emergentes. Por causa da crise em Hong Kong, a Bolsa de São Paulo num só dia, 27 de outubro de 1997, caiu 14%!

Naquele dia recebi o jornalista Roberto Pompeu de Toledo, a quem vinha concedendo uma série de entrevistas das quais resultou o livro *O presidente segundo o sociólogo.*[12] Ele descreveu o ambiente do Palácio da Alvorada em plena crise como sendo de calma. Olhando o parque em

---

[12] Fernando Henrique Cardoso entrevistado por Roberto Pompeu de Toledo, *O presidente segundo o sociólogo*, Companhia das Letras, São Paulo, 1998.

volta do palácio, que dá para o lago de Brasília, as emas, com seus passos longos e elegantes, compunham a paisagem quase bucólica que se divisava da biblioteca. O cerrado brasiliense tem uma beleza tímida, como de uma adolescente que ainda não se sabe bonita. O ambiente, talvez, mas eu não estava tão calmo como parecia. Nas minhas gravações anotei: "Essa questão do sistema internacional, desde a minha primeira fala na Cepal, quando fui eleito Presidente, até hoje, continua me atormentando. O sistema está de cabeça para baixo e esse capital especulativo, [com os] chamados derivativos, comanda o processo econômico produtivo real. Isso é uma inversão forte, (...) não tenho formação econômica suficiente para fazer análise mais profunda, mas acredito que isso é gerador de uma possível crise mundial de conseqüências imprevisíveis. Tomara seja só um pressentimento, mas quero deixar registrado."

No dia seguinte anotei que meus pressentimentos não estavam equivocados. Antes de dormir vi pela CNN o que acontecia em Hong Kong e adjacências. Resultado: naquele dia perdemos 9 bilhões de reais, pouco menos em dólares, para defender o valor da moeda nacional. O montante dessas perdas é sempre relativo. Na verdade o BC troca dólares por reais. Se os especuladores ganham e a moeda se desvaloriza, ter-se-á perdido o equivalente ao percentual da desvalorização. Se o BC consegue dobrar os especuladores, recupera-se o "perdido" ou até se ganha, dependendo do valor da moeda no momento da venda do dólar, comparado com seu valor no momento em que se decida comprar dólares para recompor as reservas. Nos dias seguintes, entretanto, os operadores de mercado calculariam a seu modo as perdas e desencadeariam novos ataques. Contra-atacamos: mais reformas e medidas fiscais. Antonio Carlos Magalhães — e nessas horas ele sempre surpreendeu favoravelmente — disse que as apoiaria; mais tarde houve um só ponto, relativo ao aumento do IR das pessoas físicas, a que o senador se opôs momentaneamente. Apesar disso, e de a Bolsa haver subido 6%, em reunião no fim da tarde de 29 de outubro constatamos que os "locais", bancos e sobretudo fundos de investimento, jogaram pesado contra o real. A crise se manifestou mais profunda do que parecia, mas Gustavo Franco se saiu muito bem como um operador frio e competente, contornando a tempestade.

Enrique Iglesias, presidente do BID, me telefonou, como freqüentemente ocorria nas horas difíceis, sugerindo que Malan entrasse em contato com o FMI. Desde o lançamento do Plano Real não tínhamos programa algum com aquela instituição, apesar dos brados constantes de "Fora FMI" da CUT e das oposições. O próprio Stanley Fischer, número dois do Fundo, deu declarações dizendo que o Brasil tinha uma situação muito diferente da que prevalecia na Ásia, e isso depois de certos arrufos entre nosso pessoal e ele, em reunião havida em Cingapura. Mesmo assim, anotei: "Não estou convencido (...) de que as coisas já estejam superadas."

Pareci adivinhar: o dia 30 de outubro foi um inferno. Telefonemas sem fim. No final do dia, o resultado, mais ou menos óbvio: vencida a especulação inicial, elevação drástica dos juros, para segurar o sistema financeiro. Dobramos a taxa Selic, que passou de 22% para 44% ao ano. Anotei: "Espero que seja provisório. Perdas grandes de toda maneira, perda para a velocidade de crescimento do Brasil." Vale a pena, apesar de uma ou outra incorreção na minha percepção sobre o que estava acontecendo, reproduzir um pouco mais de minhas anotações no calor da hora: "Muitos bancos brasileiros, bancos de investimento, entraram na corrida especulativa e na verdade foram bancados por bancos americanos. As agências desses bancos lá fora estão muito endividadas e os bancos americanos estão querendo ganhar na margem (isto é, na dívida contraída para garantir as apostas, os 'derivativos', no mercado de futuros). Querem que os bancos brasileiros vendam seus portfólios, suas ações Telebrás, Petrobras, a preço de banana (para pagar os empréstimos) e por isso parecem estar fazendo circular rumores de que o Brasil é a bola da vez." Anoto também que nada justificava os rumores, nem sequer o endividamento público que, àquela altura, não era tão grande assim.

As apreensões não terminaram aí. A despeito da perícia do BC em enfrentar a especulação, os ares agitados do mundo não se acalmaram. Dias depois, nova manifestação do mesmo vírus contagiante. Eu estava em Cartagena de Índias, em visita oficial à Colômbia, para conversações com o Presidente Ernesto Samper, então muito pressionado pelos americanos sobre a questão do tráfico de drogas. Nunca me esquecerei quando, visitando com Samper uma bela igreja colonial, recebi uma ligação telefônica de Pedro Malan. Para não chamar atenção, me encaminhei para trás de um altar e comecei a absorver notícias inquietantes. Novamente, o real sob ataque. Dúvidas: vou para a ilha Margarita, na Venezuela, onde haveria reunião da VII Cúpula Ibero-Americana, ou volto ao Brasil? Se vou, podem julgar-me indiferente às tragédias nacionais; se volto, dou sinais de nervosismo ao mercado. Ah, o mercado, esse terrível senhor, sem cara e sem coração, tão irracionalmente racional ou vice-versa, capaz de arrasar em poucos dias o trabalho de tantos anos. E ainda há quem o idolatre...

Decidi ir à ilha Margarita. Lá, no mesmo dia, preocupado, conversei com Enrique Iglesias. Tudo de novo. Tento dizer que não há nenhum problema insuperável com a economia brasileira. Ele sabe. Mas, que fazer? Os dois sabíamos também que não é isso o que conta, são as "percepções", voláteis e tão cruéis (e, sejamos francos, da mesma forma contavam nossas vulnerabilidades, que vínhamos buscando corrigir gradualmente). Entráramos no radar que vigiava a Rússia e a Coréia do Sul. Iglesias conversou por telefone com Camdessus, o diretor-gerente do FMI, e com Stanley Fischer. Este, conhecedor da situação brasileira, mostrava-se mais animado, teve uma reação positiva. Também eu falei pelo telefone com eles. Camdessus estava em Paris. Renovou os votos de confiança, como quando nos encontramos em 1993 para a renegociação da dívida com os bancos. Disse, tal qual dissera Fischer, que se dispunham a fornecer uma barragem de dólares (como se procedera antes com o México e com a Indonésia) e que seria preciso que Malan entrasse em contato com eles.

Transmiti o recado ao ministro e regressei apressadamente ao Brasil, passando apenas uma noite e um dia na ilha. Não sem antes trocar experiências e pontos de vista com o Primeiro-Ministro espanhol, José Maria Aznar, o Presidente de Portugal, Jorge Sampaio, e seu Primeiro-Ministro, António Guterres, e os Presidentes do México, Ernesto Zedillo, e da Argentina, Carlos Menem.

Voltei sábado, 8 de novembro, chegando à meia-noite. Imediatamente me informei pelo telefone, como faria na manhã seguinte, sobre as diversas visões da crise. André Lara Resende, que já me dirigira a mesma pergunta uma semana antes, colocou no ar a dúvida inquietante: não será melhor desvalorizar o real? Parou logo de raciocinar em voz alta e todos calaram. Naquele momento a medida provocaria um desastre. Gustavo preferia controlar a especulação agindo com os instrumentos do BC, como logo contarei. Chico Lopes, que sempre temeu a flutuação do câmbio por ser difícil avaliar o ponto de equilíbrio, expôs suas dúvidas sobre nossa capacidade de enfrentar a especulação no mercado. Gustavo reafirmou que poderíamos enfrentá-la, mas pediu guerra total, quer dizer: aperto fiscal também.

À tarde desse domingo, 9 de novembro, juntei a chamada equipe econômica ampliada ao redor da grande mesa da biblioteca do Palácio da Alvorada onde, desde o tempo do Presidente Itamar, me reuni tantas vezes e quase sempre sobre o mesmo tema, o famoso "que fazer?" para evitar a *débâcle*, seja política, seja econômica. Eram os doze a quinze personagens, da Fazenda, BC, Planejamento e Casa Civil, que podem tomar providências nas horas de crise na economia. E de não pouca tensão. Realmente calmos, que me lembre, além de mim, só Gustavo Franco e Malan. Gustavo jogara muitas fichas para conter a especulação. Descobrira, como os homeopatas, que nada melhor do que usar o mesmo mal para o bom combate. Em matéria de mercados futuros o BC seria imbatível. A cada pergunta de quanto das reservas tinha-se perdido (na verdade, esvaíram-se delas 14 bilhões de dólares) ou de quanto se precisaria para jogar nas margens, Gustavo dava uma resposta evasiva, mas continuava transpirando confiança. Luiz Carlos, com espírito prático, afirmava que o mercado só tem medo de quem tem cacife. Defendeu inclusive a securitização das reservas de petróleo, ou seja, a emissão de títulos para obter empréstimos garantidos pelo petróleo já descoberto mas ainda não explorado e mostrar nosso poderio financeiro.

A insegurança era grande, mas não perdemos a capacidade de decidir. Passamos em revista e aprovamos as medidas de aperto fiscal que vinham sendo preparadas pelos técnicos do governo nas semanas anteriores. Com o "Pacote 51", apelido que lhe deu a imprensa por conter esse mesmo número de medidas, e com certeza por alusão zombeteira a uma marca de cachaça, tentamos responder à crise, no olho do furacão, ajudando a política monetária a deter o ataque especulativo por meio de cortes em todos os lados no Orçamento, que para meu dissabor pessoal atingiram até bolsas de estudos. O "Pacote 51" visava também aumentar a confiança quanto à trajetória futura das contas públicas. Mostrou-se mais eficaz no cumprimento do primeiro do que do segundo objetivo. O impacto da elevação abrupta das taxas de juros, que demorariam a voltar a cair, colocou a dívida pública em uma trajetória de acelerado crescimento. As contas externas igualmente sofreram, com a retração da economia mundial e a queda nos preços das nossas *commodities* de exportação.

Seja como for, houve um imenso alívio como impressão inicial, depois de algum vaivém derradeiro. Ainda no dia 11 de novembro, uma terça-feira, ocorreu pressão especulativa, o pregão da Bolsa foi suspenso às 17 horas — mesmo assim as cotações caíram 10% — e a semana seria atribulada. O Presidente argentino Carlos Menem estava em visita oficial, e manifestou compreensão e confiança na economia brasileira. A semana seguinte transcorreria com menos agitação. Em minhas anotações diárias recordei os alertas de Beto Mendonça desde julho e as discussões com ele e André na mesma direção, falando em "mudança de regime cambial" para evitar a malsinada palavra "desvalorização".

O susto da crise nos permitiu retomar a iniciativa no Congresso, que aprovou o Fundo Social de Emergência[13] e permitiu que a reforma administrativa caminhasse razoavelmente. Alguns itens mereceram votação expressiva, 351 a 133 votos, quórum superior ao já altíssimo de 308 votos exigido em reformas constitucionais.

No início de dezembro de 1997, o Congresso deu sua aprovação às medidas do "Pacote 51", incluindo a elevação da alíquota do IR da pessoa física, contra a qual ACM se insurgira, recuando depois, demovido pelo filho Luís Eduardo, a quem recorri.

Antes da votação, parti para o Reino Unido, em visita de Estado. Na véspera, Pedro Parente, secretário executivo do Ministério da Fazenda, informou-me que Antonio Carlos não colocaria obstáculos à aprovação das medidas no Congresso. Viajei confiante. O primeiro encontro que tive em Londres foi na Câmara Britânica de Indústria (CBI), onde recebem quatro chefes de governo ou de Estado por ano. Apresentei um resumo da situação brasileira e assegurei que o Congresso votaria, como votou, tudo o que pedimos para superar a crise. Os britânicos me aplaudiram de pé. Ovação a mim? Não, ao país que vencera a crise. Vencera?

Na volta, as pesquisas de opinião mostravam que 80% da população estavam a favor das medidas solicitadas ao Congresso. Em fins de novembro e dezembro ainda houve rumores de mal-estar financeiro no Japão e especulações sobre se poderiam alcançar a Argentina. Não o Brasil, contudo. O Congresso continuou votando as reformas. Lembro-me de reuniões que tive com Gustavo Franco e Demóstenes Madureira de Pinho

[13] Emenda Constitucional nº 17, de 22/11/1997.

Neto, diretor do BC. Os juros haviam começado a baixar devagar, mas tanto Demóstenes como eu queríamos alterar algo no câmbio. Repito o registrado: "Vale mais a pena manter a taxa de juros um pouco apertada e mexer no câmbio, que o câmbio é um problema" (10/12/1997). Gustavo não concordava que constituísse um problema para as exportações, mas sustentava que deveríamos alargar a banda de variação por causa do volume das importações, que seguia elevado.

Rapidamente as reservas cresceram e a confiança voltou. Talvez tenha sido isso que nos levou a perder oportunidades para rever a questão cambial no primeiro quadrimestre de 1998, quando eventualmente teria sido possível fazê-lo. Entretanto, com a lembrança recente da superação da crise, o ânimo de mudança arrefeceu. Nos meses seguintes, com eleições à vista, aumentou a resistência à alteração de rumos. Não por causa de "populismo cambial" para assegurar vitória eleitoral e sim pelo temor de que o nervosismo político-eleitoral contagiasse os mercados: modificar regras cambiais a essa altura poderia provocar disparada de preços. Em uma economia ainda parcialmente indexada e com viva memória de décadas de inflação, o temor de uma recaída no inferno da hiperinflação nos atormentava. Quedamo-nos vitoriosos e imóveis. O êxito do combate à especulação tornou-nos vítimas dela.

Os episódios antes descritos e os comentários que vou expor adiante sobre a passagem forçada para o regime de flutuação do câmbio, em janeiro de 1999, são suficientes para justificar o que escrevi na introdução deste capítulo: que as decisões se dão no âmago de um conjunto muito mais complexo do que simplesmente a escolha teórica do "bom caminho". Mesmo porque este, como disse o grande escritor espanhol Antonio Machado em *Provérbios y cantares*,[14] se faz ao caminhar.

---

[14] Antonio Machado, *Provérbios y cantares*, *in Poesías completas*, 14ª ed., Madri, Espasa-Calpe, 1973, p. 158.

CAPÍTULO 6

Dos obstáculos à herança bendita

Enfrentando a armadilha dos juros e do câmbio

Com o crescimento das reservas,[1] logo após janeiro de 1998, e passado o turbilhão político a que me referi em outro capítulo, em vez de haver pressões para desvalorizar o câmbio mais depressa (excetuadas, naturalmente, as provenientes dos críticos contumazes), voltamos ao antes devagar-e-sempre do que precipitadamente. A economia mantinha-se em crescimento, embora não nos patamares em que gostaríamos: uma média de 3,5% ao ano, de 1995 a 1997. Continuávamos perseguidos pelo fantasma da crise asiática. O Japão e a Coréia do Sul prosseguiam emitindo sinais preocupantes. O temor de outra trepidação no momento de alterar as regras cambiais, somado a um certo alívio na economia, encaminhava nossas energias para prosseguir nas reformas e reorganizar a máquina pública.

Em maio, bem depois de controlados os efeitos da crise asiática sobre o Brasil, este era meu estado de espírito sobre a questão: "Estou preocupado: tivemos em 1994 a crise do México, com a repercussão sobre a metade de 1995. Em 1997, a crise do Sudeste Asiático, que tem repercussão sobre nós em 1998. As crises estão se seguindo. Receio que a Bolsa de Nova York, lá em cima, de repente despenque e, aí sim, a coisa venha toda abaixo..." A preocupação não se voltava apenas para a área internacional. No começo de julho, nos reunimos várias vezes para discutir o que fazer. Em seguida a um almoço com José Roberto Mendonça de Barros e Clóvis

[1] As reservas do BC passaram de pouco mais de 50 bilhões de dólares em dezembro de 1995 para 60 bilhões em dezembro de 1996 e se mantiveram próximas deste patamar até setembro de 1997. Com a crise da Ásia, caíram em outubro para 53 bilhões, mas, superada a crise, foram progressivamente crescendo até atingir o pico de 74 bilhões em abril de 1998. A partir de agosto do mesmo ano, despencaram, dobrando o ano de 1999 com 44 bilhões, já computados os recursos provenientes do FMI. No início de 1999 desceram ao degrau dos 30 bilhões. Com o câmbio flutuando, o nível de reservas não precisou mais retornar aos altos patamares anteriores.

Carvalho, registrei: "O Beto se preocupa com a área externa. Ele acha que, na área interna, temos que forçar ainda mais a queda da taxa de juros reduzindo drasticamente o Imposto sobre Operações Financeiras (IOF). Concordo. Vou apertar a área econômica nesse sentido. Finalmente parece que todos estão vendo que não se trata só de combater o déficit, segurando gastos de governo, mas também de uma política mais agressiva de redução da taxa de juros."

No transcorrer de agosto de 1998, avolumaram-se os sinais de crise. Perdemos 3 bilhões de dólares das reservas. No dia 23, nova reunião com os responsáveis pela área econômica. Se bem que não houvesse igual nível de ansiedade em cada um, era clara a preocupação com a defesa da moeda. Quem sabe não deveríamos transformar os títulos da dívida de Itaipu em recebíveis do Tesouro, ou seja, emitir títulos e colocá-los no mercado para o governo dispor de dinheiro antes do vencimento e os aplicadores ganharem a redução entre o valor de face dos títulos e o que pagam por eles, além dos juros? Ou utilizar as reservas em ouro para ir comprando os títulos da dívida? Ou então, promover a diminuição do IR para os capitais de renda fixa, ou mesmo alterar os prazos mínimos para a permanência de capitais externos no país? Enfim, idéias para enfrentar o terremoto que parecia avizinhar-se. No fim do mês, registrei em minhas gravações: "Houve uma perda muito grande do valor dos nossos títulos da dívida externa e agora há realmente o risco de uma nova corrida contra o real. Embora a questão fundamental seja que mudou o quadro do mundo e nós vamos ter de modificar nossas políticas macroeconômicas."

Tudo ficava cada vez mais difícil. Os bancos alemães tentavam salvar a Rússia do colapso — após malbaratar recursos internacionais obtidos em empréstimos, o governo russo perdeu o controle da economia, com inflação explodindo, desordem fiscal, caos no sistema tributário e total inépcia do Tesouro —, o que poderia estancar a crise antes de atingir mais fortemente o Brasil. Alguns de nós queríamos alterar as regras de câmbio e juros mais depressa, mas havia pouca convergência de opiniões sobre como fazê-lo. Busquei apoios para enfrentar a situação e mudar rumos. Conversei com Luiz Carlos Mendonça de Barros, que a essa altura substituíra Sérgio Motta no Ministério das Comunicações. Disse-lhe que pediria a Beto Mendonça, Chico Lopes e André Lara Resende que começassem a pensar em alternativas. Sentia que a recessão se aproximava, com as bolsas desabando. Como fizera com André no passado para imaginar o Plano Real, estava na hora de ter uma equipe pensando na saída da armadilha dos mercados que caíam, das taxas de juros elevadas e do câmbio valorizado. Esse era o desafio pelo qual o governo teria que passar.

Tormenta e vento esquivo: pensei até em medidas heterodoxas

No último dia de agosto de 1998 a imprensa começou a noticiar que eu iria substituir Malan e Gustavo Franco. Alguém fora indiscreto e, a partir de minhas preocupações com as mudanças de política, se precipitou em transformá-las, muito antes da hora, em troca de pessoas nos cargos-chave do governo. Em seguida, vieram rumores a respeito de desavenças entre o BNDES e o BB, ou seja, André Lara, com apoio de Luiz Carlos Mendonça de Barros, *versus* Paulo César Ximenes e o diretor da área internacional, Ricardo Sérgio de Oliveira, sobre o leilão de privatização das empresas de telefonia, ocorrido no mês anterior, julho. Percebi logo, e anotei, que haveria complicações. O FMI, por sua vez, buscava contatos. Malan, conhecedor daquela casa, relutava em aceitar a visão deles. Acreditava que deveríamos cobrar as responsabilidades do G-7 — o grupo de países mais ricos do mundo — e do Fundo pela crise mundial, e não assumir as culpas pela situação. E continuava, obstinado, a mencionar o déficit fiscal, embora, como anotei, não descuidasse da "questão central", o câmbio. Novamente reclamei da desunião da equipe, pois recebera informações de que alguns haviam comentado com jornalistas minhas inclinações e a disposição de mudar o rumo das coisas.

Antes que tivéssemos tempo para isso, as rajadas da ventania precursora da crise começaram a se fazer sentir. No dia 3 de setembro a agência de classificação de risco Moody's rebaixou os títulos da dívida externa da União. Perdemos em um só dia 2 bilhões de dólares de reservas. Telefonei a Chico Lopes para debater a necessidade de aumentar a taxa de juros, pois novamente o "contágio" transmitira a crise russa ao Brasil, a despeito das declarações do FMI e de autoridades monetárias de que nossa situação era diferente. Os sonhos de ajustes na política monetária foram ladeira abaixo. No entretempo, Serra me enviou interessante palestra sobre as vantagens do câmbio flutuante proferida no Banco Mundial, em abril, pelo economista americano James Tobin, da Universidade Yale — o mesmo que propôs que se taxassem as transações financeiras internacionais como forma de conter a volatilidade dos mercados e proteger países vulneráveis. Àquela altura, pensei, flutuaremos todos nós... Anotei: "Quando estávamos em boas condições podíamos ter ousado mais. Agora não dá para fazer, vamos agüentar firme." Os diversos membros da equipe econômica continuavam se desentendendo quanto às medidas concretas. Luiz Carlos e André queriam uma desvalorização do real. Ao ver deles, Gustavo Franco e Demóstenes Madureira também concordariam com esse ponto de vista. Chico Lopes alegava que ou bem se continuava defendendo o câmbio na trincheira das bandas estreitas ou seria melhor deixá-lo flutuar. André, por sua vez, considerava que, nas circunstâncias, a flutuação produziria um desastre.

Paradoxalmente, em meados de setembro, em pesquisa do Datafolha sobre as eleições presidenciais do mês seguinte, eu aparecia com 48% dos votos, contra 25% de Lula. Maioria absoluta de votos válidos, vitória no primeiro turno. Mau momento para vencer eleições... Enquanto isso vivíamos a angústia de cada dia. Era um tal de olhar resultados das bolsas mundo afora, de ver quanto das reservas saíam do país e de repetir declarações quanto possível otimistas, que ninguém agüentava mais. A Fazenda, já se preparando para as conversas com o FMI, anunciava planos de cortes orçamentários, buscando repetir o êxito (fugaz) ocorrido no ano anterior. Os ministros das áreas fundamentais, especialmente o da Saúde, protestando contra os cortes e ameaçando renunciar. Repliquei que tampouco me alegravam os cortes, mas que ninguém me dera alternativas, mesmo os que concordavam em linhas gerais com Serra. Lembrava a eles que a flutuação do câmbio resultaria em Indonésia, ou seja, uma brutal desvalorização da moeda seguida de grave desorganização da economia, e a centralização de câmbio daria em Malásia — isto é, uma economia sob maior controle do Estado e mais distanciada do mercado internacional, levando a um recuo de investidores estrangeiros. Estávamos tentando evitar uma repetição do ocorrido com ambos os países asiáticos; como não me ofereciam escolha, optei pelo caminho do aperto fiscal.

Na quinta-feira, 10 de setembro, as bolsas despencaram. De novo, passei em revista a opinião de muitos colaboradores. Avisei José Roberto que não queria que se tomasse qualquer medida sem meu prévio conhecimento. Disse a André Lara e a Luiz Carlos que, diante da preocupação de todos, concordaria até com algo malvisto pelo mercado e por organismos como o FMI: a centralização do câmbio, ou seja, um conjunto de medidas que implicassem um controle sobre a saída de dólares. Os agentes econômicos perderiam a liberdade de remeter divisas ao exterior e passariam a submeter-se a critérios discricionários estabelecidos por atos administrativos do BC com vistas à proteção das reservas internacionais. Deixei claro, porém, que não concordaria com a flutuação do real, que levaria o valor do dólar às nuvens e destruiria todo o nosso esforço. À noite recebi a informação de que o BC elevara ainda mais a taxa de juros. A balbúrdia entre os técnicos era grande. Gustavo Franco, com discreto apoio de Malan, propunha dificultar remessas de dólares para o exterior. Chico Lopes se demitiria se fosse tomada alguma medida heterodoxa, como essa. Como resultado das divergências internas, a elevação dos juros promovida pelo BC levara a taxa para 49,75%. Não menor era minha inquietação. A predisposição de aceitar a centralização do câmbio se deu depois de verificar com Gustavo a consistência das soluções "via mercado", ou seja, aumentando a taxa de juros, o que eu não acreditava que resolvesse a crise.

Começaram então a chegar notícias do Fundo e do Tesouro americano, dizendo que dariam sustentação ao mercado brasileiro e reafirmando confiança no governo. Os esforços de Malan, que sabia de minha disposição de aceitar até mesmo medidas heterodoxas, tiveram êxito. Falei pelo telefone, longamente, com Robert Rubin, secretário do Tesouro dos EUA, e com Michel Camdessus. Rubin me disse que na véspera estivera analisando a questão do Brasil durante horas com Larry Summers, a segunda pessoa do Tesouro. Elogiou Malan e garantiu que nos proporcionariam vigoroso amparo. Da mesma maneira Camdessus recordou nossas conversas anteriores em situações difíceis e confirmou o apoio, apesar da relutância de alguns países do G-7 em colocar recursos no pacote de empréstimos para erguer uma muralha de sustentação ao real. Repliquei, sobretudo a Rubin, que já estávamos tomando medidas de contenção fiscal, que aceitaríamos começar a tratar com técnicos do Fundo e com o Tesouro, mas que era cedo para buscar um acordo formal com o FMI, embora a possibilidade não me assustasse. Deixei entreabertas as portas. Cumpriram o prometido. A nota do FMI, com o OK do Tesouro americano, apoiava Brasil, Argentina e México, que viviam, em graus diferentes, situações análogas.

Confesso que não acreditava que obteríamos o apoio. Cheguei a registrar que se a nota demorasse 24 horas chegaria tarde demais. Uma vez dado o apoio, porém, a elevação da taxa de juros para a estratosfera me pareceu precipitada. Carlos Menem, aflito, me telefonou, temendo que permitíssemos a flutuação do câmbio:

— *Fernando, yo no creo que vas a dejar flotando el cambio, no? Confío en que vos no vás a permitir que todo eso explote en el aire.*

Respondi:

— Farei todo o possível para evitar isso.

Ainda tínhamos 52 bilhões de dólares nas reservas, daí minha pressa para, se fosse o caso, promover alterações nas regras cambiais enquanto dispúnhamos de fôlego. Com o apoio obtido achei que, se não havia luz, pelo menos se divisava uma lamparina no fim do túnel. Enrique Iglesias me telefonou confirmando o respaldo que teríamos da comunidade financeira internacional. Tudo isso gerou a esperança de sairmos do buraco; esperança, naquele momento, não compartilhada por mim. A Bolsa e as cotações subiam e desciam, às vezes fortemente e nos dois sentidos, dependendo das declarações e dos rumores. O próprio presidente americano Bill Clinton (às voltas com um processo de *impeachment* que paralisava seu governo) fez declarações incisivas sobre a necessidade de rever o sistema financeiro internacional para ajudar os países em crise. Chegou mesmo a propor um fundo de emergência que colocaria à disposição de países sob pressão especulativa uma massa de recursos, a juros baixos, suficiente para conter os especuladores que apostavam na desvalorização das moedas. Clinton me telefonou.

— Henrique [é assim que sempre me chamou], o que posso fazer para ajudar? Será que você poderia dar uma declaração de apoio ao que eu disse? [sobre o fundo de emergência].

Respondi que sim, e cumpriria logo em seguida. E também expliquei:

— Não posso de modo algum desvalorizar o real agora. Não tenho condições de fazer isso. Vai dar a impressão de que enganei o povo.

— Compreendo — continuou ele, acrescentando: — Posso dizer claramente que nós apoiamos a política de vocês. Mas não vai prejudicá-lo nas eleições?

Disse-lhe que não, e que, ainda que prejudicassem, suas declarações eram importantes para o Brasil.

Apesar das dificuldades, a equipe econômica continuava dividida. Os favoráveis a medidas ortodoxas, entre elas o aperto fiscal, se opunham aos que cogitavam de medidas heterodoxas que nos livrassem da camisa-de-força juros/câmbio. As posições de cada um não eram imutáveis. Oscilavam. Edmar Bacha, por exemplo, que estava fora do governo, trabalhando como consultor mas sempre me servindo de conselheiro informal, se posicionava contra heterodoxias, embora a favor de romper a camisa-de-força. (Naturalmente, a despeito de ter inteira confiança em Bacha, mas cioso de minhas responsabilidades como Presidente, e tal qual sempre procedia em circunstâncias semelhantes, ouvi sua opinião sem adiantar minha posição nem revelar o que se passava internamente no governo.) Beto Mendonça, em reunião comigo e Clóvis Carvalho, dia 20 de setembro, disse que qualquer mexida na equipe poderia gerar desconfiança.

Como pano de fundo, existiam divergências genuínas de visão teórica e, em alguns casos, disputa de posições na máquina governamental. E pouca gente a quem apelar. Ou seja, com as pessoas que estavam à mão e sem desgastá-las em desavenças ainda maiores, eu tinha dificuldades para tomar qualquer iniciativa diferente de um forte ajuste fiscal.

Dez dias antes das eleições, li no Itamaraty um discurso preparado pelo Ministério da Fazenda, mas muito emendado por mim e minha assessoria, anunciando medidas fiscais duras e a provável ida ao FMI para negociar um acordo. A reação foi muito positiva. Todos os líderes, dos países e instituições internacionais acima referidos, do G-7 e de outros países amigos, me telefonaram ou enviaram mensagens de felicitações pela coragem das medidas anunciadas, sobretudo em momento pré-eleitoral, em geral estimulador de cautela e não de ousadia em matéria de contenção fiscal. Para contrabalançar horizonte tão sombrio disse, em entrevista posterior, que criaria um "Ministério da Produção". Pronto: luz vermelha para quem via nas preocupações com o crescimento econômico reação negativa ao rigor fiscal. Não era o que eu pensava. Queria apenas não desanimar o país com as propostas de sucessivos cortes. Sem o desejar, reforcei a crença na existência de um bloco coeso de "desenvolvimentistas" em contraposição ao dos "fiscalistas" dentro do governo, como se houvesse uma contradição insanável entre estas duas posições.

Não obstante, bem ou mal, também as repercussões internas do "pacote" anunciado foram positivas. Eu me livrava de praticar um "estelionato eleitoral", como disseram a respeito do Plano Cruzado, pois anunciava medidas restritivas *antes* e não *depois* das eleições. A despeito desse cuidado, a tese do "estelionato" reapareceu como arma política, tendo como um dos mais loquazes arautos o deputado Delfim Netto. Useiro e vezeiro em promover maxidesvalorizações e promessas não cumpridas durante seu período como ministro da área econômica dos governos militares, criticava com desfaçatez nossos esforços para equilibrar a economia, para cujas aflições sua desastrosa política em décadas anteriores tanto havia contribuído. A opinião geral era de que conseguiríamos superar a crise.[2] Eu, no entanto, não pensava assim. Diante das loas cantadas em homenagem à disposição de cortar o déficit fiscal, registrei, às vésperas da eleição: "Tudo isso é um pouco meia verdade. Certamente existe um déficit fiscal a ser combatido, mas a questão que nunca foi enfrentada é a cambial. A relação juros elevados/câmbio sobrevalorizado, esta é a questão central. Tentei várias vezes mexer nesse tema. Na hora H, os economistas têm medo da flutuação, têm medo, pior ainda, claro, do câmbio centralizado, têm medo do câmbio fixo único. Discutimos lá atrás, em fevereiro do ano passado, e de novo neste ano. Não deram nem um passo, mantiveram a posição ortodoxa." Descontado o desabafo no calor do momento, eu considerava impossível manter aquele equilíbrio de juros e câmbio e jogar tudo nas costas do Orçamento, ou seja, cortar, cortar, cortar. Havia debatido a respeito com Beto Mendonça e Clóvis Carvalho. Na nossa primeira oportunidade de respirar, teríamos que enfrentar o problema.

Todos receávamos a volta da inflação, pois sua memória recente continuava parecendo onipresente e seguiam existindo restos de indexação. Uma forte desvalorização do real poderia desencadear um desajuste que levaria à alta de preços. Nosso sentimento, portanto, não era desmotivado.

---

[2] Foi maciço o noticiário a respeito, dentro e fora do país. Ver, por exemplo, na edição de 23/9/1998 de *Veja*, "Tufão sobre o país – Bancos e nações ricas armam estratégia para defender o Brasil da tempestade financeira; na *Folha de S. Paulo*, 2/10/1998, "Rubin faz elogios ao Brasil"; ainda na *Folha*, 4/10/2005, "Empresários se preparam para medidas de contenção". No exterior, a revista americana *Business Week*, edição de 19/10/1998, trazia reportagem dizendo "O Brasil precisa de empréstimos do FMI – e da reeleição de Cardoso"; a britânica *The Economist*, por sua vez, na edição de 29/10/1998, informava que "o pacote de austeridade vai alavancar a longamente aguardada ajuda ao Brasil".

Ninguém pode afirmar, com certeza, o momento adequado para promover uma mudança de envergadura sem causar pesados prejuízos, em uma economia ainda com grandes déficits. Paradoxalmente, a rigidez das posições da Fazenda e do BC empurravam-me a cogitar de soluções menos ortodoxas.

Não chegou a haver "oportunidade para respirar". A situação se deteriorava a olhos vistos. Em longa reunião com a área econômica na segunda-feira, 29 de setembro, o pessimismo era grande. André Lara Resende, que mantivera contatos com o Tesouro norte-americano, com o FMI e vários banqueiros internacionais, expôs um resumo do que pensavam. Anotei em minhas gravações: "Todo mundo pessimista. Eles não conhecem a situação do Brasil e querem um ajuste fiscal de proporções enormes, que não é absolutamente factível. E nós resolvemos ao final não restabelecer as negociações com o Fundo à moda antiga, mas tentar forçar a discussão com novas possibilidades, como, por exemplo, a questão relativa a esse fundo de emergência proposto por Clinton. Não sei o que vai resultar disso tudo. Disse que nós precisávamos manter uma posição altiva porque afinal é enorme a capacidade de o Brasil criar embaraço para o mundo, e que nós não temos a menor condição de entrar num desses acordos do FMI em que eles pedem o impossível."

A posição dos diversos ministros e responsáveis pela área econômica não era muito diferente. Chico Lopes mantinha-se contra qualquer heterodoxia. Não queria saber, entretanto, de controle dos programas pelo Fundo. André, mais ousado nas medidas a serem tomadas, chegando a falar em algum tipo de controle cambial, tampouco morria de amores pela vigilância do Fundo. Em geral compartilhavam dessa posição Pedro Parente, José Roberto, Clóvis Carvalho e Gustavo Franco, este sempre resistente a soluções "fora do mercado". Pareceu-me que apenas Malan tinha uma certa abertura para um entendimento com o FMI. Também Luiz Carlos, realista, ponderava que o respaldo do Fundo poderia permitir a retomada do fluxo de capitais, sem o qual nos afogaríamos. Ainda dispúnhamos de 45 bilhões de dólares nas reservas. O capital especulativo voara; dali em diante o capital dito nacional (incluindo-se o das empresas estrangeiras) escaparia em volumes ao redor de 300 milhões por dia. Havia que decidir, antes que o colapso decidisse por nós.

No dia 4 de outubro, fechadas as urnas, começou a contagem dos votos. O PSDB dispunha de um "modelo estatístico" para, à medida que os resultados parciais apareciam, calcular o resultado final. À noite, na sala de jogos do subsolo do Alvorada, estávamos umas vinte pessoas, entre as quais, além de Ruth, familiares, líderes políticos e alguns auxiliares do círculo íntimo, meu barbeiro, Raimundo Manoel dos Santos, o "Dom Raimundo". Até a hora em que subi para o segundo andar para deitar-me, ainda não se configurara vitória no primeiro turno. Recordo-me que, entredormindo, pensava: "Dessa vez o segundo turno vai ser difícil." Não faltou ansiedade.

A privatização das teles e o caso dos "grampos"

Mas eu ganhara as eleições. Tive 53% dos votos válidos, quase a mesma proporção da eleição de 1994, quando alcancei 54%. A vitória não me permitiu um sorriso: sabia melhor que ninguém das dificuldades que me esperavam. Ao mesmo tempo, negociava a paz entre o Equador e o Peru, que mantinham escaramuças militares por questões de fronteiras e terminariam assinando em Brasília, no fim do mês, um acordo que pôs fim a seis décadas de problemas; começava a pensar na formação do novo Ministério; ajudava, sempre nos limites da lei e do decoro, a eleição dos companheiros que disputavam o segundo turno, como Mário Covas, que acabaria obtendo a reeleição em São Paulo.

No caso de São Paulo, a maledicência correu solta: eu não apoiaria Covas, diziam. Tudo porque Maluf, que concorria contra ele e tinha como vice Luiz Carlos Santos, a instâncias deste último, mandou produzir *outdoors* em que me apoiava. Este é sempre o dilema dos candidatos majoritários no Brasil: dada a fragmentação provocada pelo sistema eleitoral, o próprio partido nunca tem, sozinho, votos para garantir a eleição. Logo, precisa de apoios, que *não implicam* necessariamente reciprocidade. Apoiei Mário Covas, é evidente, e votei abertamente em meu companheiro no primeiro turno. Ganhas as eleições, dei uma entrevista à TV Globo, e reafirmei meu apoio a Covas no segundo turno. Ele me telefonou e dias depois enviou Antonio Angarita, seu chefe da Casa Civil e nosso amigo comum, e em seguida seu velho amigo José Maria Monteiro, que deixara a presidência da estatal Companhia de Seguros do Estado de São Paulo

(Cosesp) para ser o coordenador político de sua campanha à reeleição, para discutir como eu lhe emprestaria o apoio. Ganhou no segundo turno — para o bem de São Paulo e do Brasil.

O dissabor da intriga em relação a Maluf não seria nada comparado ao que representou a volta de algo que já havia sido divulgado no meio do ano, e que se referia a uma realização da qual meu governo se orgulhava: a privatização dos serviços de telefonia no Brasil. As notícias de "grampo" nos telefones do BNDES atingiam Luiz Carlos Mendonça de Barros, ministro das Comunicações, e André Lara Resende, presidente do banco no curso do processo de privatização. Essa escuta, revelada de modo fragmentário, parte em meados do ano, pela *Folha de S. Paulo*, parte no final do ano — desta feita por diferentes órgãos da imprensa —, em vez de provocar repulsa pelo método desleal e ilegal de obter informações, gerou protestos contra o governo e denúncias de "corrupção". Até meu *impeachment* chegou a ser sugerido por um ou outro setor político e órgãos de imprensa!

As gravações telefônicas ilegais (provavelmente a serviço de interesses comerciais, mas que se acusava de terem sido feitas por agentes da Agência Brasileira de Informações, a Abin) pareciam envolver não apenas Luiz Carlos e André, mas o próprio Presidente da República em manobras para beneficiar um dos concorrentes num leilão de privatização das teles.

Para entender o episódio, é preciso antes contar o principal: como se deu a privatização. O governo dividiu o sistema Telebrás, que comportava 27 empresas estaduais controladas pela Telebrás (*holding* do sistema) e uma empresa de telefonia de longa distância, a Empresa Brasileira de Telecomunicações (Embratel), em quatro áreas: Tele Centro-Sul, Tele Norte-Leste, Telesp (somente o estado de São Paulo) e Embratel. Pelo plano de outorgas, definido por decreto presidencial, proibia-se que um mesmo consórcio controlasse mais de uma área.

À Tele Norte-Leste correspondia a maior área do sistema, estendendo-se do Rio de Janeiro à região Norte, passando por todos os da região Nordeste. Era vista como a que mais exigiria da competência e capitais, pelo número de empresas existentes (16) e pelas necessidades de expansão, definidas em lei sob a forma de metas de universalização, em regiões de baixa densidade de telefones por habitante. Por outro lado, pelas mesmas razões, apresentava um potencial de retorno dos mais significativos.

O Ministério das Comunicações e o BNDES trabalharam intensamente nos meses e semanas que antecederam o leilão para atrair o maior número de consórcios possível para a disputa. Até a véspera, no entanto, o leilão da Tele Norte-Leste corria o risco de fracassar. De início, surgira um único consórcio interessado, liderado por uma grande operadora de telefonia, a Telecom Itália, em associação com o fundo de investimentos Opportunity e com a possível participação da Previ, fundo de pensão do BB. Em seguida, formou-se outro consórcio, integrado por empresas nacionais sem prévia experiência no ramo de telecomunicações (como o Grupo Jereissati, focado em indústria metalúrgica e comércio, e a construtora Andrade Gutierrez) e sem sócios fortes no setor financeiro.

A formação desse consórcio nasceu cercada de problemas. Estimulou-a o próprio ministro das Comunicações, Luiz Carlos Mendonça de Barros, que pediu a Ricardo Sérgio de Oliveira, diretor do BB, tido como influente na Previ, para mobilizar grupos empresariais com a finalidade de criar competição na disputa pela Tele Norte-Leste. Começaram em seguida as divergências entre os dois. Luiz Carlos Mendonça ficou assustado com a falta de tradição em operações telefônicas do consórcio para o qual Ricardo Sérgio havia ajudado a obter uma caução no BB, o Telemar. Mendonça passou a tratá-los como "adversários".

Em depoimento no Senado em 20 de novembro de 1998, motivado pelo vazamento dos "grampos do BNDES", Luiz Carlos declarou: "O Consórcio Telemar vinha sendo formado com base num truque financeiro que foi por nós identificado ainda a tempo de ser evitado e que consistia em pegar o dinheiro dos fundos de pensão, pagar a primeira parcela, de 40%, e depois promover a fusão da empresa *holding* que eles estavam comprando com as 16 empresas operacionais, transferindo os 60% remanescentes da dívida para o Tesouro e diluindo essa dívida entre os acionistas minoritários." Evitou-se o truque com a introdução, no edital do leilão, de um dispositivo submetendo atos societários relativos à fusão e à incorporação das empresas à aprovação dos acionistas minoritários.

Mesmo impedindo o artifício, no entender de Mendonça e de André Lara persistiram as dúvidas sobre a capacidade financeira do consórcio Telemar. Tanto assim que, quando se aproximava a data do leilão, 12 de julho, a seguradora do BB, que também o integrava, aumentou sua participação nele, para tornar mais viável o negócio. Simultaneamente, surgiram problemas no outro consórcio, liderado pela Telecom Itália. É que a Previ negaceava a assinatura de confirmação da existência do consórcio, condição exigida pelo Citibank para a emissão de uma necessária carta de fiança. O impasse continuou até o dia anterior ao leilão.

Deu-se então a conversa telefônica entre Ricardo Sérgio e Luiz Carlos em que o primeiro diz a frase famosa: "Estamos no limite da irresponsabilidade." Ela aparece quando Luiz Carlos sugere que o BB concedesse a carta de fiança ao consórcio da Telecom Itália. Ricardo Sérgio responde que já havia comprometido recursos do banco com o outro consórcio, e também com um dos consórcios que disputariam a Embratel, e Luiz Carlos replica, ressaltando que não existia risco, porque uma das cartas de fiança não teria efeito prático nenhum (pois só um dos consórcios seria vencedor). O BB concedeu a carta de fiança ao consórcio da Telecom Itália, tornando, pois, viável a competição entre pelo menos dois contendores, o que beneficiaria o Tesouro, aumentando o valor dos lances.

Em suma, vendo que o consórcio montado pelo grupo nacional competidor (o Telemar) ganhara musculatura, Luiz Carlos, André Lara e o vice-presidente do BNDES, Pio Borges, resolveram mantê-lo em cena, para não deixar o outro consórcio competidor (o da Telecom Itália e Opportunity) chegar ao leilão como único disposto a comprar a empresa. Não imaginavam, no entanto, que o Telemar pudesse ser vencedor. É nesse contexto que ocorre a conversa entre Luiz Carlos e André, "grampeada" e publicada na imprensa, em que fazem referência a Pérsio Arida, à época sócio de Daniel Dantas no Opportunity, e mencionam táticas de levar os dois grupos à competição. Os termos da conversa, sem o contexto, deram a muitos a impressão de que teria havido ingerência indevida dos responsáveis pelo processo de privatização (e eventualmente interesses escusos) para beneficiar um dos grupos, quando na verdade o propósito era forçar os dois à competição em prol do Tesouro.

A linha de defesa de Luiz Carlos no Senado consistiu justamente em assegurar que tudo o que fez foi em defesa do interesse público, uma vez que promover a disputa era essencial para elevar o preço final de compra da Tele Norte-Leste. "Recuso-me a ser um ministro burocrata", dizia ele a respeito de sua atuação nos preparativos do leilão. André ia pela mesma linha de argumentação: "O mocinho virou bandido, se tivéssemos sido omissos quanto à competição, não estaríamos sob suspeita." Luiz Carlos agregava outro elemento à defesa: "Se quiséssemos favorecer o consórcio do Opportunity teríamos dito a eles que o concorrente tinha dificuldades financeiras e eles apresentariam o lance mínimo no leilão, mas na verdade apresentaram, segundo me disseram depois, um lance 1 milhão de dólares acima do mínimo."

Ocorre que o leilão da Tele Centro-Sul se realizou antes do leilão da Tele Norte-Leste e terminou sendo vencido por um consórcio liderado pela mesma Telecom Itália. Em obediência ao plano de outorgas, que vedava a presença de uma empresa no controle de mais de uma área, o envelope com o lance que a Telecom Itália apresentara para o leilão da Tele Norte-Leste teve que ser imediatamente picotado, sem sequer ser aberto. Resultado: o consórcio Telemar levou a Tele Norte-Leste por apenas 1% acima do preço mínimo. Vencedora, conseguiu recursos junto à Previ para concretizar o pagamento da primeira e maior parcela. Diga-se que a Previ era e continuou sendo após meu governo controlada por um colegiado no qual os empregados têm o mesmo número de representantes que a direção do BB e, na época, os representantes dos funcionários eram ligados a partidos de oposição, notadamente o PT.

O Ministério Público federal iniciou em outubro de 1998 investigação para apurar eventual uso de informações privilegiadas no episódio. Em novembro de 1999, o inquérito foi arquivado e todos os integrantes do governo inocentados. O saldo dos leilões seria extraordinariamente positivo para o Tesouro e para a população. Abordarei os benefícios da privatização das teles para o país mais adiante, no Capítulo 9.

Naquele final de 1998, porém, o tema dos "grampos" telefônicos tomava proporções descabidas e começava nova e mais abjeta infâmia, o malfadado "Dossiê Cayman", uma papelada forjada por falsários em Miami, depois condenados à prisão, segundo a qual Mário Covas, Sérgio Motta, José Serra e eu compartilharíamos uma conta multimilionária num banco daquele paraíso fiscal do Caribe. A grosseira falsificação não impediu a compra do material por pessoas próximas a Fernando Collor nem que acabasse nas mãos de Paulo Maluf. Não alcançou o impacto eleitoral que poderiam esperar (rumores a respeito circularam desde meados do ano, durante a campanha eleitoral, embora só viessem fortemente à tona em novembro, por meio da *Folha de S. Paulo*). O fato é que ecoou meses a fio na opinião mal informada, que sempre podia alegar que "onde há fumaça há fogo". Mesmo com esse clima, empreendemos as negociações com o FMI e continuamos a pedir ao Congresso o apoio necessário para governar.

Sai o acordo com o FMI — e saem também os irmãos Mendonça e André

Com o agravamento da crise financeira internacional, Malan voou para Washington logo em seguida às eleições, para reuniões com as autoridades monetárias. De lá informava a mim e a Pedro Parente (seu substituto interino no Ministério) o que estava ocorrendo. Malan resistiu galhardamente às pressões do FMI. Elas iam na direção de uma mudança brusca do regime cambial. Os representantes do G-7 pressionavam pela flutuação do câmbio, ou por uma subida forte do dólar, seguida de fixação, ou, pelo menos, para que promovêssemos um grande alargamento da banda de deslizamento do valor do real frente à moeda americana. A posição da Fazenda, como disse, era de manter a política vigente, reforçar as reservas (daí a necessidade de apoio do FMI) e recuperar progressivamente o crédito externo do país, para só alterar o regime cambial em momento de mais calma, evitando-se uma pressão inicial demasiado vigorosa sobre o real. Quando enfim nos chegou o suporte do sistema financeiro internacional, ele veio nas condições que propusemos, mantendo as regras cambiais vigentes. Eu entendia que alterações maiores de rumo deveriam ter sido promovidas antes. Não daria para adotá-las naquele momento sem correr um risco muito grande de descontrole. Isso, reafirmo, *depois de eu ter vencido as eleições* e, portanto, sem qualquer conotação de "populismo cambial".

Dei a cobertura que pude às negociações de Washington. Aproveitei para reforçar nossas teses nos telefonemas de cumprimentos que recebi do Presidente francês Jacques Chirac, do Primeiro-Ministro português António Guterres, do Rei Juan Carlos, da Espanha, e seu Primeiro-Ministro José Maria Aznar, e de todos os presidentes da América do Sul e o do México. Com Clinton conversei detidamente. Expus as razões de por que não modificaríamos as regras cambiais e disse que não poderia aceitar um programa de austeridade vindo do FMI que nos pedisse o impossível. Nós próprios definiríamos nosso ajuste. Pedi que ele nos apoiasse e a resposta foi muito positiva: ajudou efetivamente nas negociações, sem questionar nossa autonomia.

Ao mesmo tempo continuavam as tratativas para a reorganização do Ministério e para abrir caminho, no médio prazo, a mudanças mais profundas nas políticas macroeconômicas. No dia 7 de outubro fui informado de que Gustavo Franco, por motivos pessoais, talvez não pudesse continuar no governo. A empresa que sua mulher, Cristina, herdara, enfrentava dificuldades. Ademais seu pai, Guilherme Arinos Barroso Franco, estava em idade avançada e requeria que Gustavo se concentrasse nos negócios da família. Sua posição no BC obviamente o tolhia do ponto de vista ético para agir, e ele teve que pedir para sair. Sondei Chico Lopes para ver se, ocorrendo o afastamento de Gustavo, ele poderia substituí-lo no BC. Eu estava determinado a agir com presteza e não levantar dúvidas, postergando as modificações sobre a continuidade da política cambial. Chico pretendia alterações maiores, e as colocou no papel algum tempo depois para meu conhecimento. Mencionei que pretendia trazer André Lara Resende para Brasília, talvez na pasta do Planejamento. Reafirmei que manteria Malan na Fazenda. Contava com Malan, anotei, "como uma espécie de diplomata financeiro que ele é, e dos melhores. Ele é muito correto, muito competente, muito tenaz, como demonstrou agora mesmo nas negociações de Washington".

Não desisti, entretanto, de procurar meios para baixar a taxa de juros e ajustar o câmbio. Acreditava que isso ocorreria nos seis meses seguintes. As negociações com o Fundo foram se espichando por todo o mês de outubro. No dia 29, por causa do tratado de paz entre Peru e Equador, Bill Clinton telefonou para me felicitar e me pareceu um tanto preocupado com a demora na finalização do acordo com o FMI, pois continuavam as restrições da banca internacional ao Brasil. Asseverei que levaríamos ainda umas duas semanas antes de chegar a um entendimento. No fim de outubro o governo publicou o programa de ajuste, chamado Programa de Estabilização Fiscal (1999-2001). As dúvidas, no entanto, continuavam. Gustavo Franco estava em Basiléia em reunião com os presidentes dos BCs das dez maiores economias do mundo e com vários banqueiros. De lá me transmitiu a impressão de que não acreditavam que levássemos adiante o ajuste fiscal. Malan, que conversara por telefone com muitos deles, completou essas informações. Os americanos nos apoiavam vigorosamente na obtenção de um empréstimo de 40 bilhões de dólares, mas queriam que o G-7 e os grandes bancos privados também se comprometessem na operação. Finalmente, no dia 13 de novembro saiu o acordo, anunciado com pompa e circunstância até pelo Presidente Clinton, que mostrou a importância de evitar um colapso da economia brasileira. O cataclismo não ocorreu.

Na área política, contudo, a temperatura subira muito. Como sempre, o ajuste fiscal provoca reação dos que não são da área econômica. Somada à iminência de troca de ministros para o novo mandato, aguçou apetites e conflitos. O comparecimento de Luiz Carlos ao Senado para explicar as insinuações contidas no episódio dos "grampos" abriu espaço para muita crítica, vinda de senadores formalmente pertencentes à base de sustentação do governo. Pouca defesa mesmo por parte de líderes governistas, inclusive do senador Élcio Álvares, sempre tão prestante. As oposições, naturalmente, se deliciavam com "mais um escândalo". Resultado: demissão de Luiz Carlos, José Roberto e de André Lara Resende, apesar dos apelos meus e de Malan para que não o fizessem, pois a saída dos três poderia convalidar as acusações, como se houvesse algo a esconder. O episódio alimentou a troca de acusações entre PSDB, PFL e PMDB. Realizei reuniões seguidas com os partidos e os adverti para, diante da gravidade da situação, deixarem as disputas para depois. Inútil. No dia 2 de dezembro a Câmara rejeitou o projeto de lei sobre taxação de inativos, os funcionários públicos aposentados, que não haviam contribuído quase nada para a manutenção da Previdência pública. A derrota do governo, inesperada, pois se tratava de matéria que requeria apenas maioria simples, foi lida no exterior como falta de vontade para aplicar, de fato, medidas de austeridade.

As conseqüências da derrota não tardaram. No dia seguinte, 3 de dezembro, as bolsas despencaram, as taxas de juros futuros subiram e os rumores pelo mundo afora se encarregaram de derramar pessimismo sobre a economia brasileira. Anotei: "Isso, curiosamente, foi ontem, no mesmo dia em que o FMI aprovou o empréstimo para o Brasil. O efeito positivo esperado perdeu-se graças à irresponsabilidade da Câmara." Nesse dia 3, por ironia, eu estava reunido com Paulo Paiva (que assumira o Ministério do Planejamento quando Antonio Kandir se afastou para se candidatar à Câmara) discutindo estratégias de responsabilidade fiscal e o texto do projeto da LRF...

A demissão de Gustavo Franco

Daí por diante, mesmo com bilhões de dólares nas reservas e tudo o mais, não houve quem convencesse esse personagem de má catadura chamado mercado de que o Brasil estava seriamente empenhado em continuar no caminho da austeridade. A imagem do que ocorrera na Rússia, onde bilhões de rublos foram trocados por milhões de dólares de um programa de estabilização do Fundo e dos bancos internacionais e voaram para contas privadas em bancos no exterior, perseguia nosso país como pretexto para a volta da especulação. Alguns técnicos de alto escalão do FMI, descontentes com o modo altivo como definimos nosso programa, se encarregaram de soprar ao mercado que voltara à cena o "risco Brasil".

Todos esses fatos me levaram a repensar a tática de ganhar tempo para mudar as regras cambiais. Precisávamos apressar o processo. Tentei em dezembro e começo de janeiro buscar um plano que acelerasse a desvalorização do real. Debati com Gustavo Franco e Chico Lopes, e naturalmente com Pedro Malan, bem como com os economistas próximos em quem confiava. As divisas minguavam a cada semana. Gustavo trouxe dois documentos, em ocasiões diferentes, para responder às minhas inquietações. Não consegui convencê-lo da necessidade de acelerar o ritmo das minidesvalorizações. Ainda no dia 16 de dezembro reuni-me com ele e anotei: "Sei que Chico Lopes gostaria de ser presidente do BC. O Gustavo está cansado, mas ele é símbolo dessa política. Todo mundo critica a política de câmbio e juros, mas não faz outra. Conversei com Malan sobre isso e sobre alguns nomes, de novo, para ministérios." Tudo o que eu queria é que Gustavo, com a autoridade de que dispunha diante do mercado financeiro, concordasse em caminhar mais depressa no ajuste cambial. Até porque eu sabia que substituí-lo causaria preocupação a Malan.

Na antevéspera do Natal recebi André em minha casa em São Paulo. André, antigo batalhador por modificações mais profundas na política cambial e monetária, opinou que chegara a hora de nomear Chico Lopes, pois Gustavo não cedia. Pedi a André que ajudasse, juntamente com José Roberto Mendonça de Barros, mesmo estando ambos fora do governo, na formulação de um novo Ministério, que seria "da produção" e se transformou em "do desenvolvimento", entregue a Celso Lafer. Pedi-lhe também que acompanhasse as idéias de Chico Lopes. No fim do ano, dia 28, novamente tive uma conversa telefônica com André. Havia ainda a possibilidade de manter Gustavo no BC e aproveitar suas férias para, com sua concordância, começar a flexibilizar as bandas cambiais. Afinal, seria apenas uma mudança de velocidade nas minidesvalorizações. Voltei a debater o assunto com Gustavo e Malan, tanto antes do fim do ano como no princípio de janeiro de 1999. Disse a Malan que era melhor chamar logo Chico Lopes. Malan ficou de contatá-lo, mas estava visivelmente perturbado com o que percebia ser minha vontade de ir mais fundo na questão do BC se Gustavo não cedesse. No jantar comemorativo da posse do segundo mandato, no Palácio da Alvorada, a 1º de janeiro de 1999, abordei André e perguntei o que lhe parecera a proposta de Chico Lopes de alargar a banda e deslizar mais depressa o câmbio. Respondeu:

— Eu faria o mesmo.

Pedi-lhe que expusesse sua opinião a Malan. E reiterei a Gustavo no começo de janeiro ponderações sobre maior flexibilidade. Não tendo conseguido êxito, comuniquei a Malan que resolvera mudar o presidente do BC e que eu mesmo cuidaria do assunto.

E assim fiz, penosamente, numa sexta-feira à noite, dia 9 de janeiro. Telefonei ao presidente do BC e comuniquei:

— Gustavo, tomei a decisão de mudar a política e a presidência do Banco Central.

Gustavo, muito correto sempre, e sempre formal, retrucou com simplicidade:

— Pois não, Presidente.

E se prontificou a ajudar a transição. Ele entraria em férias, mas antes de deixar oficialmente o governo faria o necessário para uma mudança com êxito.

A "moratória" de Itamar e a diagonal endógena

Tomada a decisão quanto à política cambial, eu não podia antever as surpresas e dificuldades que me aguardavam. No afã de não perder colaboradores de valia, vinha tateando as reações de uns e outros. Nos dias 4 e 7 de janeiro de 1999 discutira com Gustavo o que fazer e de tudo dei ciência a Malan. As propostas de Gustavo e de Chico Lopes não eram inconciliáveis, as personalidades, sim. E as aspirações no governo também.

Gustavo evoluiu para a sugestão de uma espécie de "serpente", como se fez na Europa, dentro da qual o câmbio flutuaria, e a cada dez dias o BC fixaria o ponto médio do que ocorrera naquele intervalo. Chico Lopes queria uma desvalorização imediata de 5 a 7% seguida de um cone de desvalorização, ou seja, ampliaríamos seguidamente a margem de desvalorização, como se a cotação do real fosse deslizando ao redor de um cone. Quando percebi que a "serpente" sugerida por Gustavo mantinha o ritmo lento, perguntei quando, adotada sua proposta, a confiança retornaria. Respondeu-me que em alguns meses. Eu tinha verdadeiro pavor de ver nossas reservas próximas a zero. Pensei comigo: estamos esperando Godot.

Tudo isso era aflitivo. Na véspera da conversa decisiva com Gustavo, quando ele se aferrou à toada antiga, anotei: "O difícil é que estamos repetindo o que aconteceu em fevereiro de 1995, ou seja, a equipe não está coesa. E se eu demito um, para o outro poder realizar a modificação, o mercado inteiro fica sabendo na hora. (...) Situação delicada. (...) Vamos ter que colocar os dois, Gustavo e Chico Lopes, numa linha de entendimento provisório, tomar uma decisão sobre qual vai ser o tipo de medida e avançar. Com o que não posso mais concordar é com essa taxa de juros na lua e a placidez com que tanto o Gustavo como um pouco o Malan olham tudo isso, como se bastasse o ajuste fiscal." Tratava-se, na verdade, de uma placidez aparente. Estávamos todos sob grande tensão.

No fim de semana que se seguiu ao telefonema em que comuniquei a Gustavo a decisão de trocar a guarda, Malan viajou ao Rio para discutir com Chico Lopes e com outros funcionários do BC, notadamente com Demóstenes Madureira, sobre as mudanças pretendidas. Voltou não muito convencido do êxito da operação. Na segunda-feira seguinte, 11 de janeiro, reunimo-nos em jantar no Alvorada, Malan, Clóvis Carvalho, Chico Lopes e eu. Malan reiterou que não deveríamos divulgar a troca na presidência do BC antes das novas regras. Chico Lopes, antevendo a reprise de fevereiro-março de 1995, se opôs tenazmente a qualquer colaboração com Gustavo. Faria sozinho as modificações. Entregou-me um documento atualizando as medidas que gostaria de adotar e estava muito convicto da justeza delas. Marcamos a data de 13 de janeiro para deslanchar as decisões. Que risco! — diriam os supersticiosos. Mas era uma quarta-feira... Registrei: "Vai ser uma data importante. Por quê? Porque estamos mudando, na prática, o regime cambial. Não sei como isso vai ser encarado, se haverá corrida contra o real, se seremos capazes de agüentar, mas vamos sair do imobilismo que nos está levando ao sufoco."

Enquanto preparava a mudança, despistava a todos, inclusive os mais próximos. Não punha de lado meus objetivos finais, mas media o efeito de meus atos e mesmo das aparências. Recordo ter sido procurado por Paulo Renato e José Gregori, que vieram criticar a política cambial do BC. Defendi-a, como se não estivesse a um triz de mudá-la. Qualquer piscada de olho, nessas horas, pode ser fatal. Beto Mendonça, que esteve comigo no dia 11 de janeiro, insistiu que a mudança deveria ser feita no Carnaval ou durante a Semana Santa, mas em qualquer hipótese não passar de abril. Desconversei, pois Beto estava fora do governo, e nem com ele, colaborador antigo e absolutamente confiável, eu podia abrir o jogo.

Agindo assim, no dia 12, véspera do anúncio, viajei para Sergipe, dizendo que iria descansar na casa de praia do governador Albano Franco (PMDB), na Praia do Saco. A caminho, passei pelo Rio para inaugurar no vizinho município de Duque de Caxias as novas instalações gráficas de *O Globo*. Levei vários parlamentares no avião presidencial, inclusive o senador Antonio Carlos Magalhães. Conversamos alegremente e nenhuma palavra sobre mudança alguma. Tampouco, é claro, durante a cerimônia de inauguração. À entrada, alguns repórteres me dirigiram as perguntas que o momento exigia, mostrando-se mais interessados em saber se Malan continuaria ministro. Taxativamente reafirmei que sim. Perguntado sobre Gustavo Franco, fingi que não ouvi.

A calma e o despistamento duraram pouco. Em Sergipe, mal tive tempo para me alojar na casa de praia do governador Albano e dar um mergulho no mar. Voltei da praia para jantar, acompanhado apenas por Leôncio Martins Rodrigues, cientista político e meu velho amigo, e pelo ajudante-de-ordens, o já major-aviador Aldo Miyaguti, pois o governador estava reunido com seus pares em São Luís. Terminado o jantar, tocou o telefone. Era Clóvis Carvalho: os boatos corriam à solta em Brasília, havia muito nervosismo na equipe, aconselhou-me a regressar. Voltei logo na manhã seguinte.

Nem bem cheguei a Brasília, discursei ao país, tentando acalmar os ânimos. No Palácio da Alvorada, assisti pela TV à explicação pouco convincente de Chico Lopes sobre a nova regra cambial, que ele batizou de "diagonal endógena". Nesse mesmo dia falei ao telefone com Michel Camdessus. A conversa fluiu sem dificuldades, se bem que num contexto delicado. A equipe econômica entendera ser melhor promover as modificações sem consulta prévia ao Fundo, por motivos óbvios, pois o organismo se oporia ao estabelecimento de novas regras sem ter havido antes o ajuste fiscal.

Terminei o telefonema, ouvido por Malan, e transmiti o conteúdo aos demais presentes ao Alvorada (Clóvis, Pedro Parente, Sérgio Amaral, Andrea Matarazzo, secretário da Comunicação Social, e o secretário executivo da Fazenda, Amaury Bier, um economista excepcional que integrara o Cebrap e que Antonio Kandir levara para o governo). Assinalei que, embora Camdessus nada me tivesse pedido, eu acreditava que "eles", quer dizer, o FMI e os banqueiros internacionais, no fundo queriam provas adicionais de que continuaríamos seguindo o que consideravam o bom caminho. Registrei minha reação assim: "O que é que eles querem? Algum sinal na privatização. Já sei: ou a Petrobras ou o BB. Pois bem, eu não vou privatizar nem uma nem outro. Eles estão colocando o sarrafo cada vez mais alto para nós saltarmos. E ficam falando da questão fiscal. Mas estamos avançando no fiscal, que ninguém duvide. O Congresso está cedendo (referia-me a uma primeira votação da CPMF que aprovamos com facilidade). Agora, como é que vamos quebrar os ritos da democracia? (...) Querem que vá depressa, o que a lei não permite. É preciso que se entenda isso e o Fundo não pode exigir o que a democracia não permite."

Esse era meu estado de ânimo naquele momento. Assegurei aos presentes que não diria de público o que estava pensando e disse compreender as inquietações do Fundo: consideravam Gustavo Franco mais sensível às necessidades do ajuste fiscal e, penso, viam Chico Lopes como resistente a seu receituário. Contei a observação que Camdessus me transmitiu sobre a necessária disposição para o reajuste, e minha resposta reafirmando que já o estávamos levando adiante.

Motivos havia tanto para minha irritação quanto para a desconfiança do FMI. O quadro político se deteriorara. Alguns setores industriais que pediam mudanças do regime cambial com urgência, como certos líderes da Fiesp, continuavam reclamando. Queriam taxas de juros menores imediatamente. Chegaram a classificar-me de irresponsável por estar "em férias" quando deveria estar no comando da economia...

Pior do que isso: alguns governadores recém-empossados se mobilizavam para não se submeter às duras regras do ajuste fiscal, que vinha progressivamente se impondo desde quando renegociamos as dívidas dos estados, em 1997. Com efeito, no mesmo dia em que, nas circunstâncias a que já aludirei, o câmbio flutuou, telefonou o ministro Carlos Velloso, do STF, comunicando-me que concedera liminar em mandado de segurança proposto pelo governo do Rio Grande do Sul, comandado há poucos dias por Olívio Dutra, do PT, para, em vez de pagar em moeda a dívida gaúcha para com a União, depositar o valor contestado da parcela vencida sob a forma de penhora de bens imóveis do estado, até que a Justiça decidisse sobre a legitimidade dos débitos.

Muito pior fez o governador de Minas, Itamar Franco (PMDB). Ele havia perdido a indicação para concorrer à Presidência por seu partido, como vimos, o que deixara o PMDB livre para me apoiar. Inconformado, desencadeou verdadeira guerra de guerrilha contra o governo federal. Açulado por alguns colaboradores próximos, que nunca aceitaram a estabilização nos moldes realizados pelo Plano Real, e menos ainda as privatizações, não teve melhor idéia do que anunciar uma "moratória" das dívidas de Minas. A medida era tecnicamente impossível, porque lei anterior permitia ao Tesouro ressarcir-se automaticamente, não transferindo a Minas (no caso) os recursos do IR e do Imposto sobre Produtos Industrializados (IPI) que o governo federal efetua todo mês aos estados. Politicamente, porém, a atitude do governador bastou para produzir um desastre nas finanças nacionais. Em bom grau por desconhecimento das complexidades institucionais do país, a notícia correu o mundo como rastilho de pólvora.[3] O valor dos títulos da dívida externa despencou e aumentou consideravelmente a descrença na capacidade de o governo federal efetivar o ajuste fiscal.

Não contentes com o estrago, os bravos guerrilheiros do governo mineiro anunciaram que desfariam o acordo sobre o controle da Companhia Energética de Minas Gerais (Cemig), firmado pelo governo estadual anterior, de Eduardo Azeredo, quando privatizou parcialmente a empresa. Com fumaças de um patriotismo ultrapassado e exacerbado e da suposta

---

[3] Ver, por exemplo, "Itamar decreta moratória de 90 dias", *Folha de S. Paulo*, 7/1/1999.

defesa intransigente dos interesses de Minas contra a "derrama" da União, continuaram, sem entender os novos tempos, na faina ingrata de, opondo-se a mim, se oporem na prática a medidas naquele momento indispensáveis para permitir um futuro melhor ao país. Na verdade o acordo de renegociação da dívida dos estados livrou-os de pagar juros de 6% ou 7% *ao mês*, para pagar percentagem equivalente, ou não muito mais que isso, *ao ano*. Diga-se de passagem, essa circunstância explica parte do crescimento da dívida da União, que se financia a taxas em geral 10 pontos percentuais acima das que cobra dos estados. Os críticos da renegociação da dívida dos estados jamais levam em conta esses dados.

O ministro Eliseu Padilha, que havia sido decisivo no apoio à eleição de Itamar para o governo mineiro, tentou dissuadi-lo dos desatinos que estava cometendo. Esforço vão, pois o governador agia com objetivos políticos e pouco se preocupava com as conseqüências econômicas de seus atos e declarações. A tragicomédia persistiu meses afora, perdendo impacto nos mercados à medida que a opinião pública se apercebia do ridículo de algumas ações (por exemplo, cercar a sede do governo mineiro, o Palácio da Liberdade, em Belo Horizonte, com soldados de elite da PM, em uniforme de combate, até com máscaras no rosto, para "defender Minas" de um iminente ataque federal... Ou "acantonar" tropas da PM às margens de uma represa de Furnas sob o pretexto de exercícios de rotina, mas como se fora com o objetivo de "resistir" a qualquer tentativa de privatização da estatal federal, tão cara aos mineiros).

Apesar das adversidades, nos meus apontamentos de 13 de janeiro continuava a sustentar a correção das decisões tomadas: "Vamos ter um braço de ferro duro com esses que estão especulando uma vez mais. Só que agora, se vencermos essa parada, teremos saído da armadilha juro/câmbio. Vejo pelas notícias que alguns estão começando a entender que a desvalorização vai permitir aumentar as exportações."

A proposta de Chico Lopes, entretanto, não convenceu os mercados.[4] Era apenas o começo de uma trajetória do tipo rojão frustrado em noite de São João, que produz fumaça, parece que vai se abrir em um chuveiro de prata e, de repente, murcha e desaparece sem deixar rastro de beleza.

---

[4] Ver, por exemplo, "Governo muda política cambial; mercado reage com ceticismo", *Folha de S. Paulo*, 14/1/1999.

No dia seguinte a sua apresentação, o diretor de fiscalização do BC, Cláudio Mauch, demissionário desde há algum tempo, anunciou que iria mesmo embora, o que aumentou a tensão dos mercados. O câmbio elevou-se para a ponta de desvalorização admitida pela "diagonal endógena" de Chico Lopes: 1,32 real por dólar, contra 1,22 real da abertura no dia anterior. As bolsas caíram 10 pontos percentuais e as vendas dos títulos da dívida externa brasileira no mercado internacional foram suspensas. Registrei no sábado, 16 de janeiro: "Terminei minha gravação de anteontem dizendo que *les jeux sont faits*. Infelizmente os jogos se fizeram e perdemos a primeira rodada. Quinta-feira, dia 14, foi na verdade um dia desastroso."

Na noite da mesma quinta, Malan, Amaury Bier, Chico Lopes, Demóstenes e — não estou seguro — provavelmente Pedro Parente jantaram juntos e discutiram até tarde sobre que providências adotar para domar o mercado, essa fera temida. Às 7h30 da manhã de sexta-feira Malan me telefonou, disse que havia trocado opiniões com Stanley Fischer e que, depois das discussões durante o jantar, chegaram à conclusão de que teríamos de seguir uma das alternativas: fechar o mercado na sexta-feira para discutir com o FMI o que fazer; criar um *currency board* (que demandaria tempo) e tornar fixa a taxa de câmbio, como na Argentina; ampliar a banda de variação do real, fixando um valor mais alto para o teto (Malan achava que o "centro" da banda deveria ser o teto anterior, de 1,32 real por dólar); ou deixar o câmbio flutuar. Repliquei que não me assustaria tomar as decisões necessárias. Não simpatizava com o *currency board*, disse, "porque acho que isso no Brasil não vai funcionar". Reiterei minha preocupação, antiga: decidir antes que as reservas se esgotassem. A situação, no entanto, mudara. A fim de deter a sangria das reservas, tanto uma banda bem mais larga quanto a flutuação do câmbio me pareciam opções viáveis, embora envolvessem riscos. A opinião do BC era de permitir a flutuação, com o que concordei.

Quando a decisão presidencial é, e deve ser, solitária

A essa altura, na manhã de sexta-feira, 15, parecia que nosso esforço de anos para conseguir a estabilização ia evaporar em poucas horas de pressão contra a moeda. À desvalorização rápida e forte se seguiria a temida inflação, derretendo novamente os ganhos dos assalariados e desorganizando a economia. André Lara Resende, que falou comigo pelo telefone de Paris, entretanto, continuava entusiasmado com as mudanças. Da mesma maneira, José Roberto Mendonça de Barros, com quem mantive longa reunião, estava esperançoso. Pedi que animassem Malan. Anotei: "Chico Lopes era a alternativa de que dispúnhamos para a mudança. Não havia mais ninguém em volta."

Para surpresa geral, o câmbio oscilou até atingir um ponto máximo, e assimilável, de 1,55 real por dólar. As bolsas fecharam aquela sexta-feira com uma valorização de 33%. Nos dias subseqüentes as felicitações não tardaram a chegar, vindas seja de interlocutores habituais, como Julio Sanguinetti, Presidente do Uruguai, e Enrique Iglesias, do BID, seja de empresários como o banqueiro José Safra e Paulo Cunha, este dizendo que tínhamos demonstrado grande coragem. O Congresso também se mostrou sensível ao momento. Tanto os principais líderes do PFL como os do PMDB, para não mencionar o apoio constante do PSDB, perceberam que era hora de acelerar as votações que permitiriam o ajuste fiscal.[5]

Olhando em retrospectiva, não havia razão para tanto entusiasmo. Com efeito eu queria e, por fim, impus a mudança cambial. Vivi uma daquelas muitas ocasiões nas quais a decisão presidencial é e tem que ser solitária. As coisas, contudo, não saíram como desejado. O mercado estourou a velha política, mas também rejeitou a fórmula proposta de uma desvalorização sob controle, embora mais acelerada. Diante da realidade, tivemos que nos ajustar aos acontecimentos e dar a volta por cima. Isso foi possível porque as modificações até então ocorridas na economia brasileira propiciaram sustentação ao câmbio flutuante sem provocar uma catástrofe: a renegociação das dívidas dos estados, a solidez do sistema financeiro, graças aos tão criticados Proer e Proes, e o longo trabalho de desindexação afastaram o fantasma da volta da inflação.

É fácil alguém dizer: por que não fizeram antes? Quem é capaz de responder com certeza que, feita antes, a alteração cambial teria dado certo?

[5] Ver, por exemplo, "ACM e Temer prometem acelerar votação do ajuste", *Folha de S. Paulo,* 19/1/1999. Mais adiante, "Congresso assume amanhã com missão de votar ajuste", na mesma *Folha,* 31/1/1999. Também "Apoiaremos FH até o final", entrevista de Inocêncio Oliveira a Ilmar Franco, *Jornal do Brasil,* 31/1/1999.

Vendo os fatos em retrospecto, acredito que no primeiro trimestre de 1998, sim, poderia ter dado certo. Decisões dessa envergadura, entretanto, se fazem com pessoas de talento. Pessoas de talento têm ambições, idiossincrasias e, como foi o caso, idéias divergentes; às vezes se precipitam, às vezes perdem a possibilidade de atuar no momento adequado. Quem está no comando precisa saber de tudo isso e, como se estivesse conduzindo um transatlântico, não imaginar que sozinho pode dar uma freada ou uma guinada, sob pena de naufragar.

Naqueles dias tumultuados, e mesmo depois da aparente vitória, anotei: "No balanço que fizemos (...) tínhamos pulado o Rubicão um pouco por acaso, pelas circunstâncias que nos empurravam. A decisão que eu já tomara, na verdade desde o ano passado, de mudar o regime cambial, se devia a razões óbvias, por causa da taxa de juros e da impossibilidade de crescimento da economia, da camisa-de-força em que estávamos. O temor que todos tínhamos, e evidentemente ainda temos — porque vamos ver o que acontece na semana que vem —, era de que o Brasil, como não é Inglaterra, desse em México. A Inglaterra promoveu uma desvalorização, o mercado aceitou e pronto: não aconteceu nada. O México fez uma desvalorização, o mercado não aceitou e deu um pulo, desvalorizou muito sua moeda [refiro-me à crise de 1994, sobre as conseqüências da qual o Presidente Ernesto Zedillo conversara comigo várias vezes]." Mais adiante observei que o mercado até aquela altura nos estava impondo uma desvalorização de cerca de 20% e que, a ser assim, "é possível, através de uma política monetária austera, controlar a subida da inflação. Se não atravessássemos o Rubicão não teríamos como divisar um final de mandato com maiores perspectivas de crescimento da economia".

A impressão de que poderíamos nos ajustar mais suavemente, como ocorrera com o Reino Unido em 1992, foi percebida dessa forma também em Londres, como me disse, por telefone, nosso embaixador, Rubens Barbosa.

Malan chegou a pedir demissão

Passado o susto inicial, e sem divisar quantas surpresas o futuro próximo nos reservaria, pusemo-nos a repensar as políticas para sair do sufoco. Boa parte do que restava da equipe econômica viajou para Washington e para

Londres, em busca de desafogo para o aperto financeiro: o mercado secara, não havia linhas de crédito nem para as exportações. Em tais ocasiões os boatos se intensificam, a especulação encontra terreno fértil.

Dos EUA, Malan relatava as dificuldades. O ministro das Finanças da Alemanha, Oskar Lafontaine, do Partido Social-Democrata, não apoiava a posição do FMI, que insistia em que aumentássemos os juros. Só não queria dizer isso de público para não mostrar divisões de opinião no G-7. O Fundo de fato pressionava fortemente por um aumento da taxa básica. Stanley Fischer propunha que a elevássemos dos 22% em que então se situava para 35% ao ano. No dia 19 de janeiro, tive uma conferência telefônica com Malan, assistida por Chico Lopes e Pedro Parente. Chico e eu desejávamos no máximo 31%. Por fim concordamos que Malan poderia chegar aos 32%, para lhe permitir certa margem nas negociações com o FMI. Tampouco Alan Greenspan, presidente do BC americano, o Fed, e o presidente do Fed de Nova York, William MacDonough, refletindo a posição dos banqueiros internacionais, viam necessidade de aumentos significativos. No Brasil, governadores, políticos, empresários, é desnecessário dizer, opunham-se fortemente a qualquer elevação. Quando a crise bate feio à porta é nesse contexto que as decisões são tomadas: não há ponto intermediário. É fechar os olhos, ou melhor, abri-los bem para tentar enxergar mais longe, e decidir.

Indiferente às nossas dúvidas, o mercado continuou agindo, oscilando, castigando, levando uns a ganhar, outros a perder e a economia nacional como um todo a pagar os custos. Assim transcorreram os primeiros dias após a decisão de deixar o câmbio flutuar. Por todos os lados, dúvidas, e quase todos, consciente ou inconscientemente, ansiosos por "alguma regra". Depois de tantas décadas de câmbio controlado, não era fácil para os agentes econômicos e políticos se acostumarem a deixar o mercado definir o nível de equilíbrio do câmbio, uma quimera. Eu pensava comigo, e gravei: "Essa coisa de livre mercado, num país subdesenvolvido como ainda é o Brasil, com essa mentalidade de que é preciso ter as amarras no Estado, é complicada. Mais do que podemos imaginar."

No dia 20 de janeiro daquele 1999 o Congresso aprovou, por 334 a 140 votos, uma medida adicional para facilitar o ajuste fiscal, no caso, em matéria previdenciária. Telefonei imediatamente a Malan para que ele transmitisse a informação aos descrentes técnicos do FMI. Não adiantou nada: no dia 22 o câmbio chegou a atingir 1,80 real por dólar, embora fechando a 1,70. Com essas e outras Malan, na volta, começou a falar em sair do governo.

— Eu, como ministro, sou o responsável — disse-me ele. — Se as coisas não deram certo, é melhor imaginar outro ministro da Fazenda.

Rebati com energia, respondendo:

— Não concordo. Primeiro, porque se há algum responsável, sou eu. Segundo porque é difícil encontrar alguém que o substitua neste momento. Tenho falado pelo telefone com todo mundo aqui e lá fora. Todos mantêm a confiança em você.

Voltei a falar por telefone com André e Luiz Carlos, que estavam na Europa. Malan e eu pedimos a André que fosse aos EUA para falar com Stanley Fischer e com Larry Summers, buscando ganhar confiança em nossas possibilidades de sair da crise. Combinamos também que o BB venderia dólares para fazer o que os economistas chamam uma *dirty flotation*, ou seja, uma "flutuação suja" — o governo apregoa que é livre a flutuação, mas na prática intervém no mercado —, que deu resultado: o dólar cedeu nos dias seguintes.

No meio tempo eu me comunicava com o público onde pudesse. Na CNI, nas emissoras de TV, junto às bancadas parlamentares, recebendo empresários estrangeiros, na inauguração de uma fábrica de automóvel ou de compensados, em toda parte. Reafirmava minha confiança no Brasil, no rumo traçado de austeridade fiscal e reajuste do câmbio, na competência do ministro da Fazenda, em nossa capacidade negociadora e assim por diante. E escondia meu estado de espírito, embora a mídia o registrasse,[6] deformando às vezes meus atos (dizendo, por exemplo, que eu "passara a perna" em Gustavo Franco) e contrapondo minha expressão de ansiedade ao sorriso vitorioso de Itamar Franco por causa de sua "moratória", como se minhas preocupações estivessem em contraposição aos arroubos dele.

---

[6] Ver, por exemplo, *O Globo*, 9/2/1999, coluna "Panorama Político", nota sob o título "O estresse de FH", citando o senador Pedro Simon: "Mas o homem que encontrei agora, embora cordial como sempre, é outro, cansado e preocupado."

Enquanto isso, eu registrava parte do que me preocupava: "Hoje de manhã (era 22 de janeiro) ouço na TV que Menem já está se antecipando, discutindo a dolarização e a união monetária da Argentina com os EUA. Seria o golpe de morte no Mercosul — e aí o Brasil, ou fica isolado, ou ingressa na Alca em condições piores do que nunca." O chanceler Lampreia, com quem almocei em seguida, me tranqüilizou: haveria eleições na Argentina, eles não teriam possibilidades de levar adiante a substituição do peso pelo dólar como moeda corrente, tratava-se só de uma atitude acauteladora.

Malan insistiu muito em se demitir. Ele, que jamais acreditara na proposta de Chico Lopes, se sentia desconfortável e via as imensas dificuldades que teríamos, no exterior, para recuperar credibilidade. Na verdade, pensava, seria necessária uma mudança mais radical na equipe, inclusive com sua substituição e a de Chico Lopes. Quem sabe André iria para a Fazenda, afirmava. No sábado, 23 de janeiro, Celso Lafer me telefonou e passou a ligação para Affonso Celso Pastore, ex-presidente do BC por ano e meio durante o governo do Presidente Figueiredo e meu antigo colega dos tempos da Faculdade de Economia, quando éramos professores assistentes. Ele se mostrou franco e realista: pensava ser inútil atuar na taxa de juros e disse que tudo derivava da percepção dos credores. Estes viam o esforço fiscal como insuficiente e ainda achavam que não tínhamos força política para implementá-lo. Era o fantasma da moratória que ameaçava se materializar depois de haver assombrado, como o pai de Hamlet, o dubitativo príncipe das Minas Gerais. Apesar disso, Pastore me disse que haveria alguma inflação, o que ajudaria a colocar as contas em ordem, e que deveríamos continuar no rumo e, sobretudo, resistir às pressões dos governadores.

O FMI queria que imitássemos o Plano Cavallo

Chamei André Lara Resende ao Brasil. No dia 26 jantamos no Alvorada com Malan, Chico Lopes e Armínio Fraga, que estava em visita a Brasília, desligando-se de suas atividades no grupo do investidor George Soros. Por insistência de Malan, conversei com Armínio em um canto do grande salão de estar do Alvorada e perguntei se no futuro se disporia a colaborar com o governo. Naquele momento o BC não passava pela minha cabeça como lugar de aterrissagem para ele, até porque os últimos dias haviam sido relativamente calmos e as conclusões de nosso jantar menos pessimistas do que as análises dos dias anteriores. André e o próprio Armínio sempre se manifestaram favoráveis às modificações que, aos trancos e barrancos, estávamos realizando. Armínio respondeu que não via urgência em mudanças no governo naquele janeiro mas que, quando voltasse, em junho, se disporia a conversar sobre o tema.

No domingo, dia 24, Malan me telefonou para dar conta do que discutira com Camdessus. A proposta do diretor-geral do FMI consistia em manter os juros elevados e preparar condições para um *currency board*. Como ele sabia que eu me oporia a imitar a Argentina, fixando o câmbio, mormente por meio de um *currency board*, na prática propunha juros altos, controle da massa monetária e definição de um alvo para a inflação. Ouvido Malan, anotei: "Não deixa de ter (a proposta) racionalidade formal, mas falta racionalidade substantiva. Como é que vou impor mais taxas de juros a esse país, diante do Congresso, dos empresários, dos trabalhadores? Esse 'detalhe' — parece que é detalhe para eles — o FMI nunca discute."

Mais tarde, no mesmo dia, recebi telefonema do responsável pelo Fundo. Na conversa, Camdessus revelou-se, como sempre, caloroso. Disse que entendia nossa preocupação com a autonomia decisória (cheguei a interpretá-lo mal, achando que desejava lavar as mãos, e lhe disse que, àquela altura, não sairíamos da crise sem apoio do Fundo), mas que seria útil se houvesse troca de informações mais constante da nossa equipe com o Fundo e os mercados. Em sua opinião, tínhamos três alternativas: continuar com a política de Chico Lopes de câmbio flutuando sem juros altos; voltar ao combinado em Washington em novembro, ou seja, nas palavras dele, defender os ganhos do real, apertando a política monetária para que da desvalorização não decorresse aumento da inflação; ou, finalmente, aplicar o sistema de *currency board*, como feito por Cavallo na Argentina. Esta última lhe parecia a melhor alternativa.

Camdessus estava inteirado por Enrique Iglesias de minha indignação com a persistência das dúvidas sobre nossos propósitos, apesar da aprovação pelo Congresso de todas as medidas de ajuste fiscal enviadas pelo governo. As dúvidas se transformavam, pensava eu, em instrumento de pressão e terminavam facilitando as especulações financeiras. Minha indignação provinha da convicção de que faríamos o ajuste. "Essa é a situação nua e crua como vejo hoje. Não me faltam forças para realmente liberar as forças produtivas do Brasil. Este vai ser um ano de dureza no que diz respeito à questão fiscal. Esta é decisão já tomada, nem é a decisão, é a empreitada na qual temos que nos meter. Para isso preciso de homens fortes no governo junto comigo", anotei no dia 24.

No dia seguinte, foi a vez de Stanley Fischer ao telefone. Declarou-se com todas as letras favorável ao *currency board*, embora sabedor de nossas resistências. Manifestou entusiasmo ante nossa disposição de agir firmemente no ajuste fiscal, mas, reiterou, o problema de credibilidade era muito sério. O Fundo e o governo brasileiro estavam convencidos de que não havia risco de suspensão do pagamento da dívida interna. No entanto, o governo precisava demonstrar ao mundo como operava o mecanismo de financiamento interno no Brasil, pois a imagem externa se formava com base no que ocorrera no México com os *tesobonus*, ou seja, os títulos que financiavam a dívida interna do governo, cotados em dólar. Mais delicada ainda era a falta de crença em nossa capacidade de honrar a dívida externa. Seria necessário reunir os banqueiros e lhes apresentar um cronograma crível de desembolso. Acrescentou que ninguém melhor do que Malan para mostrar que o Brasil tinha uma âncora forte de credibilidade.

Também com o governo americano as tratativas prosseguiram. Tornei a falar com Clinton no dia 29 de janeiro. Ele me disse que precisávamos trabalhar para fazer o que eles chamam de *confidence building*. Ou seja, o Tesouro e o FMI não estavam confiantes no BC brasileiro. Mencionou a questão dos governadores, reafirmando, porém, a disposição de nos ajudar. Pedi que falasse com Robert Rubin para mostrar ao FMI a necessidade de definir depressa o apoio ao Brasil. A questão básica persistia: percepção externa. Depois do acordo com o FMI em novembro, que nunca tinha sido desejado por Chico Lopes, nem teve os amores de Gustavo Franco, o BC, em vez de manter elevadas as taxas de juros, baixou-as progressivamente, com o apoio de todos nós, governo, empresários, mídia, políticos, enfim, da opinião pública. Estávamos confiantes em que o ajuste fiscal seria feito. Quando, em dezembro, o Congresso recusou a contribuição dos inativos, o mundo veio abaixo no exterior. Daí em diante recomeçou a votação das medidas de ajuste e até mesmo a contribuição dos inativos terminaria sendo finalmente aprovada. Na verdade o Congresso se houve de modo admirável durante a crise. Do ponto de vista da percepção externa, entretanto, de nada valeu. A "moratória" inconseqüente de Itamar serviu de estopim para o estouro da boiada.

Entramos em cabo-de-guerra: nós a resistir a novas altas das taxas de juros, o mundo financeiro externo a pedi-las. O FMI e o Tesouro americano, amuados por não termos seguido o combinado, ainda por cima com as modificações de comando e de linha no BC, não davam os sinais positivos necessários. Anotei no fim de janeiro: "Esse silêncio pesado ou as falas constrangidas do Fundo e do Tesouro passaram para o mercado a sensação de que não teríamos solidez para levar adiante o processo e que as coisas iriam agravar-se."

Internamente a política continuava nervosa. Governadores de oposição, como Olívio Dutra, do Rio Grande do Sul, e Anthony Garotinho (PDT), do Rio, além de Itamar, continuavam ameaçando não pagar as dívidas, fazendo reuniões e lançando manifestos em favor de uma revisão do "pacto federativo", eufemismo para pedir mais dinheiro ao governo federal. Opositores tradicionais da política de câmbio do BC, da nova e da antiga, aproveitavam o momento para opinar. Mas o economista James Tobin, àquela época muito popular à esquerda por aquela proposta de taxar as transações financeiras internacionais, deu uma entrevista aplaudindo as decisões brasileiras. José Serra me transmitiu uma publicação na qual se descrevia o conjunto de medidas adotado pelo Primeiro-Ministro da Malásia, Mahatir Mohammed, para conter a crise asiática. *O Estado de S. Paulo* pedia, em editorial, a demissão do ministro da Saúde, sob alegação de que ele estava querendo substituir Malan ("O presidente precisa demitir um ministro", 27/1/1999). A *Folha de S. Paulo* fazia contínuas pesquisas de opinião que mostravam a deterioração do apoio popular a mim ("Para 70% dos paulistanos, crise vence FHC", 31/1/1999). Foi nesses dias que o petista Tarso Genro, prefeito de Porto Alegre, publicou seu artigo sobre o encurtamento de meu mandato. Era assim o dia-a-dia, com um sabor de volta a um passado de descontrole econômico e administrativo e de instabilidade política. Isso três meses depois de uma reeleição consagradora. Nesse clima, eu me concentrava no essencial: repor a economia nos trilhos.

Vi rancor nos olhos do povo

Dia 29 de janeiro o dólar rompeu a temida barreira psicológica dos 2 reais. Era o que os economistas chamam de *overshooting* (um superpontapé, em linguagem mais vulgar). Malan insistia: ou o FMI envia logo uma missão para negociar conosco ou não teremos condições para segurar o caos. Neste contexto viajei a São Paulo para inaugurar as novas instalações da TV Globo. À tarde o telefone não parava. Ora era o general Alberto Cardoso, chefe do Gabinete Militar, ora o dr. Lucena, chefe de meu gabinete pessoal, e o tempo todo Ana Tavares, que me acompanhava na viagem e recebia informações telefônicas incessantes: notícias de corrida bancária. O boato do momento assegurava que no fim de semana decretaríamos o congelamento dos depósitos, como se deu na estréia do governo Collor. Naquela tarde, quando o cortejo presidencial descia a avenida Rebouças, em São Paulo, percebi e senti, pela primeira e única vez no exercício da Presidência, o olhar de distanciamento, a perplexidade e até o rancor do povo. Nas campanhas eleitorais e em atos públicos de governo vi com freqüência olhares enfurecidos, mas sempre de militantes políticos adversários. Não da massa popular que, no Brasil, é antes receptiva à autoridade do que ameaçadora. Naquela sexta-feira, entretanto, o ânimo, mesmo mudo, era outro.

Embora houvesse veículos da segurança da Presidência à frente e atrás de meu carro, eu não gostava do espalhafato que normalmente acompanha os trajetos do Presidente e não apenas não queria batedores de motocicleta com sirenes ligadas à minha volta como não permitia que se controlassem os semáforos para nos dar passagem. Assim, era vagarosamente que o cortejo presidencial descia a avenida, indo de minha casa, no bairro de Higienópolis, para a nova sede da Rede Globo na região da avenida Luís Carlos Berrini, próxima à avenida Marginal de Pinheiros. Podia perceber com nitidez a atitude das pessoas. Ninguém me saudou com as mãos, como o habitual. Eu via nos olhares perplexidade, medo, ressentimento.

Ao final da inauguração concedi uma entrevista à Globo. Indagado com ansiedade pela jornalista Miriam Leitão sobre a situação, também pela primeira vez baixei a guarda. Em lugar do otimismo oficial, disse que, tal como nos tempos da Segunda Guerra Mundial Churchill falara em sangue, suor e lágrimas, teríamos que, sem sangue, suar muito e sofrer bastante para rearrumar a casa. Não haveria moratória alguma, mas aperto fiscal. Do local da inauguração segui para o Palácio dos Bandeirantes, sede do governo paulista, para conversar com Mário Covas, não sem antes reunir-me com Andrea Matarazzo, ministro da Comunicação Social, para contra-atacar a onda de boatos.

No Palácio dos Bandeirantes reafirmei à imprensa que nada do que estávamos fazendo ou faríamos se comparava às medidas de Collor. Que eu, reeleito em primeiro turno com mais de 35 milhões de votos e com toda uma história de nunca enganar o povo, não iria perder esse patrimônio político com medidas demagógicas. Os bancos continuariam abertos na segunda-feira seguinte e não haveria congelamento de nada, depósitos ou preços, e eu jamais tocaria na poupança da população. Manteríamos a política desenhada desde o Plano Real.

O encontro com Covas foi excepcional. Primeiro porque ele, apesar de àquela altura já estar se submetendo a quimioterapia para o tratamento do grave câncer que finalmente o derrotaria em 2001, me pareceu vigoroso e animado. Depois porque, embora achasse que eu deveria trocar o comando da economia para recuperar a confiança da população, aceitou minhas ponderações. Disse-lhe:

— O problema é: quem nomear? Não é fácil, não se encontra uma pessoa. O Pedro Malan está aberto. Tem tido uma grande franqueza e uma solidariedade excepcionais para comigo e para com o Brasil. Meu receio é introduzir mais um elemento de instabilidade.

Mário não só concordou como se dispôs a ir a Brasília, em reunião com os governadores, para manifestar apoio ao governo federal. Reafirmou que sabia avaliar as dificuldades e que, fosse qual fosse minha decisão, seria solidário a ela.

Retornei a Brasília e no dia seguinte, sábado, chamei Pedro Malan e Pedro Parente para uma conversa decisiva. Anotei: "O dia foi terrível. À noite [de sexta para sábado] fui dando balanço, boatos de todo tipo, o dólar a 2 reais e não sei quanto, uma coisa desatinada." Passei o dia trocando idéias e informações com Malan e Parente e dependurado ao telefone com os personagens de sempre, Pérsio e André. Com eles discuti a sugestão do Fundo e de Cavallo — que desde há muito, como vimos, nos instava a imitar a Argentina —, de criarmos um *currency bord.* Não obstante sabedores do efeito rápido que isso ocasionaria na taxa de juros, provocando sua queda, temiam a mudança sem que antes tivessem ocorrido os efeitos do ajuste fiscal. Por outro lado, consideravam a flutuação do câmbio um mecanismo superior ao *currency board*. A pressão sobre o real, disse Pérsio, é uma bolha que vai furar.

Armínio no BC ajuda a restaurar a confiança

Merece registro, ainda, a conversa telefônica que tive com Robert Rubin, na manhã desse sábado. Ele se encontrava no Fórum Econômico Mundial, em Davos, na Suíça. A conversa foi muito longa, calma, com jeito agradável.

— O senhor sabe, Presidente, além dos recursos há a questão da confiança. É preciso restabelecê-la.

Ele se referia, naturalmente, à mudança cambial sem qualquer aviso prévio ao FMI e ao Tesouro dos EUA. Na prática, embora não me tenha dito dessa forma, confiança de volta queria dizer mudar a direção do BC. Da reunião de Davos recebi também, por meio de Lampreia, avaliações pessimistas. Um diretor do Goldman Sachs lhe mostrara um relatório em que o banco reiterava a necessidade de reestruturação de nossas dívidas.

Evitei entrar em detalhes com Rubin sobre assuntos internos nossos e disse que Stanley Fischer precisava vir ao Brasil para retomar logo as negociações. Relembrei-o de meus argumentos, mas avancei com outro com o qual ele estava de acordo: se subíssemos a taxa de juros, o mercado que olha para o câmbio não tomaria conhecimento disso e o mercado que olha para a dívida interna acharia que tornávamos mais difícil ainda o seu pagamento. Logo, pioraria a nossa situação. Insisti que o aumento dos juros era uma imposição do FMI que não tinha cabimento e precisava ser revista.

Apesar da boa vontade de Rubin e de seu tom amistoso, no fundo era uma conversa de surdos. Com ele, que era dos mais sensíveis aos nossos argumentos, e com os demais. Nós preocupados com a disparada do dólar, que estava acontecendo, e eles com a da inflação, que não ocorrera. Pediam juros mais altos para controlar uma eventual inflação, com o que não se resolvia a disparada do dólar. Para resolvê-la precisávamos de um empréstimo urgente que solidificasse nossas reservas e permitisse a retomada da confiança, a qual tinha menos a ver com pessoas do que com fatos. Havia que mostrar cacife para entrar no jogo.

Por razões internas, entretanto, era preciso mudar as pessoas. Fiquei chocado quando Chico Lopes, no meio de toda a confusão armada com a corrida bancária, sequer me telefonou. Viajou para seu sítio em Teresópolis (RJ) e de lá voltou na segunda-feira para ter uma conversa comigo, quando lhe informei da decisão tomada de substituí-lo. Coube novamente a mim a ingrata tarefa de demitir um colaborador. A mídia a dizer, como já acontecera várias vezes antes, que eu não gostava de demitir ninguém (a propósito, isso é coisa para se gostar?), e eu, para poupar o ministro da Fazenda, a quem o presidente do BC se reportava, exercendo uma das piores exigências da vida pública.

Chico Lopes me perguntou por quem seria substituído. Quando disse que por Armínio Fraga — como logo comentarei —, demonstrou alívio, pois considerava que sua linha seria mantida. Achava o que ocorrera algo normal no início de uma experiência nova com o câmbio flutuante (o câmbio abrira naquela segunda-feira a 1,76 real por dólar, quando na sexta-feira anterior chegara a 2,15), que provavelmente haveria uma inflação de uns 30%, mas teríamos saltado o Rubicão. No futuro, disse ele, essa política renderia frutos, pois permitiria a retomada do crescimento. Deixou claro que lhe parecia um erro sua substituição. Quem sabe mesmo atribuísse minha decisão de tê-lo nomeado como mero jogo político, quando não uma manobra para afastar Gustavo de modo a colocar no lugar quem eu realmente queria. Registro tais observações para mostrar o estilo de Chico Lopes: um intelectual inteligente e dedicado, com pouco senso político e, até quanto possa julgar, absolutamente decente. As infâmias e humilhações que ele sofreu posteriormente não guardam qualquer proporção com os atos praticados. Nas vezes em que interagiu comigo, sempre o vi movido por convicções. Um tanto abstratas para o exercício da chefia em posições públicas, o que lhe custou o cargo, mas nunca de má-fé.

Mas não era só isso. Malan, como disse, nunca se sentiu confortável com a orientação do BC sob Chico Lopes. Naquelas circunstâncias eu não deveria aceitar a demissão do ministro, apresentada por escrito na tarde de domingo, dia 31, e não poderia manter a ambigüidade de comando. Havendo passado em revista com Malan e Pedro Parente todas as dificuldades, já no sábado, 30 de janeiro — dois dias antes de demitir Chico

Lopes —, tinha autorizado Parente a sondar Armínio para ocupar a presidência do BC. Depois do sinal verde, no domingo telefonei para ele em Nova York e combinamos que na terça-feira, 2 de fevereiro, estaria novamente no Brasil para se incorporar ao governo.

Houve críticas à escolha. Elio Gaspari se antecipara em sua coluna em *O Globo* e na *Folha de S. Paulo*, chamando a atenção para o risco de conferir à raposa a guarda do galinheiro.[7] Até Lula, em geral pouco ativo na oposição direta a mim, fez comentários na mesma linha.[8] Eu pensando comigo: é exatamente disso que precisamos; de alguém que, sendo honesto, conheça o funcionamento dos mercados financeiros, dos chamados derivativos e da especulação, e que use esse conhecimento para defender a moeda e os interesses nacionais. Em geral a acolhida ao nome de Armínio foi positiva.

Havia ainda outros problemas a contornar: a Constituição requer a aprovação do presidente do BC pelo Senado. Este dera seu assentimento a Chico Lopes, que se saiu com brilho da respectiva sabatina, apenas uma semana antes. Além do que, a Casa entraria em recesso. Malan, a instâncias de Pedro Parente, conversou com o presidente do Senado para explicar a situação e pedir compreensão, e obteve sucesso. Antonio Carlos dirigiu-se à imprensa e elogiou Armínio, carioca com raízes familiares na Bahia. O gesto de ACM, por sinal, permitiu que alguns políticos, sobretudo do PSDB, divisassem na nomeação o aumento da influência do cacique baiano, que absolutamente nada teve a ver com a decisão. O saldo: mais disposição negativa de setores políticos contra o "predomínio" do PFL no governo...

Recebíamos fogo amigo, e, claro, rajadas de balas da oposição. Notas de governadores, respostas do Planalto, brigas no Congresso por causa da eleição das Mesas Diretoras, imprensa fustigando e nós na dura luta para convencer o FMI a liberar recursos. O Fundo condicionava a liberação à aprovação final da CPMF, medida que, junto com a implantação de um imposto sobre combustíveis, era mais importante para o governo equilibrar as contas do que o próprio FMI imaginava. Fomos aprovando tudo,

---

[7] Ver "O governo capturou o especulador", publicado nos dois jornais a 7/2/1999.

[8] Ver "Itamar e Lula criticam mudança no BC", *Folha de S. Paulo*, 3/2/1999.

item por item, e as nomeações políticas que assinei na recomposição do Ministério mostraram sua utilidade, apesar das críticas de quem esperava que, pelo menos no segundo mandato, eu montasse um Ministério "puro-sangue", com grandes nomes.

Com o transcorrer do tempo, a situação internacional — que estivera na origem de nossa crise desde os acontecimentos com a Rússia, passando pela falência de um grande fundo americano de investimentos, o Long Term Capital Management (LTCM) — ia se desanuviando. A bolha financeira americana não arrebentou com fragor. As linhas de crédito começaram a fluir nos fins de fevereiro e as discussões, árduas, com os técnicos do Fundo progrediram. Stanley Fischer, antigo conhecedor da economia e das pessoas do Brasil, auxiliado pela economista italiana Teresa Ter-Minassian, da direção do Fundo, abandonaram a infeliz idéia de formar um *currency board*. Do nosso lado, Malan, Amaury Bier, Pedro Parente e Armínio Fraga passaram a formular, sob minhas vistas, o que veio a ser depois uma nova política macroeconômica, que continuou sendo seguida no governo Lula, baseada em três pontos: câmbio flutuante, metas de superávit primário e metas de inflação.

Stanley Fischer veio ao Brasil e Cavallo continuou a propagar as vantagens do *currency board* em visita a mim em Brasília (argumentando, não sem razão, que não deveríamos afastar de todo essa hipótese para evitar, taticamente, a preocupação dos mercados com uma decisão de centralizar o câmbio).

Atuando oficialmente como consultor de Malan enquanto o Senado não voltasse a se reunir para referendar sua indicação, Armínio começou a montar equipe e a operar. Entusiasmado com a nova política que se ia desenhando, conseguiu ir restabelecendo a buscada confiança. Para reforçá-la, gostaria de um programa de privatizações mais agressivo, sobre o qual eu tinha dúvidas.

Na sexta-feira antes do Carnaval recebi o Presidente Menem em São José dos Campos (SP), a caminho de uma visita à estância climática de Campos do Jordão, frustrada pelo mau tempo, para ir acertando com ele as reações dos argentinos às conseqüências do câmbio livre e da desvalorização do real, que tornaram os produtos brasileiros bem mais competitivos em seu mercado. Durante o Carnaval, na casa de campo em Ibiúna, me pus a ler e a falar ao telefone para entender em profundidade o novo sistema de metas inflacionárias. Passamos o final de fevereiro discutindo o nível do superávit primário desejado. Propusemos 3,1% do PIB, o Fundo queria mais: 3,25%. Sempre a mesma tática de subir o sarrafo para ver se saltávamos. A economia real funcionando razoavelmente, a despeito de tudo. Empresas estrangeiras e nacionais informando-nos que continuariam investindo no Brasil. Nem por isso os mercados financeiros deixavam de corcovear. Enquanto isso, sabatinado no Senado, Armínio reagiu com serenidade e altivez às insinuações de uns poucos cuja imaginação e compreensão da coisa pública têm alcance limitado. O senador Simon, por exemplo, fora duríssimo. Havia por trás de cada pergunta a pressuposição de que o galinheiro estava sendo entregue efetivamente à raposa. Eu recomendara que Armínio agisse com prudência e firmeza. Registrei para mim mesmo ao gravador o que lhe dissera: "Você vai fazer esse debate no Senado. Não se impressione, você tem que ser aprovado. O debate é como jornal: no dia seguinte ninguém mais se lembra. Não se esqueça de que seu objetivo é ser aprovado. Você vai ser. Mas não se esqueça também do seguinte: o Brasil não gosta do sistema capitalista. Os congressistas não gostam do capitalismo, os jornalistas não gostam do capitalismo, os universitários não gostam do capitalismo. E, no capitalismo, têm horror aos bancos, ao sistema financeiro e aos especuladores. Então o ponto fraco vai ser sua relação com Soros. Eles não sabem que não gostam do sistema capitalista, mas não gostam. Gostam do Estado, gostam de intervenção, do controle, do controle do câmbio, o que puder ser conservador é melhor do que ser liberal.

"Essa é uma dificuldade imensa que temos, porque estamos propondo a integração do Brasil ao sistema internacional. Eles não gostam nem do capitalismo nacional, quanto mais do internacional, desconfiam de nossa ligação com o sistema internacional. O ideal, o pressuposto, que está por trás das cabeças, é um regime não-capitalista e isolado, com Estado forte e bem-estar social amplo. Isso tudo é utópico, as pessoas não têm consciência. (...) Um governo que se propõe a fazer a integração do Brasil à nova divisão internacional do trabalho é visto como neoliberal. Isso é xingamento, e quer dizer na prática que o governo tem distância ou ojeriza ao social. Mesmo que se mostre por 'A' mais 'B' que meu governo foi o que mais realizou pelo social, não adianta, porque também foi o que mais fez pela integração do Brasil ao sistema mundial, e isto não é bem-visto aqui."

A lembrança da verdadeira guerra empreendida por alguns senadores contra Luiz Carlos Mendonça de Barros quando do caso dos "grampos" do BNDES continuava a me preocupar. Mas Armínio houve-se muito bem no Senado. Chegou a desarmar os ânimos quando, depois de muito criticado, até por ter mãe norte-americana (a que ponto chega a má-vontade de oposicionistas), respondeu assim à provocação do senador Saturnino Braga (PSB-RJ) de que seria um "gênio do mal":

— Gênio não sei, mas sou do bem....

Para a retomada da confiança, contou muito o jeito de Armínio. Simples, direto, convincente. Além de tudo, desde princípios de março, começamos a perceber sinais de melhoria na economia. Reagindo a nova puxada na taxa de juros, que chegou a 45% no dia 5 de março, o mercado cedeu na pressão altista do dólar. Os dados sobre a inflação surpreenderam. Os índices para o consumidor no acumulado do ano calculados pela Fundação Instituto de Pesquisas Econômicas (Fipe), ligada à USP, não ultrapassavam 2% até março. Imaginávamos ser possível chegar à época do salário mínimo com uma inflação próxima a 7% e ao fim do ano com 11% ou 12%. Anotei que se continuasse assim a taxa de juros poderia cair significativamente.

Isso de fato ocorreu. O Congresso aprovou a CPMF, tivemos uma reunião muito positiva com os governadores em fins de março e Armínio Fraga continuou lutando com o Fundo para utilizar com maior liberdade as reservas, de modo que o mercado visse que tínhamos "bala na agulha". A limitação no uso das reservas após obtermos os empréstimos do FMI já tinha atado nossas mãos nos meses anteriores, praticamente impedindo as intervenções pontuais para conter a pressão sobre o câmbio. Vencidas as dificuldades, Stanley Fischer telefonou em abril. Em ligação de semanas antes, ele havia perguntado se os dados de inflação que recebera eram acurados. Respondi-lhe que sim. Dessa feita, disse apenas:

— Só quero felicitá-lo. É um prazer ver o que aconteceu com a economia brasileira, depois de tantas dificuldades.

As taxas de juros efetivamente começaram a cair até atingir 19,5% em julho e 19% em setembro, correspondendo a uma taxa real de cerca de 10%, alta, é verdade, mas a menor desde o início do governo. A economia se recuperava. Não era essa, entretanto a percepção dos políticos. No Congresso, começaram a lutar pelo controle de CPIs, a do Sistema Financeiro e a do Judiciário. Os fundamentos para a nova etapa da economia brasileira, no entanto, estavam lançados. O sistema de metas inflacionárias seria mantido pelo governo seguinte e sancionei a LRF em 2000. Esses são os pilares da estabilidade econômica. Por outro lado, a flutuação do câmbio abriu espaço para o Brasil voltar a ser uma economia exportadora mais sólida.

A hipótese de um governo Lula assusta os mercados

Os fundamentos do real voltaram a ser testados em 2002, ano delicado para a economia por causa das conseqüências imaginadas pelo mercado com a eventual eleição de Lula para a Presidência da República. Àquela altura o país não sabia o quanto o PT e seu candidato haviam mudado. Mesmo porque eles não se deram ao trabalho de informar ao eleitorado que iriam seguir, e com a paixão dos recém-convertidos, as linhas fundamentais do que fomos estabelecendo, com muito esforço, desde 1993, contando sempre com a oposição encarniçada e muitas vezes desleal deles próprios e de seus aliados.

Restabelecida a confiança na economia brasileira, os investimentos voltaram a fluir do exterior e a brotar no interior. Em 2000 atingimos um pico de 33 bilhões de dólares em investimento estrangeiro direto, com o Brasil se situando atrás apenas da China, entre as economias emergentes, na atração deste tipo de recursos. O PIB cresceu 4,4%. Mesmo em 2001, apesar da crise de energia, houve um bom volume de investimentos. Os governamentais atingiram 20,9 bilhões de reais, soma apenas inferior, em toda a série de dados disponíveis no Tesouro Nacional, aos 21,7 bilhões investidos em 1987.

A situação se tornou mais tensa depois do 11 de setembro de 2001, com o atentado às torres gêmeas em Nova York. Ainda assim, no fim do ano a economia retomou marcha ascendente e no primeiro trimestre de 2002 os dados mostraram-se razoavelmente positivos, mesmo comparados com o primeiro trimestre de 2001, de forte crescimento.

Em minhas lembranças o horizonte começou a toldar em abril. No começo do mês eu cheguei a anotar que havia uma "prosperidade relativa", que poderia desaparecer se o Congresso não continuasse votando as medidas necessárias. Eram a renovação das mesmas, em um percurso de Sísifo, ou pequenos passos na senda aberta por votações anteriores: CPMF, reforma tributária, da Previdência etc. Seria nesse abril que a investigação do Ministério Público sobre fraudes na aplicação de incentivos fiscais levaria à apreensão, pela Polícia Federal, de recursos de origem pouco clara numa empresa da governadora do Maranhão, então pré-candidata à Presidência da República. Embora o governo federal nada tivesse a ver com o *affaire*, como expliquei no final do Capítulo 4, o PFL, partido da governadora — que marchara comigo desde a aliança de 1994, e ao qual pertencia meu Vice, Marco Maciel —, não se conformou e iniciou um processo de ruptura política, complicando a sustentação do governo no Congresso.

A cena internacional era desanimadora. A Argentina, passados os anos de ilusão da paridade cambial entre sua moeda e o dólar, submergia em crise. O FMI, apesar de gestões contínuas do Presidente chileno Ricardo Lagos e minhas, não movia um dedo para ajudar o país vizinho. Malan e Armínio me sugeriram que conversasse com o Presidente argentino, Eduardo Duhalde, com quem eu já falara em outras oportunidades. Àquela altura me parecia que o Fundo pedia a Duhalde medidas que ele não tinha condições políticas de implantar. A crise da Argentina se arrastou durante todo o ano e nós sempre solidários. O Mercosul, como registrei na época, estava com um pneu furado. Ainda assim, dado seu peso histórico e nossos interesses, o governo brasileiro continuou a sustentá-lo e a estimular investimentos na Argentina. Nossa política sul-americanista, com a incompreensão de alguns setores, continuava firme. Expressei tudo isso no 2º Encontro de Presidentes Sul-americanos em Guaiaquil, no Equador, em 26 de julho de 2002.

Na cena mais ampla, o governo do Presidente americano George W. Bush começava a mostrar a que viera. Denunciava tratados inovadores, como o Protocolo de Kyoto, destinado a controlar a emissão de gases causadores do efeito estufa, pressionava adversários e aliados. Em meados de 2002 eu já registrava com preocupação em minhas gravações a possibilidade de um bombardeio americano ao Iraque (a guerra começaria em março do ano seguinte), com o alastramento das dificuldades no Oriente Médio e todas as conseqüências negativas de tal postura. Na França, o Primeiro-Ministro socialista Lionel Jospin sofreu uma derrota eleitoral acachapante. Os ventos do mundo sopravam para a direita. Aos poucos se tornava claro que uma coisa era negociar com o FMI durante o governo

Clinton, outra no governo Bush, embora em relação ao Brasil o tratamento tivesse sido sempre correto. Não, todavia, para com a Argentina, cujos pedidos de compreensão eram vistos com gélida desconfiança, quando não com desprezo. Anotei que a respeito da Argentina o mundo tinha fechado os olhos e amarrado os bolsos.

As fontes de preocupação não se restringiam a essas, porém. Na área financeira dois fatores independentes se cruzaram e complicaram o panorama. Primeiro, o BC percebeu que alguns fundos de investimento não estavam seguindo a diretriz de avaliar suas cotas pelo valor de mercado em vez de fazê-lo pelo valor nominal, o que na prática significava iludir os investidores. Como vigorava a determinação legal de seguir o valor de mercado, boa parte dos investidores — os menos avisados — teriam perdas inesperadas em seus haveres. Os bem-informados já sacavam recursos dos fundos cujos papéis haviam perdido valor, optando por alternativas eventualmente mais rendosas.

No dia 27 de maio de 2002 Malan e Armínio me procuraram no Alvorada para explicar a situação e pedir meu *visto bueno* para, no dizer de Armínio, "limpar a pedra", quer dizer, impor a regra clara para todos. Era de esperar, como ocorreu, fuga de recursos de muitos fundos. Anuí, não sem ter comentado que me parecera equivocada a decisão tomada pelo Comitê de Política Monetária (Copom) uma semana antes, de manter no mesmo nível a taxa básica de juros, em vez de reduzi-la. Armínio argumentou que a decisão tinha sido adotada por pequena margem de votos ante a expectativa de que a inflação do ano ultrapassasse um pouco o teto desejado. Contra-argumentei (foi, a propósito, a única vez que expressei comentários sobre uma decisão do Copom) que em certas circunstâncias manter o ânimo do povo e dos empresários é mais importante que 1 ponto percentual a mais de inflação. Armínio replicou que, "se nada diferente ocorresse", provavelmente na próxima rodada baixariam a taxa de juros. Anotei: esse é o problema; quando se perde uma oportunidade, nunca se sabe se ela volta. Sempre pode sobrevir uma perturbação.

Um segundo e decisivo fator pesou no desatino do mercado financeiro: a percepção da possibilidade da eleição de Lula. A instável situação dos partidos, o negativismo permanente da oposição, sua dificuldade para entender as mudanças da economia global e da posição que o Brasil ocupava nela, seu elenco de propostas descabeladas no passado, inclusive a de aplicar um calote na dívida externa, defendida várias vezes pelo próprio Lula, deixavam claro para mim que seria necessário um esforço de entendimento para viabilizar o futuro período presidencial, independentemente de quem fosse o vencedor. Recordei que quando eu era ministro da Fazenda, o deputado José Dirceu (SP), presidente do PT, aceitou convite para tomar o café-da-manhã em meu apartamento de Brasília e abordou a necessidade de uma aliança entre as pessoas honestas para fazer frente à onda de corrupção vigente (era época da CPI dos Anões do Orçamento). Talvez fosse possível retomar esse caminho. Eu não sabia ainda quanto o PT havia mudado, tanto no sentido de ter uma visão mais realista da política econômica como de se adaptar com facilidade às circunstâncias para obter o que mais queriam seus dirigentes: poder.

No começo de maio os mercados começaram a reagir à hipótese da vitória de Lula. Retomando o clima de 1999, as agências de *rating* voltaram a opinar sobre assunto de que entendem pouco: a política brasileira. E, no fim do mês, lá foi o risco Brasil para cima. O Congresso, diferentemente de 1999, quando eu dispunha de anos de governo pela frente, tinha uma eleição à vista e os partidos que até então me apoiaram estavam fragmentados. Cada votação requeria um esforço extra para convencer que a aprovação das medidas propostas era importante para o país não mergulhar na desordem. Tivemos dificuldades para votar a lei de regulamentação do setor elétrico. Lula chegou a escrever contra a lei uma carta-manifesto, endereçada a mim, que assustou investidores e mercados.[9]

Naquele começo de maio ficara visível que Lula havia penetrado muito em camadas da população que antes lhe eram adversas. Começavam antecipadamente os efeitos do *slogan* do publicitário Duda Mendonça, o novo ideólogo da campanha, "Lulinha paz e amor". *Slogan* que, eu pensava equivocadamente, serviria apenas para ganhar as eleições, encobrindo os objetivos políticos reais.

---

[9] Lula criticava as compensações concedidas às concessionárias de energia elétrica em razão do racionamento decretado pelo governo no ano anterior, acusava o governo de "generosidade" para com as empresas e pedia a retirada da MP que o Congresso examinava, a qual careceria "inteiramente de sustentação legal e moral". Pedro Parente, então chefe da Casa Civil, respondeu mencionando "constrangedores equívocos" e uma "miríade de disparates" no documento do candidato do PT (*Folha de S. Paulo*, 15/4/2002).

Comecei a perceber que não era bem assim quando, ainda no primeiro turno, a instâncias de Pedro Parente, então ministro-chefe da Casa Civil, e de Armínio Fraga, preocupados com o desajuizado dos mercados, procuramos líderes do PT, como o deputado Aloizio Mercadante (SP), para mostrar o emperramento da rolagem dos títulos da dívida interna ocasionado por cada declaração mais irresponsável dos candidatos. Mercadante, em declarações à imprensa, não deixou de aproveitar o encontro com Armínio para dar a impressão de que o governo estava pedindo água.

Ciro Gomes, candidato da coligação PPS-PDT-PTB, me parecia caso perdido. Tinha a pretensão de conhecer economia e proferia incessantemente declarações megalômanas. Apesar de sua boa situação nas pesquisas de intenção de voto, decidi que não era o caso de conversarmos com ele. Eu confiava em que Serra disputaria o segundo turno, mesmo quando muitos desanimaram. Não via senão vantagens em informar o PT sobre a situação financeira, pois ao final, pensava, um dos dois, Serra, em quem confiava, ou Lula, governaria o Brasil.

Ainda em maio, numa breve viagem oficial à Espanha e à Itália, muito me impressionou a má-vontade que encontrei, àquela altura, entre empresários, políticos, jornalistas influentes e até em setores do Vaticano em relação a uma possível Presidência de Lula. Nessa eventualidade, anotei, eu reagiria como brasileiro e não aumentaria as dificuldades do país. Se ganhasse Lula, ajudaria a realizar o que depois se chamou de transição.

Uma série de conversas com o PT

Em junho a situação financeira piorou de forma considerável. Conseguimos aprovar a renovação da CPMF e, preventivamente, aumentamos a meta de superávit primário de 3,5% para 3,75% do PIB. Novas pesquisas de opinião mostravam Serra em melhor posição. Mas tudo inútil. O mercado, "esta enteléquia", via o fantasma de Lula por todo lado. Nesse contexto, certas ponderações de Parente e Armínio ganharam peso. Seria preciso, defendiam os dois, declarações expressas dos candidatos dizendo que respeitariam as regras do jogo. Apesar das reticências que já expus a respeito de Ciro Gomes, por intermédio do PTB, que apoiava sua candidatura, e de Tasso Jereissati, amigo do ex-governador do Ceará, tentaríamos obter dele algo nesse sentido. Serra, por suas conhecidas posições, não traria problemas ao governo. Quanto a Lula, eu próprio, com a intermediação de Pedro Parente, falaria com José Dirceu, presidente do PT e coordenador de sua campanha eleitoral. No dia 14, no começo da noite, Silvano Gianni, subchefe da Casa Civil, trouxe o deputado à minha presença no Palácio da Alvorada.

Tivemos a primeira de uma série de conversas. Expus com franqueza como eu via a situação. Transmiti inclusive as impressões que colhera no exterior. Disse-lhe que não apostaria nunca em uma crise institucional e que, embora esperasse a vitória de Serra, se Lula ganhasse não criaria dificuldades, pois para mim o Brasil estava em primeiro lugar. Mostrei a necessidade de os candidatos respeitarem os contratos, comprometerem-se a resolver a questão das dívidas em negociações de mercado, serem firmes em assegurar superávits primários no Orçamento e sustentarem os rigores da LRF. Também era importante continuar a discussão sobre alterações no artigo 192 da Constituição para permitir, posteriormente, autonomia operacional ao BC. Enfim, todos os pontos que de havia algum tempo Malan vinha pregando como fundamentos para qualquer governo nas condições atuais do mundo.

Para minha surpresa, Dirceu mostrou-se perfeitamente enfronhado disso, sabia da estreiteza da margem de manobra existente e, se não disse, me deu a impressão de estar ciente de que estávamos fazendo o possível e não havia caminhos alternativos. Mais realista ainda se mostrou na questão das alianças, que sabia serem custosas. Pensei com meus botões: quem está aliado ao PL, com bispos (da Igreja Universal) tão hábeis em negócios e com leigos vorazes, não tem mais o que aprender na política prática. Uma conversa fluida que terminou em um jantar do deputado só comigo e com Ruth.

Os mercados não paravam de jogar contra, a despeito de boas notícias na área produtiva, de dados do IBGE divulgados àquela altura mostrarem considerável evolução nas condições de vida da população, de Serra em fins de junho ter melhorado o desempenho nas pesquisas de opinião e de elas avaliarem de maneira mais positiva o governo.[10] Em discussões com

[10] O Instituto Datafolha informava que a diferença entre Lula e Serra caíra 7 pontos percentuais: as preferências de intenção de voto de Lula haviam descido de 43% para 40%, e as de Serra subido de 17% para 21%, fazendo com que o candidato do PSDB

Malan, nossa conclusão era de que havia boa dose de pretexto e especulação nos mercados, mais usando que temendo a vitória de Lula, para obter condições mais vantajosas. Mesmo porque Lula fizera um discurso "beijando a cruz". O sapo começava, como na fábula, a virar príncipe.

A vida, entretanto, não parava, para o bem e para o mal. Em Santo André (SP), foi seqüestrado e depois assassinado no início do ano o prefeito Celso Daniel, coordenador da equipe que trabalhava no plano de governo de Lula. Protestos de todo lado. O PT ligou o caso ao assassinato do prefeito petista de Campinas, Antonio da Costa Santos, o Toninho do PT, ocorrido no ano anterior, criando a sensação de que haveria uma ação orquestrada contra seus líderes. Um tempo depois, novos protestos: o telefone de Lula teria sido objeto de escuta. Por mais que procurasse me informar, nunca me veio qualquer comprovação disso. Houve, sim, escuta autorizada pela Justiça na investigação do caso Celso Daniel e uma denúncia do Ministério Público paulista sobre pagamento de propina ao PT por concessionários de ônibus da região.

A situação de segurança pública em diferentes regiões atingira alto teor de gravidade. Criamos forças-tarefa para ajudar o Rio de Janeiro e o Espírito Santo. O caso do Espírito Santo me custou desgaste, porque o ministro Miguel Reale Júnior se demitiu, acreditando que eu não daria seguimento a pedido de intervenção federal no estado, que ele julgava necessária. Na verdade, o procurador-geral da República, Geraldo Brindeiro, titular de um cargo com autonomia em relação ao Presidente, me comunicou não ver sentido jurídico na intervenção. O ministro soube da notícia pela mídia, e não por mim, que tivera um dia ocupadíssimo. Sentiu-se agravado e pediu demissão. O desconcertante, na história, é que Brindeiro expressara ao próprio Reale, antes de falar comigo, sua concordância quanto à idéia de intervenção. Eu me inteirei tarde demais da história. No final, permaneceu no ar a idéia de que o Presidente não queria enfrentar o tráfico de drogas e a corrupção, quando, ao contrário, eu

---

ultrapassasse Anthony Garotinho, do PDT, e ficasse isolado em segundo lugar na disputa (*Folha de S. Paulo*, 9/6/2002). Sobre a popularidade do governo, o Datafolha informava, na mesma edição do jornal, que o percentual de eleitores que consideravam o governo "ótimo/bom" se elevara de 27% para 31%, mantendo-se os que o viam como "regular" na mesma faixa de 40% da pesquisa anterior.

continuava mais do que disposto a dar-lhes combate, como se viu posteriormente com a força-tarefa composta por integrantes de diversas áreas do governo federal e de autoridades do Espírito Santo, que teve êxito no estado.

O Orçamento, como sempre, mas em grau maior, era apertado. As demandas, crescentes — dos procuradores, por salários, dos militares, por material, de todo mundo, principalmente dos deputados e senadores, por liberação de emendas. Só uma notícia realmente boa: o Brasil se tornou pentacampeão mundial de futebol na Copa de Japão/Coréia do Sul. Recebi os jogadores da seleção de Luiz Felipe Scolari, o Felipão, no Palácio do Planalto e o Brasil festejou-os, merecidamente, como heróis.

No começo de julho, contemplando o panorama político, anotei que para meu gáudio as oligarquias pareciam estrebuchar: caciques regionais perdiam prestígio, alguns tiveram que abandonar a vida pública. Não haviam recebido ainda a injeção de óleo canforado que, depois da vitória, o PT lhes aplicou. Pensava que somente duas forças políticas tinham condições de disputar o predomínio, o PSDB e o PT. Fariam algumas alianças e teriam a responsabilidade de "conduzir o atraso", expressão que ouvi na TV dita pelo cientista político Luís Werneck Vianna. Sintetizava com exagero o quadro, cometendo injustiça contra alguns partidos.

Em meados de julho, participei de uma reunião do Mercosul na Argentina e pedi a todos, sobretudo a Ricardo Lagos, que ajudassem a realização da conferência de meio ambiente de Johanesburgo, na África do Sul, pois se tornava claro que os EUA agiam fortemente para esvaziar a ONU e atuar de forma unilateral nas questões globais. De volta ao Brasil, encontrei o clima eleitoral pior: Ciro Gomes subira e ultrapassara Serra em 7 pontos.

José Dirceu, que viajara aos EUA e, com apoio de nossa embaixada, manteve contatos com círculos empresariais e intelectuais, me telefonou de Washington para esclarecer que não dissera que entre Lula e Ciro num eventual segundo turno eu ficaria com Lula, como noticiado, e me transmitiu a apreciação que ouvira em um dos *think thanks* visitados, segundo a qual a moratória era inevitável. Respondi que não pensava assim, mas que dependeria dos compromissos e palavras dos candidatos e de seus partidos.

Bilhões do FMI para ajudar a transição

No dia 23 de julho recebi a segunda pessoa na hierarquia do FMI, não mais Stanley Fischer de tantas negociações, mas agora a americana Anne Kruger. Disse-lhe que não entendia a aflição dos mercados, pois os fundamentos de nossa economia estavam saudáveis. Respondeu-me: eles sabem que os fundamentos são bons, mas não acreditam no futuro. Ao que repliquei: isso acaba se tornando uma profecia que se autocumpre. De tanto desacreditar no futuro, tornam-no inviável. O secretário do Tesouro dos EUA, Paul O'Neill, prestes a vir ao Brasil, agravou a situação com uma declaração insultuosa: disse não ser favorável a enviar dinheiro do FMI ao país porque iria parar em contas na Suíça. Mandei chamar a embaixadora dos EUA, Donna Hrinack, sempre correta, e exigi desculpas públicas. A Casa Branca e o Tesouro se desculparam. Quando, logo a seguir, veio ao Brasil, recebi o secretário do Tesouro, mas apenas formalmente no Planalto, sem o jantar habitual no Alvorada. O dólar subiu para R$ 3,38, em seguida passou a R$ 3,60, caindo depois da vinda de O'Neill para o patamar de R$ 3,00. Ansiedade de muitos, lucro de poucos.

Havia que negociar uma extensão do acordo com o FMI para conseguir alguma tranqüilidade pós-eleitoral. Tratava-se de um acordo cuja vigência afetaria o mandato seguinte, pois o meu ainda estava coberto pelo compromisso existente. Surgiram sugestões para que eu consultasse os candidatos a respeito de matéria tão delicada. De início, recusei. Achava que deveria assumir sozinho a responsabilidade e, mais tarde, se o Presidente eleito quisesse, denunciaria o acordo. Mudei, no entanto, de opinião, e explico por quê.

As negociações estavam difíceis. Não com a cúpula do FMI, que acolheu a possibilidade assim que, por sugestão de Malan, enviamos Amaury Bier para as conversas preliminares. No entanto, o corpo técnico queria que nos comprometêssemos com um superávit primário de 4,5% do PIB em 2003, no lugar dos 3,75% que vínhamos mantendo. Parecia-nos exigência excessiva para uma administração que se estaria iniciando (não poderíamos adivinhar a fúria fiscalista do governo do PT, que logo ofereceu voluntariamente mais do que havíamos estabelecido). Malan e Armínio instaram-me a telefonar ao diretor-gerente do Fundo, o alemão Horst Köhler, sucessor de Camdessus, para acelerar os entendimentos. Foi o que fiz, no dia 4 de agosto, enquanto "descansava" na fazenda da família em Minas.

Longa conversa. Eu recebera de Malan notas minuciosas orientando-me tecnicamente. Como sempre, a conversa tomou outro rumo, mais geral. Köhler me perguntou sobre a situação social. Disse-lhe que estava calma, que não era essa minha preocupação, pois até o MST, diante das conveniências eleitorais de Lula, não vinha agitando. Minhas preocupações eram de outra ordem, econômicas e políticas. Perguntou-me dos candidatos. Prossegui dizendo acreditar que mesmo Ciro Gomes aceitaria em linhas gerais o apoio do Fundo, que Lula tornara públicas declarações responsáveis e que Serra, desde logo, se dispunha a cooperar com o governo. Anthony Garotinho, então candidato do PSB, não entrou em pauta. O diretor do Fundo perguntou minha opinião sobre uma conversa direta dele com cada um dos três principais candidatos. Disse-lhe que achava inconveniente: a que título eles falariam com o FMI, posto que não se sabia quem seria o Presidente? Preferia assumir eu diretamente a responsabilidade da decisão e, quando tivéssemos um rascunho do acordo, mostraria a cada um deles.

Afirmei, entretanto, que não poderia pedir aos candidatos um compromisso com um nível de rigidez no Orçamento que os levasse à paralisação. Talvez meu governo pudesse ultrapassar em 2002 os 3,75% do PIB prometidos, mas não me sentia à vontade para impor tamanha restrição ao futuro Presidente sem que ele próprio conduzisse as negociações. Köhler persistia apontando razões técnicas para o nível elevado de superávit fiscal, porém não cedi. Às razões técnicas contrapus motivos políticos. Pedi que ele recebesse Amaury Bier, a quem elogiou, e solicitei pressa na decisão. Respondeu-me que o Fundo entraria em férias no dia 12 de agosto, oito dias depois. Portanto a decisão teria de ser anterior àquela data.

Terminada a conversa, relatei-a a Malan. O ministro jantaria naquele dia com O'Neill no Rio, e lhe pedi que dissesse ao secretário do Tesouro que queríamos apoio expresso e rapidez. Isso motivou as declarações positivas de O'Neill, além do arrependimento pelo que dissera nos EUA a respeito do Brasil. O secretário conhecia bem o país, pois fora presidente da multinacional de alumínio Alcoa, que tem investimentos no Maranhão. Sendo mais homem de empresa do que político, deixou que as palavras, ou quem sabe alguma recordação do passado, voassem mais depressa para a imprensa do que sua avaliação objetiva do presente, em declarações infelizes que tanto me irritaram.

Na noite do mesmo domingo, dia 4, em que troquei o telefonema com Köhler, houve um debate entre os candidatos. Acompanhei com grande interesse o que disseram pela TV. Nada comprometedor. Serra teve boa *performance*. Lula estava em plena fase de agregar apoios, viessem de onde fosse, para vencer as eleições. Ciro Gomes, embora arrogante, viu-se muito apertado por Serra. Garotinho falava mais para o povo humilde (que àquela hora não assistia à TV) do que para o público interessado em discutir diretrizes para o Brasil. No *front* externo, o Presidente Jorge Batlle, do Uruguai, conseguiu o apoio de que necessitava para controlar a situação do país, profundamente abalado pela crise da vizinha Argentina.

Na terça-feira seguinte, vieram de Washington notícias positivas. O FMI parecia preparar um pacote de 25 bilhões de dólares para facilitar a transição brasileira. Concordavam com os 3,75% de superávit primário, desde que se estendessem por três ou quatro anos mais.

Uma confissão: não esperava tanto dinheiro do FMI

Queriam, porém, uma palavra clara de aceitação pelos candidatos. Combinamos que Malan falaria com Serra, Armínio com Ciro e eu com José Dirceu. Optei por Dirceu, em sua condição de presidente do PT, por entender inconveniente e um tanto indelicado convocar Lula, que liderava as pesquisas de intenção de votos da corrida sucessória e era àquela altura o favorito para me substituir. Tive, por isso, na mesma noite, novo encontro com o deputado.

Dirceu estava tão convencido quanto eu da importância e da necessidade do acordo. Nessa ocasião ele se mostrava temeroso com a subida de Ciro nas pesquisas e imaginava que uma parte do PSDB pudesse apoiar Lula, eu inclusive. Disse-lhe continuar convicto de que Serra iria para o segundo turno e que eu continuava empenhado na vitória do candidato de meu partido. Ele sabia disso, obviamente. Em todo caso, afirmei, eu agiria como magistrado. Não escondi, no entanto, que me parecia que Ciro era imprevisível, juntava os ressentidos com meu governo e não tinha maiores compromissos com uma determinada linha ou com partidos. Entre ele e Lula, opinei — como mudam as coisas! —, Lula daria mais segurança para o futuro do país. Dirceu sabia àquela altura que, se bem que o governo só tivesse 25% de aprovação ("ótimo" e "bom") da população, meu próprio índice chegava a 40%. Mas o que ele procurava era minha influência política junto aos governadores e às lideranças da sociedade.

No dia 8 de agosto chegamos a um acordo com o Fundo. Voltei a falar com Köhler, que me adiantou estar disposto a apoiar um empréstimo de 30 bilhões de dólares, além da liberação de 10 bilhões das nossas reservas para que Armínio, com a competência que tem, enfrentasse os desafios do mercado. E aqui vai uma confissão que até hoje não fiz: jamais imagináramos tanto dinheiro. Voltei a falar com José Dirceu, contei os termos gerais do acordo e pedi que dissesse a Lula para não disparar contra ele sem antes falar comigo. Dirceu me garantiu que Lula iria a meu encontro e faria declarações gerais favoráveis ao acordo.

No dia seguinte os vários setores empresariais apoiaram o acordo e a mídia fez coro com eles. Serra, entrevistado na TV Globo, se saiu muito bem e o apoiou sem restrições. Lula, embora se declarando disposto ao necessário para assegurar a estabilidade da economia, respeitando contratos, lançou diatribes contra o FMI. Ciro, de início, se manifestara positivamente. Mas, irritado possivelmente com uma conferência que proferi na Escola Superior de Guerra (ESG) em que desmentia suas afirmações sobre dívidas, não se conteve: num debate com estudantes, atacou duramente o Fundo. Resultado, a Bolsa desabou e o mercado financeiro rumou para a estratosfera. Os principais papéis da dívida externa brasileira perderam 8% de valor. Para cúmulo, nova pesquisa: Serra e Garotinho, 11%, Ciro, 27% e Lula, 32%. Pareceu-me que seria muito difícil Serra recuperar a posição de contendor no segundo turno.

Meus encontros com Lula, Ciro e Garotinho sobre o FMI

No fim de semana realizamos um balanço da situação e, após hesitar sobre se convinha ou não uma declaração pública minha e se deveríamos ou não convidar os candidatos para, por meu intermédio, tomarem conhecimento do acordo com o FMI, finalmente decidimos chamá-los. Resolvemos estender o convite também a Anthony Garotinho, que subia nas pesquisas, mostrando consistência eleitoral. Não foi fácil. O jogo eleitoral se sobrepunha aos interesses do país.

A rápida ascensão de Ciro nas pesquisas levou desconfiança ao PSDB: convocar todos os candidatos não seria uma maneira de antecipar a vitória de alguém fora dos quadros partidários? Lula, por sua vez, só queria conversar na semana seguinte, pois Ciro, em atitude menos responsável que a do PT, criticava o FMI com energia. Os mercados financeiros se assustaram. Tinham a impressão de que, qualquer que fosse o vencedor entre os dois, iríamos marchar para algum tipo de moratória ou de reestruturação forçada das dívidas. As linhas de crédito de novo minguaram, a despeito do provável acordo com o FMI, mostrando que o Fundo não gozava da força de antigamente para acalmar a banca internacional. Tornara-se pequeno diante do montante e da velocidade dos fluxos financeiros internacionais. Sob esse pano de fundo, conversei em separado com os quatro candidatos, mostrando-lhes no que consistia o acordo e pedindo que dissessem expressamente que o cumpririam. De forma delicada, pedi que cessassem as declarações demagógicas e reafirmassem apoiar o acordo, depois de cada um deles tomar conhecimento de seus termos e verificar que eram os melhores possíveis nas circunstâncias.

Cada candidato veio acompanhado de três assessores para as reuniões comigo, Malan, Armínio Fraga e Pedro Parente, sentados todos à grande mesa redonda que havia em meu gabinete no Planalto para esse fim. A conversa com José Serra foi tranqüila. Garotinho, anteriormente resistente em relação ao acordo que programávamos, entrou na sala com um ar um tanto alheio e, em atitude bizarra, espantosa mesmo, não apenas para o momento que vivíamos como pelo local em que se encontrava, entrou assobiando. Seu assessor econômico, Tito Ryff, fez algumas perguntas, mas, excetuada a desconcertante atitude do ex-governador à entrada, o encontro transcorreu normalmente.

Ciro Gomes, cuja mão me pareceu fria quando nos cumprimentamos, pouco a pouco serenou, dirigiu-me palavras corteses e declarou que desfaria os mal-entendidos provocados por declarações anteriores, principalmente uma, muito agressiva contra o sistema financeiro, feita na casa de um empresário.

Lula entrou sorridente, me cumprimentou como amigo, referiu-se a um encontro casual que tivera dias antes com meu filho Paulo Henrique, recordou sua estada nos anos 1980, com a família, na casa de praia em

Picinguaba, no litoral paulista, que minha família manteve até 1986, e pediu para falar a sós comigo. Todos cumpriram o prometido nas declarações públicas ou nos documentos que entregaram à mídia.

A herança bendita

A opinião pública mostrava tendência mais favorável do que contrária ao acordo com o FMI; uma pesquisa do Instituto Datafolha junto ao eleitorado revelou 40% pró, e 35% contra.[11] E a dramaticidade da situação causada pela desconfiança do sistema financeiro e pelo aproveitamento das nossas dificuldades em benefício da especulação gerava um clima de busca urgente de uma saída. Deixamos cada candidato inteirado dos termos do acordo: superávit primário de 3,75% *versus* liberação, na prática, de 40 bilhões de dólares a partir de 2003, a taxas de 5% a 6% ao ano, com maior margem imediata para a utilização das reservas, sem qualquer outra cláusula lateral.

A repercussão do acordo, das reuniões com os candidatos e a da reação deles compôs um cenário positivo. Via-se o Presidente preocupado com a governabilidade, agindo em função dos interesses nacionais e não dos partidários. Não faltaram maledicências sobre a conversa à parte que tive com Lula, na sala privativa do Presidente. Como parecia que os dois contendores seriam Lula e Ciro, imaginaram logo algum acordo para eu apoiar o candidato do PT. Na verdade, durante a reunião a sós Lula solicitou que eu aplainasse as dificuldades financeiras de Itamar no governo de Minas, transferindo rodovias federais para o estado e dando recursos que, sob pretexto de se destinarem à manutenção das estradas, permitiriam o pagamento de salários do funcionalismo, pois o governador estava temeroso dos ditames da LRF. Respondi que também eu tinha que obedecer a essa lei e que qualquer ajuda (também desejada por Aécio Neves, candidato do PSDB favorito à sucessão mineira) seria concedida respeitando as normas e as possibilidades do Tesouro. A certa altura, mas de forma afável e bem-humorada, Lula me perguntou:

— Quem você acha que vai ganhar?

[11] *Folha de S. Paulo*, 18/8/2002.

Respondi que ele tinha chance de vitória e que eu, da mesma maneira que dissera a Dirceu, lutaria dentro dos limites éticos e legais por Serra. Se Serra não conseguisse ir para o segundo turno, atuaria como magistrado entre ele, Lula, e Ciro, mas que tínhamos, nós dois, relações boas e garanti que, se ele vencesse, não criaria qualquer tipo de obstáculo na transição, até por ser meu dever para com qualquer que fosse o eleito.

Lula venceu Serra no segundo turno, não criei qualquer obstáculo ao futuro governo, pelo contrário, mas os mercados só se acalmaram quando, para surpresa de muitos, o Presidente eleito e o novo ministro da Fazenda, o ex-deputado e ex-prefeito de Ribeirão Preto (SP) Antônio Pallocci, mostraram claramente que seguiriam o curso traçado por meu governo. O primeiro sinal claro seria a designação do presidente do BC. Depois de ter tateado várias hipóteses, inclusive a da manutenção temporária de Armínio Fraga (defendida, entre outros, pelo recém-eleito senador petista pelo DF Cristovam Buarque), terminou por escolher Henrique Meirelles, ex-presidente mundial do Banco de Boston, que acabara de se eleger deputado federal pelo PSDB de Goiás. Uma bela manhã, Lula, que como Presidente eleito já se instalara na Granja do Torto, telefonou-me e disse:

— O presidente do BC vai ser um tucano, seu amigo.

Explicou que seria Meirelles. Em seguida passou o telefone ao próprio recém-convidado para dirigir o BC. Felicitei-o mas lembrei:

— Você terá de renunciar ao mandato e se afastar do PSDB.

Meirelles me pareceu surpreso com a segunda ressalva. Ele de qualquer maneira teria de renunciar ao mandato. Mesmo assim, indagou:

— Mas preciso também sair do partido?

— Claro — respondi. Parecia-me evidente a resposta, não apenas pela posição técnica e neutra, e portanto apartidária, que o presidente do BC deve manter, como também pelo fato de que ele passaria a integrar um governo de um partido adversário do PSDB.

Os mercados começaram a se acalmar, e o Brasil, a preservar a possibilidade de dias melhores. Passada a borrasca, em grande medida provocada pelas apreensões do mercado e de muita gente com a perspectiva de o PT ir para o poder, a situação econômico-financeira desanuviou-se a partir do segundo semestre de 2004. A herança de seriedade e solidez recebida pelo governo Lula valeu não só a ele, mas ao Brasil.

CAPÍTULO 7

A luta contínua para reordenar o Estado

Um cenário em que prepondera o jogo de interesses

Os episódios relatados nos capítulos anteriores mostram as condições e as dificuldades do relacionamento entre os Poderes e os partidos. Não se trata apenas de características pessoais ou de desvios de conduta, embora eles possam ocorrer. Há algo de inerente ao modo de funcionar do sistema político brasileiro que torna esse relacionamento instável, sob ameaça de permanente crise. Enquanto não se modificarem as regras eleitorais e não for possível estabelecer novas bases para consolidar os partidos haverá uma luta contínua e fragmentada entre o governo e o resto do sistema político. O governo terá de fazer e refazer continuamente alianças com partidos, dissidências e mesmo lideranças individuais, na tentativa de levar adiante a agenda legislativa e administrativa. Terá de acomodar os interesses partidários por meio de nomeações e, simultaneamente, se defender das intrusões partidárias quando elas excederem o limite do razoável.

A urgência da sociedade para resolver seus problemas e a do governo para obter resultados não permitem esperar modificações no sistema político para só então atuar. Não é possível postergar tentativas de mudanças necessárias enquanto se discute o desenho ideal das instituições. É necessário ir em frente, mesmo em condições adversas. Não há escolha: agir ou agir.

No padrão estabelecido no sistema político brasileiro, uma contrafação de presidencialismo de coalizão, o Executivo tem de mover uma agenda legislativa que abra espaço para a realização de seu programa e encarne as aspirações do povo e do país, expressas nas eleições. Como os partidos não se sentem obrigados a respaldar programaticamente as ações do Executivo, o jogo de interesses prepondera. Os "aliados" (com a possível exceção da maior parte do partido do Presidente e de setores de algum outro partido mais afinado com os propósitos do governo) tudo o que desejam é aumentar a pressão sobre o Executivo para ampliar os respectivos espaços políticos e obter vantagens. Isso os leva a transigir com a oposição que, por outros motivos, quer dificultar a vida do governo, além de, obviamente, não compartilhar de seus objetivos. No processo legislativo, um dos resultados dessa situação é que normalmente os projetos que mais contam para a ação administrativa ou de política transformadora vão parar na mão de relatores ou presidentes de comissões que se opõem às diretrizes do governo. Essa prática torna o processo legislativo uma maratona com barreiras.

Muitas vezes os obstáculos criados pelo jogo de interesses estritamente parlamentares se somam aos que decorrem dos interesses organizados da sociedade. Estes, mesmo quando se contrapõem à política governamental, encontram freqüentemente boa acolhida nos vários partidos, até nos que formalmente apóiam o governo. A dicotomia entre governo e oposição só se cristaliza na votação em plenário. Até lá, nos escaninhos do processo legislativo, os interesses estabelecidos vão se entrincheirando nas várias comissões e desfigurando as propostas do Executivo. Em plenário, para obter as maiorias necessárias, principalmente para as emendas constitucionais, novas negociações (a imprensa as chamará sempre de "barganhas", e às vezes o são realmente) adulteram ainda mais o propósito inicial.

É parte do jogo democrático passar as propostas do Executivo pelo crivo do Congresso. Modificações e recusas são normais. Não é isso, portanto, que critico, mas a falta de um critério propriamente político — ou seja, que expresse um ponto de vista endossado pelos partidos — para dizer "sim" ou "não", em função de uma visão de sociedade ou de país que tais partidos eventualmente tenham. Quando se faz uma comparação com o que ocorre em algumas democracias consolidadas pode-se argumentar que se trata de uma questão de grau. O fato é que na situação brasileira o procedimento aberrante de sempre sujeitar a tramitação legislativa à acomodação de interesses grupais e pessoais se tornou norma.

Assim, as corporações de funcionários, sindicatos, grandes empresas nacionais e internacionais, os proprietários rurais organizados, as entidades da indústria, o sistema financeiro, determinadas confissões religiosas, ONGs ou quem quer que tenha condições para se movimentar e "pescar" algum representante que abrace seu interesse ou sua causa encontram campo fértil para atuação. Às vezes o esforço para aprovar uma proposta torna-se uma luta de emboscada e sem tréguas. Freqüentemente o adversário é o companheiro do lado. Contudo, não termina aí: segmentos da sociedade e os partidos de oposição com interesses eventualmente derrotados no Congresso deslocam a controvérsia política para os tribunais.[1] Utilizam um sem-número de pedidos de liminar em mandados de segurança, propõem ações de declaração de inconstitucionalidade (Adins) e lançam mão de outros instrumentos processuais, que, aos poucos, vão perdendo o caráter originário de recursos de defesa e garantia de direitos violados para se metamorfosearem em armas de combate político-partidário. Os partidos de esquerda e alguns integrantes do Ministério Público, partidarizados, usaram e abusaram desse procedimento em meu período de governo.

Nosso projeto de país: muito longe do nacional-estatismo

Conhecedor desse quadro, logo depois de eleito em 1994 pus-me a refletir sobre as estratégias para aprovar no Congresso leis e emendas constitucionais que dariam corpo à minha visão, referendada nas urnas, de um Brasil remodelado. Da experiência como ministro da Fazenda e das enormes dificuldades para estabilizar a economia me ficara nítida a sensação de que se o Brasil não corresse perderia oportunidades para se inserir de modo mais favorável no processo de globalização. Eu sofrera no Ministério da Fazenda fortes pressões, tanto à esquerda quanto à direita, para não levar adiante a abertura da economia e continuar "protegendo" a indústria nacional.

O velho fantasma sentimental-ideológico de que estamos cercados de "inimigos" e somos grandes e fortes o suficiente para crescer isolados do mundo estava e ainda se mantém vivo. Perdêramos para os países asiáticos nos anos 1970 e 1980 a corrida do crescimento econômico: não queríamos

---

[1] Deixo de abordar com algum detalhe neste livro as disputas entre governo e partidos que acabam nos tribunais. A referida "tribunalização" da política e, em menor proporção, a "politização" de alguns setores do Judiciário levam também a uma constante pugna entre o governo e setores da sociedade cujos interesses são decididos pela Justiça. A "tribunalização", de todo modo, não é algo exclusivo das democracias em formação. Basta recordar o que aconteceu com o New Deal de Roosevelt nos EUA dos anos 1930, cujas principais medidas foram questionadas na Corte Suprema e não raro derrogadas.

ser meras "plataformas de exportação", como se aqueles países se reduzissem a isso. A estabilização da economia começara com o Plano Real, mas este apenas engatinhava e eu sabia do vastíssimo elenco de medidas adicionais e de reformas necessárias para consolidar a economia. A estabilização chegou quando o mercado internacional já estava deixando de nadar de braçada numa enxurrada de dólares. A crise do México, que irrompeu dias antes de minha posse, foi um aviso. Daí em diante, as crises financeiras enxugaram os dólares a tal ponto que, com freqüência, sofremos com a secura dos mercados. Não chegáramos a tempo de nos beneficiar do período de maior abundância de capitais e de financiamento externo.

Por outro lado, além da estabilidade e do crescimento econômico, eu tinha duas outras obsessões: uma, óbvia para quem vinha de minha trajetória, a de que era preciso financiar adequadamente a saúde e a educação, especialmente a fundamental. Tínhamos que revolucionar essas áreas, sem o que, além do valor intrínseco de proporcionar aos mais pobres acesso à escola e aos hospitais e centros de atendimento, em um mundo globalizado jogaríamos como perdedores. Outra, a de promover uma reestruturação do Estado, para permitir os avanços sociais e econômicos desejados. Não no sentido de se chegar ao "Estado mínimo" dos neoliberais, mas tampouco para manter o Estado ingurgitado — e havia, tanto à esquerda quanto à direita, quem assim quisesse. Se tivesse prevalecido esta orientação, o melhor da burocracia continuaria sujeito às pressões partidárias e as nomeações se expandiriam sem agregar competência para modernizar o serviço público e, pior ainda, agravando a crise fiscal do Estado. Não se podia avançar sem enfrentar os grandes déficits: os dos estados e municípios, os embutidos e mascarados em compromissos não reconhecidos ou adiados (os "esqueletos") e, acima de tudo, o déficit estrutural crescente da Previdência, prestes a se transformar no grande problema fiscal do país.

Tínhamos, portanto, e muito claro, um projeto para o Brasil. O refrão de setores das oposições foi, o tempo todo, o de que não havia um "projeto nacional". Isso não era certo: havia um projeto, só que muito diferente do ambicionado por eles. Não podendo mais proclamar que queriam implantar o socialismo, desde a crise simbolizada pela queda do Muro de Berlim e a adesão chinesa ao "socialismo de mercado" (nem sequer o MST se afirma abertamente socialista, e muito menos comunista), as oposições de esquerda se aferraram ao antigo projeto nacional-desenvolvimentista, na verdade ao nacional-estatismo. Esqueceram-se de que tinham combatido esse projeto na época áurea de sua prevalência, seja com o desenvolvimentismo de JK, associado às multinacionais, seja com o estatismo do regime militar. Mesmo esse reviver do nacional-estatismo é pálido: quase ninguém ousa mais dispensar, por exemplo, o capital estrangeiro, a participação dos conglomerados privados nas obras de infra-estrutura, as parcerias governo-sociedade civil.

Não dispensam, mas "denunciam" o caráter antinacional de tudo que cheire a globalização. E jamais deram o braço a torcer para reconhecer que pusemos em marcha um outro projeto de país, tão nacional quanto possível nas circunstâncias do mundo contemporâneo; tão antiburocrático quanto necessário e tão democrático e aberto aos controles da sociedade civil quanto desejável, embora com a presença ativa do Estado. Portanto, tão favorável aos interesses nacionais e às aspirações e objetivos de igualdade e justiça social quanto o ideário apregoado pelas oposições esquerdistas ou simplesmente nacionalistas. Com uma diferença: a sociedade, não o Estado, seria o sujeito principal da História *aggiornata* do Brasil. A cantilena da "desnacionalização" da indústria, do sentido supostamente antinacional e elitista das propostas de meu governo, permaneceu até que o governo Lula deu impulso, em certos casos maior, às diretrizes que vinham sendo implementadas no setor econômico-financeiro, retrocedendo, é verdade, nas políticas sociais, que se tornaram centralizadoras e burocráticas, e na concepção do Estado, no qual passaram a pesar crescentemente os interesses clientelísticos e de "aparelhamento" da máquina pública pelos partidos pretendentes à hegemonia.

De qualquer maneira, convém repetir a máxima de que houve um tempo no qual os acontecimentos que agora estão no passado ainda estavam no futuro. Era este meu desafio: o de construir caminhos para um futuro do Brasil que deixasse longe os inconvenientes do passado. Muito do que hoje é rotina era então uma tênue expectativa de futuro.

Por que não comecei pela reforma política

No início de meu primeiro mandato, o Brasil se via tomado pela preocupação com as privatizações, com a quebra dos monopólios estatais e com as reformas da Previdência e tributária. Sabíamos o rumo a seguir, apesar de não dispormos de um roteiro detalhado. O caminho se construiu ao caminhar. Não faltou quem entendesse essencial, talvez com razão, começar pela reforma política, mãe de todas as outras, diziam. No Congresso, entretanto, a reforma política tinha pouca viabilidade. Pelo menos esse era meu juízo e minha convicção. Por quê?

Primeiro porque havíamos perdido o plebiscito sobre sistema de governo, em abril de 1993. O parlamentarismo aplicaria, por assim dizer, um choque no sistema político tradicional e obrigaria a mudanças mais profundas. Já no desenrolar da campanha parlamentarista de 1993 tornou-se claro que as forças sociais e políticas se inclinavam pelo presidencialismo.

Segundo, porque eu fora autor no Senado de emenda para estabelecer o voto distrital misto e nunca consegui, mesmo sendo líder do partido majoritário, sequer levar a proposta à votação em plenário depois de sua aprovação pela CCJ, com parecer favorável do senador Josaphat Marinho (PFL-BA).[2] O Congresso é contrário a mudar regras eleitorais que prejudiquem ou pareçam prejudicar, justamente, os que devem decidir sobre as mudanças, ainda que as novas regras sejam melhores para o país. Com

---

[2] Por sistema de voto distrital (distrital "puro") se entende um procedimento eleitoral que restringe o âmbito dos eleitores a regiões menores que os estados e, conforme o tamanho de certos municípios, também menores que eles. Cada estado é dividido, para efeitos eleitorais, em tantos distritos quantos sejam os deputados federais que o representam. Os distritos podem variar de tamanho geográfico, mas devem ter aproximadamente o mesmo número de eleitores. Em cada um deles, cada partido apresenta apenas um candidato a deputado, e quem tiver mais votos se elege. Pode-se adotar, como fazem alguns países, o sistema de dois turnos, ficando para o segundo turno, no caso, os dois candidatos mais votados, caso não hajam obtido maioria absoluta no primeiro escrutínio.

O sistema distrital misto faz com que metade da representação de cada estado seja eleita pela votação por distrito, e a outra metade pelo voto que o eleitor confere à legenda partidária. O eleitor vota duas vezes: uma num candidato de seu distrito, outra no partido de sua preferência.

O número de vagas por partido dependerá da proporção total de votos que o partido receba nas urnas. Se ao partido couber uma vaga pelo sistema de listas, o candidato que encabeça sua lista é o eleito. Se couberem duas, os dois primeiros da lista, e assim sucessivamente. Em alguns países os eleitores podem alterar a ordem dos candidatos na lista, diminuindo o controle das máquinas partidárias sobre as candidaturas.

essa experiência, previa resposta negativa do Congresso a reformas amplas do sistema eleitoral. Recordo bem quando, afrouxado o regime autoritário, uma das principais alterações promovidas na Constituição de 1967-1969 consistiu em retirar, em clima de júbilo democrático, o artigo que levava ao voto distrital.

Terceiro, porque desde a aprovação da emenda constitucional de 1985 que permitiu reconhecer os partidos de esquerda, até então ilegais, e facilitou a criação de novas agremiações, predominava o sentimento de que o exercício continuado do voto aumentaria a consciência do eleitorado, permitindo redefinir e conferir maior coerência ao quadro partidário sem necessidade de modificações na legislação. Acreditava-se no espontaneísmo iluminista do povo, desde que vigorasse a democracia.

Em suma: eu achava que se começássemos pela reforma política, mesmo com a autoridade que a recente eleição em primeiro turno me havia conferido, não sairíamos dela, pois não a aprovaríamos tão cedo. Faltava amadurecer as condições para levá-la adiante. Sua discussão bloquearia todas as demais reformas, apaixonaria o Congresso e a mídia, obscurecendo as outras medidas legislativas para o *aggiornamento* do Brasil.

Levando tais fatores em consideração, afirmei que a reforma política era essencial, mas que caberia ao Congresso, e não ao Executivo, encaminhá-la. Ao longo dos oito anos de mandato tratei de apoiar, com muita dificuldade, a tramitação de medidas de aperfeiçoamento do sistema de voto e de fortalecimento dos partidos. Algumas delas avançaram: houve a informatização da Justiça Eleitoral, que se deveu à clarividência de dois presidentes do Tribunal Superior Eleitoral (TSE), os ministros José Néri da Silveira e Carlos Velloso, e eu lhes dei sustentação. Ela permitiu reduzir grandemente as fraudes nas votações, se não eliminá-las. Mudança na legislação impediu que partidos registrados em coligações diferentes para as eleições majoritárias se reunissem em uma mesma coligação para as eleições proporcionais (uma modificação que não equivale à verticalização do voto, porque se aplica somente dentro de cada circunscrição eleitoral — federal, estadual ou municipal). Aprovou-se a cláusula de desempenho, que retira prerrogativas dos partidos que não conseguem obter um mínimo de votos em um mínimo de estados, poderosa arma contra os "partidos de aluguel", aliás adotada em várias democracias maduras. Deixamos em discussão no Congresso matéria apoiada por meu governo, quando apresentada, versando sobre a inelegibilidade de parlamentares que trocam de legenda, dificultando a infidelidade partidária, pois pela proposta não se permitiriam candidaturas durante três anos a quem mudasse de partido, e vários outros pontos. Não obstante, visto *a posteriori*, tudo isso é insuficiente. Praza aos céus que o espírito reformista continue a aperfeiçoar as regras eleitorais e partidárias.

Pareceu-me claro que o ponto de partida deveriam ser, simultaneamente, as reformas da Previdência e da administração e um conjunto de modificações constitucionais que dessem maior flexibilidade à economia, permitindo maior investimento privado em setores de infra-estrutura e atraindo capitais nacionais e estrangeiros. O Estado, devido à crise fiscal, não dispunha de recursos para responder às crescentes necessidades de investimento exigidas pela melhoria e ampliação dos serviços de infra-estrutura. O setor privado, sim, tinha recursos e podia gerir melhor esses serviços, desde que adequadamente regulados.

A prioridade: reordenar o Estado

Foi com esse propósito que dei largada à série de propostas de emenda à Constituição, começando pela redefinição do conceito de empresa nacional. Tal como formulado na Constituição de 1988, ele permitia a discriminação de empresas que tivessem controle acionário em mãos não-brasileiras, ainda que sediadas no Brasil e aqui produzindo riquezas, pagando impostos e empregando brasileiros. Isso passava um sinal equivocado para os investidores, como se o país quisesse e pudesse prescindir do investimento externo, ou a ele fosse hostil. Essa discriminação se tornara inteiramente obsoleta com o mercado de capitais internacionalizado (para não falar dos "paraísos fiscais" que escondem a propriedade individual e familiar em *holdings* anônimas). Junto com essa modificação, enviamos ao Congresso em meados de fevereiro de 1995, portanto menos de dois meses após o início do governo, uma série de propostas de emenda constitucional que viriam a ser básicas para a transformação da economia brasileira nos anos seguintes. Abria-se a exploração do gás natural aos capitais privados, mediante concessão; quebrava-se o monopólio estatal das telecomunicações, o que propiciaria, com a privatização bem-sucedida, a modernização e dramática ampliação dos sistemas de telefonia fixa e celular e de transmissão de dados; permitia-se a navegação de cabotagem por navios de qualquer bandeira, nas condições definidas em lei; e — o que enfrentou maior resistência — propunha-se o que eu chamei de "flexibilização" do monopólio do petróleo, ou seja, sem privatizar a Petrobras, promover a concorrência da estatal com outras empresas, nacionais e estrangeiras, nas atividades de exploração, importação e refino.

Votou-se todo esse conjunto de mudanças com rapidez. Basta dizer que a 15 de agosto de 1995, seis meses depois de termos enviado as propostas ao Congresso, deputados e senadores já haviam aprovado todas, com exceção da emenda sobre o petróleo.

Houve muito mal-entendido a respeito do que significava a "flexibilização" desejada para o monopólio que a União exerce sobre o petróleo. Não se tratava de tirar da União a propriedade exclusiva das reservas de petróleo e gás natural. Apenas se permitia que terceiras empresas, além da Petrobras, concorressem pelas concessões da União para explorá-las. À Petrobras se reservavam direitos de exploração em amplas áreas já mapeadas e que pareciam ter probabilidades de conter óleo. Não esperava outra coisa que não os acirrados debates que se travaram, pois a Petrobras, como é sabido, tornou-se há décadas uma espécie de símbolo de "emancipação nacional".

Como dito em capítulo anterior, tudo isso me tocava política e emocionalmente. Racionalmente, entretanto, eu estava convencido de que a flexibilização traria maiores recursos para acelerar a exploração do petróleo, assegurando dessa maneira mais depressa a auto-suficiência. Além do mais, acreditava que ela seria um instrumento para obrigar a Petrobras, até então monopolista, a ser mais transparente, mostrando para a sociedade seus números e procedimentos, obscuros mesmo para o principal acionista, o Tesouro Nacional. Não custa lembrar que, por peculiaridades das empresas estatais brasileiras, a Petrobras não era de propriedade *exclusivamente* estatal. Tinha ações negociadas em bolsa e acionistas privados. A presença do ente privado não constituía, portanto, algo tão insólito na vida da empresa como davam a entender os defensores do monopólio. Em meu segundo mandato, com a mesma preocupação de democratizar a gestão da companhia, facilitamos a compra de ações pelo público em geral e especialmente por trabalhadores, usando recursos do FGTS.

Redigimos o texto da emenda na biblioteca do Palácio da Alvorada: eu, o ministro Raimundo Brito e o presidente da Petrobras, Joel Rennó, pois a direção da empresa concordava com a flexibilização. Coube ao ministro da Justiça, Nelson Jobim, moldar a forma jurídica final da proposta e dos projetos de leis complementares que se seguiriam à aprovação da emenda. Argumentos racionais, não obstante, são frágeis para apaziguar paixões e, mais ainda, para conter interesses políticos. No Congresso não faltavam discursos eloqüentes. Utilizava-se a mesma retórica dos anos 1950, embora a situação fosse muito diferente: o país já contava com uma grande empresa — uma das maiores do planeta, na verdade — que permaneceria sob controle do Estado, não dispunha de capitais suficientes para acelerar a exploração das jazidas e o aparelho estatal era forte o bastante para assegurar os interesses nacionais e os dos consumidores, uma vez criada uma agência reguladora, como ocorreu alguns meses depois, quando o Congresso aprovou a ANP.

Visto retrospectivamente, parece óbvio o que estou escrevendo: a Petrobras se fortaleceu e a produção dobrou em meus oito anos de governo. Nas licitações, introduziram-se regras que estimularam a produção nacional de equipamentos de exploração petrolífera. Com a flexibilização, empresas acorreram ao Brasil para prospectar petróleo, trazendo investimentos, tecnologia e empregos. No momento da votação, entretanto, nem todos percebiam assim. Um dos vice-líderes do governo na Câmara, Almino Affonso, pronunciou o principal discurso encaminhando a votação *contra* a emenda. Ele me procurara no Alvorada para me dizer que votaria "não", e respeitei sua decisão. Não sabia, porém, que seria o porta-voz da oposição. O governo venceu por 360 votos a 129, no dia 20 de junho de 1995, após ter resistido à dura greve dos petroleiros, em maio de 1995, que utilizava a demanda pelo aumento dos salários como palavra de ordem mobilizadora, mas que, politicamente, como vimos, constituía uma advertência contra a flexibilização do monopólio.

Mesmo no Senado, onde o governo sempre dispôs de ampla maioria, as resistências foram grandes. Resistências, repita-se, vindas não somente das bancadas oposicionistas, mas também das fileiras dos partidos aliados. Na discussão da emenda que flexibilizava o monopólio, essa reação, tanto na Câmara quanto no Senado, era compreensível: havia o temor da "privatização" da Petrobras, assim como existia, em especial no PFL, quem realmente desejasse claramente a privatização. Não era este meu pensamento. Alguns senadores, com pruridos nacionalistas, desejavam uma manifestação direta e formal de que eu não privatizaria a empresa. Respondi, de bom grado, em carta enviada ao presidente do Senado, José Sarney, reafirmando que não tomaria essa iniciativa. No dia 18 de outubro de 1995, oito meses depois do envio da mensagem presidencial, o Senado aprovou em primeiro turno a flexibilização do monopólio por 58 votos contra 17, decisão que foi confirmada em segundo turno, em 8 de novembro, por 60 votos a 15 do total de 81 senadores.

Por maior que tivesse sido o empenho do Presidente e dos líderes do governo nessas batalhas, o certo é que àquela altura o país desejava andar com rapidez na formatação de um quadro institucional mais apto a nos dar chance de participar ativamente da nova quadra da economia local e mundial. Os primeiros sinais nesta direção foram os votos de aprovação das emendas aos dispositivos da Constituição sobre a ordem econômica. Sem o ânimo da opinião pública e o papel dos chamados formadores de opinião, seria muito difícil obter reformas tão importantes em prazo tão exíguo. Acrescente-se a aprovação, depois de mais de cinco anos de tramitação, da Lei de Concessão de Serviços Públicos.

A tramitação das leis complementares, que posteriormente regulamentaram as mudanças constitucionais, bem como a criação das agências reguladoras, foi difícil e, às vezes, demorada. Mas a verdade é que a agenda de modernização da economia acabou sendo posta em marcha com êxito e, bem pesadas as coisas, em velocidade que muitos não esperavam.

Começava a se desenhar o novo quadro institucional que, complementando os êxitos na estabilização da economia, forneceria os fundamentos para um novo Brasil. Ao reler os discursos no Congresso e o noticiário dos jornais e revistas, vêem-se uma saraivada de cobranças quanto à lentidão do processo legislativo, assim também, antes de cada votação, alertas sobre a iminente derrota do governo. É normal e faz parte do jogo democrático: a mídia dá maior espaço ao ruído das oposições e a suas apostas do que à voz dos governos. E de quando em quando, acerta. No cômputo geral, entretanto, a despeito das críticas acerbas dos adversários dessas mudanças (que em tudo enxergavam a "desnacionalização", a fúria privatizante, a busca do "Estado mínimo" neoliberal), o Brasil reordenou as bases institucionais de sua economia. O aparelho de Estado efetivamente encolheu, perdendo gordura, mas reorganizou-se e ganhou ímpeto para fazer face à globalização e ao dinamismo das condições contemporâneas de produção. Ao mesmo tempo, as empresas privadas encontraram maior campo para o investimento e a sociedade passou a dispor de melhores instrumentos de controle da ação pública e da atividade privada.

Não creio que em qualquer outro período da vida democrática brasileira (salvo, naturalmente, durante a Constituinte de 1987-1988) o Congresso haja aprovado tantas emendas constitucionais e votado leis complementares e leis ordinárias de tão amplo alcance como entre 1995 e 2002. Só emendas constitucionais *atualizando* a Constituição foram 35. Nem tudo o que nos parecia necessário se conseguiu. As estacas plantadas, entretanto, tinham solidez, tanto que continuaram de pé depois da vitória em 2002 dos que se opunham a elas. Ocorreu algum retrocesso, é verdade, na área da regulação das atividades econômicas. Talvez mais grave do que isso, a volta da retórica estatizante e das práticas clientelistas quebrou o ímpeto da cultura de modernização que começamos a implantar. Nada, porém, foi mudado estruturalmente.

Previdência: uma reforma radical custaria dois PIBs

Muito mais difícil e mais sujeita aos azares da política do que as iniciativas que acabo de descrever viria a ser a tramitação da reforma da Previdência. A Previdência Social, que fora superavitária até o governo Itamar (chegou-se mesmo a conceder um aumento real do salário mínimo com base nesse superávit), apresentava os primeiros e fortes sinais negativos. A Constituição de 1988 corrigira uma série de injustiças no modelo de aposentadorias e pensões. Por exemplo: para evitar a deterioração contínua do valor das aposentadorias, tornou-se obrigatório garantir o valor real do salário mínimo e este se tornou piso dos benefícios previdenciários. Aumentou-se o valor das aposentadorias dos trabalhadores rurais de apenas meio salário mínimo para um salário completo, independentemente de os beneficiários haverem ou não contribuído para o sistema (a esmagadora maioria não o fazia). Diminuíram-se os requisitos de idade para aposentadoria de homens e mulheres no setor rural, de 65 para 60 anos no caso dos homens e de 60 para 55 no das mulheres. Tudo isso com alta sensibilidade social mas pouca preocupação com as fontes de financiamento para atender à expansão dos gastos. A tal ponto que, na prática, dos 20 milhões de beneficiários do sistema INSS em 2001, *somente 6 milhões* haviam contribuído, e mesmo estes em montante insuficiente para cobrir a continuidade dos custos.

Outros itens do gasto público se expandiram quase automaticamente nos anos seguintes à promulgação da Constituição, porque suas novas disposições tornavam obrigatórios certos dispêndios. A implantação da Loas, por exemplo, que até então fora letra morta, começou a pesar nas despesas, assegurando, mais do que justamente, um certo valor em reais para os idosos cujas famílias não auferissem um mínimo de renda. O SUS, estabelecido pela Constituição, expandia-se rapidamente, exigindo cada vez mais recursos para um atendimento universal. As demandas pela reforma agrária eram igualmente crescentes.

Assoberbado por este quadro, o governo tinha que atuar em dupla direção: assegurar maiores receitas e conter gastos, com uma política restritiva quanto ao aumento do número de funcionários e mesmo de sua remuneração. Coube a meu governo arcar com o ônus financeiro do importante aumento dado ao funcionalismo pelo governo anterior. Este abrangeu todo o pessoal da União, pois, vale assinalar novamente, o regime jurídico único previsto na Constituição acabou transformando em funcionários públicos de carreira os antigos celetistas, o que restringiu possibilidades para aumentos gerais futuros. Neste quadro a Previdência tornou-se objeto de preocupação e requereu esforços para controlar o vultoso custo e para corrigir algumas distorções.

A escolha do ministro Reinhold Stephanes indicava esta preocupação. Ele já ocupara o cargo e demonstrara interesse em reformar a Previdência. O tema é extremamente complexo. Em 1995 o governo ainda não dispunha de informações suficientes para avaliar a situação real da Previdência. Tivemos que caminhar um tanto às cegas. Levamos as semanas iniciais discutindo que reforma fazer e principalmente como chegar a ela. À medida que o Congresso postergava decisões sobre as reformas, íamos aperfeiçoando o sistema de informações públicas e conseguindo elementos para uma análise mais objetiva. Batalhávamos para remendar a situação de déficits crescentes, mas continuamos tentando soluções mais radicais, como comentarei adiante.

No início resolvemos enviar ao Congresso uma só emenda, tratando tanto da Previdência privada (INSS) como da pública. E nesse aspecto me equivoquei, de vez que adversários da reforma nos dois setores se somaram e aumentaram os obstáculos à tramitação no Congresso. Houve, é verdade, quem opinasse no governo para que separássemos as duas reformas, como Sérgio Motta. Mais tarde, lamentei não ter lhe dado ouvidos.

As forças políticas que apoiavam o governo abrigavam também parlamentares que não queriam sequer tocar no assunto da Previdência. Os anos de grande expansão econômica até 1980, que ampliaram a base de arrecadação, e a inflação galopante até 1994, que corroeu o valor real dos benefícios, deixaram em muita gente a impressão de que seria simples equilibrar as contas. Achavam que não era preciso reforma nenhuma. Bastaria (como se fosse fácil, aliás) incorporar à formalidade o setor informal do mercado de trabalho — o contingente atingiu cerca de 40 milhões de trabalhadores em 2001 —, fazendo-os contribuírem, e também aumentar o salário mínimo, pois isso acarretaria maiores ingressos ao INSS. Nesse último raciocínio não tomavam em conta a desproporção entre o aumento de contribuições gerado pelo incremento do mínimo e a expansão das obrigações de gastos dele decorrentes. Portanto, diziam, o aumento do mínimo, somado a taxas razoáveis de crescimento econômico, faria sumir o déficit.

Santa ingenuidade, pois as despesas não se fariam apenas com os salários mínimos, mas igualmente com as aposentadorias mais elevadas e com os pensionistas, que tinham suas rendas atreladas ao mínimo e não contribuíam para a Previdência. Ainda alegavam que as aposentadorias rurais eram uma espécie de programa de renda mínima (o que é certo), uma vez que os recursos para seu pagamento não advêm de qualquer contribuição e, assim sendo, elas não poderiam ser levadas em conta quando se falava em déficit na Previdência. Esse raciocínio significava simplesmente mudar o rombo de lugar, deslocando-o da Previdência para o Tesouro, sem se preocupar com o conjunto do déficit público.

Em contraste, havia no horizonte a reforma chilena, radicalmente de mercado, que consistiu em privatizar para valer o sistema previdenciário, substituindo o sistema chamado de "repartição simples" por um sistema de "capitalização".[3] Por mais que esse tipo de reforma entusiasmasse economistas e técnicos, ele se mostrou inviável no Brasil. Entusiasmava por motivos óbvios: com a gigantesca massa de capitalização gerada pelos aportes dos trabalhadores privados e pelos do setor público, somados aos aportes dos respectivos empregadores, a economia do país contaria com uma valiosa alavanca para novos investimentos, uma vez que essa capitalização toda precisava obter rendimentos para pagar as aposentadorias dos trabalhadores contribuintes, e os rendimentos viriam de investimentos. Era inviável porque, no nosso caso, o Tesouro não dispunha de recursos excedentes (no Chile, sim) e não podia fazer frente aos gastos em três direções: em primeiro lugar, custear as aposentadorias já concedidas; depois, mais à frente, pagar as dos trabalhadores em atividade ingressados no serviço público ou filiados ao INSS antes da reforma; finalmente, pagar sua parte como empregador, relativa aos servidores que ingressassem na carreira após a mudança no sistema.

Essa discussão dentro do governo durou enquanto tramitava a reforma bem menos ambiciosa que o Executivo encaminhara ao Congresso. Até que uma comissão impulsionada por André Lara Resende e Francisco de Oliveira, economista do Ipea, contando com a coordenação executiva de Sheila Najberg, economista do BNDES, apresentou em fins de 1998 as conclusões do estudo que faziam havia mais de ano, com dados definitivos quanto ao custo da mudança do sistema corrente de Previdência para um sistema de capitalização como o chileno. O custo da transição de um para outro regime era espantoso: equivaleria a cerca de duas vezes o PIB. Resultado: o BC vetou a proposta. Bastaria falar em endividamento pú-

---

[3] No regime de repartição simples, as contribuições dos trabalhadores ativos pagam os benefícios dos aposentados e pensionistas, ou seja, as gerações mais novas sustentam a inatividade das gerações mais velhas; nem sempre (ou quase nunca), por diferentes razões, as contribuições conseguem financiar as aposentadorias. Já no regime de capitalização, cada indivíduo é responsável por sua própria aposentadoria e a financia com os recursos acumulados por suas contribuições e pelos aportes feitos pela empresa em que trabalha. O dinheiro fica em uma conta pessoal, acrescido dos rendimentos, como se fosse uma aplicação financeira. O montante que a pessoa vai receber quando se aposentar dependerá do quanto esse fundo pessoal acumulou ao longo de sua vida de trabalho.

blico em volume tão exorbitante para disparar o estopim do desastre final nos mercados interno e externo, dada a situação delicada das contas governamentais. Tive que concordar.

Por que a Previdência é uma bomba-relógio

Entre o frenesi privatizante e o imobilismo dos que apostavam na autocorreção do sistema, optamos por concluir a proposta enviada ao Congresso em março de 1995, que, sem ser radical e portanto sem resolver todos os problemas da Previdência, era relativamente ambiciosa, pois mantinha o sistema existente de repartição simples mas buscava assegurar o pagamento das aposentadorias em longo prazo.

Qual era (e é) o fundo da questão da Previdência no Brasil? A resposta não é fácil. Existem bons estudos que mostram com clareza os vários aspectos do problema e justificam os argumentos esgrimidos pelo governo para convencer a opinião pública sobre a necessidade das reformas.[4] No conjunto do sistema previdenciário brasileiro há aspectos gritantes de desigualdades.

Para começar, coexistem três diferentes sistemas em funcionamento: primeiro, o regime geral de previdência social, que abrange os trabalhadores do setor privado, sejam empregados ou autônomos. Neste caso, as aposentadorias e pensões ficam a cargo do INSS. Cerca de dois terços dos gastos do INSS são com pessoas que recebem o piso de benefícios, que corresponde a um salário mínimo. E existe um teto, ou seja, um valor máximo de benefícios, que tem oscilado entre nove e dez salários mínimos. Segundo, no caso dos funcionários públicos, federais, estaduais e municipais, existem regimes próprios de previdência social, que asseguram privilégios em comparação com o regime geral. Por exemplo, aposentadoria correspondente ao valor integral dos proventos na atividade, ou até supe-

---

[4] Refiro-me especialmente aos trabalhos de Marcus André Melo, "A transição incompleta: a reforma da Previdência Social no governo FHC", e de Vinícius Carvalho Pinheiro, "Reforma da Previdência: uma perspectiva comparada", *in* Fábio Giambiagi *et al.*, *Reformas no Brasil, balanço e agenda,* Rio de Janeiro, Nova Fronteira, 2004. Não farei referências minuciosas a essas reformas neste capítulo, mas o leitor interessado encontrará nos textos acima elementos suficientes para compreendê-las melhor.

rior, aproximando-se de ou até superando 20 mil reais, durante meu governo. (Sem contar os incontáveis benefícios e vantagens sistematicamente incorporados por via judicial a muitas aposentadorias, graças a brechas ou artimanhas contidas em leis federais, estaduais e municipais, que com freqüência elevam o valor muito acima desses 20 mil mencionados.) Por fim, existe o regime de previdência complementar, com recursos administrados por fundos de pensão fechados, como no caso das empresas estatais (em geral generosas com seus empregados, tendo contribuído para os fundos de pensão, no passado, em proporção maior do que os associados, sempre à custa do Erário, prática daninha que meu governo eliminou, conforme já relatei no Capítulo 3), ou por bancos e seguradoras, no caso dos fundos abertos em que qualquer pessoa pode se inscrever, mas à sua custa.

Por questionáveis que fossem as desigualdades existentes no sistema, por si só elas não teriam força para mover a sociedade na direção de mudanças. O principal motivo da reforma era o perigo de quebradeira generalizada. Perigo este, entretanto, não iminente, e sim virtual. Fosse iminente e todos os beneficiários, com medo da bancarrota, apoiariam as reformas. Quando é virtual, são "os mercados" os primeiros a se mover, ao perceberem a inadimplência futura do governo como "perigo à vista!". E os mercados se movem pressionando para cima as taxas de juros.

Não sem razão: há causas estruturais que tornam a Previdência uma bomba-relógio de potencial devastador. Elas começam por algo que é uma ótima notícia no plano humano e social: a expectativa de vida subiu cerca de 10 anos entre 1970 e 2001, passando o brasileiro a viver em média quase 70 anos (em 2004 atingiu os 71 anos). Melhor ainda (e pior para a Previdência, se novas reformas não são feitas), quando ele chega aos 50 anos, sua esperança de vida se eleva para quase 77 anos; chegando aos 60, deve viver, em média, 78 anos. Isso é sinal de progresso no desenvolvimento humano, mas, do ponto de vista fiscal, se a idade média com que as pessoas se aposentam não aumenta na mesma medida, torna-se problemática a sustentabilidade do regime de previdência. Mesmo países sólidos, com economias gigantescas e eficientes, como os EUA, os principais da Europa e o Japão, estão às voltas com esse problema, e enfrentando-o.

Outra peculiaridade do sistema previdenciário brasileiro é que a idade mínima de aposentadoria para as mulheres é menor do que para os homens, embora as mulheres vivam em média mais do que os homens.

A pressão demográfica sobre o sistema previdenciário se agrava também por algo que, em muitos outros aspectos, é positivo: a queda da taxa de fecundidade. Se em 1950 cada mulher tinha, em média, mais de cinco filhos, em 2002 esse número não passava de dois, e as projeções são cadentes. Ou seja, o número de trabalhadores cairá (diminuindo a pressão sobre o mercado de trabalho, o que pode ser positivo em matéria de emprego) e a taxa de crescimento da população também, o que poderá permitir, havendo crescimento econômico, aumento mais significativo da renda *per capita*. O outro lado da medalha, contudo, em termos previdenciários, é que haverá menos trabalhadores ativos para sustentar os inativos.

Ora, o sistema previdenciário brasileiro está baseado no princípio da solidariedade entre as gerações, ou seja, na repartição entre os mais moços do ônus de sustentar os mais velhos. Logo, havendo menor número de jovens na população ou (o que quer dizer a mesma coisa) envelhecendo a população, aumenta o peso da carga tributária dos mais moços para sustentarem os aposentados e pensionistas. Problema semelhante, e mais acentuado, ocorre com as sociedades européias, que, por mais que alguns setores reajam, precisarão de um número crescente de trabalhadores imigrantes para manter o ritmo da economia e não permitir o naufrágio de seus sistemas previdenciários.

Tem maior dramaticidade ainda o problema do custeio das aposentadorias do setor público. No INSS, apesar das modestíssimas quantias pagas aos aposentados, as contribuições dos trabalhadores são insuficientes para cobrir o custo do sistema. O Tesouro tem que complementá-las, ou seja, o dinheiro vem dos impostos pagos por toda a sociedade. No caso do funcionalismo, a desproporção entre o total das contribuições e o dos proventos pagos é muito maior e também sai diretamente do Tesouro, quer dizer, do bolso da população, inclusive da mais pobre.

Chama a atenção, por ser escandalosa, a diferença de peso que cada um desses setores significa para os ombros do contribuinte. No final de 2002, o déficit total da previdência dos funcionários públicos federais, estaduais e municipais somados era muito superior ao do INSS, mesmo beneficiando um número muitíssimo menor de pessoas. No I Fórum Nacional de Seguro de Vida e Previdência, em outubro daquele ano, em São Paulo, o ministro da Previdência, José Cecchin, mostrou as cores da inacreditável injustiça do sistema: 20 milhões de trabalhadores aposentados pelo INSS produziam um déficit de 17 bilhões de reais na Previdência; enquanto isso, apenas 4 milhões de funcionários públicos da União, estados e municípios cavavam uma cratera de 53 bilhões de reais nas contas públicas. Essa é uma das razões para o aumento contínuo de impostos nos três níveis de governo. Contudo, por mais que os governos arrecadem, é impossível evitar a percepção de insolvência se não houver mudança nas regras de concessão de benefícios.[5]

Daí porque nos lançamos, com fervor, à reforma da Previdência. Tínhamos um múltiplo propósito: aumentar a arrecadação, diminuir distorções e desigualdades e conseguir que o período de vida ativa fosse prolongado, tanto mais que no serviço público as aposentadorias se davam, em média, com menos de 50 anos de idade, independentemente do tempo de contribuição, algo que nem países riquíssimos podiam ou podem se dar ao luxo de sustentar, quanto mais o Brasil.

A emenda da Previdência: um calvário

A emenda constitucional que remetemos em março de 1995 ao Congresso era uma tentativa de retirar da Constituição as regras de aposentadoria por tempo de serviço e de idade e o valor dos benefícios, deixando-os para serem definidos por lei complementar, mais fácil de ser modificada e, ao

[5] Em 2000 o déficit do regime geral dos assalariados correspondeu a 0,9% do PIB, o dos servidores federais atingiu 2% e o dos servidores estaduais e municipais, respectivamente 1,5% e 3% do PIB. O INSS, superavitário antes da Constituição de 1988 e mesmo depois, até o final do governo Itamar, já em 1998, dez anos após a vigência da nova Carta, apresentava um déficit de 16,6 bilhões de reais. Esses déficits, somados aos da previdência dos funcionários públicos, levaram a transferências crescentes do Tesouro para cobrir despesas com aposentadorias, pensões e outros benefícios previdenciários: em 1987, 25% das despesas não-financeiras da União eram destinados ao pagamento de benefícios do INSS e aos inativos e pensionistas da União. Em 2001 essas transferências foram de 61% do total das despesas do Orçamento federal. Para complementar as informações: em 1991 os inativos e pensionistas da União correspondiam a 50% dos funcionários em atividade, enquanto em 2000 havia o mesmo número de ativos e inativos, cerca de 950 mil. Dados em Marcus André Melo, *op. cit.*, p. 2-3.

longo do tempo, sofrer adaptações para adequar-se às realidades demográficas. A aposentadoria por tempo de serviço seria substituída pela aposentadoria por tempo de contribuição. Proibia-se a acumulação de aposentadorias com as remunerações recebidas em função de cargo, emprego ou função pública. Tocava-se na delicada questão dos privilégios, como, por exemplo, contar em dobro, para fins de aposentadoria, o tempo de licenças não gozadas por servidores, ou considerar "penosas" ocupações tais como as de magistrado e professor e, com isso, reduzir o tempo de trabalho necessário para a aposentadoria. Proibia-se a aposentadoria proporcional ao tempo de serviço que permitia, por exemplo, que o funcionário se aposentasse depois de trabalhar apenas 20 anos. Propunha-se a diminuição da diferença do requisito mínimo de idade entre homens e mulheres para fins de aposentadoria e outras mudanças. Mas não se alteravam os fundamentos do sistema previdenciário, baseado na solidariedade entre as gerações.

Dessa feita a santa ingenuidade era do governo: imaginar possível, em um país "cartorial", que o Congresso aceitasse tantas mudanças e a sociedade compreendesse as razões delas. Como se fosse pouco, ainda propúnhamos a centralização na União da legislação previdenciária de estados e municípios, onde ocorria toda sorte de abusos. Impedia-se, por exemplo, que vantagens concedidas aos funcionários em atividade fossem automaticamente transferidas para os inativos (isso em um país onde houve casos em que viúvas de parlamentares auferiram o pagamento de *horas extras* de convocações das Assembléias!). Limitava-se a contribuição das empresas estatais aos fundos de pensão de seus empregados.

O resultado não demorou: a tramitação legislativa foi um calvário. As oposições se esbaldaram em denunciar o governo e considerar os parlamentares que lhe davam sustentação como ávidos para esfolar "os velhinhos", sem reconhecer que estes não eram "velhinhos", e sim funcionários públicos com salários relativamente altos e baixíssima média de idade ao se aposentarem. Sem reconhecer, também, que as medidas propostas em geral não afetavam os trabalhadores, porque no INSS as aposentadorias eram de valor ínfimo em comparação com as do serviço público e seus beneficiários raramente se aposentavam com menos de 60 anos, além de não gozarem dos privilégios que estávamos propondo acabar.

Logo de início, na CCJ da Câmara de Deputados, surgiram os obstáculos. O relator na comissão, deputado Rodrigues Palma (PTB-MT), embora aliado do governo, tachou a proposta de inconstitucional, porque alterava ao mesmo tempo matérias de natureza distinta. O governo reagiu e o deputado Roberto Magalhães (PFL-PE) propôs uma alternativa logo aceita pelas lideranças e pelo ministro da Previdência: haveria quatro subemendas, das quais a principal incorporaria o que tínhamos como essencial à reforma. Deixava-se para outras emendas a decisão sobre a competência da União para definir leis relativas ao custeio da Previdência, sobre a quebra do sigilo bancário dos sonegadores e sobre os temas referentes à saúde, todos eles constantes da emenda original.

A tramitação na CCJ foi longa. Enquanto ela se dava, o PMDB voltou a pleitear mais espaço no governo, a imprensa criticava a falta de coordenação do Executivo no Congresso, ecoando as pressões dos partidos para que eu nomeasse um ministro coordenador político saído "da base" — a despeito de os líderes do governo na Câmara, deputado Luiz Carlos Santos, e no Congresso, deputado Germano Rigotto (PMDB-RS), estarem se saindo bem — e assim por diante. Mesmo lideranças chegadas ao governo tinham dificuldades em fazer a matéria ir além. O deputado Michel Temer, na época líder do PMDB, resumiu corretamente a questão: "As outras reformas [as econômicas] discutem teses. Esta [a da Previdência] mexe com as pessoas."

O tempo passava e nada parecia andar no Congresso. Na volta da Semana Santa, em abril de 1995, surgiu a idéia de aprovar a emenda na CCJ desde que seus efeitos só valessem para quem entrasse no mercado de trabalho a partir de sua promulgação. Na prática, queria dizer que levaríamos 30 anos para começar a corrigir os déficits... Ainda em março o Congresso derrubara um veto a uma lei que obrigava corrigir por igual índice os preços mínimos para produtos agrícolas e as dívidas rurais: a bancada ruralista começava a mostrar sua força. Em reunião dramática, tomei a decisão, a despeito das resistências de alguns líderes, de forçar a votação da reforma da Previdência sem alterar o projeto. No dia 18 de abril, ganhamos por 36 votos a 15 na CCJ, e isso depois de o TCU ter dado publicidade a um parecer dizendo que em 1994 as contas da Previdência tinham sido superavitárias em 1,4 bilhão de reais (como se os aumentos ocasionados pelas disposições da Constituição de 1988 não fossem incidir crescentemente nos Orçamentos subseqüentes).

Ocorre que, se a vitória não chegou a ser de Pirro, esteve muito longe de assegurar uma tramitação, senão calma, pelo menos mais veloz dali para frente. Em seguida à aprovação da emenda pela CCJ, todas as lideranças pediram que se adiasse o passo seguinte e anterior à votação em plenário, que seria a formação da comissão especial para analisá-la no mérito, como se diz em linguagem parlamentar — ou seja, analisar o conteúdo propriamente dito da proposta. O governo, temeroso com a ameaça de obstrução na votação das emendas da ordem econômica se não adiasse a da Previdência, não teve remédio senão concordar. Sérgio Motta resumiu a novela: "A ordem agora é menos velocidade e mais debate." Concordei com um adiamento por 60 dias, que significou postergar o andamento da reforma para o segundo semestre de 1995.

A verdade é que as oposições, à frente o PT e a CUT, puxando o conjunto dos interessados de todos os partidos, ganharam a etapa inicial da luta pela opinião pública. Com discursos, cartazes com o nome dos defensores da reforma apresentados como "traidores" e muita inverdade, passaram a mensagem: "eles", os neoliberais, querem tirar os direitos dos trabalhadores. Querem roubar "sua" aposentadoria, esquecendo-se de dizer que a maioria dos trabalhadores do setor privado não seria prejudicada pelas medidas moralizadoras, porque não gozava de privilégios. Realizamos um imenso esforço, ministros, líderes e eu próprio, reunindo-nos com cada bancada parlamentar na sede da Escola Fazendária, em Brasília, para expor minuciosamente a natureza da reforma, sua necessidade e suas conseqüências. Tudo em vão. Nossos argumentos não sensibilizaram os deputados nem a opinião pública, que eles temem mais que o diabo à cruz.

Diante das dificuldades, começou o processo de "culpabilização". Ora era o Presidente, que não deveria, ou deveria, ter cedido aqui e ali; ora o ministro da área, que seria "duro" ou inábil; ora a descoordenação entre os líderes. Quando não, chegava a vez do bode expiatório maior, a "má comunicação" do governo. O ministro da área preparou uma campanha publicitária sobre a reforma. O ministro das Comunicações objetou, não seria por aí... Pensando na agenda do segundo semestre, o líder do governo na Câmara, Luiz Carlos Santos, propunha várias reformas, entre as quais a política, e sugeria que deixássemos a da Previdência para o ano seguinte, 1996. Sérgio Motta defendia a regulamentação das reformas da ordem econômica — o que fizemos — e queria a continuação da previdenciária.

Enfim, quando se "perde o ponto" na política é como acontece ao se assar um bolo, nada dá certo. Provavelmente estávamos pagando o preço da ambição: queríamos promover muitas reformas simultaneamente. E também de um erro: deveríamos ter separado, reafirmo, a reforma do INSS das demais do setor previdenciário, até porque para as alterações nos privilégios do setor público contávamos com o apoio da Força Sindical. Já a CUT, embora obstaculizasse tudo, tinha interesse maior em paralisar a reforma da previdência pública do que a do INSS, pois o grosso dos sindicatos que davam base a suas mobilizações era os dos funcionários. E quem sabe tenhamos pagado ainda por certa soberba tecnocrática, de negociar pouco com os legitimamente interessados no tema.

O fato é que só retomamos o debate no segundo semestre de 1995 e já no prejuízo junto à opinião pública. Ainda em junho os líderes do PPB, Francisco Dornelles, e do PFL, Inocêncio Oliveira, e o próprio líder do governo na Câmara diziam não haver clima para votação no decorrer daquele ano. A direita tampouco dava trégua e criticava o governo pela suposta lentidão nas privatizações e na votação das reformas. Empresários e governadores, por sua parte, pareciam mais interessados na reforma tributária do que na agenda de ajuste do setor público. Na época o economista Marcos Cintra, ardente defensor da precedência à reforma tributária, escreveu artigo expressivo nesse sentido.[6] Não que o governo se distraísse do objetivo de aprovar também a emenda da reforma tributária, que alterava sobretudo a legislação do ICMS. Mas esta encontrava resistências ainda maiores para tramitar e não ser inteiramente desfigurada pela comissão especial que a examinava, tendo como relator o deputado Mussa Demes (PFL-PI). As inúmeras dificuldades nos levaram a optar por uma mudança parcial, voltada apenas para a legislação do ICMS, especificamente destinada a desonerar as exportações e o investimento, o que seria obtido pela Lei Kandir, de 1996.[7]

---

[6] "Reformas perdem fôlego" (*Folha de S. Paulo*, 24/9/1995).

[7] Lei complementar nº 87, de 13/9/1996.

Somente em setembro de 1995 formou-se a comissão especial que daria parecer sobre a reforma da Previdência. Dentro da "lógica" de entregar a função de relator e a presidência das comissões a parlamentares com idéias opostas às do governo, ou pelo menos divergentes, coube a presidência a Jair Soares (PFL-RS), ex-ministro da Previdência no governo Figueiredo e, curiosamente, muito resistente às reformas de uma área que sabia terrivelmente problemática. O relator seria o deputado Euler Ribeiro (PMDB-AM), ligado às associações de fiscais do Ministério da Previdência, que não viam a reforma com bons olhos.

Seguiu-se o previsível. Depois de várias declarações de "independência" em relação ao governo, o relator começou por acatar um sistema à parte para a previdência dos militares. Com essa modificação o governo pôde concordar, devido às muitas especificidades da carreira. Não, porém, com outras que visavam manter privilégios, começando pela aposentadoria especial dos próprios parlamentares. Foi o mote para que a CUT, nesse caso com apoio da rival Força Sindical, reforçasse sua campanha contra as reformas em nome de maior igualdade entre o setor público e o privado. O parecer Euler Ribeiro acabou por ser inaceitável para todo mundo. No fim do ano, as oposições e as centrais sindicais impediram sua votação, com manifestações violentas.

O relator, batucando na mesa da sala em que a comissão se reunia, acompanhava o coro oposicionista: "Um, dois, três/ quatro, cinco, mil/ se mexer na Previdência/ paramos o Brasil." O presidente da comissão, cúmplice, via a obstrução com euforia: "É ótima, excelente." O próprio vice-presidente da Câmara, "governista", Ronaldo Perim (PMDB-MG), ajudou a frustrar o empenho do presidente da Casa, Luís Eduardo Magalhães, para repor a ordem. Alinhavam-se aos óbvios promotores da obstrução Arlindo Chinaglia (SP), Jair Meneguelli (SP) e Paulo Paim (RS), entre os mais ardorosos no PT, e Arnaldo Faria de Sá (SP), do PPB malufista. Mesmo o presidente da Comissão de Seguridade Social, Roberto Jefferson (PTB-RJ), em geral apoiador das teses dos governos, disse com propriedade ser impossível votar a favor de uma emenda que tinha a oposição dos próprios assessores dos parlamentares. Diante de todos esses obstáculos, o presidente da Câmara resolveu extinguir a comissão especial em fevereiro de 1996 e levar a reforma da Previdência diretamente a plenário, mantendo o mesmo relator.

Àquela altura o governo estava quase só. Lutavam por ele no plenário o presidente da Câmara, o PSDB, seu líder José Aníbal, o vice-líder governista Arnaldo Madeira (PSDB-SP) e poucos parlamentares mais dos partidos aliados, conscientes da necessidade de "fazer alguma coisa" para corrigir o desequilíbrio das contas públicas e as distorções do sistema previdenciário. As centrais sindicais aproveitaram o momento para ganhar força. Alegavam dificuldades de mobilização pelo temor ao desemprego, mas assim mesmo, diante da "ameaça maior" da reforma, convocaram uma greve geral para o dia 30 de janeiro de 1996. A paralisação seria também em prol da indexação dos salários, isto é, contra o Plano Real. Luiz Inácio Lula da Silva publicou um artigo de balanço de fim do ano de 1995 que, relido por ele anos depois, provavelmente o faria corar se cotejado com seus discursos como Presidente da República.[8]

Ao mesmo tempo, propunham negociações. Vicentinho, presidente da CUT, escreveu artigo criticando o governo e o Presidente, mas dizendo que sua central sindical queria uma reforma de verdade, e utilizando argumentos que serviriam de base a um acordo, se pudessem ser mantidos durante as negociações e não tivessem unicamente o propósito de justificar a obstrução. Iniciei o ano de 1996 adiantando, logo em janeiro, que minhas prioridades continuavam a ser a reforma da Previdência e a administrativa ainda durante a convocação extraordinária do Congresso. Em seguida entrei em contato, pessoalmente ou por telefone, com as lideranças das duas principais centrais sindicais.

A CUT, por intermédio de Vicentinho, mostrou-se disposta a avançar, sendo seguida pela Força Sindical. Negociávamos um compromisso ao redor de pontos importantes da reforma, incluindo a substituição do critério de tempo de serviço pelo de tempo de contribuição para a aposentadoria. No PT, porém, o líder Jaques Wagner (BA) e o presidente José Dirceu criticaram abertamente a central e forçaram Vicentinho a recuar. Além das posturas de Wagner e Dirceu, ele sofreu uma patrulha terrível, e inaceitável numa democracia, por parte de vários setores oposicionistas, pelo simples fato de ter, na ocasião, comparecido ao Planalto para

[8] Ver, respectivamente, Vicente Paulo da Silva, "Por uma Previdência digna", *Folha de S. Paulo*, 17/12/1995, e Luiz Inácio Lula da Silva, "O fraco desempenho de 1995", *Folha de S. Paulo*, 31/12/1995.

conversar com o Presidente da República. Acabou recuando e usando como pretexto a falta de cumprimento de acordo por parte do relator, o que era certo, pois o relatório remetido à votação se esmerara em manter privilégios.

Os líderes do PMDB fizeram declarações dizendo que não apoiariam medidas impopulares e muito menos qualquer disposição que contrariasse "direitos adquiridos", quer dizer, expectativas de direito para todos que já estavam no mercado de trabalho, público ou privado. O líder do PFL na Câmara, Inocêncio Oliveira, não ficou atrás: viu muitas dificuldades para aprovar o relatório e pediu maior participação do partido no núcleo decisório do governo.

Eu contra-atacava junto às lideranças e incentivava os ministros a procederem da mesma forma. Em pronunciamentos públicos, procurava mostrar que o governo e o país tinham rumo e era preciso persistir nele. Em janeiro, concedi uma entrevista coletiva expondo minuciosamente a situação. Assim continuamos a lutar até que chegou o dia da votação, 7 de março de 1996. Obtivemos 294 votos a favor contra 190 e 8 abstenções, e não alcançamos o quórum de 308 votos necessário para mudar a Constituição. Houve deserções por todo lado na base de sustentação do governo, com dois partidos se destacando neste aspecto: o PMDB e o PPB, justamente os que forçavam por "mais espaços" no governo. Foi a primeira grande derrota do governo em plenário.

Não desistimos. Os partidos continuavam a pressionar. Eu negociava mudanças no Ministério e insistia nas votações. No Congresso corriam soltas listas para uma CPI do Sistema Financeiro, pouco importa: material de combustão para fritar o governo. Idas e vindas, retiradas de assinaturas. As oposições e partes da mídia, com túnicas de Catão, a reclamar da "fisiologia" de um governo inteiramente voltado à aprovação das reformas. E os partidos "aliados" exigindo maiores garantias de participação no governo para apoiá-las. Havia que nomear agora um relator de plenário para voltar à discussão a partir do texto original do Executivo (posto que o texto do substitutivo apresentado pelo relator Euler Ribeiro fora derrotado). O deputado Michel Temer se encarregou da tarefa. Montou o que se chama de uma "emenda aglutinativa", composta pelas emendas de muitos parlamentares ao texto original do Executivo, e levou-a a votação.

No dia 21 do mesmo mês de março de 1996 a Câmara aprovou a emenda Temer por 318 votos contra 136, com 7 abstenções. Jornais que choraram a derrota anterior, agora criticavam a vitória. É sempre assim, pelo menos em parte da mídia. E talvez mesmo da opinião pública: quem perde desperta maior simpatia do que os vencedores. Na verdade, importante não era vencer, mas convencer e transformar um sistema obsoleto.

Aprovada a reforma em termos gerais (e no caso altamente insatisfatórios para todo mundo, governo e oposições), recomeçou o martírio da votação específica de cada item mais difícil de ser aprovado, graças aos infindáveis destaques para votação em separado, cujo mecanismo expliquei anteriormente. Este processo se arrastou até julho, não sem voltas e contravoltas. Houve por exemplo uma liminar de um ministro do STF, que não necessito nominar, mandando paralisar as votações sobre mudanças no regime de aposentadoria. Eu, para manter viva a chama, falava ao público e mantinha contatos incessantes. Novo pronunciamento público em maio, desta vez na CNI, em Brasília. Dias depois, o líder do governo na Câmara me alcançou pelo telefone durante visita oficial que fazia a Portugal para pedir que eu aceitasse um compromisso de suspender a votação de vários destaques que interessavam ao governo. Ele estava no restaurante Piantella, em Brasília, na companhia dos líderes do PFL e do PMDB. Insatisfeito com os resultados, mas ansioso para me ver livre de tanta pressão, concordei, apesar de saber da opinião contrária de meus colaboradores próximos. Sinceramente, não agüentava mais: preferi ir em frente na Câmara e tentar melhor sorte no Senado, onde o quadro era mais favorável. O projeto Temer foi aprovado em segundo turno na Câmara por 351 votos contra 139 e 2 abstenções.

No Senado: ganhamos mas não levamos

Mesmo no Senado, a despeito do trabalho do líder do governo, Élcio Álvares, os senadores relutavam em dar a partida ao projeto. Era compreensível: haveria eleições em outubro e novembro e o assunto queimava votos. O PMDB, majoritário, que poderia, portanto, designar o relator, passou a batata quente ao PSDB e reservou para si o que então era sua bandeira eleitoral, a reforma tributária.

Chamei ao Palácio o presidente do PSDB, senador Teotônio Vilela Filho, e o líder do partido no Senado, Sérgio Machado, para pedir mais pressa no andamento do projeto. Inútil: só depois de 15 de novembro foi a resposta. Em reunião com todos os líderes, voltei a lembrar a importância da matéria (como se fosse necessário!) e desenhei o mínimo que queria como reforma: o que se propusera no início, antes da deformação feita na Câmara, começando pela idade mínima de aposentadoria de 60 anos para os homens e de 55 para as mulheres. Sem tais pontos não se poderia falar com propriedade em "reforma".

Estava patente que a tramitação no Senado seria lenta. Decidi assinar MP sobre alguns temas que podiam ser mudados sem alterações constitucionais. Por exemplo, o fim de aposentadorias, na Justiça do Trabalho, de juízes classistas, teoricamente representantes de trabalhadores e de empregadores nas Juntas de Conciliação e Julgamento (que serviam cinco anos e já podiam se aposentar) e dos abusos nas aposentadorias por insalubridade, que passaram a estar sujeitas a uma classificação das ocupações elaborada por especialistas em saúde. E tomei a decisão de convocar extraordinariamente o Congresso durante as férias de início de 1997. A leitura dessa decisão foi outra: a convocação seria para aprovar a emenda da reeleição...

Dia 31 de janeiro de 1997, aprovada a emenda da reeleição, concordou-se em designar o senador Beni Veras para ser o relator da emenda da Previdência. As coisas mudaram de figura. Beni levou três meses para apresentar o relatório, preparado com minúcia e consciência. Em dado momento trouxe um de seus principais assessores do Senado à minha presença para que eu ouvisse o ponto de vista contrário. Tinha mesmo razão o deputado Roberto Jefferson: tratava-se de assunto altamente impopular até entre os assessores do Legislativo. Em meados de abril de 1997, finalmente, o relator mostrou seu parecer aos líderes governistas.

Mudava da água para o vinho o aprovado na Câmara. Retomava o requisito de idade mínima para as aposentadorias. Condicionava-as ao tempo de contribuição aos cofres da Previdência. Propunha um período de transição para os que tinham a expectativa de se aposentar por estarem próximos das condições exigidas pela legislação vigente. Estabelecia a obrigatoriedade de revisão das pensões e aposentadorias uma vez ao ano (para evitar o que acontecera no passado, quando a inflação erodiu seu valor) e, ao mesmo tempo, eliminava a chamada paridade, isto é, a obrigatoriedade de extensão imediata aos aposentados de qualquer vantagem concedida aos funcionários em atividade. Acabava com as aposentadorias especiais de parlamentares e magistrados. Garantia condições especiais aos professores primários que estivessem efetivamente nas salas de aula, mas terminava as aposentadorias por tempo de serviço. Entre outras medidas adicionais, estipulava um valor máximo para as aposentadorias, que não poderiam ultrapassar a remuneração recebida pelo funcionário em atividade.

A proposta Beni Veras me entusiasmou. De Toronto, no Canadá, onde me encontrava em viagem oficial, fiz enérgicas declarações diante de 400 empresários, reclamando da demora nas votações e das afirmações correntes de que as reformas não saíam por "falta de vontade política". Não saíam porque boa parcela da sociedade não tinha sido convencida da importância delas e porque os únicos que se mobilizavam eram os grupos interessados em manter tudo como estava.

Enquanto isso, o meio político continuava a exigir maior presença no governo. Tanto o presidente da Câmara, Michel Temer, como o líder do PMDB, Geddel Vieira Lima, que apoiavam o governo, expressavam esta preocupação. O líder do PFL, Inocêncio Oliveira, criticava a pressa nas reformas. O governador Tasso Jereissati, pelo PSDB, e eu fazíamos o fogo de encontro enquanto as negociações prosseguiam. Foi quando, em maio, nomeei os peemedebistas Íris Rezende e Eliseu Padilha para o Ministério e, em seguida, em junho, convenci Luís Eduardo Magalhães a assumir a função de líder do governo na Câmara.

Eu me preparava para a guerra parlamentar — e não somente a da Previdência, também a das emendas sobre a reforma administrativa e o FEF. Esse tríplice desafio nada mais tinha a ver, sublinho, com a emenda da reeleição, previamente aprovada. Não obstante, pelos anos afora ela continuou sendo usada como "explicação" de por que as reformas não avançavam mais depressa ou então para alegar: "Ah! se o Presidente tivesse se empenhado pelas reformas como se empenhou pela emenda da reeleição, elas teriam sido aprovadas logo..." Chamei os senadores Élcio Álvares, Sérgio Machado e José Roberto Arruda e traçamos os planos para a votação em plenário. Convoquei extraordinariamente o Congresso em julho de 1997. O debate na questão da Previdência se concentrou em dois temas: a paridade entre aposentadorias e vencimentos dos funcionários em atividade e as aposentadorias especiais para a magistratura. ACM, que ajudava na aprovação do relatório, se empenhou vigorosamente contra as aposentadorias especiais para os magistrados. Recebeu apoio inesperado de um dos ministros do STF, Marco Aurélio de Mello.

A reação não tardou: manifesto de juízes reunidos em Manaus, reclamações de todos os lados, principalmente de associações de classe de magistrados. Os sindicalistas, que em março haviam promovido uma passeata contra a reforma, não descansavam. E os teóricos da oposição pontificavam. Paul Singer, por exemplo, depois de haver escrito um artigo até razoável e descritivo sobre a questão previdenciária, concedeu entrevista à *Folha de S. Paulo*[9] onde não deixou por menos. Perguntado sobre se as oposições estavam tendo êxito nas lutas contra as reformas, foi enfático: "Acho que sim. Porque no mínimo as reformas administrativa e da Previdência estão paradas. E chamar isso de corporativismo é correto. É corporativismo mesmo. Só que na sociedade de classes tudo é corporativismo." Ele já escrevera antes sobre o caráter de "luta de classes" de que se revestiam as reformas. Aplicava assim verniz teórico "revolucionário" à defesa eminentemente conservadora de interesses particularistas, em detrimento do interesse geral.

No dia 1° de julho de 1997, comemorando o terceiro aniversário da nova moeda, dirigi-me à nação pela TV, mostrando os avanços havidos no Brasil desde a implantação do Plano Real. A partir do dia 10 reiniciei o corpo a corpo com os senadores. No final de julho, enquanto os grupos corporativos se manifestavam com estridência contra as reformas, eclodiu uma séria crise no governo. O ministro Sérgio Motta, insatisfeito, como muitos tucanos, com as recentes nomeações para o Ministério, especialmente dos peemedebistas, deu a entrevista bombástica à *Veja* a que já me referi no Capítulo 5, e que provocou forte reação entre os partidos aliados.[10] Luís Eduardo, recém-nomeado líder do governo, sentiu-se atropelado pelo ministro e quis se demitir. Sérgio falou por conta própria e desinformado de minhas intenções e articulações políticas. Consegui con-

---

[9] Edição de 29/6/1997.

[10] Já informei em nota anterior, mas não custa ajudar o leitor a se localizar: a entrevista foi publicada na edição de 23/7/1997.

vencer Luís Eduardo de que sua demissão poria em risco o equilíbrio político e com ele as reformas, e concedi uma entrevista criticando abertamente os exageros do ministro. No dia seguinte a CCJ do Senado aprovou o relatório Beni Veras.

O senador Veras, dando-se conta das dificuldades, fechou um acordo entre os governistas e a oposição, suavizando as condições pelas quais se faria a relação entre proventos da aposentadoria e vencimentos, garantindo 100% para quem ganhasse até 10 salários mínimos e estabelecendo, daí por diante, uma redução progressiva. Concordei com o ajuste, a despeito da opinião contrária dos ministros Malan e Kandir. Preparávamo-nos para a votação em plenário no Senado. Na Câmara, com Luís Eduardo, tentávamos mudar a regra dos destaques para votação em separado, que conferia uma formidável capacidade de bloqueio aos adversários minoritários de qualquer projeto, especialmente um tão complexo como o da Previdência, que em breve voltaria à Câmara. Tentamos e falhamos por meia dúzia de votos (só precisaríamos de 257) e por um misto de incúria e esperteza: mesmo os partidários e aliados gostavam de ver o governo espremido, para arrancar as concessões de praxe. Para que simplificar o processo de votação?

Em setembro, antes da votação no Senado, voltei a falar ao país, batendo nas mesmas teclas. No dia 23, vencemos a votação do parecer Beni Veras por 59 a 12. Daí em diante, as matérias mais difíceis foram sendo votadas, em destaques, até chegar ao segundo turno, a 8 de outubro, quando vencemos por 54 a 13, com 1 abstenção. Ganhamos as principais votações de destaques. Ganhamos, mas, como diz o povo, não levamos. Michel Temer, o presidente da Câmara, Casa pela qual o projeto teria de passar novamente, declarou-se favorável à manutenção das aposentadorias especiais para os magistrados. Novas batalhas no horizonte...

Eu ia dizer "marajás", disse "vagabundos" e...

Àquela altura eu não imaginava o trabalho que teríamos pela frente para aprovar na Câmara uma reforma que o Senado tivera o bom senso de salvar. A novela durou até a votação em segundo turno, a 15 de dezembro de 1998, do parecer do deputado Arnaldo Madeira, que se tornara o relator da matéria. Três anos e tanto de luta, decepções, transigências, pressões para votar uma emenda "suave", que não mudava radicalmente a vida de ninguém!... E que, sabia quem estudava o problema a fundo, ainda não era suficiente nem de longe para efetivamente sanear a Previdência, como viriam a mostrar os esforços despendidos no governo Lula para empreender novas modificações nas regras. Não é necessário retomar passo a passo o esforço que custou a tramitação da matéria durante todo o ano de 1998, mas vale repassar o assunto em linhas gerais.

No fim de 1997 tínhamos pela frente a crise da Ásia e a necessidade de novas medidas fiscais. Apesar de tudo, porém, no jogo entre Executivo e Legislativo, com todas as delongas, pressões e contrapressões dos partidos, quando o governo sabe o que quer e é persistente, acaba obtendo resultados. A volta da emenda da Previdência à Câmara significou um recomeço de todo o procedimento deliberativo: análise na CCJ, formação de comissão especial, apresentação de novo relatório, votação na comissão, votação no plenário em primeiro turno, votação em separado de cada destaque, artigo por artigo, votação em segundo turno, novos destaques, aprovação da redação final. Só escrevendo à antiga: ufa!

A CCJ aprovou a emenda por 35 votos a 14 no dia 12 de novembro, sendo relator o deputado Aloysio Nunes Ferreira. Até o final do ano os debates e o esperneio das oposições deram-se ao redor da contribuição dos inativos do setor público à Previdência. Convoquei o Congresso extraordinariamente e nesse período constituiu-se a comissão especial para analisar a emenda, com relatoria do deputado Madeira. Os deputados contrários chegaram ao exagero, com apoio do senador Eduardo Suplicy (PT-SP), de ensaiar uma subida forçada de um grupo de aposentados do INSS (os quais não eram afetados pela emenda, diga-se de passagem) pela rampa do Palácio do Planalto para protestar. No dia 31 de janeiro de 1998, Madeira apresentou seu parecer mantendo intactos os pontos fundamentais do projeto Beni Veras. Continuei fazendo, como dizia a imprensa impropriamente, *lobby* pela aprovação. Jandira Feghali, Miro Teixeira e Arnaldo Faria de Sá, ou seja, Partido Comunista do Brasil (PC do B), PDT e PPB, a despeito das diferenças ideológicas, se irmanaram e marcharam juntos ao STF alegando inconstitucionalidade da emenda. Perderam por 10 a 1, o que mostra que se tratava de puro recurso político protelatório. No dia 11 de fevereiro de 1998, com a presença recorde de 500 deputados, o parecer de Madeira seria aprovado por 346 votos contra 151 e 3 abstenções.

Aprovada a emenda "em globo", recomeçou a batalha ladeira acima da votação em separado dos destaques. Os meses de março e abril foram difíceis. Mudanças no Ministério, dada a proximidade das eleições, obrigando ao afastamento dos ministros que seriam candidatos. Em abril, dá-se o golpe duplo e brutal da morte de Sérgio Motta e Luís Eduardo Magalhães, esteios políticos do governo. Os partidos tornaram-se ainda mais inquietos com as vacâncias no governo e também porque em maio nomeei José Serra para a Saúde, o que fez soar o sinal de alarme com a expansão do PSDB no Ministério.

A 7 de maio, entrou em pauta na Câmara a delicada questão da idade mínima para a aposentadoria. O governo obteve apenas 307 votos, um único a menos do que o necessário, devido a um acidente de percurso quase inverossímil: Antonio Kandir, ex-ministro, de volta à Câmara como deputado, e Germano Rigotto, líder do governo, equivocaram-se no momento de votar utilizando o sistema eletrônico, e o governo perdeu dois votos preciosos que teriam aprovado esse ponto-chave das mudanças. Novo discurso meu para interpretar o significado da derrota e ressaltar que a base governista continuava sólida. De fato, prosseguimos vencendo as votações, sempre com placar superior aos 308 votos.

No dia 12 de maio fiz uma exposição na sede do BNDES, no Rio de Janeiro, e, indignado com os abusos e privilégios de alguns setores minoritários que se aposentavam com menos de 50 anos de idade e gordos proventos, disse a frase verdadeira, mas infeliz: "Não sejam vagabundos num país de miseráveis." Ia dizendo "marajás", me recordei da conotação negativa por ser *slogan* do ex-Presidente Collor, e a emenda saiu pior do que o soneto. Na hora não me dei conta da exploração possível da palavra "vagabundo". O auditório reagiu muito bem à minha exposição cheia de argumentos. No dia seguinte, porém, as manchetes dos jornais não perderam o prato. Daí por diante, o episódio foi repetida e invariavelmente utilizado por meus críticos como revelador de que eu considerava *todos* os aposentados, indiscriminadamente, como vagabundos.

Sob esse clima pesado, o plenário da Câmara votou o primeiro turno da proposta Beni Veras. Ganhamos por 333 a 149. Continuaram os protestos, ameaças de greve geral e o constante vociferar de setores oposicionistas até nossa vitória em segundo turno, em 3 de junho de 1998, por 331 votos a 137, com 3 abstenções. Entretanto, faltavam ainda os tais destaques.

Em julho o Congresso entrou em recesso para só retomar as votações após as eleições gerais de outubro. Madeira, designado líder do governo, conduziu a votação dos destaques do segundo turno, que se espicharam até 1° de dezembro de 1998, quando se deu a aprovação da redação final. No dia 15, quatro anos depois de seu envio ao Congresso, a reforma da Previdência foi promulgada.[11] A essa altura, a crise financeira internacional deflagrada pela moratória da Rússia alcançara o Brasil.

Diante do enorme esforço para dar um passo adiante — importante, mas não mais que um passo — nesse delicado assunto, os oposicionistas dedicaram-se exclusivamente a obstruir e votar contra, apresentando, em geral, argumentos paupérrimos. Lula me acusou de não ter "coragem moral" para expor as dificuldades da situação e que eu poderia "comprar" os deputados, como teria feito no caso da reeleição.[12] Pior ainda, disse que Bill Clinton estava em uma enrascada por causa da "União Soviética" [*sic*] e que o apoio financeiro que prometera ao Brasil era jogada de marketing...

Depois de cinco anos, ainda uma reforma incompleta

A derrota na aprovação de idade mínima para as aposentadorias no INSS deixou inconformados os técnicos, o ministro — a essa altura o senador Waldeck Ornélas — e, naturalmente, o Presidente. No ano seguinte à promulgação da reforma, 1999, estimava-se o déficit da previdência dos funcionários públicos federais em 19,4 bilhões de reais e o do INSS em 9,5 bilhões, ambos crescentes. Urgia tomar providências para controlá-los.

O ministro Ornélas, com o apoio da técnica Solange Paiva Vieira, propôs uma solução engenhosa, que veio a se chamar de "fator previdenciário", para contornar a inexistência de idade mínima de aposentadoria. Consistia basicamente na combinação de três variáveis para definir o va-

[11] Emenda Constitucional nº 20, de 15/12/1998.

[12] *Folha de S. Paulo*, 13/9/1998.

lor da aposentadoria: tempo de serviço, tempo de contribuição e expectativa de vida. Quanto mais tempo de serviço e de contribuição e menor a distância entre a idade da aposentadoria e a esperança de vida, maior o provento, e vice-versa. O cálculo do valor inicial da aposentadoria se faria tomando-se em conta a média dos salários recebidos nos anos trabalhados a partir de 1994 (anos do Plano Real), ao qual se aplicaria um coeficiente correspondente ao fator previdenciário. Com isso se estimulava o trabalhador a permanecer mais tempo em atividade para obter melhor remuneração ao retirar-se, evitava-se o peso das aposentadorias precoces para os cofres públicos e se desfazia a diferença de idade mínima entre homens e mulheres.

Era de prever a gritaria no Congresso e na sociedade. Os líderes do PFL e do PSDB, cada um a seu jeito, anunciaram que não havia compromisso de aprovar o projeto de lei a respeito. A exceção foi o líder do PMDB, Geddel Vieira Lima, para quem a filosofia do projeto agradava seu partido. Que dizer das oposições? José Genoino antecipou que iriam ao STF, pois a questão da idade mínima fora derrotada anteriormente na Câmara. Seguindo a praxe, designaram para relatar a matéria na Comissão de Seguridade Social ninguém menos do que a combativa Jandira Feghali (RJ). A deputada do PC do B não se fez de rogada: apresentou parecer destruindo o "fator previdenciário". Para derrotá-la, tarefa difícil, os líderes empenharam-se em uma série de substituições de membros da comissão por parlamentares mais afinados com a visão do governo.

Derrubado o parecer, coube ao deputado Darcísio Perondi (PMDB-RS) reconstruir a proposta, em negociações na Comissão de Finanças que tiveram a cooperação do Ministério da Previdência. O parecer do relator em Plenário, deputado Luiz Carlos Hauly (PSDB), adotou o texto obtido por Perondi e seria finalmente aprovado. Essa é a prática rotineira e saudável: as escaramuças no Congresso obrigam o Executivo a aparar arestas e rever posições. No relatório de Hauly tomava-se como base para a aposentadoria a média dos maiores salários dos últimos dez anos, o que melhorou o ponto de partida do cálculo do benefício. Restabeleceu-se a diferença de tempo mínimo para a aposentadoria das mulheres e se concedeu, ainda, um adicional automático de contagem de tempo de cinco anos para professores primários, conforme manda a Constituição. Também se ofereceu aos trabalhadores que se aproximavam da idade ou do tempo de aposentadoria a possibilidade de escolher entre o sistema antigo e o novo.

A votação em plenário nos preocupou porque no meio tempo, em outubro de 1999, o STF julgou inconstitucional lei fixando a contribuição que os inativos pagariam à Previdência, bem como um aumento na alíquota da contribuição dos funcionários em exercício. A decisão induziu o governo não somente a concordar com as modificações referidas acima como a propor uma regra de transição mais favorável aos trabalhadores. Com essas alterações a Câmara referendou o fator previdenciário por 301 a 157 votos. Estava assim contornada a derrota havida quando os deputados derrubaram, na votação da emenda constitucional da Previdência, a exigência de idade mínima. Com o fator previdenciário tornou-se possível a redução do déficit ao longo do tempo.

A CUT reagiu duramente. A certa altura, Ornélas teve que ir a público desmentir panfletos que assustavam os trabalhadores, com suposições enganosas sobre os efeitos negativos do fator previdenciário. A reação, contudo, não obstou a aprovação da lei pelo Senado, no dia 18 de novembro.[13] Tampouco a nova vitória do governo desanimou os opositores ferrenhos da reforma: o senador José Eduardo Dutra (PT-SE) vaticinou que o STF poria por terra o fator previdenciário e tanto as centrais sindicais como todos os partidos de oposição pediram ao tribunal que declarasse a lei inconstitucional, no que não tiveram êxito.

Quase *cinco anos* para uma reforma da Previdência, sem a ter completado! Por aí se vê como são difíceis as reformas estruturais quando implicam mudança de mentalidades. Nem a evidência dos déficits crescentes e ameaçadores induz o Congresso a uma conduta mais razoável. É difícil remover hábitos e interesses de curto prazo em nome de benefícios de longo prazo. Maquiavel é quem tinha razão. Quem é ou imagina ser prejudicado pelas reformas percebe de imediato e se move contra, enquanto os beneficiários nem se dão conta do bem que poderão usufruir no futuro e permanecem apáticos.

Desde o final de 1998 o Congresso estava cansado de tanta reforma e o governo operava quase sem defensores ardorosos. Tinha que pressionar

---

[13] Finalmente aprovado, o projeto tornou-se a Lei nº 9.876, de 26/11/1999.

cada vez mais, deixando os parlamentares e a opinião pública com o sentimento de que as decisões eram não apenas impopulares, o que talvez fosse certo, como também contrárias ao interesse público, o que absolutamente não era verdadeiro.

O que sobrou para o governo Lula

Com a reforma da Previdência incompleta (será que alguma vez se completará?) o governo que se iniciou em 2003 teve que lidar com os déficits que antes lhe pareciam ser de simples resolução (bastaria cobrar mais duramente a dívida das empresas com o INSS, diziam, entre outras platitudes...). Voltaram ao tema da reforma, colocando ênfase em completar o ajuste da previdência do setor público a que se haviam oposto obstinadamente durante meu governo.

O governo Lula propôs e conseguiu tudo ou quase tudo aquilo que antes seus partidários combatiam, pois as novas oposições, basicamente o PSDB e o PFL, votaram a favor, em atitude oposicionista exatamente oposta à que o PT manteve em relação a meu governo. A começar pela introdução de algo semelhante ao "fator previdenciário" para calcular as aposentadorias dos funcionários públicos: elas corresponderão à média dos salários de contribuição e não mais ao último salário de final de carreira. Mais ainda, taxaram os rendimentos dos inativos em 11% do auferido acima do teto do INSS, por meio de emenda constitucional de teor semelhante à da lei aprovada em janeiro de 1999, à época execrada e contestada pelos partidos de oposição a meu governo e posta a pique no STF.

Esses são uns poucos exemplos da súbita e bem-vinda mudança de posição das pessoas do governo que substituiu o meu e de seus partidários. Procederam-se, no entanto, a muitas outras alterações: para a aposentadoria dos funcionários que vierem a ingressar no serviço público, desde que trabalhem em órgão que disponha de sistema de previdência complementar, fixou-se um teto equivalente ao dos trabalhadores que se aposentam pelo INSS. Além disso, para a obtenção da aposentadoria integral, antecipou-se a vigência da exigência de idade mínima de 60 anos para os homens e de 55 para as mulheres, com exceção dos professores primários, para os quais se manteve a regra anterior. Também se aceitou a aplicação de redutores de ganho para os funcionários que, estando em condições de se aposentar até fins de 2005, quisessem antecipá-las. E assim por diante, embora o governo Lula até a publicação deste livro não tivesse apresentado ao Congresso as leis complementares a essas decisões, sem as quais a reforma é letra morta.

A receita das contribuições ao INSS tem sido da ordem de 5% a 5,5% do PIB nos dez anos anteriores à publicação deste livro, e as despesas variam entre 7% e 7,5%. Já no caso dos inativos da União (se somarmos estados e municípios, o quadro piora) as receitas variaram de 0% a 0,5% do PIB e as despesas de 2% a 2,5%. Enquanto o INSS pagava em 2005 a cerca de 20 milhões de pessoas, o Tesouro atendia a 1 milhão de aposentados e pensionistas federais, responsáveis por um déficit equivalente ao dos trabalhadores do setor privado. (Por aí se vê a disparidade de ganhos entre aposentados de um e outro setores: 1 milhão de aposentados e pensionistas federais "custam" o mesmo déficit que 20 milhões de trabalhadores do setor privado.) Por isso, olhando pelo prisma de 2005, parece que o vilão é o déficit do setor público. Quando se vê a evolução das contas públicas, entretanto, o quadro é diferente: o déficit do INSS está crescendo muito mais rapidamente do que o do setor público. De um equilíbrio entre receita e despesa em 1994 passou-se a um déficit de 1% do PIB em 1998 e caminhou-se rumo a 2% do PIB nos anos recentes, a despeito da (insuficiente) reforma do Regime Geral da Previdência e em decorrência dos sucessivos aumentos reais do salário mínimo, ao qual estão indexados vários dos benefícios pagos.

Apesar de todo o empenho de meu governo e do de Lula para equacionar os déficits previdenciários, e sem embargo dos inegáveis avanços havidos, os dados evidenciam que eles continuam e, o que é pior, de forma crescente. Estudo bem fundamentado insiste em que determinados fatores dificultam profundamente o ajuste nas contas previdenciárias.[14] Os autores mencionam, entre esses fatores, os critérios "benevolentes" para concessão de aposentadoria por tempo de contribuição constantes das reformas que empreendemos, o crescimento médio relativamente baixo do PIB (o que aumenta a relação entre gastos previdenciários e PIB) e um crescimento do salário mínimo — ao qual está vinculado o piso da Pre-

[14] Ver Fábio Giambiagi *et al.*, *Diagnóstico da Previdência Social no Brasil*, texto para discussão nº 1.050, Rio de Janeiro, Ipea, outubro de 2004.

vidência — superior ao do PIB nos últimos dez anos até 2005. Como solução, propõem definição de idades mais elevadas para a concessão das aposentadorias no INSS, igualdade de critério de idade entre homens e mulheres, supressão das vantagens de idade e tempo de contribuição concedidas aos professores primários, desvinculação entre o piso das aposentadorias e benefícios e o salário mínimo e, finalmente, progressão menor nos gastos com a assistência social.

Não é preciso ser gênio em política para perceber que soluções desse tipo, embora racionais e certamente necessárias do ponto de vista de fazer as contas fecharem, produziriam um abalo tão forte que dificilmente um governo democrático teria êxito em sua aprovação integral, ou mesmo coragem para propô-las, e seria muito improvável que viessem a ser aceitas pelo Congresso. Não obstante eu as reproduzi porque elas mostram a gravidade da situação e a radicalidade com que, em algum momento do futuro, o tema previdenciário terá de voltar a ser enfrentado.

Mudança com democracia dá trabalho mesmo

O que ocorreu com a discussão da reforma da Previdência em minha gestão, tanto em termos do relacionamento do governo com o Congresso como da mobilização dos interesses contrariados, não foi diferente do sucedido com as outras reformas ou leis importantes. É que elas implicavam mudanças no modo de o Estado se organizar e se relacionar com a sociedade e, simultaneamente, modificações na percepção das coisas e na valoração do que é o bom e do que é o mau nas políticas públicas. É compreensível que diante de propostas inovadoras a primeira reação seja julgá-las pelo retrovisor. Vistas pela ótica do que sempre se praticou, as inovações costumam ser mal avaliadas.

Depois da aprovação das emendas da ordem econômica, tornou-se necessário enviar ao Congresso projetos de leis complementares para regular o modo de funcionamento de cada área. Para o leitor ter uma idéia da energia aplicada por nosso governo, diga-se que só a Lei Geral de Telecomunicações, mencionada no Capítulo 5, consumiu um esforço parecido com o realizado para aprovar cada uma das etapas da emenda da Previdência. O mesmo ocorreu quando se tratou de setores como o do petróleo, o da navegação de cabotagem e outros.

Essas leis reguladoras, bem como matérias que afetavam empresas que continuaram a ser estatais, foram votadas por um contingente apreciável de parlamentares com interesses constituídos. E os congressistas dos partidos de esquerda que atuavam de forma mais ideológica também se opunham a elas. É o que explica a lentidão e a dificuldade para aprovar instrumentos legais que, vistos de uma ótica inovadora, pareciam óbvios. Os parlamentares com interesses clientelísticos (ou outros piores) na manutenção da situação anterior se aproveitavam das posições ideológicas das oposições para retardar as votações ou desfigurá-las, embora permanecessem, formalmente, "governistas". Tiravam as castanhas com a mão do gato da oposição. A defesa das leis inovadoras cabia aos segmentos de parlamentares que sustentavam o governo movidos por convicções, e que não se dispunham ao jogo clientelístico.

Se eu fosse descrever o que se passou, por exemplo, com a emenda da reforma administrativa, assim como com muitas das leis mais importantes, percorreria circuito parecido com o que se viu acima sobre a reforma previdenciária. Trocaria o nome do ministro da Previdência pelo de Luiz Carlos Bresser-Pereira, idealizador do que ele chamava de Estado-regulador,[15] e o do relator da matéria pelo do deputado Moreira Franco (que, no segundo mandato, trabalhou como meu assessor no Planalto), mas não mudaria a descrição da contenda. Os magros progressos obtidos nessas questões levaram quase tanto tempo quanto a reforma da Previdência.

Não se pense, no entanto, que os embates no Congresso e a morosidade decisória atingiram apenas o que se chamava de emendas reformistas da ordem econômica. Mesmo em matérias nas quais seria de esperar maior cooperação em nome do interesse público travou-se uma luta feroz. Darei como exemplo o caso do Fundef, como poderia exemplificar utilizando os esforços do Ministério da Saúde para aprovar novas medidas para seu financiamento, desde a CPMF até a Emenda Constitucional nº 29, de 13 de setembro de 2000 (que estabelecia a aplicação de recursos mínimos em ações e serviços públicos de saúde e contou, ademais, com restrições de setores do próprio governo por questões de técnica orçamentária). Por outro lado, para mostrar como, pouco a pouco, houve maior

---

[15] Ver Luiz Carlos Bresser-Pereira, *Reforma do Estado para a cidadania*, São Paulo, Editora 34, 2002.

sensibilidade para as questões do equilíbrio do gasto público, vou me referir à aprovação da LRF. Farei menção também à emenda constitucional que instituiu o "fundo da pobreza", que reafirma a importância da interação entre Executivo e Legislativo e mostra como, a despeito das críticas que desfiei neste capítulo à morosidade da tramitação parlamentar, o jogo democrático enriquece a ação pública.

Com os exemplos que se seguem o leitor encontrará elementos para entender as peculiaridades do funcionamento do Congresso e suas relações com o Executivo e poderá avaliar como são difíceis as mudanças estruturais quando as instituições democráticas são respeitadas — como devem ser. Democracia é o melhor regime que existe, mas só quem a pratica efetivamente sabe o trabalho que dá.

O Fundef e a nódoa do analfabetismo

O refrão de que a educação fundamental deve ser a preocupação de todos os governantes e da sociedade só não é mais velho do que a Sé de Braga porque esta se edificou antes da descoberta do Brasil. Mesmo não indo tão longe, basta ler o livro inspirador de José Bonifácio de Andrada e Silva, *Projetos para o Brasil*,[16] para ver que um pai da Pátria tão importante como ele tinha claramente a convicção, no início do século XIX, de que o ensino fundamental era o cimento da cidadania e da nação. Cansei de ouvir meus professores ilustres, Fernando Azevedo e Florestan Fernandes, reafirmando a mesma tese, embasados em sólidas convicções democráticas. Outro não foi o ensinamento do grande educador Anísio Teixeira, com quem colaborei na sucursal paulista do Instituto Nacional de Estudos e Pesquisas Educacionais (Inep), e de meu colega e amigo Darcy Ribeiro. Cansei de dizer durante os dois mandatos, parodiando Nabuco, que a nódoa do Brasil era o analfabetismo.

Não é sem motivo que desde os preparativos para o governo, na elaboração do texto básico do programa de campanha, *Mãos à obra, Brasil*, já com a coordenação de Paulo Renato Souza, tratou-se o tema com prioridade. Paulo Renato, uma vez ministro, passou a tornar prática a preocu-

---

[16] Coletânea de textos organizada por Miriam Dohlnikoff, Companhia das Letras, São Paulo, 1998.

pação genérica com o ensino fundamental.[17] Como primeiro passo importante tivemos a aprovação da nova Lei de Diretrizes e Bases da Educação Nacional (LDB), que vinha se arrastando pelo Congresso fazia anos. Na Câmara, onde ocorreu muita mobilização corporativa, chegou-se a um texto que, se mantido, impediria muito do que se conseguiu depois. Graças à ação de Paulo Renato e de seus colaboradores, no caso especialmente a professora Eunice Durhan Ribeiro, secretária de Política Educacional do Ministério, e graças à criatividade e visão do senador Darcy Ribeiro, o projeto sofreu completa modificação, incorporando sugestões de numerosos setores, e se transformou em lei em dezembro de 1996.[18] Paralelamente, Paulo Renato, sempre com a colaboração de Eunice, acrescida pela ajuda de Barjas Negri, Maria Helena Guimarães de Castro e Iara Prado, concebeu aos poucos um plano engenhoso para disciplinar a responsabilidade pelo ensino fundamental, valorizar o magistério neste nível e redistribuir recursos entre municípios, estados e União para reverter a situação do ensino primário.

Tradicionalmente a responsabilidade pelo ensino fundamental se dividia entre os municípios e os estados. Em alguns estados, os municípios respondiam pelo maior número de matrículas. Em outros, nem tanto. No conjunto, apesar do progresso havido na inclusão das crianças em idade escolar em salas de aula, ainda havia no início de meu governo cerca de 12% fora delas. Dentre essas, as crianças negras eram as menos atendidas: apenas 75% estavam matriculadas. Como chegamos aos quase 100% (mais precisamente, 97%, no total)? A resposta é simples mas foi trabalhosa.

Desde a convocação de uma Conferência Nacional dos Educadores, no governo Itamar Franco, em 1994, e dos estudos da Organização das Nações Unidas para a Educação, a Ciência e a Cultura (Unesco), sabia-se que seria preciso melhorar a remuneração do magistério das escolas primárias (em certas regiões não ultrapassava humilhantes 20 ou 30 dólares por

[17] Ver Paulo Renato Souza, *A revolução gerenciada: educação no Brasil, 1995-2002*, São Paulo, Prentice Hall, 2005. Este livro explica, de maneira sucinta e adequada, como foi possível fazer o que chamei de "uma revolução branca" na educação brasileira, graças à ação do ministro e de excepcionais colaboradores que ele conseguiu recrutar.

[18] Lei nº 9.394, de 20/12/1996.

mês), melhorar a qualificação dos professores e corrigir o desequilíbrio regional, tanto em termos da proporção em que estados e municípios participavam do esforço educacional quanto do montante de recursos com que cada município contava, no final das contas, para a educação. Isso porque, pela Constituição, 25% do Orçamento deveriam dirigir-se ao ensino; ora, em muitos municípios do Sudeste e do Sul, dependendo também da participação dos estados na rede de escolas fundamentais, havia até excesso de dinheiro (o que levava os prefeitos a incluir nos gastos educacionais, por exemplo, a compra de ônibus escolares ou outros veículos, de forma a atingir o percentual obrigatório), enquanto na imensa maioria das regiões mais pobres do Brasil era terrível a escassez de verbas e os salários dos professores, baixíssimos.

A solução consistiu, basicamente, em dispor que, durante dez anos, 15% de toda a receita dos estados e municípios seriam dirigidos a um fundo fiscal a ser distribuído entre eles, conforme o número de alunos matriculados nas escolas fundamentais em cada um desses níveis administrativos — municípios ou estados.[19] Além disso, garantia-se um gasto mínimo de 300 reais anuais por aluno (na época equivalentes a dólares) e, não sendo os recursos do fundo suficientes para atender ao requisito, como acabaram não sendo, o governo federal os complementaria. Adicionalmente, uma cláusula estabeleceu que 60% dos recursos seriam obrigatoriamente utilizados pelos municípios ou estados para o pagamento de salários aos professores efetivamente atuando nas salas de aula do ensino fundamental.

A proposta parecia um ovo de Colombo. Permitia atender à demanda por melhores salários, transformando a realidade de abnegados que, em cidades miseráveis, trabalhavam duramente por salários ínfimos (embora não incluísse a reivindicação de um piso salarial uniforme, para não torná-la inviável nas regiões pobres). Ao mesmo tempo, assegurava recursos federais para o ensino fundamental, o que até então não havia, e premiava os professores que realmente lecionavam, deixando fora os numerosos "comissionados" em funções burocráticas. Não obstante, a aprovação da proposta não foi tão fácil quanto parecia. Em primeiro lugar,

---

19 Ver artigo 60 das Disposições Constitucionais Transitórias, na forma dada pela Emenda Constitucional nº 14, de 12/9/1996.

porque entendimento anterior entre o Executivo e o Congresso previa encaminhar de uma só vez as propostas relativas a cada capítulo da Constituição. Resultado: propusemos o Fundef na mesma emenda ao parágrafo da Constituição que assegura autonomia às universidades, acrescentando a ele a expressão "na forma da lei". Isso se fez não com o propósito de diminuir a autonomia (até porque fui um dos autores do dispositivo na Constituição) mas para resolver uma questão relativa ao financiamento das universidades.

Logo sobreveio a tempestade. Reação de estudantes, professores, reitores e políticos. Resistia-se a mudar a destinação dos recursos federais: tradicionalmente eles eram dirigidos ao ensino superior, agora a emenda abria portas para financiar também o ensino fundamental. Ora, sabedores das limitações dos recursos públicos, os universitários temiam perdê-los e nessa hora não há "progressista" que resista: criticam as injustiças sociais mas acham que os recursos para fazer frente a elas devem sair do bolso dos outros, não do próprio.

Se a resistência ao projeto parasse por aí... Logo alguns governadores perceberam que em seus estados os municípios iriam ganhar recursos às expensas dos cofres estaduais porque havia mais alunos inscritos nas escolas municipais do que nas estaduais. Em face das pressões que bloquearam o andamento do projeto na Câmara, a despeito do apoio de alguns parlamentares e do governador petista do Distrito Federal, Cristovam Buarque, professor e ex-reitor da Universidade de Brasília, o governo acabou desistindo da proposta sobre as universidades e se concentrando no fundo para o ensino fundamental. Mesmo este sofreu críticas acerbas, sobretudo das oposições. A reação da bancada do PT teve o seguinte tom: por que em vez de remanejar recursos não se acrescentavam novos? — como se o governo federal não estivesse disposto a também contribuir para o fundo, o que constava expressamente da emenda. Ou seja, somavam-se muitas vozes contra o projeto, a começar, devo dizer, pela área econômica do governo, que não via com bons olhos uma nova vinculação de verbas do Orçamento. Governadores que se sentiam prejudicados (com as exceções de alguns aliados e alguns de oposição que apoiaram a matéria), interesses corporativos temerosos de perderem suas vantagens e, por fim, o setor congressual do "*Delenda* FHC", que era contra tudo que viesse do governo ou que pudesse ser percebido pela opinião pública como ato positivo do governo.

Nessas circunstâncias, outra vez, ou o Presidente dá mão forte ao ministro e aos técnicos e insiste, dentro do governo e com o Congresso, dizendo que quer, não porque quer, mas porque é importante para o país, ou as boas intenções naufragam de encontro ao rochedo dos vários tipos de resistência. A tramitação levou um ano, sendo o projeto aprovado a 13 de setembro de 1996, quando se promulgou a Emenda Constitucional nº 14. E não só: a lei que a regulamenta[20] somente passou a vigorar a partir de 1º de janeiro de 1998, porque para contentar os governadores se definiu um período de um ano de transição — e isso depois de muita negociação. Ou seja, a definição do caminho que levou ao início da redenção da nódoa do analfabetismo no Brasil consumiu quase três anos de tramitação e debates e não logrou convencer a oposição na Câmara, que, apesar de gritar sempre por melhores condições de vida para os mais pobres, votou contra o Fundef. Nisso a bancada do PT foi exemplar: unanimemente contra.

A Lei de Responsabilidade Fiscal: um pressuposto ético

Parodiando o que ocorre na Natureza, a aprovação da LRF em maio de 2000 mostra que também na História nem tudo se perde, algo se transforma. Com efeito, custa a crer que um Congresso que se mostrou refratário a andar depressa na discussão e votação de algumas reformas de vital importância para o país e que só acelerava as decisões diante das crises financeiras haja aprovado uma lei como essa, em prazo bem menor do que o demandado anteriormente para dar seu *imprimatur* a leis de impacto muito menor. Surpreende mais ainda o fato de, em comparação com outras medidas, terem sido relativamente poucas as resistências à sua aprovação. É possível buscar muitas explicações para este comportamento. Sejamos otimistas: deu-se um avanço na consciência social quanto a certas questões que afetam criticamente a estabilização e podem colocar em risco os ganhos da luta contra a inflação. E talvez em decorrência da

[20] Lei nº 9.424, de 24/12/1996.

estabilização comece a haver maior cuidado no manejo dos recursos públicos e maior respeito aos interesses do povo.

Essas observações não querem dizer, contudo, que haja sido um mar de rosas elaborar, apresentar e aprovar a LRF.[21] Ela foi decorrência, como vimos no Capítulo 3, dos avanços no controle do gasto público e da organização orçamentária. Com a situação fiscal difícil depois da crise de 1998, obrigando o governo a gerar superávits, havia que introduzir regras abrangentes, que alcançassem a União, os estados e os municípios. A elaboração do anteprojeto da lei coube ao Ministério do Planejamento durante o primeiro semestre de 1999. Em agosto, seria levado ao Congresso, com a resposta típica: as lideranças dos partidos que apoiavam o governo distanciaram-se logo do aspecto draconiano atribuído à futura lei. O governo estava enfraquecido depois da crise do câmbio. A nova mudança ministerial no meio do ano não bastara para acalmar os apetites dos políticos que imaginavam ganhar pontos na opinião pública afastando-se de um governo que perdia popularidade.

Em tom um tanto oportunista, surgiram iniciativas parlamentares independentes: a LRF não é prioridade do semestre, disseram. Os oposicionistas radicais preferiam uma CPI "sobre o desemprego" (como se tal problema fosse da responsabilidade *penal* do Presidente). O presidente da Câmara, Michel Temer, também guardava distância, insistindo em que a reforma do Judiciário em tramitação no Congresso (que, diga-se de passagem, não fora de iniciativa do Executivo) e a reforma tributária, espécies de panacéias com as quais todos se dizem de acordo no genérico mas divergem no específico, eram as causas preferenciais do partido, não a LRF. Os mais astutos, como o senador Antonio Carlos, vieram com novas propostas: um Fundo de Combate à Pobreza, matéria contra a qual ninguém em sã consciência pode se opor, que, contudo, em momento de apertar os cintos e de rigidez orçamentária, se torna um problema adicional para o governo. O líder do PFL na Câmara, Inocêncio Oliveira, acrescentou logo: o partido voltaria à "independência" em relação ao governo,

---

[21] Ver o estudo de Martus Tavares, "Vinte anos de política fiscal no Brasil: dos fundamentos do novo regime à Lei de Responsabilidade Fiscal", *Revista de Economia e Relações Internacionais*, v. 4, nº 7, p. 79-101, São Paulo, Fundação Armando Álvares Penteado, julho de 2005.

votando a favor só daquilo que não contrariasse sua linha programática. Dessa maneira, se defendia da crítica de "mais arrocho", mas não dizia posicionar-se contra.

Diante da fragmentação do quadro de sustentação do governo, o deputado Marcelo Déda (SE), líder do PT, constatou com satisfação: acabou o "alinhamento automático" dos parlamentares ao Planalto (como se alguma vez tivesse existido) e o próprio relator da matéria, deputado Pedro Novaes (PMDB-MA), proclamou não ser "teleguiado" pelo governo. Não concordava com a fixação dos limites de endividamento dos estados e municípios em lei orçamentária, pois isso seria função constitucional do Senado, e considerava exagerados os controles sobre os orçamentos dos municípios pequenos. Enfim, críticas e ataques generalizados, sob a inspiração principalmente de Antonio Carlos, com o auxílio, no entanto, das vozes menos potentes dos líderes do PMDB e do PFL. Alegavam que a defesa da estabilidade do real cansara e tinha chegado a hora do crescimento econômico (*plus ça change, plus c'est la même chose*, diriam os responsáveis pelo Orçamento e pela política monetária e fiscal do governo que me sucedeu). Mesmo do lado do governo as críticas vieram pesadas, aí incluídos secretários da Fazenda de estados governados por tucanos.

No meio dessa saraivada de pressões, o relator preparou um substitutivo, apresentado em dezembro. O prazo nos levou a convocar extraordinariamente o Congresso em janeiro de 2000. Eu esperava que nessa convocação os parlamentares aprovassem a DRU, isto é, a emenda constitucional que sucedeu ao FEF.[22] Àquela altura, como contraponto às necessidades legislativas do governo, havia um clamor pela limitação da faculdade que o Presidente dispunha de emitir MPs. As reclamações oposicionistas repercutiam na sociedade civil, especialmente nos meios jurídicos.

---

[22] O FEF, como já visto, consistia na desvinculação de 20% das receitas da União comprometidas com gastos preestabelecidos. Tal como o seu antecessor, o FSE, criado na preparação para o lançamento do real, ele permitia que o governo destinasse livremente esses 20% para as finalidades que considerasse mais urgentes ou necessárias ao país. A DRU manteve esse mecanismo, com uma diferença: deixou de incidir sobre a parcela do IR de servidores da União lotados nos estados. Com isso, teve fim uma queda de braço entre governo federal e governos estaduais que durava desde a implantação do FSE.

A questão era delicada, pois a reivindicação continha boa dose de verdade: a reedição a cada trinta dias das MPs não votadas pelo Congresso e, principalmente, a possibilidade de introduzirem-se mudanças no texto a cada reedição, levavam a uma situação de grande instabilidade jurídica. Não foram raros casos em que, ao longo do tempo, burocratas enfiaram nas reedições parágrafos ou incisos remetendo a outros tantos parágrafos e incisos de leis citadas apenas por números, de forma a contrabandear em determinadas MPs disposições que nada tinham a ver com o assunto original — uma verdadeira aberração. Por outro lado, é impossível governar no mundo contemporâneo sem um instrumento decisório mais ágil: o Plano Real, por exemplo, jamais teria existido sem as MPs. A discussão, apaixonante, desviava as atenções de outras matérias igualmente importantes. Ela se dava em um contexto político no qual parecia que se nada mudava era por culpa da vontade imperial do Presidente. O tema só foi resolvido, e mal resolvido, como adiante se veria mais claramente, meses depois. Mas serviu de plataforma para os presidente do Senado e da Câmara defenderem a independência do Congresso.

Enquanto isso, o governo se esfalfava para aprovar a LRF com o mínimo possível de distorções. O cabo-de-guerra se deu entre o governo e sua base aliada. De um lado, queríamos manter a inelegibilidade por oito anos para os infratores da lei. Pretendíamos, também, vedar aos governos estaduais e às prefeituras contrair dívidas junto a bancos por meio do comprometimento de receitas futuras, daquelas chamadas AROs, de má memória. (O caso mais estridente terá sido a situação crítica em que o governador Orestes Quércia colocou o Banespa, em 1990, alavancando recursos para obras eleitoreiras de forma a eleger seu sucessor, Luiz Antonio Fleury Filho.) Finalmente, desejávamos proibir novas despesas e contratação de pessoal seis meses antes das eleições. De outro lado, a "base aliada" pretendia abrandar as normas. As oposições se aferravam na crítica ao projeto porque concedia prioridade ao pagamento dos juros da dívida (como se fosse possível escrever na lei que não seria assim e, portanto, que se abria caminho ao calote). O tema da proibição de despesas não abrangia as chamadas "despesas continuadas" de obras e contratos que se prolongavam no tempo. Havia, entretanto, objeções quanto ao prazo dentro do qual se consideraria continuada ou não uma despesa. Os prefeitos, por seu turno, demandavam prazo mais dilatado para o início da vigência da nova lei.

Para contrabalançar os argumentos da oposição e fazer frente aos dos aliados, fiz um pronunciamento no dia 25 de janeiro de 2000, acentuando que a lei em discussão não se devia a qualquer imposição do FMI, como afirmava a oposição, mas se tratava de um imperativo ético nosso: a responsabilidade na execução orçamentária e no uso dos recursos públicos era pressuposto da moral republicana, sem contar a premente situação financeira em que nos encontrávamos. O governo não cederia, avisei. Fomos aos votos e ganhamos por 385 contra 86, com 4 abstenções. O líder Inocêncio Oliveira acabou se destacando como um dos maiores defensores da proposta, e o PT isolou-se, votando contra, acompanhado por seus poucos aliados.

O Senado propiciou uma tramitação mais rápida. O senador Álvaro Dias (PSDB-PR), relator, aceitou, com anuência do governo, sugestão para tornar ainda mais rígida a proibição de contratações antes das eleições, incluindo nela os serviços terceirizados, e recusei seis de sete emendas propostas por quinze governadores para atenuar alguns dos efeitos da lei. No dia 13 de abril ela veio a minha sanção, depois de aprovada no Senado por 60 votos a 10, com 3 abstenções.

Na verdade, ocorreu com a LRF, apenas em menor lapso de tempo, o que se dera com as demais leis transformadoras: no início quase todos, aliados ou não, manifestavam-se contra; lutavam para fazer crer que os propósitos do governo eram antinacionais e contra o povo; apresentavam emendas para acomodar interesses e também para melhorar a proposta; travava-se uma disputa com o Executivo e, na medida em que este se mantivesse resoluto e setores da opinião pública emitissem, principalmente por meio da mídia, sinais mais favoráveis às propostas, ou pelo menos não negativos, o governo criava condições para ganhar a parada.

O rosto feio da pobreza e a rede de proteção social

Mencionarei apenas mais um exemplo das relações entre o governo e o Congresso e dos partidos entre si, referindo-me à proposta da criação de um Fundo de Combate à Pobreza. O tema da pobreza passou a ser prioritário na pauta nacional depois da redemocratização. País desigual e ainda com um contingente de pobres e miseráveis muito elevado e intolerável, na medida em que a opinião pública se alargava graças à urbanização e à democratização, foi como se, de repente, o Brasil olhasse seu rosto no espelho das estatísticas e se achasse feio e desconjuntado. Desde então não há dado positivo que apareça na mídia sem o subtítulo imediato do "porém..." — e lá vêm os números a mostrar que nem tudo é cor-de-rosa.

Assim, por exemplo, nem bem surgiram elementos para mostrar que a proporção de pobres na população caíra de 42% para 33% com a estabilização da moeda e se relembrou a outra face de um país com muitos milhões de pessoas ainda pobres e miseráveis. A mídia e os analistas, para não falar dos políticos, deram depressa o salto para passar da estatística de renda para a da fome. Dessa situação nasceu a ânsia por programas de distribuição de cestas básicas que culminou no Fome Zero, um programa de boa imagem mundial e baixa eficiência local. Sob o manto geral de Bolsa Família o governo que me sucedeu deslocou o foco da questão do emprego e renda, e da preparação de programas que, além de assistenciais, são incentivadores da capacitação das pessoas para o trabalho e a vida, para olhar a mera distribuição de recursos. Com a expansão acelerada do Bolsa Família, o governo perdeu parte dos controles das contrapartidas que as pessoas devem oferecer em troca do recebimento desses recursos — por exemplo, a freqüência das crianças às aulas ou aos postos de vacinação. O programa guarda-chuva ficou sob responsabilidade do Ministério do Desenvolvimento Social e Combate à Fome, e não de ministérios, como os da Educação e da Saúde, que têm *know-how* específico e dariam melhor conta do recado.

Há momentos e situações nos quais torna-se urgente e mais do que justificada a distribuição de recursos ou de comida. Por exemplo, no caso das secas ou de populações localizadas e altamente vulneráveis. Meu governo vinha preparando e pondo em prática uma série de medidas de uma agenda social robusta que, posteriormente, veio a se chamar de "rede de proteção social". Os passos iniciais de alguns programas criativos nessa área haviam sido dados anteriormente pelo duas vezes prefeito de Campinas José Roberto Magalhães Teixeira (PSDB), no segundo ano de seu segundo mandato, 1994: a família da criança de rua que fosse matriculada na escola receberia um auxílio pecuniário da prefeitura. Mais de 4 mil famílias se beneficiaram no lançamento do programa. No ano seguinte, o governador do Distrito Federal, Cristovam Buarque, criou programa similar, abrangendo 20 mil famílias. Outros prefeitos em diferentes estados começaram a enveredar por essa trilha. Posteriormente, o governador de Goiás, Marconi Perillo (PSDB), introduziu o controle da distribuição de recursos por meio de cartões eletrônicos.

No Congresso, de há muito o senador Suplicy se batia pela aprovação de um programa de "renda mínima", que, após longos debates nos quais me envolvi no Senado, tinha sido aprovado. Entretanto, de acordo com a forma final obtida no Senado, ele só se efetivaria com o cancelamento de outros programas sociais, para haver a necessária transferência de recursos. O projeto seguiu do Senado para a Câmara e lá, submetido a debates, seria beneficiado por uma iniciativa que tramitava havia algum tempo, e que acabou unindo o conceito de renda mínima ao de contrapartida. O deputado Nelson Marchesan (PSDB-RS) apresentara um projeto de lei sobre garantia de renda mínima, condicionando a concessão de benefício em dinheiro à obrigação de as famílias manterem os filhos na escola. Foi sob esta forma que a iniciativa de Suplicy no Senado transformou-se em lei na Câmara e, para cumpri-la, o Orçamento de 1998 destinou 100 milhões de reais, quantia obviamente insuficiente.

O senador Antonio Carlos Magalhães, no ano seguinte, levantou o tema da pobreza como prioritário, em contraposição às restrições da política econômica posteriores à crise do real de janeiro de 1999. Antonio Carlos, aderindo verbalmente às teses do PT, defendia um aumento do salário mínimo para 100 dólares (que na ocasião levaria a Previdência à ruína e o governo às cordas) para corrigir as distorções sociais e propunha, também, a criação de um Fundo de Combate à Pobreza, com previsão de arrecadar de 6 a 8 bilhões de reais, a partir do aumento de impostos sobre produtos ditos supérfluos (como fumo, bebidas ou mercadorias de luxo). Com um toque moralizador, sugeriu adicionalmente a redução das verbas destinadas às chamadas "emendas parlamentares" ao Orçamento.

A proposta me pegou de surpresa, quando em visita oficial ao Peru. Respondi que nossa administração já tinha uma programação social intensa, pois era evidente a estocada: o governo só se preocupa com o mercado e não com os pobres. O PT, por seu lado, brigava pela paternidade dos programas sociais, pois a renda mínima, achavam, teria sido invenção deles. O senador Jader Barbalho, do PMDB, mostrava a incoerência de o

PFL ter indicado o ministro da Previdência, senador Ornélas, que dizia ser impossível aumentar o salário mínimo no limite dos desejos dos parlamentares, enquanto seu líder maior, ACM, para fustigar o governo, propunha elevá-lo a 100 dólares e ainda por cima queria mais aumento de impostos. (Muito depois disso, com Lula já eleito, a revista *Veja*, em 6 de novembro de 2002, dedicou ampla reportagem a uma avaliação de projetos desse tipo, mostrando que o Fundo de Combate à Pobreza carecia de base técnica no aspecto fiscal e que as críticas do PT a nossa gestão, com sua proposta de Fome Zero, eram inconsistentes, tanto mais, mostrou a revista, que o governo já dispunha de programas sociais mais bem montados.)

Durante a tramitação do projeto de Antonio Carlos no Congresso o governo acabou conseguindo se ajustar à situação. Entre novembro de 1999 e maio de 2000, o Senado exprimiu sua concordância com o Fundo de Combate à Pobreza, com parecer básico do senador Lúcio Alcântara (PSDB-CE). Os técnicos do Ministério da Fazenda recalcularam custos e, finalmente, para fazer face a eles, fechou-se um acordo entre o Executivo e o Legislativo para aumentar em 0,8 ponto percentual a alíquota da CPMF. A Câmara, no mesmo ano, entre junho e dezembro, aprovou a proposta com parecer favorável do deputado Paulo Magalhães — do PFL e da Bahia, mas sem relação de parentesco com ACM —, e deu seu OK em votação final no dia 13 de dezembro de 2000. Tramitação rapidíssima para uma emenda constitucional. Como fora possível?

Muitos fatores explicam essa velocidade. Em primeiro lugar, como indiquei acima, a sociedade desejava dar maior profundidade aos programas sociais. Em seguida, havia entre as forças que apoiavam o governo tanto a vontade de criticar a política econômica como um desejo semelhante ao da sociedade. Por fim, também o governo percebeu a conveniência de emitir sinais mais claros de seu compromisso social e de solidariedade para com as camadas menos desfavorecidas. Àquela altura, as áreas econômicas e as áreas sociais, desde a Secretaria de Assuntos Sociais até minha assessoria direta, sobretudo Vilmar Faria e os técnicos que o ajudavam, como Ana Maria Lobato, estavam preparando o que se chamou de Projeto Alvorada. Este, sob comando de Wanda Engel e em estreita colaboração com a Secretaria do Comunidade Solidária, previa programas orientados para as áreas mais pobres do país, definidas pelo índice de desenvolvimento humano (IDH), um instrumento de mensuração criado pelo Programa das Nações Unidas para o Desenvolvimento (PNUD). Tais iniciativas, somadas ao enorme esforço do governo na educação fundamental, poderiam propiciar aos municípios cobertos pelo Projeto Alvorada um salto de melhoria, desde que os programas fossem mantidos pelos recursos que o Congresso aprovara.

Deu-se, portanto, uma coincidência muito grande de intenções e interesses entre a sociedade, os partidos no Congresso e o governo. A colaboração entre técnicos da administração pública e os relatores do projeto inicial de combate à pobreza no Legislativo evitou o desperdício de recursos em iniciativas bem-intencionadas, mas mal focalizadas e mal concebidas. Aprovou-se verba considerável (1,7 bilhão de reais em vez dos 100 milhões iniciais) para dar partida, já em 2001, à ambiciosa rede de proteção social, englobando o programa Bolsa Alimentação do Ministério da Saúde e o Bolsa Escola do MEC.

Só para relembrar: o Bolsa Alimentação tinha como meta diminuir as carências nutricionais de pessoas pertencentes a famílias com renda mensal inferior a meio salário mínimo *per capita*. As famílias (na verdade, as mães) deveriam, em troca dos até 45 reais recebidos por mês, cumprir vários compromissos com a saúde, como realizar exames pré-natais, pesar e vacinar regularmente as crianças e receber orientação sobre alimentação e nutrição dos agentes comunitários de saúde. O Bolsa Escola pretendia assegurar a permanência de crianças de famílias de baixa renda na escola, amenizar a situação de pobreza absoluta de parte da população e auxiliar na erradicação do trabalho infantil. Transferia a famílias cuja renda mensal *per capita* não ultrapassasse meio salário mínimo, mediante cartão magnético, 15 reais por cada criança de 6 a 15 anos matriculada e freqüentando o ensino fundamental.

O ministro Paulo Renato percebeu o alcance da medida e a velocidade com que se expandiriam suas verbas, graças ao incremento na CPMF. Em janeiro de 2001, com a ajuda do secretário executivo do MEC, Luciano Oliva Patrício, preparou um projeto de MP e obteve meu apoio direto na pugna com os setores financeiros e orçamentários do governo para transformar o anterior programa, limitado, de juntar a renda mínima à exigência de escolaridade, em um amplo programa de alcance nacional, a ser implementado de maneira descentralizada pelos estados e municípios.

Daí nasceria uma Secretaria especial dirigida por Floriano Pesaro que, antes de trabalhar no MEC, atuara na Justiça e na Previdência. Sua área em pouco tempo distribuiu recursos em cartões magnéticos entregues a milhões de mães de família cujos filhos estivessem efetivamente cursando as escolas.[23]

Vê-se, com este exemplo, que o Congresso também sabe ser ágil e que pode haver proveito geral no jogo democrático, ainda que em meio a tensões políticas. Isso quando o governo dispõe de metas, competência para alcançá-las e flexibilidade para ajustar-se às vontades políticas expressas pelos parlamentares, ainda que reaja negativamente às tentativas de ser posto no pelourinho por propostas nem sempre coerentes e bem-intencionadas. Havendo rumo e competência por parte do Executivo, o jogo político em uma democracia, por lento que seja e, muitas vezes até demagógico, não é obstáculo suficiente para um governo persistente introduzir modificações importantes na sociedade e no Estado.

---

[23] Ver Paulo Renato Souza, *op. cit.*, cap. 5.

CAPÍTULO 8

A sociedade como protagonista

A herança político-burocrática de Portugal

Um dos versos do Hino Nacional inquieta nosso subconsciente: "Deitado eternamente em berço esplêndido", diz, referindo-se ao Brasil. Pois bem, nos dias que correm, se o Estado ainda não despertou totalmente para cumprir suas tarefas, a sociedade está muito ativa, o povo se organiza cada vez mais. Este é outro corte essencial para entender as mudanças havidas e para refazer os conceitos, valores e atitudes que guiam nossa política.

Vem de priscas eras a noção de que o Brasil como nação organizada é fruto mais da ação do Estado do que da sociedade, do povo. É um truísmo reconhecer que os colonizadores portugueses aportados na primeira onda de "globalização", se assim posso me referir anacronicamente à expansão do capitalismo comercial europeu do século XVI, levaram tempo para saber o que fazer com a Terra de Santa Cruz. Na primeira tentativa de algo que não fosse deixar os indígenas levando suas vidas nos limites de suas culturas, doaram-se sesmarias hereditárias aos amigos do Rei. As capitanias trouxeram os vícios do patrimonialismo e do favorecimento, que permaneceriam como que embutidos em nosso tecido social. E com elas veio também o mal de origem: o latifúndio.

Não tardou, contudo, para a Coroa perceber que súditos distantes ou absenteístas cuidariam mais de si que dos interesses de Portugal. Centralizou-se então o poder e, com delegação direta dos reis, os vice-reis, pessoas mais próximas da Coroa e mais dispostas a servir a seus interesses, assumiram a gerência de tanta terra e tanto problema. Para a Coroa e seus representantes diretos, duas questões primavam: pôr ordem na casa (nada de rebeliões libertárias, nem de "subversões", quer dizer, escravos que quisessem ser algo mais do que *instrumentum vocalis*) e morte aos inimigos espanhóis. Por volta de 1750, na época do Tratado de Madri, que definiu os limites das possessões hispânicas com as portuguesas, não era de estranhar que nossos vice-reis achassem melhor a ocupação das terras por "meio-portugueses", ou seja, descendentes de pai luso e mãe índia, do que por gente vinda das terras das quais se dizia em Portugal que não traziam bons ventos nem boas esposas, as temidas terras de Castela. José Sebastião Carvalho e Melo, futuro marquês de Pombal, preocupado com a ocupação da Amazônia e, posteriormente, do Pará e do Maranhão, recomendou a seus delegados, como mostrou o brasilianista britânico Kenneth Maxwell, que dessem vantagens aos varões portugueses que se casassem com as "tapes", as mulheres indígenas. Não custou para que os jesuítas, com o objetivo de "defender os nativos", bem como manter seu domínio sobre eles, se opusessem aos desígnios pombalinos, o que resultou, com o tempo, e não só por este motivo, na expulsão da Companhia de Jesus.

Latifúndio, burocracia imperial e escravidão, eis o retrato do Brasil Colônia, tão bem descrito por Caio Prado Júnior. Só que, por simples que fosse a estrutura colonial, ela tinha a marca de algumas contradições. Não apenas na tensão entre senhor e escravo, objeto das controvérsias clássicas entre as interpretações de Gilberto Freyre e as da "escola sociológica paulista", na qual como cientista social me incluo, mas na tensão entre os interesses da Coroa e os dos grandes proprietários, ex-sesmeiros ou novos aventureiros, que se "apropriaram" dos grandes tratos de terra, as fazendas (e escrevo apropriaram entre aspas porque, sendo a posse concedida, o domínio das terras continuava com a Coroa). Não por acaso na História do Brasil colonial tantas "cidades", melhor, vilas, queriam ostentar o título de súditas diretas do Rei, desde a Vila Boa de Goiás de meus ancestrais, até as inúmeras valorosas vilas d'El Rey espalhadas pelo Brasil afora. Nos conselhos das vilas — as câmaras municipais, como são hoje —, os grandes da terra, verdadeiros senhores de escravos e usurpadores de terras indígenas, que não possuíam qualquer título de nobreza de Portugal, mandavam e desmandavam, entrando freqüentemente em choque com os burocratas, nobres ou não, representantes do Estado português.[1] Os mandões das câmaras locais preferiam manter relações diretas com Lisboa.

---

[1] A formação histórica do Brasil, tão bem estudada por tantos autores, mostra com clareza como nos diferenciamos, no ponto de partida, dos Estados Unidos. Lá, desde o início da República, o acesso à terra e mesmo o conhecimento da quantidade de terras disponíveis foi muito mais democrático. Ainda por cima, com a Guerra Civil ou Guerra de Secessão (1860-1865), o escravismo ficou como uma chaga "do Sul" e não como sustentáculo de toda a riqueza nacional.

Nessa estrutura, a "sociedade civil" (no sentido das pessoas e setores cuja legitimação não advinha de ligações com o Estado) era embrionária e se compunha somente do segmento dominante. Os dominados eram escravos ou agregados sem "cidadania", e o Estado tinha sua expressão visível nos funcionários do Rei, sendo a garganta do Vice-Rei sua única voz política. Essa situação complicou-se extremamente tanto pela evolução das "cidades", com seus comerciantes e traficantes de escravos, como porque Napoleão Bonaparte varreu da Europa as antigas famílias reinantes. Em conseqüência, os Bourbon (de Dona Carlota Joaquina, esposa de Dom João VI) e os Bragança de Portugal vieram se aninhar no Rio de Janeiro em 1808. A chegada da Corte portuguesa, com exércitos, tribunais, magistrados, biblioteca, missões compostas por cientistas e artistas, além de centenas de nobres sem ocupação definida, tumultuou o Rio, mas permitiu fortalecer a ordem burocrática e estender os tentáculos da Coroa, que, entretanto, nunca alcançaram os rincões mais longínquos do país. E constituiu fato inédito no mundo colonial: o Rio se transformou na capital do Império português. Pouco tempo depois o Brasil passou à categoria de "Reino Unido" a Portugal, concretizando o que fora a antevisão de um importante emissário diplomático da Coroa portuguesa, dom Luís da Cunha, que propôs em 1736 a transferência da capital do império para o Brasil com o Rei, como um Carlos Magno redivivo, tomando o título de "Imperador do Ocidente" — diz o mesmo Maxwell.

Quando a independência se fez, não só quem a proclamou foi Dom Pedro I, filho do Rei de Portugal (e futuro Pedro IV, de lá também Rei) como o novo Estado brasileiro herdou as estruturas político-burocráticas portuguesas. Tudo isso contrasta grandemente com a fragmentação das antigas colônias espanholas, mais depressa liberadas do peso da tradição, mas, em contrapartida, muito menos organizadas em torno de uma estrutura estatal sólida. Tal herança político-burocrática pesou igualmente na continuidade da tensão entre as forças localistas e as centralizadoras, durante o período da Monarquia (1822-1889).

Há diferenças nas análises da sociedade brasileira desse período, pois autores, como Caio Prado Júnior, põem mais ênfase no binômio latifúndio-escravidão para analisar sua evolução, enquanto Raymundo Faoro, por exemplo, olha mais de perto a influência dos segmentos políticos e burocráticos. De modo geral, entretanto, as interpretações coincidem em que o "povo" praticamente inexistia como categoria política. Por certo, nada disso nega nem as tentativas de revoltas dos escravos (basta mencionar Zumbi dos Palmares, morto em 1695) nem rebeliões populares como a revolta chamada de "Cabanada", em Pernambuco (1832-1835), a dita "das Balaiadas", no Maranhão e também no Piauí (1838-1841), e muitas outras, sem mencionar, ainda no século XVIII, a Inconfidência Mineira (1792), que já mostrava a presença de classes médias educadas, pelo menos nas áreas de mineração, e a luta chamada "dos alfaiates" na Bahia, ou Conjuração Baiana (1798), que teve à frente pequenos comerciantes e artesãos. Entretanto, por heróicas que tenham sido tais lutas e por referências que sejam para a formação nacional, a estrutura de poder estava solidamente incrustada nos elementos dominantes mencionados acima.

O jogo político da Monarquia, tão admiravelmente descrito por Joaquim Nabuco em *Um estadista do Império* e tão brilhantemente interpretado por Sérgio Buarque de Holanda nos volumes sobre o Império de sua *História geral da civilização brasileira*,[2] baseava-se, de fato, em uma sólida aliança com os produtores rurais, senhores de escravos, que a sabedoria política de Pedro II nobilitava, agraciando-os geralmente com o título de barão. A aliança, básica para que o poder imperial se mantivesse, precisava ser complementada, no entanto, e não de modo secundário, pela lealdade dos que dispunham da força militar (alguns dos quais, sobretudo depois da Guerra do Paraguai, travada entre 1864 e 1870, seriam transformados em marqueses e viscondes, tendo mesmo havido um duque) e das camadas "superestruturais", compostas por grandes políticos, altos funcionários e intelectuais, a quem a Coroa igualmente nobilitou, principalmente como viscondes e marqueses.

Com a República, as "oligarquias" se mantiveram.[3] Pesavam nelas, entretanto, mais os proprietários das novas áreas de produção, que já utili-

---

[2] Sérgio Buarque de Holanda, *História geral da civilização brasileira*, Rio de Janeiro, Bertrand Brasil, v. 3, 9ª ed., 2003; v. 4, 9ª ed., 2004; v. 5, 8ª ed., 2004; v. 6, 6ª ed., 1995; e v. 7, 6ª ed., 2005.

[3] Depois de proclamada a República, meu bisavô Felicíssimo escreveu carta a meu avô Joaquim Ignacio comentando o que acontecia em Goiás. De memória, transcrevo: "Vocês aí no Rio fizeram a República. Aqui em Goiás, como antes, continuam mandando os Caiado de Castro [tradicional oligarquia da então província, depois estado]".

zavam a mão-de-obra livre dos imigrantes, do que as arruinadas classes proprietárias das regiões de produção antiga, como o Nordeste, onde a escravidão havia imperado no passado. As estruturas burocráticas também começaram a mudar. Depois da Guerra do Paraguai, surgia uma nova classe média vinculada ao aparato estatal. Não se tratava ainda de uma classe média ligada às forças do mercado, como existe hoje, e na época tinha peso comparativamente diminuto. Era uma camada composta por "filhos de alguém" (fidalgos, etimologicamente) advindos das famílias ditas "tradicionais", ou seja, que em algum momento do passado tiveram ligações com a terra ou com o estamento burocrático imperial e que perderam *status*. Na República, a escolha de quem mandava na política e no governo passou a depender do voto. Por imperfeito e fraudulento que fosse, o voto dava primazia aos que pudessem controlá-lo. Data desse período a força dos "coronéis", assim chamados tanto os que eram, no sentido moderno, *bosses* eleitorais, como os que tinham graduação na Guarda Nacional, instituição imperial criada em 1831 que a República soube transmutar em seu benefício. Basta ler o livro clássico de Victor Nunes Leal, *Coronelismo, enxada e voto*,[4] para perceber como se dava o imbricamento do poder republicano com a nova ordem dominante e ver a importância relativa dos chefes locais, coletores de votos.

Os donos do poder, a dinâmica das classes e a cidadania

Na formação do Brasil é possível distinguir a base econômica da estrutura político-social. A dinâmica de ambas, entretanto, supõe uma inter-relação. Por isso, penso que os autores citados, com suas distintas visões, antes se complementam do que se opõem. A partir de qualquer deles é inegável que o que hoje chamamos de "sociedade civil" era débil, praticamente inexistente. Isso só começa a deixar de ser certo, para mencionar um marco, a partir da Primeira Guerra Mundial, travada entre 1914 e 1918 (Celso Furtado mostra a importância dos conflitos mundiais, que cortavam as importações, para a dinâmica da produção nacional e, portanto, para a emergência de novos grupos sociais). Se o povo "bestificado" assistiu

---

[4] Victor Nunes Leal, *Coronelismo, enxada e voto*, 3ª ed., Rio de Janeiro, Nova Fronteira, 1997.

à Proclamação da República, no dito famoso de Aristides Lobo — republicano histórico, jornalista e político que chegou a integrar o governo do marechal Deodoro da Fonseca (1889-1891) —, as revoluções dos tenentes, de 1922 e 1924, assim como a derrubada da República Velha, em 1930, tiveram a simpatia das classes médias urbanas. Desde o início do século XX houve alguma conexão, pelo menos em termos do clima de protesto, com os movimentos operários, presentes nas cidades maiores, sendo significativas as ações dos anarquistas e a fundação do PCB. A partir dessa época torna-se mais difícil conferir ênfase excessiva aos estamentos burocráticos para entender quem eram os donos do poder. A dinâmica das classes ganha importância crucial, embora Faoro mantenha sua tese sobre os donos do poder até o período do Estado Novo.

Não é nem de longe meu propósito refazer nesta seção a História política do Brasil, mas apenas procurar responder à questão: qual é o peso relativo das forças sociais independentes do Estado no jogo político? Com base na linha de pensamento exposta, de que o Estado desempenhou um papel maior do que se imagina (para alguns autores, maior do que o papel da sociedade, nela englobadas as forças econômicas e principalmente o povo), enraizou-se a crença de que o Estado é o cadinho da sociedade e cabe a ele preservar os interesses daquela, afirmá-la, conferir legitimidade política ao povo e assim por diante. No período do governo Vargas, sobretudo durante o Estado Novo, essa ideologia predominou. O autor paradigmático é Oliveira Vianna, que, com fortes traços racistas e inclinações despótico-fascistas, refez a história de nossa formação para culminar na defesa do corporativismo e do regime autoritário. No México do Partido Revolucionário Institucional, o PRI (também corporativista e burocrático-autoritário), havia um ditado expressivo, que se pode aplicar a essa concepção: *El que vive afuera del presupuesto vive en el error*, ou, adaptando à nossa situação, fora do Orçamento do Estado caímos em pecado, não há salvação. Ditame que se aplicaria não apenas aos funcionários públicos, mas aos empresários e até mesmo ao povo, receptor de benesses governamentais.

Parece indiscutível, contudo, que desde os anos 1930, e, em especial, a partir da Segunda Guerra Mundial (que trouxe um *boom* industrializador e poderosos impulsos migratórios internos, adensando as cidades), o que veio a se chamar de sociedade civil ganhou peso na vida política. Sua presença se tornou mais perceptível a partir da década de 1970. Daí por diante as forças dinâmicas da sociedade não pararam de se mover.[5]

O processo de formação da "cidadania" e de incorporação das massas rurais não foi linear. Vem se fazendo com idas e vindas. A partir da ruptura do isolamento do Brasil, tanto em termos comerciais e políticos como culturais (com a Internet e a TV é impossível isolar idéias), as ideologias estatistas e a noção de que os cidadãos precisam de tutela do governo para atuar na cena pública se tornaram *anacrônicas*.

Essa persistência anacrônica se explica parcialmente porque o processo de formação da "cidadania" e de incorporação das massas rurais se desenvolveu caprichosamente. Em certos momentos, coube ao Estado autoritário garantir as franquias democráticas e sociais, invertendo evolução do que aconteceu em vários países da Europa. Talvez por isso o progressismo social tenha incorporado com tanto vigor uma concepção política que é inequivocamente autoritária e vê no Estado o construtor de uma sociedade melhor, enquanto o mercado aparece como um muro de contenção ao acesso das massas. Se somarmos a essa tendência a tradição comunista, que tanto influenciou nossos intelectuais e alguns setores políticos, de um Estado forte e "benfeitor" das massas, além de "desenvolvimentista", é fácil perceber o porquê dos caminhos tortuosos da percepção de nossa modernização social e política.

[5] O crescimento da população e seu deslocamento do campo para a cidade foram impressionantes. Entre 1940 e 2000, nossa população multiplicou-se por quatro! Passou de 41 milhões de pessoas em 1940 para 160 milhões em 2000, atingindo 184 milhões em 2004. A distribuição entre população rural e urbana sofreu mudanças rápidas e de vulto. Até 1960, a rural era mais numerosa do que a urbana, as duas crescendo: em 1940, 12,8 milhões a urbana contra 28,3 milhões. Em 1960, 31,3 milhões *versus* 38,2 milhões. Em 1970, a urbana ultrapassa a rural — 52 milhões contra 41 milhões — e cresce velozmente. Em 1980 já viviam nas cidades 80,4 milhões de pessoas, em contrapartida aos 38,5 milhões que habitavam o campo, para alcançar, em 2000, 137,7 milhões de residentes urbanos face aos 31,8 milhões de habitantes rurais (Fonte: IBGE). As conseqüências desses movimentos migratórios, como a favelização, tornaram-se desafiadoras. Embora não trate delas neste livro, meu governo se preocupou com a questão habitacional e com a titulação da propriedade urbana. O Estatuto das Cidades (Lei nº 10.257, de 10/7/2001), que sancionei, foi um marco importante.

A literatura sobre esses caminhos é conhecida. O que o sociólogo britânico T. H. Marshall chamou de cidadania, tomando o conceito de seu homônimo economista, era "uma espécie de igualdade humana básica associada com o conceito de participação integral na comunidade (...) o qual não é inconsistente com as desigualdades que diferenciam os vários níveis econômicos na sociedade. Em outras palavras, a desigualdade do sistema de classes sociais pode ser aceitável desde que a igualdade de cidadania seja reconhecida."[6] A expansão da cidadania, na Grã-Bretanha, abrangeu, progressiva e seqüencialmente, os direitos civis, os políticos e os sociais. Os direitos civis asseguraram as liberdades individuais (liberdade de movimentos, de imprensa, de pensamento e de fé, o direito à propriedade, à consecução de contratos válidos, de acesso individual à Justiça). Os direitos políticos são basicamente o de voto e o de participação nas estruturas de poder, enquanto os sociais dizem respeito a um mínimo de bem-estar econômico e a possibilidade de levar a vida de acordo com os padrões civilizados reconhecidos pela sociedade, notadamente assegurando-se o direito de acesso à educação e à saúde.

T. H. Marshall estudou a evolução histórica desses diversos direitos na Grã-Bretanha e acreditava que a expansão da cidadania levaria à diminuição das desigualdades econômicas geradas pelo capitalismo. Ainda que não se obtivesse a igualdade absoluta, seria possível remover as desigualdades tidas como injustas, chegando-se em certas situações (dependendo especialmente do aprofundamento dos direitos sociais) a anulá-las. Tornou assim a luta pela franquia dos direitos de cidadania parte da luta contra as desigualdades e fundamento da ordem democrática.

Dentre os autores que se inspiraram em Marshall para analisar aspectos da evolução de nossa sociedade ou que lidaram com as questões da evolução histórica da cidadania, quero chamar a atenção para dois. O primeiro, o historiador José Murilo de Carvalho, que mostrou como a seqüência marshalliana se inverteu no Brasil: houve primeiro a expansão de direitos sociais, depois os direitos políticos e só mais recentemente chegamos à fase dos direitos civis. Nas conclusões de seu pequeno grande livro

---

[6] T. H. Marshall, *Cidadania, classe social e status*, Rio de Janeiro, Zahar, 1967, tradução de Merton Porto Gadelha, p. 62.

Cidadania no Brasil: o longo caminho,[7] nas quais analisa as encruzilhadas da cidadania, José Murilo diz: "Aqui, primeiro vieram os direitos sociais, implantados em período de supressão dos direitos políticos e de redução dos direitos civis por um ditador que se tornou popular. Depois vieram os direitos políticos, de maneira também bizarra. A maior expansão do direito do voto deu-se em outro período ditatorial, em que os órgãos de representação política foram transformados em peça decorativa do regime. Finalmente, ainda hoje muitos direitos civis, a base da seqüência de Marshall, continuam inacessíveis à maioria da população. A pirâmide dos direitos foi colocada de cabeça para baixo."

Em análise anterior sobre os direitos sociais e sua relação com a cidadania, o cientista político Wanderley Guilherme dos Santos havia tornado evidentes as vinculações entre regimes autoritários e certos progressos nas políticas sociais, bem como entre eles e a outorga de direitos sociais. Analisou a evolução das instituições que asseguram tais direitos desde antes de 1930, passando pelo varguismo e pelos governos militares, para insistir no que chamou de "cidadania regulada": uma enorme quantidade de pessoas e ocupações carecem de direitos sociais por não estarem incluídas nas regulamentações governamentais. Chama a atenção a observação de Wanderley Guilherme quando diz, apropriadamente: "A desorganização da vida social que se seguiu ao movimento de 1964 poderá ter gerado, apesar de seus líderes, as condições para a emergência de um sistema de valores centrados em torno dos conceitos de cidadania universal, trabalho e justiça."[8]

É a partir desta brecha na interpretação que me coloco. É certo que houve a inversão da pirâmide das franquias democráticas. Também é verdadeiro que as relações entre elas e os regimes autoritários, tanto de base civil, no caso de Vargas, como militar, depois de 1964, foram paradoxais. No entanto, a Constituição de 1988 expressa juridicamente um outro momento. Ela reflete os movimentos sociais e políticos iniciados vinte anos

---

[7] José Murilo de Carvalho, *Cidadania no Brasil: o longo caminho*, Rio de Janeiro, Civilização Brasileira, 2001, p. 219-220. Para quem queira uma síntese bem-feita da evolução política e social do Brasil nada melhor que a leitura deste livro.

[8] Wanderley Guilherme dos Santos, *Cidadania e justiça: a política social na ordem brasileira*, Rio de Janeiro, Campus, 1979, p. 123.

antes. Permanecem desencontros temporais e a universalização dos direitos civis e sociais está incompleta, mas a força motora da sociedade civil na cena pública é iniludível. As expectativas de que a ação de forças burocráticas movidas por um governo "esclarecido" ("de esquerda") possa assegurar a ampliação dos direitos de cidadania, sem sociedade civil ativa e com um Estado mais interferente no mercado, passam a ser, ao contrário do que foram no passado, entraves à democratização da sociedade.

Novas políticas sociais: a importância das parcerias

A afirmação de que a sociedade civil hoje está muito mais ativa do que no passado não reduz a ação do Estado, mas a modifica. Desde a fase final do regime autoritário, melhor dito, desde o início das lutas pela redemocratização a sociedade brasileira dava sinais de que havia mudado. As greves do final dos anos 1970 demonstravam que as tentativas do movimento de 1964 para eliminar as conexões políticas com o sindicalismo e as reivindicações populares não impediram o nascimento de novas lideranças e de novas formas de organização popular. Os dois livros mencionados acima dão elementos suficientes para que se veja como se constituíram grupos ativos na sociedade civil. Grupos tanto oriundos das classes médias — a OAB (existente desde os anos 1930), a SBPC ou a ABI revitalizada — como entidades ligadas às camadas populares. Para a ativação desses últimos setores a ação da Igreja Católica, logo seguida por outras organizações religiosas, mostrou-se importantíssima. O próprio MST nasceu vinculado a ela, mais especificamente à Comissão Pastoral da Terra (CPT). Os movimentos de luta por direitos como os ligados à saúde ou à habitação se desenvolveram em toda parte. Não foi só no âmbito das lutas político-sociais que a sociedade civil se organizou. Cresceu incessantemente o número de associações profissionais e empresariais, associações culturais, esportivas e muitas outras, e principalmente de ONGs — que hoje existem às centenas de milhares — constituídas ao redor de temas novos. Paralelamente ocorreu a expansão das antigas estruturas sindicais, que viram a luz do dia pela concessão estatal mas se reorganizaram em centrais sindicais independentes do governo (CUT, Força Sindical, CGT, Democracia Social, Contag).

Os governos militares se despreocuparam dos novos movimentos: eles não provinham dos setores que os gladiadores da guerra fria, vencedores em 1964, consideravam inimigos históricos. Espelhavam uma sociedade que se formou independentemente dos propósitos dos donos do poder no período posterior ao golpe: a sociedade urbana de massas. Massas de consumo insuficiente, porém crescente. Se a renda não permite que o conjunto da população se incorpore plenamente ao mercado (especialmente as massas rurais, as das periferias das grandes cidades e as nordestinas), os não-incorporados notam que a seu lado há quem consuma, e muito desigualmente. Daí que as pressões, mesmo quando não diretamente políticas, passassem a ser uma constante da vida brasileira. Nasceram forças que aos poucos vão dando forma a uma "sociedade aberta". Sociedade desigual, injusta, porém aberta. Quer dizer, crescentemente reivindicante, insatisfeita e com meios de expressão. Essas massas sequiosas de direitos e de acesso aos bens materiais e espirituais, logo que encontram um caminho, se lançam na busca de melhores condições de vida, mesmo que a custo elevado (por exemplo, pagando a crédito as compras, com juros escorchantes). Para sentir a vontade de ascensão social e a força das pressões basta ver a imensa quantidade de cursos de capacitação profissional de todo tipo espalhados pelo país inteiro, ou, no plano das reivindicações, a grande vitalidade das mulheres na linha de frente das demandas populares.

Nessa remontagem social, o papel das liberdades e especialmente da liberdade de imprensa, dos meios de comunicação em geral, é essencial. De certo modo a seqüência européia das franquias democráticas se empastelou, se posso usar a imagem vulgar. As liberdades civis, ainda que incompletas e não abertas a todos, se expandiram muito. Os direitos políticos se generalizaram (a Constituinte estendeu o direito de voto aos analfabetos e reduziu a idade mínima dos eleitores de 18 para 16 anos. Em 2005 o Brasil atingiu 120 milhões de eleitores). Os direitos sociais, embora mais do que insatisfatórios, estão na ordem do dia e clamam por universalização. Isso em uma sociedade cuja população quase dobrou entre 1970 e 2000, de 93 milhões para 160 milhões de habitantes, dos quais 56% viviam nas cidades em 1970 — percentual que chegou a 81,2% em 2000. Chama mais atenção ainda que, a despeito desse crescimento, a renda *per capita* também tenha praticamente dobrado[9] e a mobilidade social continuado extremamente elevada.[10]

As classes médias ganharam novas feições. Os grupamentos "tradicionais", geralmente ligados à burocracia civil e militar, à Justiça, à polícia e às universidades, continuam a existir. Mas os segmentos de classe média ligados ao mercado e não ao Estado são mais numerosos e têm aspirações e reivindicações mais modernas. Refiro-me, só para dar alguns exemplos, à burocracia das empresas, aos técnicos, aos novos segmentos profissionais da indústria de comunicação e de entretenimento, aos ligados aos serviços de transportes e ao sistema financeiro, aos milhões de pequenos empresários urbanos e, mais recentemente, até mesmo no campo. Sem esquecer dos gerentes e executivos de grandes empresas nacionais e multinacionais, que ocupam os estratos médios e altos das novas classes médias. São pessoas em processo de ascensão social, oriundas de famílias de mais baixo *status*, enquanto nas classes médias tradicionais dá-se o oposto: em geral seus componentes perderam *status* ou, no máximo, conseguem mantê-lo, sem progressos significativos.

Esse dinamismo não eliminou as desigualdades, nem seria possível, em uma economia concentradora de renda. À concentração da riqueza fundiária somou-se a dos grandes capitais urbanos. Mesmo antes, o modelo nacional-desenvolvimentista já criara padrões de emprego altamente concentradores de renda no setor produtivo estatal. Como conseqüência das desigualdades e da concentração de renda, aumentou o *gap* cultural, manifesto tanto no analfabetismo funcional quanto no digital, produzindo barreiras novas em uma sociedade que, contraditoriamente, pode ser considerada "da informação", mas capenga, graças a esse desnível. Com todas essas distorções, de qualquer maneira, os governos não podem mais se dar ao luxo de olhar só "para cima". Tampouco é possível reviver o período de Vargas, quando o apelo às massas é que vinha de cima, com o "Boa noite, trabalhadores do Brasil", do ministro do Trabalho do Estado Novo, Alexandre Marcondes Filho, em *A voz do Brasil*. Agora, não bastam apelos

[9] Segundo o Ipea, em reais de 20 04, o PIB *per capita*, que era de 5.012,31 reais anuais em 1970, chegou a 9.466,66 em 2000.

[10] Ver José Pastore e Nelson do Valle Silva, *Mobilidade social no Brasil*, São Paulo, Makron Books, 2000.

top-down, de cima para baixo, para que as camadas populares se sintam integradas, como na época áurea do populismo. As forças populares exigem, não pedem; interpelam, não apelam; atuam, não esperam por benesses do governo.

A democratização em curso obriga à redefinição da ação do Estado. A presença de grandes massas urbanas, as transformações da classe operária (que nos setores mais dinâmicos da economia se incorporou à sociedade de consumo) e das próprias massas rurais reivindicantes forçam os governantes a tomá-las em conta. E não se pense que a dinâmica dessa sociedade renovada se expressa apenas pelas reivindicações grupais. Na antiga ordem, a democratização implicava o fortalecimento institucional e a liberdade para que os grupos organizados (partidos, associações de classe, grupos comunitários de toda ordem, empresas, sindicatos etc.) funcionassem. A sociedade contemporânea dá margem a um novo padrão de sociabilidade que, sem eliminar o anterior, se infiltra nele. Renascem as motivações, objetivos e comportamentos que refletem a presença ativa das pessoas — sem cingir-se, entretanto, ao antigo "individualismo".

Explico-me: as pessoas querem crescentemente obter informações que lhes permitam escolher para então decidir, sem serem massa de manobra. E, simultaneamente, desenvolvem uma espécie de obrigação moral que, à falta de melhor nome, denominaria "compromisso social". Não se trata, portanto, do renascimento do individualismo clássico, chamado por alguns autores de "individualismo possessivo", diretamente guiado pelos valores do mercado. Atualmente, existe uma dimensão de solidariedade virtual no comportamento e mesmo uma busca de formas de sociabilidade que animem um sentimento de coesão social (basta constatar a expansão das religiões pentecostais, ou os movimentos ambientalistas). Mas cada participante quer saber por que agir de um ou de outro modo e que conseqüências decorrem de sua ação, para si e para os outros. Essa é a marca distintiva das sociedades abertas contemporâneas. As pessoas estão sequiosas não apenas por mais mobilidade social como por mais informação, mais transparência, mais compromissos claros. Não se trata de uma rejeição abstrata e absoluta das organizações preexistentes na sociedade, mas de uma cobrança por mais informação que permita, antes da participação, a deliberação: por que me lanço, por que adiro a isso ou aquilo. Tudo isso amplia as tarefas do político e do homem de Estado.

Para responder a esses processos, procurei imprimir contornos novos às políticas sociais de meu governo. A galvanização ideológica promovida pela "velha esquerda" que manteve a visão da antiga sociedade (nela compreendida o PT), com seus sindicatos, partidos e grupos de pressão, somada aos interesses de grupos empresariais e de classe média que floresceram à sombra das antigas instituições estatais e da proteção à concorrência, se opuseram acirradamente à modernização pretendida. Mesmo quando, em tese, seriam favoráveis ao que se propunha, procuravam negar a sinceridade ou o alcance das propostas para rejeitá-las.

As políticas sociais que coloquei em prática tinham alvos, mecanismos e percursos claros: universalização do acesso à educação e à saúde; acesso mais amplo à terra; equalização dos benefícios previdenciários; focalização das políticas compensatórias de combate à miséria e à pobreza; inclusão de novos temas para uma visão moderna da cidadania (combate ao racismo, preocupação com o meio ambiente, igualdade de gênero, políticas de direitos humanos); acesso à Justiça e preocupação com a segurança, pública e individual.

Esses itens não cobrem toda a política social, mas constituem o miolo do que é necessário para consolidar os direitos de cidadania e para ampliar o acesso a eles. A consecução dessas políticas em uma sociedade aberta, democrática e de massas depende de formas novas de articulação entre o Estado e a sociedade. É preciso incorporar a noção de parceria e implementar políticas descentralizadoras. Em um movimento de pinças, cabe atuar para que a sociedade civil se responsabilize crescentemente, junto com o Estado, pela implementação das políticas públicas, ajudando-o e controlando o gasto público. É preciso aprimorar a articulação entre o governo federal, os estados e os municípios para que a descentralização administrativa seja mais eficaz, e dê acesso à maior participação das pessoas. Nada disso se alcançará sem um Estado reformado: o fortalecimento do componente técnico e profissional da burocracia, com a universalização do concurso público e a constante preocupação de treinamento e aperfeiçoamento dos servidores, somado à limitação do clientelismo e do corporativismo, tornam-se indispensáveis para o governo atingir seus objetivos Por outro lado, é conveniente uma certa "porosidade", para usar um termo de Gramsci, para as burocracias se abrirem à cooperação com a sociedade civil. E ampliar tal cooperação é mais fácil no nível local do que no plano federal.

Procurei implementar uma política social-democrática renovada. Política que dispensa o patrimonialismo ou o protecionismo estatal e que não se opõe à competição e à meritocracia, na vida pública e no mercado.

Antes de entrar na apresentação de cada item, convém recordar que os experimentos do programa Comunidade Solidária e seu braço governamental, a Secretaria da Comunidade Solidária, constituíram o fermento para as ações públicas inovadoras, com maior participação da sociedade. O entrosamento de modo não-burocrático dos ministros e técnicos da área social com esses programas representou elemento importante na formatação de novas práticas. Não vou me referir mais detidamente ao tema porque escapa ao propósito deste capítulo, mas ele é essencial para a visão da social-democracia renovada. No passado, os governos social-democráticos ou de esquerda em geral assentavam as políticas sociais exclusivamente na burocracia estatal. Hoje repousam mais na mobilização da sociedade, na descentralização administrativa e na participação das pessoas nos processos deliberativos. Falta fazer muito. Em meus dois mandatos conseguimos, no máximo, desenhar o esboço de um Estado nacional modernizado, mais apto a se transformar em um Estado de bem-estar social.

A tarefa de reformulação do Estado, portanto, não se completou, até porque a cada momento surgem novos desafios, entre os quais o de lidar com a "sociedade incivil". Com esta expressão quero ressaltar o lado negativo da modernização e da globalização: as redes criadas graças ao uso da Internet e das modernas tecnologias da comunicação e deslocamento que permitem a ampliação das ações criminosas nacionais e transnacionais, abrangendo as drogas, os seqüestros, o contrabando, o tráfico de mulheres, de órgãos e de armas, a pirataria e outras ameaças aos direitos e à segurança dos cidadãos. Os Estados nacionais democratizados têm de enrijecer na luta contra essas modalidades de crime organizado e contra a corrupção, sua irmã gêmea.

Para complicar as coisas, em uma sociedade de massas, onde por definição a mídia desempenha papel importantíssimo, é fácil jogar com a política de escândalos, até porque a rapidez da urbanização e a velocidade da mobilidade social quebram controles sociais tradicionais e abrem espaço para toda sorte de comportamentos fora da lei. Na política de escândalos o alvo prioritário são pessoas que atuam no âmbito estatal ou, pelo menos, público. Quando, ainda por cima, as instituições políticas não são fortes (o clientelismo mina a autoridade pública, os partidos usam o governo em benefício próprio e o prestígio dos líderes se sobrepõe aos controles partidários e mesmo institucionais), torna-se difícil obter a adesão da sociedade para a reconstrução do aparelho estatal.

A lista a seguir, das áreas nas quais meu governo se esforçou para mudar algumas políticas e a própria estrutura da administração, é apenas exemplificativa. Por outro lado, é preciso reconhecer, como disse anteriormente, que a tarefa está longe de concluída.

Educação: levantando-se do berço esplêndido

O primeiro cuidado que tive no terreno da educação foi o de nomear um ministro competente. É óbvio que o Presidente sempre deve procurar agir assim. No caso da Educação e da Saúde, como no da Fazenda, no entanto, por serem áreas vitais para meu projeto de governo, tive cuidado redobrado. Nomeei ministros com personalidade forte, competência comprovada, pulso para administrar seu campo de ação e topete para enfrentar a área econômica. Quando ministro da Fazenda, constatei a importância que têm a Educação, a Saúde e a Previdência para o controlador do gasto público, seja ele o titular da Fazenda, o do Planejamento ou ambos. A observação vale também para o Ministério da Agricultura, que sem financiamento pouco pode realizar. Se os ministros dessas áreas não dispõem dos conhecimentos necessários para entender o Orçamento do país, ou da força política e da argumentação para convencer os titulares das pastas econômicas da justeza de seus pleitos, são engolidos pela máquina fazendária.

No MEC as prioridades eram óbvias: ampliar o ensino fundamental, melhorar a qualificação dos professores, tentar pagar-lhes melhor, sobretudo nas zonas mais pobres do país e, ao mesmo tempo, revitalizar o ensino profissional e racionalizar os gastos com o ensino superior. Além disso, tínhamos que incutir a necessidade de avaliação do desempenho.

Quem conhece a estrutura burocrática do MEC sabe o poder das corporações universitárias e conhece o peso do clientelismo político. Ambos emperram a máquina administrativa. Tivemos grandes dificuldades para pôr em prática políticas que invertiam as prioridades, passando-as do ensino superior para o fundamental e, ainda por cima, com medidas de descentralização administrativa que incluíam, sempre que possível, critérios de mérito, com sucessivas avaliações. Havia que moralizar as aquisições de livros didáticos distribuídos gratuitamente (no final do governo chegavam a 120 milhões de exemplares anuais), entregá-los a tempo e hora, dar-lhes durabilidade, refazer as listas de indicação bibliográfica, quebrar os monopólios de venda e outras tarefas de igual importância e magnitude. O mesmo se diga sobre as compras para a merenda escolar, objeto de escândalos no passado. Saltava à vista que, para aproveitar a energia e a capacidade de controle das comunidades e baratear custos, como também colaborar para a atividade econômica local, seria indispensável a descentralização e o entrosamento com governadores, prefeitos e a sociedade civil.

Muito disso se fez. Com o passar do tempo se tem a sensação de que o MEC sempre funcionou como viria a funcionar quando transmitimos o governo a meu sucessor, mas não é certo. Caro custou a dedicados funcionários e a pessoas de qualidade trazidas de fora da máquina pública (é importante contar com elas para arejar a burocracia, desde que não sejam apenas "militantes") lutar contra máfias externas incrustadas no MEC e contra a mentalidade de alguns de seus setores mais acomodatícios.

Houve muitas decisões inovadoras assegurando maior responsabilidade para as comunidades, como no caso da distribuição direta de dinheiro para os diretores das escolas utilizarem-no segundo suas necessidades. Ou, então, da difusão sistemática pela *A voz do Brasil* de informações sobre o repasse de recursos educacionais a cada município, facilitando o controle por parte das comunidades. Sem falar nos programas de apoio às prefeituras para disporem de condução escolar, facilitando o acesso às escolas nas áreas rurais. E haveria muitas outras iniciativas a mencionar.

A renovação mais marcante se deu na atenção ao ensino fundamental. Não preciso repetir o que está analisado no capítulo em que falo sobre as reformas constitucionais e menciono o Fundef. Essa emenda constitucional compôs a base da "revolução silenciosa" na educação. Houve melhoria acentuada do salário dos professores nas áreas mais pobres. No Nordeste, por exemplo, o valor médio da remuneração dos docentes das escolas de educação fundamental, trabalhando 40 horas semanais, incluindo professores de escolas locais e estaduais, subiu 59,6% reais, entre dezembro de 1997 e junho de 2001. Quanto possível, vinculamos aumentos salariais ao desempenho efetivo nas salas de aula. Registraram-se, por outro lado, progressos de vulto na qualificação dos docentes. A pedra angular para essas modificações foi a aprovação da LDB, que passou a requerer formação completa para os professores do ensino básico. Com tal diretriz, a proporção dos "professores leigos", quer dizer, sem formação, reduziu-se de 24% a somente 6%, entre 1995 e 2002. Nesse período também conseguimos passar de 75% para 90% o percentual de professores da primeira à quarta série primária com formação completa de magistério, e de 67% para 77% os professores do ensino médio com licenciatura completa. São dados importantes, que, com raras exceções, nunca vi devidamente valorizados na mídia. Convém lembrar que o universo de professores do ensino fundamental no Brasil supera 2 milhões de profissionais.

Essa política radicalmente democrática não gerou frutos apenas no aspecto quantitativo. Despendeu-se um notável trabalho na remodelação de "parâmetros curriculares nacionais", com a mobilização de milhares de professores, ou no expurgo dos textos dos livros didáticos de conceitos preconceituosos quanto a raça, classe ou gênero. Sem falar no ensino bilíngüe para as populações indígenas, produzindo-se os respectivos materiais apropriados, ou no uso intenso da TV educativa e de programas de distribuição e acesso a computadores.

O resultado dessas e de muitas outras medidas complementares é conhecido: ao final de meu governo, cerca de 97% das crianças em idade escolar estavam em salas de aula, realizando-se os objetivos da campanha mobilizadora que lançamos em meu primeiro mandato, Escola para Todos. Em 1992 já havia 91% delas freqüentando as escolas, mas somente 79% eram negras. Após meus dois mandatos, conseguíramos elevar este último percentual para 94%.

Pode haver programa maior de inclusão social? É na escola que os laços de sociabilidade se ampliam e as bases da cidadania se fortalecem. Posso dizer com satisfação: meu governo ajudou a liquidar a mancha contemporânea, o analfabetismo. O que restava dele decorrido meu período (12%) se concentrava nas coortes mais idosas ou era residual entre as crianças. Questão de pouco tempo: havendo continuidade, teremos liquidado os traços que amarravam nossos pés aos grilhões do atraso, como ocorreu com a escravidão no século XIX. Preparamo-nos para sair do berço esplêndido, fortalecendo a cidadania.

Se acrescentarmos que o programa de merenda escolar, iniciado muito antes de meu governo, atendia no final de 2002 cerca de 35 milhões de crianças matriculadas nas escolas públicas, que ele melhorou consideravelmente com a descentralização das compras e que, nas áreas atendidas pelos programas da Comunidade Solidária, em vez de uma passamos a oferecer duas refeições por dia a cada criança, percebe-se o quanto de demagogia havia no natimorto programa Fome Zero. Já dispúnhamos de um programa alimentar à escala quase universal para as crianças. Paralelamente, os programas de atenção às grávidas e às lactantes estavam combatendo o verdadeiro problema nesse terreno, que não é exatamente a fome, embora certamente ela exista, mas a subnutrição originária do berço.

Não limitamos a intervenção do MEC ao ensino fundamental. Com a visão democrática de que cumpre desobstruir os canais de mobilidade social, o ensino profissional sofreu modificações, facilitando a obtenção de diplomas de término dos estudos ou o ingresso nas universidades para quem quiser seguir adiante na formação profissional. A matrícula nesses cursos cresceu nada menos que 300% entre 1995 e 2001, com o número de estudantes passando de 90 mil para 267 mil. De igual modo, o número de estudantes no ensino médio cresceu de 4,9 milhões para 8,8 milhões, entre 1994 e 2002, ou seja, um aumento de 70%. Para que se tenha uma idéia do progresso obtido, basta contrastar esses 4 milhões de novos alunos em oito anos aos somente 2,1 milhões acrescidos ao ensino médio nos 14 anos anteriores a 1994.

Quanto ao ensino superior, infelizmente não logramos aprovar, no Congresso, uma lei atribuindo maior autonomia e responsabilidade às universidades. A oposição continuada das corporações de professores e entidades estudantis permeadas por visões passadistas pretendia obter autonomia financeira sem, todavia, aceitar recursos orçamentários definidos, inviabilizando qualquer negociação. A tecla na qual batiam para combater a reforma universitária era pobre, impraticável, mas cheia de apelo às mentes desinformadas: "querem privatizar as universidades". Como se, além de tudo o que se pudesse argumentar racionalmente contra tal disparate, algum capitalista se interessasse por comprar instituições custosas e de déficit garantido, como são as universidades públicas.

Ainda assim não se estagnou o processo de injeção de maior dinamismo ao ensino superior. As matrículas passaram de um total de 1,8 milhão de alunos em 1995 para 3,5 milhões em 2002. É de se notar o aumento de estudantes em escolas privadas, cujo universo pulou de 1 milhão para 2,4 milhões no mesmo período, enquanto as universidades públicas tiveram um aumento de 400 mil alunos. Registrou-se uma significativa expansão da oferta de cursos de nível superior fora das capitais, eloqüente sinal do dinamismo dessas áreas. O professorado se aprimorou: o número de professores com grau de mestre ou doutor passou de 54,8 mil para 157,2 mil entre 1994 e 2002, ou seja, de 39% para 65% do total.

Ao lado da expansão da matrícula e da qualificação do corpo docente, o MEC criou um sistema de avaliação engenhoso que começou a minar nossa tradição estamental e seu horror a julgamentos externos à corporação. O chamado "Provão", a que se opôs ferrenhamente a União Nacional dos Estudantes (UNE) e parte da corporação acadêmica, avaliava o desempenho das escolas. Não repercutia diretamente na aprovação do aluno, mas estabelecia saudável competição entre os cursos. A divulgação dos resultados, por sua vez, levava à busca de melhores escolhas por parte dos jovens e dos pais, bem como à procura de aperfeiçoamento por parte das escolas. O Provão não substituiu as avaliações normais do MEC, mas estas são mais efetivas na pós-graduação, onde constituem um dos pilares do bom desempenho desses cursos.[11]

É verdade que não se conseguiu a autonomia financeira das universidades. Expandiu-se, contudo, o gasto com o ensino superior. As instabilidades cambiais e a necessidade de contenção fiscal não permitiram que se oferecesse uma remuneração condigna ao professorado. Mesmo assim, houve reajustes. Ao introduzi-los, procuramos atá-los a dois critérios: a ocupação efetiva do tempo nas salas de aula e o mérito. Este é individual

---

[11] Não é meu propósito, repito, analisar exaustivamente os programas e ações na área educacional. Para um aprofundamento da questão, ver *A revolução gerenciada*, de Paulo Renato Souza, *op. cit.*, ou, para estatísticas, *Brasil: a era do Real* (1994-2002), Brasília, Presidência da República, 2002.

e se mede pelas pesquisas realizadas pelo professor, pelos trabalhos que publicou e por seu desempenho acadêmico. A corporação ofereceu tenaz resistência à associação entre qualificação e remuneração — fincada, como sempre, nas idéias de privilégio de *status*, devidamente disfarçadas de igualitarismo. Os sinais que percebemos no governo que me sucedeu indicavam que dificilmente seriam mantidos os avanços democráticos por nós obtidos na questão salarial, com uma visão competitiva e de valorização do mérito de cada um.

Esforços semelhantes aos que descrevi estenderam-se também à área da pós-graduação. A tradição universitária brasileira, principalmente na pós-graduação, é boa. O acesso se democratizou com o sistema de bolsas, por intermédio de duas instituições, a Coordenação de Aperfeiçoamento de Pessoal de Nível Superior (Capes), ligada ao MEC, e o Conselho Nacional de Desenvolvimento Científico e Tecnológico (CNPq), vinculado ao Ministério da Ciência e Tecnologia. (Vale ressaltar, por falar em tradição, que o CNPq data de 1953, mesma época em que se criaram similares nos Estados Unidos e na França.) Aprofundamos medidas para aumentar o número dos cursos e o de estudantes neles matriculados. Entre 1994 e 2002, cresceu de 43 mil para 65 mil o número de matrículas, e 23 mil alunos formaram-se em nosso último ano de governo, em contraposição aos 9 mil em 1994. No doutorado, no mesmo intervalo de tempo, passamos de 19 mil para 37,4 mil alunos.

Esses números evidenciam um progresso importante no ensino superior e que a sociedade brasileira, mesmo continuando a ser injusta, se modernizou. O número de doutores formados pelo Brasil equivale ao que o Canadá, a Itália ou a Coréia do Sul produzem. De modo semelhante, o número de artigos científicos publicados por brasileiros em revistas especializadas reconhecidas internacionalmente, ou o número de citações desses artigos em outras publicações, teve uma expansão acentuada. A produção científica brasileira compara-se favoravelmente à dos países de desenvolvimento médio. Infelizmente não são tão propícios os dados sobre o número de patentes registradas. Continua a existir uma visão mais orientada para a ciência básica do que para a aplicação prática. É de esperar que a Lei de Inovação, resultado do trabalho do Ministério de Ciência e Tecnologia em meu governo para incentivar maior interconexão entre a indústria e a universidade, aprovada em 2004 com algumas modificações introduzidas pelo governo que me sucedeu,[12] mantenha esse mesmo espírito e que possamos colher seus frutos.

Em resumo, houve aumento do gasto, mas principalmente seu redirecionamento. Esta é uma questão-chave. Quando se debatem os temas sociais, com freqüência a ênfase é dada à falta de recursos. Minha experiência mostra que, se é certo que eles não existem em abundância, podem no entanto ser redirecionados, evitando-se o desperdício e inovando na maneira de executar as políticas. Chama a atenção, por exemplo, que o investimento em educação no Brasil não se situe mal nas comparações internacionais. Em 1998 gastávamos 5,2% do PIB, percentagem menor do que a da França (6%) ou a de Canadá e Portugal (que investiam 5,7% do PIB). Em compensação, nos situávamos proporcionalmente à frente dos EUA (que investiam 5,1%), do Reino Unido, da Malásia ou da Espanha, para não mencionar todos os países da América Latina e mesmo a Coréia e o Japão (3,5% do PIB).

Como acontece com qualquer comparação internacional, é preciso considerar o tamanho do PIB desses países e o muito que alguns deles já construíram em matéria educacional. Mesmo assim, não nos colocamos mal. Se não logramos resultados melhores é mais por falta de eficiência e racionalização do gasto do que em função de nossa pobreza relativa ou porque "pagamos juros muito altos" para honrar nossa dívida. Isto é certo, mas não explica o atraso nas áreas sociais. Lembro que o investimento do Brasil por aluno universitário, em 1999, era de 13,2 mil dólares, superado apenas pelo dos EUA (19,2 mil por aluno), bem maior que o de todos os demais países citados na comparação anterior. O importante é orientar melhor os esforços educacionais e entrosar crescentemente o Estado com a sociedade para que esta possa controlar o destino dos recursos públicos, sentir-se co-responsável pelo gasto — e cobrar os resultados.

Em conjunto, se houve área da qual se possa dizer que nela a ação do governo fez diferença foi a educação. E isso se deve muito à capacidade do ministro Paulo Renato, titular da pasta durante os oito anos, de agregar colaboradores, ter visão empreendedora e ter-se devotado ao trabalho com entusiasmo.

---

[12] O projeto que encaminhamos ao Congresso em 2002, aprovado com modificações, tornou-se a Lei nº 10.973, de 2/12/2004.

A saúde e a busca da universalização

Diretrizes semelhantes orientaram as políticas na área da saúde. Tínhamos também que mudar a ênfase da medicina hospitalar para a preventiva e transformar em realidade o que a Constituição assegurava como norma: atendimento universal e gratuito à saúde, um bem público. Em outras palavras: precisávamos dar vida ao SUS. Este nascera na Constituinte, como resultado das Conferências Nacionais de Saúde, que envolveram muitos profissionais da área e setores organizados da sociedade civil. Na oitava reunião, realizada em 1986, as idéias básicas sustentadas pelo Movimento da Reforma Sanitária estavam claras: elas propugnavam um sistema de saúde que fosse *único*, gratuito e descentralizado, para atender a toda a população.

Aprovada a Constituição, não se revelou tarefa simples substituir a mentalidade rotineira desenvolvida por meio do antigo Instituto Nacional de Assistência Médica da Previdência Social (Inamps) e introduzir novas práticas. Em 1990 o Congresso aprovou duas leis importantes para facilitar a articulação entre os diferentes níveis da administração (federal, estadual e municipal) e viabilizar a transferência de dinheiro federal para as outras instâncias e o setor privado. O Ministério da Saúde, por intermédio do que se chama de Normas Operacionais Básicas (NOB), começou a pôr em prática os ditames constitucionais. Assim, houve regulamentações em 1991, 1992, 1993 e 1996. Como atender a toda a população e assegurar a gratuidade? Como descentralizar, quer dizer, usar os serviços dos estados e municípios? Como fazer participar de um sistema único de saúde a rede hospitalar e a prestadora de serviços médicos privada? O impulso-chave para a descentralização só veio a ser efetivo na norma de 1993. Para vincular o sistema privado ao financiamento público criou-se um mecanismo, chamado de Autorização de Internação Hospitalar (AIH). Era o instrumento das transferências de recursos públicos para pagar os hospitais privados, ressarcindo-os pelo atendimento que prestassem às pessoas habilitadas a utilizarem o SUS. Mais tarde as AIHs mereceram duras críticas pelas distorções e a corrupção a que deram margem.

Apesar das inegáveis tentativas sérias de governos anteriores para ordenar os gastos e melhorar o atendimento da saúde, os vícios de gestão e a desordem financeira derivada das altas taxas de inflação e do clientelismo político dificultavam muito a obtenção de resultados. Como ministro da Fazenda, testemunhei, por exemplo, a luta para implantar os medicamentos genéricos, como também a preocupação constante do Presidente Itamar com o custo dos remédios. Na ocasião não dispúnhamos de condições para racionalizar o gasto e ao mesmo tempo levar adiante uma política social mais ambiciosa: a inflação solapava tudo. Recordo-me, com desalento, das greves dos hospitais, dos atrasos nas transferências de recursos para que eles pudessem saldar as dívidas e de outros problemas do gênero. Situação que durou até o início de meu governo. Naquele período a estabilização desinchou o Orçamento, reduzindo os recursos para a saúde. Cumpria buscar novas fontes de financiamento. Estas, graças à luta do ministro Jatene, vieram da CPMF, que inicialmente deveria atender apenas aos gastos da saúde.

Em suma, se é certo que o SUS era a diretriz constitucional e que o governo e as áreas médico-hospitalares, bem como os segmentos mobilizados da sociedade, lutavam para implantá-lo, as questões práticas e as dificuldades não eram poucas, e os interesses aninhados na desordem tradicional, no clientelismo e mesmo na corrupção se opunham a qualquer racionalização.

Para colocar em marcha novas políticas na saúde tivemos que reconstruir as fontes de financiamento e criar condições para o controle efetivo dos serviços e do gasto público. Demos ênfase no Congresso à obtenção de novos recursos e, no Ministério, a uma renovação completa de práticas. A diretriz consistiu em ampliar os cuidados com a prevenção da doença (o Brasil tem tradição de campanhas públicas de vacinação bem-sucedidas) e não descuidar, simultaneamente, da assistência hospitalar; separar as funções de atendimento básico à população da medicina de alta complexidade; desenvolver uma rede de atendimento às carências elementares das famílias mais pobres e desenvolver ações médico-sociais (por exemplo, de saneamento, nas regiões sem recursos) que incidissem sobre a mortalidade infantil e outras mazelas. Ainda por cima, havia que atender às novas demandas, dentre as quais destaco as dos portadores do vírus da aids ou daqueles já com a doença, as da saúde da mulher em seus múltiplos aspectos e o atendimento aos idosos. Estavam por ser regulamentadas também as relações entre o Estado e a rede privada de saúde, com seus seguros e planos de assistência, e as relações entre a indústria farmacêutica e o governo, com todas as implicações correspondentes em uma economia de mercado.

Das novas formas de financiamento cuidou em primeiro lugar o ministro Adib Jatene, como já indiquei. Em 1994 havíamos criado o "imposto sobre o cheque" no bojo das medidas para a estabilização financeira. Chamou-se de IPMF. Em 1997 o caráter provisório do tributo desapareceu e a mudança constitucional passou a valer até 1998, destinando os recursos exclusivamente para os gastos de saúde. Posteriormente conseguimos endosso do Congresso para estender a vigência da CPMF até 2002 e seus recursos destinaram-se também aos gastos com a Previdência. Não se deve falar em corda em casa de enforcado: com necessidades sociais imperativas e dinheiro escasso, a boa vontade para diminuir os impostos termina quando se obtém o aumento deles. Foi o que aconteceu. Pior ainda: a área fazendária, diante da crise fiscal e de pressões inflacionárias, se viu obrigada a bloquear verbas que deveriam ser da saúde e a não lhes dar a destinação exclusiva prevista. Resultado, todos gritam e ninguém tem razão.

Essa situação tornou politicamente desgastante administrar os choques entre ministérios. O ministro Jatene, depois de vencedor na batalha congressual para criar o IPMF/CPMF, sentiu-se desarmado para responder às pressões dos hospitais por mais verbas ou mesmo para o pagamento de débitos atrasados. Em diversas ocasiões Jatene se queixara das dificuldades para garantir a transferência do dinheiro da CPMF para a saúde. Acabou cansando e me disse, em audiência:

— O senhor sabe como essa gente da Fazenda é. Eles sempre têm um modo de calcular diferente do nosso. Sou médico, tenho que prestar contas a meus colegas. Assim fica difícil.

Tive que concordar com o pedido de demissão, pois eu também não podia desconsiderar o realismo da Fazenda, sempre a clamar que era melhor cortar gastos do que incorrer em aumento dos já elevados déficits globais.

O substituto de Jatene, ministro Carlos César de Albuquerque, tinha competência administrativa comprovada em um hospital público de Porto Alegre. Ele realizou as modificações necessárias, com a ajuda inestimável do secretário executivo, Barjas Negri, que desloquei do MEC, onde havia colaborado na proposição da Fundação de Apoio ao Ensino, Pesquisa, Extensão e Pós-Graduação (Fundep), para auxiliar o novo ministro no relacionamento com a máquina federal e o Congresso.

A nova gestão firmou uma mudança fundamental de procedimentos com a saúde pública. Havia uma norma definindo o PAB, que, como vimos páginas atrás, era o Plano Assistencial Básico da saúde. Cada município recebia uma parcela fixa de recursos correspondente ao tamanho da população. Isso distorcia a distribuição de dinheiro: municípios ricos, porém mais populosos, recebiam mais do que municípios menos populosos, mas com população pobre maior. O Programa Saúde da Família (PSF), uma iniciativa do ministro Jatene em governo anterior, por exemplo, encontrava limites para sua expansão nesse quantitativo fixo. Esse programa, inspirado na experiência cubana, contou decisivamente na melhoria geral das condições de saúde e de redução da mortalidade infantil. Ele começou timidamente: em 1994 havia 328 equipes de saúde (compostas por agentes comunitários, atendentes, enfermeiros e médicos) cuidando de cerca de 1,1 milhão de pessoas em 55 municípios. No fim de meu segundo mandato, em outubro de 2002, havíamos multiplicado o número de equipes e de brasileiros atendidos *cinqüenta vezes*! Eram 16.657 equipes, operando em 4.132 municípios, atendendo a cerca de 53,7 milhões de pessoas.

A melhoria só foi possível porque houve aumento dos recursos e uma ampla descentralização, graças às transformações do PAB, cujo nome mudou para Piso de Atenção Básica. As verbas para mantê-lo passaram a ser transferidas diretamente do Fundo Nacional de Saúde (FNS) para os fundos municipais. O quantitativo se compôs de duas partes: uma fixa, em função do volume da população do município, e outra variável, com a qual o Ministério pagava a expansão do Saúde da Família. O governo federal passou a custear também os gastos dos municípios nos programas de Assistência Farmacêutica e de Controle das Carências Nutricionais.

Desde 1997 discutia-se esse novo PAB, mas ele somente se tornou efetivo depois de 1998, na gestão de José Serra. Nela se consolidaram os avanços no Ministério da Saúde: o PAB passou a cobrir, além dos gastos elementares de assistência, os de promoção e prevenção. Aumentou muito o investimento em saúde[13] e se deu igualmente a transferência para os municípios da gestão dos programas. A descentralização apregoada se tornou um fato: em 1996 apenas 144 municípios recebiam recursos federais e eram responsáveis por sua gestão, contra 5.539 ao final de meu governo. Em lugar de o Ministério pagar aos hospitais por meio das AIHs de má memória, os municípios passaram a receber dinheiro com regularidade automática e se empenharam na administração pública da saúde. Em quase todos os municípios criaram-se Conselhos de Saúde, compostos por representantes da sociedade civil, para opinar sobre a utilização do dinheiro. Embora em alguns casos se trate de uma organização mais virtual do que efetiva, lançaram-se as sementes para um maior controle do gasto público pela sociedade. De toda maneira, reduziram-se drasticamente o clientelismo e a má ingerência política na distribuição do dinheiro público.

Os resultados positivos não demoraram. Para não cansar o leitor, vou ficar em um só exemplo, mas importante. Assim como o indicador mais adequado para medir a melhoria na educação em países com amplas massas empobrecidas é a matrícula na escola fundamental, na saúde o indicador que sintetiza as transformações é o relativo à mortalidade infantil. Ao longo de meu período como Presidente, tivemos uma queda constante e expressiva desse terrível índice: em 1994 morriam antes de completar um ano de idade 38,4 crianças para cada mil nascidas vivas no Brasil; em 2000 o número de mortes caiu para 29,6. É claro que não podemos nos conformar com esse quadro, porque é vergonhoso um país com os recursos do Brasil apresentar índice ainda tão alto. De qualquer forma, o trabalho realizado nos colocou no caminho de cumprir as Metas do Milênio

---

[13] Entre 1995 e 2002, os gastos com custeio e capital na área da saúde tiveram um aumento real de 34%, enquanto o Orçamento global cresceu 12,3%. Houve redução no gasto com pessoal e, para dar solvência ao Ministério, foram pagas as dívidas contraídas anteriormente com o Fundo de Assistência ao Trabalhador (FAT). Ressalte-se que os gastos nas ações de atenção básica aumentaram 88,9%. Devemos ao empenho e ao conhecimento orçamentário dos ministros Jatene e Serra, respectivamente, com meu discreto sopro, a aprovação de medidas pelo Congresso que, embora criticáveis tecnicamente — como a vinculação de verbas —, nas circunstâncias de então se justificavam para atender às carências da população e para assegurar previsibilidade nas ações do Ministério.

da ONU (estabelecidas em 2000 pela comunidade internacional, para serem atingidas em 2015); e os índices alcançados na redução de males como a diarréia, grande causadora de óbitos em crianças de menos de um ano, também vêm acompanhando as metas da Organização Mundial da Saúde (OMS).

A verdade é que até há bem pouco tempo a mortalidade infantil era elevadíssima no Brasil e que a década de 1990 marcou uma virada nessa tendência. Se a média ainda se mantém alta é porque nas regiões mais pobres, sobretudo no Nordeste, os números são extremamente desfavoráveis, enquanto no Centro-Sul e no Sul a cada dia nos aproximamos dos países desenvolvidos, nos quais há menos de dez óbitos para cada mil crianças nascidas vivas.

Se a orientação básica na área da saúde consistiu em propiciar acesso universal e gratuito à assistência médico-hospitalar, bem em linha com as políticas social-democráticas, o modo de atendê-la, da mesma forma, levou em conta os imperativos de articulação entre o setor privado, a sociedade civil e os recursos públicos. O SUS espelha isso. Em ações específicas, como no combate à mortalidade infantil e, mais amplamente, na melhoria da saúde materno-infantil, a Pastoral da Criança, da Igreja Católica, sem ser o único exemplo, é o mais expressivo dessa articulação. Por meio de convênios com o Ministério, a Pastoral recebeu recursos que tornaram as ações de saúde mais baratas e eficazes.

O governo tomou cuidados especiais em programas cujos públicos-alvo fazem parte de setores vulneráveis, no sentido de terem menos acesso aos benefícios da cidadania, como os indígenas, as mulheres pobres, os negros, os idosos e os doentes ou portadores do vírus da aids.

Não é o caso de descrever esses esforços um a um.[14] Basta dizer que, não sem resistências da Fundação Nacional do Índio (Funai), o Ministério da Saúde passou a ocupar-se das populações indígenas, reduzindo uma corrupção larvar e melhorando o atendimento. Depois de décadas de diminuição do número absoluto de indígenas em nosso país, sua população voltou a crescer. Além disso, os programas de vacinação preve-

[14] Para aferir resultados, ver o já citado *Brasil: a era do Real*. Para uma análise dos mecanismos decisórios e de gestão, ver Barjas Negri, *A política de saúde no Brasil nos anos 90: avanços e limites*, Brasília, Ministério da Saúde, 2000.

nindo moléstias típicas da terceira idade, ou, por exemplo, os mutirões de cirurgias de catarata (sempre em associação com organizações profissionais e da sociedade civil) indicam os cuidados com os idosos. Trabalhou-se para controlar a anemia falciforme, que se desenvolve especialmente entre os negros. Por incrível que pareça, sendo as mulheres maioria na população, no Ministério elas entravam em consideração apenas no item "cuidados materno-infantis". Implantamos então o Programa Saúde da Mulher, prestando treinamento a 4,3 mil profissionais que lidam com a questão, garantindo às mulheres consultas pré-natais. Estas passaram de 1,8 milhão em 1994 para mais de 20 milhões em 2001. Desse trabalho resultou uma queda na mortalidade materna das internadas pelo SUS de 37 para 28 mulheres por cada 100 mil internações. Sem falar nos serviços para atender mulheres vítimas de violência e nos esforços, ainda insuficientes e sabotados por diferentes setores da sociedade, para disponibilizar meios anticoncepcionais.

Talvez o programa mais reconhecido internacionalmente como um grande progresso tenha sido o de combate à aids. Nele, de novo, estiveram presentes os traços que entendo serem distintivos de uma política social-democrática renovada. O Estado é parte fundamental dela, mas se complementa com ações da sociedade civil organizada. No caso específico, coube ao governo fornecer gratuitamente os medicamentos antivirais, assim como coube, com o vigor exemplar do ministro da Saúde, José Serra, apoiado pelo Itamaraty, sustentar nos fóruns internacionais a tese, por fim vitoriosa, de que a saúde das pessoas deve prevalecer sobre o lucro das multinacionais farmacêuticas.

Conseguimos baratear o custo dos remédios, ameaçando os laboratórios com a quebra de patentes. Enfrentamos também preconceitos, difundindo, nos meios de comunicação, propaganda muito clara sobre a necessidade do uso da camisinha. Ao contrário do lema conservador norte-americano que propõe abstinência em vez de sexo, a mensagem é: sexo seguro. No empenho para combater a aids foi essencial a cooperação das pessoas portadoras do HIV e de suas organizações. Novamente o entrosamento entre Estado e sociedade provou ser vantajoso, com resultados expressivos: a mortalidade causada pela aids se reduziu drasticamente — em 50% — entre 1995 e 1999. A partir de 1996, cerca de 65 mil pessoas passaram a receber fármacos gratuitos, reduziram-se expressivamente as internações hospitalares e desde quando o Ministério iniciou a produção nacional, diminuindo o custo dos remédios, os usuários saltaram de 73 mil para 105 mil por ano, entre 1999 e 2001. Graças a essas providências não se materializaram as projeções feitas pela OMS de crescimento explosivo da aids no Brasil, muito pelo contrário.

Haveria um sem-número de aspectos para mostrar que tampouco nos descuidamos dos procedimentos de alta complexidade. Para eles, criou-se em 1999 um Fundo de Ações Estratégicas e Compensação (Faec), de modo que os recursos destinados a esse tipo de assistência não concorressem com os destinados às ações básicas de saúde que atendiam às populações mais pobres. O Faec possibilitou um número crescente de procedimentos como transplantes de rim, fígado ou coração realizados gratuitamente pelo SUS. Em outra área, constituíram instrumentos eficazes para reduzir a subnutrição o programa de distribuição gratuita de medicamentos, somado ao de incentivo ao combate às carências nutricionais, criado em 1998 e implantado em 5.127 municípios, beneficiando mais de 850 mil crianças, mulheres grávidas e nutrizes (95% da meta nacional) e também ao Programa de Bolsa Alimentação, lançado em setembro de 2001. Sem demagogia e exigindo sempre contrapartida à ajuda financeira por parte dos beneficiários, esses programas constituem alavancas poderosas para erradicar os males da pobreza.

Resta mencionar neste resumo a criação de duas agências reguladoras. Elas exemplificam as novas estruturas estatais exigidas para fazer frente à dinâmica do capitalismo contemporâneo. Em janeiro de 1999 sancionei a lei que criou a Agência Nacional de Vigilância Sanitária (Anvisa),[15] modificada em agosto de 2001 por MPs. Em janeiro de 2000, a lei criando a Agência Nacional de Saúde Suplementar (ANS),[16] também modificada por MPs em agosto de 2001. Por intermédio das duas agências o poder público passou a dispor de instrumentos mais aptos a lidar, no primeiro caso, com o registro de medicamentos e controle de sua eficácia e, noutro, com a fiscalização dos planos de saúde.

A questão dos planos de saúde é altamente intricada. Enquanto eles estiveram sujeitos à regulamentação geral que o Ministério da Fazenda

---

[15] Lei nº 9.782, de 26/1/1999.

[16] Lei nº 9.961, de 28/1/2000.

exerce sobre os seguros, as especificidades de decisões que interferiam na saúde e no bolso da população escapavam ao controle público. Com a ANS o panorama mudou, dando maior racionalidade à verificação de custos e à saúde financeira das seguradoras, e oferecendo aos consumidores um instrumento para a defesa de seus interesses. A Anvisa, por sua vez, entre outros serviços relevantes que vem prestando, exerceu papel crítico na implementação dos medicamentos genéricos, que facilitaram o acesso do público a uma grande série de princípios ativos e que, adotados na rede pública, resultaram em grande redução de gastos.

O Ministério da Saúde sob o comando de José Serra se notabilizou por ações enérgicas em defesa da população, como na questão das patentes dos fármacos de tratamento da aids, ou nas campanhas pelo uso de proteção nas relações sexuais. Desde antes, em 1997, o Ministério havia fechado a Central de Medicamentos (Ceme), uma repartição que deveria apoiar a produção de medicamentos a preços acessíveis, mas que acabou se tornando antro de corrupção. O Ministério criou um sistema de cartas-denúncia, para que os usuários do SUS pudessem informar ao governo sobre eventuais desvios de conduta. Da mesma maneira, enfrentou as multinacionais e empresas locais produtoras de bebidas e de cigarros, limitando severamente a propaganda desses produtos. Pelo lado positivo, desenvolveu uma série de programas de melhoria do atendimento hospitalar, introduzindo métodos de controle da qualidade.

O acesso à terra: conta do passado que é preciso pagar

Um governo social-democrata deve fazer grande esforço para assegurar a universalização do acesso à saúde e à educação. De natureza distinta são os programas de acesso à terra: eles abrangem apenas parte da população. Em tese devem alcançar todas as pessoas ou famílias que vivem da terra em áreas reduzidas ou que desejam obter acesso a um pedaço dela para dar sustento a si, a seus familiares e a um número pequeno de outros trabalhadores rurais engajados na produção doméstica. Antiga bandeira de luta, com alta dose de conotação política, principalmente em países com grande concentração da propriedade fundiária, a reforma agrária é também um símbolo de luta contra as desigualdades.

Não corresponde aos objetivos deste livro discutir a procedência ou a vigência dos argumentos favoráveis à reforma agrária. Muito menos entrar em minúcias sobre as diversas experiências para implantá-la em nosso continente, com ou sem revolução mais ampla. É bom relembrar, entretanto, que minha visão sobre a necessidade e a pertinência da reforma agrária se formou no decorrer dos últimos quarenta anos. Recordo-me quando, no início dos anos 1960, pronunciei uma conferência em Belo Horizonte sobre as lutas para a obtenção da terra no Brasil, algumas em curso nesse período, tanto no Noroeste paulista como no Norte do Paraná. A conferência mostrava a preocupação em distinguir situações: na época emergiam os bóias-frias — um proletariado rural —, posseiros lutavam para defender os territórios que ocupavam das invasões por grileiros (que formavam a ponta de lança da grande propriedade territorial), e havia, especialmente no Sul, os descendentes dos imigrantes que se instalaram em "colônias" e que se tornaram "sem-terra" por causa da repartição, em sucessivas gerações, das heranças das pequenas propriedades.

Em 1963, representando a USP, participei de uma comissão destinada a implantar a reforma agrária em São Paulo, criada pelo governo Carvalho Pinto (1959-1963), sob o comando do secretário da Agricultura, José Bonifácio Coutinho Nogueira. Não seria de estranhar, portanto, que anos depois tivesse apresentado, como senador, um projeto de reforma agrária muito próximo do que eram então as propostas da Contag. No meio-tempo, os governos militares, desde a iniciativa de Castello Branco, que se serviu das idéias e da competência de José Gomes da Silva, definiram políticas de reforma agrária — o Estatuto da Terra é de novembro de 1964 —, as quais tiveram continuidade nos governos posteriores à Constituição de 1988. Nesta, como descrevi ao longo do Capítulo 2, o tema "reforma agrária" funcionou como um divisor de águas do qual resultaram certos progressos e consideráveis esforços de conciliação para adequar os impulsos reformistas ao direito de propriedade.

Antes do golpe de 1964 houve grande pressão pelas à época chamadas "reformas de base". A chamada "reforma agrária na lei ou na marra" defendida por setores à esquerda serviu como um dos estopins para a mobilização direitista. As tentativas de encampar o tema agrário pelos governos militares se deram no quadro de uma modernização conservadora: na verdade o velho patrimonialismo agrário mal dava espaço para o agronegócio. Nos anos 1980 ocorreu cumulativamente a desagregação da economia familiar rural sulista, a expansão da fronteira no Centro-Oeste e o início das pressões populares por maiores franquias democráticas. O governo da Nova República lançou o Programa Nacional de Reforma Agrária. Neste contexto, sob o manto das reivindicações da Igreja Católica, nasceu o MST, em 1985.

Quando assumi a Presidência, tanto a Contag como principalmente o MST estavam muito ativos nas reivindicações. Para atendê-las, o governo contava com o Incra, mal aparelhado e eivado de corrupção e clientelismo. Não tínhamos um sistema adequado para o financiamento da agricultura familiar. Nos primeiros anos nos defrontamos com o múltiplo desafio de compatibilizar a necessidade urgente de repor a produção agrícola, remontar o sistema de financiamento rural em geral, resolver a dívida dos produtores agrícolas, inclusive no setor de agricultura de exportação, e, concomitantemente, atender às reivindicações de acesso à terra e criar as condições mínimas de infra-estrutura nos assentamentos rurais.

Ainda por cima estavam presentes as questões políticas: quanto mais os movimentos reformistas se tornavam agressivos, incentivando a ocupação de terras e não só das improdutivas, mais as forças contrárias se organizavam e resistiam. A bancada ruralista, formada para protestar contra a dívida agrária (que crescia com o vendaval dos juros altos) e defender outros interesses dos produtores do campo, passou a ter um apoio considerável no Congresso e na mídia, dificultando a ação do governo e vendo em qualquer "concessão" à reforma agrária uma ameaça à democracia e a conivência de um governo "sem autoridade", isto é, não repressivo, com as forças do mal. Era com esses olhos que a principal associação política dos produtores, a UDR — criada para combater as invasões de propriedades e a reforma agrária, de que falei no Capítulo 2 quando tratei da Constituinte — via o governo e se contrapunha às organizações dos trabalhadores do campo. O tempo todo pairou no ar a dúvida: o MST e, em menor proporção, a Contag, querem a reforma agrária ou a revolução social?

Essas duas organizações, àquela altura fortemente sustentadas pelo PT e seus aliados, tinham ampla capacidade mobilizadora. Sobretudo depois da difusão da novela *O rei do gado* pela TV Globo em 1996, em que a problemática da terra e dos militantes era tratada de forma simpática. Não só os segmentos sociais diretamente envolvidos nas lutas a favor da reforma agrária, mas amplos setores da classe média, principalmente os ligados às universidades, estavam convencidos de sua urgência e indispensabilidade. Assim como no passado houve o *slogan* "Ou o Brasil acaba com a saúva ou a saúva acaba com o Brasil" — e parece que ambos estão bem vivos —, enxergava-se a reforma agrária como condição necessária para a democracia e o progresso. Ou se fazia logo a reforma agrária, ou não haveria desenvolvimento econômico.

Recordo-me de uma ocasião em que compareci à inauguração da tradicional exposição anual dos criadores de gado zebu em Uberaba (MG), quando, após os discursos, a diretoria me convidou para assistir a um vídeo mostrando incêndios e outras violências praticadas por invasores de terras, seguidores do MST. Pediam-me "providências". Disse-lhes, diante de um alto funcionário da TV Globo, também convidado:

— Está criado no Brasil um clima do tipo bandido e mocinho no qual o MST é o bom moço. Basta ver *O rei do gado*. Agora vocês pedem ação enérgica do governo. A primeira morte que ocorra serei o culpado. Não contem comigo para isso. Será preciso um longo caminho para reconquistar as emoções e abrir espaço para uma ação mais racional.

O curioso é que um sentimento pró-reforma agrária a qualquer custo se difundiu no mesmo momento em que a agricultura passava por uma revolução, pois o agronegócio tomava o lugar das modalidades mais tradicionais de produção, que estavam nas mãos de fazendeiros retrógrados e de latifundiários. Essa mudança só foi percebida anos depois, com a explosão da produção do campo e com o brutal aumento das exportações.

Nesse contexto, tendo eu indicado no início do primeiro mandato para o Ministério da Agricultura um banqueiro e fazendeiro, embora presidente do PTB, partido que teoricamente tem como centro de preocupações o trabalhismo, as acusações de que o Incra não apoiava a reforma agrária encontravam eco. A situação melhorou quando designei para chefiá-lo Francisco Graziano, que, infelizmente, teve de sair do governo após o episódio Sivam, que relatei no Capítulo 4. Seu substituto, Marcos Lins, sociólogo que fora ligado ao grupo de Miguel Arraes em Pernambuco, com bom trânsito na Igreja Católica — cuja CPT era muito ativa nas reivindicações rurais —, trabalhou duro para mudar essa imagem. Nada disso, entretanto, adiantou diante do cataclismo provocado pela chacina de trabalhadores rurais ocorrida em abril de 1996 em Eldorado dos Carajás, não obstante o governo federal nada tivesse a ver com sua deflagração, conforme também narrei ao longo do Capítulo 4.

O MST bloqueava com freqüência vias de comunicação para obrigar o Incra a vistoriar fazendas e desapropriá-las. Como noto no Capítulo 4, tomamos uma série de medidas em relação ao episódio de Eldorado dos Carajás, mas a verdade é que a morosidade da Justiça em geral e da estadual em particular acaba por dar razão aos protestos e, por mais que seja descabido, a imprimir foros de verdade à crítica de que o governo federal compactua com a lentidão nas apurações e na punição dos crimes. Disso à conclusão de que o governo não faz e não quer fazer a reforma agrária é um passo curto.

Diante dos impasses, resolvi ceder à antiga pressão para que se criasse um Ministério da Reforma Agrária, apesar das objeções em relação à ampliação desnecessária da máquina burocrática, uma vez que já existia o Incra, o instrumento específico para a reforma. Antes, pressionaram-me para que ligasse o Incra diretamente à Presidência. Entre a vinculação à Presidência ou a criação de um Ministério, entretanto, optei por este último. As pressões políticas invariavelmente iam na direção de resolver todos os temas críticos pela criação de órgãos subordinados à Presidência ou de ministérios e secretarias especiais, na tradição personalista que à racionalidade institucional prefere o bafejo do líder. Com isso nada se resolve, mas tudo se politiza e, pior, tudo ricocheteia no Presidente. Para o novo Ministério, escolhi Raul Jungmann, como igualmente consta do Capítulo 4, e pelas razões ali apontadas — coragem pessoal, experiência administrativa, origem na esquerda e facilidade de diálogo. Jungmann condicionou a aceitação do cargo ao exercício simultâneo da direção do Incra, pois conhecia a máquina e sabia que um ministro sem instrumento de ação fica flutuando ao sabor das críticas e pressões sem poder resolvê-las. Concordei.

Por que todos esses cuidados? Porque a reforma agrária, com todo o seu peso simbólico, era um instrumento político das oposições para desmoralizar o governo, sob a acusação de que ele não a levava à frente, nem poderia, dado seu "neoliberalismo". Mas também se tratava, inequivocamente, de uma necessidade social e com custo financeiro elevado. Tema herdado do passado, pois a República não enfrentou a questão da propriedade e do uso da terra, era uma hipoteca a ser paga. Não que a produção agrícola dependesse da reforma agrária. A cidadania, contudo, dependia. Sem contar a necessidade de proporcionar meio de vida a milhões de brasileiros que, sem terra para a produção doméstica, aumentariam o exército de desempregados nos centros urbanos. A reforma agrária se constituía numa questão do passado que se tornava instrumento importante para enfrentar os desafios do presente, ganhando relevo a despeito, como disse, da revolução em curso na agricultura. De novo, deparávamo-nos com um caso paradoxal provocado pela irresolução do atraso do passado, processo que torna nosso presente tão contraditório.

É só comparar a situação brasileira com o que ocorreu nos EUA para compreender o porquê do peso das estruturas arcaicas em nosso presente. Lá as leis fundiárias e o conhecimento que o Estado tinha da localização e da extensão das terras devolutas (a partir de levantamentos cartográficos) permitiram a execução de políticas de acesso à propriedade desde os primórdios do século XIX. Em 1796 um Ato Executivo fixou em 2 dólares o valor do hectare. Além disso previu crédito para o financiamento da aquisição de terras. Em meados do século XIX, quando a fronteira agrícola atingia as pradarias próximas das Montanhas Rochosas, novas medidas de acesso à terra foram tomadas. O *Deep South*, o Sul profundo, no qual havia a escravidão, manteve situação mais próxima à brasileira, mas com a Guerra Civil as forças políticas sulistas perderam espaço, e a falta de franquias democráticas levou às lutas anti-racistas a partir dos anos 1950-1960.

Se não quisermos buscar comparações tão longínquas, voltemo-nos então para o que aconteceu no pampa úmido da Argentina, terras fertilíssimas, nas quais os *chacareros* formaram uma classe média rural, processo que jamais chegou a ocorrer no Brasil. Aqui a pequena agricultura manteve-se marginal até muito recentemente, com exceção das zonas de colonização estrangeira, no Sul do Brasil e em áreas do Sudeste.

Nunca tive dúvidas, portanto, quanto à importância de proporcionar acesso à terra a quem precisa, senão por motivos econômicos, pelos sociais e políticos. A pressão dos movimentos sociais contra o governo e em prol da reforma agrária, entretanto, vinha em um crescendo desde a passeata-monstro realizada em Brasília no primeiro quadrimestre de 1997. Como Presidente, tinha que atender às minhas convicções, mas também às leis e às ponderações sobre os riscos de desorganização da produção na medida em que as demandas crescessem além do razoável. Os partidos de oposição e a Igreja Católica, sempre interessada nas causas dos trabalhadores rurais, não perdiam ocasião para criticar o governo e "denunciar" nossa falta de empenho na reforma agrária. Eu procurava manter o diálogo. A cada dia 7 de setembro promovia-se o "Grito da Terra", terminando na Basílica de Aparecida (SP), que invariavelmente lançava os defensores dos excluídos contra o governo.

O fato de a manifestação se encerrar em Aparecida era uma explicitação do quanto setores da Igreja Católica militavam na causa da reforma agrária, não raramente de maneira espalhafatosa. E aqui cabe referir um episódio muito significativo, que nunca antes revelei em detalhes. Num dos cinco encontros que tive com o Papa João Paulo II — três no Vaticano, em diferentes datas, e dois no Rio de Janeiro, durante sua visita de 1997 ao Brasil —, o tema principal foi a reforma agrária e, dentro do assunto, o MST. E, por iniciativa do Papa, numa sala de audiências próxima a seu gabinete, no Vaticano. Naquela oportunidade, primeiro conversei longamente com o cardeal Angelo Sodano, secretário de Estado e cabeça política da Santa Sé. Depois ficamos a sós, João Paulo II e eu, o Papa sentado em uma cadeira de espaldar alto, atrás de uma escrivaninha, eu do lado oposto. Demonstrando interesse pelo Brasil e conhecimento do país, ele comentou o perfil e a atuação de cada um dos cardeais brasileiros. Ademais, falou o tempo todo em português. Mesmo quando tentei trocar para outro idioma, imaginando facilitar-lhe a conversa — o espanhol ou o francês —, ele voltava ao português. Mas o que realmente chamou minha atenção foram as perguntas sobre a reforma agrária e o MST. Com olhar penetrante e atenção concentrada, como se quisesse sugar o que pudesse de cada troca de informações, e o vozeirão poderoso, apesar de já alquebrado, o Papa preocupava-se com a agitação do MST e recriminava os exageros de alguns bispos e padres na questão agrária. De certa maneira me competiu fazer diante dele a defesa de setores que tanto me combatiam no Brasil. Disse-lhe:

— Vossa Santidade precisa considerar que um jovem padre que sai da Europa e, chegando ao Brasil, vê uma desigualdade tão grande, acaba se revoltando. Sei que há exageros, mas posso entendê-los.

Uma situação paradoxal, portanto: João Paulo II fazia observações críticas sobre adversários estridentes do meu governo ligados direta ou indiretamente à sua igreja, e eu colocava panos quentes. Curiosamente, o que vazou da conversa, no Brasil, foi o exato oposto do que ocorreu, como se eu tivesse ido me queixar deles ao Papa.

Não posso precisar com absoluta certeza se foi depois desse encontro, mas a partir de um certo momento, em meu governo, passamos a manter o Vaticano diretamente informado sobre a questão da terra e a pobreza no Brasil, duas grandes preocupações da Igreja. O ministro Raul Jungmann tinha freqüentes contatos com o Núncio Apostólico no país, dom Alfio Rapisarda, e mais de uma vez voou para Roma com o mesmo propósito. Apesar da postura crítica que a CPT mantinha contra o governo, a Igreja, como instituição, sabia o que estávamos fazendo e o que era possível fazer.

Anualmente o governo recebia os representantes da Contag, menos radicais do que os do MST, para discutir uma pauta de reivindicações que procurávamos cumprir. Nos encontros comigo não houve senão respeito e trabalho produtivo, com a ajuda permanente do ministro Jungmann. Antes do encontro público eu recebia dois ou três dirigentes dessa organização, no Palácio da Alvorada, para acertarmos ponteiros. A conversa nada tinha de manipulação, era somente um instrumento civilizado para promover o progresso das negociações, uma vez que eu podia usar o poder presidencial para obter a anuência de algum setor do governo mais recalcitrante às reivindicações. Com o MST, não mantínhamos propriamente negociações ou diálogo, como já narrei neste livro. Minhas tentativas nessa direção foram inúteis. Até me vi submetido a "julgamento" como responsável pala chacina de Eldorado dos Carajás, em tribunal composto pelas figuras de sempre, amantes de alegadas boas causas mas nem sempre respeitosas da verdade factual.

A propósito, um dos jurados desse "tribunal", o escritor português José Saramago, Prêmio Nobel de Literatura de 1998, viajou ao Chile comigo em março de 2000 no avião presidencial para assistir à cerimônia de posse do Presidente Ricardo Lagos. Como já tive oportunidade de exprimir neste livro, tento não misturar política e relações pessoais. Aproveitei para, durante o almoço, dar-lhe informações sobre o trabalho do governo com a reforma agrária. Saramago, que é álgido, mas tem um olhar penetrante, separado do interlocutor pelas características lentes grossas, disse-me de repente com seu sotaque lusitano (entendo às vezes melhor sua mulher, a simpática espanhola Pilar del Rio, do que a ele):

— Espero que se faça justiça ao Rainha

Referia-se ao dirigente do MST na área do Pontal do Paranapanema (SP), José Rainha Júnior, naquela ocasião submetido a júri na cidade de Pedro Canário (ES), sob acusação de homicídio de um fazendeiro e de um policial. Eis mais uma demonstração de como se confundem as coisas na questão da reforma agrária: o que é que meu governo poderia ter com o julgamento de Rainha pela Justiça do Espírito Santo? Por aí se vê como é difícil fazer crer que as regras democráticas funcionam no Brasil, com independência entre os Poderes.

Rainha, condenado mas posteriormente absolvido em outra instância, teve algum contato comigo. Ia ao Palácio da Alvorada, à noite, levado por dirigentes da Força Sindical. Da mesma forma que ocorria com a Contag, esses encontros não eram para obter concessões indevidas, e sim para tentar acordos sobre pontos concretos de reivindicações. Não obstante, esses poucos episódios ilustram as peculiaridades do processo político brasileiro e mostram como, pelo menos na questão das reivindicações básicas da cidadania e nas lutas por mais igualdade, os atores são diferentes do que parecem. Não por acaso, em uma das visitas de Rainha, enquanto me esperava em uma sala lateral à biblioteca do Palácio, Ruth cruzou com ele e mais tarde me perguntou, com total espanto:

— É ele mesmo?

Com todas as dificuldades, políticas, gerenciais e financeiras, as conquistas nas questões agrárias foram de monta. No plano institucional promoveu-se uma reviravolta completa no Incra. O combate à corrupção não pode ser um objetivo específico de um governo social-democrata, pois é requisito de qualquer governo decente. No caso brasileiro, o clientelismo, somado a articulações com a burocracia, principalmente jurídica, marcaram história recente com corrupção: lembremo-nos de que as desapropriações de imóveis que não cumprem sua "função social", conforme a Constituição, são pagas em títulos da dívida agrária que dão margem aos chamados precatórios. No final do governo, graças aos esforços de Raul Jungmann, de José Abraão e de um sem-número de funcionários, diminuiu drasticamente a prática das indicações políticas de servidores, com freqüência propiciadoras de irregularidades. Até concursos e contratos de gestão se promoveram para preencher cargos de confiança, o que constituiu uma revolução nas práticas tradicionais.

Também conseguimos modificar profundamente o arcabouço jurídico das questões fundiárias e os procedimentos para as desapropriações e o estabelecimento de assentamentos. Em dezembro de 1996 o Congresso aprovou projeto de lei complementar à Constituição que o Executivo enviara para instituir o chamado rito sumário na desapropriação das terras. Com ele, fazia-se a transferência imediata para a União das terras consideradas pelo Incra como desapropriáveis por improdutivas, desde que um juiz exarasse a sentença e o governo efetuasse o depósito dos recursos avaliados como justos para indenizar o proprietário. Impedia-se dessa forma que se postergassem indefinidamente decisões na Justiça e, em conseqüência, que houvesse invasão das terras. Assim como se evitavam as manipulações de advogados que recorriam incessantemente de decisões judiciais e pediam polpudas indenizações para os proprietários por supostos erros de avaliação das terras desapropriadas ou das benfeitorias nelas existentes.

Simultaneamente, o Congresso aprovou outro projeto do Executivo que alterou o ITR, tornando consideravelmente mais progressivas as alíquotas e fortalecendo os instrumentos de fiscalização do registro da propriedade rural e da renda gerada em sua exploração. Com isso desestimulamos bastante a posse especulativa de terras. Os preços já vinham caindo desde que o Plano Real tornou a propriedade fundiária pouco útil como reserva de valor, dada a queda da inflação, e se tornaram ainda mais baixos pelo aumento dos impostos.

Em 1999 determinamos o recadastramento de todos os imóveis rurais com área superior a 10 mil hectares, do que resultou o cancelamento da propriedade irregular de terras em um total equivalente a 7,5% de todo o território nacional. Não me lembro de qualquer registro realmente significativo na mídia a esse respeito. Aumentou-se assim a oferta de terras passíveis de inclusão no programa de reforma agrária e reduziu-se uma das causas do conflito agrário, a grilagem. Para prosseguir no combate à grilagem, criamos em 2001 o Sistema Público de Registros de Terras. A respectiva lei permite coibir a falsificação de títulos de propriedade, pois tornou obrigatória a comunicação mensal ao Incra das alterações nas matrículas dos imóveis rurais, com aplicação de penas administrativas, civis e criminais aos infratores. Todos os imóveis rurais devem estar submetidos a um código no cadastro, permitindo-se o cruzamento de informações a respeito de cada um existentes no Incra, na Receita, no Ibama, na Funai e demais órgãos reguladores do campo. Portanto, além das desapropriações e dos assentamentos, cuidamos de construir as bases institucionais para que o Estado exerça suas funções reguladoras e controladoras. Criamos também a Ouvidoria Agrária Nacional, responsável pela mediação dos conflitos no campo, pondo em contato as partes direta ou indiretamente interessadas: Judiciário, Ministério Público, autoridades policiais e representantes dos trabalhadores e dos proprietários rurais. Em lei anterior já havíamos determinado que o Ministério Público acompanhasse os processos de desapropriação para coibir fraudes e corrupção.

Assim como na democratização do acesso à escola, a matrícula no ensino fundamental é o indicador-chave e, na saúde, a queda da mortalidade infantil cumpre o mesmo papel, no caso da reforma agrária a extensão das desapropriações e o número de famílias assentadas medem a velocidade e a extensão do processo. Entre 1995 e 2002 foram beneficiadas mais de 635 mil famílias, quase cinco vezes mais do que entre 1985 a 1994 — e oito vezes mais do que em toda a História do Brasil antes de 1985. Só para comparar, nos dois primeiros anos do governo Lula assentaram-se, segundo o Incra, 118 mil famílias, cerca de 60 mil por ano, enquanto nos meus oito anos de governo a média chegou a 80 mil famílias por ano. Os investimentos em aquisição, implantação e consolidação de assentamentos superaram os 13 bilhões de reais e o total de terras transferidas, cerca de 20 milhões de hectares, corresponde ao tamanho dos territórios de Bélgica, Holanda e Luxemburgo somados — ou, se ficarmos no Brasil, aproximadamente ao porte do estado do Paraná.

Além das desapropriações, a reforma agrária avançou por outros caminhos. Criamos em 1998 o Fundo para Aquisição de Terras e Reforma Agrária, o chamado Banco da Terra, que abriu linhas subsidiadas de crédito para cooperativas e associações de pequenos agricultores para a compra de terra e a implantação de infra-estrutura mínima. Esse mecanismo sofreu forte resistência do MST e mesmo da Contag, porque permite, em certas circunstâncias, comprar em vez de desapropriar. Mas ele é muito útil diante da evidência de que o estoque de terras desapropriáveis reduziu-se muito (embora os mais radicais defensores da reforma agrária não acreditem no argumento, pois ele implica reconhecer que caiu o número de latifúndios improdutivos, contrariando bandeira de luta política desfraldada ao arrepio dos dados). Para estabelecer novos assentamentos, em decorrência, tornou-se necessária a compra. O Banco da Terra reduziu bastante o custo do acesso à terra e permitiu localizar os pequenos proprietários mais próximos aos mercados de comercialização e consumo, áreas nas quais as terras improdutivas (e portanto desapropriáveis) escasseiam. Com isso se facilitou a integração da produção familiar aos mercados.

O Banco da Terra integra uma política de fortalecimento da pequena agricultura que tem um sólido pilar no Pronaf. Vê-se, outra vez, a criação de novas instituições para dinamizar a integração social como parte fundamental das políticas sociais de meu governo. O Pronaf, formalizado em 1996, concedeu até 2002 cerca de 5 milhões de empréstimos, com valor médio de 24 mil reais, beneficiando mais de 3 milhões de agricultores com recursos para plantio, colheita e comercialização da produção. São números e cifras significativos em qualquer parte do mundo. Houve um dispêndio total de cerca de 12 bilhões de reais para créditos com juros baixos e subsidiados, contra praticamente zero em toda a História do Brasil. A injustiça com os pequenos produtores familiares era gritante. Basta comparar o que acontecia com os grandes: no início de meu governo só de dívidas no Banco do Brasil, havia um contencioso de 22 bilhões de dólares (que foram penosamente renegociados, no decorrer dos oito anos). Imagine-se o montante global de crédito concedido para sustentar a agricultura! Não é de estranhar que as invasões de terras hajam caído de uma média anual de 385, entre 1995 e 1999, para 166 de 2000 a 2002, e que o número de vítimas fatais em conflitos rurais declinasse de 41 e 54 em 1995 e 1996, respectivamente, para 10 e 14, em 2001 e 2002.

Recebemos, naturalmente, muitas críticas por termos gasto recursos tão expressivos para a implantação de uma política que, no dizer dos maldosos, apenas criava no campo uma camada de funcionários públicos disfarçados, uma nova clientela do Estado. Embora possa haver grãos de verdade na crítica, o certo é que, pouco a pouco, a política desenvolvida passou a ser, mais do que simplesmente desapropriar terras e assentar famílias, a de dar sustentabilidade econômica e técnica a segmentos de pequenos produtores em um "novo mundo rural". Já no livro contendo o programa de campanha de 1998, o *Avança Brasil*,[17] esta visão estava presente. Dela é sintomática a mudança proposta no nome do Ministério que, de ser da Reforma Agrária, passou a ser do Desenvolvimento Agrário. Desde 1998 o governo cancelou os programas de crédito a fundo perdido, substituídos pelo Pronaf, e procurou, junto com o Banco da Terra, fortalecer o Conselho Nacional para o Desenvolvimento Rural Sustentável (CNDRS), a cuja reunião inicial compareci. É um colegiado do Ministério do Desenvolvimento Agrário, com a participação de diversos outros ministérios, órgãos públicos estaduais e representantes de trabalhadores rurais e de pequenos agricultores, incluindo-se as mais combativas organizações agrárias. Para fortalecer tecnicamente as decisões do colegiado vinculou-se a ele um Núcleo de Estudos Agrários e Desenvolvimento Rural (Nead).

Em suma, estabelecemos as bases para a integração da pequena agricultura familiar e dos assentamentos rurais no contexto de uma economia agrária altamente dinâmica, que tem como carro-chefe o agronegócio. Faltou, graças à oposição sistemática dos "reformistas agrários" profissionais, criar um mecanismo, como se fez com a saúde e com a educação, que mobilizasse os estados e principalmente os municípios para levar adiante de modo mais racional, econômico e eficaz a formação do anelado "novo mundo rural". As nuvens plúmbeas do passado estatista e centralizador continuam a influenciar as lideranças rurais de esquerda. Elas se opõem a uma efetiva descentralização, temendo o fantasma das oligarquias locais, sem se dar conta dos avanços democráticos da sociedade brasileira e buscando manter a visão tradicional, que prefere politizar e partidarizar a questão agrária a resolver as demandas das populações pobres do campo.

A pobreza: tentando sair do "Estado de mal-estar"

Por mais que em longo prazo a eliminação da miséria e da pobreza no Brasil dependa da continuidade do crescimento econômico, da geração de empregos dele conseqüente e da universalização do acesso aos bens sociais básicos (saúde, educação e terra), é ociosa a discussão sobre se a prática

[17] Fernando Henrique Cardoso, *Avança Brasil: proposta de governo*, Brasília, 1998.

de políticas assistencialistas é ou não correta. Quem tem fome, é analfabeto, não pode colocar os filhos na escola ou não tem emprego definido não pode esperar que esses processos estruturais amadureçam. Estariam condenados à degradação e à miséria se não por toda a vida, pelo menos por um período insuportavelmente longo de tempo.

O primeiro grande impacto redutor da miséria durante meu governo se deu, não obstante, pela própria estabilização da moeda. Disso tinha plena consciência desde quando enviei ao Presidente Itamar a Exposição de Motivos contendo as medidas preparatórias do Plano Real, em dezembro de 1993. Apesar da reação cética de determinadas esferas políticas e de organizações ligadas à luta por melhores condições de vida para o povo, os dados nunca deixaram de me dar razão. O índice de pobreza caiu 9 pontos percentuais com a introdução do real e permaneceu estável, enquanto a miséria absoluta continuou a se reduzir o tempo todo.[18] A queda da pobreza se deveu diretamente aos benefícios do fim da inflação. Processo similar ocorreu com o Plano Cruzado, com a diferença de que, na medida em que ele perdeu eficácia, a pobreza voltou aos níveis anteriores, enquanto desta feita, vitorioso o combate à inflação, nunca mais o nível de pobreza aumentou no Brasil. Sua redução, de meu governo em diante, dependerá não só de medidas assistencialistas, mas principalmente da continuidade do crescimento econômico a taxas razoáveis e da implantação de políticas dinamizadoras do mercado de trabalho, a começar pela alteração de diversas leis laborais, respeitados os direitos fundamentais dos trabalhadores. Já a redução contínua do nível de miséria se deve, indiscutivelmente, às políticas focalizadas para combatê-la, que fomos aplicando no correr do tempo.

[18] A proporção de pobres no Brasil, segundo o Ipea, com base em dados do IBGE e da Pesquisa Nacional por Amostra de Domicílios (PNAD), teve a seguinte evolução: entre 1981-1984, a média da população classificada como pobre equivalia a 47% do total; de 1985-1989, a proporção caiu para 40%; entre 1990-1994, voltou a crescer para 42%; dos anos do real em diante (1995-2000) passou a abranger 33% da população. A proporção de indigentes descreveu curva similar no tempo, sendo muito significativa, e contínua, sua redução no período do real: 20% em 1990-1994 para 14% entre 1995-2000. Mesmo em números absolutos houve redução tanto da quantidade de pobres como da de indigentes.

Tão logo conseguimos sair do sufoco das crises econômicas e das restrições orçamentárias necessárias à garantia da continuidade da estabilização econômica, nos lançamos a construir as bases de uma política assistencial mais transparente, capaz de fazer os resultados chegarem aos que efetivamente mais precisavam. Como já indiquei antes, aproveitamos a ansiedade de setores parlamentares em criar fundos assistencialistas tradicionais para deslocar essas verbas para programas mais bem definidos, que o governo vinha elaborando desde o início. O investimento nessas políticas cresceu significativamente nos meus oito anos de governo. Ao contrário do que aconteceu na maioria dos planos de estabilização, com o Real houve expansão e não arrocho do gasto social. Mesmo quando tivemos que praticar uma política fiscal mais apertada, a partir de 1999, preservamos dos cortes orçamentários os programas sociais essenciais. (Muitos criticaram essa decisão, por significar uma política fiscal mais frouxa, com superávits primários no Orçamento que não satisfaziam os fiscalistas mais exigentes, esquecendo-se de que ela significou também estabilidade social e melhoria da condição de vida de milhões de brasileiros.)[19]

O melhor indicador para medir os efeitos das políticas sociais em seu conjunto é o IDH das Nações Unidas, uma síntese de três indicadores: longevidade, educação e renda. Quanto mais o índice se aproxima de 1, melhor é o desenvolvimento humano do país. Por esta medida, o Brasil passou de 0,676 em 1980 para 0,71 em 1990; deste patamar, alcançou 0,734 em 1995 e 0,75 em 2000, atingindo, em 2003 (números referentes a 2001), 0,777. Este índice situa o Brasil entre os mais bem colocados na faixa dos países de desenvolvimento médio (IDH de 0,5 a 0,799), já não tão distante do piso que determina os de desenvolvimento superior (IDH de 0,8 e mais). Não sem razão recebi do secretário-geral da ONU, Kofi Annan, em nome do Brasil, o Prêmio Mahbub ul Haq, nome do economista paquistanês idealizador do IDH, como reconhecimento pelos progressos havidos na área social.

No que consistiram as políticas específicas?

---

19 O gasto social superou em média 14% anuais do PIB em 1998-1999, contra 11,3% do PIB em 1993, antes do Real. Na média da década de 1980 não ultrapassara 11,1% do produto. No segundo mandato, manteve-se acima de 14%.

A primeira, que jamais deve ser esquecida, é que, apesar de todas as dificuldades, o salário mínimo real se elevou acima do crescimento do PIB no meus oito anos de governo.[20] No caso brasileiro o salário mínimo incide basicamente nos gastos da Previdência Social, pois correspondem a 80% dos benefícios pagos. Mais ainda: como dobramos o valor das pensões recebidas pelos trabalhadores rurais que se aposentaram sem ter contribuído para a Previdência, e como estas são atadas ao salário mínimo, o impacto do aumento do mínimo sobre o nível de vida dos mais pobres foi muito expressivo.

A segunda política específica foi o que os técnicos chamam de "focalização" das políticas sociais, ou seja, procuramos atingir públicos-alvo que realmente necessitam da ajuda. Formamos uma rede de proteção social, composta por 11 programas que no último ano do governo gastaram recursos correspondentes à totalidade do dinheiro arrecadado pelo governo federal com o IR. Ou seja, 29,5 bilhões de reais, aproximadamente 10 bilhões de dólares. A que se pode chamar isso, se não distribuição de renda? Deixando de lado os programas mais amplos e preexistentes, cujo valor elevamos (como o abono salarial do PIS/Pasep, o seguro-desemprego, as aposentadorias rurais e um antigo programa que paga pensões vitalícias a cerca de 700 mil beneficiários), ou o seguro-safra, para atender a situações específicas como o flagelo das secas, cabe destacar ainda dois outros:

---

[20] Pelos dados do Ipea, o salário mínimo real, deflacionado pelo Índice de Preços ao Consumidor (IPC) da Fipe, em reais de abril de 2000, teve a seguinte trajetória: passou do índice inicial de 144, em 1940, para 168 em 2002. Em 1972 chegou ao fundo do poço com 97 pontos variando posteriormente, no fim da década de 1980, voltando a cair para 111 em 1992. Do real em diante, subiu até alcançar 168 em 2002. Quando se compara o salário mínimo com a cesta básica, vê-se que, se em 1994 ele comprava 63% do valor da cesta, em 2002, iria comprar 126%. O rendimento mensal médio dos trabalhadores, da mesma forma, teve incremento: entre 1991-1993 era de 575 reais, pulando para 855 reais entre 1995-2002. A renda domiciliar *per capita* passou de 245 reais, no período 1990-1994, para 307 reais entre 1995-2000.

Em conjunto, houve continuidade no aumento real do salário mínimo nos meus dois mandatos e no governo Lula (considerando-se o aumento dado em 2006), o que em 65 anos só teria ocorrido em um outro momento desde sua implementação no Brasil, segundo a mesma fonte.

1. O Programa de Erradicação do Trabalho Infantil (Peti), que em 2002 retirou 810 mil crianças de situações penosas de trabalho em carvoarias, corte de cana ou de sisal e as colocou na escola, concedendo-se uma bolsa às famílias para compensar a perda de renda;

2. A Bolsa de Prestação Continuada, um benefício concedido pela Loas, que jamais fora implementada e que no final do governo alcançou 1,5 milhão de idosos (de 67 anos ou mais) que viviam em famílias de baixa renda, aos quais se passou a pagar um salário mínimo mensal.

Ao lado desses programas, demos impulso a uma solução criativa, consistente em distribuir aos chefes de família, homens ou mulheres, mas preferencialmente a estas, um cartão magnético que dava direito a uma ajuda financeira, desde que houvesse contrapartidas, de modo a incentivar a promoção social. Parte desse auxílio se distribuiu no programa Bolsa Alimentação que abordei quando comentei os investimentos feitos em saúde.

No final do segundo mandato a Caixa Econômica estava trabalhando no aperfeiçoamento do cadastro dos beneficiados, para juntá-los em um mesmo cartão magnético, que denominamos Cartão do Cidadão. Este se comporia de cinco diferentes programas, inclusive o Auxílio Gás (para ajudar na compra de gás de botijão a famílias abaixo de determinados níveis de renda). A grande vantagem desses programas, além de visarem públicos específicos, é permitir escapar da influência de intermediários políticos ou de quaisquer outros: o chefe da família, de posse dos cartões magnéticos, se dirige diretamente à agência distribuidora de recursos, seja a própria Caixa Econômica ou uma casa lotérica. A grande dificuldade, por outro lado, é o cadastramento, ou seja, a avaliação do beneficiário, que no primeiro momento se efetua por intermédio da administração local, nem sempre isenta. Embora tivéssemos criado em alguns desses programas formas de controle com a participação direta dos beneficiários e da sociedade local, esses mecanismos ainda eram precários.

Por fim, cabe salientar que a pobreza no Brasil tem localização definida. Regionalmente ela se concentra no Nordeste ou nos migrantes, principalmente dessa região, que constituíram outros tantos bolsões de miséria nas periferias das grandes cidades. No passado poder-se-ia afirmar com mais certeza que a miséria tinha localização, gênero, situação civil e cor: a probabilidade de uma mulher negra, com filhos, sem marido, nordestina e vivendo no campo ser pobre ou viver na miséria era (e é) altíssima. As migrações espalharam a miséria, mas não a desconcentraram. Além de se manter nas áreas rurais, sobretudo do Nordeste, a miséria se instalou nas periferias das cidades, especialmente nas regiões metropolitanas. Daí porque estabelecemos o Projeto Alvorada, mencionado de passagem anteriormente. Este programa abrangeu 2.361 municípios cujo IDH é igual ou inferior a 0,500, nos quais vivem cerca de 38 milhões de pessoas. Por seu intermédio, os Portais do Alvorada — na verdade escritórios onde se concentravam as informações sobre os programas sociais disponíveis e se fazia o entrelaçamento entre eles — aproveitavam as experiências dos programas Comunidade Solidária e Agente Jovem (composto por jovens contratados para trabalhar nos Portais, dando assistência às populações pobres para que pudessem ter acesso aos programas do governo) e deram impulso aos programas federais disponíveis. Buscava-se, assim, articular os distintos programas e entrosar a ação das prefeituras e das comunidades locais com o espírito de empreendimento social. Por exemplo, foi possível levar a demanda das populações carentes ao Ministério de Minas e Energia, que desenvolvia o programa Luz no Campo, para estender a eletrificação às áreas rurais de mais de mil municípios.

Se não conseguimos acabar com o lema que eu mesmo lancei — "o Brasil não é um país subdesenvolvido, é um país injusto" —, pelo menos iniciamos ou remodelamos políticas públicas visando diminuir a desigualdade. No relatório do Banco Mundial de 2004 sobre a América Latina, o Brasil, a despeito de ser campeão na matéria, figurou como o único país da região em que o Coeficiente de Gini, que mede a desigualdade, apresentou resultados favoráveis na década 1991-2000. Ainda não conseguimos apagar outra frase que cunhei sobre o Estado brasileiro, que seria do "mal-estar social", mas algo fizemos para que ele possa começar a ser fator ativo no bem-estar da população.

Na segurança, ainda um longo caminho a percorrer

Em algumas áreas, como a da segurança pública, ainda temos um extenso caminho a percorrer. Em outras apenas se começou a renovação de práticas e outras há que permanecem bloqueadas.

As críticas quanto à atuação de meu governo no setor de segurança pública foram muitas e com certa razão. Todo governo faz escolhas. Eu achei, por muitos motivos, que não dispúnhamos das condições para enfrentar as questões da área com a amplitude necessária. A Constituição atribui aos estados a responsabilidade direta sobre ela e os estados, é justo que se diga, muito menos dispõem de todos os meios necessários para enfrentá-la com firmeza. A separação pouco clara das responsabilidades entre as polícias militares e as polícias civis (existe mais de uma polícia civil; a penitenciária, por exemplo, responde às secretarias de Justiça e não às de Segurança) e a dualidade de comando entre elas é um problema organizacional sério que reduz o alcance da ação dos governadores. Depois de uma das crises de rebelião nas polícias militares e de violências em geral, enviei ao Congresso, a instâncias do governador Mário Covas, proposta de emenda constitucional para aumentar a coordenação entre as polícias. O projeto continuava em debate ao final de meu segundo mandato, submetido às pressões de toda sorte de *lobbies*, sem aprovação final.

A despeito de a segurança pública não ser área diretamente afeta ao governo federal, criei no Ministério da Justiça um fundo de apoio à modernização das polícias estaduais. Tratamos de vincular a liberação dos recursos a projetos específicos, como, por exemplo, a melhoria da coordenação entre as polícias e seus sistemas de informação, com a utilização de linguagens computacionais compatíveis. Acelerei a distribuição de recursos para ajudar os estados na construção de penitenciárias, para minorar os efeitos negativos da superpopulação carcerária, verdadeira fábrica de criminosos e permanente fonte de barbárie. Graças a isso foi possível, por exemplo, demolir o gigantesco depósito de presos (e constante foco de rebeliões sangrentas) que era a Casa de Detenção do Carandiru, em São Paulo, de tão má memória.

Na nossa área de atribuição específica, tratei de ampliar o recrutamento de profissionais, abrindo concursos para a Escola de Polícia Federal, paralisada no início de meu governo. Reestruturamos, também, a carreira dos policiais, assegurando-lhes melhor remuneração. Os frutos desse trabalho começam a aparecer com o desempenho da Polícia Federal nos últimos anos. No plano institucional criei a Secretaria Nacional de Combate às Drogas (Senad), ligada diretamente à Presidência da República para salientar a importância que esse assunto deve merecer no Estado contemporâneo. Confiei sua organização ao general Alberto Cardoso, que lhe deu caráter preventivo e educacional. Deslocamos, assim, o combate ao uso de drogas do âmbito exclusivamente repressivo (que cabe à Polícia Federal) para o da prevenção. A batalha contra as drogas requer a mobilização da sociedade e o reforço dos valores básicos da vida associativa, tarefa das famílias, das igrejas e das organizações morais da sociedade, pois sem uma intensa ação preventiva ela se perderá nos desvãos da corrupção, que é o instrumento poderoso dos traficantes quando se defrontam com a violência repressiva.

Para que não se superestime a capacidade de atuação da Polícia Federal (em tese mais bem preparada que as demais e talvez menos vulnerável aos apelos da corrupção), basta dizer que seus efetivos eram ao final de meus dois mandatos da ordem de 8 mil funcionários, enquanto o conjunto das polícias civil e militar dos estados somam cerca de meio milhão de homens e mulheres. Como pode a Polícia Federal exercer vigilância eficaz sobre os milhares de quilômetros de fronteiras secas e marítimas com um quadro tão reduzido? Só para comparar, os Estados Unidos têm cerca de 3 mil quilômetros de fronteira seca com o México e, a despeito da abundância e da qualidade de seus recursos humanos e materiais, não conseguem controlar o tráfico nem a imigração clandestina ao longo dela.

A situação da segurança clama por uma mobilização nacional que provavelmente agora, consolidada a democracia, iniciada a reforma do Estado e estabilizada a economia, possa vir a ser feita com sucesso. Cito alguns exemplos de transformações institucionais que empreendemos. Quando assumi, o Código Penal sequer previa a tipificação de crime de lavagem de dinheiro, a Receita não podia receber informações sobre transações financeiras disponíveis no BC (por causa do sigilo bancário) e não havia, como agora existe, o Conselho de Controle das Atividades Financeiras (Coafi), ao qual os bancos têm de informar, para o necessário monitoramento preventivo, sobre transações em moeda acima de um certo valor. Tudo isso contribui para controlar a corrupção e o tráfico de drogas.

Por fim, uma advertência: o combate à transgressão não termina com a ação policial. Sem um Código de Processo Penal que simplifique e acelere as decisões judiciais e restrinja o abuso na concessão de decisões liminares nunca julgadas em definitivo tampouco haverá combate eficaz ao crime, às drogas e à corrupção. Sem contar que nossa legislação de execução penal é excessivamente benévola: o bom comportamento na prisão e certas circunstâncias permitem que autores de crimes horrendos virtualmente ganhem as ruas após cumprirem penas curtas, contribuindo para a sensação de que a impunidade campeia.

Direitos humanos: mudança na imagem do país

Mais do que qualquer outra, a luta pelo restabelecimento da democracia no Brasil foi a bandeira da geração de políticos a que pertenço. Dedicamos nossas energias e nossos melhores anos à derrubada de um regime autoritário que em sua longa trajetória praticou incontáveis violações aos direitos humanos, causando inúmeras vítimas, muitas mortas por tortura quando estavam sob a custódia e, portanto, sob a responsabilidade jurídica do Estado brasileiro.

Minha solidariedade sempre se dirigiu para os que se opuseram, desde o início, ao autoritarismo. Nunca pude aceitar qualquer argumento invocado para a supressão das liberdades básicas e dos direitos civis e políticos. Por isso, além das idéias marxistas e de esquerda que em diferentes momentos me atribuíram — acho que terei sido um dos poucos políticos brasileiros classificados como marxista e como neoliberal, sem nunca ter na verdade mudado fundamentalmente minhas posições e convicções políticas —, fui também, pessoalmente, perseguido pelas forças da repressão e forçado a deixar o país por alguns anos, conforme relatei em outras passagens deste livro.

Até minha história de vida me levava, portanto, a reparar, num dos primeiros atos de meu governo, o que eu sempre entendera como uma injustiça: a falta de reconhecimento da responsabilidade do Estado brasileiro pela morte ou "desaparecimento" de presos políticos. A Lei de Anistia, de agosto de 1979,[21] ao estabelecer uma espécie de perdão mútuo aos envolvidos nos dois lados na "guerra suja" e o silêncio sobre o que ocorrera nos anos duros da repressão, revelou-se na verdade uma solução muito conveniente para os próprios militares, que a ela sempre recorreram para impedir que fosse esmiuçado o passado. Parcela razoável dos militares considerava que se travara uma guerra subversiva no Brasil, com duas partes em conflito, que seriam iguais enquanto forças beligerantes. Isto não é verdade. Nunca aconteceu durante o período militar algo sequer próximo

---

[21] Lei nº 6.683, de 28/8/1979.

a uma guerra civil. Existiram, sim, resistência armada e atos terroristas da esquerda (e também da direita), que deveriam ser punidos de acordo com a lei e as instituições. E, quando presos os transgressores, jamais poderiam ser torturados e eventualmente mortos estando sob a tutela das forças do Estado. A responsabilidade jurídica por aquelas mortes não se extinguiu, a meu ver, com a Lei da Anistia.

Tocou-me reparar parte dos abusos cometidos pelo Estado brasileiro, com a decisão jurídico-política de encaminhar ao Congresso Nacional um projeto, depois convertido na Lei nº 9.140, de 4/12/1995 — reconhecendo como mortas as pessoas desaparecidas em razão de participação política, no tempo da ditadura militar e nos anos imediatamente anteriores a 1964 —, e segundo a qual o Estado brasileiro admitia a responsabilidade por essas mortes e concedia indenização aos familiares das vítimas.

Somando-se ao processo de consolidação democrática, essa iniciativa foi importante para a reconstituição da verdade sobre o arbítrio no período autoritário e permitiu expandir a questão dos direitos humanos no país. Mais de quatrocentos casos foram analisados e as famílias indenizadas, tudo baseado no princípio de que os que desapareceram ou morreram torturados se encontravam sob a guarda do Estado, como prisioneiros, e deviam ser julgados pelas leis, que, embora autoritárias, não previam, nem mesmo elas, a execução sumária ou a tortura.

Coube-me, igualmente, adotar ações corretivas em relação ao legado de um outro capítulo, este bem mais antigo, de nossa História marcada por injustiças: a questão dos negros. Também aqui entraram convicções de ordem pessoal, uma vez que alguns de meus primeiros estudos de campo como sociólogo tiveram como objeto, como já narrei, o tema das relações raciais. Nunca me convenci da tese da democracia racial no Brasil e sempre reprovei seu uso indevido para justificar a falta de políticas de proteção aos negros. Reconheço, é óbvio, as dificuldades de classificar quem seja negro num país em que houve enorme miscigenação. Tal dificuldade, no entanto, não deve ser pretexto para a paralisia e a ausência de políticas públicas voltadas à correção de um problema que está à vista de todos.

Abri um leque de ações nessa área, sem radicalismo, pois ela se presta facilmente a excessos de um lado e de outro, com o objetivo de gradualmente mudar a "política racial" do Brasil. O primeiro Plano Nacional de Direitos Humanos (PNDH), de 1996, dedica um capítulo às populações negras em que se reconhece a existência do racismo no país e já não se fala de "democracia racial" e sim em "raças distintas". Este foi o primeiro passo para a adoção de políticas públicas, tais como a menção ao quesito "cor" nos documentos oficiais e programas afirmativos de inclusão de negros em cursos profissionalizantes. Criou-se ainda um Grupo de Trabalho para Valorização da População Negra, integrado por representantes de diversos ministérios. Como resultado deste Grupo, surgiram as primeiras propostas de ações afirmativas, algumas das quais foram levadas à Conferência Internacional de Durban (África do Sul) sobre Combate ao Racismo, em 2001, entre elas a de introdução de quotas nas universidades, ou de mecanismos mais adequados à nossa realidade que as substituam. Com o sincretismo e a miscigenação vigentes é impossível, além de ser inconveniente, traçar linhas rígidas de cor e, pior ainda, de raça. Embora muito esteja por ser feito neste terreno, demos alguns passos à frente, depois de mais de um século de silêncio, desde a Abolição, como se o Brasil se constituísse no paraíso da tolerância e do convívio raciais.

De modo mais amplo, o caminho percorrido pelo governo federal no terreno dos direitos humanos a partir da segunda metade dos anos 1990 tornou-se um marco para o Brasil, graças ao trabalho de colaboradores como José Gregori, Paulo Sérgio Pinheiro e Gilberto Sabóia. Não se limitou à proteção jurídica — significativamente fecunda —, mas a inúmeras iniciativas para além da agenda tradicional. Evoluiu para a criação de políticas de tutela dos direitos humanos nas suas dimensões históricas: os direitos civis e políticos, os direitos econômicos, sociais e culturais e os chamados direitos difusos e coletivos, que incluem entre muitos, por exemplo, o direito à preservação do meio ambiente.

José Gregori procurou dar maior organização e estruturação aos projetos de direitos humanos. Os debates surgidos no Congresso, no governo e na sociedade civil organizada, além das recomendações da Declaração de Viena de 1993, fruto de uma grande conferência internacional sobre o tema realizada na capital da Áustria, criaram as condições para que o Brasil elaborasse o PNDH, do qual as organizações de direitos humanos são co-autoras e parceiras e que, em 1996, seria significativamente lançado no dia 13 de maio, data da Abolição.

A forma pela qual se sistematizou o PNDH nunca negou a indivisibilidade e a interdependência das diversas dimensões dos direitos humanos:

as garantias civis e políticas e as políticas sociais inclusivas. O programa contemplou e implementou inúmeras iniciativas e projetos referentes aos direitos econômicos e sociais, ao tratar, por exemplo, das convenções da Organização Internacional do Trabalho (OIT), dos direitos das crianças, dos negros, das mulheres, dos homossexuais, da saúde ou do reconhecimento da propriedade da terra aos quilombolas, deixando claro não haver uma divisão estanque entre as diversas dimensões dos direitos humanos.

Uma Secretaria Nacional dos Direitos Humanos do Ministério da Justiça substituiu em 1997 a Secretaria dos Direitos da Cidadania. Posteriormente, em 1999, ela passou a dispor de capacidade de articulação política e poderes de formulação e execução de políticas públicas, com seu titular tendo prerrogativas de ministro. As providências demonstraram a importância do tema para o governo, que não desejava apenas proclamá-lo em um programa, mas implementar políticas públicas efetivas. Várias medidas puderam assim ser colocadas em prática, visando instaurar no país uma cultura de paz e de concretização dos direitos humanos. Muitas metas do PNDH se relacionavam com a modernização e melhoria do aparato legal para coibir o ciclo fatal das graves violações.[22]

Cabe mencionar ainda empreitadas como a ação do Ministério do Trabalho, por intermédio de um grupo especial, para pôr fim à prática de trabalho escravo,[23] bem como a implantação do Programa de Proteção à

---

[22] Como também nesse terreno não faltaram críticas injustas a meus colaboradores, e ao governo, cito alguns exemplos:

1. A sanção da Lei nº 9.299, de 7/8/1996, proposta pelo deputado Hélio Bicudo (PT-SP), que transferiu da Justiça Militar para a Justiça comum os crimes dolosos praticados por policiais;

2. A sanção da Lei nº 9.455, de 7/4/1997, tipificando o crime de tortura, com penas severas, tornando possível a aplicação dos preceitos da Convenção internacional a respeito do assunto, de 28/9/1989;

3. A sanção da Lei nº 9.437, de 20/2/1997, que criminalizou o porte de armas e criou o Sistema Nacional de Armas (Sinarm) para controle integrado de armamentos e munições pelos governos estaduais em parceria com o governo federal;

4. As leis de repressão às organizações criminosas (Lei nº 9.303, de 5/9/1996) e de tipificação do crime de lavagem de dinheiro (Lei nº 9.613, de 3/3/1998);

5. A gratuidade para o registro de nascimentos e óbitos (Lei nº 9.534, de 10/12/1997).

[23] Ver "A terceira abolição da escravatura", de José de Souza Martins, *O Estado de S. Paulo*, 15/5/2005.

Testemunha. Todas as medidas legislativas relacionadas aos direitos humanos que entraram em vigor tiveram origem no Executivo ou contaram com seu esforço para a aprovação no Congresso e foram postas em prática, sem contar outras que propusemos ao Legislativo — como, por exemplo, o aumento de 12 para 14 anos da idade mínima para o trabalho de adolescentes (proposta de emenda constitucional nº 368/96).

Essa ampla pauta obteve um reconhecimento internacional que ajudou a mudar a imagem do país no exterior em matéria de preocupação com os direitos humanos. Dois exemplos: os prêmios concedidos pela ONU ao secretário de Estado José Gregori pelo trabalho realizado na consolidação dos direitos humanos no Brasil e, mais tarde, ao ministro da Saúde, José Serra, pelo programa brasileiro contra a aids. De resto, a ação internacional do governo quanto aos direitos humanos marcou-se pela transparência e pela aceitação do monitoramento internacional a partir de um contínuo e permanente intercâmbio de informações, em particular com os sistemas internacionais de proteção aos direitos humanos.

Em oito anos, muita coisa pôde ser concretizada em uma vivência inovadora nessa área. Houve a mobilização de importantes setores da sociedade e deixamos clara internacionalmente nossa adesão aos princípios fundamentais de defesa dos direitos humanos e de respeito aos tratados que os asseguram. Mantivemos nesse terreno a linha básica das políticas sociais: a convicção de que a proteção e promoção dos direitos humanos é uma tarefa de todos, governo e sociedade.

"Novos temas": pluralidade racial, gênero, ambiente

O desafio contemporâneo do fortalecimento da cidadania não pode desconhecer os "novos direitos". Além da necessidade de reconhecer a pluralidade racial (não só dos negros, dos indígenas também) como um valor básico da democracia, é preciso incorporar à agenda do Estado e da sociedade a questão de gênero e a dos direitos difusos e coletivos. Se é certo que o Estado brasileiro tem certa tradição em lidar com as populações indígenas — algumas vezes, infelizmente, com ações desastrosas —, ele sempre se mostrou mais relutante em assumir essas outras questões.

A despeito das incompreensões iniciais na questão das demarcações de terras indígenas quando o ministro da Justiça, Nelson Jobim, anulou algumas delas,[24] o fato é que nunca se realizou tanto nesse particular quanto nos meus dois mandatos, principalmente no Amazonas. O governo se articulou com algumas ONGs — no caso, o Instituto Socioambiental — para acelerar as demarcações. Muito se conseguiu também em matéria de educação e saúde para preservar a vida e a cultura dos indígenas.

Não posso dizer o mesmo quanto à incorporação das questões de gênero. É certo que na área da saúde da mulher tivemos resultados (inclusive no que se refere à distribuição pública de contraceptivos) e que se manteve oficialmente o discurso da igualdade de gênero. Também é certo que o novo Código Civil,[25] finalmente aprovado, reconhece vários novos direitos às mulheres. Da mesma forma, o MEC promoveu a remoção nos livros didáticos dos estereótipos sobre elas, os negros, os indígenas e os homossexuais. As diferenças salariais para trabalho igual entre homem e mulher, entretanto, continuam grandes e mesmo a perspectiva de gênero na definição das políticas públicas ainda é uma conquista a ser alcançada. Isso a despeito da mobilização de movimentos feministas que, a partir do Conselho Nacional dos Direitos da Mulher (CNDM), continuaram pressionando o governo. De toda maneira, criamos a Secretaria da Mulher, conferindo *status* de ministro a sua primeira titular, a advogada e promotora pública em Alagoas Solange Jurema.

A criação da Secretaria não se revelaria tarefa fácil. O Conselho data do governo Sarney e, sob o comando da produtora cultural Ruth Escobar, foi uma organização pioneira. Com o tempo quase todos os países passaram a dispor de órgãos semelhantes e mesmo de ministérios encarregados de zelar pelas questões de gênero. Havia que proporcionar melhores condições políticas para o acolhimento das reivindicações das mulheres, daí o empenho na criação de um Ministério. Quando finalmente, em 2001, sob fortes argumentos de Ruth Cardoso e de Solange Jurema, tomei a decisão de vencer a resistência burocrática à inovação e mandei preparar os atos cor-

---

[24] Havia que evitar uma decisão do STF prestes a anular demarcações efetuadas em governo anterior por não ter sido respeitado o princípio do contraditório, isto é, não se ter concedido possibilidade de defesa aos que seriam expropriados. Por isso o ministro propôs sua anulação, para posterior demarcação a ser feita, como foi, com o atendimento à exigência legal.

[25] Lei nº 10.406, de 10/1/2002.

respondentes, custou caro à titular vê-los postos em prática. Diante da resistência de assessores da Casa Civil, ela finalmente lhes disse:

— Os senhores querem diminuir o *status* do novo órgão. Não foi isso que ouvi do Presidente, perguntem de novo a ele.

Alguns dias depois, já sem esperanças, Solange Jurema, que estava em Maceió, telefonou para uma das conselheiras que tinha posição executiva no Ministério do Trabalho, Carmen Rocha, para saber o conteúdo do ato publicado no *Diário Oficial*. Quando ouviu a reafirmação de que eu criara uma Secretaria Nacional (retirando o Conselho da subordinação até então existente ao Ministério da Justiça) e que ainda por cima a titular teria a condição de ministro de Estado, não queria acreditar...

Só para exemplificar a resistência burocrática surda: em ocasião na qual a Fazenda promoveu um corte de 3% no orçamento global do Ministério da Justiça, o aperto se resolveu internamente — cortando-se 83% do total das verbas a serem atribuídas ao CNDM!

Já na questão dos chamados direitos difusos e coletivos, a defesa feita pela Procuradoria-Geral da República dos direitos abrangidos por esta definição permitiu conquistas apreciáveis. Nunca antes os integrantes desse órgão atuaram com mais liberdade do que em nosso período de governo. Nem sempre com isenção, diga-se. Apesar do partidarismo evidente em muitos episódios, dirigido até mesmo contra mim e minha família, sempre sustentei a importância da instituição do Ministério Público: ela deve zelar pela sociedade, não pelo Estado, e deve fazer com que as leis sejam obedecidas. Os procuradores da República tiveram ação constante e enérgica contra a corrupção (ação esmaecida no governo que me sucedeu). No caso dos direitos difusos do cidadão, o caso mais visível refere-se à preservação do meio ambiente.

No capítulo meio ambiente, o tema vinha há tempos sendo objeto de crescente preocupação no Brasil, e ela se acentuou de maneira mais eloqüente a partir da Conferência do Rio, em 1992, organizada pela ONU. Não só por havermos sediado um dos maiores eventos ecológicos mundiais — como ocorreu novamente na conferência chamada Rio+5, em 1997, à qual compareci —, como pela importância estratégica do Brasil: a maior parte da Floresta Amazônica está em nosso território (sem falar em ecossistemas como o Pantanal e a Mata Atlântica) e talvez tenhamos a maior quantidade de água doce do planeta em nossos rios, lagos e subsolo, além de as florestas e campos do país abrigarem uma diversidade biológica extraordinária.

O Ministério do Meio Ambiente, por intermédio do Ibama, cuida das licenças ambientais para a realização de obras de infra-estrutura e se responsabiliza pela preservação das áreas verdes. Era necessário conferir-lhe melhores condições de controle, o que se fez com a utilização de satélites de monitoramento ambiental que fornecem imagens diárias de toda a região amazônica, e da instalação do Sivam e do Sipam,[26] de enorme valia, para a mesma finalidade. Faltava, contudo, regulamentar e dar forma institucional a uma agência que cuidasse do riquíssimo patrimônio nacional que são as águas.

Em 1997 o Executivo enviou ao Congresso, que a aprovou, melhorando-a, a Lei das Águas.[27] A ANA, agência criada em 2000 e mencionada no Capítulo 4, para a direção da qual nomeei o competente engenheiro, Jerson Kelman, se tornou responsável pela execução da lei e pela Política Nacional de Águas, que prevê a constituição de organismos de gestão das bacias hidrográficas, descentralizados administrativamente e controlados localmente pela participação direta dos interessados. A despoluição dos rios, juntamente com a tomada de medidas para evitar a desertificação (sobretudo no Nordeste), passaram a ser diretrizes básicas da ANA. Cabe a ela também encaminhar a delicada questão do custo e pagamento pelo uso desse recurso.

Instalei e passei a presidir um Fórum Nacional de Meio Ambiente, órgão diretamente ligado à Presidência, tendo como secretário o ex-deputado e incansável militante da área Fábio Feldman. O objetivo era fazer a ligação entre o governo e a sociedade civil nessa matéria, pois se existe uma questão na qual o governo sozinho pouco pode é esta. Sem que a sociedade tome consciência dos problemas do meio ambiente e participe das políticas para resolvê-los, o Estado caminha a passos de tartaruga.

---

[26] Graças ao Sivam, já tratado neste livro, foi possível a criação do Sistema de Proteção da Amazônia (Sipam), que integra informações e gera *know-how* para políticas públicas na Amazônia Legal. O Sipam lançará mão de dados produzidos por uma complexa infra-estrutura tecnológica, que inclui radares, estações meteorológicas e plataformas de coletas de dados.

[27] Lei nº 9.433, de 8/1/1997.

Nossa posição na defesa do meio ambiente se destacou internacionalmente. Segui de perto as negociações para a elaboração do Protocolo de Kyoto, de 1997, destinado à redução da emissão de gases poluentes, e acompanhei diretamente as discussões posteriores havidas em Amsterdã. O mecanismo, chamado "de desenvolvimento limpo", que levará à redução global das emissões de gases causadores do efeito estufa, em especial o dióxido de carbono, é engenhoso. Ele permite que os países poluidores do presente (na maioria ricos), detentores também de um feio recorde no passado, financiem a execução de projetos de diminuição de emissões em países em desenvolvimento. Os ricos poderão, com isso, contabilizar os valores de redução de gases resultantes dos projetos que financiaram como parte do cumprimento de suas próprias metas de redução fixadas pelo Protocolo de Kyoto. Abre-se assim um mercado importante para empresas brasileiras que conservam o meio ambiente.

Para a preservação e exploração sustentável das florestas adotamos várias medidas. Implantamos parques florestais importantes. Para ficar em um só exemplo, o de Tumucumaque, no Amapá, é a maior reserva florestal tropical do mundo, com 3,8 milhões de hectares, mais extensa do que a Bélgica e quase tanto quanto o Estado do Rio de Janeiro, representando, sozinho, 1% de toda a Floresta Amazônica. De 1995 a 2002 o Brasil dobrou as áreas de proteção ambiental, de 15,3 milhões para 29,5 milhões de hectares. Para possibilitar maior flexibilidade às políticas de proteção das florestas e áreas verdes, criamos as unidades de conservação de uso sustentável e as unidades de proteção integral. Nas primeiras, permite-se que os proprietários, mesmo explorando-as, atuem como zeladores do meio ambiente. Nas de proteção integral, mantém-se a proibição de qualquer atividade produtiva e se promovem as desapropriações necessárias.

Não e fácil, entretanto, responder aos desafios do meio ambiente. As forças econômicas, muitas vezes entrelaçadas com interesses políticos, obstruem constantemente os propósitos governamentais. Tanto os madeireiros e mineradores como os agricultores que derrubam a floresta encontram apoio em setores do Congresso. Embora o poder destrutivo de grandes empresários rurais seja maior, mesmo os pequenos agricultores, principalmente no chamado "arco de desmatamento", na fronteira sul da Amazônia (no Pará, em Mato Grosso, em Rondônia e no Acre), derrubam árvores e queimam o que sobra, para preparar o plantio. O desmatamento e as queimadas são uma constante preocupação para o governo e a sociedade. Olhando os números do desmatamento, é fácil verificar que a cada impulso maior de crescimento da economia, maior é a devastação. Com o *boom* do real, em 1994-1995, por exemplo, foram destruídos quase 30 mil quilômetros quadrados de florestas na Amazônia Legal, comparados com os 14 mil de 1992-1994. Conseguimos reduzir a destruição a 13 mil quilômetros quadrados em 1996-1997, estabilizamos em 17 mil quilômetros nos anos posteriores, mas ela voltou a aumentar, atingindo 18 mil quilômetros quadrados em 2000 (quando o PIB cresceu 4,4%).

Essa constatação coloca um sério problema: o governo consegue, no máximo, diminuir o tamanho do desastre quando a economia não está muito aquecida, apesar das inúmeras medidas tomadas para conter os ímpetos dos desmatadores. A Lei de Crimes Ambientais,[28] aprovada em 1998, é extremamente rigorosa. Mas a vastidão do território, a ausência de máquina estatal nas regiões remotas e o poder dos que querem produzir a qualquer custo e ganhar dinheiro mesmo comprometendo as gerações futuras só poderão ser mitigados se a sociedade aumentar o grau de consciência quanto aos riscos para o país e para a Humanidade da irresponsabilidade ecológica.

Por fim, cumprimos também o compromisso assumido em 1992 e elaboramos uma relação de medidas na chamada Agenda 21, para uma efetiva política de desenvolvimento sustentável. O Ministério do Meio Ambiente, por meio da Comissão de Políticas de Desenvolvimento Sustentável, em cooperação com outros níveis de poder e com a sociedade civil — governos estaduais e organizações envolvendo cerca de 40 mil pessoas —, produziu, a partir de 1997, um documento que em 2002 se transformou em compromisso oficial. A Agenda 21 integra um esforço planetário para colocar o trato do meio ambiente na vanguarda das políticas públicas. Como não poderia deixar de ser, a ótica do documento não se limita à proteção da natureza. Ela coloca no centro da luta pelo desenvolvimento sustentável a preservação da vida humana em condições saudáveis. Por isso, mostra que somente haverá vitória na questão do meio ambiente se reduzirmos ou até eliminarmos, ao mesmo tempo, a pobreza e a miséria.

---

[28] Lei nº 9.605, de 12/2/1998.

CAPÍTULO 9

Estado e crescimento econômico

O solo firme do interesse público

Não preciso insistir sobre o cantochão deste livro: jamais subscrevi as idéias "neoliberais" a favor de um Estado mínimo. Mais ainda, durante meus oito anos de governo o gasto público se expandiu e empreendemos um grande esforço para a reconstrução do Estado e da administração pública. A inflação transformara a máquina pública em um queijo suíço, cheio de furos. Andava mal, lentamente e em moldes tradicionais. Sem um Estado mais competente, se grande ou pequeno depende das circunstâncias, torna-se impossível enfrentar o desafio de pôr em andamento uma política social para incorporar as massas empobrecidas. Ao mesmo tempo, sem possuir os instrumentos necessários para lidar com as forças do mercado globalizado, cada vez mais poderosas, por maior que seja o Estado em número de funcionários ou em proporção dos gastos, ele será ineficiente e não servirá ao desenvolvimento do país.

A reforma do Estado esteve na agenda dos países da América Latina durante toda a década de 1990. Até hoje permanece inconclusa, mesmo porque é da natureza desses processos ter uma longa duração e uma quase permanente busca de aperfeiçoamento. Muito se consegue quando não ocorrem ziguezagues, como os que infelizmente passaram a se verificar no Brasil após meu período como Presidente.

É inegável que o BID, o Banco Mundial e outras agências internacionais pregaram a reforma do Estado, assim como é certo que alguns autores e certas correntes políticas propuseram um Estado mínimo. No Brasil tais idéias não passaram de floreios políticos para criticar o governo pela direita (o governo gasta muito e está "inchado", de tantos funcionários inúteis) ou pela esquerda (o governo está desmantelando a máquina pública para servir melhor aos interesses privados). Na prática, talvez só o mal pensado desmonte da máquina pública do período do Presidente Fernando Collor possa ter-se inspirado em tal reducionismo. De lá para cá os governos apenas têm tentado enfrentar o desafio de aumentar a eficiência e a racionalidade da administração. Essa tarefa se tornou extremamente difícil porque a Constituição estabeleceu várias normas contaminadas pelo mais puro clientelismo tradicional. É verdade que ela também possui regras inspiradas nos ideais de um Estado democrático de direito para garantir prerrogativas razoáveis aos servidores. Torna-se fácil, por isso, dizer que as reformas, propondo-se a expurgar as primeiras, na verdade atingirão as segundas. A partir daí, a reforma administrativa passa a ser vista como uma perseguição aos funcionários.

A reforma exigida pelas circunstâncias quando chegamos ao Palácio do Planalto era de natureza muito distinta do que simplesmente enxugar a máquina pública para obter um Estado mínimo. Eu tinha isso muito claro desde a formação do primeiro Ministério, ao convidar Luiz Carlos Bresser-Pereira para a pasta da Administração, que denominamos Ministério da Administração e Reforma do Estado (Mare). A proposta do ministro, logo consubstanciada em um Plano Diretor da Reforma do Aparelho do Estado, apresentada em 1995, seguida por um projeto de emenda constitucional enviado ao Congresso em agosto do mesmo ano, procurava reduzir os efeitos negativos da burocratizacão da máquina pública. Longe de representar o ideal weberiano de burocracia, nossa administração estava permeada pelo clientelismo da política tradicional e enrijecida pela defesa de interesses da própria corporação dos funcionários, com menosprezo do interesse público. O ministro defendia, em lugar da administração burocrática, corporativa e clientelista, o estabelecimento de uma administração empresarial-"gerencial", isto é, pautada por critérios de eficiência, e voltada ao atendimento dos cidadãos, que substituísse a gestão burocrática.[1]

Em sentido oposto ao que os críticos nos atribuíam, movia-nos a necessidade de implantar políticas que livrassem o país da "privatização do Estado". Esta ocorrera nas décadas anteriores, acentuando-se no período

[1] Dentre os muitos trabalhos de Luiz Carlos Bresser-Pereira, ver especialmente *A reforma do Estado dos anos 90: lógica e mecanismos de controle*, Brasília, Mare, 1995, e *Crise econômica e reforma do Estado no Brasil*, São Paulo, Editora 34, 1996.

autoritário, com o crescimento desordenado da burocracia e da intervenção estatal na economia. A partir de então se formaram alianças entre os interesses corporativos dos funcionários e os de segmentos do setor privado que haviam conseguido penetrar nos meandros burocráticos para obter vantagens. No período do autoritarismo eu chamei tais alianças de "anéis burocráticos" e fiz sua crítica. A racionalização da administração e a crescente transparência que propúnhamos terminariam com essa forma de privatização disfarçada da área pública, sempre travestida de defesa dos verdadeiros interesses nacionais e populares.

O governo exigia maior eficiência no desempenho dos funcionários. Propusemos, em emenda constitucional, a dispensa de quem não fosse capaz de se haver a contento na função pública. Proposição tão clara e democrática como essa (até porque se definiam as condições para a dispensa e porque é inimaginável não incluir a competência profissional como requisito para exercer alguma função em qualquer organização) se transformou, na boca e nas ações dos que se opunham às reformas, num modo soez de quebrar o sacrossanto princípio da estabilidade, assegurado pela Constituição. Propúnhamos também definir a idade mínima para a aposentadoria dos funcionários, dadas a crise fiscal e a desigualdade entre os setores público e privado, que as regras vigentes permitiam. No setor privado as pessoas trabalhavam pelo menos até os sessenta anos; em contraposição, em certas categorias de funcionários, como a dos professores universitários, aposentavam-se, em média, aos cinqüenta anos. Os proventos de aposentadoria dos funcionários eram integralmente garantidos, enquanto o setor privado obedecia a tetos, muito baixos na esmagadora maioria dos casos.

A reforma do Estado, entretanto, não se limitava às questões do funcionalismo. Em seu significado mais amplo incluía a criação de novos órgãos e instituições, capazes de dar maior racionalidade, agilidade e transparência à máquina pública, bem como maior controle sobre ela. Além de abranger as privatizações, que escapavam do âmbito específico do Ministério.

No aspecto mais restrito da política de pessoal, a reforma alterou várias regras. Definiu limites efetivos às despesas com a folha de pagamento nos três Poderes, aperfeiçoando e dando dentes à chamada Lei Camata,[2] limites posteriormente consagrados na LRF. Para enquadramento das despesas de pessoal nos limites fixados em lei, obedecidas determinadas condições, tornou-se possível a demissão de funcionários, inclusive estáveis, depois de esgotadas etapas como demissões de ocupantes de cargos de confiança e de servidores não-estáveis. Buscou-se estabelecer a possibilidade de demissão por insuficiência de desempenho.

Ao contrário do que pregavam as oposições, a reforma não se voltou contra os funcionários. Ademais da quebra da estabilidade no emprego, que galvanizou a opinião pública dando a impressão de que tudo se resumia a isso, houve uma clara busca de qualificação e valorização do pessoal. Este sofrera considerável desnível depois da promulgação da Constituição de 1988, com a inclusão em caráter permanente na máquina federal de centenas de milhares de funcionários nomeados sem concurso.

Pesquisa feita pelo Ministério da Administração demonstrou que a distorção salarial tornou-se enorme: boa parte dos novos funcionários, com os aumentos concedidos de forma geral e indiscriminada, embora menos qualificados, passaram a ganhar proporcionalmente mais do que os mais bem preparados e já há mais tempo em atividade. Num perverso paradoxo, funcionários menos qualificados ganhavam mais do que os de melhor qualificação.

Tínhamos que renovar o quadro dos servidores públicos e melhorar sua qualidade. Demos novo ímpeto à Escola Nacional de Administração Pública. Após concursos públicos, nomeamos 45 mil novos servidores, que correspondiam a 10% dos funcionários em atividade em 2002. Destes, 76% tinham nível de formação superior, de tal modo que a proporção de funcionários com esta qualificação passou de 44% do total em 1997 para 54% em agosto de 2002. No que se refere às carreiras e aos salários, a partir de janeiro de 2001 reestruturamos quatorze carreiras, abrangendo um total de 45.643 servidores. Implantamos a reestruturação para obter maior racionalidade nas carreiras e para elevar os salários, respeitando critérios de qualificação. Criamos 8.703 funções técnicas comissionadas

---

[2] Lei Complementar nº 82, de 27/3/1995, assim denominada por ter sido resultado de projeto da deputada Rita Camata (PMDB-ES), candidata a Vice-Presidente na chapa de José Serra em 2002. A LRF, mais abrangente, revogaria a Lei Camata, incorporando seus principais fundamentos.

com requisitos de qualificação, experiência e competência, aumentando-lhes a remuneração. As pessoas que preencheriam esses cargos em comissão não poderiam vir de fora dos quadros de funcionários.

Na época se tratou politicamente e com superficialidade o tema do aumento salarial: "o governo arrochou os salários". Na verdade, nos opusemos aos "aumentos gerais", como se fazia no período inflacionário. Esta prática distorcia os objetivos da boa administração, que devem ser os de vincular a ascensão na carreira e os aumentos de salário ao mérito e à qualificação. Fizemos, no entanto, inúmeras correções para restabelecer a justiça salarial. Diversas categorias de funcionários chegaram a obter 200% de aumento. O fato de a folha de pagamentos, de 31 bilhões de reais no final de 1995, ter praticamente dobrado para 59 bilhões em 2002 não significou gastança, porque a inflação acumulada no período chegou perto de 100%. A folha, na verdade, diminuiu em termos reais. Mesmo com aumentos reais concedidos a categorias extremamente defasadas, a preocupação com as contas públicas nos levou a reduzir a proporção dos gastos com o funcionalismo em relação à receita corrente líquida de 56,2% em 1995 para 32,1% em 2002. Em média, não houve arrocho algum, já que o contingente de servidores federais em atividade também diminuiu — 17% entre 1995 e agosto de 2002 (seu número absoluto decresceu de cerca de 952 mil para 781 mil funcionários. Redução mais expressiva ainda quando se soma o contingente dos que trabalhavam nas empresas estatais regidos pelo regime da CLT: de 1,14 milhão de funcionários e empregados, passamos para 785 mil).

Pretendíamos, no Plano Diretor a ser aplicado, introduzir inovações na redefinição dos objetivos e dos meios pelos quais a administração pública cumpre suas obrigações. Primeiro, a distinção clara entre um núcleo estratégico de funcionários que se dedicam às carreiras exclusivas do Estado (militares, policiais, magistrados, membros do Ministério Público e da Advocacia-Geral da União, fiscais, diplomatas) e os que se dedicam à prestação dos serviços fundamentais que o Estado deve cumprir (a promoção da saúde, da educação, da pesquisa, da cultura e da seguridade social). Os objetivos da administração seriam os de servir eficientemente o público (gestão empresarial), com impessoalidade (sem clientelismo patrimonialista) e transparência. Para alcançá-los, haveria que descentralizar a gestão pública e articular seus três níveis (municipal, estadual e federal), como também criar formas novas de enlace entre os cidadãos e o Estado, valorizando a sociedade civil, conforme as concepções que expus ao longo do capítulo anterior, "A sociedade como protagonista".

A administração deveria ser cada vez menos "estatal", no sentido de exclusivamente burocrática, e cada vez mais "pública". Daí a proposta, que foi aprovada, de criar formas mais modernas de gestão, permitindo-se inclusive a transferência de recursos federais para órgãos da sociedade civil, desde que eles se tornassem responsáveis publicamente, isto é, se sujeitassem aos mecanismos de controle e prestação de contas, e, sendo o caso, às sanções previstas. Nasceram assim as chamadas organizações sociais de interesse público (Osips), que permitiram maior flexibilidade à administração.

Na prática, porém, não conseguimos realizar muito do pretendido. Não conseguimos instituir regimes de emprego diferenciados conforme a tipicidade da carreira. O Congresso desfigurou o projeto que fixava quais seriam as carreiras típicas de Estado a tal ponto que o governo preferiu deixá-lo no acostamento. Algumas outras propostas nossas tombaram depois na Justiça. Mas constituiu grande progresso a valorização de determinadas carreiras, em especial as ligadas às áreas de planejamento, orçamento e finanças, além da Polícia Federal.

Nos capítulos anteriores se viu que em quase todas as áreas de prestação de serviços houve transferência de recursos da União para os estados e municípios, bem como tentativas de melhor articulação entre os três níveis de governo, cabendo ao federal definir políticas, transferir recursos, estimular e controlar o desempenho dos programas descentralizados. Para tanto, desempenharam importante papel o espírito e as ações do programa Comunidade Solidária, ou seja, a busca de parcerias com as "forças vivas" da sociedade (parcerias e não cooptação ou aparelhamento) para enfrentar questões de interesse público. O Comunidade Solidária representou uma das fontes de reflexão e formulação dentro do governo, de início temido pelos macroeconomistas pelos efeitos fiscais que pudesse vir a causar e menosprezado pelos agentes políticos de sensibilidade "desenvolvimentista".

Por intermédio do Comunidade Solidária, embora não fosse ele o único "canal", o Brasil absorveu a reflexão sobre a construção de "capital social" como ingrediente-chave do desenvolvimento. A reflexão estava no ar, nutrida internacionalmente por teóricos como o economista indiano Amartya Sen, Prêmio Nobel de Economia de 1998, e por pesquisadores como o argentino Bernardo Kliksberg e o peruano Hernán de Soto, ambos consultores do Banco Mundial, entre outros. Havia diálogo entre eles e o "institucionalismo" em ascensão, mas os pesquisadores e teóricos do "capital social" desenvolviam uma reflexão própria, uma vez que os "institucionalistas" estavam voltados sobretudo para a discussão dos macrotemas da regulação econômica. A reflexão em torno do "capital social" engajou também a (pequena) comunidade dos economistas brasileiros ligados ao estudo da pobreza e da desigualdade. A reflexão irradiada a partir do Comunidade Solidária ramificou-se direta ou indiretamente para outras instituições do governo, embora não se possa dizer que tenha se consolidado daí um novo modelo de políticas públicas. Sinais da reflexão estimulada pelo Comunidade Solidária podem ser identificados em programas de microcrédito criados por bancos públicos federais, como o Banco do Nordeste e o BNDES, na ação do Sebrae em apoio a arranjos produtivos locais e no próprio Plano Plurianual de Investimentos (PPA) 1999-2003, que buscou incorporar o conceito de desenvolvimento local integrado à noção de eixos de integração e desenvolvimento. A ênfase do Comunidade Solidária no desenvolvimento de base local coadunava-se com a preocupação quanto ao fortalecimento do controle pelas comunidades que existia entre os formuladores das grandes políticas sociais. Da ótica desses formuladores, como Vilmar Faria, era crucial haver meios e modos de conferir maior eficiência e eficácia às políticas públicas de educação, saúde e assistência social, no contexto da descentralização desenhada pela Constituição.

Como poderia o conjunto de propostas que pretendemos aplicar à administração pública ser considerado neoliberal, ou determinado pelo Consenso de Washington?[3] Só na retórica pseudodemocrática, na verdade clientelista e conservadora (tudo que é moderno ou novo é suspeito), de uma "esquerda" que perdeu o rumo (ressaltaria também o contraste entre

[3] Assim se denominou uma corrente de pensamento liberal que defendia uma série de reformas pró-economia de mercado como saída para os países da América Latina voltarem a crescer, superando um quadro de pesado endividamento somado à recessão e altas taxas de desemprego. O nome "Consenso de Washington" vem de um seminário

o velho "aparelhismo" das esquerdas antiquadas e o novo ativismo social representado por iniciativas do tipo do Comunidade Solidária).

Não obstante, a insistência em *slogans* dessa natureza, mesmo não tendo sentido, bloqueou muito do que poderíamos ter avançado. O Congresso tomou decisões indulgentes com os interesses estabelecidos, nem sempre coincidentes com o que é melhor para o interesse geral. A maioria dos parlamentares não representa os funcionários, mas muitos têm servidores em família e os próprios assessores parlamentares pertencem à burocracia. E todos pressionam. Vê-se, pois, porque é tão difícil inovar em matéria de leis que regem o funcionalismo. Mesmo assim muito se alcançou.

Olhando-se para a reestruturação dos órgãos públicos, mais do que para as medidas relacionadas ao funcionalismo, torna-se fácil perceber o quanto se inovou. Ousaria dizer que nessa matéria o único momento equivalente foi o período em que Getúlio Vargas, com o antigo Departamento de Administração do Serviço Público (Dasp) à frente, sentou as bases do antigo Estado brasileiro. Juscelino, para acelerar a realização das metas que havia definido, justapôs comissões e grupos de trabalho à máquina pública, mas não reconstruiu propriamente as instituições. Apenas no período militar, sobretudo no governo Castello Branco, houve a definição de algumas políticas novas e a criação de órgãos para executá-las. Mesmo assim, sem uma visão coerente que enquadrasse os novos órgãos em uma filosofia definida. Além do mais, tanto as reformas de Getúlio como as de Castello não se fizeram em ambientes e segundo propósitos propriamente democráticos.

Não vou cansar o leitor com a análise minuciosa das novas instituições e órgãos públicos, mesmo porque nos capítulos anteriores há muitas menções a eles. Tanto na administração financeira como na prestação dos serviços essenciais de educação e saúde foram lançadas as sementes de um novo Estado. Na área educacional, basta referir ao Provão e ao Fundef,

realizado em 1989, na capital americana, coordenado pelo economista britânico John Williamson, reunindo economistas norte-americanos, latino-americanos e funcionários dos principais organismos internacionais, a começar pelo Banco Mundial. Não poucos consideram "Consenso de Washington" como sinônimo de neoliberalismo ou mesmo de globalização, até porque suas recomendações foram, em parte, adotadas pelo Banco Mundial e outras agências internacionais.

sem que seja necessário sequer dar o nome por inteiro dos programas correspondentes a essas siglas, pois todos sabem a que se referem. O Fundef permitiu conciliar o objetivo nacional de universalizar o ensino fundamental e valorizar o magistério com a autonomia de estados e municípios na gestão de seus sistemas de ensino. Pela primeira vez, vinculou-se o montante de dinheiro transferido pelo governo federal ao número de matrículas e assegurou-se um complemento àqueles estados que não atingissem um mínimo previsto em lei. Na área da saúde, o SUS finalmente saiu do papel e reforçou-se a atenção básica. O Piso Assistencial Básico (PAB) garantiu a todos os municípios um mínimo necessário de recursos para o atendimento de seus habitantes, o que antes não havia.

Na área da assistência, a antiga LBA, transformada em instrumento da política clientelista, quando não da mais rasteira corrupção, deu lugar a programas de transferência direta de renda ao cidadão pobre. Que idoso pobre não ouviu falar da Loas? Antes de o programa ser englobado na bolsa-ônibus, dita da Família, que gestante pobre não tinha ouvido falar do Bolsa Alimentação? Que mãe pobre com crianças em idade escolar não ouviu falar do Bolsa Escola?

Na gestão da política econômica, a decisão sobre a taxa básica de juros deixou de ser monocrática e passou a ser colegiada, com a criação do Copom, composto pelo presidente e todos os diretores do BC, sendo que de suas reuniões participam também chefes de departamento e outros técnicos. A definição do regime de metas obrigou o BC a dar explicações à sociedade sobre as razões das decisões tomadas em relação à taxa de juros. Na área do fomento às exportações e ao investimento, implantou-se a Apex, para apoiar as micro e pequenas empresas na conquista de mercados externos. A criação do sistema simplificado de pagamento de tributos, o chamado Simples, representou outra mudança duradoura em favor desse segmento de empresas. Não foi diferente na área do desenvolvimento rural: quem, estando ligado à agricultura, não sabe o que é o Pronaf, o Banco da Terra, a cédula do produtor rural ou o seguro-safra lastreado em opções?

Não é necessário continuar a enumeração para confirmar que reformulamos muitas práticas estatais. A prova da necessidade e da robustez dessas instituições seria dada com sua continuidade depois do final de meu governo, às vezes com outros nomes, a despeito das inúmeras críticas que os novos donos do poder dirigiam a muitas delas. O que fizemos está fincado no solo firme da necessidade e do interesse público, tornando difícil destruir.

O papel inovador das agências reguladoras — e a oposição a elas

Uma área que sofreu transformação importante foi a da reforma patrimonial do Estado. Freqüentemente se olha para ela em termos simplistas: "O governo FHC vendeu (e barato, acrescentam os mais maldosos ou menos conhecedores das coisas) o patrimônio público e ainda por cima desnacionalizou a economia." Pois bem, se existe área em que praticamos a inovação na busca do interesse público, com o sentido de servir aos cidadãos, foi a da privatização.

Em outras partes deste livro cuidei dela sob o ângulo econômico. Aqui se trata de salientar sua função na renovação do Estado, preparando-o para defender o interesse público e nacional na era da economia globalizada.

Fizemos o processo de privatização com o cuidado de evitar a mera transferência do monopólio estatal para mãos privadas: os avanços advêm da competição entre as empresas e de sua capacidade de investimento, incorporando novas tecnologias, e não pura e simplesmente da passagem delas para a iniciativa privada. Como se viu em capítulo anterior, minha posição na matéria não se prende a concepções ideológicas, mas decorre do reconhecimento de dois fatos: primeiro, que, em princípio, todo monopólio é ruim; segundo, que, com a crise fiscal do Estado, o Brasil ficaria à margem da competição global, já em marcha, pois não havia recursos públicos suficientes para investir. Só adicionalmente mencionaria outro elemento: a maior flexibilidade administrativa do setor privado e a inevitável burocratização patrimonialista do setor estatal da economia. Cito este fator em último lugar porque ele não é decisivo para justificar a privatização. Corporações como a Petrobras ou o BB, quando liberadas de influências político-clientelísticas e preservadas de pressões corporativas, mostram que, a despeito dos entraves burocráticos, algumas empresas públicas podem dar conta de segmentos do setor produtivo.

O Programa Nacional de Desestatização começou com a lei aprovada pelo Congresso em 1990,[4] sob cuja égide se privatizou a Usiminas, em 1991. Quando assumi o governo, algumas empresas menores, que estavam sob controle do BNDES porque sofreram dificuldades financeiras, já haviam sido devolvidas ao setor privado. Ao longo de meus dois mandatos, completamos as privatizações no setor industrial, que avançou no governo Itamar Franco com a venda de duas siderúrgicas importantes, a Companhia Siderúrgica Paulista (Cosipa) e a CSN, esta um verdadeiro símbolo do período inaugural da industrialização pesada no Brasil.

A mais significativa privatização nesse setor ocorrida em meu governo foi, sem dúvida, a da Vale do Rio Doce, considere-se o aspecto simbólico, financeiro ou produtivo. A despeito de inumeráveis tentativas de bloquear o leilão de privatização com protestos e medidas judiciais, sob o pretexto de que a companhia iria ser vendida "na bacia das almas" a grupos estrangeiros, a privatização ocorreu e hoje a Vale desmente, por seu desempenho, todos os receios pretextados pelos que se opunham à sua venda por motivos políticos e ideológicos ultrapassados. Lucrativa como jamais em toda a sua história, ela consolidou presença no mundo, sendo, ao lado da Petrobras, a maior multinacional brasileira. Controlada por capitais brasileiros, *paga hoje mais impostos ao Tesouro do que rendiam suas ações quando sob controle governamental.* Anos depois de ter deixado o poder, porém, continuei a ver este aspecto fundamental não ser levado em conta pelos que continuaram a criticar sua privatização.

Também a Empresa Brasileira de Aeronática (Embraer) fora privatizada, com meu endosso como ministro da Fazenda, no governo do Presidente Itamar. Os resultados estão ao alcance dos olhos de todos: transformou-se na quarta maior produtora de aviões comerciais do mundo, a maior no segmento de jatos de porte médio, e é orgulho da tecnologia nacional. Tecnologia, diga-se de passagem, apropriada pelo país graças ao trabalho da FAB. Trata-se de mais um exemplo de que o dogmatismo não ajuda nesta matéria (como em nenhuma outra): há inegavelmente complementaridade entre os setores público e privado. A primazia que se deva conceder a um ou a outro depende do momento vivido e da natureza da tarefa a ser realizada. Em uma visão moderna (social-democrática) do

[4] Lei nº 8.031, de 12/4/1990.

Estado, não existe lugar para a privatização pela privatização nem para a estatização em si, pois nenhuma delas é o abre-te-sésamo da prosperidade e a garantia da defesa dos interesses nacionais. No caso brasileiro, a quebra dos monopólios estatais e a aprovação da Lei de Concessões dos Serviços Públicos permitiram uma espiral de investimentos que puseram o país no caminho da capacidade de competir internacionalmente.

A quebra dos monopólios e a abertura dos setores de infra-estrutura aos capitais privados nacionais e estrangeiros foram feitas em cascata, por intermédio de emendas constitucionais, quer dizer, com apoio de ampla maioria no Congresso: abertura da exploração de gás à iniciativa privada sob regime de concessão (concessões estaduais), igualdade de tratamento para empresas brasileiras de capital nacional ou estrangeiro, possibilidade de investimentos nacionais e estrangeiros na pesquisa e lavra de riquezas minerais, abertura da navegação de cabotagem, quebra do monopólio estatal das telecomunicações e, por fim, flexibilização da prospecção, exploração, importação, refino e transporte de petróleo.

As regras que definiram as privatizações a partir do arcabouço dado pela Lei nº 8.031 foram aperfeiçoadas por nova legislação aprovada pelo Congresso em 1997. As empresas ou serviços incluídos no Programa Nacional de Desestatização seriam analisados econômica e financeiramente por um consórcio escolhido em licitação para fixar o preço mínimo de venda. Haveria em seguida a publicação de um edital de privatização e, posteriormente, o credenciamento dos consórcios de empresas interessados no leilão, desde que comprovada sua capacidade de pagamento. A lei determinava também que as empresas seriam vendidas em hasta pública a quem ofertasse, em envelopes fechados, o melhor preço. Na hipótese de as diferenças entre os lances serem inferiores a 20%, haveria leilão subseqüente em viva voz. Com todos esses cuidados, a despeito das acusações políticas da ocorrência de "fraudes" ou do pagamento de propinas (nunca comprovadas nem levadas aos tribunais pelos acusadores, nem muito menos submetidas a revisão pelo governo que me sucedeu, cujos líderes combateram com ferocidade as privatizações), os procedimentos adotados no Brasil, comparados com os praticados por outros países da região em que houve privatizações, foram muito mais transparentes e confiáveis.

As privatizações do setor financeiro também merecem menção. A razão fundamental para elas foi o descalabro a que a inflação somada à irresponsabilidade fiscal havia conduzido o setor bancário estadual. É certo que o setor federal não diferia nessa matéria quando assumimos, mas o Ministério da Fazenda tinha a faca e o queijo na mão para forçar um comportamento mais responsável de todas essas instituições. Ainda assim, como já vimos, o Tesouro se viu forçado a socorrer duas vezes o Banco do Brasil para evitar sua descapitalização. Vários governos estaduais haviam utilizado os bancos locais para tomar empréstimos que não tinham condições de honrar, sem esquecer que tais bancos emprestaram sem critério ao setor privado dinheiro que se transformou em créditos podres, ou seja, dívidas que as instituições dificilmente conseguiriam receber. O BC tinha que assumir, em seguida, os custos dessa farra, lançando mão das reservas bancárias, para não haver um caos financeiro generalizado. Tudo isso, cedo ou tarde, era pago pelo bolso dos contribuintes.

Diante dessa situação criamos o programa paralelo ao Proer que já mencionei anteriormente, o Proes, que permitiu viabilizar a privatização de doze bancos estaduais e a liquidação extrajudicial de dez deles, além de havermos transformado outros em agências de fomento, sem acesso às reservas bancárias. Some-se a isso a privatização de um banco federal. Inevitavelmente sobreveio a barulhenta reação dos interessados, especialmente governadores, políticos regionais, burocracia bancária e beneficiários do sistema: "O governo está entregando patrimônio público ao setor privado a preço de banana." Na verdade, pelo contrário, estávamos simplesmente defendendo o Tesouro e os contribuintes.

Antes eu autorizara, como a Constituição me permitia, a participação de capital estrangeiro em bancos privados. A primeira de maior monta, já referida antes, foi a do HSBC, e a compra de 5% do Bamerindus seria uma tentativa de evitar que a instituição fosse engolfada pela crise bancária que se aproximava. Outros pequenos bancos, sobretudo estaduais, também foram comprados por capitais estrangeiros e um de porte, o Banespa, seria adquirido pelo espanhol Santander, como já comentei, com um lance na época avaliado como altíssimo. Com o tempo, alguns grupos bancários nacionais foram readquirindo dos estrangeiros os ativos financeiros que eles controlavam e por seu turno novos bancos forâneos, como os holandeses, compraram bancos brasileiros, resultando disso um mix positivo: em termos gerais, os estatais controlavam ao final de meu governo entre 40 e 50% dos depósitos (ou dos empréstimos, dependendo do critério que se use para medir o porte dos bancos), os bancos de capital em mãos de brasileiros correspondem a cerca de 25 a 30% do total e os estrangeiros outro tanto. Não houve a "desnacionalização" nem a "desestatização" completa do sistema financeiro, longe disso: os dois maiores bancos do país são controlados pelo governo (BB e Caixa Econômica Federal) e os dois maiores bancos privados são os nacionais Bradesco e Itaú.

Durante meus dois mandatos, as privatizações geraram receitas de 78,6 bilhões de dólares, aos quais se devem somar outros 14,8 bilhões, correspondentes às transferências de dívidas das empresas privatizadas, em um total de 93,4 bilhões de dólares, que abateram dívidas do governo. No período 1991-1994, o programa de privatização havia gerado apenas 11,9 bilhões de dólares. Do montante obtido por meu governo somente 5% provieram do uso de "moedas podres", quer dizer, papéis correspondentes a dívidas do governo em mãos dos compradores — enquanto nas anteriores o governo recebeu apenas 19% das receitas em moeda corrente, o que provocara um dilúvio de críticas.

Para cada setor privatizado ou objeto de concessões federais tínhamos que definir como os concessionários ou os novos controladores das empresas (por exemplo, petrolíferas ou de energia) atuariam para servir ao país e ao público. Se a aprovação das emendas constitucionais da ordem econômica deu-se no embalo do início de governo, a tramitação das leis regulamentando as relações entre o governo e os concessionários privados, em cada uma das áreas da infra-estrutura, porém, seria bem mais complexa. Não poderia ser diferente, em vista da ausência de um marco legal adequado e das mudanças tecnológicas e organizacionais que vinham e vêm ocorrendo nesses setores em todo o mundo.

Tome-se, por exemplo, o setor de telecomunicações, que já então abarcava não só os serviços de telefonia fixa, mas também a telefonia móvel e a transmissão digital de dados, voz e imagem, tudo isso em constante evolução, exigindo simultaneamente segurança jurídica para a realização dos investimentos e flexibilidade legal suficiente para não engessar e impedir a expansão e modernização dos serviços. Nunca será demais ressaltar o papel de Sérgio Motta na condução do processo de privatização das telecomunicações. Sem dogmatismos ideológicos, ele se cercou dos melhores especialistas, nos campos técnico e jurídico, jogou-se de corpo e alma no entendimento profundo da área de telecomunicações e colocou a sua capacidade de trabalho a serviço da reforma do setor. Em quatro anos, logramos aprovação do Congresso para quatro leis que configuraram um marco regulatório consistente com o objetivo de promover o investimento privado, impedir a formação de monopólios e assegurar a expansão e a melhoria de qualidade dos serviços de telecomunicações. Dentro desse marco legal, que igualmente criou a Agência Nacional de Telecomunicações (Anatel), deu-se a privatização das telefonias fixa e móvel, inclusive de longa distância, sem a qual o Brasil ficaria patinando no atoleiro.

Menos feliz viria a ser a mudança de modelo no setor de energia elétrica. Aliás, um dos maiores problemas foi justamente esse: não conseguimos realizar a mudança do modelo. Ficamos no meio do caminho, por resistências que se espraiaram das oposições para parte da base de apoio ao governo, encontrando eco nos estados. Avançamos na privatização das distribuidoras de energia, para na seqüência passar à das geradoras. A escolha era lógica. Tendo em vista que são as distribuidoras que recebem o dinheiro das contas pagas pelos consumidores, que investidor privado se disporia a investir na geração enquanto a distribuição, suas regras e tarifas permanecessem em mãos do Estado? Estavam vivos na memória de todos os sucessivos calotes aplicados nos anos anteriores pelas distribuidoras estatais, que não pagavam às geradoras pela energia fornecida, levando o governo a emitir, quando eu era ministro da Fazenda, mais de 20 bilhões de dólares em dívida para evitar o colapso do sistema.

Ao mesmo tempo em que realizávamos a privatização das empresas de distribuição — a rigor estimulando e apoiando os estados, detentores de quase todas elas, a fazê-lo —, preparávamos o marco legal para completar a reforma do setor elétrico. Em 1996, aprovou-se a lei que criou a Agência Nacional de Energia Elétrica (Aneel), que passou a ser dirigida pelo respeitado engenheiro José Mário Abdo, e disciplinou o regime de concessões. Em 1998, seria a vez da lei que definiu o Mercado Atacadista de Energia (MEA) e o papel de coordenação do Operador Nacional do Sistema Elétrico (ONS). Logo em seguida, colocou-se em marcha o processo legal visando à privatização das empresas de geração federais, a começar por Furnas. Levantou-se então uma ampla e variada frente de interesses contrariados, aproveitando o momento de fragilidade que o governo vivia com as incertezas dos meses subseqüentes à mudança cambial. Em meio a uma batalha política e jurídica, a reforma do setor elétrico acabou sendo bloqueada a meio caminho de sua conclusão.

Seria pretensioso assegurar que, se efetivamente realizado, o modelo concebido teria produzido os resultados desejados em termos de investimento, modernização e expansão do sistema. Duas coisas, no entanto, são certas: uma delas é que não foi o modelo que fracassou, pois ele sequer chegou a ser testado; a outra é que o modelo que se implantou no governo do Presidente Lula, verdadeira profissão de fé nos dons do planejamento estatal centralizado, revelou-se até a publicação deste livro incapaz de entregar o que prometera. Com os investimentos em queda, sobram preocupações quanto à oferta de energia no futuro.

O simples enunciado desse conjunto de providências tomadas e de leis aprovadas criando órgãos novos e disciplinando o relacionamento entre empresas privadas e o setor público mostra a complexidade da reforma do Estado vista de uma perspectiva abrangente. Mas não foi só isso que fizemos.

Para o *aggiornamento* da economia brasileira, tão importante quanto as leis novas foi pôr em prática determinações legais que existiam apenas no papel. É o caso da chamada lei de modernização dos portos, aprovada no final de 1993, assim como da lei de 1994 que deu autonomia e maiores atribuições ao Conselho Administrativo de Defesa Econômica (Cade) para julgar atos potencialmente prejudiciais à livre concorrência.

Aspecto importante da privatização foi a redução do número de postos nas empresas estatais, cobiçados na partilha política dos cargos, que contribuiu para reduzir a corrupção no país. Até as privatizações, além das dezenas de milhares de funcionários das estatais transferidos ao setor privado, havia centenas de gordos cargos de direção. Os escolhidos eram apontados, em grande parte, pelos partidos e pelos interessados nas respectivas áreas. E tinham, fora confortos e privilégios pessoais variados, gabinetes, assessores, secretárias — toda uma infra-estrutura atraente (e cara) aos olhos dos políticos. Pode-se imaginar a reação negativa que a perda desse "espaço político" ocasionou. E no caso de empresas que o governo jamais pensou em privatizar, como a Caixa Econômica Federal, o BB ou a Petrobras, houve durante os oito anos em que estive na Presidência um grande esforço de profissionalização, quer dizer, de restrição às ingerências políticas.

Imunizar de ingerências políticas áreas tão importantes da economia foi uma das razões que levaram à criação das agências reguladoras, os órgãos mais inovadores no conjunto de organizações públicas que pusemos em pé. As primeiras agências que criamos, a ANP, a Anatel e a Aneel, destinaram-se a regular as áreas de infra-estrutura. Mais tarde vieram leis referentes às agências reguladoras dos transportes, a Agência Nacional dos Transportes Terrestres (ANTT) e a Agência Nacional dos Transportes Aquáticos (Antaq), de consolidação ainda precária quando deixei o governo. Mais consolidada ficou a agência encarregada de disciplinar o uso e a preservação das águas, a ANA, e mais inovadora, por incluir a área cultural, foi a criação da Agência Nacional do Cinema (Ancine). Além dessas criamos, como já visto no Capítulo 8, duas importantes agências que regulam aspectos sensíveis da área da saúde, a Anvisa e a ANS.

Ao contrário do que disse meu sucessor já como Presidente, com a criação das agências reguladoras não houve a "terceirização do Estado". É verdade que elas, em alguns aspectos, substituíram os antigos ministérios, pois, além de fiscalizadoras do cumprimento dos contratos, têm a capacidade de regulamentar como as empresas privadas devem atender ao interesse dos consumidores e do país, mas segundo diretrizes fixadas em leis, às quais elas próprias estão submetidas. Quem critica as agências em geral padece de uma visão personalista e limitada do exercício do poder. Desconhece que a gestão do Estado na sociedade contemporânea não pode estar sujeita a espasmos e arrancos decorrentes da vontade circunstancial de um governante ou da coalizão de forças que o apóia.

Não são as agências que definem o teor dos contratos, as metas e as condições para o desempenho dos serviços. Essas continuam a ser atribuições dos ministros e, em última instância, do Presidente e do Congresso, que aprova, modifica ou derruba os projetos de lei encaminhados pelo Executivo. Não tem propósito, portanto, falar em terceirização, como se houvesse aí uma abdicação indevida da delegação recebida do povo. O que as agências fazem é permitir maior segurança aos investidores e aos consumidores de que o contrato será cumprido e que não poderá ser alterado unilateral e abruptamente nem pelo poder concedente (o Estado) nem pelo concessionário. Para poder exercer essas tarefas, elas dispõem de autonomia administrativa e financeira. A indicação de seus integrantes pelo Presidente da República, por lei, precisa ser aprovada pelo Senado.

O mandato deles tem duração fixa, não coincidente com o período presidencial, e somente pode ser revogado em casos extremos, como em decorrência de condenação judicial ou processo disciplinar. Ou seja: os dirigentes nomeados têm independência em face das pressões, tanto as do governo como as dos partidos políticos.

Com a atuação das agências, as condições de prestação de um serviço público — reajuste de tarifas, por exemplo — tornam-se menos suscetíveis ao eventual oportunismo político de uns e ao eventual oportunismo empresarial de outros. Assim, por exemplo, se determinado governo preferir manter artificialmente baixas as tarifas, digamos, de eletricidade, ou o preço da gasolina — para reprimir a inflação e/ou por populismo eleitoral —, não poderia fazê-lo. Essa é uma garantia fundamental para o investidor que coloca bilhões na operação de um serviço público. Por outro lado, as agências têm poderes para obrigar os concessionários privados a cumprir metas de melhoria e expansão dos serviços fixadas no contrato de concessão, e de impedir a adoção de práticas de monopólio que prejudiquem o consumidor.

Ao fazer a defesa do modelo das agências para a regulação daqueles setores em que a concorrência perfeita não impera e o interesse público está em jogo, não estou dizendo que esse modelo não deva e possa ser aperfeiçoado. Pelo contrário, a experiência vem mostrando que é cabível definir melhor o papel dos ministérios e o das agências. Elas, porém, devem ser preservadas para que funcionem como pontes entre o interesse público e o privado, ao mesmo tempo garantidoras da eficiência da prestação dos serviços e fiscalizadoras independentes dos contratos. O que não pode haver, por ser negativo para o desenvolvimento, é a destruição sub-reptícia das agências, seja por nomeações a serviço de interesses partidários e/ou corporativos, seja por sua asfixia financeira.

As agências reguladoras não fazem parte da tradição jurídica que herdamos do mundo ibérico, baseada no Direito romano. Antes nasceram na tradição anglo-saxã que não se arrepia quando o Executivo transfere, sob condições previstas em lei, funções reguladoras para um órgão autônomo, como são essas agências: órgãos que além de seu papel regulador, fiscalizador e punitivo, atendem ainda reclamações dos usuários dos serviços públicos (que são pessoas jurídicas de Direito Público). Elas abrangem em seu escopo regulamentador aspectos econômicos e também sociais, no que diferem da tradição americana ou inglesa.

Não se trata, portanto, de uma imitação, e sim da adaptação criativa de instituições. Vale ressaltar que a "adaptação criativa" das agências ao contexto brasileiro está longe de ser trivial. Um dos problemas reside no conflito jurisdicional entre as decisões por elas tomadas e as dos tribunais do Judiciário, aquelas valendo-se de critérios mais bem técnicos e aderentes à letra do contrato e estes apoiando-se em critérios mais abstratos de justiça social.

O país só tem a ganhar, a meu ver, com o aperfeiçoamento das agências, e é desejável dar maior liberdade ao governo para definir as políticas de cada área. A crítica, entretanto, raramente se apresenta por este ângulo. Continua forte a ideologia intervencionista e arbitrária que vê em qualquer limitação ao Executivo um atentado à soberania nacional. Não se confia em órgãos independentes, embora submetidos a leis e regras, responsáveis perante a sociedade.

Mudando a forma burocrática de governar

É crença generalizada entre nós que o governo tudo pode, na economia como na vida. Ela vem se reduzindo, mas ainda é grande o peso da tradição estatista. Há uma confusão que leva a coincidir a boa ou a má política econômica com bons ou maus resultados na economia. O crescimento do PIB passa a ser uma espécie de atestado de boa conduta governamental. Até certo ponto é assim mesmo. Mas até que ponto?

Este livro mostra que me dediquei (em conjunto com muitas forças e pessoas) a reconstruir as instituições fundamentais da economia, do Estado e, em menor proporção, da sociedade, reforçando a capacidade operacional dos primeiros e fortalecendo as instituições políticas, principalmente para permitir uma relação renovada entre o Estado e a sociedade civil. Essas são precondições para o bom resultado de uma economia moderna. Só liberais antiquados e alguns neoliberais exaltados deixam de perceber que sem Estado competente na regulação e no controle, embora não interferente na seara própria do mercado, o bom desempenho da economia não se sustenta em longo prazo. É igualmente óbvio, entretanto, que uma política econômica inadequada pode levar o país ao desastre. Assim como é certo que a boa política por si só não basta: o mundo contemporâneo entrelaça os mercados, de modo que uma maré internacional positiva ajuda decisivamente a economia — desde que estruturalmente bem ajustada e com regras capazes de aproveitar a onda —, mas os maus ventos procedentes não mais do leste, da Espanha, como diziam os portugueses que nos conquistaram, e sim do norte, esfrangalham os melhores esforços.

Por isso, ao mesmo tempo em que revigorei algumas das instituições econômicas básicas, tomei as medidas acima descritas (e várias outras mais) para fortalecer o Estado. No que diz respeito ao fortalecimento do mercado, desde a instituição do Plano Real, permitimos que os mecanismos de formação de preços atuassem mais livremente. Há três preços, entretanto, que dependem das políticas governamentais: o dos juros, o do câmbio e o do salário mínimo. Nos capítulos correspondentes viu-se como evoluíram e que regras colocamos em prática para lidar com eles. Quanto às instituições básicas para o funcionamento do mercado, por exemplo, o BC e a Comissão de Valores Mobiliários (CVM), que são outro tipo de agências reguladoras, seguimos a mesma pauta de conferir liberdade e responsabilidade aos gestores. Com uma ressalva: o BC não goza de autonomia constitucional.

Desde que fui ministro da Fazenda o BC virtualmente ganhou autonomia operacional. Não obstante, por duas vezes, como já descrito, mudei seu presidente para alterar as políticas que estavam sendo postas em prática. Em uma economia emergente, sujeita às chuvas e trovoadas do mundo e às pressões políticas domésticas, é difícil que se produza um consenso básico quanto às melhores políticas monetárias e cambiais. Neste contexto, o Presidente ainda tem que atuar como um guarda-chuva protetor do BC no plano interno, dando força política a seus gestores, e como um moderador no caso de discrepância gritante entre as políticas que estão sendo implementadas e as condições do mundo. Afinal quem se responsabiliza em última análise pelas conseqüências delas, repito, em uma sociedade que tudo espera do governo, é o Presidente.

A definição de políticas não é suficiente para assegurar resultados. Eles dependem de uma série de fatores, dentre os quais a disponibilidade de poupança e as decisões de investimento pelos empresários. Contudo, é grande o papel que o governo exerce na indução de investimentos, seja direta ou indiretamente, estimulando e traçando políticas apropriadas.

Sobretudo nas áreas de infra-estrutura, as responsabilidades públicas aumentaram mais ainda com as privatizações, pois as funções reguladoras, se bem exercidas, ajudam a atrair o investimento privado. Além da inversão direta de recursos próprios, o governo sinaliza os caminhos do desenvolvimento econômico e social. Como foi feito isso?

Embora pareça aberrante para um governo "acusado" de neoliberalismo, reconstruímos os mecanismos de planejamento e mantivemos e reforçamos o Ministério do Planejamento. Sob a condução deste Ministério lançamos em 1996 o programa Brasil em Ação, composto por 42 projetos de investimentos em infra-estrutura e de desenvolvimento social. Com uma visão renovada do desenvolvimento regional (em que a integração do mercado interno e mercados externos era vista como complementar e não antagônica), desenvolvemos o conceito de Eixos Nacionais de Integração e Desenvolvimento, formalizado, pela primeira vez, no PPA do quadriênio 1996-1999. (O inspirador do conceito de tais "eixos" foi Eliezer Batista, homem de múltiplos talentos, grande empresário, duas vezes presidente da Vale quando estatal, ex-ministro de Minas e Energia e da Secretaria de Assuntos Estratégicos e um pensador do desenvolvimento brasileiro.) Nele distribuímos os 42 projetos, no valor total de cerca de 70 bilhões de reais (na ocasião equivalentes aproximadamente ao mesmo em dólares), dos quais, entretanto, apenas 16% provinham do Orçamento federal: a noção de parceria público-privada estava em marcha. Desses 42 projetos, 14 se orientaram para as áreas sociais (redução da mortalidade infantil, valorização do magistério no ensino fundamental, reforma agrária e fortalecimento da agricultura familiar, entre outros).

No sistema de planejamento indutor inovamos as práticas administrativas, designando um gerente para cada projeto, ligando-os à administração por uma rede *on line* de conexões eletrônicas, e definindo, projeto por projeto, objetivos, metas e dispêndios, sendo estes liberados mês a mês, sem interrupção, conforme o andamento físico de cada projeto. Com isso, dos 24 projetos de infra-estrutura propostos, 12 estavam concluídos em dezembro de 1999 e, dos 18 na área social, 13 atingiram as metas propostas, no mesmo período. Os projetos não concluídos tiveram continuidade no PPA seguinte.

Este, o segundo PPA (2000-2003), contou com o benefício de um estudo feito sob a orientação do BNDES sobre os Eixos de Integração e Desenvolvimento. O estudo reavaliou as oportunidades de investimento para o desenvolvimento econômico e social, tendo como objetivos a integração nacional e internacional, o aumento desejado da competitividade sistêmica e a redução das disparidades regionais e sociais. Cerca de oitenta técnicos do BNDES, do Ministério do Planejamento e de vários outros órgãos públicos se somaram a uma consultoria especializada, selecionada por licitação pública, que liderou a cooperação com diversas universidades e com técnicos do setor privado, em uma parceria para determinar os investimentos fundamentais que, em um horizonte de oito anos, poderiam produzir os estímulos desejados para alcançar os fins propostos pelo Plano.

Concluído o trabalho preliminar, no início de 1999, submetemos seus resultados a um amplo debate, durante quatro meses, com representantes da sociedade civil, autoridades dos três níveis da administração, parlamentares, empresários e acadêmicos, abrangendo cerca de 2.500 pessoas nos diversos estados do Brasil. A discussão levou a modificações e, no final, compusemos um portfólio de 952 projetos, no valor total de 317 bilhões de reais, constituindo a demanda brasileira global de investimentos em infra-estrutura econômica e social. Avaliação realizada em dezembro de 2001 mostrou que 18,7% dessas oportunidades de investimento haviam sido realizadas ao final do segundo ano do novo PPA.

Este segundo PPA, batizado de Avança Brasil, contou com uma maneira mais eficaz de vinculação com o Orçamento. Por decreto que assinei em outubro de 1998, seguido de instruções do ministro do Planejamento, Paulo Paiva, e do controle efetivo da execução pelo engenheiro José Paulo Silveira (que foi quem trouxe da Petrobras a técnica de planejamento de metas com controle de resultados), mudamos uma prática de mais de 30 anos de classificar os gastos da União em programas, subprogramas, projetos e atividades que não guardavam qualquer relação com os resultados ou com os problemas a serem resolvidos. Superava-se assim, na linha da reforma geral da administração e do Estado, a forma burocrática de governar, substituída agora por práticas empreendedoras orientadas a obter resultados. No Orçamento para o ano seguinte arrolaram-se 365 programas, relacionando-se os gastos aos resultados esperados, tornando-se essa relação transparente ao Congresso e à sociedade. Os programas, com seus gerentes, mais do que as "repartições", passaram a ser as unidades de gestão, podendo ser diretamente responsabilizados por êxitos ou falhas.

Os PPAs, com definição específica de cada programa vinculado aos gastos autorizados pelo Orçamento anual, combinados com a LRF, são instrumentos centrais para uma verdadeira revolução gerencial no setor público brasileiro. Desde que haja continuidade e aperfeiçoamento das ações.

Crescimento modesto não impediu melhoria social

As medidas que tomamos no plano institucional e a redefinição das políticas macroeconômicas permitiram transformar consideravelmente a base produtiva do país, a despeito de um cenário internacional adverso. Mostrei nos capítulos anteriores que durante o primeiro mandato o governo se ocupou em criar as condições para a modernização do Estado e assegurar a continuidade da estabilização lograda com o Plano Real. Críticos desatentos das condições históricas e conjunturais insistem no alto preço pago pelo país pela apreciação do câmbio e pela relativa frouxidão fiscal daquela época. Em capítulo anterior reconheci que em tese poderíamos ter alterado essa situação antes de 1999. Contudo, não se devem minimizar as circunstâncias: o governo, ou melhor, o Estado, não dispunha dos recursos institucionais, nem da experiência para controlar da noite para o dia a desordem financeira herdada do período inflacionário.

Em um país recém-democratizado, com várias forças sociais pressionando por mais recursos, com o hábito do calote no Tesouro, sem instrumentos adequados para tratar simultaneamente de taxa de juros, câmbio e inflação e, ainda por cima, com intensos e contínuos reclamos da sociedade para acelerar a taxa de crescimento, era preciso buscar alguma amarra mais sólida para manter a estabilidade e ganhar tempo para executar ajustes estruturais mais profundos e para aprender a lidar com a economia global. Essa amarra, por quatro anos, foi a apreciação do real. Não obstante, a base produtiva do país se modernizou e deu um salto qualitativo tanto no setor industrial como na agricultura e no setor dos serviços. Sem pretender exaurir a análise, é o que mostrarei, a título exemplificativo, na parte subseqüente deste capítulo.

Antes, uma ressalva: não resta a menor dúvida de que as taxas de crescimento do PIB foram decepcionantes.[5] A modéstia dos números contrasta, entretanto, com a contínua melhoria dos indicadores sociais e mesmo com o aumento do consumo. Cada vez que o IBGE publicava dados sobre a renda e o PIB eu costumava dizer em tom de blague a seu presidente, Sérgio Besserman Vianna, que deveria haver algum equívoco. Como explicar o aumento do consumo e, ao mesmo tempo, a diminuição da renda, o aumento físico da produção e a pequena variação positiva do PIB? Existem fatores que podem explicar essa hipótese. Por exemplo, se houver forte aumento de produtividade, ampliando a quantidade de bens produzidos e reduzindo seu custo. Como o PIB mede valores e não bens físicos, é possível ocorrer relação desse tipo. Por outro lado, sob uma democracia a pressão salarial é mais forte, daí o aumento na renda das pessoas e das famílias,[6] sem significar necessariamente um aumento na poupança e nos

---

[5] Desde o Plano Real, em 1994, até ao final de meu segundo mandato, em 2002 (com a ressalva de que tecnicamente o segundo mandato terminou no ano seguinte, pois foi no dia 1º de janeiro de 2003 que transmiti o cargo a Lula), o PIB cresceu 24,6%, ou seja, em média 2,7% ao ano. Nos meus dois mandatos crescemos 18,7%, isto é, 2,33% ao ano. Esse baixo crescimento permaneceu depois de 2002: de 2003 a 2005, o PIB cresceu 7,9%, ou seja, em média 2,66% ao ano. Mesmo assim é de notar que não houve, como em décadas passadas, qualquer ano com crescimento negativo. Apenas em 1998 e em 2003, anos de crise, o PIB *per capita* diminuiu.

[6] Com o Plano Real o rendimento médio mensal real do trabalho saltou de 681 reais em 1993 para 879 reais em 1995, atingindo o pico de 903 reais em 1996, declinando com a crise de 1998-1999, até chegar a 793 reais em 2002, graças ao "efeito Lula". Mesmo assim, muito acima dos 681 reais de 1993. A queda persistiu: em 2003 chegou a 733 reais e permaneceu nesse patamar em 2004. Para avaliar o efeito dessa tendência sobre a massa de bens consumidos é preciso considerar também o nível de ocupação da população. Em termos absolutos, a população ocupada passou de 61 milhões em 1995 para 64 milhões em 2002, atingindo, em números redondos, 67 milhões em 2004.

A taxa de desemprego, que até 1997 variava entre 6% e 7% da população economicamente ativa, saltou para 9% em 1999, atingindo o pico de 9,7% em 2003, para voltar aos 9% em 2004, segundo dados do IBGE.

Também o Coeficiente (ou Índice) de Gini, que mede desigualdade entre as classes de renda, melhorou lenta e continuamente, passando de 0,600 em 1993 para 0,547 em 2004 (quanto mais próximo de 1, pior a distribuição da renda). Segundo relatório do Banco Mundial, o Brasil foi o único país da América Latina que apresentou indicadores favoráveis entre 1991 e 2000.

investimentos.[7] Neste caso, a produção aumenta mais pela utilização da capacidade ociosa do que por expansão dos investimentos, embora os dados do PIB devessem registrar o deslocamento de recursos dos investimentos para o consumo das famílias. Poderia mesmo ter havido aumento de investimentos nos setores de bens de consumo e retraimento ou estagnação nos de produção. Ainda assim, as contas nacionais deveriam ter registrado o que ocorrera.

De qualquer modo, e por paradoxal que pareça, houve um câmbio qualitativo na base produtiva e uma melhoria de algumas condições sociais, sem que o crescimento do PIB fosse significativo. Aos economistas cabe deslindar como se deu esse processo e a mim não utilizá-lo para negar o óbvio: que tivemos uma modesta expansão do PIB e, portanto, que ainda há muito por fazer para assegurar um futuro melhor ao povo e ao país.

Industrialização e competitividade

A despeito da polêmica sobre a contraposição entre política fiscal e política de crescimento econômico, entre políticas universais e definição de áreas específicas (estratégicas, se diz) que requerem a ação governamental,

---

[7] A taxa de investimento como proporção do PIB atingiu 20,45% em 1995 (quando em 1991 fora de 18,10%). Variou entre 19% e 20% até 1998, caiu para 18,90% em 1999, voltou a um patamar pouco superior a 19% em 2000 e 2001, para, sob o "efeito Lula", regredir aos 18,32% em 2002. Caiu mais ainda em 2003, para 17,78%, e se recuperou em 2004, chegando a 19,60%. Em resumo: a taxa de investimento se manteve, *grosso modo*, em níveis baixos.

Chama a atenção que o investimento direto estrangeiro, embora variável, tenha sido elevado. Quer dizer, a poupança doméstica é realmente baixa, pois na proporção de investimento sobre o PIB estão computados tanto os investimentos diretos estrangeiros como os domésticos.

O ingresso líquido de investimento estrangeiro no Brasil somou 174 bilhões de dólares de 1995 até 2002. Entre 2003 e 2004 ingressaram mais 28 bilhões, totalizando, desde o início do Plano Real, 192 bilhões de dólares. Só para comparar, em 1994 haviam entrado 2 bilhões e no ano anterior menos do que isso. O maior ingresso se deu em 2000: quase 33 bilhões de dólares. O menor ocorreu em 2003, 10 bilhões. A média dos investimentos estrangeiros ao longo de meus dois mandatos chegou a 21,8 bilhões de dólares por ano. No período do Presidente Lula, até o momento da publicação deste livro, a média era de 14 bilhões.

o certo é que desde o Plano Real, embora nem sempre tenha havido rigor fiscal, sempre tivemos — retóricas fundamentalistas à parte — preocupação com o fortalecimento de setores industriais. A abertura da economia produziu um tremor de terra em alguns setores, em outros um terremoto de grandes proporções, afetando o parque industrial do país. É assim que o sistema competitivo cresce: destrói, reconstrói e, se houver sorte e condições favoráveis, continua crescendo. Foi o que ocorreu.

De início, alguns segmentos industriais sofreram bastante, não só por causa da competição com os produtos importados, mas porque as taxas de juros, as dificuldades para a obtenção de empréstimos de longo prazo e a modernização do parque produtivo, exigindo investimentos crescentes, afetaram-nos fortemente. A indústria têxtil, a de calçados e a moveleira, por exemplo, foram bastante prejudicadas. A abertura atingiu negativamente também os setores de bens de capital e de insumos para as montadoras de veículos. Nesse último caso, as próprias multinacionais montadoras, devido a descuido do governo anterior, tendiam a deslocar investimentos em benefício da Argentina, como relatei no Capítulo 5. Não fosse a reação pronta do governo, que renegociou um regime automotivo especial, como descrevi brevemente antes e logo se verá outra vez neste capítulo, teria havido a desindustrialização do setor automobilístico.

Inegavelmente, a área fazendária se preocupava em evitar custos demasiado altos com a proteção industrial. Temia-se mesmo uma recaída em práticas do passado, quando os bancos públicos e especialmente o BNDES se tornaram "hospitais": na prática pagavam os custos não só da necessária adaptação industrial aos novos tempos, o que seria razoável se fosse para promovê-la, mas também da incompetência empresarial ou da falta de investimento direto dos controladores de certas empresas, que preferiam separar os ganhos pessoais e familiares sem reinvesti-los em modernização. Essa tensão interna aos governos é natural e mal não faz, desde que o Presidente arbitre. Atuei nesse sentido o tempo todo.

Mantive permanentemente contato direto com os presidentes do BNDES para incentivá-los a reestruturarem os setores industriais fundamentais e assegurar a presença de grupos nacionais, sem ultrapassar os limites do que é próprio nesta matéria, ou seja, atendo-me aos delineamentos gerais da política industrial, jamais pleiteando soluções para grupos específicos. Tinha em mente a importância de robustecer os segmentos nacionais para garantir a competição e porque, a mais longo prazo, haveria de incentivar, como fizemos, a globalização de algumas corporações brasileiras.

As indústrias tradicionais, prejudicadas pela abertura, pelos juros elevados e pela apreciação do real,[8] se beneficiaram, principalmente depois de 1999, do ajuste do câmbio. No caso da indústria têxtil, desenvolvemos entre 1996 e 1998 (antes, portanto, do ajuste cambial de 1999) um programa de recuperação do setor visando sua modernização tecnológica, dando-lhe financiamento adequado a juros reduzidos. Tomamos uma série de medidas que favoreceram o conjunto da cadeia produtiva. Impusemos quotas às importações de peças de vestuário e tecidos, provenientes principalmente de países asiáticos, que estavam causando danos ao setor com práticas de *dumping*. Reconstituímos a lavoura algodoeira, que tinha sido muito prejudicada. Para isso o BNDES emprestou recursos não apenas à indústria têxtil, mas à própria lavoura. Houve um empenho da Empresa Brasileira de Pesquisa Agropecuária (Embrapa) para criar variedades de sementes de algodão mais resistentes (a praga do "bicudo" destruíra as lavouras cearenses e mesmo as do fertilíssimo Paraná tinham baixa produtividade) e se fundou uma cooperativa de produtores em Mato Grosso, com a assistência técnica dessa competente estatal, para deslocar a produção para o Estado. Diante desse exemplo, é possível falar de falta de apoio a políticas setoriais? O mesmo ocorreu — e me dispenso de exemplificar para não cansar o leitor — com as indústrias de móveis, de calçados e várias outras.

De 2001 em diante, as exportações de têxteis, em especial de vestuário, deram vida nova ao setor. Cabe lembrar que a Apex, criada pelo Sebrae com apoio do Ministério do Desenvolvimento, se revelaria decisiva para abrir o mercado externo a este tipo de mercadoria que até então só ocasionalmente aparecia na pauta exportadora. (A Apex voltou-se à promoção das exportações de pequenas e médias empresas por meio da formação de consórcios; não é um instrumento específico de promoção das expor-

[8] A valorização do real frente ao dólar tanto prejudicou as exportações como teve efeito benéfico na importação de equipamentos. O endividamento externo das empresas preocupou no curto prazo, mas em médio prazo permitiu um amplo processo de modernização do equipamento.

tações têxteis.) Sempre se pode argumentar, e vale para os outros ramos tradicionais: "mas primeiro foram destruídos". É verdade, porque havia que melhorar a qualidade empresarial, a tecnologia e a visão de mercado. Freqüentemente é uma nova camada de empresários e de empresas que ressurge. São as dores do parto de um sistema, o capitalista, que é cruel na forma como se desenvolve.

Em outros setores, como o automotivo, a intervenção do governo foi decisiva. Em 1995 promovemos uma legislação criando incentivos para baratear o custo do investimento, reduzindo o imposto de importação de bens de capital e o custo da produção, baixando impostos sobre a importação de componentes dos veículos e sobre as matérias-primas. Foi essa medida que ocasionou o choque entre Brasil e Argentina, resolvido com muitas dificuldades pela ação presidencial direta e pela defesa de nosso embaixador junto à OMC.

Não nos limitamos às normas gerais de incentivos. Buscando brechas nas regras internacionais que permitem incentivos para regiões de menos desenvolvimento relativo, incluímos vantagens para que as fábricas pudessem se localizar no Nordeste e no Centro-Oeste. Isso não se deu propriamente como uma decisão global de política industrial, mas antes por pressões regionais e, diria, quase por acidente. Explico-me: eu tinha muita preocupação com três estados que estavam perdendo dinamismo econômico relativo: o Rio de Janeiro, Pernambuco e o Rio Grande do Sul. Neste último caso, em combinação com o governador Antônio Britto, pensava em três áreas de intervenção. A primeira seria a modernização do porto de Rio Grande e a complementação das rodovias de acesso da produção até ele. A segunda, a revitalização do que se chama de "a metade Sul", ou seja, as zonas fronteiriças, que sofriam o desgaste do fechamento de frigoríficos e de falta de energia, e a terceira consistiria em criar um pólo metal-mecânico. Em consonância com esse propósito, o governador Britto deu início a uma política de incentivos para a indústria automobilística, do que resultou a instalação de uma fábrica da General Motors em Gravataí. O passo seguinte viria a ser a instalação de outra montadora, no caso a Ford, que desistiu de construir fábrica em território gaúcho diante das críticas aos incentivos vociferadas durante toda a campanha eleitoral ao governo do estado pelo candidato do PT, Olívio Dutra, que derrotaria Britto em sua tentativa de reeleição. (Eu pensava, além de fortalecer o Rio

Grande, dar maior viabilidade ao Mercosul, pois parte das necessidades de importação de componentes pelas montadoras poderia vir de Córdoba, importante centro industrial na Argentina.)

A partir da decisão da Ford abriu-se uma temporada de competição entre estados para ver quem se beneficiaria com a decisão a ser tomada pela empresa. A Fazenda, que jamais vira com bons olhos a política de incentivos — porque ela diminui as receitas no curto e médio prazos e pode introduzir distorções no sistema tributário e mesmo nas regras de competição —, se opunha ao exagero de renúncias fiscais que alguns governos queriam implementar, notadamente o da Bahia, parte dos quais à custa do Tesouro. São Paulo, estado no qual se concentrava a produção automobilística, preocupava-se com a concorrência em bases desiguais. Tive que arbitrar. O governador da Bahia, César Borges (PFL), e o senador Antonio Carlos, depois de uma conversa comigo na qual eu concordara com alguns incentivos, pressionaram o Congresso para obter mais vantagens, sem minha anuência. São Paulo e a Fazenda viram nisso manobras minhas, mesmo porque o chefe da Casa Civil, Pedro Parente, participara nas negociações com o governo da Bahia. A verdade é que eu, embora não tivesse de fato sido informado do conjunto de incentivos pleiteado, queria a desconcentração industrial e não vi com maus olhos a instalação da Ford na Bahia. Pelo contrário.

Esse não foi o único caso de apoio a incentivos para desconcentrar a indústria. Procedi da mesma forma com respeito ao pólo metal-mecânico de Porto Real, perto de Resende (RJ), consoante minha preocupação com a falta de dinamismo da economia fluminense e que encontrou em Marcelo Alencar um governador de visão moderna, que muito se empenhou na recuperação do estado. O certo é que da política para o setor automotor resultou o espraiamento das novas montadoras. Como resultado, elas aumentaram de número em São Paulo, cresceram em Minas Gerais, instalaram-se no Paraná, no Rio Grande do Sul, na Bahia, no Rio de Janeiro e em Goiás. Quando iniciei o governo somente em São Paulo existia indústria automobilística, com a exceção da Fiat, localizada em Minas Gerais (estado que hoje conta também com a Mercedes-Benz, para o que interferi pessoalmente junto à direção da empresa na Alemanha).

E não se trata apenas das montadoras. Em 1997 o BNDES criou um programa especial para apoiar o segmento de autopeças, com o objetivo de tornar a produção local competitiva. No mundo todo, a relação entre as montadoras e os fornecedores de autopeças sofria profunda transformação, devido a modificações no sistema produtivo que requeriam que as compras de autopartes fossem feitas fora da empresa montadora (*outsourcing*) e ao mesmo tempo exigiam rapidez na entrega (o sistema *just on time*). Era necessário, portanto, estabelecer novos elos na cadeia produtiva. Este processo resultou em falências e no nascimento de novas empresas, em geral estrangeiras, dotadas de melhores condições para atender às demandas tecnológicas das novas montadoras, que eram top de linha.

A despeito de muita reclamação quanto à "desnacionalização" — como ocorreu quando Juscelino trouxe a Volkswagen e outras indústrias nos anos 1950 —, o fato é que os investimentos globais no setor chegaram perto de 20 bilhões de dólares, a capacidade de produção passou de 1,8 milhão de veículos para 2,7 milhões de unidades por ano, nove novas montadoras se instalaram no país e verificou-se um brutal aumento da capacidade exportadora, com o que o Brasil continuou a se beneficiar após meus dois mandatos.

Algo semelhante se passou no setor siderúrgico. Entre 1994 e 2001 o BNDES destinou 14 bilhões de reais para apoiar o setor. Os recursos visavam o aumento de produtividade e eficiência, bem como a modernização de sua estrutura de controle, pois as privatizações ocorridas anteriormente fragmentaram excessivamente o capital (havia que desfazer controles cruzados das empresas). No caso, tratava-se principalmente de empresas controladas por capitais nacionais, embora tenha havido compras no setor por multinacionais, com o efeito benéfico de melhoria tecnológica e de assegurar a competição. A realidade é que o setor siderúrgico, renovado, está em expansão (adquirindo empresas na América Latina, nos EUA e no Canadá) e participa ativamente da pauta de exportações. Poderia continuar a desfilar outros casos, notadamente do setor de papel e celulose, no qual teve importância tanto a ação do BNDES como a capacidade empresarial nacional, ou no petroquímico, no qual, graças à ação do BNDES, ficou claro, depois da venda do complexo de Camaçari, que empresas de capital nacional poderiam colocar a multinacional do setor, a Dow Chemical, em posição não dominante. Simultaneamente fortalecemos a competitividade nacional, com o lançamento de um pólo gásquímico no Rio de Janeiro. Sem falar no que antes comentei: a privatização da Vale do Rio Doce, mantido o controle nacional, melhorou enormemente a *performance* da empresa. A ela não faltou apoio de órgãos governamentais. Tornou-se uma das maiores mineradoras do mundo, expandindo-se globalmente.

Casos tão notáveis quanto esses foram os do setor de telecomunicações e o de petróleo e gás. A expansão da rede de telefonia fixa e móvel, com as privatizações, deu um salto colossal: de 800 mil celulares em 1995, passamos a dispor em 2005 de mais de 80 milhões! Houve também enorme expansão da telefonia fixa (saímos de 12 milhões de linhas quando assumi a Presidência para mais de 40 milhões em 2005). Ao mesmo tempo, o custo de instalação tanto quanto o de uso caiu vertiginosamente para o consumidor. Sem essa transformação, que faríamos na era da Internet? Não se pense que esse processo afeta apenas os setores da produção organizada: o setor informal (pequenos empreiteiros, pintores, pequenos comerciantes, pedreiros, taxistas, costureiras, empregadas diaristas, o que seja) se beneficiou diretamente com a generalização do acesso aos meios de comunicação. Como nos outros casos, o BNDES financiou a expansão da rede.

O apoio governamental se estendeu para atrair as principais fornecedoras de equipamentos das operadoras privadas e não descuidou de manter a capacidade nacional de desenvolvimento tecnológico. O antigo centro da Telebrás que cuidava da matéria, o Centro de Pesquisa e Desenvolvimento em Telecomunicações (CPqD), em Campinas, foi transformado em fundação, com recursos financeiros públicos, enquanto o apoio para a fabricação no Brasil de equipamentos de telecomunicações contou com 7,8 bilhões de dólares de empréstimos do BNDES.

Na área de petróleo e gás, além do que o Tesouro arrecadou com a concessão de novas áreas de exploração, houve explicitamente o propósito de manter a competitividade, aumentando a concorrência e a produtividade e, junto com isso, de assegurar participação crescente dos produtores nacionais de equipamentos na expansão da indústria. Nos leilões de áreas de exploração ou concessão, os editais incluíram sempre o quesito relativo à percentagem de nacionalização da produção do equipamento. Criou-se uma associação de fabricantes nacionais que, em cooperação com a ANP, zela pela consecução desse objetivo. Os resultados estão à vista: a Petrobras, transformada gerencialmente em uma corporação moderna, sem ingerências políticas, com suas ações cotadas em bolsas internacionais, dobrou a produção de petróleo em oito anos, como já vimos. Não fora o atraso na fabricação de novas plataformas — devido à decisão política do governo que me sucedeu de cancelar alguns contratos de fabricação — e a esperada auto-suficiência já teria ocorrido ainda nos primeiros anos da nova administração. Lástima maior é ter o novo governo incidido no pecado de fazer nomeações políticas na empresa (assim como para a ANP, a ponto de nomear como diretor um ex-deputado, além do mais um dos mais ferrenhos opositores da flexibilização do monopólio).

Tão importante quanto a expansão da produção viria a ser o reconhecimento de reservas. A Petrobras saltou para o rol das empresas que detêm grandes reservas de óleo, o que, diante da escassez certa no futuro, dá solidez à empresa e um horizonte ao Brasil em matéria energética, sem contar que dispomos da alternativa do álcool.

Quando assumi o governo nossa matriz energética era basicamente sustentada pela hidreletricidade e pelo diesel. Com o gasoduto Brasil-Bolívia, com as novas descobertas de gás no Brasil e com a interconexão com a Argentina, passamos a contar com uma alternativa econômica e ecologicamente mais limpa que, somada à utilização mais ampla do álcool como combustível, deixa-nos em posição confortável para o futuro. O que não significa, é claro, que possamos menosprezar as vantagens da hidreletricidade como fonte energética, diante da vastidão de nossos recursos hídricos.

A energia hidrelétrica e a crise do "apagão"

Ainda na área de infra-estrutura, realizamos considerável investimento em energia hidrelétrica. Basta dizer que das 23 obras que encontramos paralisadas no início de 1995, quinze foram concluídas até 2000. Em média, entre 1996 e 2001, houve um acréscimo anual de 2.830 MW, mais do que o dobro do período 1986-1995. No começo de meu primeiro mandato havia cerca de 57 mil MW instalados, para chegarmos ao final de 2002 com pouco mais de 80 mil MW, ou seja, uma expansão superior a 30% no sistema energético.

Acrescemos de duas unidades geradoras a capacidade de Itaipu, das seis de Xingó (AL), cinco foram feitas em meu período, expandimos Tucuruí (PA), lançando a segunda fase da usina e dando prosseguimento às obras da eclusa. Enfim, o desfilar de nomes de novas usinas está aí para atestar o trabalho feito: Machadinho e Itá (RS), Jorge Lacerda IV (SC), Angra-2 (RJ), Serra da Mesa-Luís Eduardo Magalhães (TO), Samuel, Aparecida, Santana e Manso (MT), para não mencionar as 32 termelétricas contratadas para complementarem a matriz energética. Alguns estados, antes carentes, passaram a exportar energia, caso de Mato Grosso.

Naturalmente essas obras tiveram que ser complementadas com a extensão das linhas de transmissão, ampliadas em 10 mil quilômetros, passando o total do país de cerca de 60 mil para ao redor de 70 mil quilômetros. Houve a interconexão das linhas Norte-Sul, o Nordeste teve ampliada a capacidade de receber eletricidade de Itaipu e de Xingó, e assim por diante, com toda a complexidade de obras que isso implica, em subestações e entroncamentos. Além do que interconectamos Roraima com a Venezuela e o Sul do Brasil com o Uruguai e a Argentina, de tal forma que, levando-se em conta a ligação preexistente com o Paraguai em Itaipu e a nova, do gasoduto com a Bolívia, nosso país — como estão fazendo os europeus — buscou suprimento em países vizinhos e assegurou laços físicos de integração econômica, rompendo a política autárquica do passado.

Diante de tudo isso, a pergunta inevitável: então por que aconteceu a crise do "apagão"? (Escrevo entre aspas porque houve racionamento, que evitou o apagão propriamente dito.) Terá sido conseqüência da mera falta de chuvas?

A resposta é claramente: não.

Entre a promulgação da Constituição de 1988 e a Lei de Concessões do Serviço Público, em 1997, as incertezas do marco regulatório do sistema elétrico tornaram-se grandes. A crise fiscal do Estado diminuíra a capacidade pública de investimento e o setor privado não via com clareza novas regras estáveis. Com as leis do sistema elétrico e com a criação da Aneel, mencionadas neste capítulo, começou a desenhar-se um novo modelo. Neste, as empresas distribuidoras de energia só poderiam vender seu produto se tivessem a garantia firme de produção pelas geradoras, estabelecida por contratos bilaterais de compra e venda entre as distribuidoras ou as consumidoras livres com as empresas geradoras (chamados Contratos Iniciais). As distribuidoras, na medida da expansão da demanda de energia futura, assinalariam a necessidade de investimento às geradoras, o que não ocorreu. E não ocorreu porque as distribuidoras estavam confiadas na oferta previsível estabelecida nos Contratos Iniciais. Faltou uma avaliação mais realista da capacidade geradora a partir do início do novo modelo.

No passado, com toda a geração e distribuição nas mãos do governo, o Ministério de Minas e Energia dispunha de um planejamento que calculava a geração de energia necessária ao consumo previsto acrescida de uma margem de segurança de 5%. Com o início das privatizações (diga-se, a bem da verdade, que estas, se avançaram em estados como São Paulo, engatinharam no plano federal: apenas a Eletrosul foi privatizada, continuando o sistema Chesf, Furnas, Itaipu, Angra, Tucuruí e outras estatais nas mãos do governo), o Ministério perdeu a capacidade planejadora e o sistema de alerta, a ser dado pelas geradoras, não funcionou. Houve uma subestimação inicial da necessidade de aumentar a produção no momento da transição entre um modelo e outro.

As conclusões da comissão de alto nível que criei logo em maio de 2001,[9] em plena crise, para explicar o que aconteceu, são taxativas: não houve aumento imprevisto do consumo, a escassez de água, que era real, poderia até ter ocasionado danos piores se a estiagem tivesse ocorrido no verão de 2000, pois o nível das reservas já era crítico em 1999, e houve um atraso em obras que, se concluídas a tempo oportuno, talvez tivessem evitado a dramaticidade da escassez de água nos reservatórios. Por que não o foram? Novamente, questões mal resolvidas quanto a quem cabiam decisões, se ao Ministério, à Aneel ou a quem seja, inclusive na delicada área do licenciamento ambiental, prejudicaram o ritmo das obras.

---

[9] Chamava-se Comissão de Análise do Sistema Hidrotérmico de Energia Elétrica e teve a coordenação de Jerson Kelman, na época presidente da ANA e que no governo Lula passou a dirigir a Aneel. Compunham-na Altino Ventura Filho, diretor técnico executivo da Itaipu Binacional, Sérgio Valdi Bajay, professor da Unicamp, João Camilo Penna, ex-ministro de Minas e Energia e conselheiro de Itaipu, e Cláudio Luiz da Silva Haddad, presidente do Instituto Brasileiro de Mercado de Capitais (Ibmec), com a consultoria dos especialistas na área Mário Veiga Ferraz, Frederico Gomes e José Rosenblatt.

Cabe a pergunta: e o governo, não sabia disso? Sim e não, depende do nível que considerarmos. Pelo mesmo relatório se vê que desde 1999 a Petrobras e o Ministério vinham tratando de implementar um programa de energia térmica baseada no uso do gás, que serviria de socorro para o caso de crise no setor hidrelétrico. Cogitavam também do aluguel de barcaças com geradores a diesel, solução cara, mas emergencialmente adequada. De novo, postergações e desentendimentos entre ministérios (inclusive os da Fazenda e do Planejamento) e deles com a Aneel impediram a solução dos problemas. Estes aliás não eram simples: a forma de pagamento do gás afetava as questões cambiais e era por elas afetada, pois seu preço estava atrelado ao dólar, o que incidia também no combate à inflação, em cujo cálculo entraria o custo mais ou menos elevado do combustível.

Logo no início da crise criei um órgão especial — a Câmara de Gestão de Crise de Energia Elétrica (CGE), vinculada à Presidência — para tratar da escassez de energia e coloquei sua coordenação, por sugestão de Pedro Malan, nas mãos de Pedro Parente, que a dirigiu com exímia competência, e encaminhou as soluções cabíveis. Na ocasião fiz uma declaração que espantou muita gente: "Eu nunca soube nada dessa escassez de água!"

E era a pura verdade. Poucas semanas antes o ministro Rodolpho Tourinho fora demitido em função do choque, já descrito, com ACM. A conversa que tive com o senador José Jorge quando o convidei para suceder seu correligionário no Ministério de Minas e Energia, no Alvorada, durou duas horas. Relatei minúcias dos problemas energéticos, pois eu acompanhara com paixão o renascer do sistema hidrelétrico e a introdução do gás natural. Tinha visitado várias obras e comparecido à inauguração de outras tantas. Sabia detalhes das usinas, das linhas de transmissão, do programa Luz no Campo (rebatizado depois de meu governo como Luz para Todos). Pois bem, não disse ao novo ministro uma só palavra sobre a falta de água nos reservatórios. Para mim, portanto, caiu como um raio em dia de céu azul a informação de que as geradoras propunham um corte do fornecimento de energia por um certo número de horas diárias e que a Aneel calculava em 20% o corte necessário.

Telefonei a David Zylberzstajn, presidente da ANP, pedindo que se informasse sobre o assunto e visse uma alternativa para o corte obrigatório de eletricidade. Só então, por este intermédio, recebi cópia de um aviso de Mário Santos, superintendente do ONS — uma organização não-governamental, responsável por coordenar a oferta de energia, e, portanto, por liberar a água dos reservatórios —, falando da enorme escassez de água. Calculo que tenha sido no dia 20 de março de 2001. E foi graças aos esforços de David e de alguns outros técnicos, somados à competência de Pedro Parente, à disposição de centenas de funcionários, empresários e consultores, mais à incrível modernidade e disposição de serviço público da mídia nacional (sobretudo a TV) — sem falar no extraordinário povo brasileiro que, uma vez bem informado, age com espírito de solidariedade nacional —, que evitamos um "apagão" de fato, substituído por um racionamento voluntário, incentivado pelo governo.

Por fim, o que extraio do relatório da Comissão de Alto Nível sobre as responsabilidades do governo pela crise: o Ministério de Minas e Energia estava "tempestivamente ciente da urgente necessidade de criação de energia adicional", diz o documento. A partir do início de 1999, tentou iniciativas para solucionar a questão (Programa Prioritário de Termelétricas, barcaças com geradores a diesel etc) que não funcionaram. Tanto a Eletrobrás como o Ministério, o ONS e a Aneel estavam cientes dos riscos, a partir daquela data. Mas "houve instruções do Ministério para que não se divulgassem publicamente as avaliações de risco e severidade, com o objetivo de evitar preocupações exageradas por parte da sociedade". A Aneel tampouco disse qualquer coisa a respeito antes de março de 2001. Em reunião no dia 26 de julho de 2000, entre a equipe econômica, o Ministério e o Presidente da República — continuo repetindo o mesmo relatório —, segundo palavras do próprio ministro, foi dado um alerta baseado nas informações do ONS, mas nos seguintes termos tranqüilizadores: "Considerando o Programa Prioritário de Termelétricas, mesmo que se verifique um consumo superior ao previsto, não haverá problemas de suprimento de energia (...) no período 2002-2003, desde que ocorram condições hidrológicas com afluências superiores a 85% da MLT (média de longo prazo)." O ministro, diz o relatório, estimou haver 90% de probabilidade de essas condições ocorrerem.

Comentário dos membros da Comissão: "A linguagem adotada teria induzido não-especialistas a concluir que não havia razões para alarme que justificassem a deflagração de ações corretivas imediatas." Ou seja, o Relatório conclui que o Presidente da República não foi devidamente alertado da possibilidade de uma crise energética. Moral da história: temores de divulgar informações, falta de clareza diante do Presidente e proibições de divulgação de resultados comprometem o governo e causam dano ao país. A população, quando informada, reagiu bem. Se tivesse obtido a informação a tempo, e isso vale para mim, teríamos poupado muitas perdas e muito aborrecimento.

Retomando obras de infra-estrutura de transportes

Ciente de que a modernização do país e sua inclusão nos circuitos globais de comercialização, tanto pelo aumento das exportações quanto pelo das importações, requeriam um despertar da infra-estrutura de transportes, lançamos as bases para a renovação dessa área. Iniciamos, e em alguns casos concluímos, obras em estradas que não se duplicavam ou cuja pavimentação há tempos não era cuidada. Lembro, por exemplo, entre outras realizações, o complexo viário com a denominação geral de Rodovia do Mercosul, que vai de Belo Horizonte a Osório (RS), passando pelo estado de São Paulo com o nome de Rodovia Fernão Dias. Ela incluiu a duplicação da BR-116, a Régis Bittencourt, entre São Paulo e Curitiba (ficaram faltando trechos entre São Paulo e a cidade também paulista de Apiaí por problemas ambientais), e a duplicação da BR-376, de Curitiba a Florianópolis, seguindo depois na direção de Osório. O trecho catarinense dessa estrada era antes conhecido como "estrada da morte", tal a precariedade em que se encontrava. Mas não foi só no Sul que cuidamos das obras. Concluímos a BR-174, ligando Manaus à Venezuela, objeto de minha atenção desde quando ocupei o Ministério de Relações Exteriores. A BR-317, dita Estrada do Pacífico, cortando o Acre, teve grande impulso, assim como a ligação da capital, Rio Branco, à fronteira com o Peru. Mesmo estradas longas e difíceis como a BR-230, sem ter sido concluída, no Tocantins e no Pará, tiveram andamento. E, no Centro-Oeste, terminamos ou duplicamos, em Mato Grosso, tanto a BR-070, ligando Cáceres à fronteira com a Bolívia, como a BR-267, entre Jardim e Porto Murtinho, na fronteira com o Paraguai, e, em Goiás, a BR-060, entre Goiânia e Brasília.

Houve cuidado especial com o Programa de Restauração e Manutenção de Rodovias (Crema), fruto da pertinácia do ministro Eliseu Padilha, que mudava os critérios de controle e as formas de pagamento das obras de restauração e recuperação de estradas, problema grave em um país tão vasto como o nosso, com o peso dos caminhões macerando a pavimentação e com as chuvas tropicais minando as bases do asfalto. Infelizmente esse programa não teve continuidade no governo que sucedeu ao nosso.

Se olharmos para a coragem com que o governo de Mário Covas e, depois, o de Geraldo Alckmin enfrentaram as concessões de estradas — nas quais, naturalmente, se cobra pedágio —, melhorando a já boa rede rodoviária de São Paulo a ponto de incluir várias rodovias com padrão de Primeiro Mundo, veremos quanto ainda falta caminhar no plano federal. Devo dizer que o governo federal colaborou no máximo de seus recursos para iniciativas estaduais em projetos de infra-estrutura. Isso incluiu obras viárias (por exemplo, custeando um terço das obras do Rodoanel de São Paulo, posto que a Prefeitura local, sob Celso Pitta e Marta Suplicy, não colaborou com a obra) ou a duplicação da BR-232, entre Recife e Caruaru, propiciando grande incentivo ao turismo no interior de Pernambuco, e de saneamento, como em Belém, um dos maiores projetos que pudemos apoiar nessa área. Para não falar das obras nos metrôs, financiadas pelo BNDES em São Paulo, Rio, Belo Horizonte, Recife, Fortaleza, Salvador e Porto Alegre.

No plano federal as dificuldades foram muitas para modernizar as estradas e implementar práticas de maior eficácia e rigor nos gastos. Muita coisa conspirava contra, desde a burocracia envelhecida e distorcida do Ministério dos Transportes até as inúmeras liminares pedidas à Justiça, em nome de causas como a defesa do meio ambiente ou, então, por setores ideologicamente contrários às concessões de serviço público, por eles chamadas de privatizações. E, naturalmente, se podia incluir na lista as distorções tradicionais, difíceis de combater, provenientes de corrupção ou simples desmazelo nas obras, freqüentemente paralisadas pelo TCU devido a irregularidades. Mesmo assim, quebramos o marasmo que se instalara a partir de quando a Constituição extinguiu as verbas vinculadas para o antigo DNER.

Nos aeroportos, que contam com verbas autônomas do Orçamento da União, derivadas de taxas pagas à Infraero pelos passageiros e usuários, refizemos todo o planejamento e demos grande impulso a sua modernização, ficando assentadas as bases de um programa de obras que continuou a frutificar no governo seguinte. Em 2002 processavam-se trabalhos de construção, ampliação ou reforma em aeroportos de dezoito capitais, além de outros em cidades menores. Concluímos a construção ou a modernização dos aeroportos de Porto Alegre, Curitiba, Londrina (PR), Rio de Janeiro-Galeão (ala Tom Jobim), Brasília, Palmas (TO), Salvador, Natal (RN), Fortaleza, São Luís, Belém e Rio Branco. Deixamos com mais de meio caminho andado aeroportos como os de Maceió e Recife. Esse trabalho facilitou o transporte de carga e em especial o de passageiros, em um momento no qual o turismo passou a ser item importante de nossas atividades de serviços.

O mais inovador em matéria de infra-estrutura que pudemos contabilizar, porém, foi a revitalização dos transportes ferroviários e hidroviários. Estes últimos, bandeira das propostas do governador Montoro, pioneiro na matéria, também encontraram obstáculos — alguns de respeito — nas restrições ambientais. Mesmo assim, conseguimos normalizar o fluxo de barcos entre o rio Madeira, a partir de Porto Velho (RO), até Itacoatiara (AM), no rio Amazonas, apoiamos a construção de dois portos fluviais naquelas cidades pela iniciativa privada, concedendo-lhe financiamento público, e, entre outras medidas, fizemos as devidas sinalizações pelo sistema GPS para permitir a navegação noturna. Como resultado, parte significativa da produção de grãos do Centro-Oeste, principalmente da região da serra dos Parecis (MT), é hoje escoada para a Europa por via fluvial, sendo feito o transbordo para navios oceânicos em Itacoatiara. Conseguimos, desse modo, importante redução nos custos de transporte. Também na área da bacia dos rios Tietê-Paraná e no rio Paraguai houve progressos palpáveis. No conjunto uma percentagem razoável da produção agrícola na região já utiliza o transporte fluvial. Como demos impulso aos terminais intermodais de conexão, tornou-se mais fácil tirar proveito do tipo de transporte mais eficiente e barato em cada zona.

No transporte ferroviário, por seu turno, o salto foi grande. O governo privatizou a Rede Ferroviária Federal, sucateada e endividada, com resultados bastante positivos, notadamente no Sul e no Sudeste. Financiamos a construção e a modernização do sistema ferroviário, principalmente a Ferronorte, que ao final de meu governo ligava os portos de Santos e Sepetiba (RJ) ao coração do Brasil, no meio de Mato Grosso. Para isso, tivemos que concluir uma ponte rodoferroviária sobre o rio Paraná, de 2.600 metros de extensão, de modo a conectar a Ferronorte com a Ferroban (privatizada). Da mesma forma, demos continuidade à ferrovia

Norte-Sul, ligando Estreito a Açailândia, no Maranhão, para fazer a conexão com a Estrada de Ferro Carajás, que leva ao porto de Itaqui, para que a produção da importante fronteira agrícola que abrange o sul do Maranhão e o do Piauí encontre melhor escoamento. As obras dessa ferrovia prosseguiram no rumo do sul, com a construção da ponte sobre o rio Tocantins. As obras, ao final de meu período de governo, esperavam o encontro dos trilhos que partirão de Goiânia para o norte com os que prosseguem de Estreito na direção sudoeste.

Essas referências às estradas e às ferrovias mostram que muitas delas ganham sentido quando desembocam nos portos. Pois bem, nessa área, paralelamente à já mencionada implantação da lei dos portos e da privatização que levou à modernização e à redução dos custos de vários terminais, revitalizamos os portos de Santos e Rio Grande, construímos o de Pecém (CE), terminamos o importante porto de *containers* em Sepetiba, completamos o de Suape (PE) — essas duas últimas obras parte do programa de revitalização dos estados do Rio de Janeiro e Pernambuco — e remodelamos o de Cabedelo (PB).

Sucintamente: longe de havermos feito a estabilização e o controle fiscal para contemplar, de braços cruzados, o crescimento econômico de outros países, lançamos as bases para uma expansão consistente de nossa economia. Obedecemos sempre à visão dos objetivos estratégicos desenhada pelo Planejamento e não empreendemos obras sem o concurso ativo do setor privado.

Na agropecuária, a força da capacidade inovadora

Desse setor quase não preciso falar: é de domínio público que o Brasil se tornou uma potência agropecuária. Não se trata mais apenas da agricultura. Até o nome do Ministério mudamos (para da Agricultura, Pecuária e Abastecimento), de modo a fazer referência clara ao gado. Como salientei ao abordar a reforma agrária, houve uma explosão produtiva do agronegócio, que teve por trás a capacidade empresarial de nossos fazendeiros e criadores, somada à capacidade do governo para resolver as questões do endividamento agrário, com a criação de novos instrumentos de financiamento rural, e de solucionar o *imbroglio* das taxas de juros e do câmbio. Entretanto, essa explosão não teria ocorrido sem a competência técnica da pesquisa agropecuária, com a Embrapa à frente, e a decisão governamental de facilitar a compra de equipamentos agrários com o programa Modernfrota, do BNDES — do meio milhão de máquinas até então em utilização no campo, o programa propiciou a troca de 100 mil ao longo de meu governo. E, principalmente, sem um mercado mundial crescentemente comprador.

O fato é que no final de 2002 já éramos o primeiro ou segundo maior produtor mundial de cana-de-açúcar, laranja, café, soja, milho, carne, frango e frutas. De lá em diante só crescemos. A produção de grãos, de 69 milhões de toneladas em 1995/1996, atingiu o pico de 119,6 milhões na safra plantada em 2002 (2002/2003), dobrando em oito anos. A produção, depois de certa queda por motivos climáticos, manteve-se vigorosa nos anos seguintes. O saldo da balança agrícola, que sempre foi positivo, disparou com o *boom* das exportações, sob pressão da demanda internacional. No item das carnes, observou-se dinamismo equivalente. Passamos de 5,2 milhões para 6,5 milhões de toneladas de carne bovina, dobramos a produção de aves de 3,4 milhões para 6,4 milhões de toneladas e no que respeita aos suínos passamos de 1,3 a 2,1 milhões. De lá por diante, os aumentos têm sido constantes e as exportações crescem fortemente. De novo, por trás desse salto, além dos fatores mencionados, estão os cuidados fitossanitários e uma atitude mais agressiva no plano internacional para buscar nichos de mercado e repelir práticas de concorrência desleal, como ocorreu no famoso episódio da "vaca louca" ou no não-reconhecimento (que caro nos custou depois de minha Presidência) de que imensas áreas do território nacional estão livres da febre aftosa.

À guisa de fecho deste capítulo, já que nele mencionei a importância da Embrapa e das pesquisas, cabe recordar que, se houve atração de capitais para o Brasil e progressos no desenvolvimento agrário, industrial e dos serviços, é porque nós nos destacamos entre as economias emergentes como um país no qual governo e sociedade de há muito compreenderam que sem o desenvolvimento científico e tecnológico nada se fará de grandioso. Falta muito nesta matéria. Mas foram sendo historicamente construídas as bases para o país sobreviver bem num mundo regido pela economia globalizada com suas crescentes demandas tecnológicas.

O esforço contínuo de universidades, institutos de pesquisa, órgãos de governo e empresas vem dando frutos. A Lei da Inovação, preparada pelo

Ministério de Ciência e Tecnologia, em boa hora reavivada pelo governo que me sucedeu, os fundos setoriais para ativar pesquisas científicas e tecnológicas, infelizmente sempre limitados pelas políticas de austeridade fiscal, a política de bolsas do CNPq, da Capes e, mais recentemente, dos órgãos estaduais, como a Fapesp, já mencionadas neste livro, a criação que proporcionamos dos centros de excelência, apoiados no programa Institutos do Milênio, foram iniciativas fundamentais para que se possa alcançar um desenvolvimento que, sem ser propriamente autônomo, permita graus de manobra em defesa dos interesses nacionais. Sem capacidade inovadora, os países perdem as oportunidades de um futuro melhor para a economia e para o povo.

CAPÍTULO 10

Política externa: o papel e as viagens do Presidente

Os ventos do mundo e a diplomacia presidencial

A coesão dos povos possui indiscutível dimensão nacional, independentemente da globalização, e a competição global desatada não a desfaz. Cada país, portanto, luta por seus objetivos específicos. Mas para essa luta ter embasamento prático e não se perder na retórica é preciso rever algumas visões do passado, quando se confundia autonomia com retraimento e progressismo com interferência dos governos na sociedade civil.

No mundo atual, ser progressista, ou, como se diria no antigo e carinhoso termo, ser de esquerda, significa essencialmente colocar-se ao lado da justiça e da igualdade de oportunidades na sociedade nacional e na internacional. Significa, portanto, defender os interesses do país no plano internacional e buscar formas de organização política mundial que tomem em conta os valores e requisitos da comunidade planetária. Para ter efeitos práticos, cabe assumir esta postura sem retórica, criando-se e fortalecendo-se as instituições que conduzam aos objetivos desejados.

No plano interno devem-se adotar práticas de comportamento que mantenham a sociedade aberta, sem repressões, caminhando na direção da inclusão social e do bem-estar. Na economia, é preciso sustentar políticas de estabilidade, sem as quais há maior empobrecimento e o crescimento não se mantém. Tais políticas devem permitir o quanto possível a expansão da economia e, simultaneamente, reduzir a concentração de renda e as desigualdades produzidas pelo sistema capitalista. Infelizmente não há no horizonte histórico sistema alternativo capaz de preservar as vantagens deste último — com seu dinamismo tecnológico, sua capacidade de gerar riquezas e sua força transformadora das relações sociais — e de eliminar, ao mesmo tempo, suas múltiplas desvantagens. Mas isso não nos deve inibir de explorar meios e modos para reduzir essas desvantagens sem entorpecer sua força criativa.

Na política externa, por conseqüência, a atitude progressista requer ações que quebrem as barreiras e impedimentos internacionais acaso existentes, para favorecer o desenvolvimento econômico-social e a democratização de cada país. No campo dos valores, a visão progressista leva à defesa dos direitos humanos e ao compromisso com formas de desenvolvimento sustentáveis social e ecologicamente. Tudo isso sob a égide da preservação da paz e da democracia — valores universais — e na busca constante do aperfeiçoamento da ordem internacional. Nessa, os objetivos principais são os de assegurar maior institucionalização, maior transparência nas decisões e democratização crescente dos processos deliberativos nos órgãos internacionais.

Para tornar-nos mais aptos a enfrentar essas lutas, como chanceler, ministro da Fazenda e Presidente da República, procurei substituir as práticas e visões do Brasil pré-globalização por perspectivas mais dinâmicas, que permitissem à economia se ajustar às realidades globais sem perder graus de autonomia, dentro do possível, embora tentando o impossível. Em suma, busquei manter uma atitude que qualifico de progressista e sustentei políticas compatíveis com essa visão da sociedade e do mundo, que vê um entrelaçamento entre o externo e o interno, sem desfazer o que é próprio da cultura de cada país nem, muito menos, desatender aos interesses nacionais.[1]

Nos dias de hoje, graças às facilidades de comunicação e de deslocamento de pessoas, a diplomacia dos países inclui uma dimensão presidencial. Por mais que a "diplomacia presidencial", com as conseqüentes e seguidas viagens internacionais do Presidente, seja criticada por quem não conhece como se formam as teias decisórias contemporâneas, ela é indispensável. O número de reuniões de cúpula é grande, nelas a presença presidencial é obrigatória e os interesses do país levam a reuniões bilaterais freqüentes. Só os ilusos acreditam no disparate de que alguma forma de lazer esteja entre as razões dessas viagens ou que elas se limitem a buscar a expansão do comércio. Esta eventualmente pode decorrer de algum

[1] Em artigos em publicações especializadas mas também na imprensa, Celso Lafer tem tratado com propriedade desse entrelaçamento, objeto também de reflexões em seu livro *A identidade internacional do Brasil e a política externa brasileira: passado, presente e futuro*, 2ª ed., São Paulo, Perspectiva, 2004.

acordo assinado entre presidentes. Com mais freqüência, entretanto, o fluxo de comércio depende de condições econômicas objetivas, da atividade empresarial e da ação contínua dos Ministérios do Exterior e do Comércio. O interesse da diplomacia presidencial é, sobretudo, político. Sucede que as boas relações políticas facilitam os laços econômicos.

No discurso de posse, ao assumir o Ministério das Relações Exteriores, a 5 de outubro de 1992, sublinhei que o Brasil mantinha elos com o mundo em muitas direções. Nossos interesses comerciais abrangem vários continentes. Da Ásia longínqua, com o Japão e a China, até nossos vizinhos mais próximos do Mercosul, passando pelo México, pelo Chile e pelos países andinos. Encontramos nos mercados maduros da União Européia e dos EUA parceiros essenciais. O Oriente Médio também é relevante. Durante minha gestão como chanceler, ainda importávamos muito petróleo da região, e o peso da imigração árabe em nossa população é conhecido. A África, mesmo sem ser comercialmente prioritária, pulsa em nosso sangue e vibra em nossa cultura. Assim, nossa vocação universalista é indiscutível. Não apenas porque somos *global traders* mas também porque nosso tamanho físico e populacional dá-nos papel de relevo na região onde estamos inseridos. O aspecto multirracial e de cultura sincrética de nosso povo, da espiritual à material, predispõem-nos aos contatos com o mundo, sem esquecer a tradição de paz e de busca de soluções diplomáticas e negociadas que é um dos maiores patrimônios da história diplomática brasileira, nem sempre devidamente valorizado. A vocação de autarquia, tão presente na visão do desenvolvimento econômico "autônomo", se chocava, de certa forma, com essa evolução histórica.

Outra não foi, no começo do século, a percepção do Barão do Rio Branco, o grande ministro de Relações Exteriores da República Velha, um dos poucos e verdadeiros "heróis" brasileiros. Sentindo o desafio da época, com a emergência dos EUA como potência mundial, Rio Branco se lançou a consolidar as fronteiras e a olhar com carinho os vizinhos do Prata, nossos adversários, às vezes ferrenhos, em alguns períodos do Império. Estendeu suas preocupações ao Chile e, decididamente, optou pela cartada americana. Abriu dessa forma um guarda-chuva protetor às eventuais ingerências européias. Com uma ressalva fundamental: pan-americanismo, sim, mas com visão universalista e não de domínio da nação mais poderosa. Daí por diante, nossa diplomacia sempre preferiu os fóruns multinacionais aos bilaterais. Desde o período da construção da ONU até sua fundação, em outubro de 1945 (colhendo a experiência de nossa presença na Liga das Nações e no Tribunal da Haia), até hoje esta tem sido a conduta brasileira na política externa.

Embora seja importante para a diplomacia a preservação de uma linha de conduta coerente, é essencial que a política externa sinta os ventos do mundo. Não para curvar-se a eles, mas para utilizá-los na direção do interesse nacional e poder assim projetá-lo com algum impacto num mundo em acelerada mudança. Precisa, portanto, ser flexível para permitir ajustes que deixem o peso da tradição trabalhar em favor dos interesses contemporâneos. País com interesses múltiplos como o nosso é avesso a interesses excludentes, como foi Rio Branco.[2]

Tentei seguir esse padrão de política externa. Para sintetizar, lanço mão de expressão cunhada pelo embaixador Gelson Fonseca, que foi meu assessor direto, segundo a qual a política externa que persegui desde minha curta passagem pelo Itamaraty (de outubro de 1992 a maio de 1993) buscou "a autonomia pela participação" numa realidade internacional cambiante, em contraposição à "autonomia pela distância" da ordem mundial vigente, que em momentos anteriores marcou governos autoritários.

De fato, a tendência à autonomia pela distância ficou clara, no decorrer do tempo, ao longo da maioria dos governos militares. O Itamaraty, geralmente entregue a diplomatas de carreira naqueles anos de tendência tecnocrática, acabou por desenhar uma política de defesa de nossos interesses que jogava com o terceiro-mundismo. Sem dispormos de poder militar e sufocados pelo pouco espaço de manobra deixado pela bipolaridade ideológica, política e estratégica americano-soviética, procuramos nos defender apoiando no plano econômico o grupo, chamado G-77, por uma nova ordem mundial "mais justa". O país participou da discussão sobre a

---

[2] Para quem quiser aprofundar-se sobre a importância do legado de Rio Branco, sugiro a leitura de duas obras: Carlos Henrique Cardim e João Almino (orgs.), *Rio Branco, a América do Sul e a modernização do Brasil*, Rio de Janeiro, EMC, 2002, lançada por ocasião do centenário da posse do Barão no Itamaraty e para a qual tive o prazer de escrever o prefácio; e Rubens Ricupero, *José Maria da Silva Paranhos, Barão do Rio Branco: biografia fotográfica 1845-1995*, organização, iconografia e legendas de João Hermes Pereira de Araújo, Brasília, Funag, 1995.

redistribuição de poder no plano econômico e ajudou a inserir o tema Norte/Sul no confronto Leste/Oeste. No plano político, houve alguma aproximação com o Movimento Não-Alinhado, embora o Brasil nunca tenha sido mais que observador desse grupo de países, com ressalvas do Itamaraty quanto a seu neutralismo político devido a nossa inexorável dimensão ocidental. Mas o Brasil fazia a crítica ao monopólio do poder e negou-se, por exemplo, a subscrever o Tratado de Não-Proliferação de Armas Nucleares (TNP), de 1968. Desenvolvemos uma política mais ativa na África e no Oriente Médio, a qual, se produziu conseqüências negativas (por exemplo, dívidas não pagas referentes a produtos e serviços exportados e, principalmente, compromissos político-militares com ditaduras árabes), também teve aspectos positivos, como o apoio às nações africanas que se tornavam independentes e a condenação do regime racista do *apartheid* na África do Sul. No entanto, é preciso não esquecer que a mesma política externa que, com uma mão, se apresentava como defensora de princípios e ideais de justiça no mundo, com a outra fugia como o vampiro da luz de tudo que passasse perto do reconhecimento de uma responsabilidade internacional pelos direitos humanos e que pudesse pôr em risco a complacência tradicional com abusos praticados por países não-alinhados ou antiamericanos. Basta lembrar o apoio ao colonialismo português, até a virada de nossa política em Angola, o caso do voto brasileiro na ONU equiparando sionismo a racismo e nossa omissão diante da invasão do Timor Leste pela Indonésia.

Meu governo procurou suprir nosso dever moral para com esse rincão de cultura aparentada à nossa, ocupado brutalmente pela ditadura militar da Indonésia de 1975 a 1999, e depois administrado pela ONU até sua independência, em 2002. Visitei o Timor Leste em janeiro de 2001, quando mantive longas conversas com o grande líder da independência do país, Xanana Gusmão, que seria eleito Presidente no ano seguinte. Apoiamos Sérgio Vieira de Mello, o alto funcionário da ONU que cumpriu de forma exemplar sua missão de governar o território em frangalhos e que, lamentavelmente, seria morto em atentado no Iraque, em 2003, e seus esforços de reconstrução e preparo da independência do país. Autorizamos o envio de um pequeno contingente para integrar a Força Internacional da ONU e respaldamos vários projetos de cooperação, que incluíram alfabetização, formação profissional e a área da saúde, entre outros.

O contraste entre o que pudemos fazer por Timor e o silêncio do governo militar diante do massacre ali promovido pela Indonésia está entre as razões de meu pasmo quando setores de esquerda se referem à política externa daquela época como "progressista" ou de defesa da soberania nacional, provavelmente só por haver exacerbado um antiamericanismo presente em setores da sociedade brasileira. A política externa do regime militar tinha a legitimidade do governo que a criara. Após a queda do muro de Berlim, em 1989, e com a aceleração dos processos econômicos vinculados à globalização, nos anos 1980 e 1990, havia que rever seus objetivos centrais.

As primeiras reações vieram ainda no governo José Sarney, que ampliou o quadro de nossas relações diplomáticas, reconhecendo Cuba, dando maior ênfase à China e, principalmente, fincando colunas mais sólidas na América Latina, em especial na Argentina e no Uruguai, recém-reingressados na vida democrática. Os governos posteriores deram continuidade ao que os Presidentes Raúl Alfonsín e Sarney haviam iniciado, selando a participação do Brasil no Mercosul, por meio do Tratado de Assunção, de 1991. O governo Fernando Collor tentou imprimir um matiz primeiro-mundista a nossos contatos externos. Abriu a economia, sofrendo reparos por não haver obtido contrapartidas de maior acesso aos mercados externos, e passou a criticar as deformações das políticas de substituição de importações. Numa referência famosa, um tanto quanto forçada, embora não totalmente desprovida de verdade, Collor chamou de "carroças" os automóveis brasileiros de então. O Presidente Itamar Franco encaminhou-se para o lado oposto: inspirou a volta da fabricação dos "fusquinhas" e criou regras favoráveis à produção de carros populares. No plano externo, retomou a linha sul-americanista ao assinar em dezembro de 2004 o Acordo de Ouro Preto, que definiu regras muito liberais para o Mercosul, e deu passos importantes na aproximação com a Venezuela, que, sob o comando de Rafael Caldera, pela primeira vez olhou para o sul.

Em síntese, os avanços da globalização econômica combinados com o fortalecimento da democracia nos diferentes países da região desenhavam um horizonte novo, ao mesmo tempo em que suscitavam e tornavam possíveis processos de integração, diluindo as fronteiras entre o externo e o interno. Os atores envolvidos nas relações internacionais provieram não apenas do Estado, com seus diplomatas e funcionários, mas também da sociedade civil. Novos temas, como os referentes à paz, aos direitos humanos, ao meio ambiente e à democracia, entraram na agenda das relações internacionais. Em conjunto isso contribuiu para redefinir a noção de soberania nacional, sem, naturalmente, diluí-la, mas dando-lhe novas dimensões e compromissos.

Menem fala num Mercosul só com Brasil e Argentina

A decisão de conferir maior ênfase à nossa região não era nova e vinha se consolidando. Relato dois episódios para ilustrar essa evolução, muitas vezes feita de vaivéns, e para mostrar como, também na diplomacia, os imprevistos contam, pois avançávamos mesmo sem ter clareza sobre os novos rumos.

Um deles mencionei anteriormente de passagem neste livro. Eu ainda era chanceler, portanto sem obrigações específicas na área econômica, quando recebi a visita do presidente da Petrobras, Joel Rennó, estando presente o empresário paulista Jacques Eluf. Perguntei-lhe quanto importávamos de petróleo de dois grandes produtores latino-americanos, Argentina e Venezuela. A resposta decepcionante: quase nada. Expus as razões políticas e estratégicas para um comércio mais ativo na região e, a partir daí, a política de compras da Petrobras começou a mudar. Em vez de importarmos do Oriente Médio quase todas as nossas necessidades em matéria de petróleo, herança das alianças preferenciais dos governos militares, passamos a comprar de nossos vizinhos. Em meados de meu segundo mandato, as importações alcançaram somas expressivas em dólares: quase meio bilhão da Venezuela e quase 1 bilhão da Argentina. Este último valor correspondeu ao déficit no comércio bilateral com os argentinos, permitindo ativar as trocas comerciais sem prejuízo real para nós: se não importássemos petróleo da Argentina o faríamos do Oriente Médio, sem contrapartida de exportações. Conseqüência das mudanças no mundo: a primeira guerra do Golfo, em 1991, e o subseqüente embargo ao Iraque decretado pela ONU, bem como a desconfiança crescente do mundo ocidental em relação ao regime teocrático do Irã, haviam bloqueado boa parte de nossas vendas à região. Sem contar, naturalmente, a extrema instabilidade em torno do golfo Pérsico, fonte permanente de preocupação para quem depende do petróleo proveniente dali.

O segundo episódio se deu também durante meu período como chanceler, durante as negociações para a construção do gasoduto Brasil-Bolívia, e mostra como são muitos, e às vezes um tanto aleatórios, os fatores que podem perturbar uma efetiva integração do espaço sul-americano. O acordo para a construção do gasoduto, antiga aspiração nacional desde o Tratado de Roboré — assinado entre os dois países em 1938 e atualizado em 1958 —, estava quase concluído. O ministro Paulino Cícero, de Minas e Energia, apoiado na Petrobras (que antes e mesmo depois resistiu bastante à utilização do gás como fonte energética), terminara as negociações preliminares com o governo de La Paz. Negociações difíceis e multifacetadas, que implicavam a definição do preço do gás e cujos desdobramentos se arrastariam por boa parte de meu primeiro mandato. Construir um gasoduto de mais de 3 mil quilômetros, passando pelo Pantanal, com respeito absoluto às regras ambientais, tendo de convencer o BID a conceder um financiamento para uma empresa estatal, e, finalmente, decidir a que partes e regiões do Brasil o gasoduto deveria chegar não eram questões triviais.

Numa manhã, o ministro Paulino Cícero telefonou solicitando minha presença no Palácio do Planalto. A viagem para Cochabamba, cidade em que se firmaria o acordo, marcada para o dia seguinte, estava ameaçada. Em mais de uma ocasião socorri Paulino Cícero, ajudando-o a convencer o Presidente Itamar sobre a necessidade de eventuais aumentos de preço dos combustíveis, medidas nada populares, mas necessárias, e que sempre encontram resistências no Planalto. Por isso o ministro uma vez mais recorreu a mim.

Cheguei ao gabinete do Presidente para tratar do assunto. Itamar logo afirmou:

— Eu não irei mais à Bolívia, avise a eles.

Indaguei:

— Por que isso, Presidente?

Resposta:

— Porque o Aureliano [Chaves, ex-Vice-Presidente da República e ex-ministro de Minas e Energia, entendedor da matéria] leu o dossiê e me disse que está errado. Parece que nem gás existe na quantidade que estão nos oferecendo.

Neste meio-tempo, chega o próprio Aureliano Chaves. Repetem-se os argumentos. O ministro Paulino Cícero contra-ataca, dizendo que a Petrobras havia revisado tudo e concordava. Pedi que Aureliano examinasse uma vez mais os documentos. Ele se dirigiu ao saguão contíguo à sala presidencial com o papelório nas mãos, enquanto Itamar, Paulino e eu continuamos conversando. De volta da nova leitura, Aureliano concluiu que, a seu ver, não se deveria mesmo assinar o acordo. Sugeri que se chamasse o presidente da Petrobras para, juntos, reavaliarmos a questão. O Presidente aceitou a sugestão, mas, à saída, pediu-me que avisasse o governo boliviano sobre a suspensão da viagem.

Voltei para o Itamaraty e liguei para o embaixador Jório Salgado, que estava em Cochabamba preparando a visita presidencial. Adverti-o da possibilidade de cancelamento. Jório mostrou desalento, pois tudo estava preparado para receber com júbilo o Presidente do Brasil: ruas engalanadas com bandeiras dos dois países, estudantes mobilizados, presentes dois ex-presidentes da Bolívia que iniciaram tratativas sobre o gasoduto havia muitos anos. Pouco depois me chama pelo telefone o chanceler boliviano, Ronald MacLean, apreensivo com a possibilidade de cancelamento da viagem. Resolvi por conta própria dizer-lhe que eram boatos. Volto ao Palácio e me dou conta do porquê da aflição dos bolivianos: o próprio Presidente Itamar, antes de ir para o almoço no Alvorada, dera a entender à imprensa que não iria mais a Cochabamba. Tive nova conversa com o Presidente para mostrar a dificuldade diplomática que poderia causar a suspensão, à última hora, de tudo que se negociara árdua e longamente. Contei-lhe que não havia informado à Bolívia sobre o cancelamento.

Sem muito entusiasmo, embarcamos para a Bolívia no dia seguinte, tendo o Presidente se feito acompanhar por mim, pelo ministro Paulino Cícero e pelo ministro da Justiça, Maurício Corrêa. Paulino e eu tratamos de encorajar o Presidente, até que, ao chegar, ele desfilou em carro aberto e constatou a alegria dos milhares de bolivianos que acorreram às ruas. Perspicaz como é, recobrou ânimo, assinou com confiança o acordo que preparáramos, junto com o Presidente Jaime Paz Zamora, e nunca mais se falou da falta de gás nas jazidas do país vizinho.

Como Presidente eleito, visitei Buenos Aires. Depois de surpreendente conversa que tive (presenciada pelo embaixador do Brasil na Argentina,

Marcos Azambuja, e pelo embaixador Júlio César Gomes dos Santos, meu assessor) com o Presidente Menem e os ministros Guido di Tella, do Exterior, e Domingo Cavallo, da Economia, concedi uma entrevista à imprensa. Perguntaram-me sobre o Mercosul e sobre a cadeira no Conselho de Segurança da ONU. Respondi que o Brasil, por sua trajetória e suas peculiaridades de país com uma cultura de paz e tolerância cultural, estaria sempre à disposição das demais nações, principalmente das vizinhas, para ser útil nos fóruns internacionais, especialmente no Conselho de Segurança. Mas, e o *mas* conta, entre uma cadeira no Conselho e a amizade com a Argentina e com nossos vizinhos, ficaríamos com a segunda. Eu via como melhor caminho para nosso país ingressarmos no clube dos desenvolvidos, na época o G-7, graças ao nosso trabalho e à integração com os vizinhos, em vez de lutarmos por uma posição política, de prestígio, para a qual talvez não tivéssemos o apoio deles, tão importante para o crescimento de nossa economia e para a consolidação de nossa experiência integradora.

Ficara claro para os argentinos que jogaríamos a carta da região. A surpreendente conversa com Menem a que me referi tem a ver com isso. De repente, o Presidente disse achar muito bom que tivéssemos decidido que o Mercosul abrangesse "apenas Argentina e Brasil". Olhei, surpreso, para os embaixadores que me acompanhavam. Estávamos a pouco tempo do encontro que iria realizar-se em Ouro Preto para formar o Mercosul como união aduaneira, incluindo naturalmente o Uruguai e o Paraguai e, pensava eu, Menem não estava inteiramente a par dos fatos. A surpresa aumentou quando Cavallo interveio apoiando a declaração de Menem. Ao regressar à embaixada, Azambuja telefonou para Guido di Tella, manifestando nossa perplexidade. Guido, antigo amigo meu e do Brasil, visitou-me naquela mesma tarde na embaixada, acompanhado de alguns auxiliares. Desculpou-se, renovou as expressões de amizade e de confiança no Brasil e disse que, no dia seguinte, o próprio Cavallo — àquela altura o ministro mais importante do governo Menem — iria tomar café-da-manhã comigo para esclarecer que tudo fora um equívoco. E assim foi feito. O fato, porém, é que, até o último momento, houve dúvida quanto à abrangência do Mercosul, embora o Brasil nunca tenha hesitado: a integração deveria incluir o Uruguai e o Paraguai. (O episódio me preocupou a ponto de, em seguida, visitar o Presidente Luís Alberto Lacalle na estância Anchorena, residência oficial de verão dos presidentes do Uruguai às margens do rio da Prata, próximo a Colonia del Sacramento, para expressar-lhe ao vivo a disposição do Brasil quanto a seu país. Também tranqüilizei o governo paraguaio.) Mais ainda, durante todo o meu governo, esforçamo-nos para estender a integração a toda a América do Sul.

Este foi um dos pilares de minha política externa: consolidar nossa presença na América do Sul, sem deixar de reconhecer a importância do México como parte da América Latina e sua natural e poderosa influência na América Central. Quanto mais fortalecêssemos nossos vínculos latino-americanos, mais poderíamos negociar vantajosamente com os EUA e o Canadá na Alca.

Ao se aproximar o final do mandato do Presidente Itamar, eu já eleito Presidente, em dezembro de 1994, no mesmo mês da reunião de Ouro Preto em que se consolidou o Mercosul, os norte-americanos convocaram uma reunião dos chefes de governo do Hemisfério, em Miami. O Presidente Itamar, sempre generoso comigo, pediu-me para que também eu estivesse presente. Embora fosse um tanto exótico o Brasil se apresentar com dois presidentes à mesa, tanto o governo americano como o brasileiro assim quiseram. E foi o que ocorreu. Lá chegando, tive uma surpresa com a apresentação do protocolo, em seguida aprovado, de criação da Alca. Ele fora negociado pelo Itamaraty e dele tomei conhecimento naquele instante. Pareceu-me que tampouco o Presidente Itamar estivesse muito bem informado do tema. Fora uma iniciativa sugerida pelo Vice-Presidente norte-americano Al Gore em visita ao México e encampada por Bill Clinton. No Brasil o tratamento da questão fora burocrático. Recordo que pronunciei, em Miami, pequeno discurso de improviso ponderando que a data fixada para a conclusão das negociações da Alca, 2005, parecia irrealista. Precisaríamos de mais tempo para ajustar os interesses de nossa produção às regras da competição livre.

Não obstante, estavam claros os sinais dos novos tempos. Não haveria como escapar da grande questão: teríamos de nos integrar à economia global. Restava saber de que modo, até que ponto e com quais parceiros. O chanceler da segunda fase do governo Itamar, que no governo Lula passaria uma vez mais a dirigir nossa diplomacia, Celso Amorim, iniciara pressão para o Brasil obter uma cadeira no Conselho de Segurança.

As uvas na ocasião ainda não tinham amadurecido por completo quando eu concluía este livro. A questão central, contudo, se pusera: qual será o grau de influência do Brasil no plano global? Seremos reconhecidos como "potência regional"? Que implicações isso acarreta? Que responsabilidades estamos dispostos a assumir e com que meios contamos para fazer frente a nossas eventuais ambições no plano internacional? Uma única resposta não cabia: a de continuarmos ensimesmados, olhando com desconfiança um mundo em que outros países disputavam com todo ímpeto espaço, mercados e poder.

De novo, sem exclusivismos, devemos olhar o entorno, manter boas relações com o Norte das Américas e visar uma presença global. Portanto, também são importantes nossas relações com a Europa Ocidental e a Ásia, sobretudo a China, se possível reavivando os laços históricos com o Japão visando novos investimentos. E precisamos de mais comércio, abrindo novas frentes com a Índia, a Malásia e a Indonésia e reforçando laços com o cone sul da África — Angola, Moçambique, Namíbia e África do Sul. Como os recursos são escassos, é preciso realizar escolhas e dar prioridade às ações diplomáticas, tendo em vista os objetivos e variando de parceiros conforme o tema e as circunstâncias. Assim, o Oriente Médio, que fora importante nos governos militares, perdia relevância, dado o grau de conflito que se estabeleceu na região e nossa falta de meios para intervir construtivamente. A China ganhava primazia, mesmo em comparação com o Japão, e o eixo ocidental continuava sendo nossa natural casa de acolhida. Queiramos ou não, somos parte do Ocidente, mesmo que na condição de "Extremo Ocidente", com as vantagens e desvantagens que isso acarreta.

O roteiro de minhas viagens internacionais e os convites para que dignitários de outros países nos visitassem seguiram as prioridades assinaladas.

Da renúncia às armas nucleares ao Protocolo de Kyoto

A visão de "autonomia pela participação" estendeu-se também aos temas conflituosos da época da guerra fria, que nos isolavam do mundo. Ainda como chanceler, eu ajudara a aprovar no Congresso regras para o Brasil respeitar os direitos de propriedade intelectual internacionalmente aceitos, no chamado acordo TRIPS, de 1994.[3] Tema controverso, pois havia quem achasse que melhor seria não haver tais regras, porque sem elas poderíamos copiar livremente patentes, em especial no caso de medicamentos e *softwares*. O fato, porém, é que o Brasil já tinha condições de produzir *know-how*, quem produzisse teria vantagens e interesse em patenteá-los, e, acima de tudo, nada justificaria ficarmos, como no passado, à margem das regras e da respeitabilidade internacionais. Mais ainda, pela lei de patentes aprovada pelo Congresso, não nos submetemos às restrições que os produtores multinacionais queriam impor. Tanto é que, anos mais tarde, na reunião que lançou uma nova rodada de negociações comerciais na OMC em Doha, no emirado de Qatar, pudemos salvaguardar o princípio de que a saúde do povo vale mais que o lucro das farmacêuticas multinacionais e as ameaçamos com a quebra de patentes, obrigando-as a reduzirem drasticamente o preço dos medicamentos para o combate à aids.

Durante todo meu governo levamos adiante a postura de *aggiornamento* de nossa posição na dinâmica dos acordos multinacionais, contando sempre com a competência dos chanceleres Luiz Felipe Lampreia e Celso Lafer e com a dedicação dos diplomatas brasileiros. É de destacar o papel positivo de meus assessores diplomáticos no Palácio do Planalto e dos que colaboravam com eles. Já me referi ao embaixador Gelson Fonseca. Sucedendo-o, contei com a firmeza do embaixador Eduardo Santos, bem como dos auxiliares diretos de ambos, que mencionei no Capítulo 4. Quantas vezes, como por exemplo no apoio que prestaram ao ministro Lafer durante a tentativa de derrubada do Presidente venezuelano Hugo Chávez, em abril de 2002, foram a habilidade, a competência e a coragem de Eduardo Santos e de seus colaboradores que permitiram expressar melhor meus pontos de vista, mesmo quando as cautelas burocráticas pendiam para outro lado.

O caso paradigmático de mudança de linha em relação aos acordos internacionais terá sido, sem dúvida, o adesão do Brasil ao TNP. Trinta anos após sua assinatura, o governo brasileiro, por intermédio do chanceler Lampreia, aderiu a suas normas e o Congresso, tempos depois, ratifi-

---

[3] Iniciais em inglês do Acordo sobre Aspectos Relacionados ao Comércio dos Direitos de Propriedade Intelectual.

cou-o. Desde o governo Sarney havíamos posto fim às pretensões, felizmente nunca materializadas, de fabricar a bomba atômica. A Constituição de 1988 veda expressamente qualquer ação nesse sentido. Não obstante, não assinávamos o TNP sob a alegação histórica, que tem seu fundamento, de que ele é injusto: embora vede a posse de armas atômicas aos signatários, alude apenas à futura redução do arsenal nuclear dos países que dele dispõem, sem fixar prazos. Fica assim estabelecida uma assimetria entre os que podem e os que não podem dispor de artefatos nucleares. Não abrimos mão de continuar combatendo essa assimetria, mas não havia mais por que, em um mundo pós-guerra fria e no qual não temos inimigos militares, ficarmos sujeitos a toda sorte de restrições da comunidade internacional e, além do mais, sermos incoerentes com a Constituição. Mais ainda, com a assinatura desse tratado, emitíamos um sinal claro de que reforçaríamos nossa presença no mundo pelo aprimoramento continuado de nossas credenciais tecnológicas, econômicas e sociais, e não perseguindo a posse de um arsenal nuclear.

O Brasil já havia concluído com a Argentina um acordo de inspeção recíproca das instalações atômicas, que fora reconhecido pela Agência Internacional de Energia Atômica (AIEA) e teve início no período em que estive à frente do Itamaraty. Graças a ele pudemos manter nossas instalações nucleares tanto em Iperó (SP), onde desenvolvemos tecnologia própria de enriquecimento de urânio, como em Resende, onde esta tecnologia nos permite produzir material para o abastecimento das duas usinas de produção de energia elétrica de Angra dos Reis (RJ), sem suspeitas de violação do banimento de armas atômicas na América Latina previsto no Tratado de Tlatelolco, de 1967, de que somos parte. Não havia por que pagar o alto preço da desconfiança internacional pela negativa de firmar o TNP, sem qualquer benefício que não fosse a defesa retórica de princípios. Outra não foi nossa conduta no caso do domínio da tecnologia de foguetes, tecnologia dita "dual", ou de duplo uso, pois os foguetes tanto podem transportar satélites, como fazemos em cooperação com a China, como carregar armamentos.

Nos primeiros meses de meu primeiro mandato, o brigadeiro Mauro Gandra, ministro da Aeronáutica, me informou que as pesquisas desenvolvidas no âmbito da FAB tinham levado o país a dominar a tecnologia do lançamento de foguetes, incluindo os complexos sistemas de orientação dos veículos. Naturalmente, manifestei agrado pelo feito. Meu governo, porém, estava firme em sua política de incorporação do Brasil às melhores práticas internacionais. Disse ao brigadeiro que, diante do feito, deveríamos anunciar nossa adesão ao mecanismo internacional regulador do uso dessa tecnologia para fins exclusivamente pacíficos, o Missile Technology Control Regime (MTCR). Caso contrário, o país sofreria discriminações e restrições em diferentes fóruns. Além de tudo, tratava-se de uma questão delicada por causa dos nossos vizinhos e parceiros argentinos. A Argentina havia desmantelado seu Projeto Condor, de pesquisa sobre mísseis, em decorrência da distensão de parte a parte iniciada nos governos Alfonsín e Sarney na área nuclear. O Brasil dispor de tal tecnologia sem aderir aos controles internacionais desequilibraria a balança e certamente provocaria reações desfavoráveis no governo de Buenos Aires.

Tempos depois, a 18 de agosto de 1995, aproveitei para fazer o anúncio oficial de que o Brasil dispunha dessa tecnologia, em discurso pronunciado na solenidade de lançamento do avião EMB-145, na sede da Embraer, em São José dos Campos. Anunciei, no mesmo ato, nossa adesão ao MTCR. Curiosamente, a imprensa brasileira não deu atenção a isso, só despertando para o fato depois que ele repercutiu na mídia americana. Com alguma freqüência, nós, brasileiros, somos desatentos a essas questões estratégicas. Nosso domínio em tal área tecnológica, porém, ainda é relativo: o Veículo Lançador de Satélites (VLS), principal parte do programa, sofreu vários fracassos, um deles resultando em trágico acidente em 2003.

Do mesmo modo como aderimos progressivamente aos aspectos da ordem internacional que visam assegurar a paz mundial, atuamos e cobramos das grandes potências que assumam suas responsabilidades em matérias que afetem o bem-estar coletivo dos povos. Foi assim em Kyoto, no Japão, e, posteriormente, Haia, na Holanda, quando foi proposto o Protocolo do mecanismo de desenvolvimento limpo para limitar a emissão de gases que provocam o aquecimento do planeta, que mencionei no Capítulo 8. O Protocolo de Kyoto teve participação decisiva do Brasil desde a proposição inicial até os ajustes finais. As ações do Itamaraty e do Ministério do Meio Ambiente, somadas à contribuição de técnicos, como Gilvan Meira — ex-presidente da Agência Espacial Brasileira (AEB), na época secretário de Tecnologia do Ministério de Ciência e Tecnologia —, e à ação pessoal dos ministros de Ciência e Tecnologia, José Israel Vargas, nas negociações de Kyoto, e Ronaldo Sardenberg, em Amsterdã, foram fundamentais. Empenhei-me de perto para o êxito dessas tratativas, seguindo o curso das negociações junto aos ministros e interagindo pelo telefone com o Presidente Bill Clinton.

O Brasil não se empenhou em respeitar a regulação internacional apenas em aspectos do núcleo duro do jogo de poder. Também apoiamos ativamente os esforços para a definição e consecução das chamadas "Metas do Milênio", que prescrevem objetivos sociais a serem cumpridos pelos países-membros da ONU e definem indicadores de desempenho e metodologias para avaliá-los, conforme o descrito no Capítulo 8. Em movimento paralelo, prestigiamos as organizações da sociedade civil que têm dado sustentação aos esforços da ONU na revalorização de temas essenciais, como a luta contra o racismo, a defesa do meio ambiente, a igualdade de gênero ou o direito à moradia. Pela primeira vez o Itamaraty, modificando a posição tradicional de isolar-se das ONGs internacionais por considerá-las críticas "do país", quando na verdade exprimiam críticas às injustiças existentes entre nós, passou a contar com a colaboração de relatórios apresentados por estas organizações para sustentar o ponto de vista brasileiro. Foi assim desde o Congresso do Cairo, sobre população e desenvolvimento, e continuou da mesma forma nos encontros mundiais sobre racismo em Durban e meio ambiente em Johanesburgo (ambos na África do Sul), questões ligadas à mulher em Pequim (China), habitação e temas correlatos em Istambul (Turquia) e outros mais. Durante meu período como chanceler introduzi a prática de o Ministério das Relações Exteriores ouvir segmentos da sociedade civil. O Ministério convidou as centrais sindicais a participar de discussões na Fundação Alexandre de Gusmão, ligada ao Itamaraty, e empresários formaram parte de um conselho consultivo para a discussão da política comercial.

Apoiamos firmemente, com o empenho do ministro José Gregori, a formação do Tribunal Penal Internacional de Roma, de jurisdição supranacional e extraordinário significado, que julga infrações para punir os culpados por violações sistemáticas dos direitos humanos e crimes contra a humanidade depois de esgotados os recursos domésticos.

Esses poucos exemplos mostram que sacudimos a poeira de uma predisposição arcaica à não-participação e à não-submissão às regras da convivência internacional, estratégia que havia sido elaborada com requintes de sofisticação intelectual nos governos do período autoritário para nos defendermos dos efeitos da guerra fria e que permaneceu insepulta por alguns anos mais. Já era mais do que tempo de o governo brasileiro abrir-se ao mundo, seguindo, de resto, os passos de sua população, que passou a ver no exterior mais oportunidades do que riscos.

A utilidade dos conselhos de Helmut Kohl

Foi, todavia, no campo econômico e no dos esforços para o aprimoramento da ordem internacional que jogamos com mais força e onde se evidenciaram as mudanças ocasionadas pela política de participação. Com ela, exercemos nossa soberania sem alarde e recuperamos o prestígio internacional do Brasil. No âmbito do Mercosul e da Alca, especialmente, o empenho foi grande. Para ilustrar, começo aludindo a um diálogo que tive, logo no início do meu mandato, com o Chanceler (Primeiro-Ministro) da Alemanha, Helmut Kohl, durante almoço realizado em seu próprio gabinete — por sinal de proporções modestas —, em Bonn, na ocasião ainda a capital do país. Compareceram, além de mim, o chanceler Lampreia, nosso embaixador na Alemanha, Roberto Abdenur, e o embaixador Gelson Fonseca. Dois assessores do Ministério do Exterior ligados à área da América Latina acompanhavam o governante alemão. Fomos à Alemanha para reforçar laços econômicos e comerciais, objetivo da apresentação que fiz de nossa economia na poderosa associação dos industriais. Queríamos também, como conseguimos, participar junto com a Alemanha de certos projetos de defesa do meio ambiente.

Kohl só fala alemão, mas a conversa fluiu muito bem porque a intérprete do Chanceler era extremamente desenvolta em português. Kohl contou-nos o constrangimento que passara em sua adolescência quando, vivendo na zona de ocupação francesa, posteriormente à derrota da Alemanha na Segunda Guerra Mundial, era obrigado a sair das calçadas para dar passagem caso cruzasse com um militar francês. Disse que um parente próximo fora morto na guerra e que ele se educara na resistência, senão no ódio, aos franceses, rivais seculares dos alemães. Até que compreendeu que, se algo não fosse feito para pôr termo àquele estado de coisas, os dois países terminariam em nova guerra. Pouco a pouco foi sendo conquistado, contou ele, para a idéia do que viria a ser mais tarde a União Européia:

— A aliança da Alemanha com a França, vocês sabem, foi fundamental para criarmos a Europa — comentou o chanceler. — Hoje estamos unidos. Mas a Alemanha é o país mais populoso e o economicamente mais forte. Precisou ser também o mais generoso. Nunca permitiremos, entretanto, transformar a Europa em um bastião isolado do mundo, sem livre comércio.

Aludia, naturalmente, às restrições francesas às importações agrícolas. Em dado momento olhou para mim e disse:

— Vocês, lá no Brasil, também são mais poderosos e mais ricos que seus vizinhos. Têm que se unir à Argentina e devem ser generosos.

Não só com ela, estava subentendido, mas com os demais parceiros.

Chamou-me a atenção, no chanceler alemão, como o raciocínio político sempre se sobrepunha ao econômico. Era genuíno seu interesse sobre o Mercosul, seus mecanismos, seus progressos, suas possibilidades. Àquela altura, Kohl refletia o interesse dos europeus pela associação entre Brasil, Argentina, Uruguai e Paraguai. E não só, talvez nem principalmente, pelo aspecto econômico. Era por tratar-se de uma instituição política agrupando vários países, algo que a Europa fizera avançar extraordinariamente — e, também, pela oportunidade que um relacionamento entre as duas entidades oferecia como um contraponto à poderosa influência dos EUA na América Latina. Com base em sua própria experiência, os europeus perceberam imediatamente a importância política do Mercosul, ao passo que nós próprios, aqui na América Latina, abordamos a instituição o tempo todo apenas como um mecanismo de comércio. Não tivemos a visão de grandeza dos europeus, e creio que era para isso que Kohl tentava chamar minha atenção.

Esse diálogo voltou freqüentemente ao meu espírito quando discutia os problemas do Mercosul. Procurei exercer nossa liderança neste âmbito sem querer obter vantagens comerciais na base do "olho-por-olho, dente-por-dente". E sempre com a perspectiva de construir no Cone Sul um regionalismo aberto que facilitasse a nossa integração na América do Sul e no mundo. Tanto assim que, ao mesmo tempo em que dávamos ênfase ao Mercosul, inclusive à necessidade de construirmos mecanismos políticos que possibilitassem ações comuns de seus países-membros no cenário internacional, buscamos ampliar os acordos de livre comércio entre o Mercosul e terceiros países. Dentro da região, assinaram-se os acordos com Chile e Bolívia, e mais tarde deixamos bem encaminhado, graças ao trabalho competente de Sérgio Amaral à frente do Ministério do Desenvolvimento, o acordo com o Peru, integrante da Comunidade Andina.

O problema é que, se é verdade que a Alemanha é mais próspera do que seus vizinhos e que quatro ou cinco deles juntos puderam ser generosos e criar os fundos compensatórios que beneficiaram os parceiros menos ricos (de início, Espanha e Portugal, logo seguidos pela Grécia, mais tarde a Irlanda e, posteriormente, países empobrecidos do Leste Europeu), tal não é o caso do Mercosul. Existem assimetrias, de fato, mas evidentemente não há abundância de recursos que permita a transferência de uns para outros. Por este motivo, apesar das intenções, não conseguimos, até o final de meu governo e os primeiros anos da gestão de meu sucessor, ultrapassar os limites de acordos comerciais e de propostas de tarifas comuns, quase sempre sujeitas a "perfurações", isto é, a permissão para exceções que terminam por desmoralizar todo o processo integrador. Faltou-nos a disposição genuína, demonstrada pelos europeus, de criar uma comissão supranacional, com maiores poderes do que cada Estado nacional e com capacidade para resolver controvérsias e estipular regras. Resultado: a cada novo choque de interesses comerciais ou desajuste de políticas macroeconômicas, como, por exemplo, mudanças súbitas nos regimes cambiais, instaura-se a crise e a diplomacia presidencial volta à tona para colocar esparadrapos e evitar uma ruptura maior. Faltou também o encorajamento da distribuição do processo produtivo no espaço geográfico comum, e não houve a fusão, na escala que queríamos, de capitais de empresários dos diversos países-membros do Mercosul. Assim, a despeito dos avanços no intercâmbio comercial e da inegável relação mais próxima entre os membros da associação e mesmo da maior capacidade de entendimento recíproco entre as populações dos países da região, os progressos políticos do Mercosul foram modestos, ficando muito aquém do potencial. Não se deve esquecer, porém — e o lembrete vale como nota de esperança —, que a integração européia levou 50 anos para consumar-se. Além disso, cabe ressaltar a importância da inclusão da "cláusula democrática", que obriga os países-membros do Mercosul a manterem o Estado de direito e as práticas democráticas. A cláusula ajudou em mais de uma oportunidade a evitar desdobramentos autoritários.

A integração física da América do Sul — e a Alca

Tendo em conta essas dificuldades, nossos esforços integradores não se poderiam limitar a manter vivo e ativo o Mercosul. A integração física de nosso espaço tornou-se um dos objetivos das propostas de planejamento que levamos à discussão dos presidentes dos países da América do Sul. Adotamos um novo conceito de planejamento, defendido pelo empresário Eliezer Batista, experiente conselheiro de governos, que, como expus no capítulo anterior, substituía a política de fortalecimento de "pólos" de desenvolvimento pela criação de "eixos" de desenvolvimento, movidos por uma visão mais favorável à desconcentração do progresso social e econômico. Projetos estratégicos com esse fim foram incluídos nos programas de investimento em meus dois mandatos. Deslancharam assim, entre outras iniciativas, o gasoduto Brasil-Bolívia, a integração energética com a Argentina, a rodovia BR-173 entre Manaus e a fronteira com a Venezuela e a linha de transmissão da hidrelétrica venezuelana de Guri, uma das maiores do mundo, trazendo energia do país vizinho para a região amazônica, iniciada no segundo mandato do Presidente Rafael Caldera (1994-1999) e concluída sob o governo de seu sucessor, Hugo Chávez.

Em agosto de 2000, convocamos em Brasília a primeira reunião da História juntando todos os presidentes da América do Sul, a que se seguiu outra, em Guaiaquil, no Equador, em 2001. Naquela ocasião, deu-se início à chamada Iniciativa para a Integração da Infra-estrutura Regional Sul-Americana, conhecida pela sigla IIRSA. Com o apoio do BID, nos anos seguintes, os governos dos países sul-americanos realizaram um amplo estudo das necessidades e possibilidades de integração física da região, selecionado um conjunto de projetos estratégicos para o desenvolvimento do continente.

Essa complementação de esforços para a construção de um "espaço sul-americano" tem a ver com a integração regional em matéria de energia, transportes e telecomunicações. Politicamente, entretanto, pareceu a alguns países, especialmente ao México, que a iniciativa poderia significar o isolamento das nações sul-americanas, sob liderança brasileira, do resto da América Latina mais próxima aos EUA.

Nunca foi essa a intenção. Da mesma forma como o México lançou um programa que se estendia de seu território e abrangia toda a América

Central, chamado "De Puebla ao Panamá" — porque as ligações de infraestrutura se fazem com os países geograficamente próximos —, reuníamos os vizinhos da América do Sul. Nada além disso. Graças a nossa política claramente não-hegemônica e a meu relacionamento próximo com os mexicanos (não só com o Presidente Ernesto Zedillo, que governou de 1994 a 2000 e de quem sou amigo, mas também com seu sucessor, Vicente Fox, e com dezenas de personalidades do país), expliquei do que se tratava e convidei o chanceler Jorge Castañeda, cientista social e antigo colega de lides intelectuais, para participar da reunião na qualidade de observador. A semente lançada no encontro de Brasília prosperou sem desconfianças.

Ao lado de marcar sem arrogância a presença brasileira na região, pois parti da convicção de que liderança se exerce sem proclamá-la, procurei, com a ajuda do ministro Lampreia e seus diplomatas, conduzir a bom termo as negociações da Alca. Em encontro preparatório a que compareci, realizado em Belo Horizonte, ainda em 1997, reunindo os ministros de Relações Exteriores e de Comércio do Hemisfério, presente a embaixadora Charlene Barshefsky, negociadora-chefe de comércio dos EUA (espécie de ministra do Comércio Exterior), asseguramos que o acordo de livre comércio obedeceria ao princípio do *single undertaking*, isto é, um único compromisso abrangente que só seria firmado se todas as questões pertinentes estivessem negociadas e acertadas previamente. Não seria possível negociar apenas partes do acordo, como serviços, ou comércio ou indústria, nem fatiar as negociações de cada uma dessas partes. De posse desse valioso instrumento negociador, que evitava a imposição do interesse de um país sobre os outros, compareci à reunião de cúpula de chefes de Estado do Hemisfério em Québec, no Canadá, em 2001, preparado para dizer em que condições entraríamos na Alca.

No encontro com Bush, sua preocupação era Chávez

Antes da reunião de Québec, tive o primeiro encontro com o novo Presidente dos EUA, George W. Bush. Ele me havia telefonado antes, dizendo-se recomendado por seu pai e pelo Presidente Clinton a falar comigo, e se mostrou aberto a manter contatos diretos. Eu tivera vários encontros com o pai, George H. Bush, Presidente dos EUA entre 1989 e 1993. O primeiro creio ter sido durante uma reunião da OEA, em Washington, a que compareci como senador, e Bush pai era Vice-Presidente de Ronald Reagan (1981-1989). Na mesma condição, de Vice-Presidente, ele visitara o Brasil e o Congresso, onde novamente conversamos. Bush pai voltou ao Brasil outras vezes, uma delas quando eu ocupava a Presidência e ele havia deixado a Casa Branca. A 21 de novembro de 1996, tivemos um almoço no Alvorada. Bush pai — um homem sofisticado, agradável e com vasta experiência, pois antes de ser Vice-Presidente e Presidente tinha sido deputado, embaixador em Pequim e diretor da CIA — se fez acompanhar da nora, Columba, casada com seu filho Jeb, governador da Flórida. Estiveram também presentes o embaixador americano Melvin Levitsky e diplomatas brasileiros.

Às vésperas de me receber na Casa Branca, o Presidente Bush dissera à imprensa que gostaria de olhar-me "olho no olho", como é de seu estilo. Encontrei-o em seu gabinete de trabalho, o Oval Office, local que conhecia do tempo de Clinton. Ele me esperava em pé, cumprimentou-me e mostrou-se muito afável, embora sua linguagem corporal — a forma um tanto rígida de movimentar-se e de andar, e algo nos olhos, talvez um leve estrabismo —, lhe confiram, à primeira impressão, um ar de certa arrogância, de certo distanciamento. A conversa revelou um homem diferente: informal, risonho, amigável. Quando a imprensa entrou para nos fotografar, ao fim da reunião, sentados lado a lado em duas poltronas, tirei os óculos e mirei fixamente nele, como a mostrar que a conversa fora franca e eu não tinha nada a esconder.

Bush, àquela altura, não tinha muitas informações sobre o Brasil. Sabia mais sobre o tema de sua obsessão, energia. Estava bastante ciente da questão quanto à Venezuela e ao México, grandes produtores de petróleo, mas parece ter-se surpreendido e ficou agradado quando lhe disse que nós éramos praticamente auto-suficientes. Chegou a comentar comigo, também, sua posição favorável à controvertida exploração de petróleo no estado norte-americano do Alasca, espécie de santuário da vida selvagem, apesar dos efeitos sobre o meio ambiente.

— O mundo precisa de um motor — ressaltou. E esse motor, os EUA, consome petróleo.

Mostrou-se um tanto ansioso com a reunião de Québec. Seria seu *début* internacional e tinha preocupações de que o presidente da Venezuela lhe pudesse ser hostil. Disse-lhe que mantinha boas relações com Hugo Chávez e que não acreditava que ele tivesse tal propósito. Em todo caso, acrescentei, eu teria um encontro em Brasília com o Presidente Chávez e lhe faria a ponderação.

Cumpri o prometido. Expus a Chávez a opinião de que, se ele fosse cortês, desarmaria o interlocutor, mesmo porque não acreditava que o Presidente da Venezuela viesse a ser agressivo com o Presidente norte-americano. Chávez respondeu-me, sorrindo matreiro:

— Você me conhece. Eu sou ardoroso. Quando, nas reuniões da Organização dos Países Exportadores de Petróleo (Opep), começo a me entusiasmar, o sultão de Qatar, que é meu amigo, tem uma combinação comigo: olha para mim com as mãos postas perto do rosto, em forma de oração, e eu modero minha fala, antes de proclamar a República nas monarquias árabes.

E acrescentou:

— Vamos fazer o mesmo em Québec.

Na cúpula hemisférica, coube-me fazer o discurso de abertura. Transmiti uma mensagem clara e firme: "A Alca será bem-vinda se a sua criação for um passo para dar acesso aos mercados mais dinâmicos; se efetivamente for caminho para regras partilhadas sobre anti-*dumping*; se reduzir as barreiras não-tarifárias; se evitar a distorção protecionista das regras sanitárias; se, ao proteger a propriedade intelectual, vier a promover, ao mesmo tempo, a capacidade tecnológica de nosso povo. E, ademais, se for além da Rodada Uruguai [de negociações comerciais internacionais] e corrigir as assimetrias então cristalizadas, sobretudo na área agrícola."

Quando terminei o discurso sob os aplausos dos mais de mil presentes, Hugo Chávez saltou da fila em que se encontrava atrás de mim, aproximou-se da cadeira para onde eu voltava para sentar-me e, com as mãos em sentido de oração, me saudou efusivamente. Nós, latino-americanos, podemos até não ser bons negociadores, mas não perdemos o senso de humor. E Chávez, naturalmente, não fez qualquer *desaire* ao Presidente americano. Em almoço informal, quando expunha ardorosamente suas reivindicações frente aos EUA, o Presidente uruguaio Jorge Batlle, homem de espírito e também com sentido de humor, disse, dirigindo-se a Bush:

— Presidente, as reivindicações do Uruguai são poucas. Queremos apenas ter nos EUA tantos açougues quantos os postos de gasolina que a Venezuela tem.

Todos riram, dada a grande presença da gasolina venezuelana no mercado americano e ao fato de a carne ser o maior produto de exportação do Uruguai.

A reação do Presidente Bush a seus colegas hemisféricos, mal iniciado seu mandato, pelo menos durante aqueles dois dias em Québec, foi a de um homem simples, pouco pomposo, que queria entender um mundo que lhe era estranho. Nos dois anos em que nos relacionamos como presidentes, falamos pelo telefone algumas vezes. Uma delas foi para ajudar-lhe a entender a política na Argentina, logo depois da posse do Presidente Eduardo Duhalde, no começo de 2002.[4] Sempre tratei de valorizar nossos vizinhos, àquela época considerados, notadamente pelo FMI, como parceiros que não cumpriam os acordos. Bush, entretanto, não se interessou tanto pelas observações que lhe adiantei pelo telefone sobre a tradição dos *caudillos* portenhos ou sobre os vezos peronistas. Também não quis entrar em detalhes da situação econômica, que lhe esbocei em linhas gerais. Bem a sua moda texana me perguntou:

— Mas, olhando olho no olho, como é ele? *How is the guy?* ["como é o cara?"] Dá para confiar nele?

Não sei julgar as pessoas dessa exata forma, por esses critérios. Respondi dizendo que Duhalde era um político experiente, com tradição, e que certamente faria um grande esforço para tirar a Argentina da crise.

[4] Duhalde foi eleito Presidente pelo Congresso argentino no dia 1º de janeiro de 2002 para governar até 10 de dezembro de 2003, completando o mandato do Presidente Fernando de la Rúa, eleito por uma coligação capitaneada pela tradicional União Cívica Radical, de centro, mas aliada a correntes de esquerda, e que renunciara após uma série de protestos populares contra sua política econômica. A Argentina viveu dias dificílimos, com três governos interinos e a discussão sobre a antecipação ou não das eleições diretas do ano seguinte, até que se chegou à escolha pelo Congresso de Duhalde, político cuja longa trajetória no peronismo incluiu ter sido senador, governador da província de Buenos Aires e Vice-Presidente de Menem.

É assim sua percepção política, muito direta, vendo mais as pessoas do que as circunstâncias. Também eu telefonei para ele em algumas ocasiões, como quando expressei a solidariedade dos brasileiros após o pavoroso atentado de 11 de setembro de 2001. Elogiei seu gesto de visitar uma mesquita em Washington, pois não havia que confundir terrorismo com a religião muçulmana.[5]

Eu me lembrava do espanto de Bush quando lhe falei, na visita a Washington, do grande número de brasileiros de origem árabe, e cabia portanto recordar naquele instante nossa visão de tolerância cultural e religiosa. Naquela mesma conversa Bush se mostrou surpreso quando lhe disse que quase metade da população brasileira era de "não-brancos".

— Mas há tantos negros no Brasil? — perguntou, no que foi atalhado pela assessora de Segurança Nacional, Condoleezza Rice, que lhe disse que a maior população negra fora da África provavelmente estaria no Brasil.

Nada disso foi dito com menoscabo. É apenas o modo de sentir de um homem que até aquela época vivia somente os problemas de sua gente e de seu país e que teve de aprender depressa como lidar com o mundo.

Àquela altura a despreocupação do Presidente Bush com os assuntos da América Latina era perceptível. (A obsessão pelas questões energéticas logo perderia primazia para o Oriente Médio entre suas prioridades.) A tal ponto que antes de finalizar nosso encontro cheguei a sugerir-lhe o que me fora proposto por nosso embaixador em Washington, Rubens Barbosa: que houvesse uma pauta mais aberta de negociações diretas entre o Brasil e os EUA. Afinal, co-presidiríamos a Alca, o que nos dava uma boa oportunidade para uma revisão positiva do relacionamento bilateral. As palavras só não caíram no vazio porque Condoleezza Rice disse que a questão precisava ser mais bem ponderada...

Apesar de nunca termos sido próximos, as relações de Bush para comigo e para com o Brasil foram discretas e corretas.

---

[5] Após o 11 de setembro, o Brasil foi o primeiro país a propor na OEA que se aplicasse aos EUA o Tratado do Rio de Janeiro, de 1940, que considera atacadas todas as nações do hemisfério quando uma delas é agredida. A sugestão me foi trazida pelo chanceler Celso Lafer e pelo embaixador Luiz Felipe de Seixas Corrêa, secretário-geral do Itamaraty, por motivos óbvios: essa forma de expressar solidariedade dava o enquadramento jurídico para qualquer ato ou reação.

Um fim de semana com Bill Clinton em Camp David

Voltando ao tema do Mercosul e da Alca, também o Presidente Bill Clinton (1993-2001) havia tido reações construtivas em relação a essas matérias. Desde nosso primeiro encontro como presidentes, que coincidiu com a tragédia do atentado a bomba de Oklahoma City, em abril de 1995, recordo-me bem, Clinton demonstrou simpatia para comigo e para com o Brasil. Tão logo ficamos sós, sentados às mesmas poltronas já referidas quando da visita a Bush na Casa Branca, perguntou-me, com a cabeça estendida no encosto:

— O que eu posso fazer para ajudar você e o Brasil?

E assim agiu sempre. Quando visitou o país em outubro de 1997, deparamo-nos com uma declaração de Madeleine Albright, secretária de Estado, cheia de restrições à nossa estratégia de fortalecer o Mercosul enquanto se fazia a negociação da Alca. Não queríamos desfazer um para aderir à outra, até porque, como disse apropriadamente o ministro Lafer, o Mercosul é nosso destino, ao passo que a Alca é uma opção. Tivemos um jantar de gala no Palácio da Alvorada. Depois, durante sarau que promovemos especialmente, Clinton, que já havia encantado as centenas de pessoas que o foram saudar no Itamaraty (a imprensa fizera muita carga sobre o excesso de segurança dos presidentes americanos e ele não se fez de rogado, saltando as linhas de proteção para cumprimentar os convidados), entusiasmou-se com a cantora baiana Virgínia Rodrigues. (Ele continuou fã de Virgínia. Ainda em 2005, quando o encontraria em uma de minhas idas para compromissos nos EUA, fui portador de um CD que a cantora enviou ao ex-Presidente.)

Terminada a apresentação, pediu-me para conhecer os aposentos particulares da Presidência,[6] como ele nos mostrara os da Casa Branca. Quan-

[6] Também o presidente da China, Jiang Zemin, que muito me impressionou favoravelmente durante sua visita ao Brasil, em abril de 2001, ao final do banquete que lhe foi oferecido no Itamaraty manifestou curiosidade em conhecer o palácio onde moram os presidentes brasileiros. Levei-o até lá, de madrugada, quase sem segurança e certamente sem garçons, o que fez com que Ruth preparasse um chá que ela e eu servimos ao Presidente e um pequeno grupo de assessores. Tivemos longa e proveitosa conversa, inclusive a respeito de uma fábrica da Embraer na China e da intensificação de nossas relações de comércio.

do estávamos nos aposentos presidenciais privados, com Ruth e Hillary, disse-lhe:

— Amanhã teremos uma conversa formal no Palácio do Planalto. Ao redor de uma imensa mesa oval (*hélas!*), uma dezena de ministros e altos funcionários de um lado e de outro e só nós dois "falando", melhor, perorando, e disso não resulta grande coisa.

Propus, então, que substituíssemos a reunião por um longo diálogo só entre ambos. Em seguida, faríamos algo breve com o grupo todo. Clinton imediatamente aceitou, e a reunião foi muito significativa.

De fato, naquela conversa, além de termos discutido a situação política na Argentina, pois o Presidente Menem estava sendo duramente atacado e havia alegações de suborno envolvendo altos personagens de seu círculo, entrei de chofre na questão do Mercosul. Mostrei-lhe que sem o Mercosul, a Alca isoladamente não nos serviria sequer como ponto de partida para negociações. Dei-lhe as razões econômicas e políticas. Clinton compreendeu-as e me perguntou:

— Se eu, na entrevista de imprensa, manifestar minha concordância com o ponto de vista brasileiro, isso ajuda?

— Claro que sim — respondi.

Clinton agiu de forma impecável. Nos jardins do Alvorada, o Presidente dos EUA apoiou publicamente o ponto de vista brasileiro sobre a importância do Mercosul e sua compatibilidade com a futura formação de uma área de livre comércio nas Américas.

Em um fim de semana que Ruth e eu passamos em 1998, junto com os embaixadores do Brasil em Washington, Paulo Tarso e Lúcia Flecha de Lima, na casa de campo dos presidentes americanos, em Camp David, no estado de Maryland, próximo à capital, tive uma conversa a sós com Clinton, em seu pequeno gabinete com as paredes cheias de desenhos e retratos de Thomas Jefferson, principal redator da Declaração de Independência dos EUA e terceiro presidente do país (1801-1809). Camp David fica em área ondulada, em meio a um bosque de grandes árvores. Os hóspedes oficiais e o Presidente hospedam-se em cabanas de madeira confortáveis, com sala, dois quartos, um estúdio e demais instalações. Há uma cabana central, a casa comum, contendo um salão, uma sala de estar menor, mais aconchegante, e, subindo um degrau, a sala de jantar. Contígua à sala de estar, há um pequeno, quase mínimo, gabinete onde o Presidente trabalha, e uma ampla sala de reuniões. Conversa marcante. Nela se revelava o ser humano, culto e com visão da História, preocupado com os países mais pobres. A certa altura disse-me:

— Quando nos aproximamos de um país, de uma nação, precisamos responder a perguntas simples e básicas. Por exemplo: qual é seu maior temor? Qual seu objetivo maior como nação? Alguns temem ser invadidos, outros, se desintegrarem, outros as convulsões sociais. Ou então, têm vocação de grandeza, que pode ser expansionista ou não, podem querer apenas deixar uma marca civilizatória, e assim por diante.

Incitou-me a que o Brasil tivesse uma participação mais audaciosa na cena internacional. No caso, queria maior envolvimento do nosso país na situação da Colômbia, por causa das drogas e da guerrilha, e também do Oriente Médio. Mantive minha posição: é cedo para um país com tantos problemas internos de pobreza e desenvolvimento insuficiente, como o Brasil, aventurar-se por esses mares bravios. Também procurei dissuadir Clinton, por considerar de justiça, de incluir a Colômbia entre os países não-cooperativos na luta internacional contra as drogas, na classificação anual publicada pelo governo americano. (Mais tarde, já fora do governo, o ex-Presidente colombiano Ernesto Samper revelou-se publicamente grato por minha postura em Camp David.) Mas a intenção de Clinton era inequívoca, desejava parcerias confiáveis e sólidas.

Durante o jantar participaram também, além dos anfitriões Hillary e Bill Clinton, Ruth e eu e o casal Flecha de Lima, o assessor de Clinton para assuntos de Segurança Nacional, Samuel "Sandy" Berger e sua mulher, Susan, empresária de sucesso. Enquanto Clinton bebia, como sempre, sucessivas latinhas de Coca-Cola *light*, embeveceu-me o vasto conhecimento que Hillary demonstrou da situação da África, seus diferentes países, regimes e problemas. Desfiava nomes de dirigentes, de líderes oposicionistas e de figuras de destaque em vários países. Talvez soubesse mais sobre a política africana do que qualquer um à mesa — mais do que eu, certamente. Hillary, constatei uma vez mais, é uma mulher de marcante personalidade, múltiplos interesses e permanente curiosidade intelectual. Não é por acaso que, dois anos depois, se elegeria senadora pelo estado de Nova York.

Clinton, como disse, achava possível compatibilizar Mercosul e Alca. O Brasil, entretanto, nunca enfrentou realmente a questão da Alca. O empresariado se divide. Há os que já estão aptos à competição externa e a desejam. Há os que, no setor industrial, sabem que as tarifas americanas deixam livres de proteção cerca de 70% dos produtos importados pelo país e, portanto, nada ganham ou perdem com a Alca, ou melhor, perdem sem ela na medida em que, em lugar da Alca, multiplicam-se acordos bilaterais entre os EUA e os países da Associação Latino-Americana de Integração (Aladi), que colocam em xeque as vantagens comerciais que temos com muitos desses países. Além disso, dois setores industriais importantes — o do suco de laranja e o siderúrgico — esbarram em medidas protecionistas no mercado norte-americano: o suco em taxas *ad hoc*, ou seja, criadas especificamente para barrá-lo e proteger os produtores americanos, especialmente os da Flórida, e o setor siderúrgico em políticas anti-*dumping* de duvidoso embasamento técnico. Nossos agricultores são os que sofrem as maiores restrições com as altas tarifas americanas. E há os que temem a concorrência no setor de serviços, como se ela já não existisse.

No plano político, partes da esquerda, somadas à Igreja Católica e ao MST, não têm dúvidas: para eles a Alca significa a anexação pura e simples dos interesses brasileiros pelo imperialismo, como se vivêssemos antes de 1950. E mesmo no espectro político mais à direita, há quem tema as conseqüências negativas do acordo para os interesses nacionais. Como se não se tratasse de uma negociação comercial e como se empresários e homens de governo fossem incapazes de defender os interesses próprios e os do país, ou, pior ainda, de sistematicamente atraiçoá-los. Esses setores chegaram a organizar um plebiscito contra a Alca, junto com outro sobre o repúdio à dívida externa.

Posteriormente, já no governo Lula, substituiu-se a dificuldade crescente em dar passos à frente por uma mudança de postura fundamental: tanto o governo americano como o brasileiro resolveram colocar de lado o princípio do *single undertaking* e permitiram que, de um cardápio de opções oferecido para diferentes tipos de entendimento, os países selecionassem o que melhor lhes aprouvesse. Resultado: os EUA se puseram a campo e vêm fazendo acordos setoriais com todos os países, menos com os do Mercosul. Assinaram-se acordos com o Chile, que lhe assegurou um tratado de livre comércio (em condições inaceitáveis pelo Brasil), com a

Comunidade Andina e, finalmente, com a América Central e o Caribe (exceto Cuba).

Em conseqüência, teremos de competir com os EUA na América Latina em condições desvantajosas, e a América Latina é responsável por boa parte de nossas exportações de manufaturas. Sobra para nós fechar acordos também bilaterais, como o que assinamos com o México no final de meu governo, o qual, ainda que não abrangente, permitiu o *boom* de exportações de veículos para o mercado mexicano, que neste aspecto substituiu a Argentina, cuja crise levara à diminuição drástica de compras de produtos brasileiros.

Vejo com preocupação a crescente desintegração econômica da América Latina e até mesmo o possível aumento dos conflitos de visão política. A onda eleitoral após os fortes processos de ajuste econômico dos anos 1990 tem levado à formação de governos de tendência mais estatizante e protecionista, erradamente rotulados de esquerdistas ou populistas. Não chegam a ser nem uma coisa nem outra. São mais reativos, defensivos, dando sinais de que as sociedades da região, com duas ou três exceções conhecidas, temem adotar uma política mais agressiva de integração à ordem mundial que possa ser proveitosa para os interesses nacionais. Em alguns casos, dadas as fragilidades existentes, até se compreende que assim seja: sem condições efetivas de competição, as aberturas econômicas e as políticas de austeridade se tornam insuportáveis para os respectivos povos. Em outros casos é menos justificável a indecisão das elites governantes para adotar medidas que permitiriam um salto significativo na economia e nas condições de vida das populações.

Vitórias na OMC e diplomacia financeira

No âmbito do encontro, também o primeiro da História, entre chefes de governo da América Latina e da União Européia, realizado no Rio de Janeiro em 1999, começamos a negociar um acordo comercial. Lembro-me de uma conversa que tive na Federação das Indústrias do Rio de Janeiro (Firjan) com o Presidente da França, Jacques Chirac, na qual eu dizia que para romper o protecionismo agrícola europeu haveria que buscar mais investimentos, em especial franceses, no processamento de alimentos no Brasil, pois assim os próprios produtores franceses enfrentariam o arraigado protecionismo rural da França e de outros países europeus. Também nesse âmbito os progressos têm sido lentos.

Daí a razão de a opção multilateral continuar sendo importante para nós. Aproveitando a experiência e a competência de alguns de nossos melhores embaixadores no trato das questões comerciais, incluindo a dos dois chanceleres que serviram em meus mandatos, ampliamos muito as ações na OMC. Pela primeira vez, com o apoio do empresariado, o Itamaraty organizou uma unidade específica para o tratamento dos contenciosos comerciais, destinada a encaminhar os pleitos do setor privado brasileiro na organização. Os exemplos de sucesso logo se multiplicaram e continuaram a se desdobrar após o término de meu governo. Entre outros episódios, tivemos a vitória, ao lado da Venezuela, no contencioso com os EUA sobre gasolina; o êxito na contestação das salvaguardas impostas pelos EUA em matéria de aço; a abertura de contencioso contra barreiras não-tarifárias impostas também pelos americanos a nossas exportações de suco de laranja; idem no caso da União Européia no referente ao açúcar; finalmente, o pedido de consulta para abertura de painel (mais tarde vitorioso) contra subsídios americanos em algodão, matéria que teve a decisiva colaboração do ministro da Agricultura, Pratini de Morais, e do secretário de política agrícola do Ministério, Pedro de Camargo. No conjunto estivemos presentes em 14 reclamações, envolvendo-nos em um total de 21 controvérsias se somarmos as reclamações contra nós, ganhando a maioria delas.

Para finalizar estas anotações sobre o comércio internacional, recordo que, nas negociações da OMC realizadas em Doha, não apenas ganhamos um ponto importante na questão dos medicamentos para combater a aids, graças à ação dos ministros Lafer e José Serra e do embaixador Celso Amorim, como obtivemos, junto com nossos aliados, vitória sem precedentes: o mandato negociador para a agricultura, tema mais do que sensível e no qual as negociações entre regiões ou entre países nada caminharam. Ou seja, ficou cabendo à OMC a definição das regras do comércio internacional que se aplicam à agricultura, válidas para todos os países-membros da organização.

No plano da diplomacia financeira, sempre em consonância com a percepção de que a globalização é um processo em marcha e de que, diante dele, o Brasil tem a rara possibilidade de ser, ao mesmo tempo, beneficiário e crítico, não perdemos oportunidades para assumir uma posição compatível com nossos interesses. Desde meu primeiro discurso sobre esta matéria, em fevereiro de 1995, na sede da Cepal, até o final do governo, critiquei as assimetrias da ordem mundial. Assim como não deixei de propor modificações que favorecessem os países em desenvolvimento.

A cada reunião dos países ricos (G-7/8) enviei cartas a seus dirigentes propondo mudanças na ordem econômica, e meus *sherpas*, como se denominam os assessores presidenciais que cuidam de cada uma dessas reuniões, numa alusão aos habilíssimos guias que auxiliam os alpinistas no Himalaia, atuaram ativamente nessa direção.

As sucessivas crises financeiras, as políticas e receitas nem sempre adequadas do FMI (cujos erros, como no caso do Sudeste Asiático e da Indonésia, objeto de múltiplas críticas e sugestões, levaram sua direção a introduzir algumas mudanças de orientação), a falta de recursos suficientes do Banco Mundial e, principalmente, a falta de transparência e de mecanismos democráticos no controle das instituições internacionais foram objeto constante das cartas aos presidentes e da ação de nossos diplomatas e economistas.

Sempre que pude tornei públicas as críticas às discriminações existentes no âmbito financeiro internacional e propus medidas que permitiam reduzi-las. Em reunião anual do BID, realizada em Fortaleza, em 2001, por exemplo, critiquei duramente o fato de as instituições internacionais, especialmente o FMI, diferentemente do que faziam com os países da União Européia, contabilizarem como sendo dívidas os investimentos em empresas estatais como a Petrobras, que rendiam recursos ao Tesouro e funcionavam como multiplicadores de riqueza.

Dessa observação e das negociações que se seguiram resultou mudança que isentou a Petrobras das restrições quanto a investimentos. Novos passos para ampliar as exceções ainda estão por vir.

Não preciso me alongar sobre essas questões, pois os capítulos nos quais descrevo a implantação do Plano Real e as crises financeiras ilustram as dificuldades de uma economia emergente que se quer afirmar em um contexto global injusto. Falta dizer que o ministro Malan e os presidentes do BC Gustavo Franco e Armínio Fraga revelaram-se incansáveis no convencimento das mudanças necessárias. O Brasil teve presença marcante nos grupos de acompanhamento das propostas de mudança no sistema financeiro global criados tanto junto ao BIS, em Basiléia — a que me referi anteriormente e que é uma espécie de banco central dos bancos centrais —, como no FMI. Disso resultou um aumento extraordinário de nossa credibilidade internacional. O Brasil, de país caloteiro, passou a ser parceiro respeitável.

Quanto a mim, tratei de manifestar com clareza e firmeza a necessidade de uma mudança mais ampla na ordem internacional. Além do mencionado discurso na Cepal, em Santiago do Chile, não perdi oportunidades para reafirmar esse ponto de vista. Nos encontros de presidentes da América do Sul, como, por exemplo, em Guaiaquil, mantive um tom contundente. Na reunião da Cúpula Ibero-americana realizada na cidade do Porto, em Portugal, em 1998, cheguei a apoiar a proposta de um imposto sobre a circulação financeira internacional, a famosa taxa Tobin, para expressar meu desacordo com as assimetrias existentes, mesmo sabendo de sua impraticabilidade.

Da mesma maneira, no encontro da Terceira Via, ou da Liderança Progressista, em Florença, em 1999, manifestei as críticas pertinentes, diante do olhar pouco receptivo de meus companheiros de mesa-redonda televisiva, Presidente Clinton e Primeiros-Ministros Massimo D'Alema, da Itália, Gerhard Schroeder, da Alemanha, Lionel Jospin, da França, e Tony Blair, do Reino Unido. Apenas Clinton demonstrou maior simpatia pelas teses reformistas da ordem mundial, mesmo porque ele próprio havia proposto a formação de um fundo de assistência aos países em dificuldades, tempos antes. Os dirigentes da Terceira Via mais se preocupavam em definir e propagar as melhores práticas de governo dos países desenvolvidos do que dar impulso ao crescimento econômico dos países pobres e propiciar às nações de economia emergente, como o Brasil, acesso ao poder mundial.

A Terceira Via é um movimento inspirado pelo encontro do progressismo democrático de Bill e Hillary Clinton com a tradição social-democrática européia reformada por Tony Blair e seu mentor intelectual, o sociólogo e ex-diretor da London School of Economics Anthony Giddens. O movimento não chegou a se sensibilizar com as demandas dos países de economia emergente, o G-20, como se diria hoje. Se é certo que as lideranças desses últimos não absorveram completamente as políticas da Terceira Via mais voltadas para a sociedade civil, tampouco os líderes dos países ricos perceberam a importância de uma integração mais adequada das economias em desenvolvimento a uma ordem mundial renovada. Talvez por isso a Terceira Via não tenha conseguido maior apelo no mundo em desenvolvimento. Uma pena, pois deixou este último à mercê de recaídas nacional-populistas, ou melhor, antiamericanas e antiglobalizadoras, que continuam a atrair parte considerável do pensamento de esquerda, como disse repetidamente neste livro.

Um quadro na parede do Torto — e Fujimori aceita a paz com o Equador

Por fim, no plano propriamente político, no desempenho da diplomacia presidencial, agi sempre de acordo com nossas prioridades em matéria de política externa, tal como enunciadas no início deste capítulo. Darei uns poucos exemplos dessa atitude, começando pela América Latina.

Em nossa região, tive preocupação constante de manter boas relações com todos os países e ajudar o fortalecimento da paz e da democracia. Sobre este último ponto basta referir algumas ações que conduzi. No Paraguai, em mais de uma ocasião, sempre a pedido das forças legitimamente constituídas, vi-me obrigado a atuar para evitar que a ordem política se rompesse. Em certa ocasião, em abril de 1996, o Presidente Juan Carlos Wasmosy veio a Brasília, discretamente, para me informar que iria demitir o comandante do Exército e temia reações. Antes disso, Wasmosy enviou um emissário a São Paulo e me pediu que indicasse alguém de minha confiança para encontrá-lo. Pedi a Eduardo Jorge que fosse ter com o representante do Presidente paraguaio. Combinaram que o Presidente viria a Brasília, se não me engano em uma quinta-feira, pilotando seu avião particular, para que a visita permanecesse em sigilo.

Na data aprazada designei o embaixador Sebastião do Rego Barros, secretário-geral do Itamaraty, para receber Wasmosy na Base Aérea de Brasília, dizendo-lhe que informasse às autoridades aeronáuticas da vinda do avião, sem dar-lhes maiores detalhes. Tarde da noite eles chegaram ao Palácio da Alvorada, onde o Presidente paraguaio me disse:

— Vou demitir o general Lino Oviedo na próxima segunda-feira e ele pode mandar me matar.

Disse-lhe que apoiaríamos a legalidade e acrescentei, com humor amargo e para aliviar a tensão:

— Bem, se você morrer não posso lhe ajudar. Mas não deixarei de ajudar o Paraguai a manter-se na democracia.

Ele procedeu como anunciado, e o general Oviedo se rebelou. Coube ao embaixador do Brasil em Assunção, Márcio Paulo de Oliveira Dias, junto com os colegas do Mercosul e com a embaixada americana, proporcionar sustentação política ao Presidente. Em comunicações telefônicas contínuas me mantive informado e, depois de haver assegurado com nossas Forças Armadas condições de segurança para a hidrelétrica de Itaipu, da qual vem um quarto da energia consumida no Brasil, pedi ao general Zenildo, ministro do Exército, que fora instrutor do general paraguaio, para que explicasse a seu colega de farda que ele não teria nosso apoio para qualquer aventura. Finalmente Oviedo, que não queria falar com ninguém, atendeu a um telefonema do general Zenildo. Transmitido o recado, Oviedo cedeu; saiu do Paraguai e mais tarde pediu-nos, e lhe concedemos, asilo político.

Em outra oportunidade — março de 1999 —, também no Paraguai, desencadeou-se séria crise política. O Presidente Raúl Cubas me telefonou quando eu estava no Rio de Janeiro, pedindo que o Brasil lhe enviasse suprimentos de balas de borracha para as forças da ordem poderem conter o povo. Viajei a São Paulo e, à noite, nova comunicação telefônica. Já havia vítimas entre os populares. Ponderei ao Presidente Cubas que ele desempenhara papel positivo na transição do Paraguai para a democracia, e que seria penoso e arriscado resistir pelas armas às manifestações populares. Diante da extensão e da gravidade da crise evidenciadas pelo seu próprio relato ao telefone, convenci-o de que seria melhor renunciar e receber asilo do Brasil. Pediu-me tempo para responder, certamente porque queria consultar seus aliados políticos e militares, mas naquela mesma noite anuiu. Enviamos a Assunção um avião da FAB e, com a proteção de nosso embaixador e de alguns soldados, ele pôde deixar seu país e passou alguns anos convivendo conosco. Em qualquer hipótese, a sucessão deveria respeitar, como respeitou, os ditames constitucionais.

Lembro esses dois episódios nos quais interviemos politicamente e poderia, se fosse oportuno, mencionar situação em que me opus à utilização de força dissuasória para assegurar a democracia no Paraguai. Sempre acreditei que qualquer intervenção estrangeira, mesmo com objetivo de restabelecer ou de manter a democracia, tem custo político elevado e deixa justificado ressentimento popular contra quem intervém. No caso específico do Paraguai, país amigo e com o qual temos portentoso investimento hidrelétrico em Itaipu, cabe adicionalmente manter uma atitude correta, não-intervencionista e solidária, para que nosso vizinho não seja levado a autorizar a presença em seu território de tropas estrangeiras à região, como, infelizmente, acabou ocorrendo algum tempo após o término de meu governo.

Com respeito à Venezuela, conto um episódio, apenas ilustrativo do já sabido: que o Brasil sempre defende a sustentação da ordem democrática. Relato os fatos porque mostram como é custoso o enraizamento democrático. Ainda em meus primeiros meses como chanceler, em novembro de 1992, tive notícia de um levante em Caracas contra o governo de Carlos Andrés Perez. Imediatamente me pus em contato telefônico com o Presidente venezuelano, antigo conhecido meu de reuniões promovidas por círculos da Internacional Socialista. Apesar da situação, encontrei-o cheio de ânimo (ouvia-se barulho de tiroteio pelo telefone, e o Presidente fez questão de que eu o escutasse), dizendo que resistiria e ganharia o confronto. Assegurei-lhe nossa solidariedade. Quase dez anos depois, exercendo a Presidência, chama-me ao telefone o Presidente Hugo Chávez. Ele, que de certa forma fora o inspirador do cerco ao Palácio presidencial, uma vez que desfechara, em fevereiro do mesmo 1992, uma primeira e frustrada tentativa de golpe contra Perez, estava agora cercado por revoltosos. Pediu-me apoio. Disse-lhe que daria instruções ao chanceler Celso Lafer, que participava de reunião do Grupo do Rio[7] em San José da Costa Rica, para instar os países participantes a de público repudiarem o golpe, o que aconteceu imediatamente.

---

[7] Mecanismo de consultas políticas de alto nível e pouca burocracia adotado em 1986 e ampliado em 2000. Participam 18 países latino-americanos e um representante da Comunidade do Caribe (Caricom).

Poderia estender-me em uma série de episódios para mostrar a disposição brasileira de ajudar a construir a democracia nos países vizinhos, sem envolvimentos facciosos. Da mesma forma, atuamos sempre solidariamente quando eles enfrentaram dificuldades financeiras. Tentei inúmeras vezes convencer o FMI e os Estados Unidos a ajudarem a Argentina a sair da crise (e nisso teve ação exemplar o Presidente Ricardo Lagos, do Chile) ou a resolverem problemas tópicos quando conflitos comerciais afetavam nossas relações com os vizinhos.

O auge da diplomacia presidencial em face de situações críticas durante meus dois mandatos deu-se quando conseguimos pôr fim ao contencioso militar entre o Equador e o Peru que citei anteriormente neste livro e que custara, nos 40 anos anteriores, intermitentemente, milhares de vidas. Um trabalho paciente para garantir a paz, no qual estávamos envolvidos o Brasil, o Chile, a Argentina e os EUA, mas que na fase final se desenrolou principalmente no Brasil. Ouvimos as duas partes durante anos. Várias vezes, altas horas da noite, chegavam a Brasília os presidentes, principalmente do Equador, com mapas de posições estratégicas à mão, para discutir os termos de uma negociação aceitável. Pelo lado peruano tratei o tempo todo com o Presidente Alberto Fujimori, que governou entre 1990 e 2000, parte dos quais, lamentavelmente, com poderes ditatoriais. No Equador sucederam-se presidentes. Os que dedicaram mais tempo à questão foram Sixto Duran Ballén (1992-1996) e Jamil Mahuad Witt (1998-2000).

O contencioso territorial, depois de duros combates, havia sido objeto de uma negociação da qual resultou o Protocolo do Rio de Janeiro de 1942, que não satisfez às partes. Os equatorianos diziam pertencer a eles um território montanhoso que se abria a um vale que, bem adiante, dava acesso à bacia amazônica. O Tratado do Rio, entretanto, concedera a área aos peruanos. Estes, naturalmente, contestavam a pretensão equatoriana. No meio tempo, a imprecisão das demarcações originais frente às técnicas de fotografias por satélite punham por terra mapas e acordos antigos. Depois de muito sofrimento e algumas novas arrancadas militares (a última propiciara ligeira vantagem no terreno aos equatorianos), as condições para a paz pareciam amadurecer. Entre armistícios conseguidos a duras penas, o envio de tropa brasileira para assegurar a paz na zona de conflito, a presença de representante direto meu na zona de conflito, embaixador Júlio César Gomes dos Santos, e intensas consultas diplomáticas e militares, o tempo passava e pouco se progredia.

Fujimori era determinado, objetivo e prático. Manejava propostas e imaginava as manchetes dos jornais de Lima no dia seguinte. O Presidente Mahuad, cheio de boa vontade e coragem, tinha até credenciais pessoais no caso — perdera um avô nas lutas. Homem educado, de formação universitária, tinha encantamento por um professor de Harvard especialista na solução de conflitos. Fujimori, de poucas palavras, sorridente e astucioso, punha a sagacidade oriental a serviço da causa peruana. Não se chegava, no entanto, a um acordo. Certa noite, jantando com os dois presidentes, propus que se construísse um parque ecológico binacional em um trecho da selva que era contestado. A idéia parecia caminhar, mas sempre havia um "porém", e as forças políticas locais reinterpretavam cada proposta ao sabor de suas conveniências, dificultando as margens de manobra dos presidentes para a transigência. Quando estávamos quase a ponto de bater o martelo, em uma reunião em uma pequena sala da Granja do Torto, novo impasse: um trecho do futuro parque fora usado como cemitério para alguns soldados equatorianos mortos nas batalhas. Sugeri, então, que se abrisse uma estrada ligando o cemitério com a fronteira do Equador, com livre acesso para os nacionais daquele país. Fujimori fingiu que não a aceitaria, mas, de repente, virou-se para um pequeno quadro de paisagem bucólica pendurado na parede. Era um quadro modesto, de pintor desconhecido, mostrando uma carrocinha puxada por um burro em uma estrada de terra. Apontando a estrada, disse:

— Só se for daquela largura... Por ali não passam carros com tropas, imagino.

Sua atitude selou o acordo, assinado a 27 de outubro de 1998 no Itamaraty diante dos reis da Espanha, do secretário-geral da OEA, Cesar Gaviria, e de vários presidentes de países amigos. De todos os pronunciamentos carregados de emoção o do Presidente Mahuad foi o mais comovedor. Assinou o tratado com lágrimas (e não só ele as derramou, também eu estava profundamente emocionado) e coragem. Não sei se alguém caminha pela estradinha para chorar a dor de haver perdido um ente querido, mas a paz se restabeleceu, e devido ao papel desempenhado pelo Brasil recebi as mais altas condecorações e as maiores homenagens dos governos e dos Congressos dos dois países. E cada vez que caminhei pelas ruas de Lima ou de Quito recebi abraços efusivos de populares que da guerra queriam distância, mas sentiam que a paz só valeu a pena porque o sentimento nacional não foi atropelado.

Alguns anos mais tarde tive de haver-me com a repulsa continental à terceira eleição consecutiva de Fujimori. Não foram poucas as críticas que sofri pela paciência com que nossa diplomacia manejou o problema. Houve grande pressão norte-americana e de inúmeras organizações da sociedade civil internacional contra a aceitação do resultado eleitoral. Nosso embaixador em Lima, José Viegas Filho (que mais tarde o Presidente Lula nomearia ministro da Defesa), informava com minúcias à chancelaria brasileira das sutilezas do caso. Uma intervenção externa contestando a legalidade do pleito, pois disso se tratava, mesmo com o propósito de assegurar a legitimidade do poder, poderia prejudicar nossos interesses de longo prazo, mostrando-nos ao povo peruano como intervencionistas. Seria melhor apostar na evolução da própria sociedade peruana. Assim procedemos, embora sem endossar substantivamente as manobras que resultaram na reeleição de Fujimori.

Lembro-me que, meses mais tarde, quando o futuro Presidente Alejandro Toledo era candidato com muitas chances de vitória e veio me ver em Brasília acompanhado por sua mulher, Eliane Karp, houve ligeiro mal-estar em nossa conversa, principalmente por parte dela. Como alguém com minhas tradições democráticas (Toledo estudou em Stanford e me conhecia do tempo em que eu dera aulas naquela universidade) podia ter apoiado Fujimori? Ela espelhava na pergunta a opinião de vários críticos da oposição a meu governo. Disse-lhe que uma coisa era minha atitude como intelectual, radicalmente democrata e progressista, outra minha conduta como chefe de Estado. Não que fossem contraditórias. Não apoiara Fujimori, mas a voz da inteligência livre não tem por trás de si baionetas e a do Presidente de um país carrega ameaças, principalmente quando este país é mais forte. Pior, outros países ainda mais fortes já estavam claramente se manifestando pela destituição de Fujimori. Nessas circunstâncias, em vez de ser um grito pela liberdade, meu protesto seria uma ingerência.

É importante ressaltar que não apoiamos ilegalidades no Peru. Demos, isto sim, um voto de confiança aos peruanos, na convicção de que eles próprios saberiam como se haver com as questões domésticas, como acabaria ocorrendo. *A posteriori* é fácil dizer: "Estão vendo? Deu certo. Fujimori não reina mais e restabeleceu-se a democracia." Mas, e se tal não acontecesse? Neste caso, uma vez mais a moral da responsabilidade teria inibido sua compatibilização com a ética das convicções e o ato que praticamos pagaria alto preço pelo sofrimento que a duração do governo fujimorista acarretaria ao povo peruano. Tormento de quem governa e sabe que nada assegura de antemão a "validade" de suas decisões.

"Fidel, que diabo, homem! Que vai fazer com esta ilha?"

Ainda uma palavra sobre a região. Para quem é de minha geração, Cuba e Fidel Castro não podem ser tratados como estranhos. Visitei Cuba em viagem de Estado e participei, em seguida, da Cúpula Ibero-americana realizada em Havana em 1999. Fidel esteve no Brasil inúmeras vezes. Para a América Latina a revolução cubana constitui um marco, a despeito de seus resultados decepcionantes e da repulsa que causam os aspectos contrários aos direitos humanos e às liberdades, sem contar as péssimas condições de vida que o povo cubano vem suportando desde o começo da década de 1990 (verdade que graças também ao bloqueio econômico norte-americano). Além do apelo à maior igualdade numa região de desigualdades extremas que Cuba representa, há a simbologia da luta de Davi contra Golias, tornada permanente pelo embargo norte-americano. É esse conjunto de fatores que nos leva a tratar de maneira menos dura o que em outras situações seria (e é) inaceitável. Com esse pano de fundo, as relações entre Brasil e Cuba, durante meus dois mandatos, transcorreram de maneira correta, com aprofundamento das relações econômicas e de busca da inclusão da ilha no espaço latino-americano.

Do mesmo modo, no plano pessoal sempre fui tratado com consideração por Fidel e seus principais colaboradores. Surpreendi-me com a curiosidade de Fidel sobre dados econômicos e minúcias, por exemplo, sobre a questão energética, especialmente petróleo. Nas conversas me dava a impressão de ser mais um professor aposentado, que fazia observações e reflexões sobre o mundo, dentro de sua visão inegavelmente dogmática, do que um líder revolucionário, como foi no passado. Pensei comigo: o poder desgasta e a burocracia estiola, mesmo os espíritos mais audazes.

Sua obsessão por entender os processos econômicos e políticos se revelava até em detalhes banais. Por exemplo, um dia, em almoço no Alvorada, quando conversávamos a sós longamente na biblioteca do Palácio, ele me perguntou:

— Como você organiza sua rotina?

Contei-lhe que levantava relativamente cedo, nadava por recomendação médica para cuidar da coluna e relaxar das tensões do cargo, tomava café, lia a síntese dos jornais e ia para o Palácio do Planalto despachar, presidir reuniões, receber pessoas em audiências, telefonar para ministros e líderes parlamentares. Replicou:

— Você está errado. Eu também fazia isso. Depois percebi que não queria falar com os que tinham audiências comigo. Perdia meu tempo. Daí por diante, fico em casa, lendo livros, recebendo resumos preparados por meus colaboradores e pensando sobre as questões da economia mundial e sobre Cuba, para tentar resolver melhor seus problemas.

Pensei comigo: "Fidel está há quarenta anos no poder, eu há menos de quatro. Se fizer isso, meu governo vai por água abaixo." Quem sabe, contudo, terá sido por seu conselho, subconscientemente, que no segundo mandato passei mais manhãs no Alvorada, defendido das pressões políticas e burocráticas, despachando com meus auxiliares diretos e com alguns ministros.

Mas não quero ser injusto. Vi inúmeras vezes Fidel debatendo com contendores mordazes, colegas ibero-americanos. Saiu-se quase sempre com galhardia e elegância, com uma única exceção, em dia infeliz no Panamá. Não seria apropriado, neste livro, contar minúcias do relacionamento pessoal dos chefes de Estado, mas asseguro que, se pudesse fazê-lo, Fidel Castro ocuparia bom espaço, tal a riqueza das oportunidades que tive para analisá-lo, e, com menos certeza, para tentar vislumbrar o futuro de Cuba. Não tenho ilusões quanto a mudanças que possam ocorrer sob o comando de Fidel, não obstante me alegrasse a perspectiva de vê-lo mais transigente na questão democrática e mais capaz de antever o alcance de longo prazo que essa atitude teria para a manutenção dos avanços que Cuba conseguiu em matéria social. Vem-me à lembrança um encontro que tivemos ao fim da reunião da Cúpula Ibero-americana, em 1999, em Havana, quando quase todos já haviam partido. Fidel ofereceu um almoço em um clube recém-refeito, com vistas para o envolvente mar das

Antilhas, a uma dúzia de chefes de Estado e de governo, incluindo o Rei de Espanha, Juan Carlos, sempre bonachão e simpático. Um dos presentes, sobre cuja identidade calo por motivos protocolares, levantou-se da mesa e, batendo nela com a mão, dirigiu-se ao anfitrião:

— Fidel! Que diabo, homem, você está entre os poucos amigos que ainda tem. Que vai fazer com esta ilha?

Entre impropérios, tornados amistosos mais do que agressivos pelos bons goles do excelente vinho espanhol Vega Sicília-Único que todos tomávamos, o líder continuou pressionando Fidel. Em seguida lançou uma saraivada de críticas e inquietações sobre "a transição" para a democracia. Lá estavam Menem, José Maria Aznar, António Guterres, Jorge Sampaio, Fujimori, Zedillo e uns poucos mais que, embora compreensivos e não se afastando da tradição de convidados, não mediram palavras para pressionar o *comandante*. Este, como mais tarde vi fazer em broma na casa de verão do Presidente do Chile, em Viña del Mar, respondendo a Aznar — *"Pero yó, dentre todos Ustedes, soy el que menos poder tiene, pues todo en Cuba es colectivo..."* —, utilizou seus dotes de sofista para não responder nada. Definitivamente, ele não pensa como o personagem do escritor italiano Tomaso di Lampedusa que algo queria mudar para nada mudar. Mais teimoso — em espanhol se diria *testarudo*, ou cabeçudo — que o personagem do romance, prefere nada mudar para evitar que tudo desabe.

Sobre a ilha, finalmente uma observação: jamais desejei que o Brasil fosse "ponte" entre Cuba e os EUA. Não creio que tal postura corresponda a nossos interesses nem aos dos dois contendores. Talvez por sentir essa disposição, tivemos mais facilidade para manter o diálogo diplomático com Cuba e seus líderes. Uma só vez fugi a esta regra, quando Bill Clinton me deu uma informação sobre obstáculos que o tão ansiado tráfego aéreo entre Cuba e os EUA enfrentava e me pediu explicitamente que esclarecesse o assunto com Fidel. Este, depois de ouvir minha ponderação de que não me competia o papel de mensageiro, mas que naquele caso parecia razoável transmitir-lhe a informação, redargüiu com um galanteio:

— *Mejor mensajero no podria haber encuentrado el Presidente Clinton.*

Espero ansioso o dia em que meu embaixador na ilha, Luciano Martins, que escreveu relatórios tão lúcidos, publique suas reflexões sobre o que mudou e o quanto pode mudar Cuba. Temo que, alheia ao tempo, a ilha, que poderia ser um ponto de referência para o modo latino-americano de conciliar socialismo com democracia, deixe para a História apenas as marcas do inaceitável autoritarismo, perdendo as sendas de maior igualitarismo, tão necessárias para este continente de injustiças sociais.

Presidentes da América Latina e calor humano

Não quero terminar essas anotações sobre o relacionamento com os países e dirigentes da América Latina sem mencionar, ainda que brevemente, o quanto de calor humano houve no trato com um ou outro deles. Em várias partes deste livro falei dos presidentes Menem, da Argentina, Jorge Batlle, do Uruguai, Ernesto Samper, da Colômbia, seu xará Zedillo, do México, os peruanos, equatorianos, venezuelanos, bolivianos, paraguaios. Se não pude, como sempre desejei, visitar os países do Caribe, com exceção de Cuba e da República Dominicana, com cujo Presidente (entre 1996 e 2000, e novamente a partir de 2004), Leonel Fernandez, mantenho relações cordiais, devo dizer que os responsáveis pelas nações caribenhas de fala inglesa sempre me trataram e ao Brasil com especial respeito. Talvez porque alguns deles conhecessem meus estudos sobre os negros brasileiros ou porque soubessem que Eric Williams, Primeiro-Ministro da Jamaica entre 1962 a 1981 e grande historiador da escravidão, serviu de fonte de inspiração para mim quando jovem professor na USP. Realizei, contudo, a primeira visita de Estado de um Presidente brasileiro à América Central. Fui à Costa Rica em abril de 2000, onde o presidente Miguel Ángel Rodríguez teve a gentileza de hospedar seus colegas da região para que eu pudesse manter ricas conversações, individualmente e em conjunto, com todos eles. Tratei de motivá-los a ampliar o comércio com o Brasil, a utilizar mais nossas empresas de serviços e a ter maior cercania política conosco.

Também na América Central, visitei mais de uma vez o Panamá. Em novembro de 2000, quando compareci à X Cúpula Ibero-Americana, na Cidade do Panamá, pude realizar um gesto de alto valor simbólico: devolver ao país documentos preciosos, as atas de um congresso — denominado Congresso Anfiteônico — convocado em 1826, em território panamenho, pelo grande libertador de vários países latino-americanos, Simón Bolívar. Por alguma razão, os documentos estavam em nossos arquivos, e, no Panamá, foram depositados num grande memorial a Bolívar. Desse congresso do século XIX resultaram decisões e tratados importantes que, já naquele tempo, consagravam princípios como paz, segurança coletiva e ajuda mútua entre países recém-libertos do colonizador espanhol. Talvez como retribuição ao gesto, em março de 2002 a Presidente Mireya Moscoso convidou-me para participar de solenidade marcando o início de obras de ampliação do Canal do Panamá, que liga os oceanos Atlântico e Pacífico. Viajei acompanhado do chanceler Celso Lafer. Ao Brasil interessava a modernização do Canal como parte não apenas de nossa visão sobre a integração física da América Latina, mas também para melhorar a competitividade de nosso comércio com a Ásia, sobretudo o desdobramento marítimo da logística do transporte fluvial da soja e, quem sabe, com algumas empresas brasileiras participando da obra.

Com alguns dos presidentes latino-americanos mantive e mantenho relações cordiais, se não afetivas. Carlos Menem (1989-1999) teve a visão de continuar o caminho aberto por Alfonsín na aproximação com o Brasil. Não houve assunto em nossas relações, por delicado que fosse, que deixasse de ser encaminhado com competência e compreensão recíproca entre a Argentina e o Brasil. E ninguém se iluda: Menem, mesmo quando parece ausente das questões, comanda o desenrolar dos acontecimentos. Seu sucessor, Fernando de la Rúa (1999-2001), teve menos êxito no manejo da política. Tocaram-lhe tempos difíceis, depois da quebra da moeda. De la Rúa, um professor universitário ponderado e talvez menos propenso à luta de foice característica de nossa política, em mais de uma ocasião pareceu-me não inteiramente enfronhado dos riscos que corria. Recordo-me que certa feita, estando os dois em Madri, mas por motivos diferentes, recebi uma chamada telefônica de Armínio Fraga, presidente do BC. Armínio estava reunido, penso que no Canadá, com um grupo de economistas e dirigentes econômicos mundiais. Estes expressaram preocupação com o desenrolar da crise na Argentina e Armínio me pediu que alertasse o presidente De la Rúa. Não sei se o pedido era somente dele ou incorporava o desejo de seus interlocutores.

Relutei em fazê-lo, pois é sempre delicada a intromissão de um Presidente nos assuntos internos de outro país. No mundo atual, contudo, como venho dizendo neste capítulo, interno e externo se confundem, até porque qualquer crise na Argentina afetaria o Brasil e a recíproca é verdadeira. Telefonei à embaixada da Argentina e me dispus a visitar o Presidente, que nos recebeu, a mim e ao chanceler Lampreia, com fidalguia. Fazia-se acompanhar por seu chanceler, Adalberto Rodríguez Giavarini, e pelo ministro da Economia, José Luís Machinea. Cuidadosamente fui orientando a conversa para as dificuldades que eu próprio havia vivido com a crise do real e descrevendo o modo como busquei apoios internacionais, envolvendo-me pessoalmente em parte das negociações. Fernando de la Rúa foi simples e direto:

— Não se preocupem, não se preocupem. Na Argentina tudo vai bem. É diferente.

Não me cabia insistir. O Presidente argentino partiu para uma viagem à aldeia de seus ancestrais espanhóis e, infelizmente, nada era diferente do que ocorrera no Brasil. Homem correto, perdeu o controle da situação política e teve de renunciar. Depois de vários sucessores de curtíssima duração, o governo parou nas mãos de Eduardo Duhalde, em janeiro de 2002. Durante seu período na Casa Rosada, embora tivessem sido poucos os contatos, o espírito de cooperação com o Brasil permaneceu vivo.

Conhecia Duhalde do tempo em que fora Vice-Presidente de Menem e em seguida candidato derrotado à Presidência. Quando assumiu o governo depois de eleito pelo Congresso, decidi visitar a Argentina para expressar solidariedade ao país em momento de graves dificuldades. No jantar que mantivemos, a sós, na residência presidencial de Olivos, onde passei a noite, tive uma conversa muito franca com o Presidente sobre a situação. Impressionou-me sua reação peremptória:

— Eu vou pôr ordem nos piqueteiros (grupos de desordeiros manipulados politicamente que viviam obstruindo ruas e estradas), restabelecerei relações com o Congresso e farei eleições.

Dito e feito. Não é pouco mérito. Menos de dois anos depois, eleito Nestor Kirschner, a quem conheço superficialmente, fez o indispensável: com apoio de seu ministro da Economia, Roberto Lavagna, enfrentou o tema da dívida externa e, com medidas e palavras que a muitos soaram demagógicas, conseguiu legitimidade para governar apesar de haver obtido apenas 22% dos votos no primeiro turno das eleições de abril de 2003 (assumiu em maio, após seu concorrente, Menem, desistir de disputar o segundo turno). Avaliar o êxito do conjunto de suas ações vai requerer tempo, mas indiscutivelmente tomou medidas necessárias para restabelecer no país irmão a crença em qualquer governo.

Com o Uruguai minhas relações são muito antigas: participei da elaboração de um dos planos de desenvolvimento do país nos anos 1960, como funcionário da Cepal, quando Enrique Iglesias, futuro presidente do BID, ainda era presidente do Banco Central uruguaio. Julio Sanguinetti, intelectual de qualidade e político maduro, estando ou não na Presidência, que ocupou duas vezes (entre 1985 e 1990, e entre 1995 e 2000), sempre foi um ponto de apoio e um amigo. Convivi menos tempo com o Presidente Lacalle (1990-1995), mas já relatei a visita que lhe fiz em Anchorena e tanto Lacalle como Sanguinetti, ou Jorge Batlle, por diferentes que sejam seus partidos, e a despeito da lenda de que um deles é mais "brasileirista" do que o outro, e dos estilos pessoais diversos entre Batlle e Sanguinetti, nas tratativas com o Brasil e comigo, *somos todos hermanos*, tal a densidade de nossos relacionamentos, e o mesmo diria do Presidente eleito em 2005, Tabaré Vasquez. Jorge Batlle (2000-2005) é um espírito brilhante, irônico e tem, como aliás também Sanguinetti, familiaridade com a História e os costumes do Brasil.

Sobre o Chile, embora pouco tenha dito, não devo falar muito mais: seria tentado a escrever outro livro, tantas são minhas afeições e tanto é meu conhecimento daquelas terras. Mas, já havendo mencionado Ricardo Lagos algumas vezes, cabe registrar que nenhum outro país de nossa região teve a sorte ou foi capaz de encontrar na História recente líderes como os presidentes Patrício Aylwin (1990-1994), Eduardo Frei Ruiz-Tagle (1994-2000) e Ricardo Lagos (2000-2005). A aliança obtida pelos chilenos, juntando "liberais", democratas-cristãos e socialistas, que há poucas décadas se combatiam tão vivamente, é a prova da maturidade do povo. Os resultados estão à vista: perseveraram nos objetivos e vêm aceleradamente mudando o país para melhor.

Com os países do Hemisfério de fora da região latino-americana, nossa participação na política internacional é de outra ordem e mais modesta. Além dos cuidados referidos de não transformar cada choque concreto de interesses entre nós e os EUA em uma confrontação mais ampla de país a país e da busca permanente de uma postura de colaboração e independência, mantivemos excelentes relações com o Canadá. Houve visitas oficiais recíprocas. Sustentamos, ao mesmo tempo, posição firme na chamada crise da vaca louca, na qual o ministro Pratini de Morais teve desempenho marcante diante da alegação, francamente absurda, de risco dessa doença que afeta o gado bovino na Europa — mas inexistente no Brasil — como razão para a suspensão das importações canadenses. Firmeza, mas ponderação, foi nossa postura também nos contenciosos comerciais por causa dos aviões da empresa canadense Bombardier na guerra comercial com a nacional Embraer. Tratava-se de crise, digamos assim, entre países maduros, cujas economias avançaram e, eventualmente, tiveram choques de competição econômica, e não confrontações "ideológicas" ou totais. Freqüentemente o Primeiro-Ministro Jean Chrétien e eu falávamos ao telefone sobre os mais variados assuntos. Nossas conversas, em geral, giravam sobre os problemas globais, mais do que apenas sobre as relações bilaterais. Afinávamos a viola, para melhor entender o jogo dos donos do mundo.

Um símbolo de que o mundo pode ser melhor: Mandela

Já com a África foi diferente, mantivemos relações mais próximas e mais ao estilo latino-americano, no qual a emoção pesa tanto quanto a razão e facilita negociações. Enviamos tropas a Angola para assegurar a paz, e o tamanho do contingente — mais de mil homens — mostra nosso empenho em ajudar o país de onde vieram, como escravos, os ancestrais de tantos brasileiros. Nossos soldados desempenharam com eficácia a dificílima tarefa de colaborar na eliminação dos campos minados que uma guerra civil de mais de duas décadas espalhou por toda parte. Visitei Kuito, no interior, para ver nossos soldados acampados em região circunscrita por minas e destroçada por batalhas passadas, cheia de adultos e de crianças sem pernas ou sem braços, situação que me comoveu profundamente. Temos investimentos produtivos no país e muita proximidade política com o Movimento Popular de Libertação de Angola (MPLA), partido dominante.

Também com Moçambique nossas relações foram especiais. Visitei oficialmente o país e assinei o perdão de uma dívida de 450 milhões de dólares que o povo moçambicano não tinha condições de pagar. Iniciei também negociações para a Vale do Rio Doce investir em mineração e recebi várias vezes no Brasil o Presidente Joaquim Chissano, assim como o Presidente José Eduardo dos Santos, de Angola. De igual modo, o Presidente Thabo M'Beki esteve entre nós, e o nível de entendimento econômico e político com a África do Sul é elevado. Convidei os presidentes desses três países para assistirem a reuniões do Mercosul, sempre buscando o fortalecimento de nossos laços com eles. Com a Namíbia e o Presidente Sam N'joma da mesma forma temos relações próximas, estando nossa Marinha muito ativa em prestar-lhes assistência técnica.

Nelson Mandela é um caso à parte. O grande patriarca da liberdade na África do Sul esteve no Brasil em julho de 1998, em visita de Estado, e magnetizou quem o viu ou esteve com ele. Em sua tribo de origem, Mandela é príncipe — e não há a menor dúvida de que se trata de um príncipe quando se está em sua presença. Ouvi de uma conterrânea sua, Manphela Ramphele, diretora do Banco Mundial, uma definição perfeita para o que penso em relação a ele. Ramphele comparava outros líderes carismáticos de hoje ou do passado a Mandela. Dizia dos primeiros que eles obtêm o reconhecimento e a glória porque perseguiram esse objetivo. Já com Mandela, acrescentou, é diferente: a própria glória é que vai até ele. De fato. Sua simples presença, sem que ele mova um dedo, permite perceber que está ali alguém com uma aura especial, um homem excepcional. Ademais, é de uma simpatia irradiante e muito afetivo: profundamente africano em seu calor humano.

Mantivemos uma longa conversa no Palácio do Planalto sobre delicados assuntos político-partidários africanos. O almoço que lhe oferecemos ao redor da piscina do Alvorada contou com a presença da bateria e de passistas da escola de samba da Mangueira, de capoeiristas e de cantores de toada da Amazônia, além de personalidades da comunidade negra brasileira — entre as quais as atrizes Camila Pitanga e Thaís Araújo e Cafu, capitão da seleção brasileira de futebol. Mandela se divertiu e se alegrou genuinamente. Sua esposa, Graça Machel (viúva do herói da libertação de Moçambique, Samora Machel), tem o português como língua materna e participa com Ruth de alguns fóruns internacionais. Tudo isso envolve de carinho, além da admiração, o relacionamento com Mandela.

A visita de Estado de Mandela ao Brasil retribuiu a que fizéramos a ele no segundo ano de meu mandato. De todas as minhas viagens oficiais ao exterior, só as feitas ao Chile, pela emotividade dos anos que lá passei no exílio e dos amigos que adquiri (de Enzo Faletto a Ricardo Lagos e sua mulher, Luisa Durán, de cujos pais fui vizinho em Santiago por alguns anos), podem se comparar ao calor e mesmo ao amor ao Brasil que senti quando, na manhã de 27 de novembro de 1996, caminhei pelas ruas da fervilhante cidade-dormitório de Soweto, próxima a Johanesburgo, ou quando, no banquete oficial, na capital, Pretoria, Mandela saiu dançando e cantando, agarrando-me pelo braço. Em Soweto, berço histórico da resistência anti-*apartheid*, fomos à pracinha onde há um marco de saudade em homenagem a Hector Peterson, estudante de treze anos morto pelas costas em 1976, durante uma manifestação contra a decisão do governo de tornar obrigatório aos negros o ensino do africânder, idioma dos antigos colonizadores holandeses. Junto ao monumento, depositei flores.

Centenas de jovens de ambos os sexos nos cercaram e cantaram em nossa homenagem. De lá partimos para a casa do legendário Walter Sisulu, mestre de Mandela, também herói das lutas contra o racismo, que lhe valeram quase três décadas na prisão. Casa modesta, no bairro que foi favela, onde morava um verdadeiro líder, no sentido de guia moral, que tinha sido deputado e agora, recolhido à vida privada (sua mulher, Albertina, ainda era deputada), simbolizava a inteireza da trajetória de um batalhador. De óculos, alquebrado aos 84 anos, cabelos inteiramente brancos, voz frágil, disse palavras tão expressivas e sentidas de reconhecimento ao Brasil por nossa postura histórica contra o racismo e de tanta afetividade que, ao despedirmo-nos, chorávamos todos, o casal anfitrião, o visitante e o casal Lampreia — o chanceler Luiz Felipe e sua mulher, Lenir. Orgulho-me de ter ido até Sisulu: fiquei sabendo que nunca chefe de Estado algum o visitara em casa.

Voltei a Johanesburgo, anos depois, no início de setembro de 2002, para participar da Conferência Mundial sobre o Meio Ambiente, patrocinada pela ONU — também chamada de Rio+10, porque haviam transcorrido dez anos da primeira reunião do gênero, no Rio de Janeiro. Em ato à parte, lancei, com Mandela (já então há três anos fora do poder), um programa em defesa das florestas úmidas. Era um ato público, ao ar livre, apenas com o palco protegido contra uma eventual chuva. Novamente me impressionei profundamente com o modo pelo qual o grande líder expressa pensamentos e sentimentos. Sempre elegante, fluente, cativante, muito pessoal e, de repente, telúrico, quase profético, eletriza a audiência e, mais do que isso, a compromete com a causa que está defendendo. As pessoas aplaudiam, gritavam de alegria, cantavam. Mandela parecia produzir uma hipnose coletiva. Vi-o de novo na Noruega, em Tromsoe, no Círculo Polar Ártico, em 2005, dessa vez abraçando a causa do combate à aids. Ninguém, de tantos líderes que conheci no mundo, tem a liderança espiritual de Mandela: não esquece o passado, não renega a realidade, mas, sem ressentimentos, olha e aposta no futuro da humanidade. Tendo passado 27 anos na prisão, boa parte em solitária, por sua luta contra o regime racista do *apartheid*, ele foi capaz de, libertado em 1990, estender a mão a seus algozes em prol de uma causa maior, a democratização e a reconciliação nacional em seu país. O próprio Presidente do regime racista, Frederik De Klerk, com quem Mandela negociou intensamente uma transição democrática, acabou sendo candidato a Vice-Presidente na chapa que levou o grande líder negro a ser o primeiro chefe de Estado livremente eleito da República da África do Sul, em 1994. Ambos ganharam o Prêmio Nobel da Paz em 1993. Se há um símbolo vivo de que o mundo poderá ser melhor, este símbolo é Mandela.

Precisamos decidir o que queremos na Ásia

Dando continuidade aos movimentos de reaproximação com a Ásia, que iniciara ainda como chanceler, tratei também de visitar, naquela região, os países que me pareciam fundamentais tanto para o papel político do Brasil no mundo como para as ligações comerciais, fortalecendo nossas exportações e buscando investimentos.

Fui em março de 1996 ao Japão, e o Imperador Akihito e sua esposa, a Imperatriz Michiko, retribuíram a visita vindo ao Brasil em junho de 1997. Tratou-se da primeira visita de um Imperador japonês à América Latina depois da Segunda Guerra Mundial. As relações entre os dois países são muito especiais, cercadas de simbolismos e de gestos na direção de uma sempre maior proximidade. Na tradição japonesa, por exemplo, uma vez ao ano os imperadores e sua família se reúnem, talvez junto ao seu círculo mais íntimo, para uma troca de poesias. A Imperatriz (fluente em inglês e na literatura nesta língua) nos presenteou com um livro em que estão vertidos, para o inglês, os poemas que ela e o esposo fizeram. Num deles, que me sensibilizou especialmente pela beleza (e não é o único com alusões desse tipo), há referências ao Brasil e à nossa natureza, rememorando viagem que fizeram nos anos 1960, ainda como príncipes, logo depois do casamento. Sutilezas que bem mostram o espírito japonês.

A despeito de toda a imigração japonesa e da presença de cerca de 250 mil brasileiros que fizeram o percurso inverso ao de seus ancestrais e hoje trabalham, em contínuo revezamento, no Japão, as conversas com o Primeiro-Ministro Ryutaro Hashimoto indicavam certa dificuldade de movimentos. Fiquei com a impressão de que o Japão estava ainda muito amarrado em sua política externa e que dificilmente se moveria, por exemplo, para fazer uma pressão comum em favor de nossa participação como membros permanentes do Conselho de Segurança da ONU. Recentemente, já sob a liderança de Junichiro Koizumi, foi possível realizar avanços naquela direção.

De qualquer modo, os titubeios finais indicam que as conveniências do relacionamento estratégico do Japão com os EUA e o temor dos japoneses de se verem desamparados no confronto com a China pesam mais do que quaisquer alternativas que lhe possam ser oferecidas pela associação com outros países. Até mesmo os investimentos no Brasil, embora continuem a ser importantes, não tiveram crescimento comparável aos europeus depois da estabilização de nossa economia. Continuamos, no entanto, tentando exportar nossos produtos agrícolas ao mercado japonês, que é enorme, e espero que o Japão volte, pouco a pouco, a desempenhar o papel de relevo que sempre teve em nossas relações com a Ásia.

Diferente é o relacionamento com a China. Não só fiz uma visita de Estado (isto é, no mais alto grau protocolar e de intenções de estabelecer sólidos relacionamentos) àquele país, como percebi que não fomos nós, na verdade, que escolhemos a China como parceiro estratégico. Muito antes de nós, na verdade desde que o Presidente Sarney lá esteve, em 1988, os chineses já haviam tomado a decisão de aproximar-se do Brasil e de certa forma tinham a iniciativa do processo. Sabiam muito bem o que queriam.

Na visão estratégica de seus dirigentes, a China precisa de fontes confiáveis de abastecimento que tenham capacidade de suprir suas enormes necessidades de matérias-primas e alimentos. País de dimensões continentais, superpovoado, mas cujas terras são plenamente agricultúráveis em apenas 7% do território, a China não dispõe de todos os recursos minerais necessários à sua produção industrial, nem de água suficiente. A gigantesca represa de Três Gargantas,[8] por exemplo, embora com muito maior potência disponível do que Itaipu, produzirá em média menos energia do que nossa usina, porque não há fluxo de água constante para movê-la.

A China precisa de parceiros. Cabe-nos tirar proveito dessa situação e verificar o que poderemos obter em contrapartida, além de nossas exportações, o que não é pouco, de soja, minério de ferro e carne bovina e suína, como resultado de esforços que inicialmente foram feitos pelos ministros Pratini de Morais e Sérgio Amaral. Firmamos um acordo tecnológico no campo espacial, muito incentivado pelo ministro José Israel Vargas, desde os tempos do Presidente Itamar, e estamos fabricando, em colaboração com os chineses, tanto lá com aqui, satélites que permitem, entre outros resultados, registros fotográficos de alta precisão. Negociamos, e dei o empurrão inicial, a instalação de uma planta da Embraer na China, assim como já tínhamos lá uma fábrica de compressores que pude visitar. Estamos apenas engatinhando na colaboração científico-tecnológica, tateando outras oportunidades de complementaridade que existem entre nossas economias. A Bolsa de Mercadorias & Futuros, por exemplo, abriu em 2004 um escritório em Xangai.

Das várias conversas que tive com Jiang Zemin e com o Primeiro-Ministro Zhu Rongji, ficou muito nítido que eles, chineses, desejam ser respeitados no mundo. Conto pequeno episódio que ilustra este fato. Poucos dias antes da chegada de Zemin ao Brasil, em abril de 2001, o Presidente Bush me telefonou e pediu que eu intercedesse junto ao Presidente visitante para que fossem liberados os tripulantes de um avião-espião americano que havia caído na China pouco tempo antes. Depois de prometer a Bush que tentaria encaminhar a questão, nos limites do protocolo, fiz o pedido ao líder chinês quando tive a oportunidade da conversa a sós com ele em meu gabinete no Planalto. Resposta:

— Você sabe quantas vezes o Presidente Clinton me chamou ao telefone para desculpar-se das bombas que acertaram nossa embaixada em Belgrado? Cinco ou seis. Só então respondi ao telefone. [Referia-se ao episódio em que, em 1999, durante os bombardeios aéreos dos países-

---

[8] Quando o Presidente Jiang Zemin nos visitou, presenteei-o com uma fotografia de uma das imensas turbinas fabricadas para Três Gargantas em São Paulo tendo, dentro de seu diâmetro, todos os operários envolvidos no trabalho.

membros da Organização do Tratado do Atlântico Norte (Otan) a Belgrado e outras cidades, para pressionar o governo da então Iugoslávia a deter os massacres provocados por forças sérvias contra minorias étnicas na província de Kosovo, três mísseis americanos atingiram por engano a embaixada da China na capital, matando quatro funcionários chineses.] Quantos anos têm os Estados Unidos, quinhentos?

Repliquei que, como nação independente, nem trezentos.

— Pois é, a China tem cinco mil. Eles, americanos, têm de aprender a nos respeitar. O Presidente Bush é muito moço, ele precisará se desculpar pela violação do espaço aéreo chinês. Eu vou liberar, sim, os tripulantes, mas tomará algum tempo...

Esta é a China, um país que sabe que a política, especialmente a diplomacia, tem que jogar com o tempo. Nós, de nossa parte, é que precisamos definir qual é nosso jogo. Dá para jogar com os chineses, mas se somente eles tiverem objetivos estratégicos e souberem o que buscam, com este jogo pouco ganharemos. Ainda não vejo claramente qual é a posição brasileira nesse tabuleiro. Alguns, tanto por motivos políticos como econômico-comerciais, temem a China. Outros a idealizam e vêem vantagens para nós em tudo. É provável que estejam certos, à condição de definirmos, como os chineses fazem, o que queremos. No curto prazo, é inegável que a voracidade chinesa por alimentos e matérias-primas está proporcionando um impulso considerável a nossa balança comercial. No médio prazo depende de nossa capacidade de formular e implementar os propósitos que definirmos.

No comércio com a China tem havido muita "troca de procedência", quer dizer, produtos que antes vinham da Índia e de outros países, hoje vêm da China. Nossos produtores reclamam mas nem sempre têm razão. Mesmo assim, o reconhecimento da China como economia de mercado pelo governo que me sucedeu nos deixa ao desabrigo para taxar os produtos chineses. Por outro lado, constitui um problema o fato de o gigante asiático, mesmo tendo se integrado à OMC, ser ainda o grande centro mundial de produção de produtos piratas de todo tipo.

Visitei também a Índia, em janeiro de 1996, onde fui hóspede de honra na comemoração dos 50 anos de independência. Igualmente o Presidente da Índia, Kocheril Raman Narayanan, esteve no Brasil em maio de 1998. Confesso que me é mais fácil ver a reciprocidade entre os nossos interesses e os da China do que o mesmo com a Índia. Culturalmente tenho fascínio pela Índia. Visitei-a, sem contar a viagem presidencial, umas três vezes. Quando presidente da Associação Internacional de Sociologia, realizei nosso congresso internacional em Nova Delhi, em 1986. Li com paixão a obra-prima de Octavio Paz, *Vislumbres de la Índia*.[9] Porém, até hoje há algo na alma indiana que me escapa inteiramente. Nossas conversas, sempre amáveis, jamais se concretizaram política ou economicamente. Fizemos algum progresso na área de medicamentos, pois o ministro da Saúde José Serra, empenhado na fabricação de genéricos, logrou alguns avanços com os indianos. Mas o fluxo comercial e o de investimentos são muito baixos, quando existentes. Vejo com satisfação que mais recentemente, pelo menos no campo das negociações comerciais, na OMC, alianças estratégicas têm sido possíveis. Novamente, a questão está em saber quais nossos interesses peculiares e quais os deles, pois não são similares em tudo. O Brasil, porém, não pode ignorar, entre outros aspectos, o gigantesco mercado interno representado pela Índia. Se o país, com 1 bilhão de habitantes, ainda tem grande contingente de pobres, estima-se que sua classe média comporte entre 250 e 300 milhões de pessoas.

Visitei a Malásia em dezembro de 1995, logo em meu primeiro ano de governo. Kuala Lumpur impressiona mesmo aos que temos vivência das grandes cidades do Terceiro Mundo. A justaposição entre o pós-moderno dos edifícios recentemente construídos e as habitações tradicionais, o trânsito engarrafado, não deveriam chocar quem vive em São Paulo. Pois chocam. Assim como chama a atenção a peculiar monarquia governante: há um rodízio de reis a cada 6 anos, contemplando várias famílias nobres de distintas regiões. E os reis ainda andam, com as rainhas, sob um pálio, havendo uma cor reservada à monarquia, o amarelo. Nos banquetes mantém-se a *high table* onde se sentam os reis e os hóspedes especiais, sendo servidos por garçons que se aproximam, só desta mesa, quase de cócoras e sem encarar os comensais, com baixelas de ouro. Mas o que conta mesmo, quem manda é o Primeiro-Ministro, na época o famoso Mahatir Mohammed, que governou a Malásia durante 22 anos consecutivos, até 2003. Com ele mantive longas conversações e estivemos juntos novamente em Buenos Aires, em reunião com outros presidentes latino-americanos.

---

[9] Octavio Paz, *Vislumbres de la Índia*, Barcelona, Planeta, 1996.

Na época, Mahatir travava uma guerra com o FMI, e outra com o mundo não-muçulmano, especialmente com os judeus. Suas receitas macroeconômicas (que, diga-se, tiraram a Malásia do aperto) implicavam controle do fluxo de capitais, centralização do câmbio e forte intervencionismo. Nas empresas, sob a indução do Estado, buscava-se obter um equilíbrio entre as populações de origem malaia, chinesa e indiana — os três principais grupos étnicos do país — e outros setores, públicos ou privados. As composições acionárias, em geral, obedeciam a esta lógica, sempre conforme os interesse do governo. Na época, o homem-chave da economia, o ministro das Finanças Anwar Ibrahim, parecia ter idéias menos heterodoxas. Pouco tempo depois foi acusado de uma série de supostos crimes e preso. Por mais sedutoras que fossem as idéias intervencionistas, no câmbio, nos investimentos, como em tudo o mais, era óbvio que o complemento delas era a ausência da democracia. Em nosso caso, uma receita que não respeitasse o Estado de direito era não só inviável como indesejável. Nós, não obstante, queríamos participar de algumas concorrências para a construção de hidrelétricas e para a exportação de manufaturados. Os malaios queriam que nós utilizássemos seu porto como porta de entrada na Ásia, especialmente para a China, competindo assim com Cingapura.

Por fim, fiz proveitosa viagem à Coréia do Sul em janeiro de 2001. O Presidente Kim Dae-jung ganhara o Prêmio Nobel da Paz, e com ele encontrei coincidência de propósitos, assim como pude sentir nos empresários coreanos boa disposição de investir no Brasil, país no qual existe uma comunidade de não menos de 50 mil imigrantes coreanos e descendentes. Pude ver de perto os progressos tecnológicos e mesmo assinar um acordo de cooperação na área de nanotecnologia. Mas o que me impactou mesmo foi visitar o paralelo 38, que divide as duas Coréias desde a guerra de 1950-1953. As linhas de arame farpado e as muralhas de concreto passam a não muitos quilômetros da capital, Seul, e chama a atenção a disposição belicosa das tropas norte-americanas estacionadas do lado sul e das norte-coreanas, a pouca distância. Há um ponto, um *meeting point*, em que o visitante vê o outro lado a cerca de cinco metros de distância. O "lado de lá" é tão aterrador quanto o "lado de cá", em que o oficial-comandante expunha a mim, a Ruth e ao chanceler Lafer o estado de prontidão para a guerra.

É bom ver de perto os resquícios da guerra fria para aumentar os temores de uma "guerra quente" que pode ser provocada por uma precipitação atômica, por exemplo, de alguma potência regional, somada à incompreensão das grandes potências. Como estávamos em momento de distensão, graças aos esforços do Presidente sul-coreano, aproveitei a deixa para, no salão próximo ao *meeting point*, fazer uma proclamação pela paz à Coréia do Norte — diante de um microfone e de alto-falantes que ecoavam nos dois lados da linha de demarcação — e anunciar que o Brasil, dentro do espírito de reconciliação anunciado, estava pronto para reatar relações com o regime de Pyongyang, coisa que fizemos. Daquela ocasião para hoje, embora tenha havido alguma distensão no relacionamento entre as duas Coréias, no plano global houve pouco progresso. Continuam as escaramuças entre Pyongyang e Washington, sempre com a Coréia do Sul temerosa de ser a primeira vítima, e a China fazendo o jogo da mediação acanhada.

Espanha e Portugal, grandes investidores, e o Rei, um fiador da amizade

Com a Europa, o Brasil mantém relações culturais e políticas de outra natureza. O peso da História limita a criatividade do presente. Mesmo assim, houve algo de novo nos últimos quinze anos: a Europa Latina redescobriu a América Latina. Em mais de uma oportunidade me referi às Cúpulas Ibero-americanas. Todos os anos os presidentes, reis e primeiros-ministros de Portugal, Espanha e América Latina têm um encontro. Muitas vezes critica-se a falta de "resultados práticos" dessas cúpulas. (Fui encarregado de apresentar um projeto de remodelação da cooperação neste âmbito e de revitalização das cúpulas, o que fiz em 2003, na reunião de Santa Cruz de la Sierra, na Bolívia, quando já deixara a Presidência.) A verdade, no entanto, é que esses encontros, como outros da mesma natureza, ajudam no conhecimento recíproco, na familiaridade mesmo, o que, em momentos de necessidade, é de grande valia. Formam-se relações de confiança que, junto com as chamadas telefônicas, facilitam grandemente o relacionamento entre os países. Pois bem, nesse contexto, os vínculos econômicos e políticos da América Latina com Portugal, Espanha,

França e, talvez em menor proporção, com a Itália, aumentaram muito. Pouco a pouco, esses países expandiram seus investimentos e hoje alguns deles desfrutam posição de destaque como nossos parceiros.

No caso do Brasil, a presença portuguesa e espanhola se renovou. Isso não se deu ao acaso. Houve decisões políticas claras. Portugal, sob a inspiração do Presidente Mário Soares (1986-1996) e, em seguida, com a Presidência de Jorge Sampaio (sucessor de Mário, reeleito em 2001) e com António Guterres como Primeiro-Ministro (1995-2002), todos socialistas (bem como com o *Premier* social-democrata José Manuel Durão Barroso, que governou de 2002 a 2004), decidiu claramente reaproximar-se do Brasil, no que foi correspondido por nós. Os contatos entre líderes políticos, o mundo cultural e o econômico se amiudaram. Em janeiro de 1999, em plena crise cambial brasileira, Guterres enviou seu ministro da Economia, Joaquim Pina Moura, ao Brasil. Ele assistiu à inauguração de uma fábrica com capitais portugueses no Paraná, discursou reafirmando a crença no Brasil e na continuidade dos investimentos de seu país e transmitiu-nos o apoio e a confiança de seu governo. Não foi diferente a resolução espanhola. Por ocasião da Cúpula Ibero-Americana em Havana, recebi convite para jantar na embaixada espanhola com o Rei Juan Carlos e o Primeiro-Ministro José Maria Aznar, do centro-direitista Partido Popular (PP), então no poder há três anos. Aznar me assegurou, com a anuência do Rei, que seu país apostava no Brasil e que, a despeito da afinidade de idioma da Espanha com os países de língua castelhana, seriam conosco as relações prioritárias na América Latina. Assim aconteceu. Empresas espanholas realizaram e continuam realizando gigantescos investimentos no Brasil.

O governo anterior, do socialista Felipe González (1982-1996), havia sido decisivo para intensificar o relacionamento entre a União Européia e o Mercosul. Poucos dirigentes europeus, se é que algum (com exceção dos portugueses), têm como Felipe González conhecimento da política brasileira e simpatia para com nosso país. Dele se pode dizer, parodiando García Lorca no poema a Ignácio Sanchez Mejía, toureiro morto na arena, que custará muito a nascer, se é que nascerá, um andaluz tão puro de intenções em suas relações com a América Latina. Felipe tem visão abrangente do mundo e calor humano muito especial para sentir suas dores. Não lhe faltam também a coragem e a determinação racional para enfrentar os desafios da atualidade, como fez na Espanha. Com estilo oposto, cortante como uma espada de Toledo, o castelhano filho de basco José Maria Aznar, sucessor de Felipe, representou também um sólido ponto de apoio para a aproximação entre os dois países. Existem duas Espanhas, como eles próprios se deliciam em dizer. Uma mais católica, mais quixotesca e conservadora, na qual os princípios são como labaredas que podem consumir seus objetos de dedicação. E outra, mais liberal, capaz de aceitar mais facilmente a pluralidade e o compromisso. A verdade é que uma e outra Espanha se reencontraram na América Latina atual.

Dá gosto ver como pessoas tão díspares são unânimes na simpatia pelo Brasil: Manuel Marín, que conheci quando comissário da União Européia encarregado da América Latina e mais tarde, deputado socialista, seria o presidente do Congresso de Deputados da Espanha; ou Fernando Solana, meu ex-colega ministro do Exterior — ele da Espanha, eu do Brasil —, que se tornou uma espécie de ministro da Defesa e do Exterior da Europa; ou, ainda, Narcis Serra, ex-vice-presidente do Conselho de Ministros e ex-ministro da Defesa de Felipe González; sem contar os veteranos Manuel Fraga, de longa carreira desde os tempos do ditador Franco e, na democracia, várias vezes governante da Galícia, ou Jordi Pujol, que por mais de vinte anos dirigiu a Catalunha. Personalidades marcantes com o mesmo ânimo positivo em relação a nós são também Alberto Ruiz-Gallardón, do PP, prefeito de Madri quando terminei de escrever este livro, no começo de 2006, e Esperanza de Aguirre, presidente da região autônoma de Madri, do mesmo PP, mas de ala distinta à de Gallardón. Com todos eles tive o gosto de lidar, encontrando em cada um o genuíno sentimento e interesse em buscar aproximação conosco. Sobre todos, porém, para mim, resplandece a figura ímpar de *los Reyes*, como dizem lá, Juan Carlos e Sofia.

A esta altura, permito-me uma pequena indiscrição para mostrar em que ambiente de fraternidade se dão hoje as relações entre dirigentes brasileiros e alguns líderes espanhóis. Numa de suas várias visitas ao Brasil, quando os reis da Espanha estavam para regressar a seu país, o Rei Juan Carlos e eu nos despedimos ao telefone. O roteiro da viagem incluíra, a pedido do casal real, uma estada de uns poucos dias na Amazônia. No telefonema, o Rei contou-me sobre um pequeno incidente, quando a Rainha, brincando com um macaco, sofrera uma mordida. Tempos depois, estando na Espanha com Ruth, nosso filho Paulo Henrique, sua mulher,

Evangelina Paranaguá Muniz Gouveia, e nossa filha Beatriz, a família real gentilmente nos convidou para jantar. Chamei meus filhos e, como gosto de fazer brincadeiras, disse-lhes que se tratava de encontro extremamente formal. Instruí-lhes, mencionando um suposto item do protocolo real: jamais se dirijam aos reis senão quando por eles perguntados, e, quando o fizerem, usem sempre o cerimonioso tratamento de "majestade". Estando presente o Príncipe Felipe (que, eu sabia, não iria ao jantar), é de praxe chamá-lo de "alteza". A reação não poderia ser pior: se é assim não iremos, porque não sabemos como usar essas formalidades etc.

Mas foram. O jantar seria na residência dos reis, o Palácio de la Zarzuela, um tanto retirado, nos limites de Madri. A Zarzuela, onde estivera antes algumas vezes e voltei posteriormente, mais parece uma boa casa de fazenda do que um palácio. É espaçosa, com alguns acréscimos ao corpo principal, como se faz nas zonas rurais. Salas amplas, sem luxo, com antesalas. Automóveis entram por um portão lateral. Há outras dependências mais burocráticas, com outra entrada. Fomos recebidos muito natural e simplesmente. Os reis estavam vestidos de maneira pouco formal. A Rainha Sofia, se pode parecer reservada ao primeiro contato, é muito inteligente e agradável logo que ganha confiança nos interlocutores. Ela foi logo dizendo, de bom humor, que trazia marcas indeléveis do Brasil na própria pele, referindo-se à mordida que sofrera e lhe deixara leve cicatriz.

Pouco tempo depois noto que Beatriz e o Rei mantinham longa conversação, sem a menor cerimônia, e nem sempre estando de acordo, sobre uma terra muito querida de ambos, a Catalunha, região de forte sentimento nacionalista dentro da Espanha. Beatriz viveu e estudou na capital da Catalunha, Barcelona, onde se especializou em psicologia infantil no Instituto Municipal de Pedagogia, chegando a escrever uma tese em catalão. Um a zero, pois "Sua Majestade" não fala catalão, logo compensado por um empate, pois o português do Rei, aprendido no exílio de sua família no Estoril, em Portugal, é melhor no vernáculo do que o nosso. Para culminar e mostrar o modo gentil e familiar com que fomos tratados, quando nos dirigíamos à sala de jantar, ao passar por um corredor no qual havia alguns óleos retratando figuras da nobreza, Beatriz se dirige à Rainha Sofia:

— *Eres tu?* — perguntou, lançando mão de um pronome pessoal que só se usa na Espanha quando se tem intimidade com o interlocutor.

Foi demais. Meu conservadorismo de comportamento (a meus próprios pais nunca dei outro tratamento que o de "o senhor" e "a senhora") falou mais alto:

— Majestade — disse eu à Rainha, carregando no formalismo, que não era usual no trato entre os dois casais —, não há solução; treinei direitinho todos eles e veja só o que acontece...

Daí por diante, numa sala de jantar pequena, sentamo-nos ao redor de uma mesa quadrangular, que deixava os convivas próximos uns dos outros, num ambiente cálido, à vontade. A conversa fluiu na boa e tradicional maneira do encontro entre pessoas que se querem e dão mais atenção à substância dos sentimentos e dos pensamentos do que às investiduras que representam.

O fato é que minhas relações pessoais se estreitaram muito com os dirigentes da Península Ibérica e desde então houve, como continua a haver, consultas permanentes entre nossos governos e apoio claro a nossos pleitos, no FMI e nos concílios políticos em geral.

Com António Guterres, tanto quando Primeiro-Ministro (1995-2002) como depois, tive muitas ocasiões para que pudesse apreciá-lo e respeitá-lo cada vez mais. Passamos inesquecível fim de semana no Pantanal, com ele, seus filhos e uma irmã, após o falecimento de sua esposa, Luísa. Com Jorge Sampaio e sua mulher, Maria José Ritta, do mesmo modo, os encontros foram e continuaram a ser o de antigos amigos. Sampaio (1996-2006) é um intelectual refinado que redefiniu o papel da Presidência portuguesa de maneira absolutamente democrática e fiel ao espírito da Constituição. E de Mário Soares (Primeiro-Ministro de 1976 a 1978 e de 1983 a 1985, além de Presidente de 1986 a 1996) e Maria Barroso — ela com luz própria, como ex-atriz, veterana militante socialista e ex-deputada —, o que dizer, senão invejar-lhes o ânimo e renovar a admiração pelos serviços prestados à causa da democracia? Recordo-me de que pouco antes da Revolução dos Cravos (1974), Mário esteve em São Paulo. Foi difícil juntar alguns amigos no Cebrap que o ouviram dizer, sem que acreditássemos, que a ditadura salazarista, liderada por Marcelo Caetano, cairia em breve. Depois viajei a Portugal tantas vezes a estar com ele, em campanhas eleitorais ou em seus gabinetes de ministro do Exterior, Primeiro-Ministro ou Presidente da República, que não sabia como, enquanto finalizava este livro, deixar de me emocionar vendo-o novamente a dar o melhor de si, na flor dos oitenta anos, para tentar sem sucesso levar seu Partido Socialista à vitória, nas eleições presidenciais de janeiro de 2006.

Revendo a guerra fria diante de Gorbachov

Com os demais países europeus, se não houve revigoramento tão notável no que diz respeito aos investimentos, o nível de convergência política aumentou muito. Com a Alemanha, especialmente, país que visitei em três ou quatro oportunidades, no qual se originam famílias de milhões de brasileiros e que tem investimentos produtivos há longos decênios no Brasil, estabelecemos, desde o tempo de Helmut Kohl (1982-1998), um programa de apoio às reivindicações ecológicas. O democrata-cristão Kohl é um gigante, e não só no tamanho físico, com seus 2,03 metros de altura. É um homem cortante, até áspero no contato, mas sua aparência, rude à primeira vista, contrasta com uma aguda visão da História. Mesmo com as amarguras que sofreu, o reunificador da Alemanha continua como um marco na nova Europa. Na primeira volta à Alemanha após as acusações que sofrera por suposto uso de dinheiro irregular para fins partidários, e não sendo mais Primeiro-Ministro, chamei-o ao telefone em Berlim para lhe dar um abraço. A voz vigorosa respondeu:

— Eu vou continuar lutando e vencerei.

Vi-o bem depois, em março de 2005, em um encontro de três dias em Turim, na Itália, patrocinado pelo World Political Forum, entidade ligada à Fundação Gorbachov, de que faço parte, intitulado "Vinte anos que mudaram o mundo: 1985-2005". No segundo dia, em tarde memorável, juntaram-se o próprio ex-Presidente da extinta União Soviética Mikhail Gorbachov, Kohl e o ex-Primeiro-Ministro italiano Giulio Andreotti para nos contarem como se deu o degelo Leste-Oeste em seguida à *perestroika* e à queda do Muro de Berlim. Ouviu-se a História vivida e contada.

Num salão belíssimo de um antigo edifício de Turim, assistiam pouco mais de cem personalidades. Muita gente que queria ver os líderes ficou de fora por falta de lugar. Antes de começar a sessão sentei-me ao lado de Andreotti, que, atento e ativo aos 88 anos, tomava notas num bloco. Fascinou-me tratarem, entre outros assuntos, de como se processava a comunicação entre governantes durante o período da guerra fria. Referiam-se não apenas a eles próprios, todos protagonistas do período — Andreotti em menor grau, devido à menor importância relativa da Itália em matéria de confrontação com o bloco soviético —, mas também a vários líderes que tiveram papel nesse processo, especialmente o Presidente americano Ronald Reagan e a Primeira-Ministra britânica Margaret Thatcher (1979-1990). Tudo durante a guerra fria era complicado, às vezes dificílimo, contaram. Falo ou não pelo telefone? O que devo dizer? Como serei recebido? Todos os detalhes eram interessantes. Veio-me a sensação de que tudo aquilo parecia ter acontecido ontem, e no entanto estavam ali, naquele auditório, personagens que fizeram História, sobretudo Gorbachov, senhor de todas as Rússias de 1985 até o fim da União Soviética, em 1991.

Conheci Gorbachov há muitos anos e estive várias vezes com ele. É um homem efusivo, cordialíssimo, vital. Acredita realmente na democracia. Minha admiração por ele inclui o fato de, ainda enquanto governante, ter sido um dos primeiros líderes mundiais, e com certeza o primeiro da ex-URSS, a dizer que o mundo mudou tanto que questões como o meio ambiente são causas da Humanidade inteira e ultrapassam classes sociais, convicções políticas e fronteiras nacionais. Isso é de um significado imenso para quem, como ele, e de alguma maneira também pessoas de minha geração em todo o mundo, teve desde sempre enraizados, por formação, conceitos como nação e classe. Em Turim, ao revê-lo nas circunstâncias que descrevo, parecia-me que no fundo estava assistindo ao início do mundo contemporâneo, em que a Alemanha de Kohl jogou papel crucial.

O sucessor de Kohl, o social-democrata Gerhard Schroeder (1998-2005), esteve mais de uma vez no Brasil, demonstrando que a aproximação política com a Alemanha continuara. Entre os muitos contatos que tivemos, um dia, em 2000, ele me telefonou pedindo que eu ajudasse a obter votos para o candidato que indicava à substituição de Camdessus no FMI. Tratava-se de seu vice-ministro da Economia, Caio Koch Weser, que nasceu no Brasil, aqui viveu algum tempo e é fluente em português. Acabou não sendo possível obter acordo entre os países ricos para o lançamento de Weser. Para seu lugar, os europeus indicaram o também alemão Horst Köhler, ex-presidente do Banco Europeu para a Reconstrução e o Desenvolvimento (e, posteriormente, Presidente da República Federal da Alemanha), para quem orientei alguns votos, sempre a pedido de

Schroeder. Resultado: eleito, a primeira visita do novo diretor-gerente do Fundo foi ao Brasil, para agradecer o apoio recebido. Não pude deixar de reagir ironicamente quando vi na imprensa os comentários habituais de críticos do governo segundo os quais ele vinha ao Brasil para "dar-nos ordens". O mundo mudou, o Brasil mudou, podemos jogar um jogo mais hábil a nosso favor, mas os clichês continuam os mesmos...

No esforço de reposicionar o Brasil e assegurar-nos maior credibilidade, visitei praticamente todos os países da Europa Ocidental, com especial destaque para a Itália, país onde estive várias vezes, sendo recebido pelos Presidentes Oscar Luigi Scalfaro (1992-1999) e Carlo Azeglio Ciampi, seu sucessor, e pelos Primeiros-Ministros Romano Prodi (1996-1998) e Massimo D'Alema (1998-2000). Todos eles retribuíram as visitas e nelas o tema sempre foi a aproximação entre o Mercosul e a União Européia e o revigoramento das relações comerciais, dos investimentos, das relações culturais e políticas com um país de cujos imigrantes descendem no Brasil mais de 25 milhões de pessoas, em termos absolutos a maior quantidade de *oriundi* em todo o mundo. Detalhe curioso: quando recebi da Universidade de Bolonha o título de doutor *honoris causa*, Prodi, Primeiro-Ministro e professor daquela universidade, que assistiu à solenidade, pediu carona no avião presidencial para voltar a Roma. Lição para todos nós: governante de um dos seis países mais ricos do mundo, não se fazia acompanhar por guarda-costas e não dispunha de meio de transporte aéreo.

Visitei ainda a Eslovênia, a Rússia, a Ucrânia e a Polônia. O Presidente da Eslovênia, Rudolf Shuster (1999-2004), havia escrito dois livros sobre o Brasil. Na década de 1920, seu pai estivera em expedição fotográfica explorando a Amazônia, percurso que o filho refez. Com o Presidente da Polônia, Alexander Kwasniewski (1995-2005), e sua mulher, Yolanta, passamos bons momentos em Varsóvia. No banquete que nos ofereceram levei minha neta Júlia, na época com doze anos, que pelo lado paterno descende de judeus poloneses. No dia seguinte, fomos visitar o Gueto de Varsóvia. Diante do monumento aos mortos na rebelião contra o nazismo, ela, o ministro Celso Lafer e eu nos preparamos para uma fotografia. Júlia me disse:

— Você não, vovô.

Apontou para o ministro, membro proeminente da comunidade judaica de São Paulo, e afirmou:

— Só nós dois somos judeus.

Isso é o Brasil. Júlia, para os judeus ortodoxos, nem é judia, pois sua mãe não o é. Ela assume sem dificuldade a condição cultural porque sente que isso nos aproxima de povos lutadores que sofreram discriminações. Mais tarde o Presidente da Polônia e esposa retribuíram a visita. Nossas relações comerciais aumentaram e a simpatia pessoal também. Não me esquecerei da observação que me fez quando, na abertura de um concerto de piano em Varsóvia, ao terminar nosso Hino Nacional, Kwasniewski, conhecedor e apreciador de hinos, me disse:

— Mas este não é apenas um hino, é uma ópera. Tem libreto?

Na vastidão do Kremlin, com Yeltsin e Putin

Seria cansativo e desnecessário entrar em mais detalhes. Para mostrar o tipo de relacionamento alcançado com alguns dirigentes mencionarei apenas visitas à Rússia, ao Reino Unido e à França. Estivera algumas vezes na Rússia, no passado, desde um congresso da Associação Internacional de Sociologia, em 1982. Em 1994, Presidente eleito, decidi em dezembro acompanhar Ruth para um evento da Unesco de que ela participaria. Era também uma ocasião para fugir um pouco do intenso cerco da mídia, a poucos dias de minha posse. Interessado em conhecer-me, o Presidente Boris Yeltsin (1991-1999) convidou-me a visitá-lo.

Antes do encontro, eu percorrera parte do Kremlin, que como se sabe é um conjunto gigantesco e heterogêneo, uma fortaleza que abriga igrejas e palácios. Entre maravilhas de arte e arquitetura guiou-me um parente algo distante, Serguei Zaremovitch Tchernov. Arqueólogo, ele trabalhava em escavações no local e era neto de um primo-irmão de minha mãe, Octávio Brandão Rego, comunista que se refugiou na União Soviética nos anos 1930, e depois voltou ao Brasil, deixando três filhas em Moscou.

Até reunir-me com Yeltsin eu nunca ingressara na parte funcional do Kremlin. Essa área, com salas grandes e móveis sem estilo, nada tinha de atraente. Mantivemos conversa longa e boa. Yeltsin se fez acompanhar por diplomatas que tratavam de questões da América Latina, e eu pelo embaixador Rego Barros. O interesse em uma aproximação política, mas sobretudo comercial, entre nossos países foi o tema principal do encontro.

Criticou-se muito Yeltsin e sua gestão. Pessoalmente, porém, aquele homem corpulento e efusivo, que falava muito, tinha forte presença e cativava. Impressionaram-me seu magnetismo e sua disposição de estreitar relações conosco. Para amenizar o início da conversa relatei experiência recente que tivera no Pantanal e, depois de convidá-lo a visitar ao Brasil, descrevi as maravilhas da vida selvagem. Curiosamente, quase um ano mais tarde, por ocasião do 50º aniversário da ONU, em Nova York, quando ele solicitou ver-me, o Presidente se lembrou perfeitamente de minha descrição do Pantanal. Havia grande expectativa na imprensa brasileira que cobria minha viagem: afinal, o que desejaria dizer o Presidente da Rússia, potência nuclear, ao Presidente brasileiro? Travamos, então, um diálogo espantoso:

— Como se chama seu Primeiro-Ministro? — perguntou-me o gigante russo, sempre incisivo.

Diante da resposta de que não tínhamos um *Premier* no Brasil, ele prosseguiu:

— Mas então quem trabalha lá? [Como procurando saber quem se ocupava das questões administrativas no governo.]

Para não responder que era eu próprio, mencionei que além de mim havia o Vice-Presidente.

— Como se chama?

Mencionei o nome de Marco Maciel, ao que Yeltsin repetiu duas ou três vezes, com o "c" e o "l" prolongados dos russos:

— *Macccielll? Maccciellll?* — como que enrolando a língua.

Depois, sem mais, me disse:

— Irei ao Brasil no próximo abril — e pediu a um assessor que tomasse nota da data (eu não havia mencionado nenhuma data).

E acrescentou:

— Vou levar umas vodcas para o Pantanal.

Pronunciou várias vezes, como que deliciado, e muito alegre, a palavra "pantanal", em português.

Respondi-lhe (já em tom de brincadeira) que deveríamos ter cuidado com isso, porque se bebêssemos muito correríamos o risco de cair na água e as piranhas nos devorariam. Abraçou-me, caloroso, na despedida. O difícil, ao final, foi tentar resumir para os jornalistas as conversações que tivemos sobre, imaginavam eles, a aproximação comercial Brasil-Rússia. O tema de fato foi abordado, mas, menos do que um sinal de abertura comercial, Yeltsin queria expressar o desejo de se aproximar do Brasil, país que por seu porte eventualmente pode servir de contrapeso a outras influências maiores nas Américas.

Essa mesma vontade era manifesta nos encontros que tive com o sucessor de Yeltsin, Vladimir Putin, em janeiro de 2002. Na ocasião, como hóspede oficial no Kremlin, pude sentir de perto os restos da autocracia. A segurança e a guarda do Palácio, comparadas às nossas, são de dar medo. Hospedei-me numa parte do Kremlin que não conhecia. Imensa, repleta de salões, salas e ante-salas, mas, como todo palácio antigo, pouco funcional e sem certos confortos da modernidade que, por exemplo, abundam na equivalente americana, a Blair House, em Washington. Encerrado o banquete com Putin — realizado, este sim, num esplêndido salão ovalado do século XIV, antecedido por belas ante-salas e repleto de candelabros belíssimos —, convidei os brasileiros que aproveitaram minha presença para também visitar a Rússia, que não eram poucos, a tomar um drinque em meus aposentos. Quando chegaram, uma surpresa: nada havia para servir. Funcionários russos, com muito boa vontade, acabaram improvisando alguns itens.

As conversas com o Presidente russo revelaram um homem fisicamente bem plantado, sólido, reservado, com olhar penetrante e um tanto glacial. Com ele, percebe-se estar diante de uma pessoa articulada e aguda, que sabe o que quer. Talvez por sua carreira de ex-agente da antiga polícia secreta do velho regime, a KGB, dá a impressão de ser um tanto fechado, formal. Mas foi simpático. Agia como se não falasse inglês e recorria a intérprete, embora em outras ocasiões tivesse usado o idioma comigo. Trata-se de recurso clássico, em certos encontros de chefes de Estado: com intérpretes, ganha-se tempo para refletir antes de falar.

Tratamos de vários temas das relações diplomáticas e comerciais entre nossos países e ele avançou alguns comentários interessantes sobre como via o momento político internacional.

Sobre suas observações, me ficou na memória que sua preocupação política se desdobrava em dois planos: a integridade territorial da Rússia e a atitude dos americanos, que ele não compreendia. Por que reabrir naquele momento o tema da "guerra nas estrelas", por exemplo? — indagava, referindo-se ao sistema antimísseis no espaço que os americanos discutem e pesquisam desde os anos 1980.

— Se só os dois [os EUA e a Rússia] podemos enfrentar esta guerra e nós, russos, não estamos nos preparando para ela, por que isso agora? — perguntou.

Em seguida reafirmou, a despeito dessas ressalvas, seu propósito de manter as melhores relações com os EUA, até porque não seria viável cuidar ao mesmo tempo da unidade interna e de adversidades externas. Não havia por que duvidar de sua sinceridade. O Presidente tinha diante de si o desafio colossal de reerguer um país que descera ao fundo do poço na gestão anterior, pós-comunismo, e ao mesmo tempo enfrentar movimentos separatistas em diferentes regiões do vastíssimo território russo, sem contar a instabilidade de vizinhos, como a Geórgia e algumas das repúblicas da Ásia Central. Nessas condições, as relações conosco não mereciam lugar excepcional na agenda russa, resumindo-se mais especificamente, como vem ocorrendo há vários anos, à ampliação do comércio — é cada vez maior a importância da Rússia em nossas exportações de carne bovina e suína, por exemplo.

Pelé abala a fleugma britânica e Blair se impressiona com o Brasil

Quanto à Grã-Bretanha, visitei várias vezes o país. Em uma das visitas, em dezembro de 1997, Ruth e eu nos hospedamos por três dias no Palácio de Buckingham, com as honras de estilo. Recebi doutoramentos *honoris causa* das universidades de Cambridge (onde lecionei em meados dos anos 1970 e em outras oportunidades) e Oxford, assim como da London School of Economics. Em outubro de 2001, passei um fim de semana com Ruth como hóspedes de Chérie e Tony Blair, em Chequers, casa de campo dos primeiros-ministros britânicos e local predileto de Churchill durante a Segunda Guerra Mundial. Com Ruth, eu estivera em viagem oficial a Madri — ocasião em que se formou o Clube de Madri, composto por ex-chefes de Estado e de governo com o objetivo de discutir a democracia e disseminá-la pelo mundo — e de lá tomamos um avião que nos conduziu à Base Aérea de Brize Norton, em Oxford, de onde seguimos de carro pelo belo campo inglês até Chequers, em Buckinghamshire. Chequers, um grande complexo com a típica coloração avermelhada das velhas e sólidas casas inglesas, talvez não seja bela, mas é imponente. Há um amplo *hall* de entrada, com as paredes cobertas de quadros de pintores britânicos importantes de diferentes épocas. A seguir, uma grande sala de jantar. O primeiro andar abriga uma estupenda biblioteca, comprida como se fosse uma galeria, de teto não muito alto, repleta de raridades em prateleiras com portas envidraçadas. O *hall* da biblioteca é uma espécie de sala de estar, muito agradável. Andares superiores comportam também os quartos, simples mas confortáveis.

Nessa oportunidade, Bill Clinton se juntou a nós para o jantar. Sentou-se à mesa conosco também a governanta que cuidava de Leo, o filho caçula do casal Blair, então com três anos de idade. Depois, fomos tomar um drinque na sala de estar da biblioteca. Assisti à empolgante conversa entre os dois líderes sobre o Oriente Médio, posto que o Primeiro-Ministro britânico visitaria nos dias seguintes a Palestina e Israel.

Clinton conhecia profundamente a situação, e lamentou ter chegado ao fim de seu governo, em janeiro daquele 2001, sem ter obtido a paz. Segundo disse, a paz havia estado "ao alcance da mão" durante as conversações que patrocinara no ano anterior entre o Primeiro-Ministro israelense Ehud Barak e o Presidente palestino Yasser Arafat. Sua familiaridade com o Oriente Médio chegava ao ponto de conhecer detalhes sobre o acesso dos povos da região à água, e a relação entre a questão e as dificuldades estratégicas. Blair, a despeito de estar no poder desde 1997 e ter vasta experiência em assuntos internacionais, me pareceu embevecido. Impressionou-me que Clinton desfiasse ao Primeiro-Ministro, nome por nome, as pessoas dos dois lados que lhe seria útil procurar.

No dia seguinte tomei café-da-manhã com Blair. Ele estava com atenções voltadas para a questão israelense-palestina, mas também se declarava preocupado com a existência de armas de destruição em massa no Iraque (que tropas americanas e britânicas invadiriam em março de 2003; as armas, como se sabe, não foram encontradas). Deixei com Blair o texto do discurso que faria dias depois, sólido aliado dos EUA, na Assembléia

Nacional da França. Blair fala francês, e provavelmente não terá gostado do texto, em que eu mencionava que um eventual ataque ao Iraque poderia ser fonte de terrorismo.

Por ocasião daquele fim de semana em Chequers, Blair já estivera, meses antes — em julho — no Brasil. Era a primeira viagem de um Primeiro-Ministro do Reino Unido à América Latina. Até então ele não tinha idéia do que realmente é nosso país. Insisti para que realizasse a visita, importante para as relações bilaterais, e Clinton reforçou, dizendo-lhe a mesma coisa. Percebi o quanto o impressionou o Brasil após visitar Brasília, São Paulo e, no Paraná, a hidrelétrica de Itaipu e as cataratas do Iguaçu, diante das quais ficou extasiado. Pareceu-me claro que seu interesse por nossos assuntos e problemas aumentou depois da visita. Durante meu governo, Blair manteve relação muito positiva com o Brasil.

Conseguimos nos relacionar não só respeitosamente com os líderes das grandes potências, mas fazê-lo com certa naturalidade. De todo modo, confesso que passar duas ou três noites no Palácio de Buckingham, como nos ocorreu em 1997, mexe com o imaginário. Não pelo palácio propriamente dito. Buckingham, também um museu, é grande, com pé-direito alto, forrado de quadros e tapetes, embora um tanto desajeitado. Mas impressiona, sem dúvida, embora seja gesto natural e decorrente do protocolo ver a Rainha, solícita, a mostrar-nos os aposentos em que ficaríamos hospedados, chamados "do Príncipe Albert", no térreo. Amplo salão, quarto de dormir e de vestir, banheiro, saguão, corredores e uma piscina grande, que serve a todo o palácio. Da mesma forma o que se deu no dia seguinte, quando o Príncipe Philip nos veio buscar para que o acompanhássemos ao andar de cima. Lá, Elizabeth II nos apresentou um por um a mais de uma dezena de seus parentes e, em seguida, saímos em cortejo, antecipados por dois gentis-homens que não podiam dar-nos as costas e que entravam solenemente no enorme salão de banquetes, à passagem do qual as cerca de duzentas pessoas que lá estavam faziam as mesuras de praxe a Sua Majestade.

O salão de banquetes tinha um mezanino ao fundo onde ficava uma orquestra. À mesa (com serviço de *vermeil*), circundado pela soberana e pela Rainha-mãe, também Elizabeth, vendo em outra mesa o então jovem e recém-eleito Tony Blair, ouvi a Rainha — toda engalanada com as famosas águas-marinhas que Assis Chateaubriand lhe dera quando embaixador do Brasil em Londres, e que de tão numerosas serviam de adorno para o colar, as pulseiras, os brincos e até mesmo a tiara — tecer loas ao Brasil que renascera. Respondi-lhe mais sobriamente, meio desajeitado na casaca alugada, cuidando para que a condecoração real que atravessava meu peito em faixa vermelha não despencasse sobre o texto que eu lia. Tudo isso, no entanto, embora formal, se desfez no ar pela graça da Rainha-mãe.

Como presente oficial, eu lhe oferecera um pássaro de pedras brasileiras e bico prateado — esses discutíveis presentes que nossa avareza de meios impõe como se de preciosidades se tratassem. E ela se entusiasmou com o nome que atribuí ao pássaro. Perguntado sobre como se chamava, respondi de pronto, do fundo de minha ignorância:

— Jaburu, madame.

Ela repetia com delícia, trocando o *u* por *a*, o nome daquele pássaro imaginário.

Marcou-me também naquele jantar a acuidade da Rainha Elizabeth a me contar suas recordações de primeiros-ministros com quem lidara, de Churchill (1940-1945 e 1951-1955) a Blair, passando por Margaret Thatcher. A respeito de Thatcher, ela emitiu um comentário surpreendente para quem imagina a Rainha mantendo absoluta contenção sobre temas políticos: a Primeira-Ministra (que governou por onze anos), opinou, talvez tenha permanecido tempo demais no cargo...

Contraponto necessário: uma determinada manhã eu deveria visitar um clube de futebol. Para fazer-me companhia chegou a Buckingham meu ministro de Esporte, Pelé. Aí, sim, houve alvoroço. Se é de bom-tom apresentar os principais serviçais a hóspedes ilustres, no caso de Pelé não houve nada disso: momentaneamente abandonada a fleugma britânica, houve corrida desabalada de todos quantos por lá estavam, dos *royals* aos empregados da cozinha, dos mordomos às damas de companhia. Todos queriam um autógrafo ou uma foto com o "Rei" *urbi et orbi*. Disse-lhe, brincando:

— Pelé, enquanto eu for Presidente você nunca mais viajará comigo, sob pena de eu virar parte humilde do cortejo de Vossa Majestade universal...

A criatividade do povo é o fundamento da grandeza

Por fim, uma palavra sobre a França. As relações com o Presidente Chirac nunca deixaram de ser muito positivas, produto de nossos vários encontros. Com ele estive inclusive na Guiana Francesa, oficialmente uma extensão do território francês. Lá, lembramos que a maior fronteira da França é com o Brasil: os 700 quilômetros ao longo dos quais o Amapá se encontra com a Guiana. Nossos governos discordam em pontos importantes sobre o protecionismo agrícola. As convergências, no entanto, são muito mais numerosas. Isso ocorreu tanto entre 1997 e 2002, quando o Primeiro-Ministro era Lionel Jospin (com quem voltei a me encontrar em Florença, no âmbito da Terceira Via, mais de vinte anos depois de um jantar em minha casa em São Paulo, sendo na ocasião Jospin dirigente do Partido Socialista e eu senador), como em fases em que as cores políticas eram menos avermelhadas. Os interesses entre países saltam diferenças partidárias. Meu trato com ambos, Chirac e Jospin, permitiu, quando necessário, que, ademais dos contatos pessoais nas visitas oficiais mútuas, nunca hesitássemos em usar o telefone para resolver dúvidas ou pedir ajuda. Isso aconteceu, por exemplo, em 1996, quando o leilão de privatização da Light, empresa distribuidora de eletricidade do Rio de Janeiro, chegava à beira do fracasso por falta de compradores (consideravam o preço alto demais e não queríamos vendê-la pelo menor lance — de igual modo como procedemos para valorizar a venda das teles) e insisti com Chirac para que os franceses participassem. Mas inegavelmente, do ponto de vista simbólico, o momento culminante no relacionamento com a França durante minha Presidência foi o convite que recebi da Assembléia Nacional para, a 30 de outubro de 2001, dirigir-me aos deputados. Lá estavam presentes, com Jospin, dois ou três ex-primeiros-ministros e muitos parlamentares. Pronunciei discurso duro contra o protecionismo e apelando à paz por causa dos acontecimentos posteriores ao 11 de setembro nos EUA. Discurso que, se repercutiu bem na França, desagradou a setores do governo americano.

Não se pense que a presença brasileira crescente se faz só pela diplomacia e pelos laços econômicos. Fiquei impressionado pela acolhida que a Assembléia francesa me dispensou, mas igualmente pela presença de Ronaldinho Gaúcho entre os convidados para o coquetel posterior ao discurso. À sua chegada — não pude deixar de me lembrar de Pelé em Buckingham —, cessaram de cantar as antigas musas. Deu-se um esbaforido corre-corre entre políticos franceses e convidados para tirar fotografias — não comigo, obviamente, mas com nosso craque que, chegado então há apenas alguns meses na França para atuar na equipe do Paris Saint Germain, já era ídolo, sem mencionar que já arranhava um francês digno de respeito. E isso que acontece com Ronaldinho Gaúcho, com Pelé e com os grandes craques, como Ronaldo, repete-se com nossos músicos e artistas. A força de um país não se limita à de suas armas, de sua economia ou de seu talento diplomático. A criatividade de seu povo é o fundamento da verdadeira grandeza.

Palavras finais

Escrevi este livro nos últimos dois anos e meio, esparsamente. Comecei-o em Providence, no estado de Rhode Island, nos EUA, onde fica a Universidade de Brown, na qual trabalho durante parte do outono americano. No mais das vezes, trabalhei em minha casa em São Paulo, entre uma e outra atividade, uma e outra viagem, para cumprir minhas obrigações nacionais e internacionais. Pude dar-lhe impulso maior nos três meses que passei, no começo de 2004, no Krueger Center da Biblioteca do Congresso, em Washington, e o retomei tanto em 2004 como em 2005 no Watson Institute for International Relations de Brown. Reli-o nas últimas semanas de dezembro de 2005 e nas primeiras de 2006. Escrevo estas palavras finais entre uma palestra em Oxford, a Olof Palme Lecture, e uma reunião em Genebra, na qual estamos discutindo o futuro da Conferência das Nações Unidas sobre Comércio e Desenvolvimento (UNCTAD), organização criada na ONU sob a inspiração do economista argentino Raúl Prebisch — que foi seu primeiro diretor-geral — para que os países "do Sul" pudessem se organizar para fazer frente aos "do Norte", entrincheirados no Acordo Geral sobre Tarifas e Comérico (GATT) e mais tarde na OMC.

Confesso que ao relê-lo senti uma certa decepção. Decepção que não advém da insuficiência das descrições e análises que fiz para resumir o esforço despendido com afinco para melhorar o Brasil, nem de imaginar que nada mudou. Valeu o esforço. Por outro lado, as condições atribuladas nas quais trabalho, se não justificam, explicam as insuficiências mencionadas. O que me decepciona é ver o tempo que custou para o país obter os resultados que alcançamos, tão longe ainda do necessário. Por mais que tivéssemos feito, por mais que o Brasil tenha mudado, o mundo não parou e, olhando em volta, fica-se sem saber o grau de avanço relativo.

Nos anos 1970 e 1980 perdemos a corrida com os "Tigres Asiáticos". Dizíamos que eles eram meras plataformas de exportação e nós dispúnhamos de um enorme mercado interno, confundindo população com capacidade de compra. E agora, perderemos novamente na comparação com a

Índia e a China? Fosse só a perda de posição no *ranking* do poder ou do crescimento da economia, e eu não sentiria tanta ansiedade. Mas o que se perdem são chances de mais gente ascender à escola, ter melhor atendimento na saúde, obter mais e melhores empregos e ter maior capacidade para tomar decisões verdadeiramente livres, porque com mais opções.

Essa sensação de ficar para trás, prejudicando tanta gente, deixando que os bolsões de pobreza material e espiritual sufoquem os avanços conseguidos, provoca em mim, depois da decepção, indignação. Dava para ter liberado mais depressa o país das amarras de um passado que, se teve seus momentos de brilho, hoje funciona como lanterna na popa. Pior, mantendo a pretensão de ser o farol do futuro. O futuro depende de melhor organização da sociedade e do governo, de mais criatividade, mais e melhor educação, mais ciência e tecnologia, menos privilégios, mais competição apoiada no mérito, mais avaliação, mais coragem para mudar. E, sejamos claros, mais decência na vida pública, mais Justiça, menos corrupção e mais segurança para as pessoas.

Como é possível falar em alargamento da cidadania sem tudo isso? E, por acaso, para falar em democracia basta o direito de votar, mesmo que não haja proximidade entre eleitor e representante, nem cobrança pelo eleitor da conduta dos representantes que os penalizem, afastando-os nas eleições subseqüentes?

A indignação vem de olhar o passado recente e ver que os personagens hoje no poder (pessoas, partidos, forças sociais) resistiram a toda inovação para melhorar o Brasil e agora alardeiam como feito próprio o que brotou das raízes que tanto fizeram para impedir que vingassem. Quanto tempo perdido pela cegueira ideológica, pela falta de humildade para aprender a manejar as políticas públicas e para entender a sociedade. Confesso candidamente minha decepção. Depois de haver construído uma transição de governo que abriu espaço para uma convergência em benefício do país, colhemos novamente dos que se arrogavam ser a expressão máxima das virtudes públicas e portadores do futuro a pecha de "adversários", quando não de "inimigos". Diante da enormidade do esforço feito pela sociedade e por meu governo para ajustar o país aos novos tempos, esforço que, mesmo capengando, teve continuidade no governo que me sucedeu, não teria sido possível e mais construtivo ter-se aberto um diálogo nacional, em vez de colher apoios no balcão da indignidade com pagamento à vista?

Não adianta chorar sobre o leite derramado. Que pelo menos o travo da desilusão — que não é só minha, é de gregos e troianos — não impeça desenhar um cenário melhor para o futuro. Se até agora não soubemos juntar mais forças para estarmos à altura dos desafios que o país precisa enfrentar (eu, embora tenha tentado, aqui e ali, ultrapassar a barreira tradicional entre governo e oposição, não me empenhei com a obstinação e a humildade necessárias, e minha voz não ultrapassou a zoeira dos arautos do passado), olhemos para frente com mais disposição de fazê-lo.

Não nos enganemos, o desafio não será apenas o de consolidar as transformações, por assim dizer, materiais da sociedade e do povo. Para consolidá-las sabemos que falta deslindar a armadilha dos juros altos, da dívida interna que cresce a golpes de esbanjamento de recursos públicos com despesas correntes e descontrole na Previdência; será preciso aumentar a poupança doméstica e atrair mais investimentos interno e externo para expandir a riqueza e o mercado de trabalho. O país clama por mais igualdade e melhor distribuição da renda, com elevação do piso do ganho dos mais pobres, processo que não se constrói no curto prazo e requer uma sofisticada combinação de políticas que se mantenham no tempo.

Porém, é preciso mais do que isso: a alma do país está acabrunhada. Vaga sobre as construções materiais e institucionais sem acreditar em um destino comum que aproveite a todos.

Convém voltar às palavras de Weber: a política requer perspectiva e paixão. Não basta cantar os louros do progresso material, das exportações, das migalhas em que se transformaram as iniciativas de promoção social. É preciso muito mais para renovar as esperanças. Não que eu descreia de um povo que é capaz de renovar sua cultura, suas artes, seus esportes e assim é capaz de se refazer. Nem, portanto, que o pessimismo me abata. Não; mas a crença, a paixão por reconstruir, por abrir novos caminhos, deverá vir acompanhada por uma perspectiva realista à qual as pessoas possam se agarrar porque acreditam e porque vêem no caminho a ser percorrido os benefícios que podem colher.

Os motores já instalados na economia são poderosos. A capacidade técnico-intelectual das universidades, centros de pesquisa, organizações empresariais (na indústria, nos serviços e no agronegócio) e até mesmo em agências públicas permite a adaptação progressiva do país à ordem global. Como mostrei neste livro, fortalecemos as instituições e há liberdade. Formou-se uma opinião pública mais livre e as pessoas, cada vez mais, se informam, buscam decidir por conta própria e lutam por melhorar suas vidas. A mobilidade social e geográfica continua caracterizando o país. Contudo, a velocidade do processo é insatisfatória. Persistem níveis de pobreza e de falta de acesso à cultura (não é só o analfabetismo funcional que forma uma barreira; também o *gap* tecnológico é fatal nas sociedades da informação). É para superar esses obstáculos que precisamos criar uma nova coalizão, que tenha abrangência não apenas política, mas sociocultural e que junte os que crêem ser possível convergir para alcançar objetivos comuns. E saibam como lográ-los.

O primeiro objetivo para restabelecer a confiança nas pessoas é a diminuição da distância real e emocional entre quem manda e quem obedece. É preciso reconstituir os fios de legitimidade do poder. Nada mais alheio ao realismo do que propor uma vasta e única reforma política salvadora. Talvez essa seja a área que mais requer uma mudança incremental. Quem sabe um "curto-circuito", como eu caracterizei as mudanças das pequenas coisas que produzem resultados em cadeia trazendo grandes conseqüências, ou, como modernamente se chama, uma reforma que toque nos *tipping points*, rompendo os pontos de equilíbrio. Por exemplo, estabelecendo o voto distrital misto para as eleições dos vereadores nas cidades com mais de 200 mil eleitores. Provada valiosa a experiência, ela se estenderia às eleições dos deputados.

Senão, alguma experiência com a utilização de uma lista fechada de candidatos, ordenada pelo partido, elegendo-se de forma progressiva o número de candidatos correspondente proporcionalmente aos votos dados à legenda e não a cada candidato individualmente, dando-se aos eleitores, talvez, a possibilidade de mudar a ordem estabelecida pela direção do partido. Em qualquer caso, é indispensável complementar essas inovações com medidas que reduzam o custo das campanhas, como as já aventadas, de não permitir a produção marqueteira dos programas de TV nem o uso de brindes eleitorais. Nada disso "salva" por si a democracia nem a decência, processo que depende mais de valores morais do que de regras eleitorais. Mas diminui no eleitor — o que hoje é indispensável — o sentimento de que, ocorra o que ocorrer, o escândalo que for, nada mudará nem ninguém será punido e que entre ele e o representante não há liame de responsabilidade recíproca.

O outro aliciente da descrença nacional é o sentimento de impunidade. Tanto se fala em reforma do Judiciário e tão pouco se faz para alterar os códigos de processo para dar mais facilidade de acesso à Justiça, torná-la menos custosa e mais rápida. Há, sem dúvida, experiências bem-sucedidas, como os juizados de pequenas causas, a informatização de certas varas judiciais, os esforços de tribunais e juízes para uma mais rápida e eficiente prestação jurisdicional. Os entraves legais, entretanto, os *loopholes*, as liminares jamais julgadas e a boa e cara advocacia podem postergar quase indefinidamente as decisões. Sem que se removam esses obstáculos, como pode o cidadão comum acreditar na Justiça? Pelo contrário, achará, com razão, que a impunidade é a mãe dos ricos e poderosos.

E em que Justiça pode crer o homem da rua, se nem na polícia, que é prévia àquela, ele pode confiar? Estamos como avestruzes, não querendo ver o que todos vemos: a droga, a corrupção e a violência estão de mãos dadas e algumas dessas mãos recebem, além do butim advindo do crime, o cheque do dinheiro público. A segurança das pessoas, principalmente do pobre que não dispõe de recursos para pagar segurança privada (esta tantas vezes acumpliciada com o crime) tornou-se questão prioritária. Questão de direito humano fundamental, o direito à vida.

Tampouco nessa matéria há grandes soluções salvadoras. Mas é preciso começar por enfrentar a descoordenação das polícias — as militares com as civis, as múltiplas agências burocráticas em que essas se dividem — e dos vários níveis da administração, pois constitucionalmente a segurança pública depende de cada governo estadual e não do federal, enquanto o combate às drogas e a guarda das fronteiras ao plano federal (Polícia Federal e repartições aduaneiras). A comunicação entre elas é precária, faltam guardas municipais nas cidades e a cada momento se imagina que as Forças Armadas deveriam se ocupar do crime organizado, principalmente do narcotráfico. E morrem no nascedouro inovações mais adequadas, como a criação de uma Guarda Nacional militarizada, federal, que pudesse combater com mais eficácia o crime organizado quando este, pela via da corrupção e da violência, desmoraliza a autoridade do Estado e cria "zonas livres" nas favelas, nas periferias das grandes cidades ou mesmo em zonas fronteiriças.

Mas quem ainda tem a santa ingenuidade de imaginar que é possível combater o crime organizado e a disseminação do uso de drogas aos golpes de repressão? Sem muita informação, serviços adequados de inteligência que se comuniquem, sem controle da lavagem de dinheiro e, sobretudo, sem mobilização social que os previna e ajude a combater, o crime e a droga são imbatíveis porque organizados em redes mais eficientes do que as de que o Estado dispõe. Quando a isso se soma a indulgência de segmentos da sociedade e da vida política com o crime e a droga, esses se tornam quase inexpugnáveis. Essa é matéria típica de reconstrução moral do país, que requer a cooperação de quase todos e precisa ser tratada acima das lutas partidárias.

Chegamos ao ponto nevrálgico. Uma nação se forma com valores. Sendo democrática, com uma multiplicidade de valores, podendo mesmo haver conflitos entre eles, desde que não atinjam o fundamental estatuído na Constituição. Qualquer projeto de reconstrução social, econômica ou moral independe da idéia autoritária e antiga de "projeto nacional" nascido na cabeça de intelectuais aninhados em algum aparato de poder. Ele deve nascer da livre cooperação, do debate, com ou sem consenso, que se estabeleça a cada momento no entrechoque de opiniões e interesses da própria sociedade. Nesta estão incluídos naturalmente o Estado e as organizações econômicas, bem como as famílias, os interesses regionais, os das associações voluntárias, leigas ou religiosas, profissionais, políticas etc. O sentimento nacional nas sociedades mais tradicionais depende da ação das famílias, das religiões e do Estado. Nas mais dinâmicas, plurais e democráticas, além desses agentes de manutenção e transformação da ordem social, as empresas, os partidos e a "opinião pública" jogam papel decisivo. A escola fornece o molde cultural básico, sobre o qual as outras organizações e instituições atuam para refundir as crenças e as práticas. Daí a importância, nas democracias, do sistema público de ensino, complementado, mas não substituído, pela escola privada laica ou confessional. Em geral a busca de caminhos novos se faz procurando, o quanto possível, desenvolver laços com o patrimônio histórico-moral da nação e a escola é o cadinho dessa fusão.

Em nosso caso, a família vem perdendo a capacidade de ser a unidade fundamental de formação e manutenção de modelos culturais. A mobilidade social e geográfica, somada à condição de pobreza de muitas famílias, à tendência da família a ser unipolar (geralmente chefiada pela mãe) e ao fato de os laços estáveis entre os casais durarem em média relativamente pouco tempo, diminuem a capacidade dessa instituição para servir de base da coesão social. A inevitável inversão de influência entre as gerações, pois é mais fácil a absorção das técnicas modernas de adaptação às mudanças e de estilos de vida pelos mais moços, torna a família tradicional um agente menos ativo na manutenção e difusão dos valores.

A própria religião vem perdendo a capacidade de socializar seus seguidores de forma mais ampla. A religião predominante, a católica, há muito tempo restringiu seu papel na educação. Seus segmentos mais dinâmicos passaram, é verdade, a ter importante função na ampliação da consciência social e mesmo na organização do protesto popular. Mas a Igreja como um todo perdeu força como agência propulsora de um modelo de vida de alcance nacional. As religiões reformadas, sobretudo as pentecostais, guardam, é certo, importante papel socializador, principalmente junto às camadas mais pobres e menos integradas à sociedade. Dão a seus crentes acesso a setores sociais, localizados muitas vezes em estratos mais altos da hierarquia social. Funcionam segmentadamente como fator de coesão e de integração social, mas também sem perspectiva nacional.

Quando se olha para a dinâmica da sociedade brasileira com perspectiva realista, é fácil perceber que o dia-a-dia das pessoas encontra no trabalho, e mais significativamente no trabalho organizado na empresa ou no Estado, o molde que orienta o uso do tempo, forma a disciplina, dá a expectativa de melhoria (ou não) de vida, define as formas de conduta aceitáveis, os modelos culturais e sociais. A esses agentes de socialização se soma a influência difusa, mas importante, da mídia, e, mais especificamente, a da TV. Quase toda informação que chega às massas populares vem dos boletins informativos. As telenovelas, de outro lado, têm enorme poder de disseminação de modelos de comportamento e mesmo de suscitar a discussão de temas importantes e controversos.

Dessa forma, na medida em que a instituição escolar se desorganiza, o país fica cada vez mais à mercê da capacidade de o mercado e o Estado gerarem modelos de conduta. Convenhamos que para a formação de uma sociedade democrática isso não só é insuficiente como chega a ser perigoso. Qual o cimento, por assim dizer, que nos unirá como nação? Em que moldes se formará, abusando de expressão antiquada, nossa alma popular? Ela só aparecerá quando nos unirmos na torcida pelos campeonatos mundiais de futebol (e ainda bem)? Ou prezamos e estamos dispostos a reforçar outras formas mais complexas e democráticas de manter a coesão nacional?

Não teria sentido esperar que no mundo atual os moldes das antigas comunidades sirvam de base para as comunidades nacionais complexas. O estar fisicamente juntos, a relação face a face dada pelas circunstâncias do nascimento em um mesmo lugar e de falar-se a mesma língua não são fatores suficientes nas sociedades contemporâneas para definir o sentimento de pertencimento à nação. As forças desagregadoras da sociedade tradicional mencionadas anteriormente atuam com presteza e quando não se criam formas novas de coesão, a anomia de segmentos sociais amplos é quase inevitável. Há um elemento de volição, de deliberação, e mesmo de cognição na definição do que significa ser membro da mesma associação nacional. É preciso querer estar junto culturalmente, e não apenas, como no passado, viver de fato uma situação de proximidade, até porque as redes de interação mediadas pela comunicação eletrônica fornecem outros meios para o "estar junto" moderno.

A escola é a agência fundamental para que a renovação das formas de socialização transcorra democraticamente. Só a escola pública, de acesso universal, não dogmática nem confessional, pode complementar a família, a religião, o partido, a empresa e o Estado, evitando que o particularismo da visão de cada uma dessas agências absorva todas as dimensões da vida. E a escola como instituição está em crise, com dificuldades para gerar modelos de conduta. No reencontro de perspectivas a que me refiro é fundamental dar prioridade máxima à educação em todos os seus níveis. Prioridade para o ensino fundamental, valorizando socialmente o professor ou a professora, pois sem a melhor qualificação do corpo docente e sem melhores salários não haverá reforma que se enraíze. Prioridade, sobretudo, ao conteúdo do ensino para melhor capacitar o cidadão e a pessoa na busca de aperfeiçoamento profissional e humano. É preciso voltar à concepção da escola como base da socialização democrática, como *locus* de privilégio para o aprendizado das opções culturais e não como máquina de inculcar moldes únicos nos alunos.

Os economistas já cansaram de repetir que a melhoria da renda depende do grau de escolaridade e, portanto, que pobreza também se combate com mais escola e não só com mais empregos. E já sabemos que a sociedade do futuro será a sociedade da inovação e do conhecimento, e que, portanto, a modernização da escola profissional e a reformulação da universidade são fundamentais para o desenvolvimento do país como uma sociedade contemporânea. Não teremos acaso a capacidade de convergir no objetivo de reestruturar as instituições educacionais brasileiras, dando-lhes condições para cumprir seu papel no prazo, digamos, de vinte anos?

Bastam as referências feitas neste epílogo aos poucos temas a que aludi para justificar a necessidade de uma convergência de propósitos que nos permita sair da letargia em que nos encontramos em áreas tão sensíveis às pessoas e tão fundamentais para avançarmos mais depressa na busca de uma sociedade melhor.

Uma palavra final para enlaçar com o capítulo inicial deste livro. Caminhadas novas requerem líderes. Líderes democráticos e inovadores são líderes morais, que podem ser também políticos. Não são heróis nem super-homens, e muito menos santos. São pessoas capazes de apontar caminhos e dar exemplos. Sem ir muito longe na História: Ulysses Guimarães foi um desses líderes na luta pela democratização. Teotônio Vilela, quando entrou à força em uma prisão para pregar a anistia, não fez outra coisa. O cardeal Paulo Evaristo Arns, quando teve a coragem de falar contra a tortura, mostrou um caminho da luta pelos direitos humanos. Antes deles, os que deram suas vidas na tortura por causas nas quais acreditaram, sem que eu as endosse ou julgue, são outros tantos exemplos. Dom Helder Câmara, que fora integralista, soube converter-se à causa dos pobres e da justiça social, e outra coisa não fez Betinho ao proclamar a prioridade para o tema da fome. Mesmo Lula, antes de se envolver nas paixões partidárias e de se perder nos escaninhos entre o poder e suas facilidades, mostrou como os trabalhadores podiam resistir ao regime autoritário.

Se houve no passado recente quem empunhasse as bandeiras da reforma, da democracia e do progresso, não faltará quem possa olhar para a frente e levar adiante as transformações necessárias para restabelecer a confiança em nós mesmos e no futuro desse grande país. São meus votos.

ÍNDICE

Este livro foi composto nas tipologias Minion e Myriad,
e impresso em papel off-white 80g/m²
no Sistema Cameron da Divisão Gráfica da Distribuidora Record.